Noah Gordon wurde 1926 in Worcester, Massachusetts, geboren. Nach dem Abschluß des Studiums der Zeitungswissenschaft und der englischen Sprache wandte er sich dem Journalismus zu. Während seiner Tätigkeit als wissenschaftlicher Redakteur beim Bostoner *Herald* veröffentlichte er eine Reihe von Artikeln und Erzählungen in führenden amerikanischen Blättern. Sein erster Roman »Der Rabbi« verhalf ihm zu einem spontanen Durchbruch. Von seinen weiteren Romanen erschienen »Die Klinik« und »Der Medicus« in deutscher Sprache. Noah Gordon hat drei erwachsene Kinder und lebt mit seiner Frau Lorraine auf einer Farm in den Berkshire Hills im westlichen Massachusetts. Sein vierter Roman »Der Schamane« erschien im Frühjahr 1992 und eroberte auf Anhieb die deutschen Bestsellerlisten.

W9-BNQ-968

Von Noah Gordon sind außerdem erschienen:

Der Rabbi (Band 1546)
Die Klinik (Band 1568)

Vollständige Taschenbuchausgabe April 1990
Droemersche Verlagsanstalt Th. Knaur Nachf., München
© 1987 Droemersche Verlagsanstalt Th. Knaur Nachf., München
Das Werk einschließlich aller seiner Teile ist urheberrechtlich geschützt.
Jede Verwertung außerhalb der engen Grenzen des Urheberrechts-
gesetzes ist ohne Zustimmung des Verlages unzulässig und strafbar.
Das gilt insbesondere für Vervielfältigungen, Übersetzungen,
Mikroverfilmungen und die Einspeicherung und Verarbeitung
in elektronischen Systemen.
Titel der Originalausgabe »The Physician«
© 1986 Noah Gordon
Originalverlag Simon and Schuster, New York
Umschlaggestaltung Adolf Bachmann
Umschlagillustration Wendell Minor
Druck und Bindung Ebner Ulm
Printed in Germany   26   25   24   23
ISBN 3-426-02955-3

Noah Gordon

Der Medicus

Roman

Aus dem Amerikanischen von
Willy Thaler

In Liebe
Nina gewidmet,
die mir Lorraine geschenkt hat

Liebe Marlies!

Ich hab' Dich sehr, sehr
lieb und möchte, daß
Du vernünftiger mit
Deinem Leben umgehst !!!

In Liebe,
Deine Claudia

Fürchte Gott und halte seine Gebote;
denn das gehört allen Menschen zu.

Der Prediger Salomo 12.13

Ich danke dir dafür,
daß ich wunderbar gemacht bin.

Der Psalter 139.14

Was die Toten betrifft,
Gott wird sie wieder erwecken.

Koran S. 6.36

Die Starken bedürfen des Arztes nicht,
sondern die Kranken.

Matthäus 9.12

Erster Teil

Der Gehilfe des Baders

Der Teufel in London

Es waren Robs letzte, ruhige Augenblicke seliger Unwissenheit, doch in seiner Einfalt empfand er es als unbillig, daß er mit seinen Brüdern und seiner Schwester zu Hause bleiben mußte. Es war Frühlingsbeginn, und die Sonne stand so tief, daß ihre wärmenden Strahlen unter das vorstehende Strohdach drangen. Rob rekelte sich auf dem unebenen, steinernen Vorplatz neben der Haustür und genoß die Behaglichkeit. Eine Frau bahnte sich vorsichtig einen Weg auf der mit Löchern übersäten Carpenter's Street. Die Straße war genauso reparaturbedürftig wie die meisten kleinen Arbeiterhäuser, die sie säumten. Handwerker, die ihren Lebensunterhalt damit verdienten, daß sie für Reichere und vom Glück Begünstigtere solide Häuser bauten, hatten sie ohne jede Sorgfalt gebaut.

Rob enthülste seinen Korb Früherbsen und behielt dabei die jüngeren Geschwister im Auge, für die er verantwortlich war, wenn Mam außer Haus war. Der sechsjährige William Stewart und die vierjährige Anne Mary wühlten neben dem Haus im Schmutz und kicherten beim Spielen. Der achtzehn Monate alte Jonathan Carter lag auf einem Lammfell und schmatzte, rülpste und gluckste zufrieden. Der siebenjährige Samuel Edward war Rob entwischt. Irgendwie gelang es dem schlauen Samuel immer, sich aus dem Staub zu machen, statt bei der Arbeit zu helfen, und Rob hielt verärgert nach ihm Ausschau.

Dann bemerkte er die Frau, die auf ihn zukam. Stäbchen in ihrem schmutzigen Mieder drückten ihren Busen hoch, so daß man manchmal, wenn sie sich bewegte, eine rotgeschminkte Brustwarze sehen konnte. Ihr fleischiges Gesicht war grell geschminkt. Rob war erst neun Jahre alt, aber als Londoner Kind erkannte er eine Dirne sofort.

»Du da! Ist das Nathanael Coles Haus?«

Er sah sie abweisend an, denn es war nicht das erste Mal, daß eine Hure an ihre Tür klopfte und seinen Vater suchte. »Wer will das wissen?« fragte er grob. Er war froh, daß sein Pa fort war, um Arbeit zu suchen, so daß sie ihn verpaßte, froh auch, daß seine Ma ihre Stickarbeit ablieferte und ihr damit die peinliche Begegnung erspart blieb.

»Seine Frau braucht ihn. Sie hat mich geschickt.«

»Was meinst du mit ›sie braucht ihn‹?« Die geschickten jungen Hände hörten auf, Erbsen zu enthülsen.

Die Dirne sah ihn kühl an, denn sie hatte an seinem Ton und Verhalten seine Ablehnung erkannt. »Ist's deine Mutter?«

Er nickte.

»Sie hat starke Wehen. Sie liegt in Egglestans Stall beim Puddle Dock. Am besten, du suchst deinen Vater und sagst es ihm.« Die Frau machte sich wieder auf den Weg.

Der Junge sah sich verzweifelt um. »Samuel!« schrie er, aber der verdammte Samuel war wie gewöhnlich weiß Gott wo. Rob holte William und Anne Mary vom Dreckbuddeln weg. »Gib auf die Kleinen acht, Willum«, trug er ihm auf. Dann verließ er das Haus und fing an zu laufen.

Wenn man dem Geschwätz der Leute glauben wollte, dann war das Jahr des Herrn 1021, in dem Agnes Cole zum achtenmal schwanger war, das Jahr des Satans. Verhängnisvolle Ereignisse und Naturkatastrophen kennzeichneten es. Schon im Vorherbst war die Ernte auf den Feldern von bitteren Frösten vernichtet worden, die sogar die Flüsse zum Gefrieren brachten. Es fielen so viele Niederschläge wie nie zuvor, und als das Tauwetter einsetzte, führte die Themse Hochwasser, das Brücken und Häuser wegriß. Sternschnuppen fielen, deren Licht über gepeitschten Winterwolken flackerte, und ein Komet erschien am Himmel.

Agnes hatte ihrem älteren Sohn gesagt, er solle dem Gerede keine Beachtung schenken. Wenn er jedoch etwas Ungewöhnliches sehe oder höre, hatte sie besorgt hinzugefügt, müsse er ein Kreuz schlagen. In diesem Jahr haderten die Menschen mit Gott, denn die Mißernte hatte schlimme Folgen gehabt. Nathanael war seit über vier Monaten ohne Verdienst und lebte von den schönen Stickarbeiten, die seine geschickte Frau herstellte.

Als sie frisch verheiratet waren, sind sie und Nathanael vor Liebe krank gewesen, und sie hatten sehr zuversichtlich in die Zukunft geblickt; sein Plan war, als selbständiger Baumeister reich zu werden.

Er hatte sechs Jahre als Zimmermannslehrling und doppelt so lange als Geselle gearbeitet. Er hätte längst Anwärter zum Zimmermannsmeister sein können, was die Voraussetzung war, um selbständig zu werden. Aber um den Meister zu schaffen, brauchte man Energie und Zeiten des Wohlstands, er dagegen war zu niedergeschlagen, um es zu versuchen.

Ihr Leben kreiste weiterhin um die Handwerksgilde, doch nun ließ sie sogar die Londoner Zimmermannszunft im Stich, denn Nathanael meldete sich jeden Morgen im Zunfthaus, wo er nur erfuhr, daß es keine Arbeit gab. Wie viele andere entmutigte Männer suchte er Zuflucht bei einem Gebräu, das sie Pigment nannten: Einer der Zimmerleute steuerte Honig bei, ein anderer brachte ein paar Gewürze, und die Zunft hatte immer einen Krug Wein zur Verfügung.

Trotz Nathanaels schlechter Seiten konnte ihn Agnes nicht meiden, dazu liebte sie die fleischlichen Wonnen zu sehr. Ihr Bauch war daher immer dick. Er machte ihr gleich wieder ein Kind, sobald eines geboren war, und immer, wenn der Zeitpunkt der Geburt näherkam, blieb er von zu Hause fort. Ihr Leben entsprach fast wörtlich den düsteren Prophezeiungen, die ihr Vater ausgesprochen hatte, als sie Rob bereits unter dem Herzen trug und den jungen Zimmermann heiratete, der nach Watford gekommen war, um ihrem Nachbarn eine Scheune zu bauen. Ihr Vater hatte ihre Schulbildung dafür verantwortlich gemacht, weil er meinte, daß Bildung einer Frau nur lüsternen Unsinn in den Kopf setzte.

Er besaß ein kleines Anwesen, das ihm Aethelred von Wessex als Anerkennung für seinen militärischen Einsatz übereignet hatte. Er war der erste in der Familie Kemp gewesen, der Freisasse wurde. Walter Kemp hatte seine Tochter zur Schule geschickt in der Hoffnung, daß sie daraufhin einen Gutsbesitzer heiraten würde, denn für einen Eigentümer eines großen Gutes war es nützlich, eine Vertrauensperson zu haben, die lesen und rechnen konnte, und warum sollte dies nicht die eigene Ehefrau sein? Es hatte Kemp verbittert, als sie eine niedrige, liederliche Liebschaft unter ihrem Stand einging. Der arme Mann hatte sie jedoch nicht einmal enterben können: Als er starb, fiel sein kleiner Besitz wegen außenstehender Abgaben an die Krone zurück.

Aber sein Ehrgeiz hatte ihr Leben bestimmt. Die fünf glücklichsten Jahre, an die sie sich erinnern konnte, waren diejenigen, da sie als Kind die Klosterschule besuchen durfte. Die Nonnen hatten ihr Lesen und Schreiben beigebracht und eine oberflächliche Kenntnis der lateinischen Sprache, in der der Katechismus abgefaßt war. Sie hatten sie gelehrt, wie man Kleider zuschnitt und einen unsichtbaren Saum nähte und wie man Goldstickereien anfertigt, die so elegant waren, daß sie in Frankreich, wo sie »englische Stickerei« genannt wurden, sehr begehrt waren.

Der »Unsinn«, den sie von den Nonnen gelernt hatte, hielt jetzt ihre Familie am Leben.

An diesem Morgen hatte sie noch überlegt, ob sie die Stickarbeit wirklich abliefern sollte. Ihre Niederkunft stand kurz bevor, und sie fühlte sich schwer und unförmig. Aber die Lebensmittelvorräte waren aufgebraucht. Sie mußte auf den Billingsgate-Markt gehen, um Mehl und Fleisch zu kaufen, dafür brauchte sie aber das Geld, das ihr der Exporteur bezahlen würde, der in Southwark wohnte, auf der anderen Seite des Flusses. Sie ging langsam mit ihrem kleinen Bündel die Thames Street zur London Bridge hinunter. Wie gewöhnlich wimmelte die Thames Street vor Packtieren und Schauerleuten, die Waren zwischen den höhlenartigen Lagerhäusern und dem Wald von Schiffmasten an den Kais hin und her beförderten. Der Lärm erfrischte sie belebend wie Regen ausgedörrten Boden. Trotz aller Schwierigkeiten war sie Nathanael dafür dankbar, daß er sie von Watford und dem Anwesen ihres Vaters weggeholt hatte.

Sie liebte diese Stadt so sehr.

Sie ging an zerlumpten Unfreien vorbei, die Eisenbarren zu vor Anker liegenden Schiffen schleppten. Hunde bellten die unglücklichen Männer an, die sich unter ihren schweren Lasten abmühten, so daß Schweißperlen auf ihren kahlgeschorenen Köpfen glänzten. Sie atmete den Knoblauchgestank ungewaschenen Körper ein und den metallischen Geruch der Eisenbarren, dann einen angenehmen Duft, der von einem Karren kam, auf dem ein Mann Fleischpasteten feilbot. Das Wasser lief ihr im Mund zusammen, aber sie hatte nur ein Geldstück in der Tasche und hungrige Kinder daheim. »Pasteten, verführerisch wie die Sünde«, pries der Verkäufer. »Heiß und gut!«

Die Docks dufteten nach sonnenwarmem Fichtenharz und geteerten Tauen. Sie preßte eine Hand auf den Bauch, als sie spürte, wie sich ihr Kind in dem Ozean zwischen ihren Hüften bewegte. An der Ecke sang eine Gruppe von Seeleuten mit Blumen an den Mützen fröhliche Lieder, zu denen drei Musikanten auf einer Querpfeife, einer Trommel und einer Harfe spielten. Während sie an ihnen vorbeiging, bemerkte sie einen Mann. Er lehnte an einem merkwürdig aussehenden Wagen, auf den die Zeichen des Tierkreises aufgemalt waren. Er mochte an die vierzig Jahre alt sein, und die Haare begannen ihm auszugehen, die wie sein Bart rötlich waren. Seine Züge waren sympathisch, und er hätte besser ausgesehen als Nathanael, wenn er nicht so dick gewesen wäre. Sein Gesicht war wettergegerbt, und sein Bauch stand genauso weit vor wie der ihre. Doch war seine Korpulenz nicht abstoßend; im Gegenteil, sie wirkte entwaffnend und anziehend und verriet, daß hier ein freundlicher, geselliger Geist den Freuden des Lebens zu sehr zugetan war. Seine blauen Augen glänzten und blitzten und paßten zu dem Lächeln auf seinen Lippen.

»Hübsche Dame, wollt Ihr mein Liebchen sein?« fragte er.

Überrascht sah sie sich um, um festzustellen, mit wem er sprach, aber außer ihr war niemand in der Nähe.

»Wir sind füreinander geschaffen. Ich würde für Euch sterben, meine Dame«, rief er ihr begeistert nach.

»Nicht nötig. Christus hat es schon getan, Sir«, entgegnete sie, hob den Kopf, straffte die Schultern und ging weiter. Dabei wiegte sie sich verführerisch in den Hüften, schob ihren beinahe unglaublichen, vom Kind ausgefüllten Bauch vor sich her und stimmte in sein Gelächter ein.

Sie lächelte noch, als in der Nähe des Puddle Dock die Wehen einsetzten. »Barmherzige Mutter!« flüsterte sie.

Der Schmerz setzte wieder ein, begann in ihrem Bauch, griff jedoch auf den ganzen Körper und ihre Sinne über, so daß sie sich nicht mehr auf den Beinen halten konnte. Als sie auf das Kopfsteinpflaster sank, platzte die Fruchtblase.

Sofort sammelte sich eine Menge von neugierigen Londonern, und ein Wald von Beinen schloß sie ein. Durch einen Nebel von Schmerzen nahm sie einen Kreis von Gesichtern wahr, die auf sie herunterschauten.

Agnes stöhnte.

»Hört mal, ihr erbärmlichen Scheißkerle«, brummte ein Rollkutscher. »Laßt ihr Platz zum Atmen. Und laßt uns unser tägliches Brot verdienen. Bringt sie von der Straße weg, damit unsere Wagen vorbei können.«

Man trug sie an einen Ort, wo es dunkel und kühl war und stark nach Dung roch. Dabei machte sich jemand mit ihrem Bündel Stickereien davon. Weiter hinten in der Dunkelheit bewegten sich schwankend große Gestalten. Ein Huf schlug hallend an ein Brett, gefolgt von lautem Wiehern.

»Was soll das? Ihr könnt sie nicht hierher bringen«, wehrte sich eine mürrische Stimme. Es war ein aufgeregter, kleiner Mann mit rundem Bauch und lückenhaften Zähnen, und als sie seine Stallknechtstiefel und die Mütze sah, erkannte sie Geoff Egglestan und wußte, daß sie in seinem Stall lag. Vor mehr als einem Jahr hatte Nathanael hier einige Boxen neu gebaut, und sie wollte diese Tatsache nützen.

»Master Egglestan«, keuchte sie leise. »Ich bin Agnes Cole, die Frau des Zimmermanns, den Ihr gut kennt.«

Sein Gesicht verriet, daß er sie widerwillig erkannte und ihm klar wurde, daß er sie nicht hinauswerfen konnte.

Die Leute drängten sich neugierig hinter ihm.

Agnes rang nach Atem. »Bitte, würde jemand so freundlich sein und meinen Mann holen?« fragte sie.

»Ich kann von meiner Arbeit nicht weg«, murmelte Egglestan. »Das muß jemand anderer besorgen.«

Niemand rührte sich.

Sie steckte die Hand in die Tasche und fand das Geldstück. »Bitte«, wiederholte sie und hielt es in die Höhe.

»Ich werde meine Christenpflicht tun«, meldete sich sofort eine Frau, offenbar eine Prostituierte. Ihre Finger schlossen sich wie eine Klaue um die Münze.

Der Schmerz war unerträglich. Diesmal war es ein anderer, neuer Schmerz. Sie war an dicht aufeinanderfolgende Wehen gewöhnt; nach den ersten beiden Schwangerschaften waren die Geburten etwas schwierig gewesen, aber im Lauf der Zeit hatte sich der Muttermund gedehnt. Sie hatte vor und nach Anne Mary Fehlgeburten gehabt, aber sowohl Jonathan als auch das Mädchen hatten nach dem Platzen der Fruchtblase ihren Körper mühelos verlassen wie kleine, zwischen zwei Fingern herausgedrückte Samen. Bei fünf Geburten hatte sie nichts Derartiges erlebt.

Liebe Agnes, betete sie in dumpfem Schweigen. Liebe Agnes, der du den Lämmern hilfst, hilf auch mir!

Sie betete immer, wenn sie Wehen hatte, zu ihrer Namensheiligen, doch diesmal war die ganze Welt ein unablässiger Schmerz, und das Kind steckte in ihr wie ein großer Pfropfen.

Schließlich erregten ihre rauhen Schreie die Aufmerksamkeit einer vorbeigehenden Hebamme, eines alten Weibes, das ziemlich betrunken war und die Gaffer fluchend aus dem Stall jagte. Als sie wieder zurückkam, betrachtete sie Agnes angewidert. »Die verdammten Männer haben dich in der Scheiße abgesetzt«, murmelte sie. Sie wußte keinen anderen Platz, an den sie Agnes hätte bringen können. Sie schob ihr die Röcke bis zur Taille hinauf und schnitt die Unterwäsche weg; dann fegte sie auf dem Boden vor der offenen Vulva den strohigen Dung mit den Händen beiseite, die sie an ihrer schmutzigen Schürze abwischte.

Aus ihrer Tasche zog sie ein Glas mit Schweinefett, das schon vom Blut und den Säften anderer Frauen dunkel gefärbt war. Sie nahm etwas von dem ranzigen Fett heraus und bewegte die Hände wie beim Waschen, bis sie eingeschmiert waren. Dann schob sie zuerst zwei Finger, dann drei, dann die ganze Hand in die erweiterte Öffnung der pressenden Frau, die jetzt wie ein Tier heulte.

»Es wird dir noch doppelt so weh tun, Frau«, sagte die Hebamme nach einigen Augenblicken und schmierte ihre Arme bis zu den Ellbogen ein. »Der kleine Kerl könnte sich selbst in die Zehen beißen, wenn er wollte. Er kommt mit dem Arsch voran heraus.«

Eine Zunftfamilie

Rob wollte zuerst zum Puddle Dock laufen. Dann wurde ihm aber klar, daß er seinen Vater finden mußte, und er rannte zum Zunfthaus der Zimmerleute, was für jedes Kind eines Mitglieds bei Schwierigkeiten verständlich war.

Die Londoner Zunft der Zimmerleute war am Ende der Carpenter's Street in einem alten Gebäude aus mit Lehm beworfenem Flechtwerk untergebracht, einem Fachwerk aus Pfosten, die mit Weidenruten und

-zweigen verflochten und dick mit Mörtel bedeckt waren, der alle paar Jahre erneuert werden mußte. In dem geräumigen Haus saßen ein Dutzend Männer in Lederwämsen und mit den Werkzeuggürteln ihres Handwerks auf den rohen Stühlen, welche die fürs Haus zuständigen Mitglieder hergestellt hatten. Rob erkannte Nachbarn und Mitglieder der Zehnschaft seines Vaters, sah aber Nathanael nicht.

Die Zunft war für die Londoner Holzarbeiter alles: Büro, Krankenhaus, Beerdigungsinstitut, gesellschaftliches Zentrum, Wohlfahrtsorganisation in den Zeiten der Arbeitslosigkeit, Schiedsrichter, Stellenvermittlung und Verdingungshalle, politischer Rückhalt und moralische Stütze. Es handelte sich um eine straff organisierte Gesellschaft, die aus vier Gruppen von Zimmerleuten bestand, die Hundertschaften genannt wurden. Jede Hundertschaft bestand aus zehn Zehnschaften, die gesondert und in vertrautem Kreis zusammenkamen, und erst wenn eine Zehnschaft ein Mitglied durch Tod, dauernde Erkrankung oder Abwanderung verlor, wurde ein neues Mitglied als Zimmermannslehrling in die Zunft aufgenommen, für gewöhnlich gemäß einer Warteliste mit den Namen von Söhnen der Mitglieder. Das Wort des Zunftmeisters besaß genausoviel Gewicht wie das eines Fürsten, und zu dieser angesehenen Person, Richard Bukerel, rannte Rob jetzt.

Bukerel ging gebückt, als laste die Verantwortung bildlich auf seinen Schultern. Alles an ihm war dunkel. Sein Haar war schwarz, seine Augen hatten die Farbe von gealterter Eichenrinde; seine engen Hosen, der Kittel und der Wams waren aus grobem Wollstoff, den man gefärbt hatte, indem man ihn mit Walnußschalen kochte, und seine Haut hatte die Farbe von gebeiztem Leder, das die Sonne bei tausend Hausbauten gegerbt hatte. Er bewegte sich, dachte und sprach bedächtig und hörte Rob aufmerksam zu.

»Nathanael ist nicht hier, mein Junge.«

»Wißt Ihr, wo man ihn finden kann, Master Bukerel?«

Bukerel zögerte. »Entschuldige mich, bitte«, sagte er endlich und ging zu einigen Männern, die in der Nähe beisammensaßen.

Rob verstand nur gelegentlich ein Wort oder einen geflüsterten Satz.

»Bei diesem Weibsstück ist er?« murmelte Bukerel.

Einen Augenblick später kam der Zunftmeister zurück. »Wir wissen, wo wir deinen Vater finden können«, erklärte er. »Lauf zu deiner

Mutter, mein Junge! Wir werden Nathanael holen und gleich nachkommen.«

Rob stammelte seinen Dank hervor und rannte davon.

Er blieb nicht einmal stehen, um Luft zu holen. Er wich Lastfuhrwerken und Betrunkenen aus und rannte durch dichtes Menschengewühl zum Puddle Dock. Auf halbem Weg erblickte er seinen Feind, Anthony Tite, mit dem er im letzten Jahr dreimal erbittert gekämpft hatte.

Halt mich jetzt nicht auf, du glotzäugiger Fisch! dachte Rob beherrscht. Versuch es nur, Scheiß-Tony, und ich mach dich wirklich fertig – wie ich es einmal mit meinem niederträchtigen Pa tun werde. Er geriet außer Atem und hatte Seitenstechen, als er Egglestans Stall erreichte, wo er sah, wie eine ihm unbekannte alte Frau ein Neugeborenes wickelte.

Im Stall roch es nach Pferdemist und dem Blut seiner Mutter. Sie lag auf dem Boden, ihre Augen waren geschlossen, und ihr Gesicht war bleich. Es erstaunte ihn, wie klein sie war.

»Ma?«

»Du bist der Sohn?«

Er nickte, seine magere Brust hob und senkte sich.

Die alte Frau räusperte sich und spuckte auf den Boden. »Laß sie in Ruhe!« sagte sie.

Als sein Pa eintraf, hatte er für Rob kaum einen Blick übrig. In einem mit Stroh gepolsterten Leiterwagen, den sich Bukerel von einem Baumeister geliehen hatte, brachten sie Ma zusammen mit dem Neugeborenen nach Hause. Es war ein Junge, der auf den Namen Roger Kemp Cole getauft werden sollte.

Ma hat immer, wenn sie ein Kind zur Welt gebracht hatte, das Neugeborene den anderen Kindern übermütig und stolz gezeigt. Jetzt starrte sie nur zum Strohdach empor.

Schließlich holte Nathanael die Witwe Hargreaves vom Nachbarhaus. »Sie kann nicht einmal das Kind stillen«, sagte er zu ihr.

»Vielleicht wird es sich geben«, meinte Della Hargreaves. Sie kannte eine Amme und brachte den Kleinen zu Robs großer Erleichterung zu ihr. Er hatte alle Hände voll zu tun, weil er sich um die übrigen vier Geschwister kümmern mußte. Jonathan Carter war schon aufs

Töpfchen gegangen, hatte dies aber, weil ihm die Betreuung durch seine Mutter fehlte, wieder verlernt.

Sein Pa blieb zu Hause. Rob sprach kaum mit ihm und ging ihm aus dem Weg. Der Unterricht, den die Mutter jeden Morgen abgehalten hatte, fehlte Rob, denn Ma hatte ihn als ein fröhliches Spiel dargeboten. Er kannte niemanden, der so voller Wärme, herzlichem Übermut und Geduld mit jemandem war, der sich alles nur langsam merkte.

Rob befahl Samuel, Willum und Anne Mary außerhalb des Hauses zu beschäftigen. Am Abend weinte dann Anne Mary und wollte ihr Schlummerlied hören. Rob drückte sie an sich und nannte sie seine Maid Anne Mary, was sie am liebsten hörte. Schließlich erzählte er ihr von weichen, süßen Kaninchen und flaumigen Vögeln im Nest und war froh, daß Anthony Tite nicht dabei war. Seine Schwester hatte rundere Wangen und zartere Haut als ihre Mutter, obwohl Ma immer behauptete, daß Mary den Kemps wie aus dem Gesicht geschnitten sei, sogar wenn ihr Mund sich im Schlaf entspanne.

Ma sah am zweiten Tag besser aus, aber sein Vater meinte, die Farbe auf ihren Wangen komme vom Fieber. Sie zitterte, und sie breiteten zusätzliche Decken über sie.

Als Rob ihr am dritten Morgen Wasser zu trinken gab, erschrak er über die Hitze, die von ihrem Gesicht ausging. Sie streichelte seine Hand. »Mein Rob«, flüsterte sie, »ein richtiger Mann.« Ihr Atem roch übel und ging sehr schnell.

Als er ihre Hand ergriff, ging etwas von ihrem Körper in ihn über. Es war eine Art Gewißheit: Er wußte genau, was mit ihr geschehen würde. Er konnte nicht weinen. Er konnte nicht aufschreien. Die Haare in seinem Nacken sträubten sich, und er empfand tiefes Entsetzen. Er hätte damit nicht fertig werden können, selbst wenn er erwachsen gewesen wäre, und dabei war er noch ein Kind.

In seinem Entsetzen drückte er Mas Hand zu fest, was ihr Schmerzen bereitete. Sein Vater sah es und gab ihm eine Kopfnuß.

Als er am nächsten Morgen aufstand, war seine Mutter tot.

Nathanael Cole weinte, was seine Kinder, die die Tatsache, daß Ma für immer von ihnen gegangen war, noch nicht begriffen hatten, in Angst versetzte. Sie hatten ihren Vater noch nie weinen sehen, und sie drängten sich mit blassen Gesichtern furchtsam zusammen.

Die Zunft sorgte für alles.

Zuerst kamen die Frauen. Keine war Agnes' vertraute Freundin gewesen, denn ihre Schulbildung hätte sie verdächtig gemacht. Doch jetzt verziehen ihr die Frauen ihre Überlegenheit und bahrten sie auf. Von da an haßte Rob den Geruch von Rosmarin. Wenn die Zeiten besser gewesen wären, hätten sich die Männer erst am Abend nach der Arbeit eingefunden, aber viele waren arbeitslos und kamen deshalb früh. Hugh Tite, Anthonys Vater, der ihm vollkommen glich, kam als Vertreter der Sarg-Knocker, eines ständigen Ausschusses, der die Särge für die Begräbnisse von Mitgliedern zimmerte.

Er klopfte Nathanael auf die Schulter. »Ich hab' genügend harte Kieferbretter auf der Seite, die bei der Bardwell-Taverne voriges Jahr übriggeblieben sind. Du erinnerst dich doch an das schöne Holz? Wir werden ihr Ehre widerfahren lassen.« Dann wandten sich beide den Getränken zu.

Die Zunft hatte ausreichend Vorsorge getroffen, denn ein Begräbnis war die einzige Gelegenheit, bei der Trunkenheit und Gefräßigkeit geduldet wurden. Außer Apfelwein und Starkbier gab es süßes Bier und ein Getränk namens Slip, für das man Honig, mit Wasser vermischt, sechs Wochen gären ließ. Dann gab es den Freund und Trost der Zimmerleute: Pigment, den nach Maulbeeren schmeckenden Wein, der Morat hieß, und einen gewürzten Met, der Metheglin genannt wurde. Ferner brachte man Unmengen gebratener Wachteln und Rebhühner, viele gebackene und gebratene Gerichte von Hasen und anderem Wild, Räucherheringe, frisch gefangene Forellen und Schollen sowie Laibe von Gerstenbrot.

Die Zunft beschloß eine Spende von zwei Pence für Almosen im Namen von Agnes Coles seligem Andenken und stellte Sargträger zur Verfügung, welche die Prozession zur Kirche anführten, dazu Totengräber, die das Grab ausschaufelten. In der St.-Botolphs-Kirche las ein Priester namens Kempton geistesabwesend die Messe und empfahl Ma Jesus. Die Angehörigen der Zunft rezitierten zwei Psalmodien für ihre Seele. Vor einer kleinen Eibe wurde sie im Kirchhof bestattet.

Als sie ins Haus zurückkehrten, hatten die Frauen das Totenmahl zubereitet, und die Leute aßen und tranken stundenlang; der Tod einer Nachbarin erlöste sie von ihrer kärglichen Kost. Die Witwe

Hargreaves saß bei den Kindern, stopfte sie mit Leckerbissen voll und machte viel Aufhebens davon. Sie drückte sie an ihre schweren, duftenden Brüste, während sie sich wanden und litten. Als William übel wurde, führte ihn Rob hinter das Haus und hielt ihm den Kopf, solange er würgte und erbrach.

Rob begriff, was der Tod bedeutete, wartete aber dennoch ständig darauf, daß Ma nach Hause komme. Er wäre gar nicht so schrecklich überrascht gewesen, wenn sie die Tür geöffnet hätte und mit Lebensmitteln vom Markt oder Geld vom Exporteur in Southwark hereingekommen wäre.

Geschichtsstunde, Rob.
Welche drei germanischen Stämme sind während des fünften und sechsten Jahrhunderts n. Chr. in England eingefallen?
Die Angeln, die Jüten und die Sachsen, Ma.
Woher sind sie gekommen, mein Liebling?
Aus Germanien und Dänemark. Sie haben die Briten an der Ostküste besiegt und die Königreiche Northumbria, Mercia und Ost-Anglia gegründet.
Wodurch wird mein Sohn so klug?
Durch seine kluge Mutter.
Da hast du einen Kuß von deiner klugen Mutter. Und noch einen, weil du einen klugen Vater hast. Du darfst deinen klugen Vater nie vergessen...

Zu Robs großer Überraschung blieb sein Vater zu Hause. Nathanael schien mit den Kindern sprechen zu wollen, brachte es aber nicht fertig. Er verbrachte den Großteil seiner Zeit damit, das Strohdach zu erneuern. Ein paar Wochen nach dem Begräbnis, während die Betäubung langsam nachließ und Rob allmählich begriff, wie anders sein Leben verlaufen würde, bekam sein Vater endlich Arbeit.

Der Lehm am Flußufer von London war braun und tief, ein weicher, zäher Schlamm, in dem Teredines genannte Schiffsbohrwürmer leben. Diese Pfahlwürmer hatten das Holz der Uferbefestigung übel zugerichtet, sich jahrhundertelang hineingebohrt und die Kais durchlöchert, so daß einige ersetzt werden mußten. Die Arbeit war schwer, ganz anders als das Errichten von schönen Häusern, aber angesichts der Schwierigkeiten nahm Nathanael sie gern an.

Die Verantwortung für das Haus fiel Rob zu, obwohl er ein schlechter Koch war. Della Hargreaves brachte oft Lebensmittel oder kochte eine Mahlzeit, meist, wenn Nathanael zu Hause war. Dann achtete sie auch darauf, gut zu duften und zu den Kindern freundlich und aufmerksam zu sein. Jonathan Carter und Anne Mary weinten ständig. William Stewart hatte keinen Appetit mehr, ein schmales Gesicht und große Augen, und Samuel Edward war frecher denn je und brachte Schimpfworte nach Hause, die er Rob mit solchem Vergnügen an den Kopf warf, daß der Ältere sich nicht anders zu helfen wußte, als ihn zu verprügeln.

Er versuchte, immer das zu tun, was er glaubte, das Ma getan hätte. Am Morgen, nachdem das Kleine seinen Brei bekommen hatte und die anderen Gerstenbrot gegessen und etwas getrunken hatten, säuberte er den Herd unter dem runden Rauchloch, durch das, wenn es regnete, Tropfen zischend ins Feuer fielen. Er trug die Asche hinter das Haus und kehrte dann die Böden. Er staubte die wenigen Möbel in allen drei Räumen ab. Dreimal in der Woche kaufte er in Billingsgate die Lebensmittel ein, die Ma bei ihrem einzigen wöchentlichen Marktbesuch nach Hause gebracht hatte. Viele Ladenbesitzer kannten ihn. Manche überreichten ihm für die Familie Cole zusammen mit ihren Beileidsbezeugungen ein kleines Geschenk, als er das erste Mal allein kam: ein paar Äpfel, ein Stück Käse, einen halben gepökelten Dorsch. Aber nach ein paar Wochen kehrte der Alltag ein, und er feilschte mit ihnen wilder als Ma, damit sie nicht auf den Gedanken kamen, ein Kind zu übervorteilen.

Dieses Jahr hatte Ma Samuel zur Schule schicken wollen. Sie hatte sich gegen Nathanael durchgesetzt und ihn dazu überredet, daß Rob bei den Mönchen von St. Botolph Unterricht nahm. Er war zwei Jahre lang täglich in die Klosterschule gegangen, bis er zu Hause bleiben mußte, damit sie genügend Zeit fand zu sticken. Jetzt würde keiner von ihnen zur Schule gehen, denn sein Vater konnte weder lesen noch schreiben und fand, daß die Lernerei Zeitvergeudung war. Doch Rob fehlte die Schule sehr.

Eines Abends lobte ihn sein Vater, weil er so tüchtig war. »Du warst immer sehr reif für deine Jahre«, stellte Nathanael fast mißbilligend fest. Sie sahen einander befangen an, da sie sich sonst nichts zu sagen hatten. Wenn Nathanael seine freie Zeit mit Huren verbrachte, wollte

Rob nichts davon wissen. Er haßte seinen Vater immer noch bei dem Gedanken daran, wie es Ma ergangen war, doch er wußte, daß Nathanael sich auf eine Weise abschuftete, die sie bewundert hätte.

Seine Schwester und die Brüder hätte er bereitwillig der Witwe überlassen, und er beobachtete Della Hargreaves' Kommen und Gehen erwartungsvoll, denn die Anzüglichkeiten und Witze der Nachbarn hatten ihm verraten, daß sie seine Stiefmutter werden könnte. Sie war kinderlos, und ihr Mann war ein Zimmermann gewesen, den vor fünfzehn Monaten ein herabfallender Balken getötet hatte. Wenn eine Frau starb und kleine Kinder hinterließ, war es üblich, daß der Witwer bald wieder heiratete, und so wunderte sich niemand, als Nathanael begann, sich allein mit Della in ihrem Haus aufzuhalten. Aber solche Zwischenspiele waren begrenzt, weil Nathanael für gewöhnlich zu müde war. Er arbeitete in Nässe und Kälte, wenn sie während der Ebbe große Pfähle für Wälle tief in das Flußbett rammten. Wie die übrigen seiner Arbeitsgruppe zog er sich einen rauhen, trockenen Husten zu und kam immer völlig erschöpft nach Hause. Aus der Tiefe des kalten Themseschlamms förderten sie Fundstücke der Geschichte ans Tageslicht: eine römische Ledersandale mit langen Knöchelriemen, einen zerbrochenen Speer, Scherben von Tongefäßen. Einmal brachte er einen bearbeiteten Feuersteinsplitter für Rob nach Hause; die Pfeilspitze war scharf wie ein Messer und in sechs Meter Tiefe gefunden worden.

»Ist sie römisch?« fragte Rob eifrig.

Sein Vater hob die Schultern. »Vielleicht sächsisch.«

Aber über den Ursprung der Münze, die ein paar Tage später gefunden wurde, gab es keinen Zweifel. Als Rob Asche befeuchtete und die Münze damit lange rieb, erschienen auf einer Seite der geschwärzten Scheibe die Worte PRIMA COHORS BRITANNIAE LONDONII. Sein Kirchenlatein reichte zum Entziffern kaum aus. »Vielleicht bezieht sich das auf die erste Kohorte, die in London stationiert war«, meinte er. Auf der anderen Seite befanden sich ein berittener Römer und die drei Buchstaben IOX.

»Was bedeutet IOX?« fragte sein Vater.

Er wußte es nicht. Ma hätte es sicher gewußt, aber er kannte sonst niemanden, den er hätte fragen können, und so legte er die Münze beiseite.

Sie hatten sich so sehr an Nathanaels Husten gewöhnt, daß sie ihn nicht mehr hörten. Als Rob eines Morgens den Herd reinigte, entstand vor dem Haus Unruhe. Nachdem er die Tür geöffnet hatte, sah er Harmon Whitelock aus der Arbeitsgruppe seines Vaters und zwei Unfreie, die er von den Schauerleuten requiriert hatte, um Nathanael nach Hause tragen zu lassen.

Die unfreien Knechte flößten Rob Entsetzen ein. Es gab verschiedene Möglichkeiten, durch die ein Mann seine Freiheit verlieren konnte: Ein Kriegsgefangener wurde der *servus* eines Kriegers, der ihm das Leben hätte nehmen können, ihn aber verschont hatte; freie Männer konnten wegen schwerer Verbrechen zur Knechtschaft verurteilt werden; ebenso Schuldner oder Leute, die außerstande waren, eine große Geldstrafe zu bezahlen. Frau und Kinder eines Mannes kamen mit ihm in die Knechtschaft, und ebenso künftige Generationen seiner Familie. Die Unfreien vor der Tür waren große, muskulöse Männer mit rasierten Köpfen, die sie äußerlich kennzeichneten, und zerlumpter Kleidung, die entsetzlich stank. Rob wußte nicht, ob sie gefangene Ausländer oder Engländer waren, denn sie sprachen kein Wort, sondern starrten ihn nur gleichmütig an. Nathanael war nicht klein, aber sie trugen ihn, als würde er nichts wiegen. Die Unfreien jagten Rob noch mehr Angst ein als die fahle Blässe im Gesicht seines Vaters oder die Art, wie Nathanaels Kopf kraftlos herabhing, als sie ihn hinlegten.

»Was ist geschehen?«

Whitelock zuckte mit den Achseln. »Es ist ein Jammer. Die Hälfte von uns leidet daran, hustet und spuckt die ganze Zeit. Heute war er so schwach, daß er zusammenbrach, als die schwere Arbeit begann. Nach ein paar Tagen Ruhe wird er schon wieder auf dem Damm sein.«

Am nächsten Morgen war Nathanael nicht imstande, das Bett zu verlassen; seine Stimme war nur ein heiseres Krächzen. Frau Hargreaves brachte heißen Tee mit Honig und blieb bei ihm. Sie sprachen leise und vertraulich miteinander, und ein- oder zweimal lachte die Frau. Doch als sie am nächsten Morgen kam, hatte Nathanael hohes Fieber, er konnte weder scherzen noch schmeicheln, und sie ging bald wieder. Seine Zunge und Kehle wurden grellrot, und er verlangte immer wieder zu trinken.

In der Nacht fieberte er, und einmal schrie er, daß die stinkenden Dänen in ihren Schiffen mit dem hohen Bug die Themse heraufsegelten. Seine Brust füllte sich mit zähem Schleim, den er nicht loswerden konnte, und das Atmen fiel ihm immer schwerer. Als der Morgen kam, eilte Rob ins Nachbarhaus, um die Witwe zu holen, doch Della Hargreaves weigerte sich herüberzukommen. »Ich halte es für Soor. Das ist ansteckend«, wehrte sie ab und schloß die Tür.

Da Rob sonst niemanden hatte, an den er sich wenden konnte, ging er wieder zum Zunfthaus. Richard Bukerel hörte ihm ernst zu, dann begleitete er ihn nach Hause, setzte sich für einige Zeit ans Fußende von Nathanaels Bett, bemerkte sein gerötetes Gesicht und hörte das Röcheln, wenn er atmete. Er wußte, was mit dieser Familie geschehen würde, wenn auch noch der Vater starb. Also eilte er davon und verwendete Geld der Zunft, um Thomas Ferraton, einen Medicus, zu holen.

An diesem Abend bekam Bukerel die scharfe Zunge seiner Frau zu spüren. »Einen Medicus? Gehört Nathanael Cole plötzlich zum Land- oder gar zum Hochadel? Wenn ein gewöhnlicher Bader, der seine Arzneien selbst zubereitet, gut genug ist, um jeden Armen in London zu behandeln, warum braucht Nathanael Cole einen Arzt, der uns teuer zu stehen kommt?«

Bukerel konnte nur eine Entschuldigung murmeln, denn sie hatte recht. Nur Adelige und reiche Kaufleute leisteten sich die teuren Dienste eines Medicus. Gewöhnliche Menschen wandten sich an einen Bader, und manchmal zahlte ein Arbeiter einem Barbier einen halben Penny für einen Aderlaß oder eine fragwürdige Behandlung. Bukerel hielt alle Heiler für verdammte Blutsauger, die mehr Schaden anrichteten als Gutes stifteten. Aber er wollte Cole jede nur mögliche Hilfe angedeihen lassen, und so hatte er in einem schwachen Augenblick den teuren Arzt geholt, dem er die schwerverdienten Beiträge ehrlicher Zimmerleute in den Rachen warf.

Der in eine reiche Familie hineingeborene Ferraton – sein Vater war der Wollhändler Johann Ferraton gewesen – war bei einem Medicus namens Paul Willibald in die Lehre gegangen, dessen wohlhabende Familie feine Klingen erzeugte und verkaufte. Willibald hatte reiche Leute behandelt, und Ferraton hatte nach seiner Lehrzeit diese Praxis übernommen. Adelige Patienten waren zwar für den Sohn eines Kaufmanns unerreichbar, aber er fühlte sich den Wohlhabenden zugehörig; er teilte ihre Ansichten und Interessen. Er behandelte niemals wissentlich einen Patienten, der nur Arbeiter war, hatte vielmehr angenommen, daß Bukerel der Bote einer bedeutenden Persönlichkeit war. In Nathanael Cole erkannte er sofort einen seiner nicht würdigen Patienten, doch da er keine Szene machen wollte, beschloß er, die unangenehme Aufgabe möglichst schnell hinter sich zu bringen.

Er berührte vorsichtig Nathanaels Stirn, schaute ihm in die Augen und roch an seinem Atem.

»Es wird vorübergehen«, orakelte er.

»Was ist es?« fragte Bukerel, aber Ferraton antwortete nicht.

Rob spürte instinktiv, daß der Doktor es nicht wußte.

»Es ist die Halsbräune«, erklärte Ferraton endlich und zeigte auf weiße Eiterpünktchen im hochroten Rachen seines Patienten. »Eine eiternde Entzündung vorübergehender Art. Nicht mehr.« Er schnürte seine Aderpresse um Nathanaels Arm, stach geschickt mit einer Lanzette hinein und ließ ihn gründlich zur Ader.

»Und wenn es nicht besser wird?« fragte Bukerel.

Der Medicus runzelte die Stirn. Er würde dieses Armeleutehaus nicht wieder betreten. »Ich werde ihn am besten noch einmal zur Ader lassen, um ganz sicher zu gehen«, entschloß er sich und nahm sich den anderen Arm vor. Er ließ ein Fläschchen flüssiges Kalomel, gemischt mit verkohltem Schilfrohr, zurück und berechnete Bukerel den Besuch, die Aderlässe und die Medizin einzeln.

»Menschenmordender Blutsauger! Schlächter, Gentlemanschwanz«, murmelte Bukerel, der ihm nachstarrte. Der Zunftmeister versprach Rob, eine Frau zu schicken, die seinen Vater pflegen würde.

Der totenblasse, ausgeblutete Nathanael bewegte sich nicht. Ein paarmal verwechselte er den Jungen mit Agnes und versuchte, seine Hand zu ergreifen. Aber Rob erinnerte sich daran, wie sich sein Vater während der Krankheit seiner Mutter verhalten hatte, und zog ihm die Hand weg.

Später schämte er sich und kehrte ans Bett seines Vaters zurück. Er ergriff Nathanaels schwielige Hand, sah die hornigen, abgebrochenen Nägel, den eingefressenen Schmutz und die steifen, schwarzen Haare. Es war genauso wie beim ersten Mal. Er nahm ein Schwinden wahr gleich der Flamme einer Kerze, die herabgebrannt ist und flackert. Irgendwie wußte er, daß sein Vater im Sterben lag und daß der Tod sehr bald eintreten würde. Stummes Entsetzen erfaßte ihn genau wie damals, als seine Ma gestorben war.

Auf der anderen Seite des Bettes standen seine Brüder und die Schwester. Er war jung, aber sehr intelligent, und sofort übertönte eine praktische Überlegung seinen Schmerz und seine schreckliche Angst. Er schüttelte den Arm seines Vaters. »Was soll jetzt aus *uns* werden?« fragte er laut, doch niemand antwortete.

Die Aufteilung

Weil diesmal ein Zunftmitglied gestorben war und nicht nur eine Familienangehörige, zahlte die Zimmermannszunft fünfzig Psalmodien. Zwei Tage nach dem Begräbnis zog Della Hargreaves nach Ramsey, um bei ihrem Bruder zu wohnen. Richard Bukerel nahm Rob zu einem Gespräch beiseite.

»Wenn keine Verwandten da sind, müssen die Kinder und der Besitz aufgeteilt werden«, erklärte der Zunftmeister energisch. »Die Zunft wird für alles sorgen.«

Am Abend versuchte Rob, dies seinen Brüdern und seiner Schwester zu erklären. Nur Samuel durchschaute, wovon er sprach.

»Dann werden wir also getrennt?«

»Ja.«

»Jeder von uns wird bei einer anderen Familie leben?«

»Ja.«

In dieser Nacht kroch eines seiner Geschwister zu ihm ins Bett. Er hatte Willum oder Anne Mary erwartet, aber es war Samuel, der die Arme um ihn schlang und sich an ihn klammerte, als hätte er Angst zu fallen. »Ich will, daß sie wiederkommen, Rob.«

»Ich auch.« Er streichelte die knochige Schulter, die er oft verprügelt hatte. Eine Zeitlang weinten sie gemeinsam.

»Werden wir uns also nie mehr sehen?«

Ihm wurde kalt. »Ach Samuel, sei doch nicht so dumm! Wir werden bestimmt beide in der Gegend wohnen und uns immer wieder sehen. Wir bleiben ewig Brüder.«

Das tröstete Samuel, und er schlief ein wenig, aber vor Morgengrauen näßte er das Bett, als wäre er jünger als Jonathan. Am Morgen schämte er sich und konnte Rob nicht in die Augen schauen. Seine Angst war nicht unbegründet, denn er war der erste, der fortging. Die meisten Mitglieder der Zehnschaft ihres Vaters waren noch arbeitslos. Von den neun Zimmerleuten war nur ein Mann imstande und auch bereit, ein Kind in seine Familie aufzunehmen. Mit Samuel übersiedelten Nathanaels Hämmer und Sägen zu Turner Horne, einem Zimmermannsmeister, der nur sechs Häuser weiter wohnte.

Zwei Tage später kam ein Priester namens Ranald Lovell in Begleitung von Pater Kempton, der die Messen für Ma und Pa gelesen hatte. Vater Lovell sagte, daß er nach Nordengland versetzt worden sei und ein Kind zu sich nehmen wolle. Er musterte alle und fand an William Gefallen. Er war ein großer, kräftiger Mann mit hellblondem Haar und grauen Augen, und Rob versuchte sich einzureden, daß die Augen freundlich waren.

Sein blasser, zitternder Bruder konnte nur nicken, als er den beiden Priestern aus dem Haus folgte.

»Dann leb wohl, William!« sagte Rob.

Er überlegte, ob er nicht vielleicht wenigstens die beiden Kleinen behalten konnte. Aber er verteilte schon die Reste vom Totenmahl seines Vaters, und er war ein realistisch denkender Junge. Jonathan wurde mitsamt der Lederweste und dem Werkzeuggürtel seines Vaters einem Schreinergesellen namens Aylwyn übergeben, der zu der Hundertschaft Nathanaels gehörte. Als Frau Aylwyn kam, erklärte Rob, daß Jonathan zwar aufs Töpfchen gehe, aber noch Windeln brauche, wenn er Angst habe, und sie nahm die vom Waschen zerschlissenen Sachen und das Kind, lächelte, nickte und ging.

Den kleinen Roger behielt vorerst die Amme, und sie bekam Agnes' Stickmaterial. Richard Bukerel teilte Rob, der die Frau nie gesehen hatte, mit, daß der jüngste Bruder ihm zugesprochen worden sei.

Am nächsten Tag nahmen der Bäcker Haverhill und seine Frau die besseren Möbelstücke mit, weil Anne Mary künftig über ihrem Pastetenladen wohnen sollte. Rob nahm sie an der Hand und brachte sie zu ihnen. Es hieß also: leb wohl, kleines Mädchen! »Ich liebe dich, meine Maid Anne Mary«, flüsterte er und drückte sie an sich. Aber sie schien ihn für alles verantwortlich zu machen, was geschehen war, und wollte sich nicht von ihm verabschieden.

Jetzt war nur noch Rob übrig, der nichts mehr besaß. Am Abend kam Bukerel zu ihm. Der Zunftmeister hatte getrunken, aber sein Kopf war klar. »Es wird vielleicht lang dauern, bis wir einen Platz für dich finden. Die schlechten Zeiten sind daran schuld, niemand hat Essen für einen Jungen, der den Appetit eines Erwachsenen hat, aber noch keine Männerarbeit leisten kann.« Nach brütendem Schweigen fuhr er fort: »Als ich jünger war, meinten alle, wenn wir nur wirklichen Frieden haben und König Aethelred los sind, den schlimmsten König, der jemals seine Zeitgenossen zugrundegerichtet hat, dann kommen wieder gute Zeiten. Und dann erfolgte eine Invasion nach der anderen: Sachsen, Dänen, alle möglichen verdammten Piraten. Jetzt haben wir endlich König Knut, einen starken, friedliebenden Monarchen, aber es ist, als hätte sich die Natur gegen uns verschworen. Gewaltige Sommer- und Winterstürme richten uns zugrunde. Drei Jahre hintereinander hat es Mißernten gegeben. Die Müller mahlen kein Korn, die Seeleute bleiben im Hafen. Niemand baut ein Haus, und die Handwerker sind arbeitslos. Es sind schwere Zeiten, mein Junge. Aber ich werde eine Stelle für dich finden, das verspreche ich dir.«

»Danke, Zunftmeister.«

Bukerels dunkle Augen waren besorgt. »Ich habe dich beobachtet, Robert Cole. Ich habe einen Jungen gesehen, der für seine Familie gesorgt hat wie ein vollwertiger Mann. Ich wüde dich in mein Haus aufnehmen, wenn mein Weib anders wäre.« Er blinzelte verlegen, als ihm klar wurde, daß der Alkohol seine Zunge stärker gelöst hatte, als ihm recht war, und er erhob sich schwankend. »Ich wünsche dir eine friedliche Nacht, Rob.«

»Auch eine friedliche Nacht, Zunftmeister!«

Er wurde zum Einsiedler und die fast leeren Räume wurden zu seiner Höhle. Niemand lud ihn zum Essen ein. Die Nachbarn konnten sein Vorhandensein nicht übersehen, aber sie unterstützten ihn nur widerwillig. Frau Haverhill kam am Morgen und gab ihm einen übriggebliebenen Laib Brot aus der Bäckerei, und Frau Bukerel erschien am Abend, brachte eine kleine Portion Käse, bemerkte seine geröteten Augen und tadelte ihn, weil nur Frauen weinen durften. Er holte Wasser vom öffentlichen Brunnen wie zuvor, und er hielt das Haus sauber, aber es war gar niemand da, der die ruhige, geplünderte

Behausung in Unordnung gebracht hätte, und so hatte er kaum etwas anderes zu tun, als sich Sorgen zu machen und Haltung zu bewahren. Einmal hörte er, wie sich Zunftmitglieder unterhielten. »Rob Cole wäre für jeden ein Gewinn. Jemand sollte ihn sich schnappen«, meinte Bukerel.

Er hörte schuldbewußt im geheimen mit, wie andere über ihn sprachen, als handle es sich um einen Fremden.

»Ja, sieh dir doch an, wie groß er ist! Er wird eine tüchtige Arbeitskraft sein, wenn er einmal erwachsen ist«, gab Hugh Tite widerwillig zu. Und wenn Tite ihn nahm? Rob erschreckte die Aussicht, mit Anthony in einem Haus zu leben. Deshalb war er beruhigt, als Hugh schnaubend fortfuhr: »Er wird erst in drei Jahren alt genug für die Zimmermannslehre sein und ißt jetzt schon wie ein Scheunendrescher, während London voll von Burschen mit starken Rücken und leeren Bäuchen ist.« Die Männer gingen weiter.

Zwei Tage später büßte er hinter demselben Fenstervorhang bitter für den Frevel, daß er heimlich lauschte, als er zuhörte, wie Frau Bukerel mit Frau Haverhill über das Amt ihres Mannes sprach.

»Alle sprechen von der Ehre, Zunftmeister zu sein. Es bringt kein Brot auf meinen Tisch. Ganz im Gegenteil, es bringt unangenehme Verpflichtungen mit sich. Ich habe genug davon, meine Vorräte mit so jemandem wie diesem großen, faulen Burschen da drinnen zu teilen.«

»Was soll denn aus ihm werden?« seufzte Frau Haverhill.

»Ich habe Master Bukerel geraten, ihn als mittellos zu verkaufen. Sogar in schlechten Zeiten erzielt man für einen jungen Unfreien einen Preis, mit dem man der Zunft und uns allen zurückzahlen kann, was wir für die Familie Cole ausgegeben haben.«

Ihm stockte der Atem.

Frau Bukerel schniefte. »Aber der Zunftmeister will nichts davon hören«, beklagte sie sich bitter.

Er war viel zu jung, um als Schauermann im Hafen zu arbeiten, wußte aber, daß junge Unfreie in den Bergwerken eingesetzt wurden, wo sie in Stollen arbeiteten, die zu eng für Männer waren. Er wußte auch, daß Unfreie erbärmlich schlecht gekleidet und ernährt und oft schon wegen kleiner Übertretungen brutal ausgepeitscht wurden. Und daß man, wenn man einmal unfrei war, es sein Leben lang blieb.

Er weinte. Schließlich nahm er all seinen Mut zusammen und sagte sich, daß Richard Bukerel ihn nie als Unfreien verkaufen würde, aber er traute es Frau Bukerel zu, daß sie andere Leute schicken könnte, um ihren Vorsatz auszuführen, ohne ihren Mann zu fragen. Ihr war so etwas durchaus zuzutrauen. So wartete er in dem stillen, verlassenen Haus und begann bei dem leisesten Geräusch zu zittern.

Fünf bleierne Tage nach dem Begräbnis seines Vaters klopfte ein Fremder an die Tür.

»Du bist der junge Cole?«

Er nickte vorsichtig, sein Herz pochte laut.

»Ich heiße Croft. Ein Mann namens Richard Bukerel hat mich zu dir geschickt, den ich beim Bier in der Bardwell-Taverne kennengelernt habe.«

Rob hatte einen weder jungen noch alten Mann mit einem riesigen, fetten Körper und einem wettergegerbten Gesicht vor sich, das vom langen Haar eines freien Mannes und einem gekräuselten Bart von der gleichen rötlichen Farbe umgeben war.

»Wie lautet dein voller Name?«

»Robert Jeremy Cole, Sir.«

»Alter?«

»Neun Jahre.«

»Ich bin Bader und suche einen Lehrling. Weißt du, was ein Bader tut, junger Cole?«

»Seid Ihr eine Art Arzt?«

Der dicke Mann lächelte. »Vorläufig genügt das. Bukerel hat mich über deine Lage unterrichtet. Sagt dir mein Beruf zu?«

Das war nicht der Fall; er hatte keine Lust, so zu werden wie der Blutsauger, der seinen Vater zu Tode geschröpft hatte. Aber noch weniger wollte er als Unfreier verkauft werden, und er antwortete ohne Zögern mit ja.

»Keine Angst vor der Arbeit?«

»O nein, Sir!«

»Das ist gut, denn bei mir kannst du dir die Finger wund arbeiten. Bukerel hat gesagt, daß du lesen und schreiben und auch Latein kannst?«

Rob zögerte. »Um der Wahrheit die Ehre zu geben, sehr wenig Latein.«

Der Mann lächelte. »Ich werde dich eine Zeitlang zur Probe nehmen. Hast du eigene Sachen?«

Das kleine Bündel war seit Tagen geschnürt. Bin ich nun gerettet? fragte er sich. Draußen kletterten sie in den merkwürdigsten Wagen, den er jemals gesehen hatte. Zu beiden Seiten des Kutschbocks stand eine weiße Stange, um die ein dicker Stoffstreifen wie eine karmesinrote Schlange gewickelt war. Die Abdeckung des grellroten Gefährts war mit den sonnengelben Bildern eines Widders, eines Löwen, einer Waage, eines Steinbocks, zweier Fische, eines Schützen und eines Krebses bemalt.

Der Apfelschimmel zog an, und sie rollten die Carpenter's Street hinunter und am Zunfthaus vorbei. Rob saß wie erstarrt da, als sie durch die lebhafte Thames Street fuhren, und es gelang ihm immer wieder, einen schnellen Blick auf den Mann zu werfen; jetzt bemerkte er ein trotz des Fetts ansprechendes Gesicht, eine kräftige, gerötete Nase, eine Geschwulst auf dem linken Augenlid und ein Netz von feinen Fältchen, die von den Winkeln der durchdringenden, blauen Augen ausgingen.

Der Wagen überquerte die kleine Brücke über den Walbrook und fuhr an Egglestans Stall und der Stelle vorbei, an der Ma zusammengebrochen war. Dann bogen sie rechts ab und ratterten über die London Bridge zum Südufer der Themse. Er erkannte das Haus des Exporteurs, für den Ma gestickt hatte. Über diese Stelle war er nie hinausgekommen.

»Master Croft?«

Der Mann runzelte die Stirn. »Nein, nein. Man nennt mich niemals Croft. Ich werde immer Bader genannt, wegen meines Berufes.«

»Ja, Bader«, sagte Rob. Nach wenigen Augenblicken lag Southwark hinter ihnen, und er erkannte voll Panik, daß er nun die seltsame, unbekannte Außenwelt betrat.

»Wohin fahren wir, Bader?« Er konnte den Schrei nicht unterdrücken.

Der Mann lächelte, ließ die Zügel schnalzen, und der Apfelschimmel fiel in Trab.

»Überallhin«, antwortete er.

Der Bader

Vor Einbruch der Dämmerung schlugen sie auf einem Hügel neben einem Bach ihr Lager auf. Der Mann verriet ihm, daß der schwerfällige Apfelschimmel Tatus hieß. »Eine Abkürzung für Incitatus, nach dem Roß, das Kaiser Caligula so geliebt hatte, daß er das Tier zum Priester und Konsul ernannte. Unser Incitatus ist für einen armen Kerl, den man kastriert hat, ein annehmbares Tier«, erklärte der Bader und zeigte ihm, wie man den Wallach betreute, indem er das Pferd mit weichem, trockenem Gras abrieb, es dann trinken und anschließend weiden ließ, bevor sie für ihre Bedürfnisse sorgten. Sie befanden sich im Freien in einiger Entfernung vom Waldrand, und der Bader ließ ihn trockenes Holz für ein Feuer sammeln. Rob mußte den Weg mehrmals zurücklegen, um einen Haufen zusammenzukriegen. Bald knisterte das Feuer, und beim Kochen stiegen Düfte auf, bei denen seine Beine weich wurden. Der Bader hatte reichlich dünne Scheiben Räucherspeck in einen Eisentopf gelegt. Nun schüttete er den Großteil des ausgelassenen Fettes weg und schnitt eine große Rübe und mehrere Stangen Lauch in den Topf, zu denen er eine Handvoll getrocknete Maulbeeren und einige Kräuter hinzufügte. Als das duftende Gericht fertig schien, war Rob, als habe er noch nie etwas Besseres gerochen. Der Bader aß gleichmütig, sah zu, wie Rob eine große Portion verschlang, und gab ihm schweigend noch eine. Sie wischten ihre Holzschüsseln mit Brocken von Gerstenbrot aus. Ohne auf eine Anweisung zu warten, trug Rob den Topf und die Schüsseln zum Bach und rieb sie mit Sand rein.

Nachdem er das Geschirr zurückgebracht hatte, ging er hinter ein nahes Gebüsch, um Wasser zu lassen.

»Grundgütiger Herrgott, das ist aber ein bemerkenswerter Zipfel!« staunte der Bader, der plötzlich hinter ihm stand.

Rob brach sein Geschäft vorzeitig ab und steckte sein Glied in die Hose. »Als ich klein war«, erklärte er schüchtern, »hatte ich eine Verletzung... eben dort. Ein Chirurg hat das Häutchen am Ende entfernt.«

Der Bader starrte ihn erstaunt an. »Er hat die Vorhaut entfernt. Du bist beschnitten worden wie ein verdammter Heide.«

Der Junge ging sehr verwirrt zurück und wartete aufmerksam.

Vom Wald her kroch Feuchtigkeit herüber, er öffnete sein kleines Bündel, entnahm ihm sein zweites Hemd und zog es über das an, das er trug.

Der Bader holte zwei Felle aus dem Wagen und warf sie ihm zu. »Wir schlafen im Freien, denn der Wagen ist mit allerlei Kram angefüllt.«

Der Bader sah in dem offenen Bündel die Münze glänzen und hob sie auf. Er fragte nicht, woher sie stammte, und Rob verriet es ihm auch nicht. »Es ist eine Inschrift drauf«, sagte er. »Mein Vater und ich... wir haben angenommen, daß sie den Namen der ersten römischen Kohorte angibt, die nach London kam.« Der Bader untersuchte sie. »Ja.«

Offensichtlich wußte er eine Menge über die Römer und schätzte sie, nach dem Namen zu urteilen, den er seinem Pferd gegeben hatte. Rob war plötzlich davon überzeugt, daß der Mann seinen Schatz behalten würde.

»Auf der anderen Seite stehen Buchstaben«, sagte er heiser.

Der Bader hielt die Münze näher ans Feuer, um besser lesen zu können. »IOX. IO bedeutet ›hurra‹, X ist ›zehn‹. Es ist ein römischer Siegesschrei: ›Zehnmal hurra‹!«

Rob nahm die Münze erleichtert wieder entgegen und schlug sein Lager beim Feuer auf. Die Felle waren ein Schafspelz, den er mit dem Fell nach oben auf den Boden legte, und ein Bärenfell, das er als Decke verwendete. Sie waren alt und rochen kräftig, hielten ihn aber sicher warm.

Der Bader bereitete sich sein Lager auf der anderen Seite des Feuers und legte Schwert und Messer neben sich, damit sie zur Abwehr von Angreifern oder, so dachte Rob, zum Ermorden eines flüchtenden Jungen dienen konnten. Der Bader hatte ein sächsisches Horn abgenommen, das er an einem Riemen um den Hals trug. Er schloß den Boden mit einem knöchernen Stöpsel, füllte es mit einer dunklen Flüssigkeit aus einer Flasche und reichte es Rob. »Mein eigenes Destillat. Nimm einen kräftigen Schluck!«

Er wollte es eigentlich nicht, hatte aber Angst, das Angebot abzulehnen. Einem Kind der Londoner Arbeitervorstadt drohte man nicht mit der milden, abgeschwächten Form des schwarzen Mannes, sondern es lernte früh, daß es Seeleute und Schauermänner gab, die darauf aus waren, einen Jungen hinter verlassene Lagerhäuser zu locken. Er kannte Kinder, die Zuckerwerk und Münzen von solchen Männern angenommen hatte, und er wußte, was dafür verlangt wurde. Ihm war klar, daß Trunkenheit ein häufiges Mittel zum Zweck war.

Er versuchte, einen zweiten Schluck abzulehnen, aber der Bader runzelte die Stirn. »Trink!« befahl er. »Es wird dich beruhigen.«

Der Bader war erst zufrieden, als er noch zwei kräftige Schluck getrunken hatte und heftig husten mußte. Er nahm das Horn auf seine Seite des Feuers zurück, trank die Flasche aus und noch eine, gab schließlich einen gewaltigen Furz von sich und legte sich hin. Er blickte nur noch einmal zu Rob hinüber. »Du kannst ruhig sein, Kleiner«, sagte er. »Schlaf gut! Von mir hast du nichts zu befürchten.«

Rob war sicher, daß dies ein Trick war. Er lag unter dem stinkenden Bärenfell und wartete mit gespanntem Gesäß. In der rechten Hand hielt er seine Münze. In der linken Hand hielt er einen schweren Stein, obwohl er wußte, daß er nicht einmal mit des Baders Waffen einen Gegner für diesen Mann abgeben würde, ihm also hilflos ausgeliefert war.

Doch schließlich war ganz klar, daß der Bader schlief. Er war nämlich ein schrecklicher Schnarcher.

Der Bader wußte, was in seinem neuen Lehrling vor sich ging. Er war genau in diesem Alter gewesen, als wütende Horden das Fischerdorf Clacton, in dem er zur Welt gekommen war, überfallen hatten und er allein zurückgeblieben war. Es hatte sich in sein Hirn eingebrannt.

Aethelred war der König seiner Kindheit gewesen. So weit er zurückdenken konnte, hatte sein Vater Aethelred verflucht und gesagt, daß das Volk unter keinem anderen König je so arm gewesen sei. Aethelred saugte es aus und belastete es mit Abgaben, um Emma, der willensstarken, schönen Frau, die er sich als seine Königin aus der Normandie geholt hatte, ein verschwenderisches Leben zu bieten. Er hatte zwar mit den Abgaben eine Armee aufgestellt, benützte sie aber mehr zum Schutz seiner eigenen Person als seines Volkes, und er war so grausam und blutrünstig, daß manche Männer ausspuckten, wenn sie seinen Namen hörten.

Im Frühling Anno Domini 991 beschämte Aethelred seine Untertanen, indem er dänische Angreifer mit Gold bestach, um sie zur Umkehr zu bewegen. Im folgenden Frühjahr kehrte die dänische

Flotte nach London zurück, wie sie es seit hundert Jahren tat. Diesmal hatte Aethelred keine Wahl: Er sammelte seine Krieger und Kriegsschiffe, und die Dänen wurden in einer blutigen Schlacht auf der Themse besiegt. Doch zwei Jahre später folgte eine ernstere Invasion, als Olaf, König der Norweger, und Swegen, König der Dänen, mit vierundneunzig Schiffen die Themse stromaufwärts segelten. Wieder zog Aethelred seine Armee um London zusammen, und es gelang ihm, die Nordländer abzuwehren, aber diesmal erkannten die Eindringlinge, daß der feige König sein Land schutzlos preisgegeben hatte, um sich zu wahren. Die Nordländer teilten ihre Flotte, zogen ihre Schiffe an der englischen Küste auf den Sand und verwüsteten die kleinen Küstenstädte.

In dieser Woche hatte Henry Crofts Vater ihn zu seinem ersten langen Heringsfang mitgenommen. An dem Morgen, an dem sie mit reichem Fang heimkehrten, war er vorausgelaufen, um als erster seiner Mutter in die Arme zu stürzen und sich von ihr loben zu lassen. Außer Sicht, in einer kleinen Bucht in der Nähe versteckt, lag ein halbes Dutzend norwegischer Langboote. Als er die väterliche Hütte erreichte, sah er einen fremden Mann, der in Tierhäute gekleidet war und ihn durch die offenen Läden des Fensterlochs anstarrte.

Er hatte keine Ahnung, wer der Mann war, doch instinktiv machte er kehrt und lief um sein Leben geradewegs zu seinem Vater.

Seine Mutter lag bereits vergewaltigt und tot auf dem Boden, doch das wußte sein Vater nicht. Luke Croft zog das Messer, während er auf das Haus zurannte, doch die drei Männer, die ihm vor dem Eingang entgegentraten, trugen Schwerter. Von ferne sah Henry Croft, wie sein Vater überwältigt und gefangengenommen wurde. Einer der Männer bog seinem Vater die Hände auf den Rücken. Ein anderer riß mit beiden Händen an seinen Haaren und zwang ihn niederzuknien und den Hals vorzustrecken. Der dritte schlug ihm mit seinem Schwert den Kopf ab. Der Bader hatte später mit neunzehn Jahren zugesehen, wie ein Mörder in Wolverhampton hingerichtet wurde; der Henker des Sheriffs hatte dem Verbrecher den Kopf abgeschlagen, als töte er einen Hahn. Im Gegensatz dazu war sein Vater ungeschickt geköpft worden, denn der Wikinger hatte eine Reihe von Schlägen gebraucht, als würde er ein Scheit zu Kleinholz zerhacken.

Halb wahnsinnig vor Kummer und Schmerz war Henry Croft in die

Wälder gelaufen und hatte sich wie ein gejagtes Tier versteckt. Als er betäubt und halb verhungert wieder zum Vorschein kam, waren die Norweger weggewesen, aber sie hatten Tod und Asche hinterlassen. Henry war mit anderen Waisenjungen in die Abtei Crowland nach Lincolnshire geschickt worden.

Als Folge der jahrzehntelangen Überfälle durch die heidnischen Nordländer gab es in den Klöstern zu wenig Mönche und zu viele Waisen, deshalb lösten die Benediktiner zwei Probleme mit einem Schlag, indem sie viele der elternlosen Jungen zu Priestern weihten. Henry war im Alter von neun Jahren die Profeß abgenommen worden, und man hatte ihn Gott versprechen lassen, daß er für immer in Armut und Keuschheit leben und den vom seligen Sankt Benedikt von Nursia aufgestellten Ordensregeln gehorchen würde.

Dafür bekam er eine Ausbildung. Er studierte vier Stunden täglich und verrichtete sechs Stunden am Tag feuchte, schmutzige Arbeit. Crowland besaß ausgedehnte Ländereien, zumeist Marschland, und Henry und die anderen Mönche gruben täglich die schlammige Erde um und zogen wie torkelnde Tiere Pflüge, um den Sumpf in Felder zu verwandeln. Man erwartete von ihnen, daß sie den Rest ihrer Zeit der Meditation oder dem Gebet widmeten. Es gab Andachten am Morgen, Andachten am Nachmittag, Andachten am Abend – fortwährend Andachten. Jedes Gebet galt als eine Stufe auf der endlosen Treppe, auf der die Seele zum Himmel emporstieg. Es gab keine Erholung oder sportliche Betätigung, aber die Mönche durften im Kreuzgang wandeln, einem überdeckten Weg in Form eines Rechtecks. An der Nordseite des Klosters lag die Sakristei, das Gebäude, in dem die heiligen Geräte aufbewahrt wurden, im Osten stand die Kirche, im Westen das Stiftshaus, im Süden ein düsteres Refektorium, das aus einem Speisesaal, einer Küche und Vorratskammer im Erdgeschoß und einem Schlafsaal im ersten Geschoß bestand.

Innerhalb des Rechtecks waren Gräber angelegt, der deutliche Beweis dafür, daß das Leben in der Abtei Crowland voraussehbar war: Das Morgen würde genauso wie das Gestern sein, und schließlich legte sich jeder Mönch innerhalb der Klostermauern zur Ruhe. Weil manche Leute das irrtümlich für Frieden hielten, hatten die Patres von Crowland mehrere Adelige bei sich aufgenommen, die von der Politik des Hofes und Aethelreds Grausamkeit geflohen waren und ihr Leben gerettet hatten, indem sie die Mönchskutte nahmen. Diese einflußreiche Elite lebte in Einzelzellen wie echte Mystiker, die Gott durch geistige Kasteiung und körperlichen Schmerz suchen, der durch härene Hemden, Fasten und Selbstgeißelung verursacht wurde. Das Zuhause der übrigen siebenundsechzig Männer, die die Tonsur trugen, obwohl sie dafür nicht berufen und gottlos waren, bildete ein einziger großer Raum, der siebenundsechzig Schlafpritschen enthielt. Wenn Henry Croft nachts erwachte, hörte er Husten und Niesen, verschiedene Schnarchgeräusche, das Stöhnen der Onanierenden, die ängstlichen Schreie von Träumenden, Furze und Brechen der Schweigepflicht durch lästerliches Fluchen und heimliche Unterhaltungen, die sich fast immer um das Essen drehten. Die Mahlzeiten in Crowland waren sehr kärglich.

Die Stadt Peterborough lag zwar nur acht Meilen entfernt, aber Henry bekam sie nie zu Gesicht. Als er vierzehn Jahre alt war, ersuchte er seinen Beichtvater, Pater Dunstan, einmal um die Erlaubnis, zwischen der Vesper und dem Nachtchoral am Flußufer Hymnen singen und Gebete aufsagen zu dürfen. Das wurde ihm gestattet. Als er durch die Au ging, folgte ihm Vater Dunstan in vorsichtiger Entfernung. Henry schritt langsam und bedächtig, hielt die Hände auf dem Rücken und beugte den Kopf in einem Gebet, das eines Bischofs würdig war.

Es war ein schöner, warmer Sommerabend mit einer frischen Brise, die vom Wasser herwehte. Bruder Matthew, ein Geograph, hatte ihm von diesem Fluß berichtet. Er hieß Welland, entsprang in den Midlands in der Nähe von Corby und schlängelte sich nach Crowland, von dort an wendete er sich zwischen welligen Hügeln und fruchtbaren Tälern nach Norden, bis er die Küstensümpfe durchquerte und sich in die große Bucht an der Nordsee ergoß, die The Wash hieß.

Den Fluß hatte Gott mit Wäldern und Feldern umgeben. Grillen zirpten schrill. Vögel zwitscherten in den Bäumen, und Kühe glotzten ihn stumm staunend an, während sie grasten. Ein kleiner Kahn war auf den Ufersand gezogen.

In der darauffolgenden Woche bat er um die Erlaubnis, nach den Laudes, dem Morgenlob bei Tagesanbruch, ein einsames Gebet am Fluß sprechen zu dürfen. Er erhielt die Erlaubnis, und diesmal folgte ihm Pater Dunstan nicht. Als Henry zum Flußufer kam, schob er das kleine Boot ins Wasser, stieg hinein und stieß ab.

Er benützte die Riemen nur, um in die Strömung zu gelangen, dann saß er sehr ruhig in der Mitte des gebrechlichen Bootes, betrachtete das braune Wasser und ließ sich von dem Fluß wie ein herabgefallenes Blatt mitnehmen. Nach einiger Zeit, als er wußte, daß er sich außer Reichweite der Abtei befand, begann er zu lachen. Er jubelte und schrie kindisches Zeug.

Er blieb den ganzen Tag auf dem Fluß, bis das Wasser, das zum Meer strömte, für seinen Geschmack zu tief und gefährlich wurde. Dann erst lenkte er das Boot ans Ufer, und nun fing eine Zeit an, in der er den Preis der Freiheit kennenlernte.

Er wanderte durch die Dörfer an der Küste, schlief irgendwo und lebte von dem, was er erbetteln oder stehlen konnte. Gar nichts zu essen zu haben war viel schlimmer, als nur wenig zu essen zu haben. Eine Bäuerin gab ihm einen Sack voll Nahrungsmittel, einen alten Kittel und eine ausgefranste Hose für die Benediktinerkutte, aus der sie Wollhemden für ihre Söhne schneidern wollte. Im Hafen Grimsby nahm ihn schließlich ein Fischer als Gehilfen auf, der ihn mehr als zwei Jahre lang für ein paar Bissen Essen und ein armseliges Obdach hart arbeiten ließ. Als der Fischer starb, verkaufte seine Frau das Boot an Leute, die keine Helfer brauchten. Henry litt einige Monate Hunger, bis er auf eine Truppe von Gauklern stieß und mit ihnen reiste: Er schleppte das Gepäck und half ihnen bei ihren Vorführungen, als Gegenleistung erhielt er ein paar Essensreste und ihren Schutz. Selbst seiner Meinung nach waren ihre Künste bescheiden, sie verstanden jedoch, die Trommel zu schlagen und Zuschauer anzulocken, und wenn eine Mütze herumgereicht wurde, warfen überraschend viele Leute aus dem Publikum eine Münze hinein. Er sah ihnen hungrig zu. Er war zu alt, um Akrobat zu werden, denn bei diesem Beruf mußten die Gelenke geschmeidig gemacht werden, solange einer noch ein Kind war. Aber die Jongleure unterrichteten ihn in ihrer Kunst. Er ahmte den Magier nach und lernte einfache Taschenspielertricks. Der Magier brachte ihm auch bei, daß er nie den Eindruck erwecken durfte, die Schwarze Kunst auszuüben, denn in ganz England hängten die Kirche und die Krone die Hexer. Er hörte dem Geschichtenerzähler aufmerksam zu, dessen junge Schwester die erste war, die ihn in ihren Körper eindringen ließ. Er fühlte sich den Gauklern verwandt, aber die Truppe löste sich nach einem Jahr in Derbyshire auf. Jeder ging seines Weges, und keiner nahm ihn mit.

Einige Wochen später wendete sich in der Stadt Matlock sein Schicksal, weil ihn ein Landbader namens James Farrow für sechs Jahre vertraglich verpflichtete. Später erfuhr er, daß keiner der ortsansässigen Jungen Farrow als Lehrling dienen wollte, weil es hieß, daß er es mit der Hexerei zu tun habe. Als Henry zum erstenmal von den Gerüchten hörte, arbeitete er bereits zwei Jahre für Farrow, und er wußte längst, daß der Mann kein Hexer war. Obwohl der Landbader ein kühler Kopf und verdammt streng war, stellte er für Henry Croft einen echten Glücksfall dar.

Die Gemeinde Matlock lag in einem ländlichen, dünn besiedelten Gebiet, es gab keine Patienten aus dem Adel oder wohlhabende Kaufleute, die einen Arzt ernährt hätten, aber auch nicht zu viele arme Leute, die einen weniger teuren Chirurgen angezogen hätten. In dem weiten Gebiet der Bauernhöfe um Matlock gab es nur den Landbader James Farrow, der nicht nur mit Klistieren purgierte, Haare schnitt und rasierte, sondern auch chirurgische Eingriffe vornahm und Heilmittel verschrieb. Henry führte über fünf Jahre lang seine Anweisungen aus. Farrow war ein strenger Dienstherr; er schlug Henry, wenn er Fehler machte, aber er lehrte ihn alles, was er wußte, und zwar peinlich genau.

Während des vierten Jahres, das Henry in Matlock zubrachte – man schrieb das Jahr 1002 –, erlaubte sich König Aethelred etwas, das weitreichende und schreckliche Folgen nach sich ziehen sollte. Angesichts seiner Schwierigkeiten erlaubte der König einigen Dänen, sich in Südengland niederzulassen, und stellte ihnen Land zur Verfügung unter der Bedingung, daß sie an seiner Seite gegen seine Feinde kämpften. Er hatte sich auf diese Weise auch der Dienste eines dänischen Adeligen namens Pallig versichert, der der Ehemann von Gunnhilda war, der Schwester des Königs Swegen von Dänemark. In diesem Jahr fielen die Wikinger in England ein und mordeten und brandschatzten wie üblich. Als sie Southampton erreichten, beschloß der König, ihnen wieder Tribut zu bezahlen, und er gab den Eindringlingen vierundzwanzigtausend Pfund, damit sie das Land verließen.

Als die Schiffe mit den Nordländern abgesegelt waren, schämte sich Aethelred und verfiel in kalte Wut. Er befahl, daß alle Dänen, die sich in England befanden, am St.-Brice-Tag, dem 13. November, erschlagen werden sollten. Der heimtückische Massenmord wurde ausgeführt, wie es der König befohlen hatte, und er entfesselte ein Übel, das im englischen Volk schon lange geschwärt hatte.

Die Welt war immer brutal gewesen, aber nach der Ermordung der Dänen wurde das Leben noch grausamer. In ganz England waren Gewaltverbrechen an der Tagesordnung. Hexen wurden gejagt und gehängt oder verbrannt, und das Land taumelte im Blutrausch.

Henry Crofts Lehrzeit war beinahe zu Ende, als ein älterer Mann namens Bailey Aelerton starb, während ihn Farrow behandelte. An dem Todesfall war nichts Bemerkenswertes, aber es hieß bald, daß der Mann gestorben sei, weil Farrow ihn mit Nadeln gestochen und ihn verhext habe.

Am Sonntag zuvor hatte der Priester in der kleinen Kirche in Matlock eröffnet, daß böse Geister um Mitternacht auf den Gräbern im Friedhof gezecht und fleischlich mit Satan kopuliert hätten. »Es ist ein abscheulicher Frevel an unserem Erlöser, daß die Toten durch Teufelswerk auferstehen.« Der Teufel sei in ihrer Mitte, warnte der Priester die Gemeinde, unterstützt von einer Armee von Hexern, die als menschliche Wesen verkleidet seien, Schwarze Magie trieben und insgeheim mordeten.

Er wappnete die von scheuer Furcht ergriffenen, erschrockenen Andächtigen mit einem Gegenzauber, der gegen jeden angewendet werden sollte, der der Hexerei verdächtig war: »Erzhexer, der meine Seele überfällt, dein Zauber soll gegen dich gekehrt, dein Fluch dir tausendfach zurückgegeben werden. Im Namen der Heiligen Dreifaltigkeit, gib mir meine Gesundheit und Kraft wieder zurück. Im Namen des Vaters, des Sohnes und des Heiligen Geistes. Amen.«

Und er erinnerte sie an das kirchliche Gebot: »Du sollst nicht zulassen, daß ein Hexer am Leben bleibt. Sie müssen ausfindig gemacht und ausgerottet werden, wenn nicht jeder von euch in den schrecklichen Flammen des Fegefeuers brennen will«, ermahnte er sie.

Bailey Aelerton starb am Dienstag, sein Herz blieb stehen, während er das Feld hackte. Seine Tochter behauptete, sie hätte Nadelstiche auf seiner Haut gesehen. Außer ihr hatte sie niemand gesehen, aber Donnerstag morgens kam ein Pöbelhaufen in Farrows Scheunenhof, gerade als der Landbader sein Pferd bestiegen hatte, um Patienten zu besuchen. Er sah noch zu Henry hinunter und erteilte ihm Anweisungen für den Tag, als sie ihn aus dem Sattel rissen.

Sie wurden von Simon Beck angeführt, dessen Land an Farrows Besitz grenzte. »Zieht ihn aus!« schrie Beck.

Farrow zitterte, als sie ihm die Kleidung vom Leib rissen.

»Du bist ein Esel, Beck!« schrie er. »Ein Esel!« Er sah ohne Kleider älter aus, seine runden Schultern waren schmal, die Muskeln schwach und verbraucht, die Haut auf seinem Bauch schlotterte und war faltig, der Penis über dem großen, dunkelroten Hodensack zusammengeschrumpft.

»Da ist es!« schrie Beck. »Das Satansmal!«

Auf der rechten Seite von Farrows Leiste waren deutlich zwei kleine dunkle Flecken sichtbar wie ein Schlangenbiß. Beck stach mit der Spitze seines Messers in einen.

»Leberflecke!« brüllte Farrow.

Blut quoll hervor, was bei einem Hexer eigentlich nicht geschehen sollte.

»Sie sind schlau, so höllisch schlau«, rief Beck. »Sie können nach Belieben bluten.«

»Ich bin ein Bader und kein Hexer«, schleuderte ihnen Farrow verächtlich entgegen, doch als sie ihn an ein Holzkreuz fesselten und ihn zu seinem Viehteich trugen, schrie er um Gnade.

Das Kreuz wurde in den seichten Teich geworfen, daß es aufklatschte, und unter Wasser gedrückt. Die Menge wurde still und betrachtete die aufsteigenden Luftblasen. Dann zogen sie Farrow heraus und gaben ihm Gelegenheit zu einem Geständnis. Er atmete noch und spie schwach Wasser aus.

»Gestehst du, Nachbar Farrow, daß du mit dem Teufel im Bund gewesen bist?« fragte ihn Beck mit freundlicher Stimme.

Doch der Gefesselte konnte nur husten und nach Luft schnappen.

Also tauchten sie ihn wieder in den Teich. Diesmal wurde das Kreuz unter Wasser gedrückt, bis keine Luftblasen mehr aufstiegen. Und sie hoben ihn noch immer nicht heraus.

Henry konnte nur zuschauen und weinen, als sähe er zum zweitenmal, wie sie seinen Vater ermordeten. Er war erwachsen, kein Junge mehr, doch er war machtlos gegen die Hexenjäger und befürchtete, sie könnten auf den Gedanken kommen, daß der Baderlehrling der Gehilfe des Hexers war.

Schließlich ließen sie das untergetauchte Kreuz los, sprachen den

Gegenzauber und gingen von dannen; sie ließen es auf dem Teich schwimmen.

Als alle fort waren, watete Henry durch den Morast, um das Kreuz an Land zu ziehen. Rosa Schaum hatte sich zwischen den Lippen seines Lehrherrn gebildet. Er drückte die Augen zu, die blicklos in dem weißen Gesicht anklagten, und entfernte die Wasserlinsen von Farrows Schultern, bevor er ihn vom Kreuz schnitt.

Der Landbader war ein Witwer ohne Familie gewesen, und deshalb fiel die Verantwortung seinem Lehrling zu. Er begrub Farrow so rasch wie möglich.

Als er sich im Haus umsah, entdeckte er, daß sie vor ihm dagewesen waren. Zweifellos hatten sie Beweise für Farrows Teufelswerk gesucht, als sie sein Geld und seinen Alkohol mitnahmen. Das Haus war geplündert worden, doch es gab noch Kleidungsstücke, die in besserem Zustand waren als die seinen, und Lebensmittel, die er in einen Sack steckte. Er nahm auch eine Tasche mit chirurgischen Instrumenten mit und fing Farrows Pferd ein, auf dem er aus Matlock hinausritt, bevor sie sich seiner erinnerten und zurückkamen.

Er wurde wieder ein Wanderer, doch diesmal hatte er einen Beruf, und das machte einen gewaltigen Unterschied. Überall gab es kranke Menschen, die einen oder zwei Penny für eine Behandlung bezahlten. Irgendwann begriff er, was man mit dem Verkauf von Arzneien verdienen konnte, und um eine Menschenmenge zusammenzubringen, verwendete er einige der Methoden, die er auf den Reisen mit den Gauklern gelernt hatte.

Da er glaubte, man könnte ihn suchen, hielt er sich nie lang an einem Ort auf, und er vermied die Nennung seines vollen Namens: So wurde er der Bader. Bald entwickelte sich auf diese Weise ein Leben, das ihm zusagte: Er kleidete sich warm und gut, hatte Frauen, so viele er wollte, trank, wenn er Lust dazu verspürte, aß bei jeder Mahlzeit reichlich und gelobte sich, nie wieder zu hungern. Er nahm rasch zu. Als er die Frau kennenlernte, die er heiratete, wog er über zweihundertzwanzig Pfund. Lucinda Eames war eine Witwe mit einem schönen Anwesen in Canterbury. Er kümmerte sich ein halbes Jahr lang um ihre Tiere und Felder und spielte den Ehemann. Ihr kleines, weißes Gesäß gefiel ihm, es war wie ein blasses, umgekehrtes Herz. Wenn sie sich liebten, streckte sie die rosige Zungenspitze aus dem linken Mundwinkel, wie ein Kind, das eine schwierige Aufgabe macht. Sie machte ihm Vorwürfe, weil sie nicht schwanger wurde. Vielleicht hatte sie recht, aber sie hatte von ihrem ersten Mann auch kein Kind empfangen. Ihre Stimme wurde schrill, ihr Ton bitter, und sie gab sich keine Mühe beim Kochen. Und lange bevor ein Jahr mit ihr vorbei war, erinnerte er sich an herzlichere Frauen, köstlichere Mahlzeiten, und er sehnte sich danach, ihrer spitzen Zunge zu entkommen.

Man schrieb das Jahr 1012, in dem Swegen, König der Dänen, die Herrschaft über England übernahm. Zehn Jahre lang hatte Swegen Aethelred immer wieder überfallen, um Schmach über den Mann zu bringen, der seine Verwandten hatte ermorden lassen. Schließlich floh Aethelred mit seinen Schiffen auf die Insel Wight, und Königin Emma fand Zuflucht bei ihren Söhnen Edward und Alfred in der Normandie. Bald danach starb Swegen eines natürlichen Todes. Er hinterließ zwei Söhne, Harold, der ihm auf dem dänischen Thron folgte, und Knut, einen Jüngling von neunzehn Jahren, der von den dänischen Streitkräften zum König von England ausgerufen wurde.

Aethelred hatte noch Kraft für einen Angriff und vertrieb die Dänen, doch Knut kehrte schon bald wieder zurück, und diesmal eroberte er das ganze Land mit Ausnahme von London. Er war im Begriff, auch diese Stadt zu erobern, als er erfuhr, daß Aethelred gestorben war. Mutig berief er eine Versammlung des Witan ein, des Rates der weisen Männer von England, und Bischöfe, Äbte, Grafen und Lehensleute kamen nach Southampton und wählten Knut zum König.

Knut bewies sein Talent für die Befriedung der Nation, als er Gesandte in die Normandie schickte, die Königin Emma dazu überreden sollten, jenen Mann zu heiraten, der ihrem verstorbenen Gemahl auf den Thron gefolgt war, und sie erklärte sich sofort dazu bereit. Sie war um Jahre älter als Knut, aber noch immer eine begehrenswerte, sinnliche Frau; man witzelte kichernd darüber, wieviel Zeit sie und Knut in der Schlafkammer verbrachten.

So eilig es der neue König mit der Ehe hatte, so schnell floh der Bader vor ihr. Er ließ einfach eines Tages Lucinda Eames mit ihrem Gezänk und ihrem ungenießbaren Essen stehen und nahm seine Reisen wieder auf. Er kaufte seinen ersten Wagen in Bath und nahm in Northumberland seinen ersten Lehrling unter Vertrag. Die Vorteile waren sofort deutlich zu spüren. Er hatte seither im Lauf der Jahre viele junge Burschen ausgebildet. Die wenigen, die tüchtig gewesen waren, hatten ihm Geld eingebracht, die anderen aber hatten ihn gelehrt, was er von einem Lehrling erwarten mußte.

Er wußte, was mit einem Jungen geschah, der versagte und fortgeschickt wurde. Den meisten erging es katastrophal: Wenn sie Glück hatten, wurden sie Lustknaben oder Unfreie, die weniger Glücklichen verhungerten oder wurden umgebracht. Diese Einsicht machte ihm mehr zu schaffen, als er wahrhaben wollte, doch er konnte es sich nicht leisten, einen untalentierten Jungen zu behalten. Er hatte selbst nur knapp überlebt und brachte es fertig, sein Herz zu verhärten, wenn es um sein eigenes Wohlergehen ging.

Der letzte, dieser Junge, den er in London gefunden hatte, war offenbar bestrebt, alles richtig zu machen, doch der Bader wußte, daß bei Lehrlingen der äußere Anschein oft trog. Es hatte keinen Sinn, sich mit dem Problem zu plagen wie ein Hund mit einem Knochen. Die Zeit würde es an den Tag bringen, und er würde bald genug erfahren, ob der junge Cole fähig war zu überleben.

Die Bestie in Chelmsford

Rob erwachte beim ersten schwachen Tageslicht und stellte fest, daß sein Meister schon wach und ungeduldig war. Er sah sofort, daß der Bader den Tag nicht in allerbester Laune begann, und in dieser nüchternen Stimmung nahm der Mann den Speer aus dem Wagen und zeigte Rob, wie man mit ihm umging. »Er ist nicht zu schwer für dich, wenn du beide Hände benützt. Du brauchst keine besondere Geschicklichkeit dazu. Stoß so fest zu, wie du kannst. Wenn du auf die Leibesmitte des Angreifers zielst, mußt du ihn irgendwo treffen. Sobald du ihn durch eine Verwundung aufhältst, habe ich die Möglichkeit, ihn zu töten. Hast du mich verstanden?«

Rob nickte.

»Wie wirst du für gewöhnlich gerufen, Kleiner?«

»Rob.«

»Rob … und?«

Er zögerte dem Bader gegenüber verlegen. »Jeremy.«

»Also, Rob Jeremy, wir müssen wachsam sein und die Waffen in Griffweite bereithalten, denn nur so bleiben wir am Leben. Diese römischen Straßen sind noch immer die besten in England, aber sie werden nicht instand gehalten. Die Krone ist dafür verantwortlich, sie auf beiden Seiten freizuhalten, um es den Straßenräubern zu erschweren, Reisende aus dem Hinterhalt zu überfallen. Aber an den meisten unserer Straßen wird das Unterholz nie zurückgeschnitten.«

Er zeigte ihm, wie man das Pferd einspannt. Als sie weiterfuhren, saß Rob in der heißen Sonne neben ihm auf dem Kutschbock und wurde noch immer von allerlei Befürchtungen geplagt. Bald lenkte der Bader Tatus von der römischen Straße weg auf einen kaum befahrbaren Weg durch den tiefen Schatten des Urwaldes. Über seiner Schulter hing an einer Sehne das braune Sachsenhorn, das einmal einen großen Ochsen geziert hatte. Er setzte es an den Mund und entlockte ihm ein lautes, weiches Geräusch, halb Signal, halb Stöhnen. »Es kündet jedem in Hörweite, daß wir uns nicht heimlich heranschleichen, um zu rauben und zu morden. In manchen abgelegenen Orten töten sie den Fremden, auf den sie unerwartet stoßen. Das Horn verkündet, daß wir ehrenwerte und selbstsichere Leute und imstande sind, uns zu wehren.«

Auf des Baders Geheiß versuchte Rob, ebenfalls das Horn zu blasen, aber obwohl er die Backen ganz voll nahm und kräftig pustete, brachte er keinen Ton hervor.

»Du brauchst kräftigere Lungen und eine gewisse Fertigkeit. Du wirst es lernen, keine Angst – und schwierigere Dinge, als ein Horn zu blasen.«

Der Weg war schlammig. Über seine ärgsten Stellen war Strauchwerk gelegt worden, aber er erforderte trotzdem einen geschickten Lenker. »Wir wollen unser Frühstück fangen«, verkündete der Bader. Er schnitt zwei Weidenruten ab und holte Haken und Schnüre aus dem Wagen. Aus dem Schatten hinter dem Sitz zog er eine Schachtel heraus. »Das ist unsere Heuschreckenschachtel«, erklärte er. »Es gehört zu deinen Pflichten, daß sie stets gefüllt ist.« Er hob den Deckel nur so weit, daß Rob mit der Hand hineingreifen konnte.

Spitze Lebewesen raschelten erschreckt vor Robs Fingern davon, und er nahm eines vorsichtig in die Hand. Als er diese zurückzog und das Insekt zwischen Daumen und Zeigefingern an den Flügeln hielt, zappelten dessen Beine wild. Die vier Vorderbeine waren haardünn, die beiden hinteren aber kräftig, mit starken Oberschenkeln, die es zum Hüpfen brauchte.

Der Bader zeigte ihm, wie er die Spitze des Hakens unter den kurzen Vorsprung des harten Rückenpanzers hinter dem Kopf stecken mußte.

»Nicht zu tief, sonst scheidet er Körperflüssigkeit aus und stirbt. Wo hast du gefischt?«

»In der Themse.« Er war stolz auf seine Geschicklichkeit als Fischer, denn er und sein Vater hatten oft mit Würmern in dem breiten Fluß gefischt, da sie auf die Fische angewiesen waren, um während der Arbeitslosigkeit die Familie zu ernähren.

Der Bader brummte. »Das ist eine ganz andere Art zu fischen«, meinte er. »Laß die Ruten einen Moment, und geh auf Knie und Hände nieder!«

Sie krochen vorsichtig zu einem Uferplatz, der einen Ausblick auf die nächste tiefe Stelle gewährte, und legten sich auf den Bauch. Rob fand, daß der dicke Mann verrückt war.

Vier Fische standen regungslos im Wasser.

»Zu klein«, flüsterte Rob.

»In dieser Größe schmecken sie aber am besten«, wandte der Bader ein, während sie vom Ufer wegkrochen. »Deine großen Flußforellen sind zäh und tranig. Wenn du kräftig am Ufer auftrittst, spüren sie die Erschütterung und zerstreuen sich. Deshalb verwendest du die lange Rute. Geh ein Stück zurück, und laß die Heuschrecke vorsichtig über der tiefen Stelle herab, so daß die Strömung sie zu dem Fisch trägt!«

Er beobachtete kritisch, wie Rob die Heuschrecke zu der Stelle auswarf, die er bezeichnet hatte.

Bereits der erste Wurf war erfolgreich: Rob zog eine Forelle an Land.

»Fang noch fünf!« befahl der Bader und verschwand in den Wald. Rob fing noch zwei, verfehlte eine und ging daraufhin zu einer anderen Stelle.

Der Bader kehrte mit Morcheln und wilden Zwiebeln zurück.

»Wir essen zweimal täglich«, erklärte er, »am späten Vormittag und am frühen Abend, wie alle zivilisierten Menschen:

Heraus um sechs, Frühstück um zehn,
Dinner um fünf, zu Bett um zehn,
Schenkt dir Jahre zehnmal zehn.«

Er hatte Speck dabei und schnitt ihn in dicke Scheiben. Als das Fleisch in der geschwärzten Pfanne gar war, tauchte er die Forellen in Mehl und briet sie in dem Fett knusprig und braun; die Zwiebeln und Pilze kamen zuletzt dazu.

Während sie sich den Fisch und das Fleisch schmecken ließen, briet der Bader in dem würzigen Fett, das zurückgeblieben war, Gerstenbrot und bedeckte den Toast mit kräftigen Käseschnitten, die er in der Pfanne brutzelnd schmelzen ließ. Zum Schluß tranken sie das kalte Wasser des Bachs, der ihnen die Fische geschenkt hatte.

Danach war der Bader in besserer Laune. Ein dicker Mann muß ausreichend ernährt werden, erkannte Rob. Ihm wurde auch klar, daß der Bader ein ausgezeichneter Koch war, und er freute sich im voraus auf jede Mahlzeit als das große Ereignis des Tages.

Das nächste Dorf hieß Farnham. Der Bader machte am Rand des Dorfes halt. Er nahm eine kleine Trommel und einen Stock aus dem Wagen, die er Rob reichte. »Trommle!«

Tatus wußte, was sie vorhatten: Er streckte den Kopf vor und wieherte, tänzelte und hob die Vorderhufe. Rob schlug stolz die Trommel, angesteckt von der Aufregung, die sie auf beiden Seiten der Straße hervorriefen.

»Heute nachmittag gibt's Unterhaltung«, rief der Bader. »Anschließend werden menschliche Krankheiten und große und kleine medizinische Probleme behandelt.«

Frauen kamen aus den Häusern und redeten laut miteinander, während ihre Kinder auf die Straße strömten und sich schwatzend den bellenden Hunden anschlossen, die dem roten Wagen folgten. Aus dem Wirtshaus kamen einige Zecher, gefolgt von der Kellnerin, die sich mit glänzenden Augen die nassen Hände an der Schürze abtrocknete.

Der Bader hielt auf dem kleinen Dorfplatz. Er hob vier Klappbänke vom Wagen herunter und stellte sie nebeneinander auf. »Das heißt das Podium«, bezeichnete er Rob gegenüber die kleine Plattform, die damit entstanden war. »Du wirst es jedesmal sofort aufbauen, sobald wir in einen neuen Ort kommen.«

Auf das Podium stellten sie zwei Körbe voller kleiner, zugestöpselter Flaschen, von denen der Bader behauptete, daß sie Medizin enthielten. Dann verschwand er in den Wagen und zog den Vorhang zu.

Rob saß auf dem Podium und sah zu, wie die Dorfbewohner auf die Hauptstraße drängten. Wartende Familien setzten sich auf den Boden, damit sie einen Platz in der Nähe des Podiums bekamen. Frauen knüpften und strickten, während sie warteten, und Kinder schrien und zankten. Eine Gruppe Dorfjungen gaffte Rob an. Da er den Neid und den Respekt in ihren Augen sah, setzte er sich großspurig in Positur.

Dann stieg der Bader auf das Podium.

»Guten Tag und guten Morgen«, begrüßte er die Leute. »Ich freue mich, in Farnham zu sein.« Und er begann zu jonglieren.

Er fing mit einem roten und einem blauen Ball an. Seine Hände schienen sich kaum zu bewegen. Es war wunderhübsch. Seine dicken Finger ließen die Bälle ununterbrochen im Kreis fliegen, zuerst langsam, dann immer schneller. Als die Leute klatschten, griff er in die Jacke und fügte einen grünen Ball hinzu. Und dann einen braunen. Und oh – einen gelben.

Wie wundervoll muß es sein, dachte Rob, diese Kunst zu beherrschen. Er hielt den Atem an und wartete darauf, daß der Bader einen Ball fallen ließ, doch er kam mit allen fünf mühelos zurecht und redete auch noch die ganze Zeit. Er brachte die Dörfler zum Lachen, erzählte Geschichten und sang Liedchen.

Dann jonglierte er mit Seilringen und Holztellern, und nach dem Jonglieren gab er Zauberkunststücke zum besten. Er ließ ein Ei verschwinden, fand in den Haaren eines Kindes eine Münze, ließ ein Halstuch die Farbe wechseln.

»Möchtet ihr sehen, wie ich einen Krug Bier verschwinden lasse?« Auf den allgemeinen Applaus hin lief die Kellnerin ins Wirtshaus und erschien mit einem schäumenden Krug Bier. Der Bader setzte ihn an die Lippen und leerte den Inhalt mit einem einzigen langen Zug. Er verneigte sich vor dem gutmütigen Gelächter, dann fragte er die Frauen, ob jemand ein Band haben wolle.

»O ja!« rief die Kellnerin. Sie war jung und üppig, und auf ihre spontane, natürliche Erwiderung hin kicherte die Menge.

Der Bader sah das Mädchen an. »Wie heißt du?«

»Amelia Simpson, Sir.«

»In welcher Farbe wünschst du dir denn das Band, Miss Amelia?«

»Rot.«

»Und die Länge?«

»Zwei Yard sollten mir genügen.«

»Ich will es hoffen«, murmelte er und zog die Brauen hoch.

Anzügliches Gelächter wurde laut, und er schien die Kellnerin zu vergessen. Er schnitt ein Seil in vier Teile, dann setzte er es nur mit Gesten zusammen, so daß es wieder ganz war. Er legte ein Halstuch über einen Ring und verwandelte ihn in eine Walnuß. Und dann führte er die Finger fast überrascht an den Mund, zog etwas zwischen seinen Lippen hervor, machte eine Pause und zeigte dem Publikum, daß es das Ende eines roten Bandes war.

Während sie zusahen, zog er es Stück für Stück aus dem Mund. Er ließ dabei den Kopf hängen und schielte. Schließlich hielt er das letzte Stück fest, griff nach seinem Dolch, setzte die Klinge dicht an die Lippen, schnitt das Band ab und reichte es der Kellnerin mit einer Verbeugung.

Neben ihr stand der Dorfsänger, der das Band an seinen Zollstab hielt.

»Genau zwei Yard!« erklärte er, und es gab großen Beifall.

Der Bader wartete, bis sich der Lärm gelegt hatte, dann hielt er ein Fläschchen seiner Medizin in die Höhe.

»Herren, Damen und Jungfrauen! Nur *meine* universelle, spezifische Arznei verlängert die euch zugemessene Lebensspanne, regeneriert die verbrauchten Gewebe des Körpers, macht steife Gelenke biegsam und ausgeleierte Gelenke fest. Nur sie entlockt trüben Augen ein schelmisches Glitzern, verwandelt Krankheit in Gesundheit, gebietet dem Haarausfall Einhalt und läßt neue Haare auf spiegelnden Glatzen sprießen. Dazu schärft sie müde Augen und einen abgestumpften Verstand. Eine ausgezeichnete Herzstärkung, anregender als das beste Tonikum, ein sanfteres Abführmittel als ein Salbenklistier. Das universelle Spezificum bekämpft Blähungen und blutigen Fluß, erleichtert die Leiden des Kindbetts und der Monatsregel und heilt den Scharbock, den die Seefahrer heimbringen. Es ist gut für Mensch und Tier, behebt die Taubheit, heilt entzündete Augen, Husten, Auszehrung, Magenschmerzen, Gelbsucht, Fieber und Wechselfieber…«

Der Bader verkaufte vom Podium aus. Dann stellten er und Rob einen Wandschirm auf, hinter dem der Bader Patienten untersuchte. Die Kranken und die Leidenden warteten in einer langen Reihe und bezahlten einen oder zwei Penny für die Behandlung.

An diesem Abend aßen sie im Wirtshaus gebratene Gans, das erste Mal, daß Rob eine nicht selbst zubereitete Mahlzeit aß. Er fand sie besonders köstlich, obwohl der Bader behauptete, daß das Fleisch zu lange gebraten sei, und über Klumpen in dem Rübenmus murrte. Danach breitete der Bader auf dem Tisch eine Karte der britischen Insel aus. Es war die erste Landkarte, die Rob zu Gesicht bekam, und er sah fasziniert zu, wie des Baders Finger eine gewundene Linie darauf beschrieben: die Route, der sie in den kommenden Monaten folgen wollten.

Schließlich fielen Rob die Augen zu, und er taumelte durch die helle Mondnacht schläfrig zu ihrem Lager zurück, um sein Bett zurechtzumachen. In den letzten Tagen hatte sich aber so viel ereignet, daß sein verwirrter Geist ihn am Einschlafen hinderte.

Als Rob in der Kühle des Morgens erwachte, brachen sie das Quartier ab und verließen Farnham, während die meisten Bewohner noch in den Federn lagen.

Bald nach Sonnenaufgang kamen sie an einem Brombeerdickicht vorbei und hielten an, um einen Korb voll Beeren zu pflücken. Beim nächsten Bauernhof besorgte der Bader Lebensmittel. Als sie lagerten, um zu frühstücken, entfachte Rob ein Feuer und briet den Speck und den Käsetoast; der Bader schlug neun Eier in eine Schüssel, fügte reichlich dicke Sahne hinzu, schlug die Mischung schaumig und buk sie dann, ohne umzurühren, zu einer weichen Masse, die er mit überreifen Brombeeren bestreute. Er schien sich über den Eifer zu freuen, mit dem Rob seinen Anteil verzehrte.

Am Nachmittag kamen sie an einer großen, von Bauernhöfen umgebenen Burg vorbei. Rob konnte Menschen und Erdwälle in der Anlage sehen. Der Bader trieb das Pferd zum Trab an, um rasch vorbeizukommen.

Drei Reiter kamen ihnen jedoch von der Burg nach und riefen ihnen zu, anzuhalten. Die strengen, finsteren, waffenstarrenden Männer betrachteten neugierig den auffälligen Wagen. »Was ist dein Beruf?« fragte einer, der den leichten Kettenpanzer einer Person von Rang trug.

»Bader, Mylord«, antwortete der Gefragte.

Der Mann nickte zufrieden und wendete sein Pferd. »Folgt mir!«

Umringt von ihrer Begleitung, ratterte der Wagen durch ein schweres Tor, das in die Wälle eingelassen war, dann durch ein zweites Tor in einer Palisade aus zugespitzten Stämmen und schließlich über eine Zugbrücke, auf der sie den Burggraben überquerten. Rob war noch nie einer mächtigen Burg so nahe gekommen. Das riesige Gebäude hatte Grund- und Untergeschoßmauern aus Stein und hölzerne Obergeschosse, dazu komplizierte Schnitzereien an Portal und Giebeln und einen vergoldeten Firstbalken, der in der Sonne glänzte.

»Laß deinen Wagen im Hof stehen! Nimm deine chirurgischen Instrumente mit!«

»Worum handelt es sich, Mylord?«

»Die Hündin hat sich die Pfote verletzt.«

Mit Instrumenten und Arzneiflaschen beladen, folgten sie dem Ritter in die höhlenartige Halle. Der Kamin in der Mitte war kalt, aber der Raum roch nach dem Rauch des vergangenen Winters; dazu kam ein weniger angenehmer Geruch, der am stärksten wurde, als sie vor dem Hund stehenblieben, der neben dem Kamin lag.

»Hat vor vierzehn Tagen in einer Falle zwei Zehen eingebüßt. Sie sind zunächst schön geheilt, haben aber dann zu eitern begonnen.«

Der Bader nickte. Er leerte aus einer Silberschüssel neben dem Kopf der Hündin das Fleisch und goß den Inhalt zweier seiner Flaschen hinein. Die Hündin sah mit trüben Augen zu und knurrte, als er die Schüssel neben sie stellte, doch einen Augenblick später begann sie, das Specificum auszulecken.

Der Bader ging kein Risiko ein; als die Hündin betäubt war, band er ihr die Schnauze zu und fesselte ihre Läufe, so daß sie ihm nichts tun konnte.

Die Hündin zitterte und jaulte, als der Bader schnitt. Es stank schrecklich, und im Fleisch saßen bereits Würmer.

»Sie wird noch eine Zehe verlieren.«

»Sie darf kein Krüppel werden. Mach deine Sache gut!« befahl ihm der Mann kalt.

Als er fertig war, wusch der Bader das Blut mit dem Rest der Arznei von der Pfote, dann verband er sie mit einem Lappen.

»Bezahlung, Mylord?« brachte er vorsichtig vor.

»Du mußt warten, bis der Earl von der Jagd zurückkommt, und ihn darum bitten«, sagte der Ritter und ging.

Sie banden die Hündin behutsam los, nahmen dann die Instrumente und kehrten zum Wagen zurück. Der Bader fuhr gemessen weg wie ein Mann, der die Erlaubnis hat zu gehen.

Doch als sie außer Sichtweite der Burg waren, räusperte er sich und spuckte. »Vielleicht kommt der Earl erst in einigen Tagen zurück. Wenn die Hündin bis dahin gesund ist, würde der gute Earl vielleicht sogar bezahlen. Wenn die Hündin aber gestorben ist oder der Earl an einer Verstopfung leidet, würde er uns vielleicht schinden lassen. Ich gehe diesen Herrschaften aus dem Weg und versuche mein Glück lieber in den kleinen Dörfern.« Nun trieb er das Pferd an.

Am nächsten Morgen war er besser gelaunt, als sie nach Chelmsford kamen. Aber dort hatte schon ein Salbenhändler Aufstellung genommen, um die Dorfbewohner zu unterhalten, ein schlanker Mann in einem grellen, orangefarbenen Kittel, der eine weiße Haarsträhne hatte.

»Sei gegrüßt, Bader«, sagte der Mann leichthin.

»Hallo, Wat. Hast du die Bestie noch?«

»Nein, sie ist krank und zu bösartig geworden. Ich habe sie bei einer Tierhatz verloren.«

»Schade, daß du ihr nicht mein Spezificum gegeben hast. Es hätte sie geheilt.«

Beide lachten.

»Ich habe ein neues Tier. Willst du es dir ansehen?«

»Warum nicht?« sagte der Bader. Er fuhr den Wagen unter einen Baum und ließ das Pferd grasen, während sich die Menge versammelte. Chelmsford war ein großes Dorf, und es gab ein gutes Publikum.

»Hast du schon einmal gerungen?« fragte der Bader Rob.

Der nickte. Er war ein begeisterter Ringkämpfer; es war in London der tägliche Sport der Jungen aus der Arbeiterklasse.

Wat begann seinen Auftritt auf die gleiche Art wie der Bader, indem er jonglierte. Er jonglierte gekonnt, fand Rob, aber im Geschichtenerzählen konnte er sich nicht mit dem Bader messen, und die Leute lachten auch seltener. Aber sie liebten den Bären.

Der Käfig stand im Schatten und war mit einer Decke zugedeckt. Die Menge murmelte, als Wat die Abdeckung wegzog. Rob hatte schon einmal einen dressierten Bären gesehen. Als er sechs Jahre alt war, hatte ihn sein Vater zu einem solchen Tier mitgenommen, das vor Swanns Inn seine Künste zeigte und das ihm riesig erschienen war. Als Wat seinen Bären, der einen Maulkorb trug, an einer langen Kette auf das Podium führte, wirkte der kleiner. Er war kaum größer als ein großer Hund, aber er wirkte überaus geschickt.

»Bartram der Bär!« kündigte Wat an.

Der Bär legte sich auf den Boden und tat auf Befehl, als wäre er tot. Dann rollte er einen Ball herum, er kletterte eine Leiter rauf und runter, und während Wat auf einer Flöte spielte, tanzte er einen beliebten Holzschuhtanz, den Carol, drehte sich dabei tolpatschig, statt herumzuwirbeln, ergötzte aber die Zuschauer so sehr, daß sie jede Bewegung des Tieres beklatschten.

»Und jetzt«, verkündete Wat, »wird Bartram mit jedem Herausforderer ringen. Wem es gelingt, ihn zu werfen, der bekommt kostenlos einen Tiegel mit Wats Salbe, dem wunderbarsten Heilmittel zur Erleichterung menschlicher Leiden.«

Die Leute murmelten belustigt, doch niemand trat vor.

»Kommt vor, ihr Ringer!« forderte Wat sie heraus.

Die Augen des Baders funkelten. »Hier ist ein Bursche, der keine Angst hat«, sagte er laut.

Zu Robs Überraschung und großer Besorgnis wurde er nach vorn gestoßen. Bereitwillige Hände halfen ihm auf das Podium.

»Mein Lehrling gegen deinen Bären, Freund Wat«, rief der Bader.

O Mann! dachte Rob wie betäubt.

Es war ein wirklicher Bär. Er schwankte auf den Hinterbeinen und legte seinen großen, pelzigen Kopf schief. Das war kein Hund, kein Spielgefährte aus der Carpenter's Street. Rob bemerkte massige Schultern und kräftige Gliedmaßen, und sein Instinkt riet ihm, vom Podium herunterzuspringen und zu fliehen. Aber damit würde er sich dem Bader widersetzen und alles in Frage stellen, was dieser Mann für sein Dasein bedeutete. Er entschied sich für die schwierigere Lösung und stellte sich der Bestie.

Mit klopfendem Herzen umkreiste er den Bären. Er bewegte dabei die ausgestreckten Hände vor sich, wie er es oft bei älteren Ringern gesehen hatte. Vielleicht machte er es nicht ganz richtig, denn jemand kicherte, und der Bär schaute in die Richtung, aus der das Geräusch kam. Rob versuchte zu vergessen, daß sein Gegner kein Mensch war, und handelte, wie er es im Kampf gegen einen anderen Jungen getan hätte: Er stürzte sich auf Bartram und versuchte, ihn aus dem Gleichgewicht zu stemmen, doch es war, als versuche er, einen großen Baum auszureißen.

Bartram hob eine Tatze und schlug träge zu. Dem Bären waren zwar die Krallen gestutzt worden, aber der Schlag warf Rob nieder und halb vom Podium hinunter. Jetzt hatte er mehr als Angst; er wußte, daß er nichts tun konnte, und wäre gern geflohen, aber Bartram bewegte sich unerwartet schnell und erwartete ihn schon. Als Rob auf die Beine kam, umschlangen ihn die Vordertatzen. Sein Gesicht wurde in das Bärenfell gedrückt, das ihn in Nase und Mund drang. Er erstickte in dem schmutzigen, schwarzen Fell, das genauso roch wie der Pelz, mit dem er sich nachts zudeckte. Der Bär war nicht ganz ausgewachsen, Rob freilich auch nicht. Er wehrte sich und blickte plötzlich in kleine, verzweifelte, rote Augen über sich. Rob wurde klar, daß der Bär die gleiche Angst hatte wie er, aber das Tier hatte die Oberhand und nützte sie aus. Bartram konnte nicht beißen, aber er hätte es sicherlich getan; so bohrte er den ledernen Maulkorb in Robs Schulter, und sein Atem ging heftig und stank.

Wat langte nach einem kleinen Griff am Halsband des Tieres. Er berührte ihn kaum, doch der Bär wimmerte und duckte sich. Er ließ Rob los und fiel auf den Rücken.

»Halte ihn fest, du Dummkopf!« flüsterte Wat.

Rob warf sich nieder und berührte das schwarze Fell bei den Schultern. Niemand ließ sich täuschen, und einige Leute spotteten sogar, aber die Menge war unterhalten worden und guter Laune. Wat führte Bartram in den Käfig und kehrte dann zurück, um Rob, wie versprochen, mit einem kleinen Tiegel Salbe zu belohnen. Alsbald schilderte der Unterhalter die vielen Bestandteile seiner Salbe und deren Anwendungen. Rob ging mit weichen Knien zum Wagen.

»Du hast dich gut gehalten«, lobte ihn der Bader. »Hast dich sofort auf ihn gestürzt. Ein bißchen Nasenbluten?«

Rob schnupfte und wußte, daß er Glück gehabt hatte. »Die Bestie wollte mir an den Kragen«, beschwerte er sich.

Der Bader schüttelte grinsend den Kopf. »Hast du den kleinen Griff an seinem Halsband bemerkt? Es ist ein Würgehalsband. Mit dem Griff wird das Halsband zugezogen und dem Tier die Luft abgeschnitten, wenn es nicht gehorcht. So wird der Bär dressiert.« Er half Rob auf den Kutschbock, nahm dann ein wenig Salbe aus dem Tiegel und rieb sie zwischen Daumen und Zeigefinger. »Talg und Schmalz und eine Spur Parfüm. Und er verkauft nicht wenig davon«, meinte er, während er sah, wie sich eine Schlange von Käufern bildete, um Wat ihre Pennies aufzudrängen. »So ein Tier garantiert Wohlstand. Es gibt Belustigungen, bei denen Murmeltiere, Ziegen, Krähen, Dachse und Hunde im Mittelpunkt stehen, sogar Eidechsen. Und für gewöhnlich bringt dergleichen mehr Geld, als wenn ich allein arbeite.«

Das Pferd gehorchte den Zügeln, schlug den Weg in die Kühle der Wälder ein und ließ Chelmsford und den ringenden Bären hinter ihnen. Rob zitterte innerlich immer noch. Er dachte nach.

»Warum verwendet Ihr dann kein Tier?« fragte er langsam.

Der Bader drehte sich zur Seite. Er richtete seine freundlichen, blauen Augen auf Rob, und sie schienen mehr auszudrücken als sein lächelnder Mund.

»Ich hab' doch dich«, antwortete er.

Die farbigen Bälle

Sie begannen mit dem Jonglieren, und Rob wußte von Anfang an, daß er dieses wunderliche Kunststück nie erlernen würde.

»Steh aufrecht, aber entspannt, laß die Hände herunterhängen! Hebe die Unterarme, bis sie parallel zum Boden sind! Dreh die Handflächen nach oben!« Der Bader beobachtete ihn kritisch und nickte dann. »Du mußt dir vorstellen, daß ich dir eine Schale mit Eiern auf die Handflächen gestellt habe. Die Schale darf keinen Augenblick schiefstehen, sonst rollen die Eier hinunter. Mit dem Jonglieren ist es das gleiche. Wenn deine Arme nicht in dieser Haltung bleiben, werden die Bälle auf dem Boden herumkullern. Verstanden?«

»Ja, Bader.« Aber er hatte ein ungutes Gefühl im Magen.

»Mach hohle Hände, als wolltest du aus ihnen Wasser trinken!« Er nahm zwei Holzbälle, legte den roten Ball in Robs rechte Hand und den blauen in die linke. »Jetzt wirf sie hoch wie ein Jongleur, aber gleichzeitig!«

Die Bälle flogen über Robs Kopf und fielen dann zu Boden.

»Gib acht! Der rote Ball ist höher gestiegen, weil du im rechten Arm mehr Kraft besitzt als im linken. Du mußt daher lernen, das auszugleichen, weniger Kraft in der rechten Hand einzusetzen und mehr in der linken, denn die Wurfhöhe muß gleich sein. Die Bälle sind außerdem zu hoch gestiegen. Ein Jongleur hat schon genug zu tun, ohne daß er auch noch den Kopf in den Nacken legen und in die Sonne hinaufblikken muß, um zu sehen, wo die Bälle hingeflogen sind. Die Bälle sollten nicht höher steigen als bis hierher.« Er berührte Robs Haaransatz. »So siehst du sie, ohne den Kopf zu bewegen.«

Er runzelte die Stirn. »Noch etwas. Ein Jongleur wirft nie den Ball: Die Bälle werden geschleudert. Deine Handfläche muß sich einen Augenblick straffen, so daß die Höhlung verschwindet und die Hand ganz flach wird. Aus der Mitte deines Handtellers wird der Ball dann gerade hinaufgeschnellt, während zugleich auch das Handgelenk leicht hochschnellt und der Unterarm eine winzige Aufwärtsbewegung vollführt. Von den Ellbogen bis zu den Schultern sollten sich deine Arme nicht bewegen.«

Er holte die Bälle und reichte sie Rob.

Als sie Hertford erreichten, stellte Rob das Podium auf, trug die Flaschen mit des Baders Elixier hinaus, nahm dann die beiden Holzbälle und übte allein das Hochschleudern. Es war ihm nicht schwierig vorgekommen, doch er stellte fest, daß er oft dem Ball, wenn er ihn hochschnellte, einen Drall versetzte, so daß die Richtung änderte. Wenn er das Abschnellen verzögerte, indem er den Ball zu lang festhielt, fiel er ihm ins Gesicht oder auf seine Schulter, wenn er aber eine Hand erschlaffen ließ, flog der Ball von ihm weg. Aber er ließ nicht locker, und bald erfaßte er den Trick mit dem Schnellen. Der Bader schaute zufrieden aus, als Rob an diesem Abend vor dem Essen seine neue Fertigkeit vorführte.

Am nächsten Tag hielt der Bader den Wagen vor dem Dorf Luton an und zeigte Rob, wie er zwei Bälle so schnellen konnte, daß sich ihre

Flugbahnen kreuzten. »Du kannst Zusammenstöße in der Luft vermeiden, wenn ein Ball etwas früher oder höher geschnellt wird als der andere«, belehrte er ihn.

Sobald die Darbietung in Luton begonnen hatte, stahl sich Rob mit den beiden Bällen davon und übte auf einer kleinen Lichtung im Wald. Der blaue Ball traf meist den roten mit einem leise klappernden Geräusch, das Rob zu verspotten schien. Die Bälle fielen zu Boden, rollten davon und mußten wieder eingesammelt werden, und Rob kam sich ungeschickt und irgendwie linkisch vor. Aber außer einer Waldmaus und gelegentlich einem Vogel sah niemand zu, und er setzte seine Versuche fort. Er brauchte zwei Tage des ständigen Ausprobierens, bevor er endlich einigermaßen mit sich zufrieden war und dem Bader seine Fortschritte vorführte.

Der zeigte ihm nun, wie er beide Bälle in einem Kreis bewegen konnte. »Es sieht schwieriger aus, als es ist. Die Bälle werden durch das Hochschnellen rasch hinaufgeschickt, kommen aber viel langsamer herunter. Das ist das Geheimnis des Jongleurs, das rettet ihn: Du hast viel Zeit.«

Eine Woche später brachte ihm der Bader bei, wie man beide Bälle aus derselben Hand jongliert.

Sie hielten vor einer Stadt namens Bletchly, weil der Bader von einem Bauern einen Schwan kaufte. Er war kaum mehr als ein Schwänchen, aber dennoch größer als jedes eßbare Geflügel, das Rob jemals gesehen hatte. Der Bauer verkaufte ihn bereits gerupft, doch der Bader bereitete den Vogel sorgfältig vor, wusch ihn gründlich in einem Bach und hielt ihn an den Beinen über ein kleines Feuer, um die Stoppeln abzusengen. Er füllte ihn mit Maronen, Zwiebeln, Fett und Kräutern, wie es sich für einen Vogel gehörte, der so viel gekostet hatte.

»Das Fleisch eines Schwanes ist trockener als das einer Ente, deshalb muß es gespickt werden«, belehrte er Rob glücklich. Statt den Vogel zu spicken, wickelten sie ihn jedoch vollkommen in dünne Scheiben von gesalzenem Schweinespeck, die einander überlappten und fest anlagen. Der Bader verschnürte das Tier mit einer Flachsschnur und steckte es dann auf einen Spieß über dem Feuer.

Rob übte in der Nähe des Feuers, so daß die Gerüche zu einer süßen Qual wurden. Die Hitze der Flammen entzog dem Schweinespeck das Fett und durchtränkte mit ihm das magere Fleisch, während das Fett in der Füllung langsam schmolz und den Vogel von innen saftig machte. Während der Bader den Schwan auf dem grünen Zweig drehte, der als Spieß diente, trocknete die dünne Speckschicht allmählich und wurde braun; als der Vogel schließlich durchgebraten war und der Bader ihn vom Feuer nahm, platzte die gesalzene Speckkruste und fiel ab. Innen war der Schwan saftig und köstlich, ein wenig fest, aber fein gewürzt. Sie aßen das Fleisch mit der heißen Maronenfüllung und gekochtem frischen Kürbis. Rob bekam eine große, rosa Keule.

Am nächsten Morgen standen sie früh auf, um flott und nach dem Ruhetag gut erholt weiterzufahren. Sie hielten zum Frühstück am Straßenrand und ließen sich kalte Schwanenbrust mit geröstetem Brot und Käse schmecken. Als sie aufgegessen hatten, rülpste der Bader und übergab Rob einen dritten hölzernen Ball, der grün bemalt war.

Sie bewegten sich wie Ameisen über das Tiefland. Die Cotswold-Hügel waren leicht gewellt und schön in ihrer sommerlichen Sanftheit. Die Dörfer duckten sich in die flachen Täler, und es gab mehr Steinhäuser, als Rob in London gesehen hatte. Drei Tage nach dem St.-Swithin-Tag, dem 15. Juli, wurde Rob zehn Jahre alt. Er erwähnte es dem Bader gegenüber nicht.

Er wuchs, und die Ärmel seines Hemdes, die Ma absichtlich zu lang zugeschnitten hatte, endeten jetzt ein Stück oberhalb seiner kräftigen Handgelenke. Der Bader ließ ihn schwer arbeiten. Rob erledigte die meisten täglichen Arbeiten, belud und entlud den Wagen in jeder Stadt und jedem Dorf, sammelte Brennholz und holte Wasser. Sein Körper bildete aus dem guten, nahrhaften Essen, das den Bader so dickbäuchig erhielt, Knochen und Muskeln. Er hatte sich schnell an das wunderbare Essen gewöhnt.

Und auch der Bader und Rob gewöhnten sich aneinander. Wenn der dicke Mann ab und zu eine Frau ans Lagerfeuer brachte, war es für Rob längst nichts Neues mehr. Manchmal horchte er auf die Geräusche beim Bumsen und versuchte, etwas zu sehen, aber für gewöhnlich drehte er sich um und schlief. Wenn die Umstände günstig waren, verbrachte der Bader auch einmal die Nacht im Haus einer Frau, doch traf er immer pünktlich beim Wagen ein, wenn es Morgen wurde und es Zeit war, den Ort zu verlassen.

Allmählich begriff Rob, daß der Bader versuchte, jede Frau um den

Finger zu wickeln, die er sah, und es genauso mit den Leuten hielt, die seiner Vorstellung beiwohnten. Der Bader redete ihnen ein, daß das universelle Spezificum eine Arznei aus dem Osten war, die man gewann, indem man aus den zerriebenen und getrockneten Blüten einer Pflanze, die Vitalia hieß und nur in den Wüsten des fernen Assyrien vorkam, einen Aufguß bereitete.

Wenn das Heilmittel knapp wurde, half Rob dem Bader beim Mischen eines neuen Vorrats, und er sah, daß das Spezificum überwiegend aus gewürztem Met bestand.

Sie mußten sich nur ein halbes dutzendmal erkundigen, bis sie einen Bauern fanden, der ihnen gern ein Fäßchen Metheglin verkaufte. Jedes andere alkoholische Getränk hätte denselben Dienst geleistet, aber der Bader sagte, daß ihm Metheglin, ein Gemisch aus gegorenem Honig und Wasser, am liebsten sei. »Es ist eine Erfindung der Waliser, Kleiner, eines der wenigen Dinge, die wir ihnen verdanken. Der Name kommt von *meddyg*, ihrem Wort für Arzt, und *llyn*, was starker Alkohol bedeutet. Metheglin ist ihre Allerweltsmedizin, und sie ist gut, denn sie betäubt die Zunge und wärmt die Seele.«

Vitalia, das Kraut des Lebens aus dem fernen Assyrien, entpuppte sich als eine Prise Salpeter, die Rob tüchtig in jede Gallone Metheglin verrührte. Sie verlieh dem alkoholischen Getränk medizinische Schärfe, die durch die Süße des gegorenen Honigs, der den Grundbestandteil darstellte, gemildert wurde.

Die Flaschen waren klein. »Kauf ein Fäßchen billig, verkaufe ein Fläschchen teuer«, lehrte der Bader. »Unsere Kundschaft sind die einfachen Leute und die Armen. Über uns stehen die Chirurgen, die fettere Honorare einstreichen und unsereinem manchmal ein dreckiges Geschäft zuschanzen, mit dem sie sich nicht die Hände schmutzig machen wollen, so wie man einem Köter ein faules Stück Fleisch zuwirft. Über diesem erbärmlichen Gesindel stehen die verdammten Ärzte, die sich Medicus schimpfen und die vornehmen Herrschaften betreuen, weil sie die höchsten Honorare berechnen. Hast du dich jemals gefragt, warum dieser Bader keine Bärte stutzt oder Haare schneidet? Weil ich es mir leisten kann, mir meine Tätigkeit selbst auszusuchen. Wenn ein Bader eine besondere Arznei mischt und sie fleißig verkauft, kann er genausoviel Geld verdienen wie ein Medicus. Sollte alles andere versagen, ist dies das einzige, was du wissen mußt.«

Als sie genügend Arznei für den Verkauf gemischt hatten, nahm der Bader einen kleineren Topf für ein weiteres Quantum. Dann machte er sich an seiner Kleidung zu schaffen; Rob sah starr vor Staunen zu, wie ein Urinstrahl in das universelle Spezificum plätscherte.

»Meine Spezialabfüllung«, grinste der Bader sinnig, während er sich entleerte. »Übermorgen werden wir in Oxford sein. Der dortige Vogt, Sir John Fitts, knöpft mir viel Geld ab unter der Drohung, mich sonst aus der Grafschaft auszuweisen. In vierzehn Tagen treffen wir in Bristol ein, wo ein Kneipenwirt namens Porter während meiner Vorstellung immer in wüste Beschimpfungen ausbricht. Ich versuche stets, für solche Männer passende kleine Präsente bereitzuhalten.«

Als sie in Oxford ankamen, verschwand Rob nicht, um mit seinen farbigen Bällen zu üben. Er wartete und schaute zu, wie der Vogt in einer schmutzigen Seidenjacke erschien, ein langer, dürrer Mann mit eingefallenen Wangen und ständig einem listigen Lächeln auf den Lippen, das offenbar auf eine persönliche Belustigung zurückzuführen war. Rob sah, wie der Bader den Erpresser bezahlte und ihm dann wie auf einen nachträglichen Einfall hin ein Fläschchen Spezificum anbot. Der Vogt öffnete die Flasche und trank sie aus. Rob wartete darauf, daß er würgte und spuckte und ihre sofortige Festnahme anordnete, aber Lord Fitts schluckte auch den letzten Tropfen und schmatzte.

»Annehmbares Getränk.«

»Danke, Sir John.«

»Gib mir ein paar Flaschen, ich nehme sie mit.«

Der Bader seufzte, als würde er ausgenützt. »Selbstverständlich, Mylord.«

Die mit Pisse versetzten Flaschen würden geritzt, um sie von dem unverdünnten Metheglin zu unterscheiden, und in einer Ecke des Wagens getrennt aufbewahrt. Aber Rob wagte nun nie mehr, den Honigmet zu trinken, weil er Angst vor einem Irrtum hatte. Das Vorhandensein der Spezialabfüllung verleidete ihm das ganze Metheglin und bewahrte ihn vielleicht davor, früh ein Trinker zu werden.

Mit drei Bällen zu jonglieren war gemein schwer. Er arbeitete wochenlang ohne großen Erfolg daran, obwohl er jeden freien Augenblick übte. Noch nachts im Schlaf sah er farbige Bälle, die wie Vögel durch die Luft tanzten.

Sie waren in Stratford, als er den Trick herausbekam. Er erkannte keine Veränderung in der Art und Weise, wie er die Bälle emporschnellte oder fing. Er hatte ganz einfach den richtigen Rhythmus gefunden; die drei Bälle flogen wie von selbst aus seinen Händen in die Höhe und kehrten zurück, als wären sie ein Teil von ihm.

Der Bader war zufrieden. »Es ist mein Geburtstag, und du hast mir ein schönes Geschenk gemacht«, lobte er ihn. Um beide Ereignisse zu feiern, gingen sie auf den Markt und kauften eine Rehkeule, die der Bader abkochte, spickte, mit Minze und Sauerampfer würzte und dann mit kleinen Karotten und Zuckererbsen in einer Biersauce schmorte.

»Wann ist denn dein Geburtstag?« fragte er beim Essen.

»Drei Tage nach dem St.-Swithin-Tag.«

»Das ist doch bereits vorbei! Und du hast es mit keinem Wort erwähnt!«

Rob antwortete nicht.

Der Bader sah ihn an und nickte. Dann schnitt er Scheiben von der Keule und häufte sie auf Robs Teller.

Am Abend nahm er ihn ins Wirtshaus von Stratford mit. Rob trank süßen Apfelwein, der Bader dagegen ölte seine Gurgel mit frischem Ale und sang darauf ein Lied. Er hatte keine große Stimme, konnte aber ein Lied gut vortragen. Als der letzte Ton verklungen war, gab es Beifall, und die Leute trommelten mit den Humpen auf die Tische. Zwei Frauen saßen allein in einer Ecke, sie waren die einzigen Frauen im Wirtshaus. Die eine war jung, drall und blond, die andere mager und älter; sie hatte graue Strähnen im braunen Haar. »Mehr!« schrie die ältere keck.

»Mistress, Ihr seid ja unersättlich«, rief der Bader. Er warf den Kopf zurück und sang:

> *»Ein lustig Lied will ich euch singen,*
> *Die Wittib nahm sich einen Jungen hold.*
> *Er besorgte ihr's richtig und lehrte sie springen,*
> *Als Dank für das Bumsen stahl er ihr Gold.«*

Die Frauen kreischten, sie quietschten vor Lachen und bedeckten die Augen mit den Händen.

Der Bader schickte ihnen Ale und sang weiter:

»Deine Blicke liebkosten mich einst
Deine Arme umfangen mich jetzt,
Drum schwöre keinen sinnlosen Eid,
In mein Bett kommst du doch noch zuletzt.«

Der Bader, der für einen so beleibten Mann erstaunlich behend war, tanzte mit jeder der beiden Frauen einen ausgelassenen Holzschuhtanz, während die Männer an den Tischen den Takt klatschten und johlten. Er schwenkte und wirbelte die entzückten Frauen mühelos herum, denn unter dem Speck saßen die Muskeln eines Zugpferdes. Bald schlief Rob ein. Undeutlich merkte er, daß er geweckt und von den Frauen gestützt wurde, die dem Bader halfen, ihn taumelnd zum Wagen zurückzuführen.

Als er am nächsten Morgen erwachte, lagen die drei ineinander verschlungen wie tote Riesenschlangen unter dem Gefährt.

Brüste interessierten ihn neuerdings brennend; er ging nah an die drei heran und studierte die weibliche Anatomie. Die jüngere Frau hatte einen Hängebusen mit schönen Brustwarzen in großen, braunen Höfen, in denen Haare wuchsen. Die ältere war beinahe flachbrüstig mit kleinen, bläulichen Zitzen wie bei einer Hündin oder einer Sau.

Der Bader öffnete ein Auge und beobachtete, wie sein Lehrling sich die weiblichen Formen einprägte. Dann löste er sich von ihnen, tätschelte die mißgelaunten, schläfrigen Frauen und weckte sie, damit er das Bettzeug in den Wagen bringen konnte. Rob spannte währenddessen das Pferd ein. Der Bader überließ jeder von ihnen eine Münze und eine Flasche Universal-Specificum als Geschenk. Ein flatternder Reiher schimpfte hinter ihnen her, als sie Stratford verließen.

Das Haus an der Lyme-Bucht

Eines Morgens, als Rob versuchte, das Sachsenhorn zu blasen, entlockte er ihm statt zischender Luft einen vollen Ton. Bald kündigte er mit dem einsamen, hallenden Ton täglich stolz ihr Kommen auf der ganzen Fahrtstrecke an. Als der Sommer zur Neige ging und die Tage immer kürzer wurden, reisten sie Richtung Südwesten. »Ich besitze ein kleines Haus in Exmouth«, erzählte ihm der Bader. »Ich versuche, möglichst den ganzen Winter im milden Küstenklima zu verbringen, denn ich mag die Kälte nicht.«

Er gab Rob einen braunen Ball.

Der fürchtete sich nicht davor, mit vier Bällen zu jonglieren, denn er konnte es bereits mit zwei Bällen in einer Hand, und jetzt jonglierte er eben mit zwei Bällen in jeder Hand.

In Glastonberry blamierte er sich, weil er vor einer ehrfürchtig staunenden Jungenschar auf dem Dorffriedhof seine Künste zeigte, während der Bader auf dem nahen Platz eine Vorstellung gab und ihr Lachen und ihren Beifall hörte. Der Bader tadelte ihn scharf. »Du darfst erst eine Vorstellung geben, wenn du ein wirklicher Jongleur bist, was geschehen kann oder auch nicht. Verstanden?«

»Ja, Bader«, antwortete er.

Schließlich erreichten sie eines Abends Ende Oktober Exmouth. Das Haus stand einsam und verlassen ein paar Gehminuten vom Meer entfernt.

»Es war ein Bauernhof, aber ich habe ihn ohne den Landbesitz und daher billig gekauft«, erklärte der Bader. »Das Pferd wird im ehemaligen Heuschuppen untergebracht, und der Wagen kommt in die Scheune, die früher für die Lagerung von Korn diente.« Im Anbau, in dem die Kuh des Bauern gestanden hatte, war das Brennholz vor Witterungseinflüssen geschützt. Das Gebäude war kaum größer als das Haus in der Carpenter's Street in London und hatte ebenfalls ein Strohdach, doch anstelle eines Abzuglochs für den Rauch in der Decke hatte es einen großen, aus Steinen gemauerten Kamin. An der offenen Feuerstelle hatte der Bader einen Topfhaken, einen Dreifuß, eine Schaufel, große Schürhaken, einen Kessel und einen Fleischhaken untergebracht. Neben dem Kamin befand sich ein Wärmeofen, und in dessen unmittelbarer Nähe stand ein riesiges Bett. Der Bader hatte während der vergangenen Winter für Behaglichkeit gesorgt. Rob entdeckte einen Backtrog, einen Tisch, eine Bank, einen Käseschrank, mehrere Krüge und ein paar Körbe.

Als in der Feuerstelle die Flammen loderten, wärmten sie den Rest eines Schinkens auf, der sie schon die ganze Woche ernährt hatte. Das abgehangene Fleisch hatte einen starken Beigeschmack, und das Brot war schimmlig. Es war keine Mahlzeit nach dem Geschmack des

Meisters. »Morgen müssen wir Vorräte anlegen«, brummte er mißlaunig.

Rob nahm die Holzbälle und übte in dem flackernden Lichtschein kreuzweise Würfe. Es ging gut, aber schließlich landeten die Bälle doch auf dem Fußboden.

Der Bader zog einen gelben Ball aus der Tasche und warf ihn auf den Boden zu den anderen.

Grün und braun, rot, blau. Und jetzt gelb.

Rob dachte an die Farben des Regenbogens und versank in tiefe Verzweiflung. Er blickte den Bader an. Er wußte, daß der Mann ihm den Widerstand, der vorher nicht da gewesen war, von den Augen ablesen konnte, doch er war nicht fähig, sich zu verstellen.

»Wie viele noch?«

Der Bader verstand die Frage und die Verzweiflung. »Keine. Das ist der letzte«, antwortete er ruhig.

Sie arbeiteten, um sich auf den Winter vorzubereiten. Es war genug Holz vorhanden, aber ein Teil mußte noch kleingehackt werden; man mußte auch Holz zum Unterzünden sammeln, brechen und neben dem Herd aufschichten. In dem Haus gab es zwei Räume, einen zum Wohnen und den anderen für die Lebensmittelvorräte. Der Bader wußte genau, wo sie die haltbarsten Vorräte bekamen. Sie kauften Rüben, Zwiebeln und einen Korb Kürbisse. In einem Obstgarten in Exeter pflückten sie ein Faß Äpfel mit goldener Schale und weißem Fleisch und brachten es mit dem Wagen nach Hause. Sie erstanden ein Fäßchen gepökeltes Schweinefleisch. Ein benachbarter Bauer besaß ein Räucherhaus; sie kauften Schinken und Makrelen und ließen sie bei ihm gegen Bezahlung räuchern. Dann hängten sie sie zusammen mit einem gekauften Viertel von einem Hammel hoch und trocken auf. Der Bauer kannte nur Leute, die ihre Nahrung stahlen oder selbst erzeugten, und wunderte sich, daß ein einfacher Mann so viel Fleisch kaufte.

Rob haßte den gelben Ball. Der gelbe Ball war sein Ruin. Mit fünf Bällen zu jonglieren funktionierte von Anfang an nicht. Der Bader versuchte ihm zu helfen. »Du mußt sie sehr rasch hochschnellen.«

Als Rob es versuchte, war ihm, als ginge ein Regen herabfallender Bälle auf ihn nieder. Er haschte nach ihnen, doch sie fielen alle um ihn herum und rollten in sämtliche Ecken. Der Bader lächelte: »Das wird deine Aufgabe für den Winter sein«, stellte er fest.

Das Wasser schmeckte bitter, weil der Brunnen hinter dem Haus unter einer dichten Schicht faulender Eichenblätter erstickte. Rob fand im Pferdeschuppen einen Holzrechen und holte große Haufen schwarzer, triefender Blätter heraus. Dann schaffte er Sand aus einer nahen Grube herbei und schüttete ihn in den Brunnen. Als sich das aufgewühlte Wasser klärte, war es süß.

Der Winter kam schnell: eine seltsame Jahreszeit. Rob liebte den richtigen Winter, während dem der Boden mit Schnee bedeckt war. In Exmouth regnete es dagegen die meiste Zeit, und wenn es schneite, schmolzen die Flocken sogleich auf der feuchten Erde. Es gab kein Eis außer dünnen Nadeln im Wasser, wenn er es aus dem Brunnen holte. Der Wind blies immer kalt und feucht vom Meer her, und auch im kleinen Haus war es sehr feucht. Nachts schlief er mit dem Bader im großen Bett. Zwar lag der Bader näher beim Feuer, aber sein mächtiger Leib strahlte für Rob genügend Wärme aus.

Rob begann langsam, das Jonglieren zu hassen. Er nahm jede Tätigkeit auf sich, um nicht üben zu müssen. Er trug das Nachtgeschirr hinaus, ohne daß es ihm aufgetragen wurde, und schrubbte den Topf jedesmal. Er spaltete mehr Holz, als sie brauchen konnten, und füllte den Wasserkrug dauernd frisch. Er striegelte Tatus, bis das graue Fell des Pferdes glänzte, und flocht die Mähne des Tieres. Er durchsuchte das Faß mit Äpfeln, um verfaulte Früchte auszulesen. Er hielt das Haus noch sauberer als seinerzeit seine Mutter ihres in London.

Am Ufer der Lyme-Bucht beobachtete er die weißen Wellen, die an den Strand schlugen. Der Wind wehte geradewegs vom schäumenden Meer her, so daß seine Augen tränten. Der Bader merkte, wie er vor Kälte zitterte, und trug einer verwitweten Näherin namens Editha Lipton auf, aus einem seiner alten Kleidungsstücke für Rob einen warmen Kittel und eine enge Hose zu schneidern.

Edithas Mann und ihre beiden Söhne waren während eines Sturms, der sie beim Fischen überrascht hatte, im Meer ertrunken. Sie war eine üppige Matrone mit freundlichem Gesicht und traurigen Augen. Sie wurde rasch des Baders Frau. Wenn er bei ihr im Ort blieb, lag Rob allein in dem großen Bett neben dem Feuer und tat so, als gehöre das ganze Haus ihm. Als es einmal graupelte und der Wind durch die Spalten pfiff, verbrachte Editha die Nacht bei ihnen. Rob mußte auf den Boden, wo er einen mit Tüchern umwickelten heißen Stein an sich drückte und Reste von dem Steifleinen der Näherin um die Füße wickelte. Er hörte ihre leise, freundliche Stimme: »Sollte der Junge nicht zu uns ins Bett kommen, wo es wärmer ist?«

»Nein«, erwiderte der Bader.

Kurz darauf, als der Mann knurrend auf ihr bockte, glitt ihre Hand in der Dunkelheit herab und blieb auf Robs Kopf leicht wie bei einer Segnung liegen.

Er rührte sich nicht. Als der Bader mit ihr fertig war, zog sie ihre Hand zurück. Danach wartete Rob, wenn sie in des Baders Haus schlief, stets im Dunkeln am Boden neben dem Bett, doch sie berührte ihn nie wieder.

»Du machst keine Fortschritte«, tadelte ihn der Bader. »Gib acht. Der Wert meines Lehrlings besteht darin, daß er die Menge unterhält. Mein Junge muß ein Jongleur sein.«

»Genügt es nicht, wenn ich mit vier Bällen jongliere?«

»Ein erstklassiger Jongleur kann sieben Bälle in der Luft halten. Ich kenne einige, die es zumindest mit sechs hinkriegen. Ich brauche nur einen gewöhnlichen Jongleur. Aber wenn du es nicht einmal mit fünf Bällen schaffst, wird es bald mit uns aus sein.« Der Bader seufzte. »Ich hatte schon verschiedene Lehrjungen, und von allen waren nur drei es wert, daß man sie behielt. Der erste war Evan Curry, der fünf Bälle sehr gut jonglieren konnte, aber er hatte eine Schwäche für den Alkohol. Er blieb nach seiner Lehrzeit vier einträgliche Jahre bei mir, bis er bei einer Rauferei unter Betrunkenen in Leicester erstochen wurde: ein lächerlicher Tod. Der zweite war Jason Earle. Er war geschickt, der beste Jongleur von allen. Er erlernte meinen Baderberuf, heiratete die Tochter des Vogts in Portsmouth und ließ sich von seinem Schwiegervater zu einem ehrenwerten Dieb und Kassierer von Bestechungsgeldern machen. Der vorletzte Junge war wunderbar. Er hieß Gibby Nelson. Er war mir unentbehrlich wie das tägliche Brot, erwischte aber in York ein Fieber und starb daran.« Er runzelte die Stirn. »Der letzte Junge war ein verdammter Dummkopf. Es ging ihm wie dir, er konnte mit vier Bällen jonglieren, aber mit dem fünften schaffte er es nicht, und ich habe ihn in London fortgejagt, kurz bevor ich auf dich gestoßen bin.«

Sie blickten einander unglücklich an.

»Du bist kein Dummkopf. Du bist ein vielversprechender Kerl, man kommt mit dir gut aus, du verrichtest deine Arbeit schnell. Aber ich habe das Pferd und die Ausrüstung, dieses Haus und das Fleisch, das an seinen Dachsparren hängt, nicht damit erworben, daß ich mein Können Jungen beibringe, die ich nicht gebrauchen kann. Du bist im Frühjahr ein Jongleur, oder ich muß dich irgendwo zurücklassen. Verstehst du?«

»Ja, Bader.«

Die Weihnachtszeit war herangekommen, ohne daß sie es recht bemerkt hatten. Editha forderte sie auf, sie in die Kirche zu begleiten, und der Bader knurrte: »Sind wir denn eine verdammte Familie?« Aber er erhob keinen Einwand, als sie fragte, ob sie nur den Jungen mitnehmen könne.

Die kleine, ländliche, aus mit Lehm beworfenem Flechtwerk erbaute Kirche war überfüllt und daher warm. Rob hatte, seit er London verlassen hatte, keine Kirche mehr betreten. Er atmete den Geruch von Weihrauch und die Menschenausdünstungen sehnsüchtig ein und versenkte sich in die Messe an diesem vertrauten Zufluchtsort. Später predigte der Priester, der wegen seines Dartmoor-Dialekts nur schwer zu verstehen war, von der Geburt des Erlösers und von seinem segensreichen Erdenwallen, das endete, als er von den Juden gekreuzigt wurde, und er sprach ausführlich von dem gefallenen Engel Luzifer, mit dem Jesus zur Verteidigung der Menschen ewig kämpft. Rob suchte nach einem Heiligen für ein besonderes Gebet, wandte sich aber schließlich an die reinste Seele, die er sich vorstellen konnte. *Gib acht auf die anderen, bitte, Ma! Mir geht es gut, aber hilf deinen jüngeren Kindern.* Doch er konnte es nicht unterlassen, doch noch eine persönliche Bitte anzuschließen: *Bitte, Ma, hilf mir, fünf Bälle zu jonglieren.*

Von der Kirche gingen sie heim zu der gebratenen Gans, die sich auf des Baders Spieß drehte und mit Pflaumen und Zwiebeln gefüllt war.

»Wenn ein Mann zu Weihnachten Gänsebraten ißt, wird er das ganze Jahr hindurch Geld im Säckel haben«, behauptete der Bader.

Editha lächelte. »Ich habe immer gehört, daß man zu Michaeli, am

29. September, Gänsebraten essen muß, wenn man zu Geld kommen will«, wendete sie ein, bestand aber nicht auf ihrer Ansicht, als der Bader behauptete, der Spruch gelte nur für Weihnachten. Er spendierte großzügig Alkohol, und die Mahlzeit verlief in vergnügter Stimmung.

Editha wollte nicht über Nacht bleiben, vielleicht weil ihre Gedanken anläßlich der Geburt Christi bei ihrem toten Mann und ihren Söhnen weilten; auch Rob wirkte geistesabwesend. Als sie nach Hause gegangen war, sah der Bader zu, wie Rob zusammenräumte. »Ich würde mein Herz nicht an Editha hängen«, riet ihm der Bader schließlich. »Sie ist nur eine Frau, und wir werden sie bald verlassen.«

Die Sonne kam nie hervor. Während der ersten drei Wochen im neuen Jahr bedrückte das ewige Grau des Himmels ihr Gemüt. Nun begann der Bader ihn anzutreiben, und er bestand darauf, daß er unaufhörlich übte, ganz gleich, wie jämmerlich es ihm immer wieder mißlang. »Erinnerst du dich nicht daran, wie es war, als du versucht hast, mit drei Bällen zu jonglieren? Lange konntest du es nicht, dann gelang es dir auf einmal. Und beim Blasen des Sachsenhorns war es ebenso. Du darfst keine Möglichkeit auslassen, es mit fünf Bällen zu schaffen.«

Doch wie viele Stunden er auch darauf verwandte, das Ergebnis war immer das gleiche. Er ging schon mutlos an die Aufgabe heran, denn er wußte im voraus, daß er versagen würde.

Eines Nachts träumte er, daß Editha seinen Kopf wieder berührte, ihre dicken Schenkel öffnete und ihm ihre Punze zeigte. Als er erwachte, konnte er sich nicht mehr erinnern, wie sie aussah, doch während des Traumes war etwas Seltsames, Verstörendes passiert. Er wischte den Schleim vom Bärenfell, als der Bader außer Haus war, und rieb es mit feuchter Asche sauber.

Er war nicht so närrisch zu glauben, daß Editha auf ihn warten würde, bis er ein Mann war, um ihn dann heiraten zu können, doch er fand, daß es sie freuen würde, wenn sie einen Sohn bekam. »Der Bader wird wegziehen«, erwähnte er eines Morgens, während sie ihm half, das Brennholz hineinzutragen. »Könnte ich nicht in Exmouth bleiben und bei dir leben?«

In ihre sanften Augen trat ein harter Ausdruck, doch sie schaute nicht weg. »Ich kann nicht für dich sorgen. Schon um *mein* Leben zu fristen, muß ich halb Näherin und halb Hure sein. Wenn ich dich auch noch auf dem Hals hätte, müßte ich mit jedem Kerl schlafen.« Ein Holzstück fiel aus dem Bündel in ihren Armen. Sie wartete, bis er es aufhob, dann drehte sie sich um und ging ins Haus.

Danach kam sie seltener und sprach nur gelegentlich mit ihm. Schließlich blieb sie ganz aus. Dem Bader fehlte sein Vergnügen, und er wurde reizbarer.

Plötzlich waren es nur noch wenige Wochen bis zum Frühlingsbeginn. Eines Nachts, als der Bader dachte, daß Rob schlief, zog er ihm das Bärenfell zurecht, so daß es warm und angenehm bis unters Kinn reichte. Er beugte sich über das Bett und blickte lang auf Rob hinunter. Dann seufzte er und entfernte sich.

Am Morgen holte er eine Peitsche aus dem Wagen. »Du denkst nicht an das, was du tust«, erklärte er. Er hatte nie das Pferd mit der Peitsche geschlagen, doch als Rob die Bälle fallen ließ, pfiff die Peitsche und schnitt ihm in die Beine. Es schmerzte furchtbar; Rob schrie auf und begann zu schluchzen.

»Heb die Bälle auf!«

Er sammelte sie ein, warf sie mit dem gleichen erbärmlichen Ergebnis in die Höhe, und das Leder klatschte wieder um seine Beine. Er war von seinem Vater oft geschlagen worden, doch nie mit einer Peitsche. Immer wieder hob er die fünf Bälle auf und versuchte, mit ihnen zu jonglieren, brachte es aber nicht zustande. Jedesmal, wenn es ihm mißlang, schlang sich die Peitsche um seine Beine, und er schrie.

»Heb die Bälle auf!«

»Bitte, Bader!«

Das Gesicht des Mannes war unerbittlich. »Es ist zu deinem Besten. Benütze deinen Kopf! Denke!« Obwohl es ein kalter Tag war, schwitzte der Bader.

Vor Schmerzen gelang es Rob zwar, sich auf die Aufgabe zu konzentrieren, doch er bebte, weil er verzweifelt schluchzte, und seine Muskeln versagten ihm den Dienst. Seine Leistung war schlechter denn je. Er zitterte, Tränen näßten sein Gesicht, und der Rotz rann ihm in den Mund, während der Bader die Peitsche schwang. Ich bin ein Römer, sagte sich Rob. Wenn ich einmal erwachsen bin, werde ich diesen Mann aufspüren und umbringen.

Der Bader schlug ihn, bis Blut durch die Beine der neuen Hose drang, die Editha genäht hatte. Dann ließ er die Peitsche fallen und verließ das Haus.

Der Bader kehrte in dieser Nacht spät zurück und fiel betrunken ins Bett.

Als er am Morgen erwachte, waren seine Augen sanft, aber er schob die Lippen vor, als er Robs Beine betrachtete. Er wärmte Wasser und benützte einen Lappen, um sie von dem getrockneten Blut zu säubern, dann holte er einen Topf mit Bärenfett. »Reib es gut ein«, befahl er ihm.

Das Bewußtsein, daß er seine Chance vertan hatte, schmerzte Rob mehr, als es die blutigen Striemen taten.

Der Bader zog seine Landkarten zu Rate. »Ich werde mich am Gründonnerstag auf den Weg machen und dich bis Bristol mitnehmen. Das ist eine blühende Hafenstadt, vielleicht kannst du dort Arbeit finden.«

»Ja, Bader«, flüsterte er.

Der Bader brauchte lange Zeit, um das Frühstück zuzubereiten, und als es fertig war, teilte er großzügig Haferbrei, Käsetoast, Eier und Speck aus. »Iß nur, iß!« murrte er.

Er setzte sich und sah zu, wie Rob das Essen hinunterwürgte.

»Tut mir leid«, sagte er. »Ich war selbst ein herumziehender Waisenjunge und weiß, daß das Leben hart sein kann.«

Nur noch einmal wendete sich der Bader an diesem Morgen an ihn. »Du kannst die Klamotten behalten«, meinte er.

Die farbigen Bälle wurden weggeräumt, und Rob übte nicht mehr. Aber bis zum Gründonnerstag waren es noch fast vierzehn Tage, und der Bader ließ ihn hart arbeiten und befahl ihm, die Schieferböden in beiden Räumen zu schrubben. Jeden Frühling hatte Ma daheim auch die Wände gestrichen, und das tat er jetzt hier. Es gab zwar weniger Rauch in diesem Gebäude als zu Hause, aber diese Wände schienen zuvor nie gestrichen worden zu sein, und als er mit dieser Arbeit fertig war, sahen sie entschieden freundlicher aus.

Eines Nachmittags schien wie durch ein Wunder wieder die Sonne, das Meer glitzerte blau, und die salzhaltige Luft wurde weich. Zum erstenmal konnte Rob verstehen, warum manche Leute Exmouth zu ihrem Wohnsitz wählten. In den Wäldern hinter dem Haus begannen kleine, grüne Triebe aus der feuchten, laubbedeckten Erde zu sprießen. Er pflückte einen Topf voll Farnschößlinge, und sie kochten das erste Grün mit Speck. Die Fischer hatten sich auf die ruhiger gewordene See hinausgewagt, und der Bader begegnete einem heimkehrenden Boot und kaufte einen schrecklich aussehenden Dorsch und ein halbes Dutzend Fischköpfe. Er ließ Rob gesalzenes Schweinefleisch in Würfel schneiden und briet das fette Fleisch langsam in der Pfanne, bis es knusprig war. Dann kochte er eine Suppe, in die er Fleisch und Fisch, aufgeschnittene Rüben, geschmolzenes Fett, dicke Milch und eine Spur Thymian rührte. Sie genossen das Mahl schweigend mit knusprigem, warmem Brot und wußten beide, daß Rob sehr bald keine solchen Mahlzeiten mehr essen würde.

Ein Teil des aufgehängten Hammelfleisches war schimmlig geworden. Der Bader schnitt den verdorbenen Teil ab und trug ihn in den Wald. Aus dem Apfelfaß stieg stechender Gestank, denn nur mehr wenige Früchte waren nicht angefault. Rob kippte das Faß um und leerte es aus, prüfte jeden Apfel und legte die gesunden Früchte beiseite. Sie fühlten sich in seinen Händen fest und rund an.

Er erinnerte sich, wie der Bader ihm das weiche Auffangen beigebracht hatte, indem er ihm Äpfel zum Jonglieren gab, und so schnellte er drei von ihnen in die Höhe: hopp-hopp-hopp.

Er fing sie auf. Dann warf er sie wieder, diesmal sehr hoch, und klatschte in die Hände, bevor er sie auffing. Er hob zwei weitere Äpfel auf und schickte alle fünf hinauf, aber – o Pech! – sie stießen in der Luft zusammen und landeten einigermaßen zermatscht auf dem Fußboden. Er erstarrte, da er nicht wußte, ob sich der Bader in der Nähe befand; er war sicher, wieder Hiebe einzustecken, wenn sein Meister entdeckte, wie er mit dem Essen umging.

Aber aus dem anderen Raum kam kein Protest.

Er begann, die gesunden Äpfel wieder in das Faß zu legen. Es war gar nicht so schlecht gegangen, sagte er sich, die zeitliche Abstimmung schien besser geworden zu sein.

Er wählte wieder fünf Äpfel von der richtigen Größe aus und warf sie in die Höhe.

Diesmal klappte es beinahe, aber seine Nerven hielten nicht durch, und die Früchte fielen knallend auf den Boden, als hätte ein Herbststurm sie vom Baum gebeutelt.

Er hob die Äpfel auf und schnellte sie wieder empor. Er mußte ihnen überallhin nachrennen, und es war ein Hinundherlaufen statt flüssiger, schöner Bewegungen, doch diesmal flogen die fünf Äpfel in die Luft, landeten in seinen Händen und wurden gleich wieder hinaufgeschickt, als wären es nur drei. Hinauf und hinunter und hinauf und hinunter. Immer wieder.

»O Ma!« keuchte er, obwohl er noch Jahre später nicht ins reine kommen konnte, ob sie etwas damit zu tun hatte oder nicht.

Hopp-hopp-hopp-hopp-hopp!

»Bader!« sagte er laut, er hatte Angst zu schreien.

Die Tür ging auf. Im nächsten Augenblick verlor er die Übersicht, und überall purzelten Äpfel zu Boden.

Als er aufblickte, wich er zurück, denn der Bader stürzte mit erhobenen Händen auf ihn zu.

»Ich habe es gesehen!« schrie er, und Rob fand sich in einer begeisterten Umarmung wieder, die sich mit den heftigsten Angriffen des Bären Bartram durchaus messen konnte.

Der Gaukler

Der Gründonnerstag kam und verging, doch sie blieben in Exmouth, denn Rob mußte in allen Sparten der Unterhaltungskunst geschult werden. Sie arbeiteten an einer gemeinsamen Jongleurnummer, was ihm von Anbeginn viel Spaß machte, und er erbrachte auch eine außerordentlich gute Leistung. Dann gingen sie zu Zaubertricks über, die etwa so schwierig waren wie das Jonglieren mit vier Bällen.

»Magier werden nicht vom Teufel ernannt«, erklärte der Bader. »Die Magie ist eine menschliche Kunst, die man lernen muß wie das Jonglieren. Aber sie ist viel leichter«, fügte er rasch hinzu, als er Robs Gesicht sah.

Vom Bader wurde Rob in die einfachen Grundlagen der Magie eingeweiht: »Du mußt einen tapferen, kühnen Geist besitzen und bei allem, was du tust, ein selbstbewußtes Gesicht machen. Du brauchst geschickte Finger und große Präzision bei der Arbeit, du mußt die Zuschauer durch deine Zungenfertigkeit ablenken und fremdartige Worte verwenden, um deine Vorführung auszuschmücken. Die letzte Regel ist bei weitem die wichtigste: Du mußt über Vorrichtungen, bestimmte Körperbewegungen und andere Ablenkungsmanöver verfügen, damit die Zuschauer überall hinschauen; nur nicht auf das, was du wirklich tust.«

Die beste Ablenkung seien sie beide, sagte der Bader und benützte den Bandtrick, um es Rob vorzuführen. »Dafür brauche ich blaue, rote, schwarze, gelbe, grüne und braune Bänder. An das Ende jedes Yards schlinge ich einen Laufknoten, dann rolle ich das geknotete Band fest zu kleinen Knäueln zusammen, die ich in meiner Kleidung verteile. Jede Farbe hat ihre bestimmte Tasche. ›Wer möchte ein Band?‹ frage ich ›Ah ja, Sir, ein blaues Band, zwei Yard lang.‹ Sie verlangen selten ein längeres. Sie brauchen ja keine Bänder, um eine Kuh anzubinden. Ich vergesse die Bitte scheinbar und befasse mich mit anderen Dingen. Dann sorgst du für Ablenkung, vielleicht indem du jonglierst. Während alle Blicke auf dich gerichtet sind, greife ich in meine linke Kitteltasche, in der das blaue Band aufbewahrt wird. Ich täusche Husten vor, verdecke mit der Hand meinen Mund, und das Knäuel ist schon drinnen. Wenn die allgemeine Aufmerksamkeit dann wieder mir gilt, entdecke ich das Ende des Bandes zwischen meinen Lippen und ziehe es Stück um Stück heraus. Sobald der erste Knoten bei meinen Zähnen anlangt, geht er auf. Wenn der zweite Knoten kommt, weiß ich, daß ich bei zwei Yards bin, schneide das Band ab und zeige es her.«

Rob lernte den Trick begeistert, war aber von der schnöden Manipulation enttäuscht und seiner Illusion beraubt.

Der Bader beraubte ihn aber noch mehrerer Illusionen. Obwohl Rob längst nicht als ausgelernter Magier gelten konnte, arbeitete er bald als Helfer des Zauberers. Er lernte einfache Tänze, Zauberformeln und Lieder, Scherze und Anekdoten, die er nicht verstand. Schließlich plapperte er auch die Reden nach, die zum Verkauf des Universal-Spezificums gehörten. Der Bader lobte ihn, weil er rasch lernte. Lang bevor sein Lehrling es für möglich hielt, erklärte der Bader, daß er nun gerüstet sei.

Sie brachen an einem nebligen Aprilmorgen auf und reisten zwei Tage lang in leichtem Frühlingsregen durch die Blackdown Hills. Am dritten Nachmittag klarte der Himmel auf, und sie erreichten das Dorf Bridgeton. Der Bader hielt das Pferd bei der Brücke an, der der Ort seinen Namen verdankte, und erteilte Rob letzte Anweisungen.

Als dann die Vorstellung begann, sprang er mit dem Bader auf das Podium.

»Guten Tag und guten Morgen«, begrüßte der Bader die Menge. Sie begannen beide, mit zwei Bällen zu jonglieren. »Wir freuen uns sehr, in Bridgeton zu sein.«

Gleichzeitig zogen beide einen dritten Ball aus der Tasche, dann einen vierten und schließlich einen fünften.

Der Beifall war das lauteste und zugleich schönste Geräusch, das Rob je gehört hatte.

Der Bader ließ dann in einem leeren Korb Papierrosen aufblühen, verwandelte ein dunkles Halstuch in eine Reihe farbiger Fähnchen, griff sich Münzen aus der leeren Luft und ließ zuerst einen Krug Bier und dann ein Hühnerei verschwinden.

Rob sang »Der reichen Witwe Liebesnot« zu einem entzückten Pfeifkonzert, dann verkaufte der Bader schnell sein universelles Spezificum, leerte drei Körbe und schickte Rob um Nachschub in den Wagen.

Danach wartete eine lange Reihe von Patienten darauf, wegen verschiedener Leiden behandelt zu werden, denn wenn auch die leichtgläubige Menge schnell bereit war zu lachen und auf einen Scherz einzugehen, bemerkte Rob, daß die Leute doch äußerst ernst wurden, wenn es sich darum handelte, Heilung für die Krankheiten ihres Körpers zu finden.

Sobald die Patienten gegangen waren, verließen sie Bridgeton, denn der Bader behauptete, es sei ein Räubernest, in dem einem nach Einbruch der Dunkelheit die Kehle durchgeschnitten wurde. Der Meister war mit ihren Einnahmen sichtlich zufrieden, und Rob schlief an diesem Abend mit dem Bewußtsein ein, sich seinen Platz in dieser Welt gesichert zu haben.

Als nächstes hielten sie in Glastonbury, einem Ort mit frommen Leuten, die ihre Häuser um die große, schöne St.-Michaels-Kirche errichtet hatten.

»Wir müssen hier etwas zurückhaltend sein«, sagte der Bader. »In Glastonbury führen die Pfaffen das große Wort, und Pfaffen hassen jede Form von ärztlicher Behandlung, denn sie glauben, daß Gott sie mit der heiligen Verantwortung für die Seele *und* den Körper des Menschen betraut hat.«

Rob bemerkte nicht weniger als fünf finster dreinblickende Priester unter den Zuschauern.

Er und der Bader jonglierten mit roten Bällen, die der Bader kommentierend mit den Feuerzungen verglich, die den Heiligen Geist der Apostelgeschichte 2.3 verkörpern. Die Zuschauer waren von dem Jonglieren begeistert und klatschten eifrig Beifall, verstummten jedoch, als Rob »Alle Glorie, Preis und Ehre« sang.

Der Bader brachte dann heilige Reliquien in einer abgenutzten Truhe aus Eschenholz auf die Bühne. »Gebet acht, Mitbrüder im Herrn«, begann er mit seiner, wie er Rob später erklärte, Mönchsstimme. Er zeigte ihnen Erde und Sand, die vom Berg Sinai und vom Ölberg nach England gebracht worden waren, hielt einen Splitter vom heiligen Kreuz in die Höhe und ein Stück von dem Balken, der die heilige Krippe getragen hatte; er zeigte Wasser aus dem Jordan, eine Erdscholle von Gethsemane und Knochensplitter, die von vielen Heiligen stammten.

Die Zuschauer waren gerührt. Während sie noch seufzten, hielt der Bader eine Flasche Universal-Spezificum hoch. »Freunde«, deklamierte er, »wie der Herr das Heilmittel für eure Seele gefunden hat, habe ich die Arznei für euren Körper gefunden.«

Er erzählte die Geschichte von Vitalia, dem Kraut des Lebens, die offensichtlich ebensogut bei Frommen wie bei Sündern wirkte, denn die Leute kauften das Spezificum gierig und stellten sich dann vor dem Wandschirm des Baders zur Beratung und Behandlung an.

An diesem Nachmittag rasteten sie frohgelaunt. Das war vielleicht der richtige Moment, um ein Thema anzuschneiden, das schon lange schwer auf Robs Gemüt lastete.

»Bader«, begann er.

»Hmmm?«

»Bader, wann fahren wir nach London?«

Der Bader war gerade damit beschäftigt, die Münzen aufzustapeln, und winkte ab, da er sich nicht verzählen wollte. »Demnächst«, murmelte er, »irgendwann.«

Die Gabe

In Kingswood versagte Rob bei vier Bällen. In Mangotsfield ließ er einen Ball fallen, aber das war das letzte Mal, und nachdem sie den Dorfbewohnern von Redditch Mitte Juni eine Vorstellung und Behandlung geboten hatten, brauchte er nicht mehr jeden Tag stundenlang das Jonglieren zu üben, denn die häufigen Auftritte hielten seine Finger geschmeidig und sein Gefühl für den Rhythmus wach. Bald wurde er ein sicherer Jongleur. Er nahm an, daß er auch noch gelernt hätte, mit sechs Bällen zurechtzukommen, doch der Bader wollte nichts davon wissen, denn es war ihm lieber, wenn er ihm bei seiner Arbeit half.

Sie reisten wie die Zugvögel nach Norden, doch statt zu fliegen schlängelten sie sich langsam durch die Berge zwischen England und Wales. In der Stadt Abergavenny, einer Reihe baufälliger Häuser, die an einem düsteren Gebirgskamm aus Schiefergestein lehnten, half Rob dem Bader zum erstenmal bei der Untersuchung und Behandlung.

Rob hatte Angst. Er hatte mehr Hemmungen als seinerzeit bei den beiden Holzbällen. Es war ihm rätselhaft, warum die Leute erkrankten. Er dachte, ein Mensch könne unmöglich Krankheiten verstehen und heilen, und merkte, daß der Bader klüger war als jeder Mensch, den er bisher kennengelernt hatte, weil er dazu imstande war.

Die Kranken standen Schlange vor dem Wandschirm, und er ließ einen nach dem anderen dahintertreten, sobald der Bader mit dem vorhergehenden Patienten fertig war. Der erste Mann, den Rob seinem Meister vorführte, war groß und ging gebeugt, er hatte schwärzliche Spuren am Hals, an den Knöcheln und unter seinen Fingernägeln.

»Es könnte dir nicht schaden, wenn du dich einmal wäschst«, meinte der Bader nicht unfreundlich.

»Es ist die Kohle, versteht Ihr«, erläuterte der Mann. »Der Staub setzt sich fest, wenn man schürft.«

»Du schürfst Kohle?« fragte der Bader. »Ich habe gehört, sie ist giftig, wenn man sie verbrennt. Ich habe selbst gesehen, daß sie Gestank und dicken Rauch verbreitet, der nicht leicht durch das Rauchloch eines Hauses abzieht. Kann man unter solchen Umständen leben?«

»Man kann es, Sir, und wir sind arm. Aber in letzter Zeit habe ich Schmerzen und Schwellungen an den Gelenken, und die Arbeit tut mir weh.«

Der Bader betastete die schmutzigen Gelenke und drückte mit seiner dicken Fingerspitze auf die Geschwulst am Ellbogen des Mannes. »Es kommt daher, daß du die Ausdünstungen der Erde einatmest. Du mußt in der Sonne sitzen, so oft du kannst. Bade häufig in warmem Wasser, aber nicht in heißem, denn heiße Bäder führen zur Schwächung des Herzens und der Glieder. Reibe deine geschwollenen Gelenke mit dem universellen Spezificum ein. Das hilft auch, wenn du es innerlich anwendest.«

Er berechnete dem Mann sechs Pence für drei kleine Fläschchen und weitere zwei Pence für die Beratung und sah Rob dabei nicht an.

Rasch nacheinander behandelte er einen Mann, dessen gebrochenes Bein vor acht Jahren schlecht zusammengewachsen war und der beim Gehen den linken Fuß nachzog, eine Frau, die von Kopfschmerzen geplagt wurde, einen Mann mit Krätze auf der Kopfhaut und ein dümmlich lächelndes Mädchen mit einer schrecklichen Wunde auf der Brust, die ihm gestand, sie habe zu Gott gebetet, daß ein Bader durch ihre Stadt kommen möge.

Er verkaufte allen das Universal-Spezificum, außer dem Mann mit der Krätze, der es nicht wollte, obwohl der Bader es ihm dringend empfahl; vielleicht besaß er die zwei Pence nicht.

Sie kamen in die sanfteren Hügel der westlichen Midlands. Vor dem Dorf Hereford mußte Incitatus am Fluß Wye warten, weil Schafe durch die Furt wateten, ein scheinbar endloser Zug blökender Felle, die Rob gründlich ängstigten. Er hätte gern eine unbefangene Einstellung zu Tieren gehabt, aber er war ein Stadtjunge, obwohl seine Ma von einem Bauernhof stammte. Tatus war das einzige Pferd, mit dem er je zu tun gehabt hatte. Ein entfernter Nachbar in der Carpenter's Street hatte zwar eine Milchkuh gehalten, doch keiner der Coles hatte je etwas mit Schafen zu tun gehabt.

Hereford war eine wohlhabende Gemeinde. Jeder Bauernhof, an dem sie vorbeikamen, besaß einen Schweinepfuhl und grüne buckelige Wiesen, auf denen Schafe und Rinder weideten. Die Steinhäuser und Scheunen waren groß und massiv gebaut und die Menschen im allgemeinen fröhlicher als die nur ein paar Tagereisen entfernten armen Waliser Bergbauern. Ihre Vorstellung auf dem Dorfanger zog eine ansehnliche Menschenschar an, und der Verkauf ging gut.

Der erste Patient des Baders hinter dem Wandschirm stand etwa in Robs Alter, wenn er auch viel kleiner war. »Er ist vor nicht ganz sechs Tagen vom Dach gefallen, und schaut Euch das an!« sagte der Vater des Jungen, ein Faßbinder. Eine zersplitterte Faßdaube am Boden hatte die linke Handfläche durchbohrt, und nun war das Fleisch entzündet wie ein aufgeblasener Kugelfisch.

Der Bader zeigte Rob, wie er die Hände des Jungen festhalten, und dem Vater, wie er dessen Beine packen solle, dann nahm er ein kurzes, scharfes Messer aus seiner Instrumententasche.

»Haltet ihn fest!« befahl er.

Rob spürte, wie die Hände zitterten. Der Junge schrie auf, als die Klinge in sein Fleisch drang. Grünlich-gelber Eiter spritzte heraus, gefolgt von üblem Geruch und einem Strom roten Blutes.

Der Bader reinigte die Wunde von Fäulnis, untersuchte sie dann vorsichtig und gründlich und zog mit einer eisernen Pinzette kleine Splitter heraus. »Es sind die Splitter von dem Holzstück, das ihm in die Hand eingedrungen ist, verstehst du?« Er zeigte sie dem Vater.

Der Junge stöhnte. Rob fühlte Übelkeit aufsteigen, doch er hielt ihn weiter fest, während der Bader langsam und vorsichtig zu Werke ging. »Wir müssen alle entfernen«, erklärte er, »denn sie enthalten verderbliche Säfte, die die Hand wieder brandig machen.«

Als er überzeugt war, daß sich kein Holzsplitter mehr in der Wunde befand, goß er etwas Spezificum hinein und verband sie mit einem Tuch. Dann trank er den Rest der Flasche selbst. Der schluchzende Patient schlich davon und war froh, daß er sie verlassen konnte, während sein Vater bezahlte.

Als nächster war ein gebeugter alter Mann mit hohlem Husten an der Reihe. Rob führte ihn hinter den Wandschirm.

»Morgenschleim. Oh, eine große Menge, Sir!« Er keuchte, wenn er sprach.

Der Bader strich mit der Hand nachdenklich über die eingefallene Brust. »Ich werde dich schröpfen.« Er sah Rob an. »Hilf ihm, sich teilweise freizumachen, damit man an seiner Brust Schröpfköpfe ansetzen kann.«

Rob zog dem alten Mann vorsichtig das Unterhemd aus, denn er wirkte gebrechlich. Um den Patienten wieder zum Bader hinzudrehen, ergriff er beide Hände des Mannes. Es war, als fasse er zwei zitternde Vögel. Die steifen Finger lagen in den seinen und übermittelten ihm eine Botschaft.

Der Bader warf ihnen einen Blick zu und merkte, wie der Junge erstarrte. »Komm!« forderte er ihn ungeduldig auf. »Wir dürfen nicht den ganzen Tag herumtrödeln.« Rob schien ihn nicht zu hören.

Schon zweimal hatte Rob gespürt, wie diese seltsame, unangenehme Gewißheit aus dem Körper eines anderen in den seinen gedrungen war. Auch jetzt wurde er von Entsetzen überwältigt. Er ließ die Hände des Kranken fallen und floh.

Fluchend suchte der Bader seinen Lehrling, bis er ihn fand: Er kauerte hinter einem Baum.

»Ich will den Grund hören. Und zwar sofort!«

»Er... der Alte wird sterben.«

Der Bader machte große Augen. »Was ist das für ein ausgewachsener Unsinn?«

Sein Lehrling begann zu weinen.

»Hör damit auf!« herrschte der Bader ihn an. »Woher willst du das wissen?«

Rob versuchte zu sprechen, brachte aber keinen Ton hervor. Der Bader versetzte ihm eine Ohrfeige, und Rob schnappte nach Luft. Als er zu sprechen begann, sprudelten die Worte aus ihm heraus, denn sie waren ihm immer wieder durch den Kopf gegangen, noch bevor sie London verlassen hatten. Er hatte den bevorstehenden Tod seiner Mutter gespürt, und er war eingetreten. Dann hatte er gewußt, daß sein Vater sterben würde, und er war gestorben.

»Du meine Güte«, sagte der Bader skeptisch, aber er hörte genau zu und beobachtete Rob dabei. »Du meinst also, daß du tatsächlich bei diesem alten Mann den Tod gefühlt hast?«

»Ja.« Er erwartete nicht, daß man ihm Glauben schenken würde.

»Wann?«

Er hob die Schultern. »Bald?«

Er nickte. Er konnte nur die trostlose Wahrheit sagen. In des Baders Augen sah er, daß der Mann das erkannte.

Der Bader zögerte, dann faßte er einen Entschluß: »Während ich uns die Leute vom Hals schaffe, belädst du den Wagen!« befahl er.

Sie verließen das Dorf langsam, aber sobald sie außer Sichtweite waren, fuhren sie so rasch, wie es die holprige Straße zuließ. Incitatus stampfte spritzend und geräuschvoll durch die Furt des Flusses und vertrieb aufgescheuchte Schafe, deren ängstliches Blöken beinahe das Geschrei des erzürnten Schäfers übertönte.

Rob erlebte zum erstenmal, daß der Bader dem Pferd die Peitsche gab. »Warum beeilen wir uns so?« rief er, während er sich festklammerte. »Weißt du, was sie mit Hexenmeistern machen?« Der Bader mußte schreien, um das Trommeln der Hufe und das Klappern der Dinge im Wagen zu übertönen.

Rob schüttelte den Kopf.

»Sie knüpfen sie an einem Baum auf oder nageln sie an ein Kreuz. Manchmal tauchen sie Verdächtige in deiner verdammten Themse unter, und wenn sie ertrinken, erklärt man sie für unschuldig. Wenn der alte Mann stirbt, werden sie behaupten, es kommt daher, daß wir Hexer sind«, brüllte er und schlug mit der Peitsche immer wieder auf den Rücken des entsetzten Pferdes ein.

Sie hielten nicht an, um zu essen oder ihre Notdurft zu verrichten. Als sie Tatus erlaubten, in Schritt zu fallen, lag Hereford schon weit hinter ihnen, aber sie trieben das arme Tier bis zur Dämmerung weiter an. Erschöpft schlugen sie das Lager auf und aßen schweigend ein kärgliches Mahl.

»Schildere es noch einmal!« forderte der Bader ihn schließlich auf. »Laß nichts aus!«

Er hörte aufmerksam zu und unterbrach Rob nur einmal, um ihn zu bitten, lauter zu sprechen. Als er die Geschichte des Jungen angehört hatte, nickte er.

»In meiner Lehrlingszeit habe ich miterlebt, wie mein Badermeister zu Unrecht als Hexer ertränkt wurde«, sagte er.

Rob starrte ihn an und war zu erschrocken, um weitere Fragen zu stellen.

»Einige Male in meinem Leben sind Leute gestorben, während ich sie behandelt habe. Einmal ist in Durham eine alte Frau verschieden, und ich war sicher, daß ein geistliches Gericht die Prüfung durch Untertauchen oder Halten einer weißglühenden Eisenstange anordnen würde. Ich wurde erst nach der peinlichsten Befragung, nach Fasten und

Almosenspenden freigelassen. Ein andermal in Eddisbury starb ein Mann, als er sich hinter meinem Wandschirm befand. Er war jung und schien kerngesund zu sein. Unruhestifter hätten leichtes Spiel gehabt, aber ich hatte Glück, und niemand verstellte mir den Weg, als ich den Ort verließ.«

Rob fand seine Stimme wieder. »Glaubt Ihr... daß ich vom Teufel besessen bin?« Es war eine Frage, die ihn den ganzen Tag beschäftigt hatte.

Der Bader schnaubte. »Wenn du das glaubst, bist du kindisch und dumm. Und ich weiß, daß du weder das eine noch das andere bist.« Er ging zum Wagen, füllte sein Horn mit Metheglin und trank es aus, bevor er fortfuhr. »Mütter und Väter sterben. Und alte Leute sterben. Das ist der Lauf der Welt. Bist du sicher, daß du etwas gefühlt hast?«

»Ja, Bader.«

»Ein junger Kerl wie du kann sich doch einmal irren oder phantasieren?«

Rob schüttelte eigensinnig den Kopf.

»Und ich sage, es war alles nur Phantasie«, behauptete der Bader. »Jetzt reicht es mit dem Fliehen und Reden, wir müssen uns ausruhen.«

Sie schlugen ihr Nachtlager zu beiden Seiten des Feuers auf, aber sie lagen stundenlang dort, ohne zu schlafen. Der Bader wälzte sich und warf sich herum, dann stand er auf und öffnete eine weitere Flasche. Er nahm sie zu Robs Seite des Feuers mit und hockte sich nieder.

»Angenommen«, begann er und trank einen Schluck, »nur angenommen, alle anderen Menschen auf der Welt würden ohne Augen geboren, und du kämst allein mit Augen auf die Welt?«

»Dann würde ich sehen, was niemand sonst sehen kann.«

Der Bader trank und nickte. »Ja. Oder stell dir vor, wir hätten keine Ohren, und du hättest welche? Oder nimm an, daß uns ein anderer Sinn fehlt. Und irgendwie von Gott oder der Natur oder von wem du willst hättest du eine... besondere Gabe erhalten. Nimm an, du kannst vorhersagen, wenn jemand sterben wird?«

Rob schwieg, weil er wieder schreckliche Angst hatte.

»Es ist Unsinn, wir beide wissen das«, stellte der Bader fest. »Es ist alles deiner Phantasie entsprungen. Aber nur *angenommen*...« Er trank nachdenklich aus der Flasche, sein Adamsapfel hüpfte auf und ab, und das verlöschende Feuer glänzte warm in seinen hoffnungsvollen Augen, als er Rob ansah. »Es wäre eine Sünde, eine solche Gabe nicht zu verwerten«, schloß er.

In Chipping Norton kauften sie Metheglin und füllten wieder eine Menge Spezificum ab, um den einträglichen Vorrat aufzufüllen.

»Wenn ich sterbe und vor dem Himmelstor in der Reihe stehe«, sagte der Bader, »wird der heilige Petrus alle fragen: ›Wie hast du dein Brot verdient?‹ – ›Ich war ein Bauer‹, wird ein Mann sagen, oder ›Ich habe Stiefel aus Leder hergestellt.‹ Aber ich werde antworten: ›*Fumum vendidi*‹«, lachte der ehemalige Mönch fröhlich, und Robs Latein reichte dafür aus: Ich habe Dunst verkauft.

Doch der Bader war viel mehr als ein Hausierer mit fragwürdigen Arzneien. Wenn er hinter dem Wandschirm die Leute behandelte, bewies er Sachkenntnis und oft auch Mitgefühl. Was er unternahm, verstand und tat er einwandfrei, und er führte Rob eine sichere Urteilskraft vor und eine feinfühlige Hand.

In Buckingham zeigte ihm der Bader, wie man Zähne zieht, denn er stieß zufällig auf einen Viehtreiber mit verfaulten Zähnen. Der Patient war ebenso dick wie der Bader, ein Angsthase mit hervorquellenden Augen, der schrie wie eine Frau. Mittendrin überlegte er es sich. »Halt, halt, halt! Laßt mich los!« flüsterte er mit blutigem Mund, aber es war klar, daß die Zähne gezogen werden mußten, und sie machten weiter; es war für Rob eine ausgezeichnete Lektion.

In Clavering mietete der Bader die Schmiede für einen Tag, und Rob lernte, wie man eiserne Lanzetten und Punktiernadeln herstellte. Es war eine Arbeit, die er in den nächsten Jahren noch in einem halben Dutzend Schmieden in ganz England wiederholen mußte, bis sein Meister davon überzeugt war, daß er sie beherrschte. Die meisten Instrumente, die sie in Clavering herstellten, wollte der Bader nicht haben, er gestattete Rob jedoch widerwillig, eine kleine zweischneidige Lanzette als erstes Instrument eines eigenen Satzes chirurgischer Instrumente zu behalten: ein wichtiger Anfang. Während sie die Midlands verließen und in die Fens fuhren, lehrte ihn der Bader, welche Venen zum Aderlaß geöffnet werden, wodurch er freilich traurige Erinnerungen an die letzten Lebenstage von Robs Vater heraufbeschwor.

Manchmal stahl sich sein Vater in Robs Gedanken, denn seine Stimme begann so zu klingen wie die seines Erzeugers. Sie wurde tiefer, und er bekam Körperhaar. Es war noch nicht so dicht, wie es einmal werden würde, denn durch die Mitarbeit hinter dem Wandschirm war er mit dem Anblick unbekleideter Männer vertraut. Frauen blieben für ihn ein Mysterium, denn der Bader gebrauchte eine rätselhaft lächelnde, wollüstige Puppe, die sie Thelma nannten, auf deren nackter Gipsfigur weibliche Patienten sittsam die Körperstellen bezeichneten, wo ihr Leiden saß, so daß eine direkte Untersuchung nicht mehr nötig war. Es machte Rob zwar noch immer verlegen, in die Intimsphäre von Fremden einzudringen, doch er gewöhnte sich an die geschäftsmäßigen Fragen über gestörte Körperfunktionen.

»Wann hattet Ihr Euren letzten Stuhl, Master?«

»Mistress, wann ist Eure Monatsregel fällig?«

Auf des Baders Rat hin ergriff Rob die Hände eines Patienten, sobald er hinter den Wandschirm trat.

»Was fühlst du, wenn du ihre Finger angreifst?« fragte ihn der Bader eines Tages in Tisbury, als sie das Podium abbauten.

»Manchmal fühle ich nichts.«

Der Bader nickte. Er nahm eine der Bänke von Rob entgegen, verstaute sie im Wagen und kam mit gerunzelter Stirn zurück. »Aber manchmal... ist da etwas?«

Rob nickte.

»Was?« fragte der Bader aufgeregt. »Was fühlst du, Junge?«

Doch er konnte es nicht erklären oder mit Worten beschreiben. Es war eine plötzliche Eingebung über die Lebenskraft des Kranken, als würde man in dunkle Brunnen blicken und fühlen, wieviel Leben in jedem enthalten ist.

Der Bader nahm Robs Schweigen als Beweis dafür, daß er seiner Sache nicht sicher war. »Wir werden nach Hereford zurückkehren und nachsehen, ob der alte Mann noch lebt«, meinte er mit schlauem Lächeln.

Er ärgerte sich, als Rob einverstanden war. »Wir können nicht zurückfahren, du Dummkopf!« schimpfte er. »Wenn er nämlich tatsächlich gestorben ist, stecken wir unseren Kopf freiwillig in die Schlinge.«

Er spottete weiterhin oft und laut über »die Gabe«.

Doch als Rob die Hände der Patienten nicht mehr ergreifen wollte, befahl er ihm, es zu tun. »Warum nicht? Ich bin doch ein vorsichtiger Geschäftsmann. Und es kostet ja nichts, an diese Einbildung zu glauben.«

In Peterborough, nur ein paar Meilen, aber ein Leben von der Abtei entfernt, aus der er als Junge geflohen war, saß der Bader einen ganzen langen, regnerischen Augustabend allein im Wirtshaus und trank beständig und pausenlos.

Um Mitternacht suchte ihn sein Lehrling. Rob fand ihn, als er den Weg entlang schwankte, und stützte ihn auf dem Rückweg zu ihrem Lager.

»Bitte«, flüsterte der Bader ängstlich.

Rob wunderte sich, als der Betrunkene beide Hände hob und sie ihm entgegenstreckte.

»Ich bitte dich, um Christi willen«, wiederholte der Bader.

Endlich verstand ihn Rob. Er ergriff die beiden Hände und blickte ihm in die Augen. Einen Augenblick später nickte Rob.

Der Bader sank auf sein Bett. Er rülpste, drehte sich auf die Seite und verfiel in ruhigen Schlaf.

Im Norden

In diesem Jahr gelang es dem Bader nicht rechtzeitig, in das Winterquartier nach Exmouth zu kommen, denn sie waren zu spät aufgebrochen, und als die Herbstblätter fielen, befanden sie sich in dem Dorf Gate Fulford in den Wäldern von York. Die Heide stand voll in der Blüte und erfüllte die kühle Luft mit ihrem Duft. Rob und der Bader folgten dem Polarstern, machten in den Dörfern an ihrem Weg halt, um sehr gute Geschäfte zu machen, und fuhren mit dem Wagen über den endlosen Teppich aus purpurnem Heidekraut, bis sie die Stadt Carlisle erreichten.

»So hoch in den Norden bin ich noch nie gereist«, sagte der Bader. »Ein paar Stunden von hier ist Northumbria zu Ende, und wir kommen an die Grenze. Jenseits von ihr liegt Schottland, ein Land von Schaffickern, wie jeder weiß, und gefährlich für jeden anständigen Engländer.«

Eine Woche lang lagerten sie in Carlisle und besuchten jeden Abend die

Kneipe. Hier erfuhr der Bader dank wohlüberlegt spendierter Drinks bald, wo es eine Unterkunft gab. Er mietete ein Haus auf der Heide mit drei kleinen Räumen. Es war ein ähnliches Haus wie das an der Südküste, aber zu seinem Mißfallen besaß es keinen offenen Kamin und keinen gemauerten Schornstein. Sie breiteten ihr Bettzeug zu beiden Seiten des Herdes aus, als wäre er ein Lagerfeuer, und fanden in der Nähe einen Stall, wo sie Tatus unterbrachten. Auch diesmal kaufte der Bader reichliche Vorräte für den Winter ein und sparte dabei nicht, so daß Rob staunte und sich wohlfühlen konnte.

Der Bader pökelte Rind- und Schweinefleisch ein. Er hatte auch daran gedacht, eine Rehkeule zu kaufen, aber drei Jäger, die Wildbret verkauft hatten, waren im Sommer in Carlisle gehängt worden, weil sie Hirsche des Königs getötet hatten, die für den Jagdsport der Adeligen bestimmt waren. Also kauften sie statt dessen fünfzehn fette Hennen und einen Sack Futter.

»Die Hühner fallen in deinen Aufgabenbereich«, erklärte der Bader Rob. »Du hast sie zu füttern, zu schlachten, wenn ich es anordne, zu rupfen und für meinen Topf herzurichten.«

Rob hatte jetzt braunen Flaum im Gesicht, ein Bart war es eigentlich noch nicht. Der Bader meinte, daß nur Dänen sich rasierten, aber Rob wußte, daß es gelogen war, denn sein Vater hatte keinen Bart getragen. Unter des Baders chirurgischen Geräten befand sich ein Rasiermesser, und der dicke Mann nickte widerwillig, als Rob es benützen wollte. Er schnitt sich zwar öfter, aber das Rasieren gab ihm das Gefühl, älter zu sein.

Als der Bader ihm das erste Mal befahl, ein Huhn zu schlachten, kam er sich dagegen sehr jung vor. Der Vogel starrte ihn aus kleinen, schwarzen Perlenaugen an, als wolle er sagen, daß sie vielleicht Freunde geworden wären. Schließlich zwang er sich, mit seinen kräftigen Fingern den warmen Hals zu umklammern, und schloß schaudernd die Augen. Ein heftig drehender Ruck, und es war geschehen. Aber der Vogel rächte sich noch im Tod, denn er gab seine Federn nicht leicht her. Rob rupfte stundenlang, und der Bader blickte den zerschundenen Körper verächtlich an, als Rob ihn ihm überreichte.

Als das nächste Mal ein Huhn benötigt wurde, zeigte der Bader Rob ein echtes Zauberkunststück. Er hielt den Schnabel der Henne auf und schob ein dünnes Messer durch den Gaumen ins Gehirn. Die Henne entspannte sich im Augenblick des Todes und gab ihre Federn frei; sie lösten sich schon beim leichtesten Ziehen in großen Büscheln.

»Merk dir die Lehre«, sagte der Bader. »Es ist genauso leicht, einen Menschen zu töten, und ich habe es schon getan. Wesentlich schwieriger ist es, das Leben zu erhalten, noch schwieriger, die Gesundheit zu bewahren. Das sind die Aufgaben, die wir im Auge behalten müssen.«

Das Wetter im Spätherbst war ideal für das Kräutersammeln, und sie durchstreiften die Wälder und Heideflächen. Der Bader suchte vor allem nach Portulak; wenn man ihn in Spezificum tauchte, gab es einen Wirkstoff frei, der das Fieber senkte und es verschwinden ließ. Zu seiner Enttäuschung suchte er umsonst. Anderes ließ sich leichter finden, zum Beispiel Blütenblätter wilder Rosen für Umschläge, und Thymian und Eicheln, die zerrieben, mit Fett vermischt und auf Pusteln im Nacken geschmiert wurden. Manche Heilmittel erforderten harte Arbeit, wie das Ausgraben von Eibenwurzeln, die schwangeren Frauen halfen, ihren Foetus nicht zu verlieren. Sie sammelten Zitronenkraut und Dill gegen Schwierigkeiten beim Harnlassen, Sumpfschwertlilien zur Bekämpfung des Gedächtnisschwundes infolge von nassen und kalten Körpersäften, Wacholderbeeren, die gekocht wurden, um verstopfte Nasengänge freizumachen. Lupinen für heiße Packungen, um Abszesse zum Reifen zu bringen, und Myrte sowie Käsepappel, um juckende Hautausschläge zu behandeln.

»Du bist schneller gewachsen als das Unkraut«, bemerkte der Bader schmerzlich, aber es stimmte: Rob war schon fast so groß wie sein Meister und längst aus der Kleidung herausgewachsen, die Editha Lipton in Exmouth für ihn geschneidert hatte. Als der Bader ihn in Carlisle zu einem Schneider mitnahm, und »neue Winterkleidung, die eine Zeitlang passen muß« bestellte, schüttelte der Schneider den Kopf.

»Der Junge ist noch im Wachsen, nicht wahr? Darf ich vorschlagen, daß wir ein altes Kleidungsstück für ihn umarbeiten?«

So wurde also abermals ein Kleidungsstück des Baders, diesmal aus gutem, grauem Stoff, frisch zugeschnitten und genäht. Zur allgemeinen Belustigung war der Anzug, als Rob ihn das erste Mal anzog, viel zu weit, aber an den Armen und Beinen zu kurz. Der Schneider nahm etwas von dem in der Weite übrigen Stoff, verlängerte die Hose und die Ärmel und verdeckte die Nähte mit hübschen Bändern aus blauem

Stoff. Rob war beinahe den ganzen Sommer barfuß gelaufen, doch da es bald schneien würde, war er dankbar, als der Bader ihm Stiefel aus Rindsleder kaufte.

In ihnen ging er über den Marktplatz zur St.-Mark's-Kirche und betätigte den Klopfer an dem großen Holztor, das endlich von einem triefäugigen ältlichen Hilfspfarrer geöffnet wurde.

»Bitte, Vater, ich suche einen Priester namens Ranald Lovell.«

Der Hilfspfarrer blinzelte. »Ich kannte einen Priester dieses Namens. Er las die Messe unter Lyfing zu der Zeit, als Lyfing Bischof von Wells war. Kommende Ostern sind es zehn Jahre, daß er gestorben ist.«

Rob schüttelte den Kopf. »Es kann nicht derselbe Priester sein. Ich habe Ranald Lovell vor wenigen Jahren mit eigenen Augen gesehen.«

»Vielleicht hieß der Mann, den ich kannte, Hugh Lovell und nicht Ranald.«

»Ranald Lovell wurde von London zu einem Pfarrer hier im Norden versetzt. Bei ihm lebt mein Bruder, William Stewart Cole, der drei Jahre jünger ist als ich.«

»Dein Bruder hat vielleicht längst schon einen anderen Namen in Christo, mein Sohn. Manchmal bringen Priester ihre Jungen in eine Abtei, damit sie Meßgehilfen werden. Du mußt überall nach ihm fragen, denn die heilige Mutter Kirche ist ein großes, grenzenloses Meer, und ich bin nur ein einsamer, winziger Fisch darin.« Der alte Priester nickte freundlich, und Rob half ihm, die Torflügel zu schließen.

Eine Decke aus Kristallen trübte die Oberfläche des kleinen Teiches hinter der Stadttaverne. Der Bader zeigte auf ein Paar Schlittschuhe, die an einem Dachsparren ihres kleinen Hauses hingen. »Schade, daß sie nicht größer sind. Sie werden dir nicht passen, denn du hast ungewöhnlich große Füße.«

Die Eisdecke wurde täglich dicker, bis es eines Morgens kräftig hallte, als der Bader zur Mitte hinging und mit den Füßen aufstampfte. Rob nahm die zu kleinen Schlittschuhe zum Teich mit und band sie sich an die Füße. Aber ihre Kufen waren schartig und stumpf, und weil sie zudem so klein waren, kam er beim ersten Ansatz zu einem Bogen aus dem Gleichgewicht. Er fuchtelte mit den Armen in der Luft herum, stürzte und glitt noch eine gute Strecke auf dem glatten Eis dahin.

Jemand lachte über ihn.

Das Mädchen war vielleicht fünfzehn Jahre alt. Es lachte schallend.
»Kannst du es denn besser?« fragte er hitzig und mußte sich zugleich
eingestehen, daß es ein hübsches Mädchen war. Es war zwar mager
und hatte einen großen Kopf, aber dafür schwarzes Haar, das ihn an
Editha erinnerte.
»Ich kann es gar nicht und hätte auch nie den Mut dazu.«
»Die Schlittschuhe passen eher für deine Füße als für meine«, stellte er
fest, band sie ab und ging zu ihr zum Ufer. »Es ist gar nicht schwer. Ich
werde es dir zeigen.«
Er ließ ihre Einwände nicht gelten und band ihr die Schlittschuhe an die
Füße. Da sie auf dem ungewohnt glatten Eis nicht stehen konnte,
klammerte sie sich an ihn. »Hab keine Angst, ich halte dich«, beruhigte
er sie. Er hielt sie fest und schob sie von hinten über das Eis, wobei er
ihre warmen Hüften deutlich wahrnahm.
Jetzt lachte sie und quietschte, während er sie auf dem Teich im Kreis
herumschob. Sie sagte, sie heiße Garwine Talbott und ihr Vater Aelfric
Talbott besitze einen Bauernhof außerhalb der Stadt. »Und wie heißt
du?«
»Rob Cole.«
Sie plauderten, und bald gefiel es ihr auf dem Eis. Ihre Augen glänzten
vor Vergnügen. Ihre Oberlippe war schmal, aber ihre Unterlippe war
so voll, daß sie fast geschwollen wirkte. Als sie lächelte, sah er, daß
einer ihrer unteren Zähne krumm gewachsen war. »Du untersuchst
also die Leute?«
»Ja, natürlich.«
»Auch Frauen?«
»Wir haben eine Puppe. Frauen zeigen auf die Stellen, an denen sie
Schmerzen spüren.«
»Wie schade, dazu eine Puppe zu verwenden!« Er war über ihren
Seitenblick verblüfft. »Ist die Puppe schön?«
»Sie heißt Thelma.«
»Thelma!« Sie lachte schallend und rauh. »O weh!« sagte sie mit einem
Blick zur untergehenden Sonne. »Ich muß zum Abendmelken zu-
rück.«
Er kniete vor ihr nieder und nahm ihr die Schlittschuhe ab. »Sie
gehören mir nicht. Ich habe sie im Haus gefunden«, erklärte er. »Aber
du kannst sie eine Weile behalten und benützen.«

Sie schüttelte schnell den Kopf. »Wenn ich sie heimbringe, würde *er* mich fast umbringen, nur um herauszukriegen, was ich angestellt habe, um sie zu bekommen.«

Er fühlte, wie ihm das Blut ins Gesicht stieg. Um seine Verlegenheit zu überspielen, hob er drei Kiefernzapfen auf und begann, für sie zu jonglieren.

Sie klatschte lachend in die Hände, und dann sprudelte sie atemlos hervor, wie er das Gehöft ihres Vaters finden könne. Als sie ging, drehte sie sich zögernd noch einen Augenblick nach ihm um.

»Donnerstagvormittag«, schlug sie vor. »Er will keine Besucher, aber Donnerstag morgens bringt er den Käse auf den Markt.«

Er hatte von Garwine Talbott geträumt. Im Traum hatten sie auf einem Heuboden gelegen, vielleicht in der Scheune ihres Vaters. Es war jene Art von Traum, in der ihm schon mehrmals Editha erschienen war, und er bemühte sich, sein Bettzeug sauberzubekommen, ohne des Baders Aufmerksamkeit zu erregen.

Es fiel Schnee. Er schwebte wie Gänsedaunen, und der Bader band Felle vor die Fensteröffnungen. Die Luft im Haus wurde dumpf, und sogar bei Tag war es unmöglich, etwas zu sehen, außer dicht beim Feuer.

Es schneite vier Tage lang mit nur kurzen Unterbrechungen. Rob suchte eine Beschäftigung, setzte sich zum Herd und zeichnete die verschiedenen Kräuter, die sie gesammelt hatten. Er verwendete dazu Holzkohlestücke, die er aus dem Feuer holte, und Rindenplatten, die er von dem Brennholz abschälte. So skizzierte er Krausminze, schlaffe Blüten von trocknenden Blumen und die geäderten Blätter des wilden Bohnenklees. Am Nachmittag schmolz er Schnee über dem Feuer, tränkte und fütterte die Hühner und achtete sorgfältig darauf, die Tür zum Hühnerstall zu schließen, denn der Gestank wurde trotz des Ausmistens unerträglich.

Der Bader blieb im Bett und nippte an dem Metheglin. Als es schon den zweiten Abend schneite, wanderte er schwerfällig zum Wirtshaus und brachte eine stille, blonde Hure namens Helen mit. Rob versuchte, die beiden von seinem Bett auf der anderen Seite des Feuers aus zu beobachten, denn obwohl er die üblichen Bewegungen nun schon oft gesehen hatte, verwirrten ihn doch gewisse Einzelheiten, die in letzter

Zeit seine Gedanken und Träume beschäftigten. Aber er war nicht imstande, das Dunkel mit den Augen zu durchdringen, und so studierte er nur ihre vom Feuer schwach beleuchteten Köpfe. Der Bader war verzückt und ganz bei der Sache, aber die Frau wirkte gelangweilt und melancholisch, als verrichte sie eine freudlose Arbeit.

Nachdem sie gegangen war, holte Rob eine Rindenplatte und ein Kohlestück. Statt die Pflanzen zu zeichnen, versuchte er, die Züge einer Frau festzuhalten.

Der Bader, der unterwegs zum Nachttopf war, blieb stehen, um die Zeichnung zu begutachten, und zog die Stirn in Falten. »Dieses Gesicht kommt mir bekannt vor«, brummte er. Kurz darauf, als er wieder im Bett lag, hob er den Kopf vom Fell. »Das ist ja Helen!«

Rob freute sich darüber sehr. Er versuchte, den Salbenverkäufer Wat möglichst gut zu treffen, aber der Bader erkannte den Porträtierten erst, als Rob die kleine Gestalt von Bartram dem Bären hinzufügte. »Du solltest den Versuch, Gesichter möglichst genau wiederzugeben, fortsetzen, denn ich glaube, das ist eine Fertigkeit, die uns nützlich sein kann«, meinte der Bader. Doch er wurde es bald müde, Rob zuzusehen, und trank wieder, bis er einschlief.

Am Mittwoch hörte es zu schneien auf. Der Bader nahm die Felle ab, die die Fensteröffnungen schützten, und ließ kühle, frische Luft ins Haus. Er feierte diesen Tag, indem er eine Lammkeule briet, die er mit Minzengelee und Apfelkuchen auf den Tisch brachte.

Donnerstag morgens nahm Rob die Schlittschuhe und hängte sie sich an ihren Lederriemen um den Hals. Er ging zum Stall, legte Tatus nur Zaum und Halfter an, bestieg das Pferd und ritt aus der Stadt. Die Luft knisterte vor Kälte, die Sonne strahlte, und der Schnee war blendend weiß.

Rob verwandelte sich in einen Römer. Es hatte keinen Sinn, sich als Caligula zu fühlen, der auf dem Vorfahr von Incitatus ritt, denn er wußte, daß Caligula verrückt gewesen war und ein schlimmes Ende genommen hatte. Er beschloß, Caesar Augustus zu sein, der die Prätorianergarde über die Via Appia nach Brundisium führte.

Es fiel ihm nicht schwer, das Gehöft der Talbotts zu finden. Das Haus stand schief und sah schäbig aus, sein Dach war eingesunken, aber das Stallgebäude war groß und schön. Die Tür stand offen, und er hörte, wie drinnen jemand zwischen den Tieren herumging.

Er blieb unsicher auf seinem Pferd sitzen, aber Tatus wieherte, und es blieb ihm keine andere Wahl, als sich zu melden.

»Garwine?« rief er.

Ein Mann erschien in der Tür des Stalles und kam langsam auf ihn zu. Er hielt eine Holzgabel voll Mist in der Hand, der in der kalten Luft dampfte. Er ging sehr vorsichtig, und Rob merkte, daß er betrunken war. Das konnte nur Garwines Vater sein.

»Wer bist du?« fragte er.

Rob sagte es ihm.

Der Mann schwankte. »Du hast kein Glück, Rob Cole. Sie ist nicht hier. Sie ist durchgebrannt, diese dreckige kleine Hure. Verschwinde von meinem Hof!« Talbott weinte.

Rob ritt langsam nach Carlisle zurück. Er fragte sich, wohin sie wohl gegangen sein mochte, und ob sie durchkommen würde.

Nun war er nicht mehr Caesar Augustus, der die Prätorianergarde anführte: Er war nur ein in Zweifel und Angst verstrickter Junge.

Der Jude von Tettenhall

Sie konnten nichts anderes tun, als auf den Frühling zu warten. Ein neuer Vorrat des Universal-Spezificums war bereits gemischt und in Flaschen gefüllt. Alle Kräuter, die der Bader gesammelt hatte, waren getrocknet und pulverisiert oder in Alkohol eingelegt, nur Portulak zur Bekämpfung des Fiebers fehlte noch. Sie hatten genug jongliert und Magie geübt, und der Bader hatte genug vom Norden, aber auch vom Trinken und Schlafen. »Ich bin zu ungeduldig, um herumzutrödeln, bis der Winter zu Ende geht«, erklärte er eines Morgens im März, und sie verließen Carlisle vorzeitig, obwohl sie nur langsam nach Süden vorankamen, weil die Straßen noch in schlechtem Zustand waren.

In Beverley trafen sie auf den Frühling. Die Luft war lau, die Sonne tauchte auf, und mit ihr eine Schar Pilger, die die große Steinkirche der Stadt besucht hatten, die Johannes dem Evangelisten geweiht war. Rob und der Bader veranstalteten eine Vorstellung, und ihr erstes Publikum in der neuen Saison zeigte sich begeistert. Während der Behandlungen ging alles gut, bis Rob die sechste Patientin hinter des Baders Wandschirm führte und die Hände der gutaussehenden Frau ergriff.

Sein Puls hämmerte. »Kommt, Mistress«, sagte er schwach. Seine Haut kribbelte vor Angst an den Stellen, wo ihre Hände einander berührten. Er wandte sich um und begegnete dem Blick seines Meisters.

Der Bader wurde blaß. Fast grob zog er Rob außer Hörweite unbefugter Lauscher. »Gibt es keine Zweifel? Du mußt dir vollkommen sicher sein.«

»Sie wird bald sterben«, antwortete Rob.

Der Bader kehrte zu der Frau zurück, die nicht alt war und gesund aussah. Sie klagte auch nicht über irgendein Leiden, sondern war hinter den Wandschirm gekommen, um einen Liebestrank zu kaufen.

»Mein Mann wird zusehends älter. Seine Leidenschaft läßt nach, doch er verehrt mich sehr.« Sie sprach ruhig, und ihre Vornehmheit und der Verzicht auf falsche Bescheidenheit verliehen ihr Würde. Sie trug Reisekleidung aus feinem Tuch und war sichtlich eine reiche Frau.

»Ich verkaufe keine Liebeselixiere. Das fällt in den Bereich der Magie und nicht der Medizin, Mylady.«

Sie murmelte etwas Bedauerndes. Der Bader erschrak, als sie seine Form der Anrede nicht richtigstellte. Beim Tod einer Adeligen der Hexerei angeklagt zu werden, bedeutete sicheres Verderben.

»Ein Schluck Alkohol erzielt oft die erwünschte Wirkung, wenn er stark ist und heiß vor dem Schlafengehen getrunken wird.« Der Bader wollte keine Bezahlung annehmen. Sobald sie gegangen war, entschuldigte er sich bei den Kranken, die er noch nicht untersucht hatte. Rob packte bereits den Wagen.

Und so flohen sie wieder.

Diesmal sprachen sie während der Flucht kaum ein Wort. Als sie weit genug entfernt waren und beruhigt das Nachtlager aufschlagen konnten, brach der Bader das Schweigen.

»Wenn jemand binnen eines Augenblicks stirbt, wird sein Blick leer«, flüsterte er. »Das Gesicht verliert den Ausdruck oder wird manchmal purpurrot. Ein Mundwinkel hängt herab, ein Augenlid erschlafft, die Glieder werden starr.« Er seufzte. »Der Tod ist barmherzig.«

Rob antwortete nicht.

Sie machten ihre Betten und versuchten zu schlafen. Der Bader stand auf und trank, doch diesmal ließ er seinen Lehrling nicht seine Hände halten.

Rob wußte, daß er kein Hexer war. Doch es gab eine einzige andere Erklärung, und er verstand sie nicht. Er betete: Bitte, willst du diese scheußliche Gabe nicht von mir nehmen und sie dorthin zurückgeben, woher sie kam? Wütend und niedergeschlagen konnte er nicht anders als schimpfen, denn seine Sanftmut hatte ihm bisher nicht weitergeholfen. Es ist eine Fähigkeit, die vom Satan stammen könnte, und ich will sie nicht mehr haben, erklärte er seinem Gott.

Scheinbar wurde sein Gebet erhört. In diesem Frühjahr gab es keinen Zwischenfall mehr. Das gute Wetter hielt an, wurde sogar noch besser und brachte sonnige Tage, die wärmer und trockener als für gewöhnlich und vorteilhaft für das Geschäft waren. »Schönes Wetter am St.-Swithin-Tag«, triumphierte der Bader eines Morgens. »Jeder wird dir bestätigen, daß das weitere vierzig Tage Schönwetter bedeutet.« Allmählich legten sich ihre Befürchtungen, und ihre Laune besserte sich. Sein Meister erinnerte sich an seinen Geburtstag! Am dritten Morgen nach dem St.-Swithin-Tag machte ihm der Bader ein schönes Geschenk in Form von drei Gänsekielen, Tuschpulver und einem Bimsstein. »Jetzt kannst du die Gesichter mit etwas Geeigneterem kritzeln als mit einem Kohlestück«, meinte er.

Rob besaß kein Geld, um sich für des Baders Geburtstagsgeschenk zu revanchieren. Doch spät am Nachmittag erspähte er eines Tages, als sie durch ein Feld fuhren, bestimmte Pflanzen. Am nächsten Morgen stahl er sich weg und ging eine halbe Stunde zu dem Feld zurück, wo er eine ordentliche Menge der Pflanzen pflückte. An des Baders Geburtstag schenkte ihm Rob dann Portulak, das Fieberkraut, das er mit sichtlicher Freude entgegennahm.

An ihren Vorstellungen merkte man, daß sie sich vertrugen. Sie gingen aufeinander ein, und ihre Vorführungen erhielten Glanz und eine Präzision, die ihnen rauschenden Beifall eintrugen. Rob hatte Tagträume, in denen er seine Brüder und seine Schwestern unter den Zuschauern sah; er stellte sich den Stolz und das Staunen von Anne Mary und Samuel Edward vor, wenn sie sahen, wie ihr älterer Bruder Zauberkunststücke vorführte und mit fünf Bällen jonglierte.

Sie werden gewachsen sein, sagte er sich. Würde sich Anne Mary an ihn erinnern? War Samuel Edward noch immer so wild? Jonathan Carter konnte inzwischen bestimmt schon gehen und sprechen und war ein richtiger kleiner Mann.

Es war ihm als Lehrling unmöglich, seinem Meister zu sagen, wohin sie ihr Pferd lenken sollten, doch als sie sich in Nottingham aufhielten, hatte er Gelegenheit, sich des Baders Karte anzusehen, und dabei stellte er fest, daß sie sich fast im Herzen der englischen Insel befanden. Um London zu erreichen, mußten sie nach Süden weiterfahren, sich zugleich aber auch nach Osten wenden. Er prägte sich die Städtenamen und die Orte ein, damit er erkennen konnte, ob sie dorthin reisten, wohin er so verzweifelt gern fahren wollte.

In Leicester hatte ein Bauer, der einen Felsblock auf seinem Feld ausgraben wollte, einen Sarkophag freigelegt. Er hatte den Steinsarg rundherum ausgeschaufelt, aber er war zu schwer, um ihn herauszuheben: Sein Boden wurde von der Erde festgehalten wie ein Felsblock. »Der Herzog schickt Männer und Zugpferde, um ihn loszubekommen, und wird ihn in seinem Schloß aufstellen«, berichtete ihnen der Bauer stolz.

In den groben, weißkörnigen Marmor war eine Inschrift eingemeißelt: Diis Manibus Vivii Marciani Militis Legionis Secundae Augustae Ianuario Marina Conjunx Piissima Posuit Memoriam. »Den Manen‹«, übersetzte der Bader. »des Vivius Marcianus, eines Soldaten der Zweiten Legion des Augustus errichtete seine liebende Frau Marina im Januar ein Denkmal.‹«

Sie sahen einander an. »Ich möchte wissen, was aus der süßen Marina geworden ist, nachdem sie ihn begraben hat, denn sie war weit von zu Hause fort«, sagte der Bader nüchtern. Und Rob dachte: Das sind wir alle.

Leicester war eine große Stadt. Ihre Vorstellung war daher gut besucht, und als der Verkauf des Heilmittels beendet war, hatten sie alle Hände voll zu tun. In rascher Aufeinanderfolge half er dem Bader mit der Lanzette, den Karbunkel eines jungen Mannes zu öffnen, den gebrochenen Finger eines Jungen zu schienen, eine fiebernde Matrone mit Portulak und ein Kind, das an Kolik litt, mit Kamille zu behandeln. Als nächstes führte er einen untersetzten Mann mit einer Glatze und milchigen Augen hinter den Wandschirm.

»Wie lange bist du schon blind?« fragte der Bader.

»Seit zwei Jahren. Es begann damit, daß ich alles verschwommen sah, und allmählich verschlimmerte es sich dann, bis ich jetzt kaum einen Lichtschimmer wahrnehmen kann. Ich bin Schreiber, kann aber nicht arbeiten.«

Der Bader schüttelte den Kopf, da er vergaß, daß der Blinde diese Geste gar nicht sehen konnte. »Ich kann dir ebensowenig die Sehkraft wiedergeben wie deine Jugend.«

Der Schreiber ließ sich wegführen. »Es ist eine bittere Erkenntnis«, sagte er zu Rob, »nie wieder sehen zu können.«

Ein in der Nähe stehender magerer Mann mit scharfgeschnittenem Gesicht und Adlernase hörte ihrem Gespräch zu und blickte sie an. Sein Haar und Bart leuchteten weiß, aber er war noch jung, etwa doppelt so alt wie Rob.

Er trat vor und legte dem Patienten die Hand auf den Arm. »Wie heißt Ihr?« Er sprach mit einem französischen Akzent, wie ihn Rob oft von Normannen im Londoner Hafen gehört hatte.

»Ich bin Edgar Thorpe«, stellte sich der Schreiber vor.

»Ich bin Benjamin Merlin, Medicus im nahegelegenen Tettenhall. Darf ich mir Eure Augen ansehen, Edgar Thorpe?«

Der Schreiber nickte blinzelnd. Der Mann hob die Lider mit dem Daumen hoch und studierte die weißliche Trübung.

»Ich kann Euch den Star stechen und die trübe Linse entfernen«, versprach er schließlich. »Ich habe diese Operation schon durchgeführt, aber Ihr müßt stark sein, um den Schmerz zu ertragen.«

»Den Schmerz fürchte ich nicht«, flüsterte der Schreiber.

»Dann müßt Ihr Euch am nächsten Dienstag frühmorgens nach Tettenhall in mein Haus bringen lassen«, beschied ihm der Mann und wandte sich ab.

Rob stand wie vom Blitz getroffen da. Er war nie auf die Idee gekommen, daß jemand etwas versuchen könnte, was des Baders Können überstieg.

»Magister Medicus!« Er lief dem Mann nach. »Wo habt Ihr das gelernt... Augen zu stechen?«

»Auf einer Akademie, einer Schule für Ärzte.«

»Wo gibt es diese Schule für Ärzte?«

Merlin sah einen großen Jungen in schlecht geschnittener Kleidung vor sich, die ihm zu klein war. Sein Blick erfaßte den grellbunten Wagen und das Podium, auf dem Jonglierbälle lagen und Fläschchen standen mit einem Heilmittel, dessen Art er leicht erraten konnte.

»Eine halbe Welt von hier entfernt«, gab er freundlich Auskunft. Er ging zu einer angebundenen schwarzen Stute, schwang sich auf sie und ritt weg, ohne zurückzublicken.

Rob erzählte dem Bader später von Benjamin Merlin, während Tatus ihren Wagen bedächtig aus Leicester hinauszog. Der Bader nickte.

»Ich habe von ihm gehört. Der Medicus von Tettenhall.«

»Ja. Er sprach wie ein Franzose.«

»Er ist ein Jude aus der Normandie.«

»Was ist ein Jude?«

»Ein anderer Name für einen Hebräer, das biblische Volk, das Jesus getötet hat und von den Römern aus dem Heiligen Land vertrieben wurde.«

»Er hat von einer Schule für Ärzte gesprochen.«

»Manchmal hält man so einen Lehrgang am College in Westminster ab. Er gilt allgemein als beschissener Lehrgang, der beschissene Ärzte hervorbringt. Die meisten von ihnen arbeiten als Gehilfen bei einem Medicus, um von ihm geschult zu werden, so wie du den Beruf eines Baders erlernst.«

»Ich glaube nicht, daß er Westminster gemeint hat. Er hat gesagt, daß die Schule weit entfernt ist.«

Der Bader zuckte mit den Achseln. »Vielleicht befindet sie sich in der Normandie oder der Bretagne. Es gibt massenhaft Juden in Frankreich, und manche sind hierher gekommen, darunter natürlich auch Ärzte.«

»Ich habe von Hebräern in der Bibel gelesen, hatte aber noch nie einen gesehen.«

»Es gibt noch einen jüdischen Medicus in Malmesbury, Isaak Adolescentoli heißt er. Ein berühmter Arzt. Vielleicht bekommst du ihn zu Gesicht, wenn wir nach Salisbury kommen«, sagte der Bader.

Malmesbury und Salisbury lagen im Westen von England.

»Dann kommen wir also nicht nach London?«

»Nein.« Der Bader hatte einen Unterton in der Stimme seines Lehrlings gehört und wußte längst, daß der Junge sich nach seinen Verwandten sehnte. »Wir fahren geradewegs nach Salisbury«, entgegnete er streng, »um den Umstand auszunützen, daß bei dem Jahrmarkt in Salisbury viele Menschen zusammenkommen. Von dort fahren wir nach Exmouth, denn dann wird es langsam Herbst. Verstehst du?«
Rob nickte.
»Aber im Frühjahr, wenn wir wieder auf die Reise gehen, fahren wir nach London.«
»Danke, Bader«, erwiderte Rob mit stillem Jubel.
Schließlich kehrten seine Gedanken wieder zu anderen Dingen zurück. »Glaubt Ihr, daß er dem Schreiber sein Augenlicht wiedergeben wird?«
Der Bader hob die Schultern. »Ich habe von dieser Operation gehört. Wenige sind imstande, sie durchzuführen, und ich bezweifle, daß der Jude das kann. Aber Menschen, die Christus getötet haben, fällt es nicht schwer, einen Blinden zu belügen.« Der Bader trieb das Pferd an, denn die Stunde der Abendmahlzeit rückte näher.

Die Anprobe

Als sie in Exmouth ankamen, war das zwar nicht wie eine Heimkehr, aber Rob fühlte sich viel weniger einsam als früher. Das kleine Haus am Meer war vertraut und heimelig. Der Bader strich mit der Hand über den großen Kamin mit seinen Kochgeräten und seufzte.
Wieder war Rob aus seinen Kleidern herausgewachsen. »Das Wachstum deiner Knochen macht mich noch arm«, klagte der Bader und gab Rob einen Ballen braunen Wollstoff, den er auf dem Jahrmarkt in Salisbury gekauft hatte. »Ich werde mit dem Wagen und Tatus nach Athelny fahren, um Käse und Schinken auszusuchen, und dort im Gasthaus übernachten. Während ich fort bin, mußt du den Brunnen von Blättern säubern und beginnen, das Brennholz für den Winter zu hacken. Aber bring diesen Wollstoff trotzdem zu Editha Lipton und bitte sie, für dich zu nähen. Du erinnerst dich doch noch an den Weg zu ihrem Haus?«

Rob nahm den Stoff und dankte ihm. »Ich weiß, wo sie wohnt.«

»Man muß die neuen Sachen weiter und länger machen«, brummte der Bader noch. »Richte ihr aus, sie soll genügend Einschlag lassen, den man auslassen kann!«

Er hatte den Stoff gegen den kalten Regen, der offenbar in Exmouth im Winter vorherrschte, in ein Schaffell gewickelt. Den Weg kannte er. Vor zwei Jahren war er manchmal an ihrem Haus vorbeigegangen und hatte auf einen Blick von ihr gehofft.

Sie kam auf sein Klopfen sofort zur Tür. Er ließ das Bündel beinahe fallen, als sie seine Hände ergriff und ihn aus der Nässe zu sich hineinzog.

»Rob! Laß dich ansehen! Ich hätte nie geglaubt, daß du dich so veränderst in diesen Jahren!«

Er wollte ihr sagen, daß sie sich kaum verändert hatte, doch er blieb stumm. Aber sie deutete seinen Blick richtig. »Ich bin inzwischen alt und grau geworden«, meinte sie leichthin.

Er schüttelte den Kopf. Ihr Haar war noch immer schwarz, und sie war in jeder Hinsicht genauso, wie er sie in Erinnerung behalten hatte.

Sie kochte Pfefferminztee, er fand seine Stimme wieder und erzählte ihr eifrig und ausführlich, wo sie gewesen waren und was er erlebt hatte.

»Was mich betrifft«, berichtete sie, »geht es mir jetzt besser als damals. Die Zeiten haben sich geändert, und jetzt sind die Leute wieder in der Lage, neue Kleider zu bestellen.«

Dies erinnerte ihn an den Grund seines Kommens. Er schlug das Schaffell zurück und zeigte ihr den Stoff, den sie als gutes Wolltuch bezeichnete. »Ich hoffe, es wird reichen«, meinte sie besorgt, »denn du bist jetzt größer als der Bader.« Sie holte ihr Meßband und maß die Breite seiner Schultern, seinen Taillenumfang und die Länge seiner Arme und Beine. »Ich werde dir eine enge Hose, einen losen Kittel und einen Umhang nähen, und du wirst prächtig ausstaffiert sein.«

Er nickte und stand auf, hatte aber noch keine Lust zu gehen.

»Erwartet dich denn der Bader?«

Er erklärte, daß der Bader unterwegs war, und sie winkte ihn zurück. »Es ist Essenszeit. Ich kann dir zwar nicht dasselbe bieten wie er, aber du kannst mein ländliches Mahl mit mir teilen.«

Sie nahm einen Laib Brot aus dem Schrank und schickte ihn in den Regen hinaus zu ihrem kleinen Kühlhaus, um ein Stück Käse und einen Krug frischen Apfelwein zu holen. Als er zurückkam, schnitt er den Käse und das Gerstenbrot in Scheiben und steckte sie auf Spieße, um über dem Feuer Käsetoast zuzubereiten. Sie lächelte. »Dieser Mann hat dir für alle Zeiten seinen Stempel aufgedrückt.«

Er erwiderte das Lächeln. »In einer solchen Nacht ist es vernünftig, warm zu essen.«

Sie aßen und tranken, dann plauderten sie freundschaftlich. Er legte Holz ins Feuer, das zu zischen und zu dampfen begonnen hatte, weil der Regen durch das Rauchloch hereinfiel.

»Das Wetter wird immer schlimmer«, stellte sie fest.

»Ja.«

»Es wäre Unsinn, bei einem solchen Wetter im Dunkeln heimzugehen.«

Er war schon durch dunklere Nächte und tausendmal schlimmere Regenfälle gewandert. »Es sieht nach Schnee aus«, meinte er.

»Dann habe ich Gesellschaft.«

»Ich bin dafür dankbar.«

Er ging wie betäubt mit dem Rest vom Käse und dem Apfelwein zum Kühlhaus hinaus und wagte nicht zu denken. Als er zurückkam, war sie im Begriff, das Kleid auszuziehen. »Am besten, du legst die nassen Sachen ab«, riet sie ihm und stieg ruhig im Hemd ins Bett.

Er zog die feuchte Hose und den Kittel aus und breitete sie auf einer Seite des runden Herdes aus. Dann lief er nackt zum Bett und legte sich zitternd neben sie zwischen die Felle. »Kalt!« sagte er.

Sie lächelte. »Du hast schon mehr gefroren. Als ich deinen Platz im Bett des Baders eingenommen habe.«

»Und ich in einer bitterkalten Nacht auf dem Boden schlafen mußte. Ja, da war mir sehr kalt.«

Sie wandte sich ihm zu. »Armes, mutterloses Kind, dachte ich immer wieder. Ich hätte dich so gern ins Bett gelassen.«

»Du hast mit der Hand meinen Kopf berührt.«

Jetzt streichelte sie seinen Kopf, glättete sein Haar und drückte sein Gesicht an ihren weichen Busen. »Ich habe in diesem Bett meine Söhne im Arm gehalten.« Sie schloß die Augen. Dann schob sie das lose Hemd hinunter und gab ihm die schwere Brust.

Das lebendige Fleisch in seinem Mund erinnerte ihn an die vergessene warme Geborgenheit seiner Kindheit. Es prickelte hinter seinen Lidern.

Ihre Hand führte die seine. »Du mußt es so machen.« Sie hielt die Augen geschlossen.

»Leicht und geduldig. Immer im Kreis, so wie du es machst«, sagte sie träumerisch.

Trotz der Kälte warf er die Decke zurück und schob ihr Hemd hinauf. Seine Augen betrachteten die Geheimnisse, die seine Finger erforscht hatten. Ihre Weiblichkeit war wie in seinem Traum, doch jetzt enthüllte ihm der Feuerschein die Einzelheiten.

»Schneller...« Sie wollte mehr sagen, doch er fand ihre Lippen. Es war nicht der Mund einer Mutter, und er merkte, daß sie mit ihrer gierigen Zunge etwas Interessantes machte.

Flüsternd leitete sie ihn über sich und zwischen ihre kräftigen Schenkel. Dann war keine weitere Anleitung mehr erforderlich; instinktiv drang er in sie ein und stieß. Ihm wurde klar, daß Gott ein ausgezeichneter Zimmermann war, denn sie besaß ein heißes, glitschiges Loch und er den dazupassenden Zapfen.

Ihre Augen öffneten sich, und sie sah direkt zu ihm hoch. Ihre Lippen entblößten mit angespanntem Lächeln ihre Zähne, und sie stieß ein heiseres Röcheln aus, bei dem er gedacht hätte, daß sie im Sterben liege, wenn er nicht schon früher solche Laute gehört hätte.

Jahrelang hatte er zugesehen und zugehört, wie andere Leute sich liebten: sein Vater und seine Mutter in dem kleinen, engen Haus und der Bader mit einer langen Reihe von Dirnen. Er war überzeugt gewesen, daß die Punze einen Zauber enthalten müsse, weil die Männer so sehr nach ihr verlangten. Außer sich entdeckte er in der höchsten Wonne den gewaltigen Unterschied zwischen Beobachtung und eigenem Erleben.

Am nächsten Morgen wurde Editha von einem Klopfen geweckt. Sie tappte barfuß zur Tür und öffnete sie.

»Ist er fort?« flüsterte der Bader.

»Schon lange«, antwortete sie und ließ ihn ein. »Er ging als Mann zu Bett und erwachte als Junge. Er murmelte etwas davon, daß er den Brunnen reinigen müsse, und rannte davon.«

Der Bader lächelte. »Ist alles gutgegangen?«

Sie nickte gähnend und zu des Baders Überraschung verlegen.

»Schön. Er war mehr als reif dafür. Es ist viel besser für ihn, bei dir freundlich aufgenommen zu werden, als eine grausame Erfahrung bei der falschen Frau zu machen.«

Sie sah zu, wie er Münzen aus seiner Börse nahm und sie auf den Tisch legte. »Nur für dieses eine Mal«, warnte er sie sachlich. »Sollte er dich wieder besuchen…«

Sie schüttelte den Kopf. »Ich bin zur Zeit viel mit einem Schmied beisammen. Ein braver Mann, hat ein Haus in Exeter und drei Söhne. Ich glaube, er will mich heiraten.«

Er nickte. »Und hast du Rob davor gewarnt, meinem schlechten Vorbild zu folgen?«

»Ich habe ihm erzählt, wenn du trinkst, bist du oft roh und kein Mensch.«

»Ich erinnere mich nicht, dir diese Worte in den Mund gelegt zu haben.«

»Ich habe aus eigener Erfahrung gesprochen«, erklärte sie und hielt ruhig seinem Blick stand. »Ich habe auch deine Worte benützt, die du mir aufgetragen hast, und ihm gesagt, daß sein Meister sein Leben mit Trinken und billigen Frauen verplempert. Ich habe ihm geraten, wählerisch zu sein und nicht deinem Beispiel zu folgen.«

Der Bader hörte ernst zu.

»Er wollte nicht zulassen, daß ich dich kritisiere«, erwähnte sie trocken. »Er findet, daß du ein vernünftiger Mann bist, wenn du nüchtern bist, ein ausgezeichneter Meister, der ihm gegenüber freundlich ist.«

»Na, so was.«

Da sie sich mit dem Mienenspiel eines Mannes auskannte, merkte sie, daß er sich freute.

Er setzte den Hut auf und ging wieder. Während sie das Geld wegsteckte und ins Bett zurückkehrte, hörte sie ihn draußen pfeifen.

Männer sind manchmal ein Trost und manchmal wie Tiere, aber sie bleiben immer ein Rätsel, dachte sie, während sie sich auf die Seite legte und wieder einschlief.

London 1

Charles Bostock sah eher wie ein Stutzer aus als wie ein Kaufmann. Sein langes, blondes Haar hielten Bänder und Schleifen zurück, er war in roten Samt gekleidet, einen offenbar teuren Stoff, saß auf einem großen Schimmel und war von einem Trupp Bedienter umgeben, die zur Verteidigung gegen Räuber schwer bewaffnet waren. Er unterhielt sich vergnügt mit dem Bader, dem er erlaubt hatte, sich mit dem Wagen seiner Pferdekarawane anzuschließen, die Salz aus den Salzbergwerken bei Arundel beförderte.

»Ich besitze drei Lagerhäuser am Fluß und habe einige weitere gemietet. Wir Händler erschaffen ein neues London und sind deshalb dem König und dem ganzen englischen Volk von Nutzen.«

Der Bader nickte höflich. Dieser Aufschneider langweilte ihn, aber er war glücklich über die Gelegenheit, unter dem Schutz einer bewaffneten Eskorte nach London zu reisen, denn es ereigneten sich viele Verbrechen auf den Landstraßen, je näher man der Stadt kam.

»Berichtet uns bitte, was es in der Stadt Neues gibt«, sagte der Bader, und Bostock erklärte sich überlegen dazu bereit. König Knut hatte dicht an der Ostseite der Westminsterabtei einen großen Königspalast gebaut. Der König dänischer Abstammung erfreute sich großer Beliebtheit, weil er ein neues Gesetz erlassen hatte, das jedem freien Engländer das Recht verlieh, auf seinem eigenen Grund zu jagen – ein Recht, das früher dem König und seinen Adeligen vorbehalten gewesen war. »Jetzt kann sich jeder Grundbesitzer einen Rehbock holen, als wäre er Monarch auf seinem Besitz.«

Knut war seinem Bruder Harold als König von Dänemark gefolgt und regierte nun dieses Land ebenso wie England. »Dies verleiht ihm die Herrschaft über die Nordsee«, meinte Bostock, »und er hat eine Flotte aus schwarzen Schiffen gebaut, die die Meere von Piraten säubern und England Sicherheit und den ersten wirklichen Frieden seit hundert Jahren bescheren.«

Rob hörte wenig von der Unterhaltung. Während sie zum Abendessen in Alton haltmachten, gab er mit dem Bader eine Vorstellung, mit der sie sich für den Schutz im Gefolge des Kaufmanns revanchierten. Bostock lachte schallend und klatschte beim Jonglieren wild Beifall. Er schenkte Rob zwei Pence. »Du wirst sie in der Hauptstadt, wo Betthäschen teuer sind, brauchen«, meinte er augenzwinkernd.

Sie lagerten auf dem Feld eines Bauern in Reading, kaum eine Tagesreise von Robs Geburtsstadt entfernt. In dieser Nacht schlief er nicht, er versuchte sich zu entscheiden, welches seiner Geschwister er als erstes besuchen solle.

Am nächsten Nachmittag trennten sie sich in Southwark von der Karawane, weil der Kaufmann dort Geschäfte abwickelte. Der Bader lenkte Tatus im dichten Verkehr über die London Bridge. Auf der anderen Flußseite herrschte ein solches Gewirr von Menschen und Tieren, daß sie mit dem Wagen nicht in die Thames Street einbiegen konnten, sondern geradeaus weiterfuhren, nach links in die Fenchurch Street einbogen, den Walbrook überquerten und dann über Kopfsteinpflaster zur Cheapside rumpelten. Rob konnte kaum ruhig sitzen bleiben, denn die alten Straßen mit den kleinen, verwitterten Holzhäusern hatten sich überhaupt nicht verändert. Sein Problem, welches der Geschwister er zuerst aufsuchen solle, wurde von selbst gelöst, denn sie kamen in die Newgate Street, in der sich die Bäckerei befand, also würde er Anne Mary als erste sehen. »Hier, halt!« rief er dem Bader zu und sprang vom Sitz, bevor Tatus stehenbleiben konnte.

Als er jedoch über die Straße lief, merkte er, daß es der Laden eines Händlers für Schiffsbedarf war. Verdutzt öffnete er die Tür und trat ein. Ein rothaariger Mann hinter dem Ladentisch blickte auf.

»Was ist aus der Bäckerei geworden?«

Der Ladenbesitzer zuckte mit den Achseln.

»Wohnen die Haverhills noch im oberen Stockwerk?«

»Nein, dort wohne jetzt ich. Ich habe gehört, daß hier früher ein Bäcker gewohnt hat.« Aber der Laden sei leer gewesen, als er das Haus vor zwei Jahren gekauft habe, erwähnte er, von Durman Monk, der weiter unten in der Straße wohne.

Rob ließ den Bader auf dem Wagen warten und suchte Durman Monk auf, einen einsamen alten Mann in einem Haus voller Katzen, der sich freute, sich mit jemandem unterhalten zu können.

»Du bist also der Bruder der kleinen Anne Mary. Ich erinnere mich an sie, ein süßes, höfliches kleines Mädchen. Ich habe die Haverhills gut gekannt, und sie waren sehr angenehme Nachbarn. Sie sind nach Salisbury gezogen.« Der alte Mann streichelte eine getigerte Katze.

Robs Magen verkrampfte sich, als er das Zunfthaus betrat, das in jeder Einzelheit unverändert geblieben war. Ein paar Zimmerleute saßen herum und tranken, doch kein Gesicht befand sich darunter, das Rob gekannt hätte.

»Ist Bukerel hier?«

Ein Zimmermann stellte seinen Krug hin. »Wer? Richard Bukerel?«

»Ja. Richard Bukerel.«

»Der ist vor zwei Jahren gestorben.«

»Wer ist jetzt Zunftmeister der Zimmerleute?«

»Luard«, antwortete der Mann kurz. »Du!« rief er einem Lehrling zu. »Hole Luard! Da ist ein Junge, der ihn sprechen will.«

Luard nickte gleichmütig, als Rob ihn nach dem Verbleib eines Zunftmitglieds fragte. Er blätterte einige Minuten in den Pergamentseiten eines großen Hauptbuches. »Da ist es«, stellte er schließlich kopfschüttelnd fest. »Ich habe einen abgelaufenen Vermerk über einen Schreiner namens Aylwyn, aber seit einigen Jahren ist keine Eintragung mehr erfolgt.«

Niemand in der Halle kannte Aylwyn oder wußte, warum er nicht mehr in dem Mitgliederverzeichnis stand.

»Manche ziehen fort und treten dann andernorts einer Zunft bei«, meinte Luard.

»Was ist mit Turner Horne?« fragte Rob leise.

»Der Zimmermannsmeister? Er wohnt noch in dem gleichen Haus.«

Rob seufzte erleichtert auf: Er würde wenigstens Samuel sehen können.

»Mister Cole«, fuhr Luard fort. »Turner Horne ist Vorarbeiter einer Mannschaft, die ein Haus auf dem Edred's Hithe baut. Es wäre besser, wenn Ihr direkt dorthin geht und mit ihm sprecht.«

»Ich kenne Edred's Hithe nicht.«

»Ein neuer Stadtteil. Kennt Ihr Queen's Hithe, den alten römischen Hafen bei der Flußmauer?«

Rob nickte.

»Geht dorthin. Von dort wird Euch jeder den Weg zu Edred's Hithe zeigen können.«

Queen's Hithe war dicht besiedelt, und es gab dort viele Kneipen. In einem übelriechenden Wirtshaus beschrieb man Rob, wie er nach Edred's Hithe gelangte. Es war ein neuer Stadtteil neben dem alten, und er fand Turner Horne auf einer Baustelle am Rand einer sumpfigen Wiese.

Horne kletterte vom Dach herunter, als er gerufen wurde. Rob erinnerte sich wieder an ihn, als er sein Gesicht sah.

»Ich bin Samuels Bruder, Master Horne«, stellte er sich vor. »Rob Cole.«

»Ja, richtig. Aber wie groß du geworden bist!« Hornes freundliche Augen verengten sich vor Kummer. »Er ist nicht einmal ein Jahr bei uns gewesen«, berichtete Horne einfach. »Er war ein vielversprechender Junge. Meine Frau war ganz vernarrt in ihn. Wir hatten ihnen immer wieder gepredigt: ›Spielt nicht am Kai.‹ Es kann einen erwachsenen Mann das Leben kosten, wenn er unter einen Lastwagen gerät, weil ein Kutscher vier Pferde rückwärts gehen läßt – ganz zu schweigen von einem Neunjährigen.«

»Acht.«

Horne blickte ihn fragend an.

»Wenn es ein Jahr, nachdem Ihr ihn aufgenommen habt, geschehen ist, war er acht«, stellte Rob fest. Seine Lippen verkrampften sich und wollten ihm nicht gehorchen, so daß ihm das Sprechen schwerfiel. »Er war zwei Jahre jünger als ich.«

»Du mußt es am besten wissen«, sagte Horne sanft. »Er ist bei der St.-Botolphs-Kirche begraben, hinten rechts auf dem Friedhof. Es wurde uns gesagt, daß es der Teil des Kirchhofs ist, wo auch euer Vater begraben liegt.« Er machte eine Pause. »Was die Werkzeuge deines Vaters betrifft«, meinte er verlegen, »eine von den Sägen ist zerbrochen, aber die Hämmer sind noch in Ordnung. Du kannst sie zurückhaben.«

Rob schüttelte den Kopf. »Behaltet sie bitte. Als Erinnerung an Samuel.«

Sie lagerten auf einer Wiese bei Bishopsgate in der Nähe der feuchten Gründe an der Nordostecke der Stadt. Am Morgen ging Rob auf Erkundigung und gelangte nach Westminster, wo die Häuser am Fluß spärlicher wurden. Auf den Feldern und Wiesen des großen Klosters standen neue Gebäude. Es konnte sich nur um King's House handeln, denn es war von Truppenbaracken und Nebengebäuden umgeben, von denen Rob annahm, daß dort allerlei Staatsgeschäfte abgewickelt wurden. Er sah die schreckenerregenden Gardesoldaten, von denen in jedem Wirtshaus mit Ehrfurcht gesprochen wurde. Es handelte sich um riesige dänische Kerle, die wegen ihrer Größe und Kraft für König Knuts persönlichen Schutz ausgesucht worden waren. Nach Robs Meinung waren es freilich zu viele bewaffnete Wachen für einen von seinem Volk geliebten Monarchen. Er kehrte in die Stadt zurück und befand sich schließlich, ohne zu wissen, wie er dorthin gelangt war, vor der St.-Pauls-Kathedrale, als ihm jemand die Hand auf den Arm legte.

»Ich kenne dich. Du bist Cole.«

Rob blickte den Jungen an, war einen Augenblick lang wieder neun Jahre alt und wußte nicht, ob er kämpfen oder davonlaufen soll, denn es war unverkennbar Anthony Tite.

Aber Tite lächelte, und er hatte auch offensichtlich keine Gefolgsleute bei sich. Außerdem bemerkte Rob, daß er jetzt um drei Köpfe größer und um vieles kräftiger war als sein alter Feind. Er schlug Tony auf die Schulter und freute sich plötzlich, ihn wiederzusehen, so als wären sie als kleine Jungen die besten Freunde gewesen.

»Komm mit in eine Kneipe und erzähl mir von dir!« forderte Anthony ihn auf, doch Rob zögerte, denn er besaß nur die zwei Pence, die ihm der Kaufmann Bostock für das Jonglieren geschenkt hatte.

Anthony Tite verstand. »Ich lade dich auf einen Drink ein. Ich habe das ganze vergangene Jahr gearbeitet.«

Er sei Zimmermannslehrling, erzählte er Rob, als sie in der Ecke eines neuen Wirtshauses saßen und Ale tranken. »In der Sägegrube«, setzte er hinzu, und Rob bemerkte, daß seine Stimme heiser klang und seine Haut blaß war.

Rob kannte diese Arbeit. Ein Lehrling stand in einer tiefen Grube, über die quer ein Balken gelegt wurde. Der Lehrling zog an einem Ende der langen Säge und atmete den ganzen Tag das Sägemehl ein, das auf ihn herunterrieselte, während ein Tischlergeselle auf dem Rand der Grube stand und die Säge von oben führte.

»Mit den schlechten Zeiten für Zimmerleute scheint es zu Ende zu sein«, sagte Rob. »Ich war im Zunfthaus und habe nur wenige Männer gesehen, die beschäftigungslos herumlungerten.«

Tite nickte. »London wächst. Die Stadt hat schon hunderttausend Einwohner; ein Achtel aller Engländer lebt hier. Überall wird gebaut. Die Chancen stehen gut, als Lehrling in die Zunft aufgenommen zu werden, denn es geht das Gerücht, daß bald eine weitere Hundertschaft aufgestellt wird. Du bist doch der Sohn eines Zimmermanns...«

Rob schüttelte den Kopf. »Ich habe schon eine Lehrstelle.« Er erzählte von seinen Reisen mit dem Bader und sah befriedigt den Neid in Anthonys Augen.

Tite erwähnte Samuels Tod. »Ich habe meine Mutter und zwei Brüder in den letzten Jahren verloren, alle durch die Pocken, und meinen Vater durch ein Fieber.«

Rob nickte düster. »Ich muß meine Geschwister finden, die noch am Leben sind. In jedem Haus, an dem ich in London vorbeikomme, kann das letzte Kind leben, das meine Mutter geboren hat, bevor sie starb, und das Richard Bukerel zugesprochen wurde.«

»Vielleicht weiß Bukerels Witwe darüber Bescheid.«

Rob richtete sich auf.

»Sie hat wieder geheiratet, einen Gemüsehändler namens Buffington. Ihr neues Heim liegt nicht weit von hier. Gleich hinter Ludgate«, sagte Anthony.

Das schäbige Haus der Buffingtons stand am Rand der ordentlich mit Kohl und Salat bebauten Felder, die von einem nicht entwässerten Sumpf umgeben waren. Rob fand Mistress Buffington im Haus, und sie begrüßte ihn. »Ich erinnere mich an dich und deine Familie«, sagte sie und musterte ihn wie ein erlesenes Gemüse.

Doch als er nach Roger fragte, konnte sie sich nicht mehr erinnern, ob ihr erster Mann jemals den Namen oder den Wohnsitz der Amme erwähnt hatte, die das Kind aufgenommen hatte.

»Hat denn niemand den Namen aufgeschrieben?«

»Ich kann nicht schreiben. Warum hast *du* dir den Namen nicht geben lassen und aufgeschrieben? Ist es nicht *dein* Bruder?«

Er fragte sich, ob dergleichen von einem Jungen in seiner Lage verlangt hätte werden können, doch er wußte, daß sie eher recht als unrecht hatte.

Er dachte wehmütig an Bukerel, erinnerte sich an die schreckliche

Selbstgerechtigkeit, die knauserige Nächstenliebe seiner Frau und daran, daß sie ihn als Unfreien verkauft hätte.

Er starrte sie kalt an, murmelte seinen Dank und trollte sich.

In der St.-Botolphs-Kirche kam der Mesner auf sein Klopfen an die Tür, ein alter, pockennarbiger Mann mit schmutziggrauem, ungeschnittenem Haar. Rob fragte nach dem Priester, der seine Eltern begraben hatte.

»Vater Kempton wurde vor zehn Monaten nach Schottland versetzt.« Der alte Mann führte ihn auf den Friedhof der Kirche. »Das Gedränge bei uns wird immer ärger«, seufzte er. »Du warst wohl in den letzten Jahren, während der Pockenseuche, nicht hier?«

Rob schüttelte den Kopf.

»Da hast du aber Glück gehabt. So viele Menschen sind gestorben, wir haben den ganzen langen Tag Begräbnisse gehabt. Jetzt fehlt es uns an Platz.«

Rob wartete vor der Leichenhalle, während der Mesner das Totenregister zu Rate zog. Der betrunkene Alte konnte ihn dann wenigstens durch ein Labyrinth schiefer Grabsteine im östlichen Teil des Friedhofs in die Nähe der bemoosten hinteren Mauer führen und ihm erklären, daß sowohl sein Vater als auch sein Bruder Samuel »irgendwo hier« begraben worden seien. Rob versuchte, sich das Begräbnis seines Vaters ins Gedächtnis zu rufen, um sich an sein Grab zu erinnern, aber es gelang ihm nicht.

Das Grab seiner Mutter ließ sich leichter finden, denn die Eibe über ihrer letzten Ruhestätte war zwar inzwischen gewachsen, ihm aber noch immer vertraut.

Plötzlich eilte er entschlossen zum Lager zurück. Der Bader ging mit ihm zu einem felsigen Uferstück in der Nähe der Themse-Mündung, wo sie einen grauen Geröllblock mit flacher Oberfläche wählten, den Ebbe und Flut in langen Jahren geglättet hatten. Mit Hilfe von Tatus zogen sie den Block heraus.

Rob hatte die Inschriften selbst einmeißeln wollen, kam aber davon ab. »Wir sind schon zu lange hier«, drängte der Bader. »Laß es rasch und ordentlich von einem Steinmetz besorgen. Ich werde ihn für diese Arbeit bezahlen, und wenn du deine Lehrzeit beendet hast und für Lohn arbeitest, kannst du mir den Betrag zurückzahlen.«

Sie blieben noch so lange in London, bis die drei Namen und die Daten in den Block gemeißelt waren und der Stein auf dem Friedhof unter der Eibe aufgestellt wurde.

Der Bader schlug Rob mit seiner fleischigen Hand auf die Schulter und warf ihm einen wissenden Blick zu. »Wir sind Reisende. Wir kommen schließlich an jeden Ort, wo du dich nach deinen anderen drei Geschwistern erkundigen kannst.«

Er breitete die Karte von England aus und zeigte Rob, daß sechs große Landstraßen von London ausgingen: nach Nordosten die nach Colchester; nach Norden die nach Lincoln und York; nach Nordwesten die nach Shrewsbury und Wales; nach Westen die nach Silchester, Winchester und Salisbury; nach Südosten die nach Richborough, Dover und Lyme; nach Süden die nach Chichester.

»Hier in Ramsey«, erklärte er ihm und zeigte mit dem Finger auf Mittelengland, »lebt doch eine verwitwete Nachbarin Della Hargreaves bei ihrem Bruder. Sie wird dir den Namen der Amme sagen können, der sie den kleinen Roger übergeben hat, und du wirst ihn aufsuchen, sobald wir das nächste Mal nach London kommen. Und hier liegt Salisbury, wohin deine Schwester Anne Mary, wie du erfahren hast, von ihrer Pflegefamilie, den Haverhills, mitgenommen wurde.« Er runzelte die Stirn. »Schade, daß wir nichts davon wußten, als wir während des Jahrmarktes in Salisbury haltmachten«, sagte er, und Rob lief ein kalter Schauer über den Rücken, wenn er daran dachte, daß er und das kleine Mädchen einander sehr wohl in der Menge begegnet sein mochten.

»Das macht nichts«, tröstete ihn der Bader. »Wir werden im Herbst auf dem Rückweg nach Exmouth wieder nach Salisbury kommen.«

Rob faßte frischen Mut. »Und in allen Orten, in die wir im Norden gelangen, werde ich Priester und Mönche fragen, ob sie Vater Lovell und seinen jungen Schützling William Cole kennen.«

Früh am Morgen verließen sie London auf der breiten Lincoln Road, die nach Norden führte. Als sie alle Häuser und den Gestank der großen Stadt hinter sich gelassen hatten und zu einem besonders reichhaltigen Frühstück neben einem laut plätschernden Gewässer haltmachten, waren sich die beiden einig, daß eine Stadt nicht der angenehmste Aufenthaltsort war, um Gottes reine Luft zu atmen und die Wärme der Sonne zu genießen.

Lektionen

An einem Tag Anfang Juni lagen sie auf dem Rücken am Rand eines Baches in der Nähe von Chipping Norton, beobachteten die Wolken durch das Blätterdach und warteten darauf, daß die Forellen anbissen.

Ihre Weidenruten lagen bewegungslos auf zwei Astgabeln, die im Boden steckten.

»Es ist zu spät im Jahr, da beißen keine Forellen mehr auf Regenwürmer an«, murmelte der Bader. »In zwei Wochen, wenn es Heuschrecken auf den Feldern gibt, wird man die Fische rascher fangen.«

»Wie erkennen männliche Würmer den Unterschied?« fragte Rob.

Der Bader, der halb schlief, lächelte. »Zweifellos sehen alle Würmer in der Dunkelheit gleich aus – wie die Frauen.«

»Frauen sehen weder bei Tag noch bei Nacht gleich aus«, widersprach Rob. »Sie sind einander ähnlich, doch jede riecht und schmeckt verschieden, fühlt sich anders an.«

Der Bader seufzte. »Das ist das große Geheimnis, das die Männer anlockt.«

Rob stand auf und ging zum Wagen. Als er zurückkam, hielt er ein glattes Stück Fichtenrinde in der Hand, auf das er mit Tusche das Gesicht eines Mädchens skizziert hatte. Er hockte sich neben den Bader und hielt es ihm hin. »Erkennt Ihr sie?«

Der Bader betrachtete die Zeichnung. »Es ist das Mädchen von letzter Woche, die Kleine aus St. Ives.«

Rob nahm sein Werk zurück und betrachtete es zufrieden.

»Warum hast du ihr das häßliche Mal auf die Wange gezeichnet?«

»Das Mal war da.«

Der Bader nickte. »Ich erinnere mich. Aber du kannst sie mit Gänsekiel und Tusche hübscher erscheinen lassen, als sie in Wirklichkeit ist. Warum ermöglichst du ihr nicht, sich vorteilhafter zu sehen, als die Welt sie sieht?«

Rob runzelte die Stirn und war verwirrt, ohne zu wissen, warum. Er musterte das Bild. »Jedenfalls hat sie die Zeichnung nicht gesehen, weil ich sie angefertigt habe, nachdem ich sie verlassen hatte.«

»Aber du hättest doch nach der Natur zeichnen können.«

Rob hob lächelnd die Schultern.

Der Bader setzte sich hellwach auf. »Nun wird es Zeit, deine Begabung praktisch auszuwerten«, sagte er.

Am nächsten Morgen machten sie bei einem Holzfäller halt und ersuchten ihn, Scheiben von einem Fichtenstamm abzuschneiden. Die Holzscheiben waren eine Enttäuschung, denn sie waren so stark gemasert, daß man kaum mit Kiel und Tusche auf ihnen zeichnen konnte. Aber die Scheiben von einer jungen Buche erwiesen sich als glatt und hart, worauf der Holzfäller bereitwillig eine mittelgroße Buche für sie zersägte, die sie mit einer Münze bezahlten.

An diesem Nachmittag verkündete der Bader nach der Vorstellung, daß sein Mitarbeiter kostenlos Porträts von einem halben Dutzend Einwohner von Chipping Norton anfertigen würde. Die Folge waren ein Mordsgedränge und große Aufregung. Die Menge versammelte sich um Rob und sah neugierig zu, wie er die Tusche anrieb. Aber er war schon ein erfahrener Gaukler, und prüfende Blicke machten ihm nichts aus. Auf jede Holzscheibe zeichnete er ein Gesicht: eine alte Frau, zwei Jungen, zwei Milchmädchen, die nach Kuhstall rochen, und einen Mann mit einer Warze auf der Nase.

Die Frau hatte tiefliegende Augen und einen zahnlosen Mund mit faltigen Lippen. Einer der Jungen war dick und hatte ein rundliches Gesicht, und es kam Rob vor, als male er Gesichtszüge auf einen Kürbis. Die Mädchen waren Schwestern und sahen einander so ähnlich, daß es eine Herausforderung darstellte, die fast unmerklichen Unterschiede festzuhalten; der Versuch mißlang, denn sie hätten ihre Porträts vertauschen können, ohne es zu bemerken. Von den sechs Zeichnungen war Rob nur mit dem letzten Porträt zufrieden. Der Mann war nicht mehr jung, und seine Augen und jede Linie seines Gesichts zeugten von Schwermut. Ohne zu wissen, wie, hatte Rob die Traurigkeit festgehalten, und ohne zu zögern zeichnete er die Warze auf der Nase. Der Bader erhob keinen Einspruch, denn alle Abgebildeten waren mit ihrem Konterfei sichtlich zufrieden, und es gab andauernden Beifall von den Zuschauern.

»Wenn ihr sechs Flaschen kauft, bekommt ihr – gratis, meine Freunde! – ein solches Porträt«, brüllte der Bader, hielt das universelle Spezificum in die Höhe und ließ seinen immer gleichbleibenden Vortrag vom Stapel.

Bald hatte sich vor Rob, der eifrig zeichnete, eine Schlange gebildet. Eine noch längere Schlange stand vor dem Podium, auf dem der Bader stand und seine Medizin verkaufte.

Seit König Knut die Jagdgesetze gemildert hatte, bekam man in den Fleischerläden ab und zu Wildbret. Auf dem Marktplatz von Aldreth kaufte der Bader einen großen Rehrücken. Er rieb ihn mit wildem Knoblauch ein und brachte tiefe Schnitte an, die er mit kleingewürfeltem Schweinespeck und Zwiebeln füllte; die Außenseite bestrich er reichlich mit süßer Butter und begoß sie während des Bratens andauernd mit einer Mischung aus Honig, Senf und braunem Ale.

Rob aß herzhaft, aber der Bader aß das meiste selbst, dazu eine erstaunliche Menge Rübenmus und einen Laib frisches Brot. »Noch ein kleines Stückchen, um bei Kräften zu bleiben.« Er grinste. Seit Rob ihn kannte, hatte er eine Menge zugenommen, vielleicht an die achtzig Pfund. Er hatte einen Specknacken, seine Unterarme waren dick wie Schenkel und sein Bauch segelte vor ihm her wie ein geblähtes Segel in einer steifen Brise. Sein Durst war ebenso erstaunlich wie sein Appetit.

Zwei Tage, nachdem sie Aldreth verlassen hatten, kamen sie endlich in das Dorf Ramsey, wo der Bader im Wirtshaus die Aufmerksamkeit des Besitzers erregte, indem er wortlos zwei Krüge Ale nacheinander in sich hineinschüttete, bevor er rülpste und zur Sache kam: »Wir suchen eine Frau namens Della Hargreaves.«

Der Wirt zuckte kopfschüttelnd mit den Achseln.

»Ihr Mann hieß Hargreaves. Sie ist Witwe. Vor vier Jahren zog sie hierher zu ihrem Bruder. Seinen Namen kenne ich nicht, aber ich bitte Euch nachzudenken, denn das ist ja nur ein kleiner Ort.« Der Bader bestellte weiteres Ale, um ihn zu ermutigen.

Der Wirt sah ihn ausdruckslos an.

»Oswald Sweeter«, flüsterte seine Frau, die das Getränk auftrug.

»Ah ja, Sweeters Schwester«, erinnerte sich nun der Mann und nahm des Baders Geld entgegen.

Oswald Sweeter war der Dorfschmied von Ramsey. Er war so kräftig wie der Bader, bestand aber nur aus Muskeln.

»Della? Ich habe sie bei mir aufgenommen, mein Fleisch und Blut. Meine Frau war freundlich zu ihr, aber Della hat ein Talent dafür, sich vor der Arbeit zu drücken. Die beiden Frauen haben sich nicht vertragen. Della verließ uns nach einem halben Jahr.«

»Wohin ist sie gezogen?«

»Nach Bath.«

»Was macht sie in Bath?«

»Das gleiche wie hier, bevor wir sie aus dem Haus gejagt haben«, antwortete Sweeter ruhig. »Sie ist mit einem Mann abgehauen wie eine Ratte.«

»In London war sie jahrelang unsere Nachbarin. Dort galt sie als achtbar«, verteidigte sie Rob, obwohl er sie nicht gemocht hatte.

»Junger Mann, heute ist meine Schwester eine Schlampe, die lieber die Beine breit macht, als ihren Lebensunterhalt mit ehrlicher Arbeit zu verdienen. Sie können sie überall dort finden, wo es Huren gibt.« Sweeter beendete das Gespräch, indem er ein weißglühendes Eisen aus dem Feuer nahm und wild darauf hämmerte, so daß ihnen ein wilder Schauer von Funken durch die Tür folgte.

Es regnete eine Woche lang, als sie die Küste entlangfuhren. Dann krochen sie eines Morgens aus ihrem feuchten Nachtlager unter dem Wagen und gewahrten einen so lieblichen, strahlenden Tag, daß alles vergessen war außer der herrlichen Tatsache, daß sie frei und ungebunden waren. »Machen wir eine Spazierfahrt durch die jungfräuliche Welt!« rief der Bader, und Rob wußte genau, was er meinte, denn trotz seines Bedürfnisses, die Geschwister zu finden, fühlte er sich an so einem Tag jung, gesund und voll Leben.

Sie fuhren langsam auf einem Waldweg, der ihnen abwechselnd warmen Sonnenschein und erfrischenden, kühlen Schatten bot. »Was kannst du dir mehr wünschen?« fragte der Bader.

»Waffen«, antwortete Rob sofort.

Des Baders Lächeln verschwand. »Ich werde dir keine Waffen kaufen«, stellte er kurz und bündig fest.

»Ich brauche kein Schwert. Aber ein Dolch wäre angebracht, man könnte uns ja überfallen.«

Sie fuhren schweigend weiter.

Jahrhunderte, während denen sie bewaffnet überfallen wurden, hatten jeden Engländer dazu gebracht, wie ein Soldat zu denken. Unfreie durften laut Gesetz keine Waffen tragen, und Lehrlinge konnten sich keine leisten. Aber jeder Mann, der sein Haar lang trug, zeigte seine freie Geburt durch das Tragen von Waffen an.

Es stimmte: Ein schwacher Mann mit einem Messer konnte einen unbewaffneten kräftigen Jungen mühelos töten, gestand sich der Bader widerstrebend ein.

»Du solltest mit Waffen umgehen können, bis du einmal welche besitzen darfst«, befand er. »Es ist ein Teil der Lektionen, den ich bisher vernachlässigt habe. Daher werde ich dich im Gebrauch von Schwert und Dolch unterrichten.«

Rob strahlte. »Danke, Bader.«

Auf einer Lichtung stellten sie sich einander gegenüber auf, und der Bader zog einen Dolch aus dem Gürtel.

»Du darfst ihn nicht halten wie ein Kind, das in einem Ameisenbau stochert. Halte das Messer im Gleichgewicht in deiner nach oben gedrehten Handfläche, als wolltest du es jonglieren. Die vier Finger schließen sich um den Griff. Der Daumen kann flach auf dem Griff liegen oder die Finger bedecken, je nach dem Stoß. Jener Stoß, gegen den man sich am schwersten wehren kann, wird von unten nach oben geführt. Beim Messerkampf beugt man die Knie ein wenig und bewegt sich leichtfüßig, bereit, vor- und zurückzuspringen, bereit, auszuweichen, um dem Stoß eines Angreifers zu entgehen, bereit zu töten, denn diese Waffe ist für den schmutzigen Nahkampf gedacht. Der Dolch hat die gleiche Klinge wie ein Skalpell. Wenn du dich für diese Geräte entschieden hast, mußt du schneiden, als hinge das Leben davon ab, denn das ist oft der Fall.«

Er steckte den Dolch wieder in die Scheide und reichte ihm sein Schwert.

Rob hob es hoch und hielt es vor sich hin. »*Romanus sum*«, flüsterte er.

Der Bader lächelte. »Nein, du bist kein verdammter Römer. Nicht mit diesem englischen Schwert. Das römische Schwert war aus Stahl, kurz, lief spitz zu und hatte zwei scharfe Schneiden. Die Römer bevorzugten den Nahkampf und verwendeten es manchmal wie einen Dolch. Dies hier ist ein englisches, breites Schwert, es ist länger und schwerer. Die beste Waffe, um sich Feinde vom Leib zu halten. Es ist eine Hiebwaffe, eine Axt, mit der man Menschen statt Bäume fällt.«

Er nahm das Schwert an sich und trat zurück. Er hielt es in beiden

Händen und drehte sich. Das breite Schwert blitzte und funkelte in tödlichen Kreisen, während es die Sonnenstrahlen durchkreuzte.

Dann hielt er inne und stützte sich außer Atem auf das Schwert. »Jetzt versuch du es!« Er überreichte Rob die Waffe und beobachtete mit gemischten Gefühlen, wie leicht sein Lehrling das schwere, breite Schwert in einer Hand hielt. Es ist zwar eine Waffe für einen starken Mann, dachte er neidisch, doch noch wirkungsvoller ist sie, wenn sie mit der Behendigkeit der Jugend geführt wird.

Rob machte es dem Bader nach und wirbelte über die kleine Lichtung. Die Klinge des breiten Schwertes zischte durch die Luft, und er stieß unwillkürlich einen heiseren Schrei aus. Der Bader sah äußerst beruhigt zu, wie schrecklich Rob durch ein unsichtbares Heer fegte und eine breite Schneise schlug.

Die nächste Lektion erhielt Rob mehrere Nächte später in einem überfüllten, lauten Wirtshaus in Fulford. Die englischen Treiber einer nach Norden ziehenden Pferdekarawane waren dort auf dänische Treiber einer nach Süden ziehenden Karawane getroffen. Beide Gruppen übernachteten in der Stadt, tranken viel und beäugten einander wie zwei Rudel streitlustiger Hunde.

Rob trank mit dem Bader friedlich Apfelwein. Es war eine Situation, die sie bereits kannten, und sie hatten genügend Erfahrung, um sich nicht in solche Rivalitäten hineinziehen zu lassen.

Einer der Dänen war hinausgegangen, um zu urinieren. Als er zurückkam, trug er ein quiekendes Ferkel und ein Seil unter dem Arm. Er knüpfte ein Ende des Seils um den Hals des Ferkels und das andere Ende an einen Pfosten in der Mitte der Kneipe. Dann klopfte er mit einem Krug auf den Tisch.

»Wer ist Manns genug, mir in einem Saustechen gegenüberzutreten?« rief er den englischen Treibern zu.

»Gut, Vitus!« rief einer seiner Kameraden aufmunternd und begann, auf seinen Tisch zu klopfen, worauf sich alle seine Gefährten anschlossen.

Die englischen Treiber lauschten mit finsterer Miene dem Pochen und den höhnischen Rufen, dann trat einer von ihnen zu dem Pfosten in der Mitte und nickte.

Ein halbes Dutzend der vorsichtigeren Gäste in dem Wirtshaus trank aus und verdrückte sich. Auch Rob wollte aufstehen, um, wie es des Baders Gewohnheit war, zu verschwinden, bevor der Wirbel losging. Doch zu seiner Überraschung legte ihm sein Meister eine Hand auf den Arm und hielt ihn zurück.

»Zwei Pence auf Dustin!« rief ein englischer Treiber. Bald schlossen beide Gruppen eifrig Wetten ab.

Die Männer waren einander ziemlich ebenbürtig: Beide waren Mitte zwanzig, der Däne war kräftiger und etwas kleiner, während der Engländer die größere Reichweite besaß.

Man band ihnen Tücher über die Augen, dann wurden sie in gebührendem Abstand zu beiden Seiten des Pfostens mit einem drei Yard langen Seil am Fußknöchel festgebunden.

»Wartet«, rief der Mann namens Dustin. »Zuerst noch einen Drink!« Johlend brachten die Freunde jedem Kandidaten einen Becher Metheglin, der rasch ausgetrunken wurde.

Die Männer mit den verbundenen Augen zogen ihre Dolche.

Das Schwein, das zwischen den beiden festgehalten worden war, wurde nun auf den Boden hinuntergelassen. Es versuchte sofort davonzulaufen, aber weil es angebunden war, konnte es nur im Kreis rennen.

»Das Ferkel kommt, Dustin!« rief jemand. Der Engländer machte sich bereit und wartete, aber das Geräusch des laufenden Tieres wurde vom Schreien der Männer übertönt, und das Schwein war an ihm vorbei, bevor er es merkte.

»Jetzt, Vitus!« schrien die Dänen.

In seiner Angst rannte das Ferkel geradewegs in den dänischen Treiber hinein. Der Mann stach dreimal nach ihm, ohne es zu treffen, und es flüchtete laut quiekend dorthin zurück, wo es hergekommen war.

Nun konnte sich Dustin nach dem Geräusch richten und stürzte aus seiner Richtung auf das Ferkel, während Vitus aus der anderen kam.

Der Däne stach auf das Ferkel ein, und Dustin wimmerte, als die scharfe Klinge ihm den Arm aufschlitzte.

»Du nordisches Arschloch.« Er schlug in einem wilden Bogen zu, kam aber weder in die Nähe des quiekenden Ferkels noch in die seines Gegners.

Jetzt rannte das Schwein über Vitus' Füße. Der dänische Treiber packte das Seil des Tieres und konnte das Schwein in Reichweite seines

Dolches ziehen. Sein erster Stich traf es am rechten Vorderhuf, und das Schwein schrie.

»Jetzt hast du es, Vitus!«

»Mach es fertig! Wir essen es morgen!«

Das schreiende Schwein war ein leicht auszumachendes Ziel, und Dustin stürzte sich auf das Geräusch. Doch seine Hand glitt an der glatten Flanke des Ferkels ab, und die Klinge bohrte sich bis zum Heft in Vitus' Bauch.

Der Däne stöhnte nur leise, sprang aber zurück und riß sich damit den Bauch auf.

Das einzige Geräusch in der Kneipe war nun das Quieken des Schweins.

»Leg das Messer weg, Dustin, du hast ihn erledigt«, rief einer der Engländer. Sie umringten den Treiber; die Augenbinde wurde ihm heruntergerissen und seine Fußfessel durchschnitten.

Wortlos führten die dänischen Treiber ihren Kameraden weg, ehe die Engländer sich rächen oder die Männer des Vogts geholt werden konnten.

Der Bader seufzte. »Laß uns zu ihm durch, denn wir sind Bader-Chirurgen und können ihm vielleicht Beistand leisten.«

Aber es war klar, daß sie kaum etwas für ihn tun konnten. Vitus lag wie zerbrochen auf dem Rücken, hatte die Augen aufgerissen, und sein Gesicht war grau. In der klaffenden Wunde seines geöffneten Bauches waren die Gedärme fast durchschnitten worden.

Der Bader ergriff Robs Arm und zog ihn in die Hocke. »Sieh es dir an!« befahl er streng.

Rob sah mehrere Schichten an der Oberfläche sonnengebräunte Haut, blasses Fleisch, eine schleimige, helle Schicht. Der Darm war rosa wie ein Osterei, das Blut tiefrot.

»Es ist merkwürdig, daß ein aufgeschnittener Mensch viel ärger stinkt als ein aufgeschnittenes Tier«, stellte der Bader fest.

Blut quoll aus der Bauchdecke, und der durchtrennte Darm entleerte in einem Schwall seinen Kot. Der Mann sprach leise auf Dänisch, vielleicht betete er.

Rob würgte, aber der Bader hielt ihn bei dem niedergestochenen Mann fest, als würde er einem jungen Hund die Nase in seinen eigenen Kot reiben.

Rob ergriff die Hand des Treibers. Der Mann war wie ein Sandsack mit einem Loch im Boden; Rob spürte, wie das Leben aus ihm rann. Er hockte neben dem Treiber und hielt seine Hand fest, bis kein Sand mehr in dem Sack war und Vitus' Seele mit einem trocken raschelnden Geräusch wie ein welkes Blatt einfach davonflog.

Sie übten weiter mit den Waffen, aber jetzt war Rob vorsichtiger und etwas weniger hitzig.

Er dachte öfter über seine Gabe nach, beobachtete den Bader, hörte ihm zu und eignete sich nach und nach sein gesamtes Wissen für spätere Tage an. Während er mit den Krankheiten und ihren Symptomen vertrauter wurde, begann er insgeheim ein Spiel, bei dem er versuchte, an den äußerlichen Anzeichen festzustellen, was jedem Kranken fehlte.

In dem Dorf Richmond in Northumbria sahen sie in der Reihe der wartenden Kranken einen bleichen Mann mit Triefaugen und einem quälenden Husten.

»Was fehlt diesem Mann?« fragte der Bader.

»Höchstwahrscheinlich Schwindsucht, oder?«

Der Bader lächelte zustimmend.

Als der hustende Patient jedoch an die Reihe kam, ergriff Rob seine Hände, um ihn hinter den Wandschirm zu führen. Es war nicht der Griff eines Sterbenden: Robs Gefühl verriet ihm, daß dieser Mann zu kräftig war, um an Schwindsucht zu leiden. Er spürte, daß der Mann sich nur erkältet hatte und bald die Beschwerden los sein würde.

Er sah keinen Grund, dem Bader zu widersprechen; allmählich merkte er aber, daß seine Gabe es ihm nicht nur ermöglichte, den Tod eines Menschen vorauszusagen, sondern daß sie auch nützlich sein konnte, um eine Krankheit zu erkennen und vielleicht den Lebenden zu helfen.

Tatus zog den roten Wagen langsam nach Norden über die englische Erde von Dorf zu Dorf, von denen manches zu klein war, um einen Namen zu haben. Wann immer sie zu einem Kloster oder einer Kirche kamen, wartete der Bader geduldig im Wagen, während sich Rob nach Vater Ranald Lovell und einem Jungen namens William Stewart Cole erkundigte. Doch niemand hatte je von ihnen gehört.

Irgendwo zwischen Carlisle und Newcastle-upon-Tyne kletterte Rob auf einen Steinwall, den Hadrians Kohorten neunhundert Jahre zuvor errichtet hatten, um England vor schottischen Plünderern zu schützen. Er war zwar noch in England, aber seine Gedanken wanderten nach Schottland hinüber, und er machte sich klar, daß die größte Aussicht, jemanden von seinen Geschwistern zu treffen, in Salisbury bestand, wohin die Haverhills seine Schwester Anne Mary mitgenommen hatten.

Als sie endlich Salisbury erreichten, machte die Bäckerzunft zunächst einen Strich durch seine Rechnung. Der Zunftmeister der Bäcker hieß Cummings. Er war untersetzt und sah aus wie ein Frosch. Er war zwar nicht so schwer wie der Bader, aber wohlbeleibt, wie es seinem Beruf entsprach. »Ich kenne keine Haverhills.«

»Könntet Ihr nicht in Euren Aufzeichnungen nachsehen?«

»Hör zu, es ist Jahrmarkt. Viele Angehörige meiner Zunft beteiligen sich an dem Jahrmarkt in Salisbury, wir wissen nicht, wo uns der Kopf steht. Du mußt uns nach dem Jahrmarkt aufsuchen.«

Während des Jahrmarktes war er beim Jonglieren, beim Aderlassen und bei der Behandlung der Kranken nur halb bei der Sache und hielt ständig nach einem vertrauten Gesicht Ausschau, um vielleicht das junge Mädchen zu erblicken, das Anne Mary sein mußte.

Er sah sie nicht.

Am Tag nach dem Jahrmarkt betrat er wieder das Gebäude der Bäckerzunft von Salisbury. Es war ein sauberes, anziehendes Haus, und trotz seiner Unruhe fragte er sich, warum die Häuser anderer Zünfte immer besser gebaut waren als die der Zimmerleute.

»Ah, der junge Bader!« Cummings begrüßte ihn jetzt freundlicher und war auch zugänglicher. Er blätterte in dicken Büchern, dann schüttelte er den Kopf. »Wir hatten niemals einen Bäcker namens Haverhill.«

»Es war ein Mann mit seiner Frau«, sagte Rob. »Sie haben ihren Pastetenladen in London verkauft und wollten hierher ziehen. Sie haben ein kleines Mädchen bei sich, das meine Schwester ist. Sie heißt Anne Mary.«

»Es ist klar, was geschehen ist, junger Chirurg. Nachdem sie ihren Laden verkauft hatten, fanden sie auf dem Weg hierher eine bessere Gelegenheit. Vielleicht erfuhren sie von einer Ortschaft, die dringend einen Bäcker brauchte.«

»Ja, das klingt einleuchtend.« Rob dankte dem Mann und kehrte zum Wagen zurück.

Der Bader war sichtlich enttäuscht, sprach ihm aber Mut zu. »Du darfst die Hoffnung nicht aufgeben! Eines Tages wirst du sie wiederfinden, du wirst sehen.«

Rob kam es jedoch vor, als habe sich die Erde geöffnet und die Lebenden wie die Toten verschlungen. Die geringe Hoffnung, die er noch gehegt hatte, erschien ihm jetzt töricht. Er ahnte, daß die Tage eines eventuellen Familienlebens wirklich vorbei waren, und zwang sich fröstelnd zuzugeben, daß er seiner Zukunft höchstwahrscheinlich allein die Stirn bieten mußte.

Der Geselle

Einige Monate vor dem Ende von Robs Lehrzeit saßen sie bei braunem Ale im Gastraum des Wirtshauses in Exeter und unterhielten sich vorsichtig über die Bedingungen für Robs Anstellung als Geselle.

Der Bader trank schweigend, scheinbar gedankenverloren, und bot ihm schließlich ein kleines Gehalt an. »Dazu eine Garnitur neuer Kleidungsstücke«, verbesserte er sein Angebot, als hätte er einen Anfall von Großzügigkeit.

Rob war nicht umsonst seit vielen Jahren mit ihm zusammen. Er hob unschlüssig die Schultern. »Es zieht mich nach London«, erklärte er und füllte ihre Krüge nach.

Der Bader nickte. »Jedes Jahr eine vollständige Garnitur Kleidungsstücke, ob du sie brauchst oder nicht«, fügte er hinzu, nachdem er Robs Gesicht gemustert hatte.

Sie bestellten zum Abendessen eine Wildkaninchenpastete, die Rob mit Appetit verzehrte. Der Bader beschäftigte sich mehr mit dem Wirt als mit dem Essen. »Welches Fleisch ich auch vorgesetzt bekomme, es ist zu zäh und kaum gewürzt«, brummte er. »Wir könnten vielleicht auch den Lohn erhöhen, ein wenig«, schränkte er gleich wieder ein.

»Es *ist* schlecht gewürzt«, bestätigte Rob. »Das kommt bei Euch niemals vor. Ich war immer begeistert, wie Ihr Wild zubereitet.«

»Wieviel Lohn hältst du denn für angemessen – für einen sechzehnjährigen Jungen?«

»Ich will gar keinen Lohn.«

»Du willst keinen Lohn?« Der Bader sah ihn argwöhnisch an.

»Nein. Das Einkommen stammt vom Verkauf des Spezificums und der Behandlung von Kranken. Deshalb möchte ich den Erlös von jeder zwölften verkauften Flasche und jedem zwölften behandelten Kranken.«

»Von jeder zwanzigsten Flasche und jedem zwanzigsten Kranken.«

Rob zögerte nur einen Augenblick, bevor er nickte. »Diese Bedingungen gelten für ein Jahr«, sagte er. »Sie können dann nach Übereinkunft neu festgesetzt werden.«

»Abgemacht!«

»Abgemacht!« stimmte Rob ruhig zu.

Beide hoben grinsend ihre Krüge.

Der Bader hielt sich an die Abmachung. In Northampton jedoch, wo es erfahrene Handwerker gab, ließ er eines Tages von einem Tischler einen zweiten Wandschirm anfertigen, und als sie im nächsten Ort hielten, stellte er ihn nicht weit von dem seinen auf.

»Es ist Zeit, daß du auf eigenen Füßen stehst«, erklärte er.

Nach der Vorstellung und dem Porträtzeichnen setzte sich Rob hinter den Wandschirm und wartete. Würden sie ihn ansehen und lachen? Oder würden sie sich von ihm abwenden und sich vielleicht in der Schlange des Baders anstellen?

Sein erster Patient zuckte zusammen, als Rob dessen Hände ergriff, denn eine alte Kuh war ihm auf das Handgelenk getreten. »Das Mistvieh hat den Eimer umgestoßen. Als ich ihn aufstellen wollte, ist das verdammte Vieh mir draufgestiegen, versteht Ihr?«

Rob hielt das Gelenk vorsichtig in der Hand und vergaß sofort alles ringsherum. Er sah einen schmerzhaften Bluterguß. Auch ein Knochen war gebrochen, der vom Daumen zur Handwurzel führte. Ein wichtiger Knochen. Er brauchte einige Zeit, um das Handgelenk richtig zu verbinden und in eine Schlinge zu legen.

Er wartete hinter dem Wandschirm auf den nächsten Patienten, als ein junger Mann hereinkam, der vielleicht nur ein oder zwei Jahre älter war als er. Rob unterdrückte einen Seufzer, als er sah, daß sich der linke Zeigefinger in einem fortgeschrittenen Stadium des Brandes befand.

»Kein schöner Anblick.«

Der junge Mann wurde blaß um die Mundwinkel, dennoch gelang es ihm zu lächeln. »Ich habe ihn mir vor zwei Wochen beim Holzhacken zerquetscht. Er hat natürlich ziemlich geschmerzt, schien aber gut zu heilen. Und dann…«

Das erste Fingerglied war schwarz und ging in eine entzündlich verfärbte Stelle über, an die sich eine mit Blasen bedeckte Partie anschloß. Aus den großen Blasen trat blutiger Ausfluß und Fäulnisgeruch.

»Wie wurde der Finger behandelt?«

»Ein Nachbar riet mir, feuchte, mit Gänsekot vermischte Asche aufzulegen, um den Schmerz herauszuziehen.«

Rob nickte, denn es war ein allgemein übliches Mittel. »Jetzt ist es eine verzehrende Erkrankung, die sich, wenn man nichts dagegen unternimmt, in die Hand und dann in den Arm fressen wird. Lang bevor sie den Rumpf erreicht, wirst du sterben. Der Finger muß abgenommen werden.«

Der junge Mann nickte tapfer.

Rob seufzte nun doch. Er mußte sich doppelt absichern; einen Finger abzunehmen war ein ernster Eingriff, und diesem Jungen würde sein Finger ein Leben lang fehlen, wenn es darum ging, seinen Lebensunterhalt zu verdienen.

Er ging zu des Baders Wandschirm.

»Ist etwas los?« Des Baders Augen glitzerten.

»Ein Fall, den ich Euch zeigen muß«, antwortete Rob und ging zu seinem Kranken voraus, während der dicke Mann etwas langsamer folgte.

»Ich habe ihm gesagt, daß er abgenommen werden muß.«

»Ja«, bestätigte der Bader, und sein Lächeln war verschwunden. »Das ist richtig. Brauchst du Hilfe, Kleiner?«

Rob schüttelte den Kopf. Er gab dem Patienten drei Flaschen Spezificum zu trinken und legte dann sorgfältig alles bereit, was er benötigte, damit er nicht während der Amputation etwas suchen oder gar den Bader zu Hilfe rufen mußte.

Er legte zwei scharfe Messer, eine Nadel und einen gewachsten Faden, ein kurzes Brett, Leinenstreifen zum Verbinden und eine kleine Säge mit feinen Zähnen bereit.

Der Arm des Jungen wurde an das Brett festgebunden, so daß seine

Hand mit der Handfläche nach oben lag. »Mach eine Faust, aber strecke dabei den brandigen Finger aus!« befahl Rob, umwickelte die Hand mit Leinenstreifen und band sie fest, damit die gesunden Finger nicht im Weg waren.

Er holte sich drei kräftige, herumstehende Müßiggänger: zwei, um den Jungen festzuhalten, und einen, um das Brett zu fixieren.

Er hatte ein dutzendmal zugesehen, wie der Bader selbst dermaßen vorgegangen war, und hatte die Amputation zweimal selbst unter des Baders Aufsicht vorgenommen, aber allein hatte er es noch nie versucht. Das Wesentlichste war, den Schnitt entfernt genug von der brandigen Stelle zu legen, um eine weitere Ausbreitung zu verhindern, zugleich aber einen möglichst großen Stumpf übrigzulassen.

Er ergriff das Messer und schnitt in das gesunde Fleisch. Der Patient brüllte auf und versuchte aufzuspringen.

»Haltet ihn fest!«

Er schnitt kreisförmig um den Finger herum und unterbrach einen Augenblick, um die Blutung mit einem Lappen aufzusaugen, bevor er den gesunden Teil des Fingers auf beiden Seiten aufschlitzte und vorsichtig die Haut bis zum Knöchel abschälte, so daß zwei Hautlappen entstanden.

Der Mann, der das Brett festhielt, ließ es los und erbrach.

»Nimm das Brett«, befahl Rob dem Mann, der die Schultern gehalten hatte. Der Wechsel war nicht schwierig, denn der Patient hatte inzwischen das Bewußtsein verloren.

Knochen ließen sich leicht durchtrennen, und die Säge erzeugte ein beruhigendes Geräusch, als er den Finger abnahm.

Er schnitt die beiden Hautlappen zurecht und formte einen ordentlichen Stumpf, wie er es gelernt hatte, weder zu eng, was Schmerzen verursacht hätte, noch zu lose, weil das später Schwierigkeiten bereiten würde. Dann nahm er Nadel und Faden und setzte kleine, enge Nähte. Etwas Blut sickerte hervor, das er abwusch, indem er Universal-Spezificum über den Stumpf goß. Rob half dann, den stöhnenden Jungen in den Schatten eines Baumes zu tragen, wo er sich erholen konnte.

Danach verband er rasch einen verstauchten Knöchel, versorgte einen tiefen Sichelschnitt im Arm eines Kindes, verkaufte einer Witwe, die von Kopfschmerzen geplagt wurde, drei Flaschen Spezificum und ein weiteres halbes Dutzend Flaschen einem Mann, der an Gicht litt. Da erblickte er plötzlich den abgetrennten Finger auf dem Fußboden. Er hob ihn auf, wickelte ihn in einen Lappen, trug ihn dorthin, wo der Junge unter dem Baum zu sich gekommen war, und legte ihn in seine gesunde Hand.

Verwirrt blickte er Rob an. »Was soll ich damit anfangen?«

»Die Priester sagen, daß man abgetrennte Körperteile bestatten muß, damit sie einen auf dem Friedhof erwarten, so daß man am Tag des Jüngsten Gerichts wieder vollständig im Fleische auferstehen kann.«

Der junge Mann dachte darüber nach, dann nickte er. »Ich danke dir, Baderchirurg.«

Waffen

Der Bader kam nicht auf die Idee, daß er und Rob je streiten könnten. Der ehemalige Lehrling unterschied sich auch mit seinen siebzehn Jahren nicht von dem arbeitsamen, gefälligen Jungen, der er früher gewesen war.

Nur feilschte er wie ein Fischweib.

Am Ende seines ersten Gesellenjahres verlangte er einen Anteil von einem Zwölftel statt einem Zwanzigstel. Der Bader knurrte, erklärte sich aber dann damit einverstanden, weil er einsah, daß Rob ein höherer Lohn zustand. Der Bader bemerkte auch, daß Rob von seinem Lohn kaum etwas ausgab, und er wußte, daß er sparte, um Waffen zu kaufen. In einer Winternacht versuchte ein Gärtner in der Kneipe von Exmouth Rob einen Dolch zu verkaufen.

»Was sagt Ihr dazu?« fragte Rob und reichte diesen dem Bader.

Es war die Waffe eines Gärtners. »Die Klinge ist aus Bronze und wird brechen. Der Griff geht vielleicht, aber ein so dick bemalter Griff könnte Mängel verbergen.«

Rob gab die billige Waffe zurück.

Als sie sich im Frühjahr auf den Weg machten, fuhren sie die Küste entlang, und Rob suchte die Hafenkais nach Spaniern ab, denn die besten stählernen Klingen kamen aus Spanien. Aber er hatte immer noch keine Waffe, als sie ins Landesinnere fahren mußten.

Im Juli waren sie im oberen Mercia. In der Gemeinde Blyth fanden sie eines Morgens Tatus steif und leblos auf dem Boden.

Rob blickte traurig auf das tote Pferd, während der Bader seinen Gefühlen durch Fluchen Luft machte.

»Glaubt Ihr, daß er an einer Krankheit gestorben ist?« Der Bader zuckte mit den Achseln. »Gestern haben wir zwar noch kein Anzeichen bemerkt, aber er war alt. Er war schon nicht mehr jung, als ich ihn vor langer Zeit kaufte.«

Rob verbrachte einen halben Tag damit, eine Grube aufzuhacken und zu schaufeln, denn sie wollten nicht, daß Incitatus von Hunden und Krähen gefressen wurde. Während Rob die große Grube aushob, ging der Bader auf die Suche nach einem Ersatz. Er brauchte den ganzen Tag, und er wollte nicht sparen, denn ein Pferd war für sie lebenswichtig. Schließlich kaufte er eine dreijährige, noch nicht voll erwachsene braune Stute mit weißer Blesse.

»Sollen wir sie auch Incitatus nennen?« fragte er, aber Rob schüttelte den Kopf, und sie nannten sie einfach Stute. Sie war leichtfüßig, doch gleich am ersten Morgen verlor sie ein Hufeisen, und sie kehrten nach Blyth zurück, um sie frisch beschlagen zu lassen.

Der Schmied hieß Durman Moulton, und sie trafen ihn dabei an, wie er an einem Schwert arbeitete, bei dessen Anblick ihre Augen zu glänzen begannen.

»Was kostet es?« fragte Rob, allzu eifrig, nach der Meinung des Baders.

»Es ist bereits verkauft«, erklärte der Schmied, erlaubte ihnen aber, es in die Hand zu nehmen und seine Ausgewogenheit zu prüfen. Es war ein breites englisches Schwert, vollkommen glatt, scharf, zuverlässig und zudem eine schöne Schmiedearbeit. Wenn der Bader jünger und nicht so klug gewesen wäre, hätte er in Versuchung geraten können, es zu erwerben.

»Wieviel verlangt Ihr für genau das gleiche Stück und einen dazu passenden Dolch?«

Der Gesamtpreis war höher als Robs Jahreslohn. »Und Ihr müßt eine Hälfte des Preises hinterlegen, wenn Ihr es bestellt«, sagte Moulton.

Rob ging zum Wagen und kam mit einem Beutel zurück, aus dem er das Geld unverzüglich bezahlte.

»In einem Jahr kommen wir wieder, um die Waffen zu holen und den

Rest zu bezahlen«, kündigte er an. Der Schmied nickte und versprach, daß beides fertig sein würde.

Obwohl sie Tatus verloren hatten, wurde es eine erfolgreiche Saison, doch als sich diese dem Ende zuneigte, verlangte Rob ein Sechstel vom Erlös.

»Ein Sechstel von meinem Einkommen! Für einen grünen Jungen, der kaum siebzehn Jahre alt ist?« Der Bader war richtiggehend empört, doch Rob ertrug den Ausbruch gelassen und sagte nichts mehr.

Als der Tag ihrer alljährlichen Vereinbarung herankam, war es der Bader, der unruhig wurde und sich Sorgen machte, denn ihm war klar, wie sehr sich seine Lage dank seines Gesellen gebessert hatte.

Im Dorf Sempringham hörte er, wie eine Patientin ihrer Freundin zuflüsterte: »Stell dich beim jüngeren Bader an, Eadburga, denn man erzählt sich, daß er einen hinter dem Wandschirm berührt. Er hat angeblich heilende Hände.«

Sie sagen auch, daß er eine Unmenge von dem Scheißspezificum verkauft, erinnerte sich der Bader schmerzlich.

Aber es störte ihn nicht, daß vor dem Wandschirm des Jüngeren für gewöhnlich längere Menschenschlangen warteten. Rob war für einen Dienstgeber ein wahres Goldstück.

»Ein Achtel«, bot er Rob am entsprechenden Tag schließlich an.

Obwohl es ihm gegen den Strich ging, wäre er auch auf ein Sechstel hinaufgegangen, aber zu seiner Erleichterung nickte sein Geselle.

»Ein Achtel, das ist gerecht«, meinte Rob.

Der »Alte« war des Baders Gehirn entsprungen. Da er den unterhaltenden Teil der Vorstellung verbessern wollte, erfand er einen alten Lüstling, der das universelle Spezificum trinkt und daraufhin jeder Schürze nachläuft, die er sieht. »Und du mußt ihn spielen.«

»Ich! Ich bin doch zu groß. Und auch zu jung.«

»Nein, du wirst ihn spielen«, sagte der Bader eigensinnig. »Denn ich bin so dick, daß jeder auf den ersten Blick sehen würde, um wen es sich handelt.«

Sie beobachteten lange alte Männer, wie sie sich unter Schmerzen bewegten, welche Kleidung sie trugen, und sie hörten genau zu, wenn alte Leute sprachen.

»Stell dir vor, wie es ist, wenn du spürst, daß dein Leben zu Ende geht«, sagte der Bader. »Du glaubst, daß du bei einer Frau immer einen Steifen kriegen wirst. Denk daran, daß du alt wirst und es nicht mehr tun kannst.«

Sie fertigten eine graue Perücke und einen falschen grauen Schnurrbart an. Sie konnten keine Falten in Robs Gesicht zaubern, aber der Bader bedeckte es mit Salbe und täuschte eine gealterte, im Lauf der Jahre durch Sonne und Wind trocken und rissig gewordene Haut vor. Rob beugte seinen langen Körper vor und legte sich einen hinkenden Gang zu, indem er das rechte Bein nachzog. Wenn er sprach, ließ er seine Stimme höher klingen, und er redete stockend, als hätte ihm das Leben schon ein wenig Angst eingejagt.

Der »Alte« trat in einem schäbigen Mantel zum erstenmal in Tadcaster in Erscheinung, während der Bader einen Vortrag über die bemerkenswert verjüngenden Kräfte seines Universal-Spezificums hielt. Rob hinkte mühsam herbei und kaufte eine Flasche.

»Ich bin zweifellos ein alter Narr, weil ich mein Geld so hinauswerfe«, jammerte er mit brüchiger Stimme. Er öffnete die Flasche unter Schwierigkeiten, trank sie auf der Stelle aus und näherte sich prompt einer Kellnerin, die schon eingeweiht und entlohnt worden war.

»Du bist aber hübsch«, seufzte er, und das Mädchen blickte rasch, gleichsam verlegen, weg. »Würdest du mir einen Gefallen erweisen, meine Liebe?«

»Wenn ich kann.«

»Leg nur deine Hand auf mein Gesicht, nur die zarte, warme Handfläche auf die Wange eines alten Mannes! Aaaah«, hauchte er, als sie seiner Bitte schüchtern entsprach.

Gekicher erhob sich, als er die Augen schloß und ihre Finger küßte. Einen Augenblick später riß er die Augen weit auf. »Beim gesegneten heiligen Antonius!« hauchte er. »Oh, es ist höchst ungewöhnlich.«

Er hinkte so schnell wie möglich zum Podium zurück. »Gebt mir noch eine Flasche!« bat er den Bader und trank sie sofort. Als er wieder zu der Kellnerin zurückkam, entfernte sie sich, und er folgte ihr.

»Ich bin Euer ergebener Diener«, säuselte er eifrig. »Mistress...« Er beugte sich vor und flüsterte ihr etwas ins Ohr.

»Oh, Sir, so dürft Ihr nicht sprechen!« Sie ging weiter, und die Menge krümmte sich vor Lachen, als er ihr nachtrippelte.

Als der »Alte« wenige Minuten später mit der Kellnerin am Arm davonhinkte, johlten alle beifällig und entrichteten dann, noch immer lachend, dem Bader eilig ihre Pennies.

Bald mußten sie keine Frau mehr dafür bezahlen, mit dem »Alten« zu tändeln, denn Rob lernte schnell, Frauen in der Menge in sein Spiel zu verwickeln.

Er spürte es, wenn eine ehrbare Frau beleidigt war und man sie in Ruhe lassen mußte oder wenn sich eine kühnere Frau durch ein derberes Kompliment oder ein rasches Kneifen herausgefordert fühlte.

In Lichfield trug er eines Abends das Kostüm des »Alten« im Wirtshaus, und bald brüllten die Trinker und wischten sich die Tränen aus den Augen, als er in seinen Liebesabenteuern schwelgte.

»Früher war ich ganz schön geil. Ich weiß noch genau, wie ich eine dralle Schönheit gebumst habe... Haare wie ein schwarzes Vlies, Titten, die man saugen mußte. Ein duftender Schamwald wie dunkle Schwanendaunen. Während hinter der Wand ihr grimmiger Vater, der halb so alt war wie ich, sanft und ahnungslos schlief.«

»Und wie alt warst du damals, Alter?«

Langsam richtete er seinen gichtigen Rücken auf. »Drei Tage jünger als heute«, antwortete er mit seiner rauhen, jungen Stimme, und den ganzen Abend stritten die Dummköpfe darum, wer seine Zeche bezahlen durfte.

In dieser Nacht half zum erstenmal der Bader seinem Gehilfen zu ihrem Lager zurück, statt von ihm auf dem Weg dorthin gestützt zu werden.

Der Bader tröstete sich, indem er aß. Er briet Kapaune und Enten, stopfte sich buchstäblich mit Geflügel voll. In Worcester kam er dazu, als ein Paar Ochsen geschlachtet wurde, und er kaufte ihre Zungen. *Das* war ein Genuß!

Er kochte die großen Zungen kurz, bevor er sie putzte und die Haut abzog, dann briet er sie mit Zwiebeln, wildem Knoblauch und Rüben, begoß sie mit Thymianhonig und ausgelassenem Speck, bis die Kruste süß und knusprig und das Fleisch innen so zart und weich war, daß man es kaum kauen mußte.

Rob kostete die feinen, üppigen Speisen kaum, weil er es so eilig hatte, eine neue Schenke zu finden, in der er den alten Esel spielen konnte. Und in jedem Lokal versorgten ihn die Zecher ständig mit Getränken. Der Bader wußte, daß Rob gern Ale oder dunkles Bier trank, doch jetzt bemerkte er beunruhigt, daß sein Geselle auch Met, Pigment oder Morat akzeptierte – was immer er bekam.

Der Bader wartete auf einen Hinweis Robs, daß das viele Trinken seinem Geldbeutel nicht bekomme. Doch ganz gleich, wie sehr Rob die Nacht zuvor auch getrunken und erbrochen hatte, er verrichtete seine Arbeit wie früher – bis auf eines.

»Du nimmst nicht mehr ihre Hände, wenn sie hinter deinen Wandschirm kommen«, stellte der Bader fest.

»Ihr ja auch nicht.«

»Ich besitze die Gabe nicht.«

»Die Gabe? Ihr habt immer behauptet, daß es so etwas nicht gibt.«

»Jetzt glaube ich, daß es sie doch gibt. Ich meine aber, daß sie durch Trinken vermindert wird und daß sie bei regelmäßigem Alkoholgenuß ganz verschwindet.«

»Wir haben sie uns nur eingebildet, habt Ihr doch gesagt!«

»Hör gut zu! Ob nun die Gabe verschwunden ist oder nicht, du wirst die Hände jedes Patienten ergreifen, wenn er hinter deinen Wandschirm tritt, denn es gefällt ihnen offensichtlich. Hast du verstanden?«

Rob nickte mürrisch.

In Great Berkhamstead gaben sie eine gut besuchte Vorstellung und verkauften eine Menge Spezificum. In dieser Nacht gingen der Bader und Rob zusammen ins Wirtshaus, um sich zu versöhnen. Anfangs ging alles gut, aber sie tranken starken Morat, der leicht nach bitteren Maulbeeren schmeckte. Der Bader sah, wie Robs Augen zu glänzen begannen, und er fragte sich, ob sein Gesicht beim Trinken ebenfalls so rot anlief. Bald war Rob so weit, daß er einen großen, stämmigen Holzfäller beschimpfte. Einen Augenblick später gerieten sie einander in die Haare. Sie waren gleich stark, und ihre Rauferei verlief erbittert wie eine Art Stumpfsinn. Vom Morat benebelt, standen sie dicht voreinander, schlugen immer wieder mit aller Kraft mit Fäusten, Knien sowie Füßen aufeinander ein, wobei die Schläge und Tritte wie Hämmer auf Eichen klangen.

Als sie schließlich erschöpft waren, konnten sie von einer kleinen Schar von Friedensstiftern getrennt werden, und der Bader führte Rob weg.

»Betrunkener Narr!«

»Ihr habt es nötig«, sagte Rob.

Vor Zorn bebend, blitzte der Bader seinen Gehilfen an. »Vielleicht bin ich auch ein betrunkener Narr«, gab er zu, »aber ich habe immer Verdruß vermieden. Ich habe niemals Gift verkauft. Ich habe nichts mit Magie zu tun, die jemanden verzaubert oder böse Geister beschwört. Ich kaufe nur große Mengen Alkohol und biete den Leuten Unterhaltung, die es mir ermöglicht, kleine Flaschen mit einem anständigen Gewinn zu verkaufen. Voraussetzung für diesen Lebensunterhalt aber ist, daß wir keine Aufmerksamkeit erregen. Deshalb muß deine Dummheit ein Ende haben. Deine Hände dürfen sich nicht zu Fäusten ballen!«

Sie starrten einander an, aber Rob nickte.

Von diesem Tag an befolgte Rob des Baders Befehl gegen seinen Willen, während sie ihren Wagen nach Süden lenkten und mit den Zugvögeln um die Wette dem Herbst entgegenfuhren. Der Bader wählte einen Umweg um den Jahrmarkt in Salisbury, denn ihm war klar, daß dieser Ort bei Rob alte Wunden aufreißen würde. Doch Rob widerfuhr etwas ganz anderes. Als sie in Winchester statt in Salisbury Rast machten, kehrte er in der Nacht schwankend zum Lagerfeuer zurück. Sein Gesicht war grün und blau geschlagen, und es war klar, daß er wieder in eine Rauferei geraten war.

»Wir sind heute morgen, während du die Zügel gehalten hast, an einer Abtei vorbeigekommen, doch du hast nicht angehalten, um nach Vater Ranald Lovell und deinem Bruder zu fragen.«

»Die Fragerei hat keinen Sinn. Wo immer ich nach ihnen frage, kennt sie niemand.«

Rob sprach auch nicht mehr davon, daß er Anne Mary, William, Jonathan oder Roger finden wolle, den Bruder, den er zuletzt als Säugling gesehen hatte. Der Bader wußte freilich nicht, ob die Tatsache, daß Rob sich mit dem Verlust seiner Geschwister abgefunden hatte, gut war oder nicht.

Dieser Winter war der unangenehmste, den sie je in dem kleinen Haus in Exmouth verbracht hatten. Anfangs besuchten der Bader und Rob das Wirtshaus gemeinsam. Für gewöhnlich tranken sie und unterhielten sich mit den Einheimischen, dann fanden sie meist Frauen und brachten sie nach Hause. Aber der Bader konnte es mit dem unermüdlichen Appetit des Jüngeren nicht aufnehmen, und zu seiner Überraschung wollte er es auch nicht. Nun war es der Bader, der in vielen Nächten die Schatten auf dem anderen Lager beobachtete und es nicht erwarten konnte, daß sie endlich zu einem Ende kamen, Ruhe gaben und schliefen.

Am dritten Tag der Weihnachtswoche kam Rob wütend nach Hause.

»Der verdammte Wirt! Er hat mir das Wirtshaus von Exmouth verboten!«

»Sicher nicht grundlos, nehme ich an.«

»Wegen Raufhändeln«, murmelte Rob verärgert.

Rob verbrachte nun mehr Zeit zu Hause, war aber schlechter gelaunt denn je, und der Bader ebenfalls. Sie führten kein langes, unterhaltendes Gespräch mehr. Der Bader trank meistens, seine übliche Reaktion auf die kalte Jahreszeit.

Einmal am Tag verließ er das Bett, um eine ausgiebige Mahlzeit zu kochen. Er verwendete das fette Fleisch als Schutz gegen die Kälte und böse Ahnungen. Für gewöhnlich hatte er neben seinem Bett eine offene Flasche und einen Teller mit gebratenem, im eigenen Fett eingegossenem Lammfleisch. Rob machte weiterhin das Haus sauber, aber nur, wenn er Lust dazu hatte; im Februar stank es schon wie in einem Fuchsbau.

Sie sehnten sich nach dem Frühling und verließen gleich im März Exmouth, um durch die Ebene von Salisbury zu fahren. Der Bader hatte vor, an der Grenze zwischen Wales und Shrewsbury entlangzufahren, dort auf den Trent zu treffen und dem Fluß nach Nordosten zu folgen. Sie machten in allen nun schon vertrauten Dörfern und kleinen Städten halt. Die Stute tänzelte keineswegs so temperamentvoll wie einst Tatus, sie war aber ein schönes Pferd, und sie flochten unzählige Bänder in ihre Mähne. Das Geschäft ging im großen und ganzen sehr gut.

In Hope-under-Dinmore fanden sie einen geschickten Handwerker, der Lederwaren herstellte, und Rob erstand zwei Scheiden aus geschmeidigem Leder für die Waffen, die ihm zugesagt worden waren.

Kaum waren sie in Blyth, gingen sie sofort zu der Schmiede, wo Durman Moulton sie freudig begrüßte. Der Meister ging zu einem Regal im düsteren Hintergrund seines Ladens und kam mit zwei Bündeln zurück, die in weiche Tierhäute gewickelt waren.

Rob öffnete sie gespannt und hielt den Atem an.

Das breite Schwert war womöglich noch besser als dasjenige, das sie im Vorjahr so bewundert hatten. Der Dolch war ebenso schön gearbeitet. Während Rob über das Schwert jubelte, wog der Bader das Messer in der Hand und fühlte, wie ausgezeichnet ausgewogen es war.

»Das ist eine saubere Arbeit«, sagte er zu Moulton, der das Lob so hinnahm, wie es gemeint war.

Rob steckte die Klingen in die neuerworbenen Scheiden an seinem Gürtel, um das ungewohnte Gewicht zu spüren. Er legte die Hände auf die Griffe, und der Bader musterte ihn kritisch.

Er war eine stattliche Erscheinung. Mit achtzehn hatte er endlich seine volle Größe erreicht und überragte den Bader um eine Doppelspanne. Er hatte breite Schultern, schmale Hüften, dichtes, lockiges, braunes Haar, weit auseinanderstehende blaue Augen, deren Stimmung rascher wechselte als das Meer, ein breites Gesicht und ein kantiges Kinn, das er glattschabte. Er zog das Schwert, das ihn als Freigeborenen auswies, halb aus der Scheide und schob es wieder zurück. Während ihn der Bader betrachtete, erschauerte er vor Stolz und empfand doch eine Besorgnis, die er nicht genau ergründen konnte. Vielleicht konnte man sie als Angst bezeichnen.

Ein neuer Kontrakt

Als Rob zum erstenmal ein Wirtshaus in Waffen betrat – es war in Beverly –, merkte er sogleich den Unterschied. Nicht, daß die Männer ihm mehr Achtung entgegengebracht hätten, aber sie verhielten sich ihm gegenüber vorsichtiger und wachsamer. Der Bader ermahnte ihn immer wieder, daß auch er vorsichtiger sein müsse, denn hitziger Zorn zähle zu den acht Kapitalverbrechen der heiligen Mutter Kirche.

Rob wurde es müde zu hören, was geschehen würde, wenn die Männer des Vogtes ihn vor ein Kirchengericht schleppten, aber der Bader beschrieb wiederholt Gerichtsverhandlungen mit einem Gottesurteil, bei denen die Angeklagten ihre Unschuld beweisen mußten, indem sie heiße Steine oder weißglühendes Metall anfassen oder kochendes Wasser trinken mußten.

»Eine Verurteilung wegen Mordes bedeutet den Tod durch Hängen oder Köpfen«, sagte der Bader streng. »Wenn jemand einen Totschlag begeht, werden Riemen unter den Sehnen an seinen Fersen durchgezogen und an die Schwänze wilder Stiere gebunden. Dann werden die Tiere von Hunden zu Tode gehetzt.«

Mein Gott, dachte Rob, der Bader ist wie eine alte Dame, die ständig in Ohnmacht fällt. Glaubt er vielleicht, ich bin darauf aus, die Bevölkerung auszurotten?

In der Stadt Fulford entdeckte er, daß er die römische Münze verloren hatte, die er bei sich getragen hatte, seit der Arbeitstrupp seines Vaters sie aus der Themse gebaggert hatte. Er trank in schwärzester Laune, bis eine Kleinigkeit genügte, um mit einem pockennarbigen Schotten in Streit zu geraten, der an seinen Ellbogen stieß. Statt sich zu entschuldigen, murmelte der Schotte böse etwas auf Gälisch.

»Sprich englisch, du verdammter Zwerg!« knurrte Rob wütend, denn der Schotte war zwar kräftig, aber um zwei Köpfe kleiner als Rob.

Des Baders Warnungen hatten vielleicht doch gewirkt, denn er war so vernünftig, seine Waffen abzuschnallen. Der Schotte folgte seinem Beispiel, dann wurden sie handgemein. Doch Rob erlebte eine böse Überraschung: Der Mann ersetzte die fehlende Größe durch Geschicklichkeit. Sein erster Hieb knickte Rob eine Rippe, dann brach ihm ein steinharter Faustschlag die Nase mit einem unangenehmen Geräusch und noch unangenehmeren Schmerz.

Rob knurrte. »Schafficker!« Schmerz und Wut verliehen ihm Riesenkräfte. Er konnte sich gerade noch auf den Beinen halten, bis der Schotte so erschöpft war, daß sich beide unbesiegt voneinander lösten.

Rob hinkte zum Lager zurück. Er fühlte sich, als hätte ihn eine Schar von Riesen schonungslos verprügelt, und er sah auch danach aus.

Der Bader ging nicht übertrieben zart mit ihm um, als er die gebrochene Nase einrichtete und der Knorpel knirschte. Er tupfte Spezificum auf die Kratzer und Quetschungen, doch seine Worte brannten stärker als der Alkohol.

»Du stehst an einem Scheideweg«, erklärte er. »Du hast unseren Beruf erlernt. Du verfügst über einen wachen Verstand und erfolgversprechende Anlagen bis auf deine Charakterschwäche. Wenn du nämlich auf deiner derzeitigen Bahn bleibst, wirst du bald ein hoffnungsloser Trinker sein.«

»Das sagt einer, der sich selber zu Tode trinkt«, sagte Rob verächtlich und knurrte, als er seine geschwollenen, blutenden Lippen berührte. »Ich bezweifle, daß du lang genug leben wirst, um am Alkohol zu sterben«, meinte der Bader.

Obwohl Rob eifrig suchte, blieb die römische Münze verschwunden. Das einzige Erinnerungsstück, das Bindeglied zu seiner Kindheit, war nun die Pfeilspitze, die ihm sein Vater geschenkt hatte. Er ließ sie durchbohren und trug sie an einem kurzen Lederriemen um den Hals. Jetzt gingen ihm die Männer lieber aus dem Weg, denn außer seiner Größe und den fachgerecht aussehenden Waffen besaß er eine bunte Nase, die schief in seinem Gesicht stand, das sich selbst in verschiedenen Stadien der Verfärbung befand. Vielleicht hatte der Bader in seinem Zorn nicht sein Bestes getan, als er die Nase eingerichtet hatte, und sie würde nie wieder gerade sein.

Die Rippe schmerzte wochenlang bei jedem Atemzug. Robs Stimmung war gedämpft, als sie aus Northumbrien nach Westmoreland und wieder nach Northumbrien zurückzogen. Er besuchte keine Wirtshäuser oder Kneipen, in denen man leicht in Raufhändel verwickelt werden konnte, sondern hielt sich beim Wagen und dem abendlichen Lagerfeuer auf. Wenn sie weit von einer Stadt lagerten, probierte er das Spezificum und fand Geschmack am Metheglin. Aber eines Abends, als er kräftig von ihrem Vorrat getrunken hatte, wollte er gerade eine Flasche öffnen, deren Hals eingeritzt war. Sie gehörte also zu jener Spezialabfüllung, in die der Bader gepißt hatte und mit der er sich an jenen rächte, die sich seine Feindschaft zugezogen hatten. Rob warf die Flasche schaudernd weg. Von da an kaufte er sich alkoholische Getränke, wenn sie in einer Stadt haltmachten, und bewahrte sie sorgsam in einer Ecke des Wagens auf.

In Newcastle spielte er wieder den »Alten« und versteckte sein Gesicht hinter einem falschen Bart, der seine blauen Flecken verbarg. Sie hatten zahlreiche Zuschauer und verkauften eine Menge Spezificum. Nach der Vorstellung ging Rob hinter den Wagen, um seine Verkleidung abzulegen, seinen Wandschirm aufzustellen und mit seinen Untersuchungen zu beginnen. Der Bader war schon anwesend und verhandelte gerade mit einem hochgewachsenen, knochigen Mann.

»Ich bin euch seit Durham gefolgt, wo ich euch beobachtet habe«, sagte der Mann. »Wohin ihr auch kommt, zieht ihr eine Menschenmenge an. Was ich brauche, ist eine Menschenmenge, und ich schlage vor, daß wir zusammen reisen und alle Einnahmen teilen.«

»Das kann man nicht als Einnahmen bezeichnen«, widersprach der Bader.

Der Mann lächelte. »Doch, ich erwerbe mein Geld durch harte Arbeit.«

»Du bist ein Taschendieb und ein Beutelschneider, wirst eines Tages mit der Hand in einer fremden Tasche ertappt werden, und das wird dein Ende sein. Mit Dieben arbeite ich nicht.«

»Vielleicht hast du keine Wahl.«

»Er hat die Wahl«, mischte Rob sich ein.

Der Mann schenkte ihm kaum einen Blick. »Du hältst besser den Mund, Alter, sonst ziehst du die Aufmerksamkeit von Leuten auf dich, die dir Schaden zufügen können.«

Rob trat auf ihn zu. Der Taschendieb riß erstaunt die Augen auf, zog ein langes, schmales Messer aus seiner Kleidung und kam mit einer raschen Bewegung auf die beiden zu.

Robs schöner Dolch schien wie von selbst aus der Scheide zu springen und sich in den Arm des Mannes zu bohren. Ihm war der Kraftaufwand nicht bewußt, aber der Stich mußte kräftig gewesen sein, denn er spürte, daß die Dolchspitze auf einen Knochen stieß. Als er die Klinge aus dem Fleisch zog, sprudelte aus der Wunde sofort Blut hervor. Rob wunderte sich, daß so viel Blut so rasch aus einem so spindeldürren Menschen austreten konnte.

Der Taschendieb trat zurück und hielt sich den verwundeten Arm.

»Komm!« rief ihm der Bader zu. »Wir werden dich verbinden. Es passiert dir nichts mehr.«

Aber der Mann lief schon um die Ecke des Wagens und war gleich darauf verschwunden.

»So viel vergossenes Blut muß auffallen. Wenn sich Leute des Vogts in der Stadt aufhalten, werden sie ihn festnehmen, und er könnte sie zu uns führen. Wir müssen so rasch wie möglich von hier fort«, bestimmte der Bader.

Sie flüchteten wie damals, als sie den Tod eines Kranken befürchtet hatten, und hielten erst an, als sie sicher waren, daß ihnen niemand folgte.

Rob entfachte ein Feuer, setzte sich, noch als alter Mann verkleidet und zu müde, um sich umzuziehen, davor, und sie aßen kalte Rüben, die von der Mahlzeit des Vortags übriggeblieben waren.

»Wir waren zu zweit«, stellte der Bader angewidert fest. »Wir hätten ihn leicht loswerden können.«

»Er hat eine Lehre verdient.«

Der Bader sah ihn an. »Hör mal zu!« sagte er. »Du bist zu einer Gefahr geworden.«

Rob nahm ihm die Ungerechtigkeit übel, denn er hatte nur eingegriffen, um den Bader zu beschützen. Neuer Zorn stieg in ihm auf und dazu alter Groll. »Ihr habt niemals etwas für mich aufs Spiel gesetzt. Ihr verdient nicht mehr unser Geld – das tue ich. Ich verdiene mehr für Euch, als der Dieb mit seinen langen Fingern je zusammenbekommen hätte.«

»Eine Gefahr, der man auch noch verpflichtet ist«, antwortete der Bader müde und wandte sich ab.

Sie erreichten den nördlichsten Abschnitt ihrer Reiseroute und hielten in Grenzweilern, in denen die Einwohner nicht genau wußten, ob sie Engländer oder Schotten waren. Wenn Rob und der Bader vor dem Publikum spielten, zogen sie einander auf und arbeiteten in scheinbarer Harmonie, aber wenn sie nicht auf dem Podium standen, herrschte zwischen ihnen eisiges Schweigen. Wenn sie dennoch ein Gespräch begannen, wurde daraus bald ein Streit.

Der Bader wagte längst nicht mehr, die Hand gegen Rob zu erheben, aber wenn er betrunken war, hielt er nach wie vor seine lästerliche, scharfe Zunge, die keine Rücksicht kannte, nicht im Zaum.

Eines Nachts in Lancaster schlugen sie ihr Lager bei einem Teich auf, aus dem mondheller Nebel wie blasser Rauch emporstieg. Sie wurden von einem ganzen Heer kleiner, fliegenartiger Insekten geplagt und suchten ihre Zuflucht beim Trinken.

»Warst immer ein großer, schwerfälliger Tölpel: der junge Sir Misthaufen.«

Rob seufzte.

»Ich habe ein verwaistes Arschloch aufgenommen… ihn erzogen… Ohne mich läge er in der Gosse.«

Er würde bald beginnen, auf eigene Faust als Baderchirurg zu arbeiten, beschloß Rob. Er hatte lange gebraucht, um zu dem Schluß zu gelangen, daß sein Weg sich von dem des Baders trennen mußte.

»Ungeschickt und dumm. Wie habe ich mich anstrengen müssen, um ihm das Jonglieren beizubringen!«

Rob kroch wieder in den Wagen, um seinen Becher von neuem zu füllen, aber die schreckliche Stimme folgte ihm.

»Verdammt, bring mir auch einen Becher!«

Verdammt noch mal, holt ihn Euch doch selbst! wollte er schon antworten. Statt dessen kroch er, von einem unwiderstehlichen Drang erfaßt, zu der Stelle, wo die Spezialabfüllung aufbewahrt wurde. Er nahm eine Flasche und hielt sie sich vor die Augen, bis er die eingeritzten Zeichen fand, die auf den besonderen Inhalt hinwiesen. Dann kroch er aus dem Wagen, entkorkte die Tonflasche und reichte sie dem dicken Mann.

Ich bin niederträchtig, dachte er voll Angst. Aber nicht niederträchtiger als der Bader, der im Laufe der Jahre so vielen Menschen seine Spezialabfüllung gegeben hat.

Gebannt sah er zu, wie der Bader die Flasche nahm, den Kopf in den Nacken legte, den Mund öffnete, sie an die Lippen führte und gierig austrank.

Warum empfand er keine Schadenfreude? Eine trübsinnige, schlaflose Nacht lang dachte er darüber nach. Wenn der Bader nüchtern war, vereinte er zwei Männer in sich, einen freundlichen, fröhlichen, herzensguten und einen gemeinen Menschen, der, ohne zu zögern, die Spezialabfüllung austeilte. Wenn er betrunken war, kam fraglos nur der gemeine Mann zum Zuge.

Rob sah mit plötzlicher Klarheit, wie einen Lichtstrahl auf dem dunklen Himmel, daß er selbst sich in diesen gemeinen Bader verwandelte. Ein Schauer überlief ihn, und Trostlosigkeit erfaßte ihn, so daß er näher ans Feuer rückte.

Am nächsten Morgen stand er beim ersten Tageslicht auf, fand die weggeworfene Flasche und versteckte sie im Wald. Dann schürte er das Feuer, und als der Bader sich zum erstenmal rührte, erwartete ihn bereits ein üppiges Frühstück.

Sie schirrten die Stute an und fuhren den halben Vormittag hindurch, ohne zu sprechen. Nur manchmal bemerkte Rob die nachdenklichen Blicke, die sein Begleiter auf ihn richtete.

»Ich habe lange darüber nachgedacht«, unterbrach der Bader endlich das Schweigen. »In der nächsten Saison mußt du als Baderchirurg ohne mich losziehen.«

Rob war betroffen, weil er am Vortag zu der gleichen Schlußfolgerung gelangt war, und widersprach. »Es liegt an dem verdammten Saufen. Das Zeug verändert uns bis zur Unkenntlichkeit. Wir müssen es sein lassen, dann werden wir wieder so gut miteinander auskommen wie zuvor.«

Der Bader wirkte gerührt, schüttelte aber den Kopf. »Zum Teil ist es das Trinken, aber zum Teil bist du auch ein junger Hirsch, der sein Geweih ausprobieren muß, und ich bin ein alter Platzhirsch. Zudem bin ich für einen Hirsch viel zu fett und kurzatmig; ich brauche meine ganze Kraft, nur um auf das Podium zu steigen, und jeden Tag fällt es mir schwerer, die Vorstellung durchzustehen. Ich würde gern für immer in Exmouth bleiben, den milden Sommer genießen und einen Gemüsegarten anlegen, ganz zu schweigen von den Freuden, die mir meine Kochkunst spenden wird. Während du unterwegs bist, kann ich einen reichlichen Vorrat vom Spezificum anlegen. Ich werde wie bisher die Instandhaltung des Wagens und das Futter für die Stute bezahlen. Du wirst die Einnahmen von allen Patienten, die du behandelst, sowie im ersten Jahr von jeder fünften Flasche Spezificum und in den Jahren danach von jeder vierten Flasche behalten.«

»Von jeder dritten Flasche im ersten Jahr«, forderte Rob automatisch, »und jeder zweiten danach.«

»Das ist zuviel Geld für einen neunzehnjährigen jungen Mann«, widersprach er Bader streng. Seine Augen glänzten. »Wir wollen gemeinsam darüber nachdenken, denn wir sind vernünftige Männer.«

Schließlich einigten sie sich auf die Einkünfte von jeder vierten Flasche im ersten Jahr und jeder dritten in den darauffolgenden Jahren. Der Kontrakt sollte für einen Zeitraum von fünf Jahren gelten, danach würden sie alles neu überdenken.

Der Bader frohlockte, und Rob konnte sein Glück nicht fassen, denn im Verhältnis zu seinem Alter würde er sehr gut verdienen. Sie fuhren in bester Laune und mit neuem gegenseitigen Wohlwollen durch Northumbrien nach Süden. In Leeds kauften sie nach ihrer Arbeit mehrere Stunden lang ein. Der Bader erwarb ungeheure Mengen und erklärte, er müsse ein Festmahl zubereiten, das der Feier ihres neuen Kontraktes angemessen sei.

Sie verließen Leeds auf einer Straße, die neben der Aire meilenweit unter alten Bäumen verlief, zwischen denen sich grünes Dickicht, undurchdringliches Gehölz und mit Heidekraut bedeckte Lichtungen erstreckten. Früh schlugen sie ihr Lager zwischen Erlen und Weiden an einer Stelle auf, wo der Fluß breiter wurde, und Rob half dem Bader stundenlang bei der Herstellung einer großen Fleischpastete. Der Bader verarbeitete gehacktes Fleisch von einer Rehkeule und einer halben Kalbslende, einem dicken Kapaun, zwei Tauben, dazu sechs gekochte Eier und ein halbes Pfund Fett. Schließlich überzog er alles mit einer Teigkruste, die dick und blätterig war und vor Öl triefte.

Sie aßen sehr lange daran, und der Bader mußte Metheglin dazu trinken, weil die Pastete ihn durstig machte. Rob dachte an sein kürzlich abgelegtes Gelübde, trank Wasser und sah zu, wie des Baders Gesicht sich rötete und seine Augen verdrießlich wurden.

Dann verlangte der Bader, daß Rob zwei Körbe voller Flaschen aus dem Wagen holte und sie neben ihn stellte, damit er sich nach Lust und Laune bedienen konnte. Rob tat ihm den Gefallen und sah beunruhigt zu, wie der Bader zechte. Bald begann dieser ärgerlich über die Bedingungen ihres Kontrakts zu brummen, aber bevor sich eine unangenehme Wendung anbahnte, versank er in den Schlaf der Betrunkenen.

Am nächsten Morgen, der hell, sonnig und vom Gesang der Vögel erfüllt war, sah der Bader blaß und mürrisch aus. Er erinnerte sich offenbar nicht mehr an sein anmaßendes Verhalten vom Vorabend. »Fangen wir Forellen!« schlug er vor. »Ich hätte Appetit auf ein Frühstück aus frischen Fischen, und die Aire scheint ein fischreiches Gewässer zu sein.« Doch als er aufstand, klagte er über Schmerzen in der linken Schulter. »Ich werde den Wagen beladen«, beschloß er, »denn Arbeit schmiert oft ein schmerzendes Gelenk.«

Er trug einen der Körbe mit Metheglin in den Wagen, dann kam er zurück und holte den nächsten. Auf halbem Weg zum Wagen ließ er den Korb polternd und klirrend fallen. Sein Gesicht nahm einen verwunderten Ausdruck an. Er legte die Hand auf die Brust und verzog die Miene. Dann krümmte er sich vor Schmerz zusammen. »Robert«, sagte er formell. Es war das erste Mal, daß er den Taufnamen seines Gehilfen aussprach.

Er machte einen Schritt auf Rob zu und streckte beide Hände aus. Aber bevor Rob ihn erreichen konnte, hörte er auf zu atmen. Wie ein großer Baum – nein, wie eine Lawine, wie ein Bergsturz kippte der Bader um und stürzte zu Boden.

Requiescat

»Ich habe ihn nicht gekannt.«

»Er war mein Freund.«

»Ich habe auch Euch noch nie gesehen.« Der Priester war eigensinnig.

»Ihr seht mich jetzt.« Rob hatte ihre Habseligkeiten aus dem Wagen geladen und sie hinter einem Weidendickicht versteckt, um Platz für des Baders Leiche zu schaffen. Er war sechs Stunden weit gefahren, um das kleine Dorf Aire's Cross mit seiner alten Kirche zu erreichen. Jetzt stellte dieser Pfaffe mit den stechenden Augen argwöhnische Fragen, als wäre der Bader vorsätzlich gestorben, nur um ihm Ungelegenheiten zu bereiten.

Als weitere Fragen ergaben, was der Bader zu Lebzeiten gewesen war, schnaubte der Priester mißbilligend. »Medicus, Chirurg oder Bader – sie alle mißachten die unbestreitbare Wahrheit, daß nur die heilige Dreifaltigkeit und die Heiligen wirklich die Macht besitzen zu heilen.«

Rob war gefühlsmäßig zu sehr beteiligt und nicht bereit, sich solche Töne gefallen zu lassen. Genug, knurrte er stumm. Er dachte an die Waffen an seinem Gürtel, aber es war, als riete ihm der Bader, sich zu beherrschen. Er sprach gedämpft und freundlich mit dem Priester und bot ihm eine ansehnliche Spende für die Kirche an.

Schließlich erklärte der Priester geringschätzig: »Erzbischof Wulfstan hat den Priestern untersagt, einem anderen Priester sein Pfarrkind mit seinen Zehnten und Abgaben abspenstig zu machen.«

»Er war nicht das Pfarrkind eines anderen Priesters«, stellte Rob richtig, und schließlich wurde eine Bestattung in geweihter Erde vereinbart.

Zum Glück hatte er eine volle Börse mitgenommen. Die Bestattung konnte nicht länger verschoben werden, denn der Leichengeruch war schon deutlich wahrnehmbar. Der Dorftischler erschrak, als er sah, wie groß der Sarg sein mußte, den er zu schreinern hatte. Auch die Grube mußte dementsprechend größer sein, und Rob hob sie selbst in einer Ecke des Friedhofs aus.

Des Baders mit Rosmarin bestreuter Sarg wurde vor dem Altar zu Füßen des riesigen Kreuzes aufgestellt. Zufällig war an diesem Tag das Fest des heiligen Calixtus, und die Kirche zum Heiligen Kreuz war gut besucht. Als das »Kyrie Eleison« gesungen wurde, war die kleine Kirche beinahe voll.

Sie hatte nur zwei kleine Fenster, und der Weihrauch kämpfte gegen den Leichengeruch an. Aber durch die Wände aus gespaltenen Baumstämmen und das Strohdach strömte etwas frische Luft, so daß die Binsenlichter in ihren Haltern flackerten. Sechs hohe Wachskerzen, die im Kreis um den Sarg aufgestellt waren, erhellten das Dunkel. Ein weißes Leichentuch bedeckte den Bader bis auf sein Gesicht. Rob hatte ihm die Augen zugedrückt, und er sah nun aus, als schlafe er oder als sei er vielleicht sehr betrunken.

»War er Euer Vater?« flüsterte eine alte Frau. Rob zögerte, dann erschien es ihm als das Einfachste zu nicken. Sie seufzte und berührte mitfühlend seinen Arm.

Er hatte für eine Totenmesse bezahlt, an der die Leute nun mit rührender Feierlichkeit teilnahmen, und er sah zu seiner Zufriedenheit, daß der Bader kein schöneres Begräbnis bekommen hätte, wenn er einer Zunft angehört hätte, und daß nicht andächtiger für seine Seele gebetet worden wäre, wenn sein Sarg mit königlichem Purpur bedeckt gewesen wäre.

Als die Messe zu Ende war und die Leute sich entfernten, ging Rob zum Altar. Er kniete viermal nieder und schlug das Kreuz über seiner Brust, wie es ihn seine Mutter vor so langer Zeit gelehrt hatte, als er sich vor Gott, seinem Sohn, unserer Mutter Maria und schließlich vor den Aposteln und allen Heiligen verbeugte.

Rob dachte weder an Essen noch Trinken. Er blieb knien, und ihm war, als schwebe er zwischen dem tanzenden Kerzenlicht und der lastenden Schwärze.

Die Zeit verging, ohne daß er es merkte.

Er schreckte auf, als lautes Glockengeläut die Mitternachtsliturgie ankündigte, erhob sich und wankte auf gefühllos gewordenen Beinen den Gang hinunter.

»Erweise deine Reverenz!« befahl der Priester kalt, und Rob gehorchte.

Draußen ging er die Straße hinunter. Unter einem Baum schlug er sein Wasser ab, dann kehrte er zurück und wusch sich Gesicht und Hände in dem Eimer neben der Tür, während in der Kirche der Priester die Mitternachtsmesse beendete.

Nachdem der Priester zum zweitenmal gegangen war, brannten bald die Kerzen völlig nieder und ließen Rob in der Dunkelheit mit dem Bader allein.

Das Band zwischen ihnen konnte man nicht Liebe nennen, das wußte Rob. Doch es war ein Gefühl gewesen, das die Liebe hinreichend ersetzte, so daß Rob bitterlich weinte, als das Frühlicht das bleiche Gesicht beschien, und er weinte nicht allein um Henry Croft.

Der Bader wurde nach dem Morgengottesdienst bestattet. Der Priester hielt sich nicht übertrieben lang am Grab auf. »Ihr könnt es zuschütten«, gestattete er Rob. Während Steine und Kies auf den Sargdeckel polterten, murmelte Rob lateinische Worte über die sichere, gewisse Hoffnung auf Auferstehung.

Rob behandelte den toten Bader wie ein Familienmitglied. Er gab dem Priester Geld, um einen Stein zu bestellen, und bestimmte auch, was auf diesen eingemeißelt werden sollte.

HENRY CROFT

BADERCHIRURG

GESTORBEN AM 11. JULI IM JAHR DES HERRN 1031

»Vielleicht noch *requiescat in pace* oder etwas Ähnliches?« schlug der Priester vor.

Die einzige passende Grabinschrift für den Bader, die ihm einfiel, war aber *carpe diem*, genieße den Tag! Doch irgendwie... Dann lächelte er, weil ihm etwas einfiel.

Der Priester ärgerte sich, als er hörte, wofür sich Rob entschieden hatte. Aber der junge Fremde bezahlte den Stein und bestand auf dieser Inschrift, also schrieb sie der Pfaffe sorgfältig nieder: *Fumum vendidi.* Ich habe Dunst verkauft.

»Ich werde demnächst zurückkommen, um nachzusehen, ob alles zu meiner Zufriedenheit erledigt wurde.«

Die Augen des Priesters verschleierten sich. »Geht mit Gott«, wünschte er ihm kurz und ging in die Kirche zurück.

Hundemüde und hungrig lenkte Rob die Stute zu dem Ort, an dem er alle Habseligkeiten im Weidengebüsch versteckt hatte.

Nichts war gestohlen worden. Als er die Sachen wieder in den Wagen geladen hatte, setzte er sich ins Gras und aß. Der Rest der Fleischpaste war verdorben, aber er kaute und schluckte ein altes Brot, das der Bader vor vier Tagen gebacken hatte.

Ihm fiel ein, daß er der Erbe war. Es war nun sein Pferd und sein Wagen. Er hatte alles geerbt: die Instrumente und ihre Handhabung, die schäbigen Felldecken, die Jonglierbälle und die Zauberkunststükke, die Ablenkung, den blauen Dunst – und die Entscheidung darüber, wohin er morgen und übermorgen fahren wollte.

Seine erste Maßnahme bestand darin, die Flaschen der Spezialabfüllung gegen einen Felsen zu schleudern, so daß eine nach er anderen zerbrach.

Die Waffen des Baders wollte er verkaufen; seine eigenen waren besser. Aber das Sachsenhorn hängte er sich um den Hals. Er kletterte auf den Kutschbock und setzte sich selbstbewußt und hochaufgerichtet hin, als wäre es ein Thron.

Vielleicht, dachte er, sehe ich mich um und nehme einen Lehrjungen auf.

Eine Frau auf der Straße

Er zog weiter, wie sie es zu zweit immer getan hatten, »um eine Spazierfahrt durch die einfältige Welt zu unternehmen«, wie der Bader gesagt hätte. In den ersten Tagen konnte er sich nicht dazu überwinden, den Wagen abzuladen oder eine Vorstellung zu geben. In Lincoln kaufte er sich eine warme Mahlzeit im Wirtshaus, aber selbst kochte er nicht, sondern er ernährte sich zumeist von Brot und Käse. Er trank überhaupt nicht. Abends saß er am Lagerfeuer und wurde von einem schrecklichen Gefühl der Verlassenheit gequält.

Er wartete darauf, daß sich etwas ereignete. Aber es geschah nichts, und nach einiger Zeit begriff er, daß er sein Leben nun selbst in die Hand nehmen mußte.

In Stafford beschloß er, wieder zu arbeiten. Die Stute stellte die Ohren auf und tänzelte, als er die Trommel schlug und die Ankunft auf dem Stadtplatz bekanntmachte.

Es war, als hätte er immer allein gearbeitet. Die Leute, die herbeiströmten, wußten nicht, daß bisher ein älterer Mann das Zeichen gegeben hatte, mit dem Jonglieren zu beginnen und aufzuhören, und die besten Geschichten hatte erzählen können. Sie standen herum, hörten zu, lachten, sahen staunend, wie Rob Gesichter zeichnete, kauften sein Spezificum und warteten in der Schlange, um hinter dem Wandschirm behandelt zu werden. Als Rob die Hände seiner Patienten ergriff, entdeckte er, daß die Gabe wieder vorhanden war. Ein stämmiger Schmied, der aussah, als könne er Bäume ausreißen, trug eine Krankheit in sich, die an seinem Leben zehrte; er würde nicht mehr lang leben. Ein mageres Mädchen dagegen, dessen schwächliches Aussehen eine schwere Krankheit vermuten ließ, besaß eine Fülle an Kraft und Lebenswillen, die Rob mit Freude erfüllten.

Er verließ Stafford am Nachmittag, hielt bei einem Bauernhaus, um Speck zu kaufen, und sah die Stallkatze mit einem Wurf von Kätzchen.

»Sucht Euch eines aus«, forderte ihn der Bauer hoffnungsvoll auf. »Ich muß die meisten ertränken, denn sie brauchen zuviel Futter.«

Rob spielte mit den Kätzchen, indem er ein Stück Schnur vor ihrer Nase hin und her baumeln ließ, und sie waren alle entzückend bis auf ein selbstbewußtes weißes Kätzchen, das sich stolz und überlegen verhielt.

»Du willst wohl nicht mit mir kommen, was?« Das Kätzchen blieb gelassen und anmutig, aber als er es hochheben wollte, zerkratzte es ihm die Hand.

»Das da nehme ich«, entschied er und bedankte sich beim Bauern.

Am nächsten Morgen kochte er sich ein Frühstück, die Katze fütterte er mit in Milch getunktem Brot. Als er in ihre grünlichen Augen schaute, erkannte er darin die typische Katzenschläue, und er lächelte.

»Ich werde dich Mistress Buffington nennen«, erklärte er ihr.

Vielleicht hatte das Füttern den Zauberbann gebrochen. Nach wenigen Stunden lag sie schnurrend in seinem Schoß, als er auf dem Kutschbock saß.

Am späten Vormittag setzte er die Katze neben sich auf die Bank. Sie kamen nach Tettenhall, und während er um die Straßenbiegung fuhr, sah er einen Mann sich über eine Frau beugen, die auf der Straße lag. »Was fehlt ihr?« rief er und hielt das Pferd an. Sie atmete heftig, ihr Gesicht war vor Anstrengung gerötet, und sie hatte einen riesigen Bauch.

»Es ist soweit«, erklärte der Mann.

In dem Obstgarten hinter ihm stand ein halbes Dutzend Körbe voll Äpfel. Der Mann trug nur Lumpen am Leib und schien nicht viel zu besitzen. Rob nahm an, daß er ein Kleinbauer war, der auf einem Gut für den Grundbesitzer arbeitete und dafür ein kleines Lehen erhalten hatte, das er für seine Familie bewirtschaften konnte.

»Wir waren mitten in der Apfelernte, als die Wehen einsetzten. Sie wollte nach Hause gehen, hat es aber nicht geschafft. Es gibt keine Hebamme im Ort, denn die unsere ist im Frühjahr gestorben. Ich habe einen Jungen nach dem Medicus geschickt, als es deutlich wurde, daß es ihr schlecht geht.«

»Also dann«, sagte Rob und ergriff die Zügel. Er wollte weiterfahren, denn es handelte sich hier um genau jenen Fall, vor dem ihn der Bader gewarnt hatte und den er vermeiden sollte: Wenn er der Frau helfen konnte, würde er nur eine geringe Bezahlung erhalten, wenn er aber versagte, würde man ihm vielleicht die Schuld an den Folgen geben.

»Es dauert schon viel zu lang«, sagte der Mann verbittert, »und der Medicus kommt noch immer nicht. Es ist ein jüdischer Arzt.«

Noch während der Mann sprach, verdrehte die Frau die Augen und verfiel in Krämpfe.

Nach des Baders Erzählungen über jüdische Ärzte hielt Rob es für wahrscheinlich, daß der Geburtshelfer überhaupt nicht kam. Der stumme Jammer in den Augen des Kleinbauern rührte ihn und weckte Erinnerungen, die er gern vergessen hätte.

Seufzend kletterte er vom Wagen. Er kniete neben der schmutzigen, erschöpften Frau nieder und ergriff die Hände. »Wann hat sie zum letztenmal gespürt, daß sich das Kind in ihrem Leib regt?«

»Das ist Wochen her. Seit vierzehn Tagen fühlt sie sich unwohl, als wäre sie vergiftet.« Sie habe vorher schon vier Schwangerschaften gehabt, daheim warteten zwei Jungen, aber die letzten beiden Kinder seien Totgeburten gewesen.

Rob spürte, daß auch dieses Kind tot war. Er legte die Hand leicht auf den aufgetriebenen Bauch und wünschte sich sehnlich, weit weg zu sein. Aber er sah im Geist Mas kalkweißes Gesicht vor sich, wie sie auf dem Stallboden voller Mist gelegen hatte, und er wußte, daß die Frau sterben würde, wenn er nicht handelte.

Im Durcheinander der Instrumente des Baders fand er ein metallenes Spekulum, doch er verwendete es nicht zum Spiegeln. Als der Krampf abklang, spreizte er die Beine der Frau und erweiterte den Gebärmutterhals mit dem Instrument, wie es ihm der Bader erklärt hatte. Der Klumpen in ihr glitt leicht heraus, es war ein Stück verwesten Fleisches, kein Baby. Er merkte kaum, daß der Mann den Atem scharf einsog und wegging.

Robs Hände arbeiteten selbständig, ohne daß sein Kopf ihm Anweisungen gab. Er brachte die Nachgeburt heraus, säuberte die Frau und wusch sie. Als er aufblickte, sah er zu seiner Überraschung, daß der Medicus inzwischen angelangt war.

»Ihr werdet übernehmen wollen«, sagte er und war sehr erleichtert, denn die Blutung kam nicht zum Stillstand.

»Es hat keine Eile«, winkte der Medicus ab. Aber er horchte endlos lang die Atmung der Frau ab und untersuchte sie so langsam und gründlich, daß sein mangelndes Vertrauen in Robs Künste deutlich zu erkennen war.

Schließlich schien der Jude zufrieden zu sein. »Legt Eure Handfläche auf ihren Bauch und reibt kräftig, so.«

Rob massierte verwundert den leeren Bauch. Endlich spürte er durch die Bauchdecke, wie der große, gedehnte Uterus sich zu einer kleinen harten Kugel zusammenzog, und die Blutung hörte auf.

»Ein Zauber, der eines Merlin würdig ist, und ein Kunstgriff, den ich mir merken werde«, sagte er.

»Es gibt keinen Zauber bei unserer Arbeit«, stellte der Medicus fest.

»Ihr kennt meinen Namen?«

»Wir haben einander vor ein paar Jahren getroffen. In Leicester.«
Benjamin Merlin betrachtete den bunten Wagen, dann lächelte er. »Ihr wart damals noch ein Junge, der Lehrling. Der Bader war ein dicker Mann, der farbige Bänder aus seinem Mund hervorzauberte.«

»Ja.«

Rob erzählte nicht, daß der Bader tot war, und Merlin fragte nicht nach ihm. Sie blickten einander abwägend an. Das scharfgeschnittene Gesicht des Juden war noch immer von dichtem, weißem Haar und einem weißen Bart umrahmt, aber er war nicht mehr so mager wie früher.

»Der Schreiber, mit dem Ihr damals in Leicester gesprochen habt. Habt Ihr ihm den Star gestochen?«

»Schreiber?« Merlin schien verwundert, dann erinnerte er sich. »Ja! Es war Edgar Thorpe aus dem Dorf Lucteburne in Leicestershire. Ich habe ihn operiert und den grauen Star aus beiden Augen entfernt.«

»Und heute? Ist er gesund?«

Merlin lächelte bedauernd. »Man kann Master Thorpe leider nicht als gesund bezeichnen, denn er wird alt und hat daher verschiedene Leiden und Beschwerden. Aber er sieht auf beiden Augen.«

Rob hatte den verwesten Fötus in ein Tuch gewickelt. Merlin wickelte ihn aus und betrachtete ihn, dann besprengte er ihn mit Wasser aus einer Flasche. »Ich taufe dich im Namen des Vaters, des Sohnes und des Heiligen Geistes«, sagte der Jude rasch, dann schlug er den kleinen Körper wieder in das Tuch und trug ihn zu dem Kleinbauern. »Das Kind wurde getauft, wie es sich gehört«, erklärte er, »und sicher wird sich ihm das Tor zum himmlischen Königreich öffnen. Ihr müßt es Vater Stigand oder dem anderen Priester in der Kirche melden.«

Der Ehemann zog eine schmutzige Börse heraus, in den stummen Jammer auf seinem Gesicht mischte sich Besorgnis. »Was habe ich zu bezahlen, Master Medicus?«

»Was Ihr könnt«, antwortete Merlin, und der Mann entnahm seiner Börse einen Penny und reichte ihn ihm.

»War es ein Knabe?«

»Das weiß man nicht genau«, antwortete der Medicus freundlich. Er steckte die Münze in die große Tasche seines Kittels und suchte, bis er einen halben Penny fand, den er Rob gab. Sie mußten dem Kleinbauern helfen, die Frau heimzutragen, eine harte Arbeit für einen halben Penny.

Als sie endlich fertig waren, gingen sie zu einem nahen Bach, um sich das Blut abzuwaschen.

»Habt Ihr schon ähnliche Entbindungen durchgeführt?«

»Nein.«

»Wieso wußtet Ihr dann, wie Ihr vorzugehen habt?«

Rob zuckte die Schultern. »Man hat es mir beschrieben.«

»Angeblich werden manche Menschen als Heiler geboren. Die Auserwählten.« Der Jude lächelte ihn an. »Natürlich haben manche einfach Glück.«

Der prüfende Blick des Mannes beunruhigte Rob. »Wenn die Mutter tot und das Kind am Leben gewesen wäre...«, wagte er zu fragen.

»Kaiserschnitt.«

Rob starrte ihn an.

»Ihr wißt nicht, wovon ich spreche?«

»Nein.«

»Man muß den Bauch und die Gebärmutter aufschneiden und das Kind herausnehmen.«

»Den Leib der Mutter öffnen?«

»Ja.«

»Das habt Ihr getan?«

»Mehrmals. Als ich zum Arzt ausgebildet wurde, sah ich einen meiner Lehrer den Bauch einer lebenden Frau öffnen, um ihr Kind herauszuholen.«

Lügner! dachte Rob und schämte sich, weil er so aufmerksam zugehört hatte. Ihm fiel ein, was der Bader über diesen Mann und seinesgleichen gesagt hatte. »Und was geschah?«

»Sie starb, aber sie hätte auf keinen Fall überlebt. Ich bin dagegen, lebende Frauen aufzuschneiden, aber ich habe von Männern gehört, die es getan haben, und Mutter und Kind haben überlebt.«

Rob wandte sich ab, bevor dieser mit französischem Akzent sprechende Mann ihn auslachen konnte, weil er so gutgläubig war. Doch er hatte keine zwei Schritte getan, als er kehrtmachte. »Wo schneidet man?«

Der Jude zeichnete einen Körperrumpf in den Straßenstaub und markierte zwei Schnitte, einen langen, geraden auf der linken Körperhälfte und einen quer auf der Leibesmitte. »So und so«, antwortete er und warf den Stock weg.

Rob nickte und ging fort; er war unfähig, ihm zu danken.

Käppchen bei Tisch

Er verließ Tettenhall sofort, aber irgend etwas passierte mit ihm.

Sein Vorrat an Universal-Spezificum ging zur Neige, und am nächsten Tag kaufte er bei einem Bauern ein Fäßchen Metheglin und unterbrach seine Fahrt, um einen neuen Vorrat an Flaschen zu mischen, die er noch am selben Nachmittag in Ludlow zu verkaufen begann. Das Spezificum verkaufte sich so gut wie immer, aber er war in Gedanken versunken und hatte ein wenig Angst.

Ein menschliches Leben in der hohlen Hand zu halten wie einen Kieselstein. Zu fühlen, wie es entglitt, es aber dank eigener Kenntnis zurückzubringen! Nicht einmal ein König besaß solche Macht. Auserwählt! Konnte er mehr lernen? Wieviel konnte man überhaupt lernen? Wie muß es sein, fragte er sich, wenn man sich das gesamte Wissen aneignet, das gelehrt werden konnte? Zum erstenmal empfand er den Wunsch, Arzt zu werden. Wirklich fähig zu sein, dem Tod entgegenzutreten. In ihm gärten neue, beunruhigende Gedanken, die ihn manchmal in Begeisterung versetzten und dann wieder Seelenängste auslösten. Am nächsten Morgen machte er sich auf den Weg nach Worcester, der nächsten Stadt im Süden entlang dem Severn. Er erinnerte sich später nicht an den Fluß oder die Straße, er wußte auch nicht, daß er die Stute gelenkt hatte. Als er in Worcester ankam, staunten die Städter über den roten Wagen. Er fuhr auf den Hauptplatz, umkreiste ihn einmal, ohne anzuhalten, und fuhr dann zur Stadt hinaus und zurück in die Richtung, aus der er gekommen war.

Das Dorf Lucteburne in Leicestershire war zu klein für ein eigenes Wirtshaus, aber als er bei einer Wiese anhielt, auf der vier Männer mit Sensen mähten, unterbrach der Schnitter in dem Streifen neben der Straße seine regelmäßigen Schwünge und erklärte ihm, wie er zu Edgar Thorpes Haus gelangen konnte.

Rob traf den alten Mann in seinem kleinen Garten an, wo er auf Händen und Knien Lauch erntete. Er erkannte sofort mit einem seltsam erregenden Gefühl, daß Thorpe sehen konnte. Aber er litt an schwerem Rheuma, und obwohl Rob ihm half, sich unter Stöhnen und Schmerzenslauten zu erheben, dauerte es doch einige Zeit, bis sie in Ruhe miteinander sprechen konnten.

Rob brachte mehrere Flaschen Spezificum vom Wagen und öffnete eine, was seinem Gastgeber sehr gefiel.

»Ich bin gekommen, um Euch über die Operation zu befragen, die Euch das Augenlicht wiedergegeben hat, Master Thorpe.«

»Wirklich? Und wieso interessiert Euch das?«

Rob zögerte. »Ich habe einen Verwandten, der den gleichen Eingriff braucht, und ich erkundige mich für ihn.«

Thorpe nahm einen Schluck Spezificum und seufzte. »Ich hoffe, daß er ein starker und sehr mutiger Mann ist«, schickte er voraus. »Ich wurde an Händen und Füßen auf einen Stuhl gefesselt. Straffe Riemen schnitten mir in den Kopf und hielten ihn an der hohen Rückenlehne fest. Man hatte mir viel zu trinken gegeben, und ich war halb bewußtlos, doch dann wurden kleine Haken an der Innenseite meiner Augenlider befestigt und hochgezogen, so daß ich nicht blinzeln konnte.«

Er schloß schaudernd die Augen. Er mußte die Operation offensichtlich schon oft schildern, denn er hatte sich die Einzelheiten fest eingeprägt und erzählte sie fließend, aber Rob fand sie deshalb nicht weniger faszinierend.

»Mein Leiden war solcher Art, daß ich nur verschwommen sehen konnte, was sich unmittelbar vor meinen Augen befand. Da kam Master Merlins Hand in mein Gesichtsfeld. Sie hielt eine Klinge, die größer wurde, je näher sie mir kam, bis sie in mein Auge schnitt. Oh, der Schmerz machte mich sofort nüchtern! Ich war davon überzeugt, daß er mein ganzes Auge herausgeschnitten hatte, statt nur die Trübung zu entfernen, und ich schrie ihn an, beschwor ihn, mir nicht mehr Schaden zuzufügen. Als er unbeirrt weiterarbeitete, schleuderte ich ihm Flüche an den Kopf und schrie, daß ich nun endlich verstehe, wie sein verfluchtes Volk unseren gütigen Herrn hat töten können. Als er in das zweite Auge schnitt, war der Schmerz so groß, daß ich das Bewußtsein verlor. Ich erwachte im Dunkel mit verbundenen Augen und litt fast zwei Wochen lang schrecklich. Aber schließlich konnte ich sehen, was mir ja seit langer Zeit nicht mehr möglich gewesen war. Die Besserung meiner Sehkraft war so groß, daß ich zwei volle Jahre als Schreiber arbeitete, bevor mein Rheuma es angebracht erscheinen ließ, meine Tätigkeit einzuschränken.«

Es ist also wahr! dachte Rob verwirrt. Dann entsprachen wohl auch die anderen Dinge, die Benjamin Merlin ihm erzählt hatte, der Wahrheit.

»Master Merlin ist der tüchtigste Medicus, den ich je gesehen habe«, sagte Edgar Thorpe. »Allerdings«, fügte er ärgerlich hinzu, »scheint auch ein so ausgezeichneter Medicus auf unüberwindbare Schwierigkeiten zu stoßen, wenn er meine Knochen und Gelenke von diesen großen Beschwerden befreien will.«

Er kehrte nach Tettenhall zurück, schlug sein Lager in einem kleinen Tal auf und hielt sich drei Tage lang in der Nähe der Stadt auf wie ein liebeskranker Bauerntölpel, dem es an Mut fehlt, eine Frau aufzusuchen, der sich aber auch nicht dazu entschließen kann, sie in Frieden zu lassen. Der erste Bauer, bei dem er Vorräte kaufte, beschrieb ihm, wo Benjamin Merlin wohnte, und er lenkte die Stute mehrmals langsam an der Stelle vorbei, einem niedrigen Bauernhaus mit gut instand gehaltenem Schuppen und Nebengebäuden, einem Feld, einem Obstgarten und einem Weinberg. Nichts deutete darauf hin, daß hier ein Arzt lebte. Am Nachmittg des dritten Tages begegnete er, meilenweit von Merlins Haus entfernt, dem Medicus auf der Straße.
»Wie geht's Euch, junger Bader?«
Rob antwortete, es gehe ihm gut, und erkundigte sich nach der Gesundheit des Arztes. Sie sprachen vorerst einmal vom Wetter, dann nickte Merlin verabschiedend. »Ich kann mich nicht länger aufhalten, denn ich muß noch einige Kranke besuchen, bevor mein Tagewerk beendet ist.«
»Darf ich Euch begleiten und zusehen?« quetschte Rob hervor.
Der Medicus zögerte. Er schien über das Ansinnen nicht erfreut zu sein. Aber er nickte, wenn auch etwas widerwillig. »Achtet aber darauf, mich dabei nicht zu stören!«
Der erste Patient wohnte nicht weit von der Stelle, an der sie einander kennengelernt hatten, in einem kleinen Haus bei einem Gänseteich. Es war Edwin Griffith, ein alter Mann mit einem hohlen Husten, und Rob erkannte sofort, daß er an einer fortgeschrittenen Brustkrankheit litt und bald sterben würde.
»Wie geht es Euch heute, Master Griffith?« fragte Merlin.
Ein Hustenanfall erschütterte den alten Mann, dann keuchte er und seufzte. »Mein Zustand hat sich nicht verändert, und ich will mich nicht beklagen, nur daß ich heute nicht imstande war, meine Gänse zu füttern.«

Merlin lächelte. »Unser junger Freund könnte sich vielleicht darum kümmern«, schlug er vor, und Rob blieb nichts übrig, als zuzustimmen. Der alte Griffith erklärte ihm, wo das Futter aufbewahrt wurde, und bald eilte Rob mit einem Sack zum Teich. Er ärgerte sich, denn dieser Krankenbesuch brachte ihn nicht weiter, da Merlin bei einem Sterbenden sicherlich nicht allzu viel Zeit verbringen würde. Er näherte sich den Gänsen vorsichtig, denn er wußte, wie bösartig sie sein konnten, aber sie waren hungrig und liefen zielstrebig mit lautem Geschnatter auf das Futter zu, so daß er sich rasch zurückziehen konnte.

Als Rob das Häuschen wieder betrat, sprach Merlin zu seiner Überraschung noch immer mit Edwin Griffith. Rob hatte noch nie einen Medicus gesehen, der so bedächtig arbeitete. Merlin stellte endlos Fragen über die Lebensgewohnheiten und die Ernährung des Mannes, über seine Kindheit, über seine Eltern und seine Großeltern, und woran sie gestorben waren. Er fühlte ihm den Puls am Handgelenk und auch an der Halsschlagader, und er legte ihm das Ohr an die Brust und horchte. Rob hielt sich im Hintergrund und beobachtete ihn aufmerksam. Als sie fortgingen, dankte der alte Mann Rob, weil er die Gänse gefüttert hatte.

Der Tag war offenbar der Pflege der Todkranken gewidmet, denn Merlin führte ihn zwei Meilen weiter zu einem Haus neben dem Hauptplatz, in dem die Frau des Vogtes unter großen Schmerzen dahinsiechte.

»Wie geht es Euch, Mary Sweyn?«

Sie antwortete nicht, sondern blickte ihn ruhig an. Das war Antwort genug, und Merlin nickte. Er setzte sich, ergriff ihre Hand und sprach leise auf sie ein. Wie er es schon bei dem alten Mann getan hatte, widmete er auch ihr sehr viel Zeit.

»Ihr könnt mir helfen, Mistress Sweyn umzudrehen«, forderte er Rob auf. »Vorsichtig. Vorsichtig jetzt.« Als Merlin ihr Nachthemd hochschob, um ihren skelettartigen Körper zu waschen, bemerkten sie an ihrer ausgemergelten linken Seite ein eiterndes Geschwür. Der Arzt öffnete es sofort mit einer Lanzette, um ihr Erleichterung zu verschaffen, und Rob sah zu seiner Befriedigung, daß er dabei genauso vorging, wie er es selbst getan hätte. Als sie gingen, ließ Merlin eine Flasche mit einem schmerzstillenden Absud zurück.

»Ich habe noch einen Besuch abzustatten«, sagte Merlin, als sie Mary Sweyns Haus verließen. »Der Kranke heißt Tancred Osbern, und sein Sohn hat mir heute morgen die Nachricht überbracht, daß er sich verletzt hat.«

Merlin band sein Pferd mit den Zügeln am Wagen fest und setzte sich neben Rob auf den Kutschbock, um ihm Gesellschaft zu leisten.

»Wie geht es den Augen Eures Verwandten?« erkundigte sich der Arzt freundlich.

Ich hätte mir denken können, daß Edgar Thorpe meine Erkundigungen erwähnen wird, überlegte Rob, der spürte, wie ihm das Blut in die Wangen stieg. »Ich wollte Thorpe nicht hinters Licht führen. Ich wollte mich nur selbst von dem Ergebnis Eurer Operation überzeugen«, sagte er. »Und ich hielt dies für die einfachste Erklärung.«

Merlin nickte lächelnd. Während sie weiterfuhren, erklärte er Rob den chirurgischen Eingriff, den er vorgenommen hatte, um Thorpes grauen Star zu stechen. »Ich würde niemandem raten, diese Operation auf eigene Faust durchzuführen«, sagte er scharf, und Rob nickte, denn er hatte bestimmt nicht die Absicht, die Augen eines Menschen zu operieren.

Wenn sie an eine Kreuzung kamen, gab Merlin den Weg an, bis sie endlich bei einem wohlbestallten Bauernhof anlangten. Er bot ein Bild der Ordnung, das nur durch ständige Pflege erreicht wird. Im Haus fanden sie den kräftigen, muskulösen Bauern vor, der auf einem Strohsack, der ihm als Bett diente, lag und stöhnte.

»Ach, Tancred, was ist Euch diesmal geschehen?« fragte Merlin.

»Hab' mir das verdammte Bein verletzt.«

Merlin schlug die Decke zurück und zog die Stirn in Falten, denn das rechte Bein war am Oberschenkel verdreht und geschwollen. »Ihr müßt schreckliche Schmerzen leiden. Dennoch habt Ihr dem Jungen aufgetragen zu sagen, ich solle kommen, ›wann immer ich Zeit finde‹. Das nächste Mal dürft Ihr nicht so blödsinnig tapfer sein, damit ich sofort komme.«

Der Mann schloß die Augen und nickte.

»Wie ist es geschehen und wann?«

»Gestern mittag. Ich stürzte von dem verdammten Dach, während ich das Schilf ausbesserte.«

»Ihr werdet jetzt eine Zeitlang das Schilf nicht ausbessern können.«

Merlin blickte Rob an. »Ich werde Hilfe brauchen. Sucht eine Schiene, die etwas länger ist als sein Bein.«

»Er soll dabei keine Häuser oder Zäune einreißen«, knurrte Osbern. Rob machte sich auf die Suche. In der Scheune lagen ein Dutzend Buchen- und Eichenstämme sowie ein Stück Kiefer, das zu einer Latte geschnitten worden war. Sie war zu breit, aber das Holz war weich, und Rob brauchte nicht lange, um es mit dem Werkzeug des Bauern der Länge nach zu spalten.

Osbern blickte finster, als er die Schiene erkannte, sagte aber nichts.

Merlin seufzte. »Er hat Schenkel wie ein Bulle. Uns steht Arbeit bevor, Cole.« Er ergriff das verletzte Bein am Knöchel und an der Wade und versuchte einen gleichmäßigen Druck auszuüben, während er gleichzeitig das verdrehte Glied wendete und gerade bog. Es knackte leise, als würden getrocknete Blätter zerdrückt, und Osbern stieß ein lautes Gebrüll aus.

»Es hat keinen Sinn«, stellte Merlin fest. »Seine Muskeln sind gewaltig. Sie haben sich verkrampft, um das Bein zu schützen, und ich besitze nicht genug Kraft, um ihrer Herr zu werden und den Bruch einzurichten.«

»Laßt mich es versuchen!« bat Rob.

Merlin nickte, doch zuerst gab er dem Bauern, der zitternd und infolge des qualvollen Schmerzes schluchzte, einen vollen Becher Schnaps.

»Gib mir noch einen!« keuchte Osbern.

Als er den zweiten Becher geleert hatte, ergriff Rob das Bein, wie es Merlin getan hatte. Er vermied sorgfältig einen plötzlichen Ruck, übte gleichmäßigen Druck aus, und Osberns tiefe Stimme stieg zu einem schrillen, langen Schrei an.

Merlin hatte den großen Mann unter den Armen gepackt und zog in die andere Richtung, sein Gesicht war verzerrt, und seine Augen quollen vor Anstrengung hervor.

»Wir kriegen es hin«, rief Rob, damit Merlin ihn trotz der Schmerzensschreie hören konnte. »Es bewegt sich!« Noch während er sprach, kratzten die Enden des gebrochenen Knochens übereinander und rasteten ein.

Der Mann im Bett war plötzlich still.

Rob sah nach, ob er ohnmächtig geworden war, aber Osbern lag mit tränenüberströmtem Gesicht schlaff, doch bei vollem Bewußtsein vor ihm.

»Behaltet den Zug auf das Bein bei!« drängte Merlin. Er fertigte aus Stoffetzen eine Schlinge an und befestigte sie um Osberns Fuß und Knöchel. Nun knüpfte er das Ende eines weiteren Fetzens an die Schlinge und das andere Ende straff an den Türgriff. An dem gestreckten Bein brachte er dann die Schiene an. »Jetzt könnt Ihr ihn loslassen«, sagte er zu Rob.

Zur Sicherheit banden sie das gesunde Bein an das geschiente.

Innerhalb von Minuten hatten sie den eingeschnürten, erschöpften Patienten beruhigt. Sie hinterließen seiner blassen Frau Anweisungen und verabschiedeten sich von seinem Bruder, der sich um den Hof kümmern wollte.

Draußen blieben sie stehen und sahen einander an. Ihre Hemden waren vollkommen durchgeschwitzt, und ihre Gesichter waren genauso naß wie Osberns tränenüberströmte Wangen.

Der Arzt lächelte und schlug Rob auf die Schulter. »Ihr müßt jetzt mit mir nach Hause kommen und mit uns zu Abend essen«, sagte er.

»Meine Deborah«, stellte Benjamin Merlin seine Frau vor.

Sie war rundlich, hatte eine Figur wie eine Taube, eine spitze, kleine Nase und sehr rote Wangen. Die Frau des Medicus war blaß geworden, als sie Rob sah, und verbeugte sich bei der Vorstellung steif. Merlin trug eine Schüssel Brunnenwasser in den Hof, damit Rob sich erfrischen konnte. Während er sich wusch, hörte er, wie die Frau im Haus ihren Mann in einer Sprache zur Rede stellte, die er noch nie gehört hatte.

Der Arzt verzog das Gesicht, als er herauskam, um sich zu waschen. »Ihr müßt ihr verzeihen. Sie hat Angst. Das Gesetz besagt, daß wir während der heiligen Feste keine Christen im Haus haben dürfen. Es handelt sich aber kaum um ein heiliges Fest. Es ist ein einfaches Abendessen.« Er blickte Rob ruhig an, während er sich abtrocknete. »Aber ich kann Euch, wenn Ihr nicht am Tisch sitzen wollt, das Essen herausbringen.«

»Ich bin dankbar, wenn ich mich zu Euch setzen darf, Meister Medicus.«

Merlin nickte.

Ein merkwürdiges Abendessen. Die Eltern und vier kleine Kinder, drei davon Söhne, saßen am Tisch. Das kleine Mädchen hieß Lea, und ihre Brüder waren Jonathan, Ruel und Zacharias. Die Jungen und ihr Vater trugen bei Tisch Käppchen. Als die Frau einen heißen Laib Brot hereinbrachte, nickte Merlin Zacharias zu, der ein Stück abbrach und in jener gutturalen Sprache zu reden begann, die Rob zuvor gehört hatte.

Sein Vater unterbrach ihn. »Heute wird die *broche* aus Höflichkeit unserem Gast gegenüber auf englisch gesprochen.«

»Sei gesegnet, o Herr, unser Gott, König der Welt«, begann der Junge sanft, »der das Brot aus der Erde hervorbringt.« Er reichte den Laib Rob, dem das Brot schmeckte und der ihn den anderen weitergab.

Merlin schenkte aus einer Karaffe roten Wein ein. Rob hob wie die anderen seinen Becher, als der Vater Ruel zunickte.

»Sei gesegnet, o Herr, unser Gott, König der Welt. Der Du die Frucht des Weines erschaffst.«

Die Mahlzeit bestand aus einer mit Milch gekochten Fischsuppe; sie schmeckte nicht so wie beim Bader, war aber heiß und schmackhaft. Danach aßen sie Äpfel aus dem Obstgarten des Juden. Der jüngste Sohn, Jonathan, erzählte seinem Vater sehr empört, daß Kaninchen ihren Kohl fraßen.

»Dann müßt eben ihr die Kaninchen essen«, meinte Rob. »Ihr müßt ihnen Fallen stellen, damit eure Mutter ein wohlschmeckendes Stew bereiten kann.«

Eine merkwürdige, kurze Stille folgte, dann lächelte Merlin. »Wir essen weder Kaninchen noch Hasen, denn sie sind nicht *koscher*.«

Merlins Frau wirkte besorgt, als befürchte sie, daß er ihre Bräuche nicht verstehen oder nicht billigen würde.

»Es handelt sich um uralte Speisegesetze.« Merlin erklärte, daß Juden Tiere, die ihr Futter nicht wiederkäuen und nicht gespaltene Hufe haben, nicht essen dürfen. Sie können auch Fleisch nicht zusammen mit Milch essen, denn die Bibel lehrt, daß ein Lamm nicht in der Milch seiner Mutter gekocht werden darf. Und sie dürfen kein Blut trinken und kein Fleisch essen, das nicht gründlich ausgeblutet und gesalzen worden ist.

Rob erschauerte, und er sagte sich, daß Mistress Merlin recht gehabt hatte: Er konnte die Juden nicht verstehen. Juden waren wirklich

Heiden! Sein Magen verkrampfte sich, während der Medicus Gott für das blut- und fleischlose Essen der Familie dankte.

Trotzdem fragte Rob, ob er diese Nacht in ihrem Obstgarten lagern dürfe. Benjamin Merlin bestand jedoch darauf, daß er in einem gedeckten Raum schlief: in der an das Haus angebauten Scheune. Nun lag Rob auf duftendem Stroh und lauschte durch die dünne Wand der scharfen Stimme der Frau. Er lächelte in der Dunkelheit, denn er wußte trotz der unverständlichen Sprache, worum es ging.
Du kennst den jungen Rohling nicht und bringst ihn dennoch hierher. Siehst du nicht die verbogene Nase, das zerschlagene Gesicht und die teuren Waffen eines Verbrechers? Er wird uns im Bett ermorden!
Dann kam Merlin mit einer großen Flasche und zwei Holzbechern in die Scheune. Er reichte Rob einen Becher und seufzte. »Sie ist sonst eine wunderbare Frau.« Er schenkte ein. »Das Leben hier ist schwer für sie, denn sie fühlt sich von vielen, die ihr teuer sind, abgeschnitten.«
Es war ein gutes, starkes Getränk. »Aus welchem Teil von Frankreich stammt Ihr?«
»Wie dieser Wein, den wir trinken, kommen meine Frau und ich aus dem Dorf Falaise, wo unsere Familien unter dem gütigen Schutz von Robert aus der Normandie leben. Mein Vater und zwei Brüder sind Weinhändler und liefern nach England.« Vor sieben Jahren, erzählte Merlin, sei er nach Falaise zurückgekehrt, nachdem er in Persien auf einer Akademie für Ärzte studiert hatte.
»In Persien?« Rob hatte keine Ahnung, wo sich Persien befand, aber er wußte, daß es weit weg war. »In welcher Richtung liegt Persien?«
Merlin lächelte. »Es liegt im Osten. Weit im Osten.«
»Und wie kamt Ihr nach England?«
Nachdem er als frischgebackener Arzt in die Normandie zurückgekehrt war, stellte Merlin fest, daß es innerhalb der Schutzherrschaft von Herzog Robert zu viele Ärzte gab. Außerhalb der Normandie gab es unaufhörlich Kämpfe, und die wechselnden Gefahren von Krieg und Politik, Herzog gegen Graf, Adelige gegen den König. »In meiner Jugend war ich mit meinem Vater, dem Weinhändler, zweimal in London gewesen. Ich erinnerte mich an die Schönheiten der englischen Landschaft, und in ganz Europa war König Knuts Beständigkeit

bekannt. Also beschloß ich, diese grüne, friedliche Insel aufzusuchen.«

»Und hat sich Tettenhall als gute Wahl erwiesen?«

Merlin nickte. »Aber es gibt Schwierigkeiten. Ohne die Menschen unseres Glaubens können wir nicht ordentlich zu Gott beten, und es ist schwierig, die Speisegesetze einzuhalten. Wir sprechen zwar mit unseren Kindern in unserer Sprache, aber sie denken in der Sprache Englands, und trotz unserer Bemühungen kennen sie viele Bräuche ihres Volkes nicht. Ich versuche ständig, andere Juden aus Frankreich hierher zu locken.«

Er wollte wieder einschenken, doch Rob bedeckte seinen Becher mit der Hand. »Ich vertrage nicht viel und brauche einen klaren Kopf.«

»Warum habt Ihr mich aufgesucht, junger Bader?«

»Erzählt mir von der Schule in Persien!«

»Sie befindet sich in der Stadt Isfahan, im westlichen Teil des Landes.«

»Warum seid Ihr so weit gereist?«

»Wohin denn sollte ich reisen? Meine Familie wollte mich nicht zu einem Medicus in die Lehre geben, denn es arbeiten – auch wenn mich das Eingeständnis schmerzt – in ganz Europa beinahe nur jämmerliche Schmarotzer und Spitzbuben in meinem Beruf. Es gibt ein großes Krankenhaus in Paris, das Hôtel Dieu, doch dies ist nur ein Pesthaus für die Armen, in das schreiende Menschen geschleppt werden, um dort zu sterben. Dann gibt es eine medizinische Schule in Salerno; eine traurige Stätte! Durch andere jüdische Kaufleute wußte mein Vater, daß in den Ländern des Ostens die Araber aus der Wissenschaft der Medizin eine Kunst gemacht haben. Die Mohammedaner besitzen in Isfahan ein Krankenhaus, das wirklich ein Heilzentrum ist. In diesem Krankenhaus und in einer kleinen Akademie bildet Avicenna Ärzte aus.«

»Wer?«

»Avicenna, der hervorragendste Arzt der Welt, dessen arabischer Name Abu Ali al-Hussein Ibn Abdullah Ibn Sina lautet.«

Rob ließ Merlin den fremden, wohlklingenden Namen wiederholen, bis er ihn sich gemerkt hatte.

»Ist es schwer, nach Persien zu kommen?«

»Eine gefährliche, mehrere Jahre während Reise. Zuerst zur See, dann zu Land über schreckliche Berge und durch ausgedehnte Wüsten.«

Merlin blickte seinen Gast scharf an. »Ihr müßt Euch die persischen Akademien aus dem Kopf schlagen. Wieviel wißt Ihr von Eurem eigenen Glauben, junger Bader? Seid Ihr mit den Problemen Eures gesalbten Papstes vertraut?«

Rob zuckte mit den Achseln. »Johannes XIX.?« Eigentlich wußte Rob außer dem Namen des Papstes und der Tatsache, daß er das Oberhaupt der heiligen Kirche war, nichts.

»Johannes XIX. Er ist ein Papst, der mit gespreizten Beinen auf zwei riesigen Kirchen steht, statt auf einer; ein Mann, der versucht, auf zwei Pferden gleichzeitig zu reiten. Die westliche Kirche ist ihm immer unverbrüchlich treu, aber in der Kirche des Ostens herrscht ständig unzufriedenes Murren. Vor zweihundert Jahren rebellierte Photius, der Patriarch der Ostkatholiken in Konstantinopel, und seither hat die Tendenz zu einem Schisma in der Kirche zugenommen. Ihr habt vielleicht im Umgang mit Priestern beobachtet, daß sie Ärzten, Chirurgen und Badern mißtrauisch und ablehnend gegenüberstehen, weil sie glauben, daß *sie* durch das Gebet die rechtmäßigen Hüter des Körpers und der Seele der Menschen sind.«

Rob brummte.

»Die Abneigung der englischen Priester gegenüber Heilkundigen ist jedoch nichts im Vergleich zu dem Haß, den ostkatholische Priester auf die arabischen Ärzteschulen und andere mohammedanische Akademien haben. Die Ostkirche, die mit den Mohammedanern Grenze an Grenze lebt, führt einen unaufhörlichen erbitterten Krieg gegen den Islam, um Menschen für die Gnade des einzigen wahren Glaubens zu gewinnen. Sie empfindet die arabischen Zentren der Gelehrsamkeit als Verführung zum Heidentum und als ernste Bedrohung. Vor fünfzehn Jahren erklärte Sergius II., der damalige Patriarch der Ostkirche, daß jeder Christ, der eine mohammedanische Schule östlich von seinem Patriarchat besucht, ein Frevler und Glaubensbrüchiger sei und heidnische Praktiken befolge. Er setzte den Heiligen Vater in Rom unter Druck, damit sich dieser seiner Erklärung anschloß. Benedikt VIII. hatte erst kurz zuvor den Stuhl des heiligen Petrus eingenommen und befürchtete, der Papst zu werden, unter dem die Spaltung der Kirche erfolgen würde. Um die unzufriedenen Elemente im Osten zu beruhigen, gewährte er Sergius bereitwillig seinen Wunsch. Die Strafe für heidnische Praktiken ist die Exkommunikation.«

Rob schob die Lippen vor. »Das ist eine strenge Strafe.«

Der Medicus nickte. »Noch strenger, da sie schreckliche Strafen unter weltlichem Recht nach sich zieht. Die unter König Aethelred und auch unter König Knut erlassenen Gesetze bezeichneten das Heidentum als Kapitalverbrechen. Die deswegen Verurteilten sind schwer bestraft worden. Manche wurden in schwere Ketten geschmiedet und mußten jahrelang als Pilger herumwandern, bis die Fesseln verrosteten und ihnen vom Körper fielen. Etliche wurden verbrannt. Einige wurden gehängt und andere ins Gefängnis geworfen, wo sie bis heute vermodern. Die Mohammedaner ihrerseits haben keinen Grund, Mitglieder einer feindlichen, sie bedrohenden Religion auszubilden, und christliche Studenten werden seit Jahren nicht mehr an den Akademien im östlichen Kalifat zugelassen.«

»Ich verstehe.«

»Vielleicht ist Spanien eine Möglichkeit für Euch. Es liegt in Europa, am äußersten weltlichen Rand des westlichen Kalifats. Dort sind beide Religionen nicht so erbittert. Es gibt in diesem Land ein paar christliche Studenten aus Frankreich. Die Mohammedaner haben in Städten wie Cordoba, Toledo und Sevilla große Universitäten errichtet. Wenn Ihr eine von diesen absolviert, werdet Ihr als Gelehrter anerkannt. Und obwohl Spanien nicht leicht zu erreichen ist, ist die Reise bei weitem nicht so schwierig wie die nach Persien.«

»Warum seid *Ihr* nicht nach Spanien gegangen?«

»Weil Juden in Persien studieren dürfen.« Merlin lächelte. »Und ich wollte den Saum von Ibn Sinas Gewand berühren.«

Rob runzelte die Stirn. »Ich möchte nicht quer durch die Welt reisen, um ein Gelehrter zu werden. Ich will nur ein guter Medicus werden.«

Merlin schenkte sich Wein nach. »Es erstaunt mich – Ihr seid ein junger Rehbock und tragt dennoch Kleidung aus feinem Stoff und Waffen, die ich mir nicht leisten kann. Das Leben eines Baders hat seine Annehmlichkeiten. Warum wollt Ihr dann Medicus werden, was die schwerere Arbeit und ungewissen Gewinn bringt?«

»Ich habe gelernt, verschiedene Leiden zu behandeln. Ich kann einen zerquetschten Finger abtrennen und den Stumpf ordentlich versorgen. Aber zu mir kommen so viele Menschen, bezahlen mich, und ich weiß nicht, wie ich ihnen helfen soll. Ich bin unwissend. Ich sage mir, daß manche bestimmt gerettet werden könnten, wenn ich mehr wüßte.«

»Selbst wenn Ihr mehrere Leben lang Medizin studiert, würden Menschen zu Euch kommen, deren Krankheit ein Rätsel ist, denn die Qual, von der Ihr sprecht, gehört zu dem Beruf des Heilens, und man muß mit ihr leben. Dennoch ist es wahr: Je besser die Ausbildung, um so mehr Gutes kann der Arzt tun. Ihr gebt den bestmöglichen Grund für Euren Ehrgeiz an.« Merlin leerte seinen Becher nachdenklich. »Wenn die arabischen Schulen nicht für Euch zugänglich sind, müßt Ihr die Ärzte Englands sichten, bis Ihr den besten Medicus unter all den gewiß nicht guten findet, und vielleicht könnt Ihr einen dazu überreden, Euch als Lehrling anzunehmen.«

»Kennt Ihr einen solchen Medicus?«

Falls Merlin die Andeutung bemerkt hatte, reagierte er nicht darauf. Er schüttelte den Kopf und stand auf. »Wir haben unsere Ruhe verdient, und morgen werden wir erholt die Frage ins Auge fassen. Ich wünsche Euch eine gute Nacht, junger Bader!«

»Eine gute Nacht, Meister Medicus!«

Am Morgen aßen sie in der Küche heißen Erbsenbrei, und Rob hörte weitere Segenssprüche auf hebräisch. Die Familie frühstückte gemeinsam und beobachtete ihn heimlich, während er sie offen musterte. Mistress Merlin wirkte noch immer mürrisch, und in dem unbarmherzigen Morgenlicht sah man den schwachen, dunklen Flaum auf ihrer Oberlippe. Unter Benjamin Merlins Kittel und dem seines Sohnes Ruel schauten Fransen hervor. Der Brei aber war gut.

Merlin fragte höflich, ob Rob eine gute Nacht verbracht habe. »Ich dachte noch lang über unser Gespräch nach. Leider fiel mir kein Medicus ein, den ich als Lehrer und Beispiel empfehlen könnte.« Seine Frau brachte einen Korb mit großen Brombeeren auf den Tisch, und Merlin strahlte. »Ah, Ihr müßt diese Beeren zu Eurem Brei essen, denn sie sind sehr schmackhaft.«

Da sagte Rob: »Ich möchte, daß Ihr mich als Lehrling annehmt.«

Zu seiner Enttäuschung schüttelte Merlin den Kopf.

Rob erwähnte schnell, daß der Bader ihm viel beigebracht habe. »Ich konnte Euch gestern helfen. Bald könnte ich Eure Patienten bei schlechtem Wetter allein besuchen und Euch die Arbeit erleichtern.«

»Nein.«

»Ihr habt doch bemerkt, daß ich die Fähigkeit besitze zu heilen«, fuhr er hartnäckig fort. »Ich bin stark und könnte auch schwere Arbeit leisten, was immer notwendig ist. Eine siebenjährige Lehrzeit. Oder länger. So lange Ihr wollt.« In seiner Aufregung sprang er auf, stieß an den Tisch, und der Brei schwappte über.

»Es ist unmöglich«, wiederholte Merlin.

Rob war verblüfft. Er war so sicher gewesen, daß Merlin ihn mochte.

»Fehlt es mir an den notwendigen Eigenschaften?«

»Ihr habt ausgezeichnete Eigenschaften. Nach dem, was ich gesehen habe, würdet Ihr einen ausgezeichneten Arzt abgeben.«

»Was ist es dann?«

»In dieser christlichsten aller Nationen würde ich nicht als Euer Lehrer geduldet werden.«

»Wen würde es kümmern?«

»Die Priester würde es kümmern. Sie nehmen mir schon übel, daß ich von französischen Juden abstamme und an einer mohammedanischen Akademie ausgebildet wurde, denn sie betrachten es als Zusammentreffen gefährlicher heidnischer Elemente. Sie lassen mich nicht aus den Augen. Ich fürchte den Tag, an dem meine Worte als Zauberei gedeutet werden oder an dem ich vergesse, ein Neugeborenes zu taufen.«

»Wenn Ihr mich nicht haben wollt, dann nennt mir wenigstens einen anderen Medicus, an den ich mich wenden kann.«

»Ich habe Euch gesagt, daß ich Euch niemandem empfehlen kann. Aber England ist groß, und es gibt viele Ärzte, die ich nicht kenne.«

Rob preßte die Lippen zusammen und legte die Hand auf den Griff seines Schwertes. »Gestern abend sagtet Ihr mir, ich solle den besten Medicus unter den gewiß nicht guten suchen. Wer ist der beste unter den Euch bekannten Ärzten?«

Merlin seufzte und gab nach. »Arthur Giles in St. Ives«, sagte er kalt und befaßte sich wieder mit seinem Frühstück.

Rob hatte nicht vorgehabt, das Schwert zu ziehen, aber die Augen der Frau waren auf seine Hand am Griff gerichtet. Sie zitterte und konnte ein Stöhnen nicht unterdrücken, weil sie sicher war, daß nun ihre Prophezeiung in Erfüllung ging. Ruel und Jonathan blickten ihn finster an, und Zacharias begann zu weinen.

Rob schämte sich zutiefst darüber, wie er ihre Gastfreundschaft vergolten hatte. Er suchte nach einer Entschuldigung, fand aber keine, wandte sich schließlich von den französischen Hebräern ab, die ihren Brei löffelten, und verließ das Haus.

Der alte Ritter

Arthur Giles in St. Ives erwies sich als schwere Enttäuschung, obwohl Rob sich keine allzu großen Hoffnungen gemacht hatte, denn Benjamin Merlin hatte die Empfehlung nur unter Druck abgegeben. Der Medicus war ein dicker, schmutziger alter Mann, der zumindest leicht verrückt war. Er hielt Ziegen und mußte sie zeitweise in seinem Haus untergebracht haben, denn dort stank es schauderhaft.

»Die Aderlässe heilen, junger Fremder. Das dürft Ihr nie vergessen! Wenn sonst nichts hilft, ein guter, reinigender Aderlaß, dann noch einer und wieder einer. Das heilt die Schweinehunde«, schrie Giles. Er beantwortete alle Fragen bereitwillig, aber wenn sie über andere Behandlungsmethoden als den Aderlaß sprachen, wurde es deutlich, daß Rob eher den Alten nutzbringend unterrichten konnte als dieser ihn. Giles besaß keinerlei medizinisches Wissen, keine Kenntnisse, die er an einen Schüler weitergeben konnte. Der Medicus bot ihm eine Lehrstelle an und wurde wütend, als Rob ablehnte. Er war froh, als er St. Ives verließ, denn es war besser, Bader zu bleiben und kein solcher Mediziner zu werden wie dieser Mann.

Einige Wochen lang glaubte er, den unmöglichen Traum, Arzt zu werden, aufgeben zu müssen. Er arbeitete bei seinen Vorstellungen schwer, verkaufte eine Menge Universal-Spezificum und wurde durch den Umfang seiner Börse belohnt. Mistress Buffington gedieh infolge seines Wohlstands, ganz wie zuvor er aus des Baders Wohlstand Nutzen gezogen hatte. Die Katze fraß leckere Überbleibsel und entwickelte sich zusehends zu ihrer vollen Größe: zu einer großen weißen Katze mit hochmütigen grünen Augen. Sie hielt sich für eine Löwin und geriet oft in Raufereien. Als sie in Rochester lagerten, verschwand sie während der Vorstellung und kam erst bei Dämmerung in Robs Lager zurück; die rechte Vorderpfote zerbissen, der größte Teil des linken Ohres fehlte, und ihr weißes Fell war blutbefleckt. Er wusch ihre Wunden und sorgte für sie wie ein Liebhaber. »Mistress, du mußt lernen, Raufereien zu vermeiden, wie ich es getan habe, denn sie bringen dir nichts.« Er fütterte sie mit Milch und hielt sie vor dem Feuer auf dem Schoß.

»Wenn ich die Möglichkeit hätte, die mohammedanische Schule zu besuchen«, erklärte er der Katze, »würde ich dich in den Wagen setzen, unsere Stute nach Persien lenken, und nichts könnte uns daran hindern, schließlich diesen heidnischen Ort zu erreichen.«

Abu Ali al-Hussein Ibn Abdullah Ibn Sina wiederholte er sehnsüchtig in Gedanken. »Zur Hölle mit dir, du Araber!« sagte er und ging zu Bett.

In dieser Nacht träumte er, daß er gegen einen widerlichen alten Ritter kämpfte und sie mit Dolchen aufeinander einstachen. Der alte Ritter furzte und verhöhnte ihn. Er sah Rost und Flechten auf der schwarzen Rüstung des anderen. Ihre Köpfe waren so nahe, daß er Fäulnis und Rotz von der knochigen Nase hängen sah, in schreckliche Augen blickte und den ekelerregenden, stinkenden Atem des Ritters roch. Sie kämpften verzweifelt. Trotz seiner Jugend und Stärke wußte Rob, daß der Dolch des Gespenstes unbarmherzig und seine Rüstung undurchdringlich war. Hinter dem Ritter erblickte er dessen Opfer: Ma, Pa, den lieben Samuel, den Bader, sogar Tatus und Bartram den Bären. Sein Zorn verlieh ihm Kraft, obwohl er schon spürte, daß die unbarmherzige Klinge des Gegners in seinen Körper eindrang.

Er erwachte, die Außenseite seines Gewandes war feucht vom Tau und die Innenseite naß vom Angstschweiß. Er lag in der Morgensonne, fünf Fuß von ihm sang selig ein Rotkehlchen, und er wußte, daß der Traum zwar vorbei, er aber noch nicht mit ihm fertig war. Er war außerstande, den Kampf aufzugeben.

Die dahingegangen waren, würden nicht zurückkommen, so war es eben. Aber gab es etwas Besseres, als ein Leben lang gegen den alten Ritter zu kämpfen? Das Studium der Medizin war auf seine Weise etwas, dem man sich anstelle der fehlenden Familie liebend widmen konnte. Als die Katze zu ihm kam und sich mit ihrem gesunden Ohr an ihm rieb, beschloß er, seinen Traum zu verwirklichen.

Das Vorhaben war entmutigend. Er veranstaltete in Northampton, Bedford und Herford Vorstellungen, und in jeder Stadt suchte er Ärzte auf, sprach mit ihnen und stellte fest, daß ihre medizinischen Kenntnisse insgesamt geringer waren als die des Baders. In der Stadt Maldon war der Ruf des Arztes als Stümper so verheerend, daß die Leute, als

Rob sich nach dem Haus des Medicus erkundigte, erblaßten und sich bekreuzigten.

Es hatte keinen Sinn, bei solchen Leuten in die Lehre zu gehen.

Er kam auf den Gedanken, daß ein jüdischer Arzt wie Merlin vielleicht eher bereit sein würde, ihn als Lehrling aufzunehmen. Auf dem Hauptplatz von Maldon, wo Arbeiter gerade eine Ziegelmauer errichteten, hielt er an.

»Kennt Ihr Juden in dieser Stadt?« fragte er den Maurermeister.

Der Mann starrte ihn an, spuckte aus und wandte sich ab.

Er fragte andere Männer auf dem Platz, mit dem gleichen Ergebnis. Endlich sah ihn jemand neugierig an. »Warum sucht Ihr Juden?«

»Ich suche einen jüdischen Medicus.«

Der Mann nickte verständnisvoll. »Möge Christus Euch gnädig sein. Es gibt Juden in Malmesbury, und sie haben dort einen Medicus namens Adolescentoli.«

Die Fahrt von Maldon nach Malmesbury dauerte fünf Tage, und er unterbrach sie in Oxford und Alveston, um Vorstellungen zu geben und Arzneien zu verkaufen. Rob fiel ein, daß der Bader Isaak Adolescentoli als berühmten Medicus bezeichnet hatte, und er fuhr hoffnungsvoll in Malmesbury ein, als die Schatten des Abends sich auf den kleinen, bescheidenen Ort senkten. Im Wirtshaus erhielt er eine einfache, aber kräftige Mahlzeit. Der Bader hätte das Hammelstew als ungewürzt bezeichnet, aber es enthielt viel Fleisch, und nachher konnte er gegen Bezahlung erreichen, daß man für ihn in der Ecke des Schlafraums frisches Stroh aufschüttete.

Am nächsten Morgen beim Frühstück ersuchte er den Wirt, ihm von dem Juden von Malmesbury zu erzählen.

Der Mann hob die Schultern, als wolle er sagen: Was gibt es da zu erzählen?

»Ich bin neugierig, weil ich bis vor kurzem keine Juden kannte.«

»Das kommt daher, daß sie in unserem Land selten sind«, antwortete der Wirt. »Der Mann meiner Schwester, ein weitgereister Schiffskapitän, behauptet, daß es in Frankreich viele gibt. Man findet sie in allen Ländern, und sie sind um so zahlreicher, je weiter man nach Osten reist.«

»Lebt Isaak Adolescentoli hier unter ihnen? Der Medicus?«

Der Wirt grinste. »Nein, sie leben um Isaak Adolescentoli und sonnen sich in seinem Ruhm.«

»Er ist also berühmt?«

»Er ist ein großer Medicus. Die Leute kommen von weit her, um ihn um Rat zu fragen, und wohnen dann in dieser Herberge«, berichtete der Wirt stolz. »Die Pfaffen sind natürlich gegen ihn, aber« – er legte den Finger an die Nase und beugte sich vor – »ich weiß von mindestens zwei Fällen, bei denen er im Dunkel der Nacht geholt und nach Canterbury gebracht wurde, um Erzbischof Aethelnoth zu behandeln, von dem man im vergangenen Jahr befürchtete, daß er sterben würde.«

Er erklärte Rob, wie er die jüdische Siedlung erreichen könne, und bald fuhr dieser an den grauen Steinmauern der Abtei von Malmesbury vorbei, durch Wälder, Felder und einen steilen Weingarten, in dem Mönche Trauben pflückten. Ein niedriges Wäldchen trennte das Gebiet der Abtei von den Unterkünften der Juden, einer Ansammlung von etwa einem Dutzend Häusern. Das mußten Juden sein: häßliche Männer in losen, schwarzen Kaftanen und glockenförmigen Lederhüten sägten und hämmerten und bauten einen Schuppen. Rob fuhr zu einem Gebäude, das größer war als die anderen und auf dessen großem Hof Pferde angebunden waren und Wagen standen.

»Isaak Adolescentoli?« erkundigte sich Rob bei einem der Jungen, die sich um die Tiere kümmerten.

»Er ist im Behandlungsraum«, antwortete der Junge und fing geschickt die Münze auf, die ihm Rob zuwarf, um sicher zu sein, daß die Stute gut behandelt wurde.

Die Haustür führte in einen großen Warteraum mit Holzbänken, auf denen sich leidende Menschen drängten. Es ging zu wie in den Reihen, die vor Robs Wandschirm warteten, aber hier waren viel mehr Menschen. Es gab keinen freien Sitzplatz, und so lehnte er sich an die Wand.

Von Zeit zu Zeit kam ein Mann durch die kleine Tür, die ins Innere des Hauses führte, und holte den Patienten, der jeweils am Ende der ersten Bank saß. Dann rückte jeder um einen Platz vor. Es schien fünf Ärzte zu geben. Vier waren jung, der fünfte war ein kleiner Mann mittleren Alters, der sich schnell bewegte. Rob nahm an, daß das Adolescentoli war.

Als Rob endlich auf dem ersten Platz der vordersten Bank saß, war der halbe Nachmittag vergangen. Einer der jungen Männer kam heraus.

»Ihr könnt mit mir kommen.« Er sprach mit französischem Akzent.

»Ich möchte Isaak Adolescentoli sprechen.«

»Ich bin Moses ben Abraham, ein Schüler von Meister Adolescentoli. Ich bin imstande, Euch zu behandeln.«

»Ich bin sicher, daß Ihr mich gut behandeln würdet, wenn ich krank wäre. Ich muß Euren Meister in einer anderen Angelegenheit sprechen.«

Der Schüler nickte und wandte sich an die nächste Person auf der Bank. Nach einer Weile kam Adolescentoli heraus und führte Rob durch die Tür und einen kurzen Korridor entlang; durch eine offenstehende Tür an der linken Seite sah Rob in ein Sprechzimmer mit einem Operationstisch, mit Eimern und Instrumenten. Sie kamen in einen kleinen unmöblierten Raum, der nur einen Tisch und zwei Stühle enthielt. »Was für Beschwerden habt Ihr?« fragte Adolescentoli und hörte etwas überrascht zu, als Rob, statt Symptome zu beschreiben, nervös von seinem Wunsch sprach, Medizin zu studieren.

Auf dem dunklen, gutaussehenden Gesicht des Arztes zeigte sich kein Lächeln. Zweifellos hätte das Gespräch anders geendet, wenn Rob klüger gewesen wäre, doch er konnte nicht anders, er mußte eine Frage stellen: »Lebt Ihr schon lange in England, Meister Medicus?«

»Warum fragt Ihr danach?«

»Ihr sprecht unsere Sprache so gut.«

»Ich bin in diesem Hause zur Welt gekommen«, antwortete Adolescentoli ruhig. »Im Jahre 70 wurden nach der Zerstörung des großen Tempels fünf junge jüdische Gefangene von Titus aus Jerusalem nach Rom gebracht. Man nannte sie *adolescentoli*, das lateinische Wort für ›die Jungen‹. Ich stamme von einem dieser Jungen ab, von Joseph Adolescentoli. Er erlangte die Freiheit, indem er in die Zweite Römische Legion eintrat, mit der er auf diese Insel kam, als deren Einwohner dunkle, kleine Bootsleute waren, die schwarzen Silurer, die ersten, die sich Briten nannten. Lebt Eure Familie auch schon so lange in England?«

»Ich weiß es nicht.«

»Ihr sprecht die Sprache recht gut«, meinte Adolescentoli seidenweich. Rob erzählte ihm von seiner Begegnung mit Merlin und erwähnte nur, daß sie über die medizinische Ausbildung gesprochen hatten. »Habt Ihr auch bei dem großen persischen Arzt in Isfahan studiert?«

Adolescentoli schüttelte den Kopf. »Ich habe die Universität von Bagdad besucht, eine größere medizinische Schule mit einer umfangreichen Bibliothek und Fakultät. Nur hatten wir natürlich nicht Avicenna, den sie Ibn Sina nennen.«

Sie sprachen über Adolescentolis Schüler. Drei waren Juden aus Frankreich und der vierte ein Jude aus Salerno.

»Meine Schüler haben mich Avicenna oder einem anderen Araber vorgezogen«, stellte Adolescentoli stolz fest. »Ihnen steht natürlich keine solche Bibliothek zur Verfügung wie den Studenten in Bagdad, aber ich besitze das ›Heilkundebuch‹ des Baldus, das die Heilmittel nach der Methode des Alexander von Tralles aufzählt und angibt, wie man Salben, Packungen und Pflaster herstellt. Meine Schüler müssen das Buch sehr aufmerksam studieren, auch gewisse lateinische Schriften des Paul von Aegina und einige Werke des Plinius. Und noch ehe ihre Lehrzeit zu Ende ist, weiß jeder, wie man zur Ader läßt, ausbrennt, Einschnitte in Adern legt und den grauen Star sticht.«

Rob empfand ein überwältigendes Verlangen wie ein Mann, der eine Frau zu Gesicht bekommt, die er sofort besitzen möchte. »Ich wollte Euch bitten, mich als Lehrling aufzunehmen.«

Adolescentoli neigte den Kopf. »Ich habe mir gedacht, daß Ihr deshalb hier seid, aber ich werde Euch nicht nehmen.«

»Kann ich Euch nicht dazu überreden?«

»Nein. Ihr müßt einen christlichen Lehrer finden oder Bader bleiben«, erwiderte Adolescentoli nicht hart, aber entschieden.

Vielleicht handelte er aus den gleichen Gründen wie Merlin, aber Rob erfuhr es nicht, denn der Medicus wollte nicht mehr sagen. Er erhob sich, ging zur Tür und nickte gleichgültig, als Rob den Behandlungsraum verließ.

Zwei Städte weiter, in Devizes, gab er eine Vorstellung und ließ zum erstenmal, seit er die Technik beherrschte, einen Ball beim Jonglieren fallen. Die Leute lachten über seine Scherze und kauften die Arznei. An diesem Abend überraschte ihn ein heftiges Gewitter mit starkem Wind und prasselndem Regen. Man zählte den zweiten Tag im September, eigentlich zu früh für einen Herbstregen, aber es war schon sehr feucht und kalt. Er fuhr zu dem einzigen Zufluchtsort, dem Gasthof in Devizes, und band die Zügel der Stute an den Ast einer großen Eiche im Hof. Als er eintrat, stellte er fest, daß schon zu viele Leute vor ihm angekommen waren. Der gesamte Fußboden war besetzt. Der Gemeinschaftsraum des Wirtshauses stank nach feuchter, wollener Kleidung und ungewaschenen Körpern, und Rob wurde bald übel. Er verließ das Gasthaus, noch bevor der Regen aufgehört hatte, und ging zu seinem Wagen und seinen Tieren hinaus.

Er fuhr zu einer nahen Lichtung und spannte die Stute aus. Im Wagen hatte er trockenes Brennholz, und es gelang ihm, ein Feuer anzuzünden. Mistress Buffington rieb sich an ihm.

»Wir sind ein feines, einsames Paar«, stellte er fest.

Und wenn es sein ganzes Leben dauern sollte, er würde weiter suchen, bis er einen würdigen Medicus fand, dessen Schüler er werden konnte. Bisher hatte er nur mit zwei jüdischen Ärzten gesprochen. Zweifellos gab es noch andere. »Vielleicht würde mich einer als Lehrling aufnehmen, wenn ich behaupte, daß ich Jude bin«, erklärte er der Katze.

So begann es: nicht einmal als Traum, sondern als ein dahingesagtes Hirngespinst. Er wußte, daß er nicht überzeugend genug einen Juden spielen konnte, um den prüfenden Blicken eines jüdischen Lehrherrn täglich standzuhalten. So saß er vor dem Feuer, starrte in die Flammen, und die Vorstellung nahm Gestalt an.

Die Katze bot ihm ihren seidigen Bauch. »Könnte ich den Juden wenigstens so gut spielen, daß ich Mohammedaner täusche?« fragte Rob sie, sich und Gott. So gut, um bei dem größten Arzt der Welt zu studieren?

Die Ungeheuerlichkeit des Gedankens betäubte ihn, er ließ die Katze fallen, und sie sprang in den Wagen. Einen Augenblick später kam sie mit etwas zurück, das wie ein kleines Pelztier aussah. Es war der falsche Bart, den er als der »Alte« getragen hatte. Rob hob ihn auf. Wenn ich für den Bader einen alten Mann spielen konnte, fragte er sich, warum kann ich nicht einen Hebräer spielen?

»Ich werde ein falscher Jude!« rief er laut.

Es ist ein Glück, daß niemand vorbeiging und hörte, wie er eindringlich und lange mit seiner Katze sprach, denn es hätte sonst geheißen, daß er ein Hexer war, der mit seinem Sukkubus sprach.

Er hatte keine Angst vor der Kirche. »Auf diese Kinder stehlenden Pfaffen scheiße ich«, sagte er zur Katze.

Er konnte sich einen vollen Judenbart wachsen lassen und ein jüdisches Glied hatte er ja schon. Er würde den Leuten erzählen, daß er wie Merlins Söhne getrennt von seinem Volk aufgewachsen sei, ohne dessen Sprache und Gebräuche zu erlernen.

Und er würde nach Persien gelangen.

Er würde den Saum von Ibn Sinas Gewand berühren!

Er war aufgeregt und entsetzt, schämte sich, ein erwachsener Mann zu sein und so zu zittern. Es war wie der Augenblick, als er zum erstenmal über Southwark hinausgelangt war.

Angeblich gab es *sie* überall, Gott verdamme ihre Seelen. Auf der Reise würde er freundschaftlichen Verkehr mit ihnen suchen und ihr Verhalten erforschen. Wenn er Isfahan erreichte, würde er fähig sein, den Juden zu spielen, und Ibn Sina würde ihn aufnehmen und ihm die kostbaren Geheimnisse der arabischen Schule verraten müssen.

Zweiter Teil

Die lange Reise

Die erste Etappe

Von London segelten mehr Schiffe nach Frankreich als von jedem anderen englischen Hafen. Deshalb begab sich Rob in seine Geburtsstadt. Unterwegs hielt er immer wieder an, um zu arbeiten, denn er wollte zu einem solchen Abenteuer mit möglichst viel Gold aufbrechen. Als er in London ankam, war die Jahreszeit für Schiffsreisen vorbei. Die Themse strotzte von den Masten der vor Anker liegenden Schiffe. König Knut hatte sich an seine dänische Herkunft erinnert und eine große Flotte von Wikingerschiffen gebaut, die wie angebundene Ungeheuer auf dem Wasser dümpelten. Auf keinem Schiff sah man Güter oder Passagiere, denn die kalten Winterstürme hatten bereits eingesetzt. Während der kommenden schlimmen sechs Monate würde morgens oft die Salzgischt im Kanal frieren, und die Seeleute wußten, daß sie den nassen Tod herausforderten, wenn sie sich dorthin wagten, wo die Nordsee mit dem Atlantik zusammentraf.

Im »Herring«, einer Kneipe für Seeleute im Hafengebiet, trommelte Rob mit dem Krug, in dem heißer Apfelwein war, auf die Tischplatte. »Ich suche eine gemütliche, saubere Wohnung, bis man im Frühjahr wieder in See stechen kann«, rief er. »Ist jemand hier, der so etwas kennt?«

Ein kleiner kräftiger Mann, der wie eine Bulldogge gebaut war, betrachtete ihn, während er seinen Becher leerte, und nickte dann. »Ja. Mein Bruder Tom ist auf seiner letzten Reise gestorben. Seine Witwe Binnie Ross ist mit zwei Kindern zurückgeblieben, die sie ernähren muß. Wenn du bereit bist, anständig zu zahlen, wird sie dich gern aufnehmen.«

Rob lud den Mann zu einem Drink ein, dann folgte er ihm ein kurzes Stück zu einem kleinen Haus am Marktplatz von East Chepe. Binnie Ross war eine kleine Maus, eine junge Frau mit kummervollen blauen Augen in einem blassen Gesichtchen. Das Haus war sauber, aber sehr klein.

»Ich habe eine Katze und eine Stute«, sagte Rob.

»Ach, die Katze macht mir nichts aus«, antwortete sie ängstlich. Es war klar, daß sie verzweifelt Geld brauchte.

»Ihr könntet das Pferd für den Winter einstellen«, meinte ihr Schwager, »in Egglestans Stall an der Thames Street.«

Rob nickte. »Den kenne ich.«

»Sie ist trächtig«, stellte Binnie Ross fest, als sie die Katze hochhob und streichelte.

Rob fand, daß der glatte Bauch keinerlei Rundung aufwies. »Wieso wißt Ihr das?« fragte er und war überzeugt, daß sie sich irrte. »Sie ist noch jung, sie ist erst letzten Sommer zur Welt gekommen.«

Die junge Frau zuckte mit den Achseln.

Aber sie hatte recht, denn innerhalb weniger Wochen blühte Mistress Buffington förmlich auf. Rob fütterte sie mit Leckerbissen und besorgte gutes Essen für Binnie und ihren Sohn. Die kleine Tochter wurde noch von ihrer Mutter gestillt. Rob ging gern auf den Markt und kaufte für sie ein, denn er wußte noch genau, wie herrlich es ist, nach einer langen Zeit, in der der leere Magen geknurrt hat, gut zu essen.

Die Kleine hieß Aldyth und der noch nicht zwei Jahre alte Junge Edwin. Jede Nacht hörte Rob Binnie weinen. Er war noch keine vierzehn Tage im Haus, als sie im Dunkeln in sein Bett kam. Sie sagte kein Wort, sondern legte sich hin, umschlang ihn mit ihren schlanken Armen und schwieg auch während des Aktes.

Als sie fertig waren, schlüpfte sie in ihr Bett zurück, und am nächsten Tag machte sie keine Anspielung auf die Ereignisse der Nacht.

»Wie ist dein Mann gestorben?« fragte er sie, als sie den Frühstücksbrei austeilte.

»Ein Sturm. Wulf – das ist sein Bruder, der dich hierher gebracht hat, hat mir erzählt, daß mein Tom weggerissen wurde. Er konnte nicht schwimmen.«

Sie benützte ihn noch einmal und drückte sich verzweifelt an ihn. Dann kam der Bruder ihres toten Mannes, der zweifellos seinen ganzen Mut zusammengerafft hatte, um sich mit ihr auszusprechen, eines Nachmittags ins Haus. Wulf kam danach jeden Tag mit kleinen Geschenken; er spielte mit seiner Nichte und seinem Neffen, aber es war klar, daß er ihrer Mutter den Hof machte. Und eines Tages erzählte Binnie Rob, daß sie und Wulf heiraten würden. Dadurch wurde es für Rob leichter, es in dem Haus auszuhalten.

Während eines Schneesturms brachte Mistress Buffington einen schönen Wurf zur Welt: eine weiße Miniaturausgabe von ihr, einen weißen Kater und zwei schwarzweiße Kater, die vermutlich ihrem Vater ähnlich sahen. Binnie machte sich erbötig, die vier Kätzchen zu ertränken, doch sobald sie entwöhnt waren, polsterte Rob einen Korb mit Lappen aus und brachte die jungen Tiere in Kneipen, wo er die Leute zu Drinks einlud, um Abnehmer für sie zu finden.

Im März kehrten die Unfreien, die die schwere Arbeit im Hafen besorgten, in den Hafenbezirk zurück, und wieder konnte man auf der Thames Street eine Menge von Männern und Rollwagen sehen, die Exportgüter in die Lagerhäuser und auf die Schiffe brachten.

Rob erkundigte sich bei Reisenden mit unzähligen Fragen und kam zu dem Schluß, daß seine Reise am besten in Calais begann. »Dorthin geht mein Schiff«, sagte Wulf und nahm ihn zum Kai mit, damit er sich die »Queen Emma« ansah. Sie war nicht so großartig wie ihr Name: ein großer, alter Holzkahn mit einem sehr hohen Mast. Die Schauerleute beluden ihn mit Zinnplatten aus Cornwall. Wulf brachte Rob zum Kapitän, einem ernsten Waliser, der nickte, als er gefragt wurde, ob er einen Passagier mitnehmen würde, und einen annehmbaren Preis nannte.

»Ich habe ein Pferd und einen Wagen«, teilte ihm Rob mit.

Der Kapitän runzelte die Stirn. »Es wird Euch teuer kommen, sie über das Meer zu schaffen. Die meisten Reisenden verkaufen ihre Tiere und Gefährte diesseits des Kanals und kaufen drüben neue.«

Rob überlegte, entschloß sich aber, die Fracht zu bezahlen, so teuer sie auch war. Er hatte vor, während seiner Reise als Baderchirurg zu arbeiten. Die Stute und der rote Wagen waren ein gutes Gespann, und er glaubte nicht, daß er noch einmal etwas finden würde, das ihm so zusagte.

Der April brachte milderes Wetter, und schließlich liefen die ersten Schiffe aus. Die »Queen Emma« wand am elften Tag des Monats ihren Anker aus dem Schlamm der Themse, und Binnie weinte ihr viele Tränen nach. Das große Boot lag infolge seiner Metallfracht tief; es verließ die Themse, glitt langsam durch die Enge zwischen der Insel

Thanet und dem Festland, kroch die Küste von Kent entlang und überquerte dann den Kanal.

Die grüne Küste wurde dunkler, während sie zurückblieb, bis England zu blauem Dunst wurde und dann zu einem purpurnen Streifen, den das Meer verschluckte. Rob hatte keine Gelegenheit, elegische Gedanken zu wälzen, denn er war seekrank und mußte sich übergeben.

Wulf kam auf Deck an ihm vorbei, blieb stehen und spuckte verächtlich über die Seitenwand. »Gütiger Gott! Wir liegen zu tief im Wasser, um zu schlingern oder zu stampfen, es herrscht das freundlichste Wetter, und die See ist ruhig. Was fehlt Euch?«

Aber Rob konnte nicht antworten, denn er lehnte über der Reling, um das Deck nicht zu beschmutzen. Ein Teil seines Problems war Angst, denn er war noch nie auf See gewesen, und jetzt verfolgten ihn alle Geschichten über Ertrunkene, die er je gehört hatte, vom Ehemann und den Söhnen von Editha Lipton bis zu dem unglückseligen Tom Ross, der Binnie als Witwe zurückgelassen hatte. Das ölige Wasser unter ihm wirkte unergründlich und bodenlos. Als wolle er Robs Zustand verschlimmern, nahm der Wind zu, und tiefe Wellen durchfurchten das Meer.

Die Reise hatte sieben endlose Stunden gedauert, als ein anderer Dunst am schwankenden Horizont auftauchte und langsam zu Calais wurde. Rob führte das Pferd und den Wagen die Laufplanke hinunter auf festes Land, das sich jedoch wie das Meer zu heben und zu senken schien. Nachdem er ein paar Minuten gegangen war, wurde der Boden ruhiger. Aber die Sprache, die er hier hörte, war wie ein Schlag ins Gesicht. Die Leute um ihn redeten in einer singend-rasselnden Sprache, und er verstand kein einziges Wort. Schließlich hielt er an, stieg auf seinen Wagen und klatschte in die Hände.

»Ich will jemanden anstellen, der meine Sprache spricht«, rief er laut. Ein alter Mann mit verknittertem Gesicht trat vor. Er hatte dünne Beine und einen ausgemergelten Körper, der darauf schließen ließ, daß der Kandidat zum Heben und Tragen kaum verwendbar war. Er bemerkte Robs blasses Gesicht, und seine Augen glitzerten. »Können wir nicht bei einem besänftigenden Trunk darüber sprechen? Apfelschnaps wirkt Wunder und beruhigt den Magen.« Das vertraute Englisch war Balsam für Robs Ohren.

Sie hielten beim ersten Wirtshaus und setzten sich an einen groben Fichtenholztisch im Freien.

»Ich heiße Charbonneau«, schrie der Franzose, um den Lärm des Hafens zu übertönen. »Louis Charbonneau.«

»Rob Jeremy Cole.«

Als der Apfelschnaps kam, prosteten sie sich zu, und Charbonneau hatte recht, der Alkohol wärmte Robs Magen und brachte ihn ins Leben zurück. »Ich glaube, ich kann sogar essen«, meinte er verwundert.

Erfreut bestellte Charbonneau, und bald brachte die Kellnerin ein knuspriges Brot, einen Teller mit kleinen grünen Oliven und einen Ziegenkäse an ihren Tisch, der sogar beim Bader Anklang gefunden hätte.

»Du kannst sehen, warum ich Hilfe brauche«, sagte Rob kläglich, »ich kann ja nicht einmal etwas zu essen verlangen.«

Charbonneau lächelte. »Ich war mein Leben lang ein Seemann. Als mein erstes Schiff in London anlegte, war ich noch ein Junge, und ich weiß noch genau, wie ich mich nach meiner Muttersprache sehnte.« Er hatte die Hälfte seiner Zeit an Land auf der anderen Seite des Kanals verbracht, wo man Englisch sprach.

»Ich bin ein Baderchirurg und reise nach Persien, um seltene Medizinen und Heilpflanzen zu kaufen und sie nach England zu schicken.« Er hatte beschlossen, den Leuten diese Geschichte aufzutischen, um Diskussionen darüber zu vermeiden, daß in den Augen der Kirche der wirkliche Grund für die Reise nach Isfahan als ein Verbrechen galt.

Charbonneau zog die Brauen hoch. »Ein weiter Weg.«

Rob nickte. »Ich brauche einen Führer, jemanden, der auch übersetzen kann, so daß ich Vorstellungen geben, Arznei verkaufen und die Kranken behandeln kann, während wir reisen. Ich werde einen guten Lohn zahlen.«

Charbonneau nahm eine Olive vom Teller und legte sie auf den sonnenwarmen Tisch. »Frankreich«, sagte er. Er nahm noch eine. »Die von den sächsischen Kaisern beherrschten Herzogtümer Deutschlands.« Dann noch eine und wieder eine, bis es sieben Oliven in einer Reihe waren. »Böhmen«, sagte er, auf die dritte Olive zeigend, »wo die Slawen und die Tschechen leben. Als nächstes kommt das Gebiet der Magyaren, ein christliches Land, aber voller wilder, bar-

barischer Reiter. Dann der Balkan, ein Land mit hohen, wilden Bergen und großen, wilden Menschen. Dann Thrazien, von dem ich wenig weiß, außer daß es die äußerste Grenze von Europa ist und dort Konstantinopel liegt. Und schließlich Persien, dein Ziel.«

Er betrachtete Rob nachdenklich. »Meine Geburtsstadt liegt an der Grenze zwischen Frankreich und dem Land der Deutschen, deren Sprache ich seit meiner Kindheit spreche. Wenn du mich anheuern willst, werde ich dich begleiten, bis hierher.« Er ergriff die beiden ersten Oliven und steckte sie in den Mund. »Ich muß dich aber rechtzeitig verlassen, um vor dem nächsten Winter in Straßburg zu sein.«

»Abgemacht«, stimmte Rob erleichtert zu.

Dann bestellte Charbonneau grinsend noch einen Apfelschnaps, während Rob mit ernsthafter Miene die anderen Oliven der Reihe nach verzehrte und sich so durch die restlichen fünf Länder durchaß.

Fremder in einem fremden Land

Frankreich leuchtete nicht so grün wie England, aber hier gab es mehr Sonnenschein. Der Himmel wirkte höher. Frankreichs Farbe war Tiefblau. Ein großer Teil des Landes war von Wäldern bedeckt wie daheim. Es war ein Land mit peinlich ordentlichen Bauernhöfen, über denen sich gelegentlich eine dunkle Burg aus Stein erhob, wie sie Rob aus den ländlichen Gegenden Englands kannte. Manche Adelige lebten aber in großen Herrenhäusern aus Holz, die es in England nicht gab. Auf den Weiden gab es viel Vieh, und die Bauern säten Weizen.

Rob wunderte sich. »Viele Gebäude auf euren Bauernhöfen haben gar kein Dach«, bemerkte er.

»Es gibt hier weniger Regen als in England«, erklärte ihm Charbonneau. »Einige Bauern dreschen das Getreide in offenen Scheunen.«

Charbonneau ritt ein großes, friedliches Pferd, das hellgrau, fast weiß war. Seine Waffen waren abgenutzt, aber gut instand gehalten. Jeden Abend versorgte er das Pferd sorgfältig, dann säuberte und polierte er das Schwert und den Dolch. Er war am Lagerfeuer und auf der Straße ein guter Gesellschafter.

Alle Bauernhöfe waren von Obstgärten umgeben, die in voller Blüte standen. Rob hielt bei einigen an, um Alkohol zu kaufen. Er fand zwar kein Metheglin, kaufte statt dessen aber ein Fäßchen Apfelschnaps, ungefähr das Getränk, das ihm in Calais so geschmeckt hatte, und er stellte fest, daß es ein noch besseres Universal-Spezifikum ergab.

Wie überall waren auch hier die besten Straßen seinerzeit von den Römern für die marschierenden Heere angelegt worden: breite Landstraßen, die miteinander verbunden und so gerade waren wie Speerschäfte. Charbonneau meinte liebevoll: »Sie sind überall, ein Netz, das die Welt bedeckt. Wenn du wolltest, könntest du auf diesen Straßen bis nach Rom fahren.«

Dennoch lenkte Rob die Stute bei einem Wegweiser, der zu einem Dorf namens Caudry zeigte, von der römischen Straße weg. Charbonneau war dagegen.

»Diese Waldwege sind gefährlich.«

»Ich muß sie benützen, wenn ich meinem Geschäft nachgehen will. Sie stellen den einzigen Zugang zu den kleineren Dörfern dar. Ich blase mein Horn, das habe ich immer getan.«

Charbonneau zuckte mit den Achseln.

Die Häuser von Caudry hatten kegelförmige Dächer aus Reisig oder Stroh. Die Frauen kochten im Freien, und neben den meisten Häusern standen in der Nähe des Feuers ein Holztisch und Bänke unter einem einfachen Sonnendach, das auf vier kräftigen, aus jungen Bäumen geschnittenen Pfosten ruhte. Man konnte Caudry nicht mit einem englischen Dorf vergleichen, aber Rob drehte bei seiner Vorstellung auf, als wäre er daheim.

Er reichte Charbonneau die Trommel und befahl ihm, sie zu schlagen. Der Franzose wirkte zunächst erheitert, doch sein Interesse erwachte, als die Stute beim Klang der Trommel zu tänzeln begann.

»Heute Vorstellung! Vorstellung!« rief Rob.

Charbonneau begriff sofort und übersetzte von nun an alles, sobald Rob es aussprach.

Die Vorstellung in Frankreich war für Rob ein komisches Erlebnis. Die Zuschauer lachten bei den gleichen Geschichten, aber an anderen Stellen, vielleicht, weil sie auf Übersetzung warten mußten. Während Rob jonglierte, sah ihm Charbonneau gebannt zu, und seine begeistert hervorgesprudelten Bemerkungen steckten die Menge an, die heftig Beifall klatschte.

Sie verkauften eine große Menge vom universellen Spezificum.

An diesem Abend bat Charbonneau am Lagerfeuer Rob immer wieder zu jonglieren, aber dieser weigerte sich. »Du wirst noch genug davon bekommen, mir zuzusehen, keine Angst!«

»Es ist erstaunlich. Machst du es seit deiner Kindheit?«

»Ja.« Er erzählte Charbonneau, wie der Bader ihn aufgenommen hatte, nachdem seine Eltern gestorben waren.

Charbonneau nickte. »Du hast Glück gehabt. Als ich zwölf war, starb mein Vater, und mein Bruder Etienne und ich wurden auf einem Seeräuberschiff als Schiffsjungen untergebracht.«

»Hast du nicht gesagt, daß dich deine erste Reise nach London geführt hat?«

»Meine erste Reise auf einem Handelsschiff, als ich siebzehn war. Vorher bin ich fünf Jahre lang mit Seeräubern gesegelt.«

»Mein Vater hat sich bei drei Invasionen an der Verteidigung Englands beteiligt. Zweimal, als die Dänen London besetzten, und einmal, als Seeräuber Rochester überfielen.«

»Meine Seeräuber haben London nicht angegriffen. Einmal sind wir bei Romney gelandet, haben zwei Häuser angezündet und eine Kuh mitgehen lassen, die wir geschlachtet haben, um sie zu essen.«

Sie schauten einander an.

»Es waren böse Männer. Ich tat es, um am Leben zu bleiben.«

Rob nickte. »Und Etienne? Was wurde aus Etienne?«

»Als er alt genug war, lief er ihnen davon und ging zurück in unsere Stadt, wo er Bäckerlehrling wurde. Heute ist auch er ein alter Mann, aber er bäckt ausgezeichnetes Brot.«

Rob lächelte und wünschte ihm gute Nacht.

Alle paar Tage fuhren sie auf einen anderen Dorfplatz, wo das Weitere wie gewohnt ablief: die unanständigen Lieder, die schmeichelnden Porträts, die alkoholischen Behandlungen. Zuerst übersetzte Charbonneau Robs baderchirurgische Reklamesprüche, doch bald kannte sie der Franzose so gut, daß er selbständig eine Menge anlocken konnte. Rob arbeitete hart, um seine Geldkassette zu füllen, denn er wußte, daß das Geld an fremden Orten Schutz bedeutete.

Der Juni war warm und trocken. Sie bissen kleine Stückchen von der Olive ab, die Frankreich hieß, durchquerten den Norden und fanden sich im Frühsommer beinahe an der deutschen Grenze.

»Wir nähern uns Straßburg«, stellte Charbonneau eines Morgens fest. »Fahren wir hin, damit du deine Verwandten besuchen kannst.«

»Wenn wir das tun, verlieren wir zwei Tage«, bemerkte der gewissenhafte Charbonneau, aber Rob hob lächelnd die Schultern, denn er konnte inzwischen den älteren Franzosen gut leiden.

Die Stadt war schön, es wimmelte in ihr von Handwerkern, die eine große Kathedrale bauten, der man bereits jetzt ansah, daß sie Straßburgs breite Straßen und stattliche Häuser an Schönheit weit übertreffen würde. Sie fuhren geradewegs zur Bäckerei, wo der redselige Etienne Charbonneau seinen Bruder in die mehligen Arme schloß.

Sie verbrachten einen fröhlichen Abend mit Etiennes Kindern und deren Familien, bei dem Louis und Etienne zur allgemeinen Belustigung für Rob übersetzten. Die Kinder tanzten, die Frauen sangen, Rob jonglierte zum Dank für das Abendessen, und Etienne spielte die Rohrpfeife ebensogut, wie er Brot buk. Als die Verwandten schließlich nach Hause gingen, küßten alle die Reisenden zum Abschied.

Am Morgen zeigte der Bäcker Rob seine großen, runden Öfen, und er schenkte den beiden einen Sack voll »Hundebrot«, das zweimal gebakken war, so daß es hart und unverderblich war wie Schiffszwieback.

Die Straßburger mußten an diesem Tag auf ihre Brotlaibe warten, denn Etienne schloß die Bäckerei und begleitete sie ein Stück. Die römische Straße führte nicht weit von Etiennes Haus zum Rhein und dann stromabwärts zu einer ein paar Meilen entfernten Furt. Die Brüder beugten sich aus ihren Sätteln und küßten einander. »Geh mit Gott!« sagte Etienne zu Rob und lenkte sein Roß nach Hause, während der Troß durch den Fluß planschte. Das wirbelnde Wasser war kalt und noch hellbraun von der Erde, die durch die Frühjahrsüberschwemmung in den Oberlauf geschwemmt worden war. Der Weg das gegenüberliegende Ufer hinauf war steil, und die Stute mußte sich anstrengen, um den Wagen ins Land der Deutschen zu ziehen.

Sie befanden sich sehr bald in den Bergen und fuhren durch hohe Fichten- und Tannenwälder. Charbonneau wurde immer stiller, was Rob zuerst darauf zurückführte, daß er seine Familie und seine Heimat hatte verlassen müssen. Doch schließlich sprudelte der Franzose hervor: »Ich mag die Deutschen nicht, und ich bin auch nicht gern in ihrem Land.«

»Du bist doch aber so nahe von ihnen zur Welt gekommen.«

Charbonneau runzelte die Stirn. »Ein Mensch kann am Meer leben und doch die Haie nicht lieben.«

Rob fühlte sich wohl in diesem Land. Die Luft war kalt und gut. Sie fuhren eine lange Bergstraße hinunter und sahen unten Männer und Frauen, die im Tal mähten, das Heu wendeten und das Futter heimfuhren genauso wie die Bauern in England. Sie fuhren die nächste Steigung hinauf zu kleinen Bergweiden, wo Kinder Kühe und Ziegen hüteten, die den Sommer über von den Bauernhöfen im Tal hinaufgetrieben worden waren, um dort zu grasen. Der Weg führte hoch hinauf, und sie erblickten weiter unten eine große Burg aus dunkelgrauem Stein. Reiter übten mit stumpfen Lanzen auf dem Turnierplatz.

Charbonneau spuckte aus. »Es ist die Burg eines schrecklichen Mannes, des Landgrafen dieser Gegend: Graf Sigdorff der Gerechte.«

»Der Gerechte? Das klingt nicht nach einem schrecklichen Mann.«

»Er ist jetzt alt. Er erhielt den Namen, als er jung war. Er ritt damals gegen Bamberg und nahm zweihundert Mann gefangen. Er befahl, hundert von ihnen die rechte Hand und den anderen hundert die linke Hand abzuschlagen.«

Sie ließen ihre Pferde galoppieren, bis die Burg ihren Blicken entschwunden war.

Kurz vor Mittag kamen sie zu einem Wegweiser, der von der Römerstraße zum Dorf Entburg zeigte, und sie beschlossen, dorthin zu fahren und eine Vorstellung zu geben. Wenige Minuten nach der Abzweigung kamen sie um eine Biegung und sahen einen Mann auf einem mageren braunen Pferd, der mitten auf dem Weg hielt und die Straße versperrte. Er war kahlköpfig und hatte einen Stiernacken. Seine Kleidung war aus grobem Wollstoff, und sein Körper wirkte feist und zugleich fest, wie der des Baders, als Rob ihn kennengelernt hatte. Der Platz reichte nicht aus, um an ihm vorbeizufahren, aber seine Waffen steckten in der Scheide. Rob zügelte die Stute, während sie einander prüfend betrachteten.

Der Glatzköpfige sagte etwas.

»Er will wissen, ob du Alkohol hast«, übersetzte Charbonneau.

»Sag ihm, nein.«

»Der Hurensohn ist nicht allein«, sagte Charbonneau im gleichen Tonfall, und Rob sah, daß zwei weitere Männer auf Reittieren hinter den Bäumen hervorkamen.

Der eine war ein junger Mann auf einem Maultier. Als er zu dem Dicken ritt, bemerkte Rob, daß sie einander ähnlich sahen, und er erriet, daß sie Vater und Sohn waren.

Der dritte Mann saß auf einem riesigen, schwerfälligen Tier, das wie ein Arbeitspferd aussah. Er nahm dicht hinter dem Wagen Aufstellung und schnitt ihnen die Flucht nach hinten ab. Er war vielleicht dreißig Jahre alt, klein, sah bösartig aus, und sein linkes Ohr fehlte wie bei Mistress Buffington.

Beide Neuankömmlinge hielten Schwerter in den Händen. Der Glatzkopf sprach laut zu Charbonneau.

»Du sollst vom Wagen steigen und dich ausziehen. Wenn du das tust, werden sie dich töten«, übersetzte Charbonneau. »Kleidung ist teuer, und sie wollen nicht, daß sie durch Blut wertlos wird.«

Rob bemerkte nicht, wie Charbonneau das Messer zog. Der alte Mann warf es, vor Anstrengung stöhnend, mit einer geübten Bewegung, so daß es hart und schnell dem jungen Mann auf dem Maultier in die Brust drang.

Rob trat mit einem Schritt auf den breiten Rücken der Stute, warf sich auf den Kahlkopf und riß ihn aus dem Sattel. Sie schlugen rollend und kratzend auf dem Boden auf, jeder suchte verzweifelt, einen Griff anzubringen, der den anderen kampfunfähig machte. Schließlich konnte Rob seinen linken Arm von hinten unter das Kinn seines Gegners klemmen. Eine fleischige Faust schlug auf seine Leiste ein, aber er drehte sich, so daß die Schläge seinen Oberschenkel trafen. Es waren schreckliche Schläge, die sein Bein betäubten.

Bis jetzt war er immer betrunken und halb wahnsinnig vor Wut gewesen, wenn er gekämpft hatte. Jetzt war er nüchtern, und er konzentrierte sich auf einen kalten, klaren Gedanken: *Töte ihn!*

Wütend packte er mit seiner freien Hand das linke Handgelenk des Mannes, zog es zurück und versuchte, ihn zu erwürgen oder seine Luftröhre einzudrücken. Dann packte er die Stirn des anderen und versuchte, den Kopf so weit zurückzureißen, daß der Halswirbel brach.

Brich! flehte er.

Aber es war ein kurzer, dicker Hals, gut mit Fett gepolstert und mit Muskeln bepackt.

Eine Hand mit langen schwarzen Fingernägeln zwängte sich zu seinem Gesicht hinauf. Er bog den Kopf weg, aber die Hand kratzte über seine Wange, die zu bluten begann.

Die Hand kam wieder. Diesmal konnte der Mann etwas höher reichen, suchte die Augen. Seine scharfen Nägel stachen, und Rob schrie.

Dann stand plötzlich Charbonneau über ihnen. Er setzte die Spitze seines Schwertes überlegt an, fand die Stelle zwischen den Rippen und stieß das Schwert tief hinein.

Der Glatzkopf seufzte, als wäre er zufrieden. Er hörte auf zu knurren und sich zu bewegen und blieb schwer liegen. Rob roch ihn zum erstenmal. Einen Augenblick später konnte er sich von dem Körper wegwälzen. Er setzte sich auf und strich sich über das verletzte Gesicht.

Der Junge hing über dem Rumpf des Maultiers, seine schmutzigen nackten Füße hatten sich grausam verfangen. Charbonneau holte sich sein Messer zurück und wischte es ab. Er zog die toten Füße aus den Steigbügeln und ließ die Leiche auf den Boden fallen.

»Wo ist der dritte Schweinehund?« keuchte Rob. Er konnte nicht verhindern, daß seine Stimme zitterte.

Charbonneau spuckte aus. »Er ist beim ersten Anzeichen, daß wir uns nicht höflich umbringen lassen, abgehauen.«

»Vielleicht zum Gerechten um Verstärkung?«

Charbonneau schüttelte den Kopf. »Das sind dreckige Halsabschneider, nicht die Männer des Landgrafen.« Er durchsuchte die Leichen so geübt, als wäre es nicht das erste Mal. Um den Hals des Mannes hing ein kleiner Beutel mit Münzen. Der Junge trug kein Geld bei sich, aber ein fleckiges Kruzifix. Ihre Waffen waren armselig, aber Charbonneau warf sie in den Wagen.

Sie ließen die Straßenräuber im Schmutz liegen, den Kahlkopf mit dem Gesicht nach unten in seinem eigenen Blut.

Charbonneau band das Maultier hinten an den Wagen und führte das knochige erbeutete Pferd am Zügel, während sie auf die Römerstraße zurückkehrten.

Fremde Straßen

Als Rob Charbonneau fragte, wo er das Messerwerfen gelernt habe, erzählte der alte Franzose, daß es ihm die Seeräuber in seiner Jugend beigebracht hatten. »Es war eine nützliche Sache, wenn man mit den verdammten Dänen kämpfte und sich ihrer Schiffe bemächtigte.« Er zögerte. »Und wenn man mit den verdammten Engländern kämpfte und sich *ihrer* Schiffe bemächtigte«, fügte er verschmitzt hinzu. Inzwischen störten sie die alten nationalen Rivalitäten nicht mehr, und jeder kannte den Wert seines Gefährten. Sie grinsten einander an.

»Zeigst du es mir?«

»Wenn du mir das Jonglieren beibringst«, erwiderte Charbonneau, und Rob stimmte begeistert zu. Das Abkommen war einseitig, denn Charbonneau war zu alt, um eine neue, schwierige Fertigkeit zu meistern, und in der kurzen Zeit, die sie noch beisammenblieben, lernte er nur, zwei Bälle hochzuschnellen. Aber das Werfen und Fangen machte ihm viel Freude.

»Man braucht ein besonderes Messer. Bei einem Wurfmesser ist die Klinge beschwert, so daß eine rasche Bewegung des Handgelenks es mühelos mit der Spitze voran auf den Weg schickt.«

Rob lernte schnell, wie er Charbonneaus Messer werfen mußte, damit es mit der scharfen Klinge voran flog. Es war schwieriger, dorthin zu treffen, wohin er wollte, aber er war an die Disziplin des Übens gewöhnt und warf das Messer nach einer Kerbe an einem dicken Baum, wann immer er eine Möglichkeit dazu hatte.

Sie blieben auf den Römerstraßen, auf denen ein vielsprachiges Gemisch von Menschen unterwegs war. Pilger bewegten sich allein, in kleinen oder großen Gruppen in die ungefähre Richtung, in der Jerusalem lag; manchmal wurden sie von Palmenträgern geführt oder unterwiesen, christlichen Jüngern, die zwei gekreuzte, im Heiligen Land gepflückte Palmzweige trugen und dadurch anzeigten, daß sie die heilige Reise bereits unternommen hatten. Gruppen von gepanzerten Rittern galoppierten mit Kampfgeschrei vorbei, sie waren oft betrunken, für gewöhnlich angriffslustig und immer auf Ruhm, Beute und Schurkereien aus. Manche der religiösen Eiferer trugen härene Hemden und krochen auf blutigen Händen und Knien nach Palästina, um Gelübde zu erfüllen, die sie vor Gott oder einem Heiligen abgelegt hatten. Sie waren erschöpft und wehrlos und daher eine leichte Beute. Auf den Straßen wimmelte es von Verbrechern, und die Durchsetzung der Gesetze seitens von Amtspersonen erfolgte bestenfalls flüchtig. Wurde ein Dieb oder Straßenräuber auf frischer Tat ertappt, richteten ihn die Reisenden ohne Gerichtsverfahren auf der Stelle hin.

Rob trug seine Waffen locker und einsatzbereit, denn er erwartete immer noch, daß sich der Mann mit dem fehlenden Ohr mit einer Bande von Reitern auf sie stürzen würde, um die Toten zu rächen. Erheitert erkannte Rob, daß der gebrechlich aussehende alte Mann, den er nur angestellt hatte, weil er Englisch konnte, sein bester Schutz war.

Sie kauften Vorräte in Augsburg, einem geschäftigen Handelszentrum, das von dem römischen Kaiser Claudius um 45 nach Christus als Freistadt gegründet worden war. Der Ort hatte sich zum Zentrum für Geschäftsabschlüsse zwischen Deutschland und Italien entwickelt, war mit Menschen vollgestopft, die alle der Hauptbeschäftigung, dem Handel, nachgingen. Bereits seit einiger Zeit hatte Rob immer mehr Juden gesehen, aber auf den Märkten von Augsburg waren sie zahlreicher vertreten denn je; man erkannte sie sofort an ihren schwarzen Kaftanen und den glockenförmigen Lederhüten mit schmalen Krempen.

Rob veranstaltete in Augsburg eine Vorführung, verkaufte aber nicht so viel Spezificum wie vorher, vielleicht weil Charbonneau nicht so eifrig übersetzte, weil er sich im Dialekt der Einheimischen ausdrükken mußte. Doch spielte das keine besondere Rolle, denn Robs Börse war fett. Jedenfalls eröffnete ihm Charbonneau zehn Tage später, als sie Salzburg erreichten, daß sie in dieser Stadt ihre letzte gemeinsame Vorstellung geben würden.

»In drei Tagen kommen wir an die Donau, dort verlasse ich dich und kehre nach Straßburg zurück.«

Rob nickte.

»Du kannst mich nicht mehr brauchen. Jenseits der Donau liegt Böhmen, wo die Leute eine mir fremde Sprache sprechen.«

»Du kannst trotzdem gern mitkommen, ob du übersetzt oder nicht.« Doch Charbonneau schüttelte lächelnd den Kopf. »Für mich ist es an der Zeit heimzukehren, und diesmal für immer.«

Am Abend bestellten sie in einem Gasthaus ein Abschiedsessen, das aus den Speisen des Landes bestand: geräuchertem Schweinefleisch, saurem Kraut und Mehlbrühe. Es schmeckte ihnen nicht, und sie betranken sich ein wenig mit schwerem Rotwein. Rob bezahlte den alten Mann großzügig.

Charbonneau gab ihm einen letzten, ernüchternden Rat. »Vor dir liegt ein gefährliches Land. Angeblich kann man in Böhmen die wilden Banditen und Söldner der einheimischen Adeligen nicht voneinander unterscheiden. Um ein solches Land unversehrt zu durchqueren, darfst du nur in Gesellschaft von anderen reisen.«

Rob versprach, daß er darauf achten würde, sich einer wehrhaften Gruppe anzuschließen.

Die Donau war hier ein mächtigerer Strom, als er erwartet hatte, der tiefes, gefährliches Wasser führte. Charbonneau blieb einen Tag länger als versprochen und bestand darauf, mit Rob stromabwärts zu der aus dem römischen Kastell Lentia hervorgegangenen Marktstelle Linz zu fahren, wo ein großes Floß aus Baumstämmen Passagiere und Fracht über eine ruhige Stelle des breiten Wasserlaufes beförderte.

»Also«, sagte der Franzose.

»Vielleicht werden wir uns eines Tages wiedersehen.«

»Das glaube ich nicht.«

Sie umarmten einander.

»Mögest du ewig leben, Robert Jeremy Cole.«

»Mögest du ewig leben, Louis Charbonneau.«

Rob stieg vom Wagen, um die Überfahrt auszuhandeln, und der alte Mann ritt davon und führte das knochige braune Pferd mit. Die Frage des Fährgeldes war schwierig, denn Rob verstand nicht Böhmisch und hatte schließlich das Gefühl, daß man ihn übervorteilt hatte.

Die Stute zog ihn über die Berge in eine große, schüsselförmige, von grünen Hügeln umgebene Hochebene. Auf den Feldern plagten sich Männer und Frauen mit Weizen, Gerste, Roggen und Rüben ab, aber der Mischwald herrschte hier vor. Nachts hörte Rob, nicht weit entfernt, das Geheul von Wölfen. Er ließ das Feuer nicht ausgehen, obwohl es im Freien warm war, und Mistress Buffington miaute über die Laute der wilden Tiere und drückte sich im Schlaf mit gesträubtem Fell dicht an ihn.

Er war in vieler Hinsicht auf Charbonneau angewiesen gewesen, stellte nun jedoch fest, daß wohl dessen Gesellschaft das wichtigste gewesen war. Jetzt fuhr er die Römerstraße entlang und erkannte die Bedeutung des Wortes »allein«, denn er konnte mit den Leuten, denen er begegnete, nicht sprechen.

Eine Woche nach seiner Trennung von Charbonneau stieß er eines Morgens auf die nackte verstümmelte Leiche eines Mannes, die an einem Baum neben der Straße hing. Der Gehängte war schmächtig, hatte ein bösartiges Gesicht, und sein linkes Ohr fehlte.

Es tat Rob leid, daß er Charbonneau nicht mitteilen konnte, daß andere den dritten Straßenräuber erwischt hatten.

Die Karawane

Rob überquerte die weite Hochebene und gelangte wieder in die Berge. Sie waren nicht so hoch wie die, die hinter ihm lagen, aber sie waren so unwegsam, daß sie seine Reise verzögerten. Zweimal wandte er sich auf der Straße an größere Gruppen von Reisenden, um sich ihnen anzuschließen, aber jedesmal wurde er abgewiesen.

Er kam in eine große Stadt, suchte die Taverne auf und stellte außer sich vor Freude fest, daß der Wirt ein paar Worte Englisch konnte. Von diesem Mann erfuhr er, daß die Stadt Brünn hieß. Die Menschen, durch deren Gebiet er reiste, gehörten zumeist dem Stamm der Tschechen an. Er konnte nicht mehr erfahren, nicht einmal, wo der Mann seinen kleinen englischen Wortschatz erworben hatte, weil bereits das einfache Gespräch die sprachlichen Fähigkeiten des Wirtes erschöpft hatte. Als Rob die Taverne verließ, ertappte er in seinem Wagen einen Mann, der seine Habseligkeiten durchsuchte.

»Hinaus«, sagte er leise und zog sein Schwert, aber der Bursche sprang vom Wagen und verschwand, bevor Rob ihn aufhalten konnte. Robs Geldbörse war noch sicher an die Unterseite des Wagens genagelt, und das einzige, was fehlte, war ein Stoffsack mit den Utensilien, die er bei den Zauberkunststücken verwendete. Er tröstete sich mit dem Gedanken an das Gesicht des Diebes, wenn er den Sack öffnete.

Danach polierte er seine Waffen jeden Tag und ließ eine dünne Fettschicht auf den Klingen, damit sie beim leichtesten Zug aus den

Scheiden glitten. Nachts schlief er unruhig oder gar nicht, und er lauschte auf jedes Geräusch, ob sich nicht jemand an ihn heranschlich. Er wußte, daß er wenig Chancen hatte, wenn er von einer Bande wie den zerlumpten Reitern angegriffen würde. So blieb er noch neun lange Tage allein und ungeschützt, bis er eines Morgens auf der Straße den Wald verließ und zu seiner Verwunderung und Freude mit aufkeimender Hoffnung einen winzigen Ort vor sich sah, der von einer großen Karawane überschwemmt worden war.

Die sechzehn Häuser des Dorfes waren von mehreren hundert Tieren eingeschlossen. Rob sah Pferde und Maultiere jeglicher Größe und Art, gesattelt oder an Wagen, Karren und die verschiedensten Planwagen gespannt. Er band die Stute an einen Baum. Überall wimmelte es von Menschen, und während er sich durch die Menge drängte, vernahmen seine Ohren ein Durcheinander unverständlicher Sprachen.

»Bitte«, sagte er zu einem Mann, der sich abmühte, ein Rad zu wechseln, »wo ist der Leiter der Karawane?« Er half dem Mann, das Rad auf die Nabe zu heben, erhielt aber nur ein dankbares Lächeln und ein verständnisloses Kopfschütteln als Antwort.

»Der Meister der Karawane?« fragte er den nächsten Reisenden, der zwei Gespanne großer Ochsen fütterte, auf deren lange, spitze Hörner hölzerne Kugeln gesteckt waren.

»Ah, der Meister? Karl Fritta«, sagte der Mann und zeigte in eine bestimmte Richtung.

Danach war es leicht, denn den Namen Karl Fritta kannten alle. Wann immer Rob ihn aussprach, war die Antwort ein Nicken und ein weisender Finger, bis er schließlich zu einem Tisch kam, der auf einem Feld neben einem großen Wagen stand. Die sechs größten, zusammenpassenden schweren Füchse waren vor das Gefährt gespannt, die Rob je gesehen hatte. Auf dem Tisch lag ein blankes Schwert, und dahinter saß ein Mann, der sein langes braunes Haar zu zwei dicken Zöpfen geflochten hatte und in ein Gespräch mit dem ersten Mann in einer langen Reihe von Wartenden vertieft war, die mit ihm sprechen wollten.

Rob stand am Ende der Reihe. »Ist das Karl Fritta?« fragte er.

»Ja, das ist er«, antwortete ein Mann vor ihm.

Sie schauten einander erstaunt an.

»Ihr seid Engländer?«

»Schotte«, antwortete der Mann. »Freut mich! Freut mich!« murmelte er und ergriff Robs Hände. Er war groß und hager, hatte langes graues Haar und war nach englischer Art glattrasiert. Er trug ein Reisegewand aus grobem, schwarzem Stoff, aber das Material war solid und gut geschnitten.

»James Geikie Cullen«, stellte er sich vor. »Schafzüchter und Wollhändler. Ich reise mit meiner Tochter nach Anatolien, um bessere Widder und Mutterschafe zu finden.«

»Robert Jeremy Cole, Baderchirurg. Ich bin nach Persien unterwegs, um wertvolle Medikamente zu kaufen.«

Cullen blickte ihn freundlich an. Die Reihe schob sich weiter, aber sie hatten genügend Zeit, um sich über das Wichtigste zu unterhalten, und englische Worte hatten in Robs Ohren noch nie schöner geklungen.

Cullen befand sich in Begleitung eines Mannes, der eine fleckige braune Hose und einen abgerissenen grauen Kittel trug; er hieß Seredy, und Cullen hatte ihn als Diener und Dolmetscher angestellt. Rob erfuhr zu seiner Überraschung, daß er sich nicht mehr in Böhmen befand, sondern, ohne es zu wissen, vor zwei Tagen die Grenze nach Ungarn überschritten hatte. Das Dorf, das die Karawane so verändert hatte, hieß Vac. Man konnte zwar von den Einwohnern Brot und Käse bekommen, aber die Lebensmittel und andere Vorräte waren teuer. Die Karawane kam aus dem Ort Ulm an der Donau.

»Fritta ist Deutscher«, vertraute ihm Cullen an. »Er bemüht sich nicht gerade, freundlich zu sein, aber es ist ratsam, gut mit ihm auszukommen, denn es gibt verläßliche Hinweise, daß magyarische Räuber Einzelreisende und kleine Gruppen überfallen, und es gibt keine andere große Karawane im Umkreis.«

Unmittelbar hinter Rob stellten sich nun drei Juden an, was ihn interessierte.

»In einer solchen Karawane muß man eben mit Adeligen und mit Gesindel zusammen reisen«, stellte Cullen laut fest.

Rob beobachtete die drei Männer in den schwarzen Kaftanen und Lederhüten. Sie redeten in einer fremden Sprache miteinander, aber die Augen des Mannes, der Rob am nächsten stand, blitzten, wenn Cullen sprach, als verstehe er jedes Wort. Rob schaute weg.

Als sie Frittas Tisch erreichten, besprach Cullen seine Angelegenheiten und bot dann Rob freundlicherweise Seredy als Dolmetscher an. Der Anführer der Karawane, der solche Gespräche erfahren und rasch führte, erfuhr Robs Namen, Beruf und Reiseziel.

»Die Karawane zieht nicht nach Persien«, übersetzte Seredy Frittas Worte. »Von Konstantinopel ab müßt Ihr andere Verabredungen treffen.«

Rob nickte, dann sprach der Deutsche länger.

»Der Betrag, den Ihr Master Fritta bezahlen müßt, entspricht zweiundzwanzig englischen Silberpennies, aber er will kein englisches Geld mehr, denn Master Cullen wird mit solchem bezahlen, und Master Fritta sagt, daß er so viel Pennies nicht leicht wechseln kann. Er fragt, ob Ihr in französischen Deniers bezahlen könnt.«

»Ja.«

»Er will siebenundzwanzig Deniers«, antwortete Seredy zu rasch.

Rob zögerte. Er besaß Deniers, weil er das Spezificum in Frankreich verkauft hatte, wußte aber nicht, wie hoch der Wechselkurs war.

»Dreiundzwanzig«, sagte eine Stimme unmittelbar hinter ihm so leise, daß er glaubte, er habe es sich eingebildet.

»Dreiundzwanzig Deniers«, erklärte er entschieden.

Der Anführer der Karawane nahm das Angebot eisig an und sah ihm gerade in die Augen.

»Ihr müßt selbst für Eure Verpflegung und Vorräte sorgen. Solltet Ihr zurückbleiben oder gezwungen sein, die Reihe zu verlassen, wird keine Rücksicht genommen. Die Karawane besteht, wenn sie diesen Ort wieder verläßt, aus etwa neunzig Reisegruppen, in denen insgesamt über hundertzwanzig Männer sind. Der Master verlangt eine Wache für je zehn Gruppen, Ihr werdet also alle zwölf Tage die ganze Nacht Wache halten müssen.«

»Abgemacht.«

»Neuankömmlinge müssen sich ans Ende der Marschlinie begeben, wo der Staub am ärgsten und der Reisende am gefährdetsten ist. Ihr kommt unmittelbar hinter Master Cullen und seine Tochter. Sobald jemand vor Euch ausfällt, könnt Ihr um einen Platz vorrücken. Jede neue Gruppe, die sich der Karawane anschließt, wird hinter Euch reisen.«

»Abgemacht.«

»Und solltet Ihr Euren Beruf als Baderchirurg ausüben, müßt Ihr alle Einkünfte zu gleichen Teilen mit Master Fritta teilen.«

»Nein«, antwortete Rob sofort, denn er fand es ungerecht, daß er diesem Deutschen die Hälfte seines Verdienstes geben sollte. Cullen räusperte sich. Rob warf ihm einen Blick zu, sah Besorgnis auf dem Gesicht des Schotten und erinnerte sich daran, was er von den magyarischen Räubern erzählt hatte.

»Biete zehn an, akzeptiere dreißig!« flüsterte die Stimme hinter ihm.

»Ich bin bereit, zehn Prozent meiner Einkünfte abzugeben«, sagte Rob.

Fritta sprach ein einziges kurzes Wort, das Rob für das deutsche Äquivalent von »Blödsinn« hielt, dann folgte ein weiteres kurzes Wort.

»Vierzig, sagt er«, übersetzte Seredy.

»Ich biete zwanzig.«

Sie einigten sich auf dreißig Prozent. Als Rob sich bei Cullen für den Dolmetscher bedankte und wegging, schaute er schnell zu den drei Juden hin. Sie waren mittelgroß und hatten so sonnenverbrannte Gesichter, daß sie beinahe schwarz wirkten. Der Mann, der unmittelbar hinter ihm gestanden hatte, hatte eine fleischige Nase und dicke Lippen über einem graugesprenkelten Vollbart. Er sah Rob nicht an, sondern trat mit der Konzentration eines Mannes, der einen Gegner bereits getestet hat, an den Tisch.

Den Neuankömmlingen wurde befohlen, im Lauf des Nachmittags ihren Standort in der Marschlinie einzunehmen und über Nacht auch dort zu lagern, denn die Karawane würde sofort nach Tagesanbruch aufbrechen. Rob suchte sich seinen Platz zwischen Cullen und den Juden, spannte die Stute aus und ließ sie einige Wagenlängen entfernt grasen. Die Einwohner von Vac nahmen die letzte Gelegenheit wahr, den unerwarteten Glücksfall auszunützen und Vorräte zu verkaufen. Ein Bauer kam vorbei und hielt Eier und gelben Käse hoch, für den er vier Deniers verlangte, einen unerhörten Preis. Statt zu bezahlen tauschte Rob den Käse gegen drei Flaschen Universal-Spezificum ein und hatte sich so sein Abendessen verdient.

Während er aß, beobachtete er seine Nachbarn, die ihn ebenfalls beobachteten. Vor ihm holte Seredy Wasser, aber das Kochen besorgte

Cullens Tochter. Sie war hochgewachsen und hatte rotes Haar. Hinter ihm lagerten fünf Männer. Sie besaßen gute Pferde, die sie gerade striegelten, sowie zwei Maulesel für ihr Gepäck, von denen einer vermutlich das Zelt trug, das sie aufgestellt hatten. Die anderen vier sahen schweigend zu, als Rob zu dem Mann ging, der in der Reihe direkt hinter ihm gestanden hatte.

»Ich bin Robert Jeremy Cole. Ich möchte Euch danken.«

»Keine Ursache.« Er ließ die Bürste sinken. »Ich bin Meier ben Ascher.« Er stellte seine Gefährten vor, von denen zwei dabei gewesen waren, als Rob mit Fritta verhandelt hatte: Gerson ben Schemuel, der eine Geschwulst auf der Nase hatte, klein war und so zäh aussah wie ein Stück Leder, und Juda Kohn, der eine schmale Nase, einen kleinen Mund, glänzendes schwarzes Haar wie ein Bär und einen entsprechenden Bart besaß. Die beiden anderen waren jünger: Simon ben Levi war mager und ernst, fast schon ein Mann, eine Bohnenstange mit einem schütteren Bart, und Tuveh ben Meier, ein zwölfjähriger Junge, der wie einst Rob für sein Alter sehr groß war.

»Mein Sohn«, erklärte Meier.

Von den anderen sagte keiner etwas. Sie betrachteten ihn genau.

»Ihr seid Kaufleute?«

Meier nickte. »Früher hat unsere Familie in Deutschland, im Marktflecken Hameln gelebt. Vor zehn Jahren sind wir alle nach Angora im Byzantinischen Reich übersiedelt, von wo wir sowohl nach Osten wie nach Westen reisen, um zu kaufen und zu verkaufen.«

»Was kauft und verkauft Ihr?«

Meier zuckte die Schultern. »Ein wenig von dem, ein bißchen von jenem.«

Rob gefiel die Antwort sehr. Er hatte sich stundenlang erfundene Einzelheiten ausgedacht, die er von sich erzählen wollte, und sah nun, daß es unnötig war: Geschäftsleute verrieten nicht zu viel.

»Wohin reist Ihr?« fragte der junge Mann namens Simon und überraschte damit Rob, der angenommen hatte, daß nur Meier Englisch konnte.

»Nach Persien.«

»Persien? Ausgezeichnet. Habt Ihr dort Verwandte?«

»Nein. Ich will einkaufen. Verschiedene Kräuter, vielleicht ein paar Medikamente.«

»Aha«, sagte Meier. Die Juden sahen einander an und akzeptierten es sofort. Dies war der richtige Moment, um sich zu verabschieden, und Rob wünschte ihnen eine gute Nacht.

Cullen hatte ständig hinübergeschaut, während Rob mit den Juden sprach, und als dieser zu seinem Lagerplatz zurückkehrte, war ein Großteil der ursprünglichen Freundlichkeit des Schotten verschwunden.

Nicht gerade begeistert stellte er seine Tochter Margaret vor, aber das Mädchen begrüßte Rob höflich. Von der Nähe sah ihr rotes Haar aus, als sei es angenehm, es zu berühren. Ihr Blick war kühl und traurig. Ihre hohen, runden Backenknochen wirkten so groß wie eine Männerfaust, Nase und Kinn waren anmutig, aber nicht zart. Gesicht und Arme hatte sie voller Sommersprossen, und Rob war nicht daran gewöhnt, daß eine Frau so groß war.

Während er zu entscheiden versuchte, ob sie schön war, kam Fritta vorbei und sprach kurz zu Seredy.

»Er möchte, daß Master Cole heute nacht die Wache übernimmt«, sagte der Dolmetscher.

In der Dämmerung begann Rob daher, seine Runde zu machen, die bei Cullens Lager begann und acht Lager nach dem seinen aufhörte.

Während er seine Runden drehte, sah er, aus was für einer merkwürdigen Mischung die Karawane bestand. Neben einem gedeckten Planenwagen stillte eine Frau mit olivenfarbiger Haut und blondem Haar ein Baby, während ihr Mann beim Feuer hockte und die Geschirre einfettete. Zwei Männer reinigten ihre Waffen. Ein Junge fütterte drei fette Hühner in einem primitiven Holzkäfig. Ein leichenblasser Mann und seine dicke Frau starrten einander an und stritten in einer Sprache, die Rob für Französisch hielt.

Beim dritten Rundgang um sein Gebiet sah er, als er beim Lager der Juden vorbeikam, daß sie beisammen standen, hin und her schwankten und etwas sangen, was offenbar ihr Abendgebet war.

Der Mond stieg groß und weiß aus dem Wald hinter dem Dorf. Rob fühlte sich gut aufgehoben und selbstsicher, denn er gehörte plötzlich einer Gemeinschaft von über hundertzwanzig Männern an, und das war etwas anderes, als allein durch ein fremdes, feindseliges Land zu reisen.

Im Lauf der Nacht rief er viermal jemanden an, stellte aber jedesmal fest, daß es nur ein Mann war, der das Lager verließ, um sein Bedürfnis zu erledigen.

Gegen Morgen, als er unerträglich schläfrig wurde, kam Cullens Tochter aus dem Zelt ihres Vaters. Sie ging nahe an ihm vorbei, ohne seine Anwesenheit zu bemerken. Er sah sie deutlich in dem weißen Mondlicht. Ihre Kleidung wirkte sehr schwarz, und ihre großen, taunassen Füße sahen besonders weiß aus.

Er ging möglichst geräuschvoll in die entgegengesetzte Richtung, doch gab er von ferne acht, bis sie unversehrt zurückkehrte, dann setzte er seine Runde fort.

Beim ersten Licht verließ er seinen Posten und verzehrte rasch zum Frühstück etwas Brot und Käse. Während er aß, versammelten sich die Juden vor ihrem Zelt zum Gebet bei Sonnenaufgang. Vielleicht würde die Nachbarschaft noch anstrengend werden, denn sie schienen außerordentlich religiöse Leute zu sein. Sie schnallten sich kleine schwarze Büchsen an die Stirn und wanden dünne Lederriemen um ihre Unterarme, bis diese den Baderpfosten auf Robs Wagen ähnelten, dann versanken sie beängstigend in Tagträume und bedeckten ihre Köpfe mit Bettüchern. Er war erleichtert, als sie fertig waren.

Da er die Stute zu früh eingespannt hatte, mußte er warten. Obwohl die Gruppen an der Spitze der Karawane kurz nach Tagesbeginn aufbrachen, stand die Sonne schon ziemlich hoch, als schließlich er an die Reihe kam. Cullen ritt auf einem grobknochigen Schimmel voran, gefolgt von seinem Diener Seredy auf einer schmuddeligen grauen Stute, die drei Packpferde anführte. Warum brauchten die beiden Leute drei Packpferde? Die Tochter saß auf einem stolzen Rappen. Rob fand, daß nicht nur die Hinterbacken des Pferdes, sondern auch die der Frau großartig waren, und folgte ihnen gern.

Parsi

Alle lebten sich schnell in die Routine der Reise ein. Während der ersten drei Tage betrachteten ihn die Schotten und die Juden höflich, ließen ihn aber in Ruhe. Vielleicht beunruhigten sie sein zerschlagenes

Gesicht und die merkwürdigen Bilder auf seinem Wagen. Es hatte ihn nie gestört, allein zu sein, und so gab er sich zufrieden seinen Gedanken hin.

Das Mädchen ritt ständig vor ihm, und er beobachtete sie unvermeidlich auch dann, wenn sie das Lager aufgeschlagen hatten. Sie schien zwei schwarze Kleider zu besitzen, von denen sie eines wusch, wann immer es möglich war. Sie war sichtlich ans Reisen gewöhnt und ließ sich von Unbequemlichkeiten nicht stören, aber ihren Vater und sie umgab eine Aura von kaum unterdrückter Melancholie. Aufgrund ihrer Kleidung nahm Rob an, daß sie in Trauer waren.

Manchmal sang Margaret leise. Am vierten Morgen, als die Karawane nur langsam vorankam, stieg sie ab und führte das Pferd, um sich die Füße zu vertreten. Rob sah auf sie hinunter, als sie neben seinem Wagen ging, und lächelte ihr zu. Ihre Augen schienen riesig, die Iris war tiefblau. Ihr flächiges Gesicht mit den hohen Backenknochen ließ auf Empfindsamkeit schließen. Der Mund war groß und blühend, wie alles an ihr, doch merkwürdig bewegt und ausdrucksvoll.

»In welcher Sprache singt Ihr?«

»In Gälisch, was wir *Erse* nennen.«

»Das habe ich mir gedacht.«

»Ach. Wie erkennt ein Sachse das *Erse*?«

»Was ist ein Sachse?«

»Es ist unser Name für alle, die südlich von Schottland leben.«

»Ich habe das Gefühl, daß das Wort kein Kompliment ist.«

»Allerdings nicht«, gab sie zu, und diesmal lächelte sie.

»Mary Margaret!« rief ihr Vater scharf. Sie ging sofort zu ihm, eine gehorsame Tochter.

Mary Margaret!

Sie mußte ungefähr in dem gleichen Alter sein wie Anne Mary, wurde ihm beklemmend klar. Doch dieses Mädchen ist nicht Anne Mary, rief er sich ins Gedächtnis. Er mußte aufhören, in jeder jungen Frau seine Schwester zu sehen, denn aus dieser Marotte konnte eine Art von Wahn werden.

Ihr Vater war offenbar entschlossen, ihm in einem Gespräch noch einmal eine Chance zu geben, vielleicht weil Rob nicht wieder mit den Juden gesprochen hatte. Am fünften Abend, den sie unterwegs waren, kam James Cullen mit einem Krug Gerstenbranntwein zu Besuch, und

Rob begrüßte ihn und nahm einen freundschaftlichen Schluck aus der Flasche.

»Kennt Ihr Euch mit Schafen aus, Master Cole?«

Cullen strahlte, als Rob verneinte, und war bereit, ihn aufzuklären.

»Es gibt solche Schafe und solche Schafe. In Kilmarnock, dem Ort, an dem sich der Besitz der Cullens befindet, sind Mutterschafe oft nicht schwerer als zwölf Stone. Ich habe gehört, daß wir im Osten Schafe finden werden, die doppelt so schwer sind und langes Haar statt des kurzen haben – ein dichteres Vlies als die Tiere in Schottland, das so voll Fett ist, daß die Wolle, wenn sie gesponnen und zu Kleidung verarbeitet ist, den Regen abstößt.«

Cullen wollte Zuchttiere kaufen, sobald er die besten fand, und sie nach Kilmarnock bringen.

Das erforderte Geld, ein stattliches Betriebskapital, begriff Rob, und ihm wurde klar, warum Cullen drei Packpferde brauchte.

»Ihr befindet Euch auf einer weiten Reise. Ihr werdet lange Zeit Eurem Besitz und Euren Schafen fernbleiben.«

»Ich habe alles in der Obhut verläßlicher Verwandter zurückgelassen. Es war ein schwerer Entschluß, aber... Sechs Monate bevor ich Schottland verließ, habe ich meine Frau begraben, mit der ich zweiundzwanzig Jahre verheiratet gewesen war.« Cullen verzog das Gesicht und hob den Krug zu einem langen Zug an den Mund.

Das erklärt ihren Gram, dachte Rob. Der Baderchirurg in ihm stellte die Frage, woran sie gestorben sei.

Cullen hustete. »Sie hatte in beiden Brüsten Gewächse, harte Klumpen. Sie wurde blaß und schwach, verlor den Appetit und den Lebenswillen. Schließlich litt sie schreckliche Schmerzen. Es dauerte lange, bis sie starb, aber sie verschied doch, bevor ich mich darauf eingestellt hatte. Sie hieß Jura... Ich war sechs Wochen lang betrunken, doch das half mir nicht weiter. Jahrelang hatte ich davon geredet, daß ich in Anatolien erstklassige Zuchttiere kaufen wollte, aber nie gedacht, daß es dazu kommen würde. Nun beschloß ich einfach, mich auf den Weg zu machen.«

Er bot Rob den Krug an und war nicht beleidigt, als dieser den Kopf schüttelte. »Zeit zu pissen.« Er lächelte freundlich. Da er bereits einen großen Teil vom Inhalt des Kruges getrunken hatte, mußte Rob ihm beistehen, als er mühsam versuchte, auf die Füße zu kommen.

»Eine gute Nacht, Master Cullen! Bitte, kommt wieder!«

»Eine gute Nacht, Master Cole!«

Während Rob ihm nachsah, fiel ihm ein, daß Cullen kein einziges Mal seine Tochter erwähnt hatte.

Am folgenden Nachmittag wurde ein französischer Kommissionär namens Felix Roux, der achtunddreißigste in der Marschlinie, abgeworfen, als sein Pferd vor einem Dachs scheute. Er stürzte ungeschickt mit seinem vollen Gewicht auf den linken Unterarm und brach sich die Elle, so daß sie schief wegstand. Karl Fritta ließ den Baderchirurgen holen, der den Knochen einrichtete und den Arm ruhigstellte, was ein schmerzhafter Vorgang war. Rob versuchte, Roux klarzumachen, daß ihm der Arm beim Reiten zwar höllische Schmerzen bereiten, er aber dennoch imstande sein würde, mit der Karawane zu reisen. Schließlich mußte er Seredy holen lassen, um dem Patienten zu erklären, wie er mit der Schlinge umgehen solle.

Als Rob zu seinem Wagen zurückkehrte, war er nachdenklich. Er hatte sich bereit erklärt, mehrmals wöchentlich kranke Reisende zu behandeln. Obwohl er Seredy ein großzügiges Trinkgeld gegeben hatte, wußte er, daß er James Cullens Diener nicht weiterhin als Dolmetscher verwenden konnte.

Als er zu seinem Wagen kam, saß Simon ben Levi in der Nähe auf dem Boden und besserte einen Sattelgurt aus. Rob ging zu dem jungen Juden.

»Verstehst du auch Französisch und Deutsch?«

Der Junge nickte, während er einen Sattelriemen an den Mund hielt und den gewachsten Faden abbiß.

Rob sprach, und Simon hörte zu. Da die Bedingungen günstig waren und die Arbeit nicht viel Zeit beanspruchte, erklärte der Jude sich bereit, für den Baderchirurgen zu dolmetschen.

Rob war froh. »Wieso kannst du so viele Sprachen?«

»Wir kamen als Händler mit vielen Völkern in Berührung. Wir reisen ständig und haben Verwandte auf den Märkten, in aller Welt. Sprachen zu können gehört zu unserem Geschäft. Der junge Tuveh zum Beispiel studiert die Sprache der Mandarine, denn er wird in drei Jahren die Seidenstraße bereisen und in der Firma meines Onkels arbeiten.« Sein Onkel Issachar ben Nachum leitete eine große Filiale ihrer Familie in Kai Feng Fu, von wo er alle drei Jahre eine Karawane mit Seidenstoffen, Pfeffer und anderen exotischen Waren aus dem Orient nach Mesched in Persien schickte. Und seit Simons Kinderzeit waren er und andere männliche Familienmitglieder alle drei Jahre von Angora nach Mesched gereist, um eine Karawane mit den kostbaren Waren ins Ostfränkische Königreich zu begleiten.

Robs Puls ging schneller. »Du kannst die persische Sprache?«

»Selbstverständlich. Parsi.«

Rob sah ihn verständnislos an.

»Sie heißt Parsi.«

»Willst du sie mich lehren?«

Simon ben Levi zögerte. Das war etwas anderes, das konnte einen großen Teil seiner Zeit in Anspruch nehmen.

»Ich werde dich gut bezahlen.«

»Warum wollt Ihr Parsi lernen?«

»Ich brauche die Sprache, wenn ich nach Persien komme.«

»Ihr wollt dort regelmäßig Geschäfte machen? Immer wieder dorthin zurückkehren, um Kräuter und Arzneimittel zu kaufen, wie wir es mit Seide und Gewürzen tun?«

»Vielleicht.« Rob zuckte mit den Achseln, eine Geste, die Meier ben Aschers würdig gewesen wäre. »Ein wenig von dem, ein bißchen von jenem.«

Simon grinste. Er begann die erste Lektion, indem er mit einem Stock in den Staub kratzte, aber das war unbefriedigend, und Rob ging zum Wagen, holte sein Zeichenmaterial und eine saubere Scheibe Buchenholz. Simon lehrte ihn das Parsi genauso, wie Ma ihm vor vielen Jahren beigebracht hatte, das Englische zu lesen, nämlich mit dem Alphabet. Die Parsibuchstaben bestanden aus Punkten und verschnörkelten Linien. Die Schrift sah aus wie Taubendreck, Vogelspuren, gekräuselte Hobelspäne, Würmer, die versuchten, miteinander zu kopulieren.

»Das werde ich nie lernen.« Rob hatte schnell den Mut verloren.

»O doch«, widersprach Simon ruhig.

Rob kehrte mit der Holzscheibe zum Wagen zurück. Er verzehrte sein Abendessen bedächtig, ließ sich Zeit, um seine Aufregung unter Kontrolle zu bekommen. Dann setzte er sich auf den Kutschbock und machte sich sofort ans Üben.

Der stumme Wächter

Sie kamen aus den Bergen in flaches Land, das von der römischen Straße, so weit das Auge reichte, vollkommen gerade durchschnitten wurde. Sie zogen an einem riesigen See entlang, folgten drei Tage lang seinen Ufern und hielten über Nacht an, um in einem Ort Vorräte zu kaufen. Es war ein besonderes Dorf, schiefe Häuser und verschlagene, betrügerische Bauern, aber der See – er hieß Balaton – war ein überirdischer Traum aus dunklem Wasser, das aussah wie ein Edelstein. Weißer Nebel stieg von der Oberfläche auf, während Rob am frühen Morgen darauf wartete, daß die Juden ihre Gebete sprachen.

Es war komisch, den Juden zuzusehen. Merkwürdige Geschöpfe, die sich beim Beten vor- und zurückneigten. Gott schien mit ihren Köpfen zu jonglieren, die sich abwechselnd hoben und senkten, aber einem geheimnisvollen Rhythmus zu gehorchen schienen.

Nach dem Gebet schwammen die Juden im See, und Rob folgte ihrem Beispiel. Sie genossen alle die Erfrischung nach dem Staub der Reise. Als sie ans Ufer zurückkehrten, bemerkte Meier Robs beschnittenen Penis und sah ihn fragend an.

»Ein Pferd hat die Spitze abgebissen«, erklärte dieser.

»Zweifellos eine Stute«, stellte Meier fest, murmelte dann den anderen etwas zu, woraufhin alle Rob grinsend betrachteten.

Nachdem sie den See hinter sich gelassen hatten, wurde die Gegend öde. Sie fuhren die gerade, endlose Straße entlang, kamen Meile um Meile an immer gleichen Wäldern und Feldern vorbei, die sich kaum voneinander unterschieden, so daß die Eintönigkeit bald unerträglich wurde. Rob suchte Zuflucht bei seiner Phantasie, stellte sich die römische Straße vor, wie sie zu Beginn gewesen war: eine *via* in einem umfassenden Netz von Tausenden Straßen, die es Rom ermöglicht hatten, die Welt zu erobern. Zuerst kamen Kundschafter, eine berittene Vorhut. Dann folgte der Heerführer in seinem von einem Sklaven gelenkten Streitwagen, umgeben von Trompetern, die als feierliche Umrahmung und zur Nachrichtenübermittlung dienten. Dann die *tribuni* und die *legati* zu Pferd, die Stabsoffiziere. Ihnen folgte die Legion, ein dichter Wald aus Speeren – zehn Kohorten der am besten ausgebildeten Kämpfer und Killer der Geschichte, sechshundert Mann je Kohorte, jeweils hundert Legionäre, von einem *centurio* geführt. Und schließlich Tausende Sklaven, die die Rolle von Arbeitstieren übernahmen, die *tormenta* zogen, die riesigen Kriegsmaschinen, die der wahre Grund für den Straßenbau waren: große Sturmböcke, die Mauern und Befestigungen dem Erdboden gleichmachten, bösartige *catapulta,* die aus dem Himmel Pfeile auf den Feind regnen ließen, riesige *ballista,* die Schlingen der Götter, die Steinblöcke durch die Luft wirbelten oder große Balken schleuderten, als wären sie Pfeile. Schließlich die *impedimenta,* der Troß aus Packpferden, Frauen und Kindern, Huren, Händlern, Kurieren und Regierungsbeamten, jenen Ameisen der Geschichte, die von den Überresten der römischen Feste lebten.

Die Cullen-Tochter ging wieder neben seinem Wagen und hatte ihr Pferd an eines der Packtiere gebunden.

»Wollt Ihr mit mir fahren, Mistress? Der Wagen wird eine Abwechslung für Euch sein.«

Sie zögerte, doch als er die Hand ausstreckte, ergriff sie sie und ließ sich hochziehen.

»Eure Wange ist gut geheilt«, bemerkte sie. Sie errötete, sprach aber trotzdem weiter. »Von dem letzten Kratzer ist nur eine zarte silberne Linie übriggeblieben. Wenn Ihr Glück habt, wird sie verschwinden, und es bleibt keine Narbe zurück.«

Auch er errötete, und es wäre ihm lieber gewesen, wenn sie seine Züge nicht gemustert hätte.

»Wie seid Ihr zu der Verletzung gekommen?«

»Eine Begegnung mit Wegelagerern.«

Margaret Mary Cullen holte tief Luft. »Ich bete zu Gott, er möge uns davor bewahren.« Sie sah ihn nachdenklich an. »Einige behaupten, daß Karl Fritta die Gerüchte von den magyarischen Banditen selbst in Umlauf setzt, um den Reisenden Angst einzujagen.«

Rob hob die Schultern. »Ich traue es Master Fritta zu. Die Magyaren wirkten eigentlich nicht gefährlich.« Zu beiden Seiten der Straße ernteten Männer und Frauen Kohl.

Sie verstummten. Jede Unebenheit der Straße rüttelte die beiden durcheinander, und Rob hoffte, eine weiche Hüfte und einen festen Oberschenkel zu spüren. Der Geruch ihres Körpers glich dem schwachen, warmen Duft, den die Sonne den Beerenbüschen entlockt.

Er, der landauf, landab in England Frauen in den Armen gehalten hatte, konnte nur stockend sprechen. »Hat Euer erster Vorname immer schon Margaret gelautet, Mistress Cullen?«

Sie sah ihn erstaunt an. »Immer.«

»Könnt Ihr Euch an keinen anderen Namen erinnern?«

»Als ich klein war, nannte mich mein Vater Schildkröte, weil ich manchmal so guckte.« Sie schloß und öffnete beide Augen langsam.

Er sehnte sich danach, ihr Haar zu berühren, und wurde unruhig. Unterhalb des breiten Backenknochens befand sich auf ihrer linken Wange eine kleine Narbe, die er erst jetzt entdeckte, aber sie beeinträchtigte ihr Aussehen nicht. Er blickte rasch weg.

Vorne wandte Cullen sich im Sattel um und erblickte seine Tochter auf dem Wagen. Cullen hatte Rob inzwischen mehrmals in Gesellschaft der Juden gesehen, und als er Mary Margarets Namen rief, erkannte man an seiner Stimme seine Mißbilligung.

Sie stand auf. »Wie lautet Euer voller Name, Master Cole?«

»Robert Jeremy.«

Sie nickte ernst, aber ihre Augen neckten ihn. »Hat er immer so gelautet? Könnt Ihr Euch an keinen anderen Namen erinnern?«

Sie raffte ihre Röcke mit einer Hand zusammen und sprang leichtfüßig wie ein Tier hinunter. Kurz sah er weiße Beine aufleuchten. Rob schlug die Stute mit den Zügeln auf den Rücken und ärgerte sich darüber, daß sich die Cullen-Tochter über ihn lustig gemacht hatte.

An diesem Abend suchte er nach dem Essen Simon wegen der zweiten Lektion auf, und er stellte fest, daß die Juden Bücher besaßen. An der St.-Botolph-Schule, die er als Junge besucht hatte, hatte es drei Bücher gegeben: ein Altes und ein Neues Testament, beide lateinisch, und ein englisches Monatsregister, die Liste der heiligen Festtage, deren Einhaltung der König von England vorgeschrieben hatte. Die Seiten bestanden aus Pergament, das aus den Häuten von Lämmern, Kälbern oder Zicklein gewonnen wurde. Jeder Buchstabe war handschriftlich übertragen worden, eine gewaltige Arbeit, die Bücher teuer und selten machte.

Die Juden bewahrten mehrere Bücher – später erfuhr er, daß es sieben waren – in einer kleinen Truhe aus besonders bearbeitetem Leder auf. Simon nahm eines, das in Parsi geschrieben war, und die Lektion bestand darin, daß Rob jene Buchstaben in dem Text suchte, die Simon nannte. Rob hatte das Parsi-Alphabet schnell und gut gelernt. Simon lobte ihn und las einen Abschnitt des Buches, damit Rob den Wohlklang der Sprache hören konnte. Nach jedem Wort hielt er inne und ließ es von Rob wiederholen.

»Wie heißt dieses Buch?«

»Es ist der Koran, ihre Bibel«, antwortete Simon und übersetzte:

> *Ehre sei Gott, dem Allerhöchsten, voller Gnade und Barmherzigkeit;*
> *Er schuf alles, einschließlich des Menschen.*
> *Dem Menschen gab Er einen besonderen Platz in Seiner Schöpfung.*
> *Er erwies dem Menschen die Ehre, Sein Bevollmächtigter zu sein,*
> *Und zu diesem Zweck schenkte Er ihm Verständnis,*
> *Läuterte seine Neigungen und verlieh ihm geistige Einsicht.*

»Ich werde Euch jeden Tag eine Liste von zehn persischen Wörtern und Ausdrücken geben«, sagte Simon. »Ihr müßt sie dann für die Lektion des nächsten Tages auswendig lernen.«

»Gib mir jeden Tag fünfundzwanzig Wörter«, verlangte Rob, denn er wußte, daß er seinen Lehrer nur bis Konstantinopel behalten würde. Simon lächelte. »Dann also fünfundzwanzig.«

Am nächsten Tag lernte Rob die Wörter mühelos, denn die Straße war noch immer gerade und eben, und die Stute trottete mit verhängten Zügeln dahin, während ihr Herr auf dem Kutschbock saß und übte. Rob fand jedoch, daß er jede Gelegenheit nutzen mußte, und so bat er nach der Lektion dieses Tages Meier ben Ascher um die Erlaubnis, das persische Buch in seinen Wagen mitnehmen zu dürfen, damit er es während der langen, eintönigen Reisetage studieren könne.

Meier lehnte entschieden ab. »Wir dürfen das Buch nie aus den Augen lassen. Ihr könnt es nur lesen, wenn wir dabei sind.«

»Darf dann Simon in meinem Wagen mitfahren?«

Er war davon überzeugt, daß Meier wieder nein sagen würde, aber Simon setzte sich für ihn ein: »Ich könnte in dieser Zeit die Kontobücher prüfen.«

Meier überlegte.

»Er wird lernen wie ein Verrückter«, meinte Simon ruhig. »Er hungert nach Wissen.«

Die Juden schauten Rob irgendwie anders an als bisher. Schließlich nickte Meier. »Ihr könnt das Buch in Euren Wagen mitnehmen.«

An diesem Abend schlief Rob mit dem Wunsch ein, es wäre schon morgen, und am Morgen erwachte er früh und beinahe schmerzhaft gespannt vor Erwartung. Das Warten wurde ihm lang, als er zusah, wie die Juden langsam Anstalten trafen, den Tag zu beginnen. Simon ging in den Wald, um Blase und Darm zu entleeren, Meier und Tuveh schlurften zur Quelle, um sich zu waschen, dann beugten sich alle vor und zurück und murmelten das Morgengebet. Schließlich trugen Gerson und Juda Brot und Schleimsuppe auf.

Kein Liebender hatte jemals sein Mädchen sehnsüchtiger erwartet. »Komm, komm, du Schleicher, du hebräischer Tagedieb«, murmelte Rob und ging noch ein letztes Mal seine Tageslektion persischer Wörter durch.

Als Simon endlich kam, brachte er das persische Buch, ein schweres Hauptbuch und einen eigentümlichen Holzrahmen mit, in dem auf dünnen Stangen Glasperlen aufgereiht waren.

»Was ist das?«

»Ein Abakus. Ein Rechengerät, das beim Addieren gute Dienste leistet.«

Nachdem sich die Karawane in Bewegung gesetzt hatte, stellte sich heraus, daß die neue Regelung günstig war. Obwohl die Straße relativ eben war, rollten die Wagenräder doch über viele Steine, und man konnte kaum schreiben; doch man konnte ohne Schwierigkeiten lesen, und sie machten sich an die Arbeit, während sie Meile um Meile durch das Land zogen.

Rob verstand das persische Buch noch nicht, aber Simon hatte ihm gesagt, er solle die Parsi-Buchstaben und -Wörter lesen, bis ihm die Aussprache keine Mühe mehr mache. Einmal stieß er auf einen Ausdruck, der auf Simons Liste stand. *koc-homedij* – Du kommst mit guter Absicht –, und er triumphierte, als hätte er einen kleinen Sieg errungen.

Manchmal blickte er auf, um Margaret Mary Cullens Rücken zu beobachten. Sie ritt dicht neben ihrem Vater, zweifellos auf seinen Wunsch, denn er hatte Simon seltsam angestarrt, als dieser auf den Wagen geklettert war. Sie hielt sich sehr gerade und hatte den Kopf hoch erhoben, als hätte sie ihr Leben lang im Sattel gesessen.

Schon mittags hatte Rob seine Liste von Wörtern und Sätzen gelernt. »Fünfundzwanzig sind nicht genug. Du mußt mir mehr aufgeben.« Simon lächelte und gab ihm weitere fünfzehn Wörter auf. Der Jude sprach wenig, und Rob gewöhnte sich an das Klick-klick-klick der Abakus-Perlen, die unter Simons Fingern hin und her sausten.

Irgendwann am Nachmittag knurrte Simon, und Rob wußte, daß er in einer Rechnung einen Fehler entdeckt hatte. Das Hauptbuch enthielt offenbar Aufzeichnungen über sehr viele Transaktionen; Rob dämmerte, daß diese Männer ihrer Familie die Gewinne jener Handelskarawane brachten, die sie von Persien nach Deutschland geführt hatten; deshalb ließen sie auch ihr Lager nie unbewacht. Vor ihm in der Marschlinie befand sich Cullen, der einen beträchtlichen Betrag nach Anatolien brachte, um Schafe zu kaufen. Hinter ihm befanden sich die Juden, die bestimmt einen noch größeren Betrag bei sich hatten. Wenn Räuber eine solch reiche Beute witterten, würden sie ein Heer von Verbrechern aufstellen, und selbst eine so große Karawane wäre dann vor ihrem Angriff nicht sicher. Aber er kam nicht auf den Gedanken, die Karawane zu verlassen, denn allein zu reisen hätte bedeutet, den Tod herauszufordern. Also schlug er sich alle Bedenken aus dem Kopf, saß Tag um Tag mit verhängten Zügeln auf dem Kutschbock und hielt den Blick gleichsam für immer auf das Heilige Buch des Islam gerichtet.

Eine besondere Zeit folgte. Das Wetter hielt, der Himmel war so herbstlich, daß sein tiefes Blau Rob an Mary Cullens Augen erinnerte, die er jedoch nur selten zu sehen bekam, weil sie sich von ihm fernhielt – zweifellos auf Geheiß ihres Vaters.

Simon unterrichtete ihn eifrig, als müsse er ein Großkaufmann werden.

»Wie heißt die persische Gewichtseinheit?«

»Das *man*, Simon, ungefähr die Hälfte von einem englischen Stone.«

»Nennt mir die anderen Gewichte!«

»Ein *ratel*, der sechste Teil eines *man*. Das *dirham*, der fünfte Teil eines *ratel*. Das *mescal*, ein halbes *dirham*. Das *dung*, der sechste Teil eines *mescal*. Und das Gerstenkorn, ein Viertel eines *dung*.«

»Sehr gut. Wirklich gut!«

Wenn Rob nicht geprüft wurde, stellte er ununterbrochen Fragen.

»Bitte, Simon, wie heißt das Wort für Geld?«

»*Ras.*«

»Simon, würdest du so freundlich sein… was heißt dieser Ausdruck in dem Buch, *sonab a cartet*?«

»Verdienst für das nächste Leben, das heißt im Paradies.«

»Simon…«

Simon stöhnte, und Rob wußte, daß er ihm lästig wurde, worauf er sich die Fragen verkniff, bis ihm eine äußerst dringende einfiel.

Zweimal in der Woche besuchten sie Patienten. Simon übersetzte für ihn, schaute und hörte zu. Wenn Rob untersuchte und behandelte, war *er* der Fachmann, und Simon stellte die Fragen.

Ein dümmlich grinsender fränkischer Treiber suchte den Baderchirurgen auf und klagte über Schwäche und Schmerzen in den Kniekehlen, in denen sich harte Knoten befanden. Rob gab ihm eine Salbe aus schmerzstillenden Kräutern und Schafsfett und sagte ihm, er solle in zwei Wochen wiederkommen. Aber der Treiber stand schon nach einer Woche wieder vor ihnen. Diesmal berichtete er, daß er die gleichen Knoten in beiden Achselhöhlen habe. Rob gab ihm zwei Flaschen Universal-Spezificum und schickte ihn weg.

Als alle fort waren, wandte sich Simon an Rob. »Was ist mit dem großen Franken los?«

»Vielleicht werden die Knoten vergehen. Aber ich glaube es nicht. Er wird weitere Knoten bekommen, wenn er die Beulenpest hat. In diesem Fall muß er bald sterben.«

Simon blinzelte. »Könnt Ihr nichts dagegen tun?«

Rob schüttelte den Kopf. »Ich bin ein unwissender Baderchirurg. Vielleicht gibt es irgendwo einen großen Arzt, der ihm helfen könnte.«

»Ich könnte Eure Arbeit erst dann verrichten«, meinte Simon langsam, »wenn ich alles gelernt hätte, was es zu wissen gibt.«

Rob sah ihn an, schwieg aber. Es erschreckte ihn, daß der junge Jude sofort und so klar erkannt hatte, wozu er so lange gebraucht hatte.

In dieser Nacht wurde er von Cullen rauh geweckt. »Beeilt Euch, Mann, um Christi willen«, sagte der Schotte. Eine Frau schrie.

»Mary?«

»Nein, nein. Kommt mit!«

Es war eine dunkle, mondlose Nacht. Nur hinter dem Lager der Juden hatte jemand Pechfackeln angezündet, und im flackernden Licht sah Rob, daß ein Mann im Sterben lag.

Es war Raybeau, ein leichenblasser Franzose, der drei Plätze hinter Rob in der Marschlinie reiste. In seiner Kehle klaffte ein offener Riß, und neben ihm auf dem Boden glänzte eine dunkle Lache.

»Er war heute nacht der Wächter unseres Abschnitts«, erklärte Simon. Mary Cullen nahm sich des schreienden Weibes an, Raybeaus gewichtiger Frau, mit der er fortwährend gestritten hatte. Unter Robs feuchten Fingern fühlte sich die aufgeschlitzte Kehle des Mannes glitschig an. Raybeaus Atem ging rasselnd, einen Moment wandte er sich dem verzweifelten Geschrei seiner Frau zu, dann krümmte er sich zusammen und starb.

Einen Augenblick später schraken sie vom Geräusch galoppierender Pferde zusammen. »Es sind nur berittene Wachen, die Fritta ausschickt«, beruhigte sie Meier aus dem Dunkeln.

Die gesamte Karawane war auf den Beinen und bewaffnet, doch bald kehrten Frittas Reiter mit der Meldung zurück, daß sie keine Räuberbande gefunden hätten. Vielleicht war der Mörder ein einzelner Dieb oder der Kundschafter von Banditen gewesen; auf jeden Fall war er verschwunden.

Den Rest der Nacht schliefen sie wenig. Am Morgen wurde Gaspar Raybeau dicht neben der Römerstraße begraben. Karl Fritta sprach eilig die Begräbnisformeln auf deutsch, dann verließen die Leute die Grabesstelle und trafen nervös Vorbereitungen für die Weiterreise. Die Juden beluden ihre Packmaultiere so, daß die Lasten sich nicht lockerten, wenn die Tiere galoppieren mußten. Jedes Maultier war unter anderem mit einem schmalen, offenbar sehr schweren Sack aus Leder beladen. Rob konnte sich denken, was sich darin befand. Simon kam nicht zum Wagen, sondern ritt neben Meier, bereit zu kämpfen oder zu fliehen, falls es notwendig wurde.

Am nächsten Tag erreichten sie Novi Sad, eine geschäftige Stadt am linken Ufer der Donau. Hier erfuhren sie, daß eine Gruppe von sieben fränkischen Mönchen, die ins Heilige Land pilgerten, vor drei Tagen von Banditen überfallen, beraubt, geschändet und getötet worden war.

Während der nächsten drei Tage reisten sie, als stünde ständig ein Angriff bevor, doch sie gelangten am breiten, glitzernden Strom entlang ohne Zwischenfall nach Belgrad und kauften dort auf dem Bauernmarkt Vorräte, darunter kleine, säuerliche Pflaumen, die köstlich schmeckten, und kleine grüne Oliven, die Rob zusagten. Er nahm sein Abendessen in einer Taverne ein, doch es entsprach nicht seinem Geschmack, denn es bestand aus mehreren fetten Fleischsorten, die gehackt und vermischt worden waren und nach ranzigem Fett schmeckten.

Schon in Novi Sad hatten etliche Leute die Karawane verlassen, und weitere verließen sie in Belgrad. Dafür stießen andere zu ihr, so daß Cullen, Rob und die jüdische Gruppe in der Marschlinie vorrückten und nicht mehr der gefährdeten Nachhut angehörten.

Bald nachdem sie Belgrad verlassen hatten, kamen sie durch ein Vorgebirge, das bald in hohe Berge überging, die unwegsamer waren als alle, die sie bisher überquert hatten. Die steilen Hänge waren mit Steinblöcken übersät, die wie gefletschte Zähne aussahen. Auf den höheren Wegstrecken wehte ein scharfer Wind, und sie mußten plötzlich an den Winter denken: Diese Berge mußten bei Schnee die Hölle sein.

Jetzt konnte Rob nicht mehr mit verhängten Zügeln fahren. Bergauf mußte er die Stute oft mit sanften Schlägen antreiben, und beim Bergabfahren half er, indem er sie zurückhielt. Als seine Arme schon schmerzten und seine Stimmung am Nullpunkt war, fiel ihm ein, daß schon die Römer ihre *tormenta* über dieses düstere Gebirge befördert hatten. Aber die Römer hatten Horden von Sklaven besessen, er dagegen besaß eine einzige, ermüdete Stute, die er überaus gewandt lenken mußte. Abends schleppte er sich ermattet ins Lager der Juden, wo er gelegentlich eine Lektion erhielt. Doch Simon fuhr nun nicht mehr in seinem Wagen mit, und an manchen Tagen lernte Rob nicht einmal zehn Wörter.

Der Balkan

Jetzt kam Karl Fritta zum Zug, und Rob bewunderte ihn zum erstenmal, denn der Anführer der Karawane war überall, half, wenn ein Wagen beschädigt wurde, drängte und trieb die Leute an wie ein guter

Treiber seine Tiere. Der Weg war steinig. Am ersten Oktober verloren sie einen halben Tag, weil die Männer Gesteinsbrocken wegräumen mußten, die auf die Straße gestürzt waren. Es kam jetzt häufig zu Unfällen, und Rob richtete in einer Woche zwei gebrochene Arme ein. Als das Pferd eines normannischen Händlers scheute, stürzte der Wagen um und zerschmetterte dem Mann das Bein. Sie transportierten ihn auf einer Bahre, die zwischen zwei Pferden hing, bis sie zu einem Bauernhaus kamen, dessen Bewohner sich bereit erklärten, ihn zu pflegen. Sie ließen den Verletzten dort, und Rob hoffte inbrünstig, daß die Leute ihn nicht ermordeten und seinen Besitz an sich nahmen, sobald die Karawane außer Sicht war.

»Wir haben das Land der Magyaren verlassen und befinden uns in Bulgarien, das vom byzantinischen Kaiser beherrscht wird«, erzählte ihm Meier eines Morgens.

Es spielte keine Rolle, denn die Felsen wirkten nach wie vor feindselig, und an den hochgelegenen Stellen plagte sie weiterhin der Wind. Es wurde immer kälter, und die Teilnehmer der Karawane trugen die unterschiedlichste Oberbekleidung, die meist eher wärmend als elegant war, bis sie als seltsamer Haufen von zerlumpten und ausgepolsterten Geschöpfen daherkamen.

An einem trüben Morgen stolperte das Packmaultier, das Gerson ben Schemuel hinter seinem Pferd führte, und stürzte, wobei seine Vorderbeine sich schmerzhaft spreizten, bis das linke unter dem beträchtlichen Gewicht der Traglast des Tieres hörbar brach. Das verletzte Tier schrie vor Schmerz wie ein menschliches Wesen.

»Helft ihm!« rief Rob, und Meier ben Ascher zog ein langes Messer und half ihm auf die einzig mögliche Art, indem er die bebende Kehle durchschnitt.

Sie begannen sofort, das Gepäck von dem toten Maultier abzuladen. Den schmalen Ledersack mußten Gerson und Juda gemeinsam herunterheben, dabei begannen sie in ihrer Sprache zu streiten. Das noch vorhandene Maultier trug bereits einen solchen schweren Sack, und Gerson wies zu Recht darauf hin, daß der zweite Ledersack das Tier zu sehr beanspruchen würde.

Aus dem Teil der Karawane hinter ihnen kamen empörte Rufe von solchen, die nicht hinter der Hauptgruppe zurückbleiben wollten. Rob lief zu den Juden. »Werft den Sack auf meinen Wagen!«

Meier zögerte, dann schüttelte er den Kopf. »Nein.«

»Dann geht zum Teufel!« Rob war über das mangelnde Vertrauen empört.

Meier sagte etwas zu Simon, der Rob nachlief. »Sie werden den Sack auf mein Pferd binden. Darf ich im Wagen mitfahren? Nur, bis wir ein anderes Maultier kaufen können.«

Rob deutete auf den Kutschbock und kletterte hinauf. Er fuhr lange Zeit, ohne zu sprechen, denn er hatte keine Lust auf eine Lektion in Persisch.

»Ihr versteht das nicht«, sagte Simon. »Meier muß die Säcke bei sich behalten. Es ist nicht sein Geld, ein Teil gehört der Familie, und das meiste gehört Geldgebern. Er ist für das Geld verantwortlich.«

Diese Worte versöhnten Rob etwas. Aber es blieb weiterhin ein schlechter Tag. Der Weg war schwierig, und eine zweite Person im Wagen war eine zusätzliche Last für die Stute, so daß sie sichtlich erschöpft war, als die Dämmerung der Karawane auf dem Gipfel des Berges überraschte und das Lager aufgeschlagen werden mußte.

Bevor Rob oder Simon zu Abend essen konnten, mußten sie für Kranke zur Verfügung stehen. Der Wind war so stark, daß sie dieser Pflicht nur hinter Karl Frittas Wagen nachkommen konnten. Zu Robs und Simons Überraschung befand sich Gerson ben Schemuel unter den Wartenden. Der zähe, stämmige Jude hob seinen Kaftan, ließ seine Hose herunter, und Rob erblickte ein häßliches, dunkelrotes Furunkel auf seiner rechten Hinterbacke.

»Sag ihm, er soll sich vorbeugen.«

Gerson knurrte, als die Spitze von Robs Skalpell das Furunkel aufstach und der gelbe Eiter herausquoll, und er stöhnte und fluchte in seiner Sprache, während Rob das Furunkel ausdrückte, bis kein Eiter, sondern nur mehr helles Blut herauskam.

»Er wird die nächsten Tage nicht im Sattel sitzen können.«

»Er muß«, widersprach Simon. »Wir können Gerson nicht zurücklassen.«

Rob seufzte. Die Juden machten ihm heute wirklich das Leben schwer.

»Du kannst sein Pferd nehmen, dann kann er hinten in meinem Wagen mitfahren.«

Simon nickte.

Der dümmlich grinsende fränkische Treiber war der nächste. Diesmal hatte er kleine Beulen in der Leistengegend. Die Knoten in seinen Achselhöhlen und Kniekehlen waren größer und weicher als vorher, und auf Robs Frage gab der hochgewachsene Franke zu, daß sie begonnen hatten zu schmerzen. Rob ergriff die Hände des Treibers.

»Sag ihm, daß er sterben wird.«

Simon starrte ihn an. »Ist das Euer Ernst?«

»Ich lasse ihm sagen, daß er sterben wird.«

Simon schluckte und begann leise deutsch zu sprechen. Rob sah, wie das Lächeln aus dem großen, dummen Gesicht wich, dann riß der Franke seine Hände aus Robs Griff, hob die Rechte und ballte sie zur Faust. Er knurrte etwas.

»Er sagt, Ihr seiet ein verdammter Lügner«, erklärte Simon.

Rob wartete ab und blickte dem Treiber dabei in die Augen. Schließlich spuckte ihm der Mann vor die Füße und trottete davon.

Rob verkaufte zwei Männern, die rasselnd husteten, Spezificum, dann behandelte er einen wimmernden Magyaren mit einem ausgerenkten Daumen, der sich im Sattelgurt verfangen hatte, während sein Pferd sich bewegte.

Nach diesem Patienten verließ er Simon, er wollte von diesem Ort und diesen Leuten wegkommen. Die Teilnehmer der Karawane hatten sich verteilt; jeder hatte sich als Schutz gegen den Wind einen großen Felsblock gesucht, hinter dem er lagerte. Rob ging am letzten Wagen vorbei und erblickte Mary Cullen auf einem Felsen oberhalb der Straße.

Sie war wie losgelöst von der Erde. Sie hielt ihren schweren Schaffellmantel mit beiden Armen weit ausgebreitet, hatte den Kopf zurückgelegt und die Augen geschlossen, als würde sie durch die Gewalt des Windes gereinigt, der sie wie strömendes Wasser heftig umtobte. Der Mantel blähte sich und flatterte. Ihr schwarzes Kleid klebte an ihrem langen Körper, betonte die vollen Brüste und festen Brustwarzen, den sanft gerundeten Bauch, den großen Nabel und die süße Spalte zwischen den starken Schenkeln. Eine seltsame, warme Zärtlichkeit erfüllte ihn, die bestimmt der Teil eines Zaubers war, denn sie sah wirklich aus wie eine Hexe. Ihr langes Haar flatterte hinter ihr wie rot züngelndes Feuer.

Er wollte nicht, daß sie sah, wie er sie beobachtete. Deshalb drehte er sich um, ehe sie die Augen öffnete, und ging fort.

An seinem Wagen angelangt, wurde Rob zu seinem Mißvergnügen klar, daß das Gefährt zu voll beladen war, als daß Gerson darin auf dem Bauch liegen konnte. Es ließ sich nur dadurch Platz für Gerson schaffen, daß er auf das Podium verzichtete. Er lud die drei Bänke aus, schaute sie lange an und dachte daran, wie oft der Bader und er auf dieser kleinen Bühne gestanden und ihr Publikum unterhalten hatten. Dann zuckte er mit den Achseln, ergriff einen großen Stein und zerschlug die Bänke zu Brennholz. Im Feuertopf lagen Kohlen, und er entfachte im Windschatten des Wagens ein Feuer. Während es immer dunkler wurde, schürte er mit den Trümmern des Podiums die Flammen.

Am zweiundzwanzigsten Oktober trieb der Wind harte, weiße Eiskristalle durch die Luft, die brannten, wenn sie auf die nackte Haut trafen. »Es ist zu früh für diese Kälte«, sagte Rob mürrisch zu Simon, der wieder auf dem Kutschbock saß, da Gersons Hinterbacke verheilt und dieser auf sein Pferd zurückgekehrt war.
»Nicht auf dem Balkan«, widersprach ihm Simon. Sie befanden sich in einem hoch gelegenen, zerklüfteten, mit Buchen, Eichen und Kiefern bestandenen Tal, dessen Hänge teilweise so nackt und felsig waren, als hätte eine zornige Gottheit einen Teil des Berges weggewischt. Tosende Wasserfälle, die in tiefe Schluchten stürzten, bildeten kleine Seen.
Vater und Tochter Cullen vor ihm sahen in ihren langen Schaffellmänteln und Mützen wie Zwillinge aus, und er konnte sie nur deshalb unterscheiden, weil er wußte, daß die unförmige Gestalt auf dem Rappen Mary war.
Der Schnee blieb nicht liegen, und die Reisenden kämpften sich durch und kamen voran, aber Karl Fritta ging es nicht rasch genug. Er galoppierte die Marschlinie entlang und trieb zu größerer Eile an.
»Irgend etwas hat Fritta eine Heidenangst eingejagt«, meinte Rob.
Simon warf ihm rasch einen vorsichtigen Blick zu. »Er muß uns in die Stadt Gabrovo bringen, bevor die Schneefälle einsetzen. Über diese Berge hier führt der große Paß, der das ›Tor zum Balkan‹ genannt wird, aber er ist schon geschlossen. Die Karawane wird in der Nähe des Zugangs in Gabrovo überwintern. In dieser Stadt gibt es Gast- und Privathäuser, die Reisende aufnehmen. Kein anderer Ort in der Nähe des Passes ist groß genug, um eine Karawane wie die unsere zu beherbergen.«

Rob nickte und erkannte seinen Vorteil. »Dann kann ich den ganzen Winter über Persisch studieren.«

»Ihr könnt das Buch nicht behalten«, stellte Simon richtig. »Wir bleiben nicht bei der Karawane in Gabrovo. Wir reiten in die nahegelegene Stadt Tryavna, weil es dort Juden gibt.«

»Aber ich muß das Buch haben. Und ich brauche deine Lektionen.«

Simon hob die Schultern.

Nachdem Rob an diesem Abend das Pferd versorgt hatte, suchte er das Lager der Juden auf, die gerade einige besonders geschmiedete Hufeisen begutachteten. Meier reichte Rob eines. »Ihr solltet Euch für Eure Stute einen Satz machen lassen. Sie bewahren das Tier davor, auf Schnee und Eis auszugleiten.«

»Kann ich nicht nach Tryavna mitkommen?«

Meier und Simon wechselten einen Blick; offenbar hatten sie bereits darüber gesprochen. »Es liegt nicht in meiner Macht, Euch die Gastfreundschaft von Tryavna zu gewähren.«

»Wer kann das?«

»Der Anführer der dortigen Juden ist ein großer Weiser, der *rabbenu* Sch'lomo ben Elijahu.«

»Was ist ein *rabbenu*?«

»Ein Gelehrter. In unserer Sprache bedeutet *rabbenu* ›unser Lehrer‹ und ist ein Ausdruck höchster Ehrerbietung.«

»Dieser Sch'lomo, dieser Weise, ist er ein hochmütiger Mann, der Fremden gegenüber kalt, hart und unnahbar ist?«

Meier schüttelte lächelnd den Kopf.

»Kann ich nicht vor ihn treten und um die Erlaubnis bitten, bei Eurem Buch und Simons Lektionen zu bleiben?«

Meier sah Rob an, und man erkannte, daß er über die Frage nicht glücklich war. Er schwieg lange, doch als er begriff, daß Rob eigensinnig auf eine Antwort wartete, seufzte er und schüttelte den Kopf. »Wir werden Euch zu dem *rabbenu* bringen.«

Tryavna

Gabrovo war eine trostlose Stadt mit schäbigen Holzhäusern. Seit langem sehnte sich Rob nach einer Mahlzeit, die er nicht selbst gekocht hatte, einer guten Mahlzeit, die ihm auf dem Tisch eines Gasthauses vorgesetzt wurde. Die Juden blieben kurz in Gabrovo, um einen Kaufmann aufzusuchen, und diese Zeit nützte Rob, um in einem der drei Wirtshäuser einzukehren. Das Essen war eine schreckliche Enttäuschung: Das Fleisch war zu stark gesalzen, um zu verheimlichen, daß es einen Stich hatte, und das Brot hart und altbacken. Es wies Löcher auf, aus denen man zweifellos Getreidekäfer herausgeholt hatte. Die Räume waren ebenso unbefriedigend wie das Essen. Wenn die anderen beiden Herbergen nicht besser waren, stand den Mitgliedern der Karawane ein harter Winter bevor, denn jede verfügbare Handbreit war mit Strohsäcken vollgestopft, und sie würden Wange an Wange schlafen müssen.

Meiers Gruppe brauchte nicht einmal eine Stunde, um nach Tryavna zu kommen, das viel kleiner war als Gabrovo. Das Judenviertel – ein paar von der Witterung gebleichte Holzgebäude mit Strohdächern – war von der üppigen Ortschaft durch Weingärten, die im Winterschlaf lagen, und braune Felder getrennt, auf denen Kühe die Stoppeln des erfrorenen Grases fraßen. Sie kehrten in einem Hof ein, wo Jungen sich ihrer Tiere annahmen. »Ihr wartet am besten hier«, sagte Meier zu Rob.

Es dauerte nicht lang, da holte ihn Simon und führte ihn in eines der Häuser, durch einen dunklen Korridor, der nach Äpfeln roch, bis zu einem Raum, dessen Einrichtung nur aus einem Stuhl und einem Tisch bestand. Auf dem Tisch häuften sich Bücher und Manuskripte. Dahinter saß ein alter, beleibter Mann mit schneeweißem Haar und Bart. Er war gebeugt, hatte ein Doppelkinn und große braune Augen, die tränten, aber bis in Robs Seele drangen. Namen wurden nicht genannt; es war, als träte Rob vor einen Lehensherrn.

»Wir haben dem *rabbenu* mitgeteilt, daß Ihr nach Persien reist und für Eure Geschäfte die Sprache des Landes lernen müßt«, sagte Simon. »Er fragte darauf, ob die Freude an der Gelehrsamkeit nicht Grund genug sei zu studieren.«

»Manchmal bereitet das Studium Freude«, wandte sich Rob direkt an den alten Mann. »Für mich ist es zumeist harte Arbeit. Ich lerne die Sprache der Perser, weil ich hoffe, daß sie mir zu dem verhelfen wird, was ich möchte.«

Simon und der *rabbenu* sprachen leise miteinander.

»Er fragt, ob Ihr immer so ehrlich seid. Ich habe ihm erzählt, daß Ihr einem vom Tode Gezeichneten geradeheraus erklärt habt, daß er sterben wird, und er hat geantwortet: ›Er ist wirklich ehrlich.‹«

»Sag ihm, daß ich Geld habe und für Verpflegung und Unterkunft bezahlen werde.«

Der Weise schüttelte den Kopf.

»Das ist kein Gasthaus. Wer hier wohnt, muß arbeiten«, übersetzte Simon. »Wenn der Erhabene barmherzig ist, werden wir in diesem Winter keinen Baderchirurgen brauchen.«

»Ich brauche nicht als Baderchirurg zu arbeiten. Ich bin bereit, alles zu tun, was Euch nützt.«

Die langen Finger des *rabbenu* wühlten und kratzten in seinem Bart, während er überlegte. Schließlich gab er seine Entscheidung bekannt.

»Wann immer geschlachtetes Rindfleisch für nicht *koscher* erklärt wird«, übersetzte Simon, »werdet Ihr das Fleisch dem christlichen Fleischer in Gabrovo verkaufen. Und am Sabbat, wenn die Juden nicht arbeiten dürfen, werdet Ihr Euch um das Feuer in den Häusern kümmern.«

Rob zögerte. Der alte Jude sah ihn interessiert an, weil Robs Augen aufgeleuchtet hatten.

»Noch etwas?« murmelte Simon.

»Wenn die Juden am Sabbat nicht arbeiten dürfen, überantwortet er dann nicht meine Seele der Verdammnis, wenn er dafür sorgt, daß ich es tue?«

Der *rabbenu* lächelte, als Simon übersetzte.

»Er vertraut darauf, daß Ihr nicht danach strebt, ein Jude zu werden, Master Cole?«

Rob schüttelte den Kopf.

»Dann ist er sicher, daß Ihr ohne Bedenken am Sabbat arbeiten könnt, und er heißt Euch in Tryavna willkommen.«

Der *rabbenu* führte sie in den hinteren Teil eines großen Kuhstalls, wo Rob schlafen sollte. »Im Studierhaus gibt es Kerzen, aber hier im Stall dürfen wegen des trockenen Heus keine Kerzen angezündet werden«, teilte der *rabbenu* Rob streng durch Simon mit und hieß ihn auch gleich die Ställe ausmisten.

In dieser Nacht lag er auf dem Stroh, und seine Katze lag zu seinen Füßen wie eine Löwin, die ihn bewachte. Mistress Buffington verließ ihn gelegentlich, um eine Maus zu jagen, kam aber immer wieder zurück. Der Stall war ein dunkler, feuchter Palast, den die großen Körper der Rinder angenehm erwärmten, und sobald Rob sich an das ewige Muhen und den süßlichen Gestank des Kuhmistes gewöhnt hatte, schlief er beruhigt ein.

Der Winter kam in Tryavna drei Tage nach Rob an. In der Nacht begann es zu schneien, und während der nächsten beiden Tage fielen abwechselnd windgepeitschte, harte Graupel und dicke Flocken, die so groß herabschwebten, daß sie aussahen wie Zuckerkonfekt. Als es aufhörte zu schneien, gab man Rob eine große hölzerne Schneeschaufel. Er schaffte die Schneewehen vor den Türen weg und trug dabei einen ledernen Judenhut, den er an einem Pflock im Stall gefunden hatte. Über ihm glitzerten die hohen Berge weiß in der Sonne, und die Arbeit in der kalten Luft machte ihn zuversichtlich. Als er mit dem Schaufeln fertig war, gab es keine andere Arbeit, und er konnte das Studierhaus aufsuchen. In das Holzhaus drang die Kälte ein, gegen die das Herdfeuer so unzureichend ankämpfte, daß die Leute oft vergaßen, es zu unterhalten. Die Juden saßen an rohen Tischen, studierten Stunde um Stunde und debattierten laut und manchmal erbittert.

Sie nannten ihr Kauderwelsch *loschen*. Simon erklärte ihm, daß es sich um eine Mischung aus Hebräisch und Latein und ein paar Redewendungen aus den Ländern handelte, in denen sie reisten oder lebten. Es war eine für Disputanten geschaffene Sprache, und wenn sie gemeinsam studierten, warfen sie einander die Wörter an den Kopf.

»Worüber streiten sie denn?« fragte Rob verwundert.

»Über die Gesetze.«

»Wo sind ihre Bücher?«

»Sie verwenden keine Bücher. Wer die Gesetze kennt, hat sie auswendig gelernt, wie er sie von seinen Lehrern gehört hat. Wer sie noch nicht auswendig kann, lernt sie, indem er zuhört. So war es immer. Es gibt natürlich auch das geschriebene Gesetz, aber es ist nur da, um zu Rate gezogen zu werden. Jeder Mann, der das mündliche Gesetz kennt, lehrt die Auslegung der Gesetze, die ihn sein Lehrer gelehrt hat, und es gibt eine Menge Auslegungen, weil es so viele verschiedene Lehrer gibt. Deshalb streiten sie. Jedesmal, wenn sie debattieren, lernen sie ein bißchen mehr über das Gesetz.«

In Tryavna nannten sie ihn von Anfang an Mar Reuven, die hebräische Übersetzung von Master Robert. Mar Reuven, der Baderchirurg. Daß er *Mar* genannt wurde, unterschied ihn von ihnen, denn sie nannten einander *Reb*, ein Titel, der auf lobenswerte Gelehrsamkeit hinwies, aber unter dem eines *rabbenu* stand. In Tryavna gab es nur einen *rabbenu*.

Sie waren seltsame Leute und unterschieden sich von ihm durch ihr Aussehen wie durch ihre Bräuche. »Was ist mit seinem Haar los?« wurde Meier von Reb Joel Levski, dem Hirten, gefragt. Rob war der einzige im Studierhaus, der keine *peot* besaß, die rituellen Haarlocken, die sich neben jedem Ohr ringelten.

»Er weiß es nicht besser. Er ist ein *goj*, ein anderer«, erklärte ihm Meier »Aber Simon hat mir erzählt, daß dieser andere beschnitten ist. Wie kann das sein?« fragte Reb Pinhas ben Simeon, der Milchmann.

Meier zuckte mit den Achseln. »Ein Zufall«, sagte er. »Ich habe mit ihm darüber gesprochen. Es hat nichts mit Abrahams Bund zu tun.«

Einige Tage lang wurde Mar Reuven angestarrt, doch auch er starrte die Juden an, denn mit ihren Hüten, Ohrlocken, buschigen Bärten, mit ihrer dunklen Kleidung und ihren fremdartigen Bräuchen wirkten sie überaus seltsam. Ihre Gewohnheiten beim Gebet faszinierten ihn, sie waren so persönlich: Meier legte seinen Gebetsschal bescheiden und unauffällig an. Reb Pinhas entfaltete seinen *tallit*, schüttelte ihn beinahe arrogant aus, hielt ihn an zwei Ecken vor sich, warf ihn sich mit einer Armbewegung und einer Drehung seiner Handgelenke über den Kopf, so daß der Schal sich bauschte und sanft wie ein Segen auf seine Schultern fiel.

Wenn Reb Pinhas betete, beugte er sich ruckartig vor und zurück, weil er dem Allmächtigen seine Bitte dringend unterbreiten wollte. Meier schwankte sanft, wenn er seine Gebete aufsagte. Simons Tempo lag irgendwo dazwischen, und er beendete jede Vorwärtsbewegung mit einem leichten Erschauern und Kopfschütteln.

Rob las und studierte sein Buch und die Juden; er benahm sich so sehr wie die übrigen, daß er bald kein Aufsehen mehr erregte. Das Studierhaus war brechend voll – täglich sechs Stunden lang, drei Stunden nach dem Morgengebet, das sie *schacharit* nannten, und drei Stunden nach dem Abendgebet, *ma'ariw* –, denn die meisten Männer studierten vor und nach ihrer täglichen Arbeit, mit der sie ihren Lebensunterhalt verdienten. Zwischen diesen beiden Perioden war es jedoch verhältnismäßig ruhig, da nur ein oder zwei Tische von hauptberuflichen Gelehrten besetzt waren. Bald saß Rob ungezwungen und unbemerkt zwischen ihnen, überhörte ihr Gebrabbel, arbeitete am persischen *Qu'ran*, dem Koran, und begann schließlich, wirkliche Fortschritte zu machen.

Wenn der Sabbat kam, kümmerte er sich um das Feuer. Es war der schwerste Arbeitstag der Woche, aber dennoch nicht so zeitraubend, daß er nicht einen Teil des Nachmittags studieren konnte. Zwei Tage später half er Reb Elia, dem Tischler, neue Querleisten an Holzstühlen anzubringen. Sonst hatte er nichts zu tun, außer Persisch zu studieren, bis ihm Rahel, die Enkelin des *rabbenu*, das Melken beibrachte. Sie hatte eine weiße Haut und langes, schwarzes Haar, das sie um ihr herzförmiges Gesicht flocht; die Unterlippe ihres zierlichen Mundes war voll wie die einer Frau, und auf ihrem Hals befand sich ein winziges Muttermal. Ihre großen, braunen Augen ließen ihn nicht los.

Rob stand mit einer Decke in der Hand allein im dunklen Kuhstall. Die Decke roch intensiv nach der Stute und war nur wenig größer als ein Gebetsschal. Mit einer schnellen Bewegung schwang er sie über den Kopf, und sie legte sich so ordentlich um seine Schultern, als wäre sie Reb Pinhas *tallit*. Rob übte so oft, bis er sich den Gebetsschal selbstsicher umlegen konnte. Die Rinder muhten, während er ruhig, aber zielstrebig die schwankende Bewegung beim Beten übte. Beim Gebet ahmte er lieber Meier nach und nicht energischere Andächtige wie Reb Pinhas.

Das war jedoch der leichtere Teil. Es würde viel Zeit erfordern, ihre fremd klingende, komplizierte Sprache zu erlernen, vor allem, da er sich hauptsächlich darum bemühte, Persisch zu lernen.

Sie waren ein Volk, das an Amulette glaubte. Im oberen Drittel des rechten Türpfostens jeder Tür in jedem Haus war ein hölzernes Röhrchen angenagelt, das *mesusa* hieß. Simon erklärte ihm, daß jede *mesusa* ein winziges, gerolltes Stückchen Pergament enthielt; auf der

Vorderseite waren in rechtwinkeligen assyrischen Buchstaben zweiundzwanzig Zeilen aus dem 5. Buch Mose 6.4—9 und 11.13—21
aufgezeichnet, und auf der Rückseite stand das Wort *Schaddai* —
Allmächtiger.

Wie Rob schon während der Reise bemerkt hatte, band sich jeder
Erwachsene jeden Morgen außer am Sabbat Riemen mit einer kleinen
Lederschachtel an den linken Arm und an den Kopf. Diese hießen
tefillin und enthielten Teile von ihrem Heiligen Buch, der Thora; die
Schachtel auf der Stirn befand sich in der Nähe des Geistes, die am Arm
in der Nähe des Herzens.

»Wir tun es, um den Anweisungen im 5. Buch Mose zu gehorchen«,
sagte Simon. »Und diese Worte, die ich dir heute gebiete, sollst du zu
Herzen nehmen... Und sollst sie binden zum Zeichen auf deine Hand,
und sollen dir ein Denkmal vor deinen Augen sein.‹«

Das Dumme war, daß Rob nur, indem er zuschaute, nicht herausbekam, wie die Juden die *tefillin* anlegten. Er konnte auch Simon nicht
ersuchen, es ihm zu zeigen, denn es wäre merkwürdig gewesen, wenn
ein Christ einen Ritus des jüdischen Gottesdiensts lernen wollte.
Simon erzählte zwar, daß sie sich den Riemen zehnmal um den Arm
schlagen, aber was sie mit der Hand taten, war kompliziert, denn sie
verflochten den Lederriemen auf eine besondere Art, mit den Fingern,
die er nicht herausfinden konnte.

Er stand in dem kräftig riechenden Stall und wand sich statt der
ledernen *tefillin* eine alte Schnur um den linken Arm, aber so, wie er die
Schnur um Hand und Finger wand, ergab es keinen Sinn.

Die Juden waren jedoch die geborenen Lehrer, und er lernte jeden Tag
etwas Neues. In der Klosterschule von St. Botolph hatten ihm die
Priester beigebracht, daß der Gott des Alten Testaments Jehova war.
Aber als er Jehova erwähnte, schüttelte Meier den Kopf.

»Ihr müßt wissen, daß für uns der Herr unser Gott, gelobt sei Er,
sieben Namen besitzt. Das ist der heiligste.« Mit einem Stück Kohle
aus dem Kamin schrieb er das Wort sowohl in Persisch als auch in
seiner Sprache auf den Holzboden: *Jahwe*. »Es wird nie ausgesprochen, denn die Identität des Allerhöchsten ist unaussprechlich. Das
Wort wird von den Christen falsch ausgesprochen, wie Ihr es getan
habt. Aber der Name ist nicht Jehova, versteht Ihr?«
Rob nickte.

Am Abend ließ er sich auf dem Strohsack die neuen Worte und Sitten durch den Kopf gehen, und bevor ihn der Schlaf überwältigte, kam ihm ein Satz ins Gedächtnis, ein Bruchstück eines Segens, eine Gebärde, eine besondere Aussprache, der ekstatische Ausdruck auf einem Gesicht während des Gebetes, und er speicherte diese Dinge in seinem Gedächtnis für den Tag, an dem er sie brauchen würde.

»Ihr müßt Euch von der Enkelin des *rabbenu* fernhalten«, riet ihm Meier stirnrunzelnd.

»Ich bin nicht an ihr interessiert.« Seit sie beim Melken miteinander gesprochen hatten, waren Tage vergangen, und er war ihr seither nicht in die Nähe gekommen.

Vergangene Nacht hatte er sogar von Mary Cullen geträumt.

Meier nickte. »Gut. Eine der Frauen hat gesehen, wie sie Euch sehr interessiert beobachtete, und es dem *rabbenu* erzählt. Er hat mich ersucht, mit Euch zu sprechen.« Meier legte den Zeigefinger an seine Nase. »Ein ruhiges Wort zu einem klugen Mann ist besser, als ein Jahr lang einem Narren zuzureden.«

Rob war erschrocken und beunruhigt, denn er mußte in Tryavna bleiben, um die Verhaltensweisen der Juden zu studieren und Persisch zu lernen. »Ich will keine Schwierigkeiten wegen einer Frau.«

»Natürlich nicht«, seufzte Meier. »Probleme macht das Mädchen, das heiraten sollte. Sie ist seit ihrer Kindheit mit Reb Meschullum ben Moses, dem Enkel von Reb Baruch ben David, verlobt. Ihr kennt Reb Baruch? Ein großer, hagerer Mann, langes Gesicht, schmale, spitze Nase. Er sitzt im Studierhaus auf der anderen Seite des Feuers.«

»Ach der! Ein alter Mann mit fanatischen Augen.«

»Er hat fanatische Augen, weil er ein fanatischer Gelehrter ist. Wäre der *rabbenu* nicht der *rabbenu*, würde Reb Baruch der *rabbenu* sein. Sie waren schon immer als Gelehrte Rivalen und enge Freunde. Als ihre Enkelkinder noch klein waren, vereinbarten sie mit großer Freude eine Heirat, um ihre Familien zu vereinigen. Dann kam es zu einem schrecklichen Zwist, der ihrer Freundschaft ein Ende machte.«

»Warum haben sie gestritten?« fragte Rob, der sich allmählich in Tryavna so sehr zu Hause fühlte, daß er auch den Klatsch ein wenig genoß.

»Sie haben gemeinsam einen jungen Stier geschlachtet. Nun müßt Ihr verstehen, daß unsere Gesetze von *kaschrut* alt und kompliziert sind und Vorschriften und Auslegungen darüber enthalten, wie das Fleisch sein muß und wie es nicht sein darf. In der Lunge des Tieres wurde ein geringfügiger Makel entdeckt. Der *rabbenu* zitierte Präzedenzfälle, laut denen der Makel unerheblich war und das Fleisch keineswegs unbrauchbar machte. Reb Baruch zitierte andere Präzedenzfälle, laut denen das Fleisch durch den Makel unbrauchbar war und nicht gegessen werden durfte. Er bestand darauf, daß er recht hatte, und nahm es dem *rabbenu* übel, daß er seine Gelehrsamkeit in Frage stellte. Sie stritten, bis der *rabbenu* schließlich die Geduld verlor. ›Schneidet das Tier in zwei Hälften‹, befahl er. ›Ich werde meinen Teil nehmen, und Baruch kann mit seinem Teil tun, was ihm gefällt.‹ Als er seine Hälfte des Stieres nach Hause brachte, wollte er ihn essen. Aber nachdem er überlegt hatte, klagte er: ›Wie kann ich das Fleisch dieses Tieres essen? Eine Hälfte liegt auf Baruchs Abfallhaufen, und ich soll die andere Hälfte essen?‹ Also warf er auch seine Hälfte des Stieres weg. Seither stehen sie einander feindlich gegenüber. Wenn Reb Baruch weiß sagt, sagt der *rabbenu* schwarz, wenn der *rabbenu* Fleisch sagt, sagt Reb Baruch Milch. Als Rahel zwölfeinhalb Jahre alt war, und ihre Eltern eigentlich allmählich ernsthaft über die Hochzeit sprechen hätten sollen, unternahmen die Familien nichts, weil sie wußten, daß jedes Zusammentreffen mit einem Streit zwischen den beiden alten Männern enden würde. Dann ging Reb Meschullum, der Bräutigam, mit seinem Vater und anderen jungen Männern seiner Familie zum erstenmal auf Geschäftsreise ins Ausland. Sie fuhren mit Kupferkesseln nach Marseille, blieben fast ein Jahr dort, handelten und erzielten einen schönen Gewinn. Wenn man die Reisezeit mitrechnet, waren sie beinahe zwei Jahre fort, bis sie vergangenen Sommer zurückkehrten und eine Karawanenladung guter französischer Kleidung mitbrachten. Aber noch immer sorgen die beiden durch die Großväter auseinandergerissenen Familien nicht dafür, daß die Heirat stattfindet. Inzwischen wissen alle, daß die unglückselige Rahel als *aguna*, als verlassene Frau, angesehen werden kann. Sie hat Brüste, aber sie stillt keine Kinder, sie ist eine erwachsene Frau, hat aber keinen Ehemann, und das Ganze ist zu einem Riesenskandal geworden.«

Rob und Meier waren sich darüber einig, daß es für Rob am besten war, wenn er während des Melkens die Meierei mied.

Es war gut, daß Meier mit Rob gesprochen hatte, denn es hätte alles mögliche geschehen können, wenn ihm nicht klargemacht worden wäre, daß die Gastfreundschaft während des Winters nicht den Gebrauch der Frauen einschloß.

Es war hart. Überall um ihn herrschte strotzende Sexualität, die von der Religion gefördert wurde. So hielten sie es zum Beispiel für einen besonderen Segen, sich am Vorabend des Sabbat zu lieben, was vielleicht erklärte, warum sie das Wochenende so gern hatten. Die jungen Männer sprachen offen über diese Dinge und stöhnten, wenn eine Frau unberührbar war: Jüdische Ehepaare durften zwölf Tage nach dem Beginn der Menstruation oder sieben Tage nach ihrem Ende – je nachdem, was länger war – keinen Beischlaf haben. Ihre Enthaltsamkeit war erst zu Ende, wenn die Frau es anzeigte, indem sie sich in dem rituellen Bad, der sogenannten *mikwe*, reinigte.

Hierzu diente ein mit Ziegeln ausgekleidetes Becken in einem über einer Quelle errichteten Badehaus. Simon erzählte Rob, daß das Wasser der *mikwe*, um für das Ritual geeignet zu sein, aus einer natürlichen Quelle oder einem Fluß stammen mußte. Die *mikwe* diente der symbolischen Läuterung, nicht der Reinigung. Die Juden badeten zu Hause, doch jede Woche gesellte sich Rob kurz vor dem Sabbat zu den Männern im Badehaus, das nur das Becken und einen runden Herd mit einem großen lodernden Feuer enthielt, über dem Kessel mit kochendem Wasser hingen. Sie badeten splitternackt in der dampfenden Wärme und wetteiferten um das Vorrecht, Wasser über den *rabbenu* zu gießen, während sie ihm ständig Fragen stellten.

»*Schi-aila, Rabbenu, schi-aila*!« Eine Frage, eine Frage!

Sch'lomo ben Elijahus Antwort auf jedes Problem war überlegt und nachdenklich, voll gelehrter Präzedenzfälle und Zitate, die Simon oder Meier Rob manchmal sehr eingehend übersetzten.

Die meisten Fragen, die für den andersgläubigen Gast übersetzt wurden, bereiteten ihm weder Herzklopfen noch erregten sie seine dauernde Aufmerksamkeit. Dennoch genoß Rob die Freitagnachmittage im Badehaus; er hatte sich in der Gesellschaft unbekleideter Männer noch nie so wohl gefühlt. Vielleicht hatte es etwas mit seinem beschnittenen Penis zu tun. Wenn er sich unter seinesgleichen befunden hätte, wäre sein Glied längst Gegenstand von neugierigen Blicken, Gekicher, Fragen oder obszönen Vermutungen gewesen. Eine isoliert wachsende exotische Blume ist etwas Besonderes, aber es sieht völlig anders aus, wenn sie in einem Feld von Blumen gleicher Art steht.

Rob betrat nie die *mikwe*, da er wußte, daß dies verboten war. Er begnügte sich damit, sich in dem dampferfüllten Badehaus zu rekeln und zuzuschauen, wie die Juden sich darauf vorbereiteten, ins Becken zu steigen. Sie murmelten den zum Ritus gehörenden Segen, manche sangen ihn sogar laut, und stiegen die sechs feuchten Steinstufen hinunter ins tiefe Wasser. Sobald es ihr Gesicht bedeckte, bliesen sie kräftig oder hielten die Luft an, denn der Akt der Läuterung erforderte, daß sie vollkommen untertauchten, so daß jedes Haar des Körpers naß wurde.

Selbst wenn man Rob dazu eingeladen hätte, hätte ihn nichts dazu bewegen können, in die Kälte dieses dunklen Mysteriums des Wassers einzutauchen. Wenn der *Jahwe* genannte Gott wahrlich existierte, dann wußte Er vielleicht, daß Rob Cole zwar die Absicht hatte, sich als eines Seiner Kinder auszugeben, doch hatte er das Gefühl, daß ihn in dem unergründlichen Wasser etwas in die jenseitige Welt ziehen würde, wo alle Sünden seines schändlichen Planes bekannt waren; hebräische Schlangen würden an seinem Fleisch nagen, und vielleicht würde ihn Jesus persönlich bestrafen.

Winter im Studierhaus

Diese Weihnachten waren die seltsamsten, die Rob in seinen einundzwanzig Lebensjahren mitgemacht hatte. Der Bader hatte ihn nicht zu einem wahren Gläubigen erzogen, aber die Gänse und der Pudding, die Sülze aus dem Schweinskopf, das Singen, die Trinksprüche, der feiertägliche Klaps auf den Hintern waren ein Teil des Festes. In diesem Jahr überfiel ihn gähnende Einsamkeit. Die Juden übersahen diesen Tag nicht aus Niedertracht; in ihrer Welt gab es einfach Jesus nicht. Zweifellos hätte Rob eine Kirche aufsuchen können, er tat es aber nicht. Merkwürdig: Die Tatsache, daß ihm niemand fröhliche Weihnachten wünschte, machte ihn innerlich mehr zum Christen, als irgend etwas zuvor. Eine Woche später, als das Jahr des Herrn 1033 dämmerte, lag er auf seinem Strohsack und dachte darüber nach, was aus ihm geworden war und wohin ihn dies alles führen würde. Als er quer durch die britische Insel gewandert war, hielt er sich für einen erfahrenen Reisenden, doch er hatte inzwischen eine Entfernung zurückgelegt, die den Umfang seiner heimatlichen Insel weit überschritt, und noch immer lag ein endloser unbekannter Weg vor ihm.

Die Juden feierten die Jahreswende aber nicht, weil es Neujahr war, sondern weil Neumond war. Er erfuhr zu seiner Verwirrung, daß sie sich nach ihrem Kalender mitten im Jahr 4793 befanden.

Das Land war für den Schnee wie geschaffen. Rob freute sich jedesmal, wenn es schneite, und bald war es für alle selbstverständlich, daß nach jedem Schneesturm der große *goj* mit seiner Holzschaufel die Arbeit von etlichen gewöhnlichen Schneeschauflern besorgte. Es war seine einzige körperliche Betätigung; wenn er nicht Schnee schaufelte, lernte er Parsi. Er war inzwischen so weit fortgeschritten, daß er allmählich in der persischen Sprache denken konnte. Einige Juden aus Tryavna hatten Persien besucht, und er sprach mit jedem Menschen Persisch, der dazu bereit war. »Die Aussprache, Simon. Wie ist meine Aussprache?« fragte er seinen Lehrer, der sich darüber ärgerte.

»Jeder Perser wird darüber lachen« entgegnete Simon. »Denn für die Perser werdet Ihr ein Ausländer sein. Erwartet Ihr Wunder?« Die Juden im Studierhaus lächelten über die Unbeholfenheit des jungen, riesigen *goj.*

Sollen sie nur lächeln, dachte der; für ihn waren sie ein ergiebigeres Studienobjekt als er für sie. Zum Beispiel bekam er bald heraus, daß Meier und seine Gruppe nicht die einzigen Fremden in Tryavna waren. Viele Männer im Studierhaus waren ebenfalls Reisende, die auf das Ende des strengen Balkanwinters warteten. Zu Robs Überraschung erzählte ihm Meier, daß keiner von ihnen auch nur eine einzige Münze für über drei Monate Unterkunft und Verpflegung bezahlte.

Meier klärte ihn auf: »Dieses System ermöglicht es meinem Volk, zwischen den Nationen Handel zu treiben. Ihr habt gesehen, wie schwierig und gefährlich es ist, die Welt zu bereisen, doch jede jüdische Gemeinde schickt Kaufleute ins Ausland. Und in jedem jüdischen Dorf in jedem Land, ob christlich oder mohammedanisch, wird ein jüdischer Reisender von den Juden aufgenommen, erhält Essen und Wein, einen Platz in der Synagoge, einen Stall für sein Pferd. Jede Gemeinde entsendet Männer in fremde Länder, die dort von jemand anderem unterstützt werden. Und im nächsten Jahr wird der Wirt der Gast sein.«

Die Fremden fügten sich schnell in das Leben der Gemeinde ein und fanden sogar am lokalen Klatsch Gefallen. So erfuhr Rob eines Nachmittags, als er im Studierhaus mit einem anatolischen Juden, einem Hufschmied namens Ezra, auf Persisch plauderte – Klatsch auf Parsi! –, daß am nächsten Tag eine aufregende Konfrontation stattfinden werde: Der *rabbenu* fungierte als *schochet*, als Gemeindeschlächter von Fleischtieren. Am nächsten Morgen würde er zwei seiner eigenen Tiere, junge Rinder, schlachten. Eine kleine Gruppe der angesehensten Weisen der Gemeinde amtiere als *maschgiot*, rituelle Prüfer, die dafür sorgten, daß während des Schlachtens das komplizierte Gesetz bis zur letzten Einzelheit eingehalten wurde. Und während der *rabbenu* schlachtete, war als Vorsitzender der *maschgiot* sein einstiger Freund und derzeitig erbitterter Widersacher Reb Baruch ben David vorgesehen.

An diesem Abend unterrichtete Meier Rob aus dem Buch Leviticus, dem 3. Buch Mose. Den Juden war erlaubt, von den Tieren der Erde die folgenden zu essen: jedes Tier, das wiederkäute und einen gespaltenen Huf besaß, also auch Schafe, Rinder, Ziegen und Hirsche. Zu den Tieren, die *treife*, also nicht *koscher*, waren, gehörten Pferde, Esel, Kamele und Schweine.

Von den Vögeln durften sie Wildtauben, Hühner, Haustauben, Hausenten und Hausgänse essen. Zu den geflügelten Tieren, vor denen sie Abscheu hegten, gehörten Adler, Strauße, Geier, Falken, Kuckucke, Schwäne, Störche, Eulen, Pelikane, Kiebitze und Fledermäuse.

»Ich habe nie in meinem Leben etwas so Gutes gegessen wie einen liebevoll zubereiteten jungen Schwan, der mit gepökeltem Schweinespeck gespickt und dann langsam über dem Feuer gebraten wird.«

Meier sah ihn leicht angewidert an. »Das werdet Ihr hier nicht bekommen.«

Der nächste Morgen dämmerte klar und kalt. Das Studierhaus war nach dem *schacharit*, dem Morgengebet, beinahe leer, denn viele wanderten zum Scheunenhof des *rabbenu*, um dem rituellen Schlachten beizuwohnen. Ihr Atem bildete kleine Wölkchen, die in der ruhigen, frostigen Luft schwebten.

Rob stand neben Simon. Leichte Unruhe entstand, als Reb Baruch ben David mit dem zweiten Prüfer, einem gebeugten alten Mann namens Reb Samson ben Zanvil, eintraf, dessen Gesicht ernst und streng war.

»Er ist älter als Reb Baruch oder der *rabbenu*, aber nicht so gelehrt«, flüsterte Simon. »Und jetzt befürchtet er, zwischen die beiden zu geraten, wenn es zu einem Streit kommen sollte.«

Die vier Söhne des *rabbenu* brachten das erste Tier aus dem Stall, einen schwarzen Stier mit kräftigem Rücken und schweren Hintervierteln. Der Stier brüllte, warf den Kopf hoch, stampfte, und sie mußten die Hilfe der Zuschauer in Anspruch nehmen, um ihn mit Stricken im Zaum zu halten, während die *maschgiot* jeden Zoll seines Körpers untersuchten.

»Die kleinste Wunde oder der winzigste Riß in der Haut macht das Tier zum Essen ungeeignet«, erklärte Simon.

»Warum?«

Simon sah Rob verärgert an. »Weil das Gesetz so lautet.«

Als sie endlich zufrieden waren, führten sie den Stier zu einem mit duftendem Heu gefüllten Futtertrog. Der *rabbenu* ergriff ein langes Messer. »Siehst du das stumpfe, viereckige Ende des Messers?« fragte Simon. »Es hat keine Spitze, damit es keinen Kratzer in der Haut des Tieres hinterlassen kann. Aber es ist scharf wie ein Rasiermesser.«

Sie warteten in der Kälte, aber nichts geschah. »Worauf warten sie?« flüsterte Rob.

»Auf den genau richtigen Moment«, antwortete Simon, »denn das Tier darf sich im Augenblick des Todesschnittes nicht bewegen, sonst ist es nicht *koscher*.«

Noch während er sprach, blitzte das Messer auf. Mit einem einzigen, geschickten Schnitt wurden der Schlund, die Luftröhre und die Halsschlagader durchtrennt. Im nächsten Augenblick schoß ein roter Strom heraus, und der Stier verlor das Bewußtsein, da die Blutzufuhr zum Gehirn schlagartig abgeschnitten war. Die Augen des Rindes wurden matt, der Stier sank auf die Knie und war einen Augenblick später tot.

Von den Zuschauern kam zufriedenes Murmeln, das jedoch rasch verstummte, denn Reb Baruch hatte das Messer ergriffen, um es zu prüfen.

Auf seinen feinen alten Gesichtszügen spiegelte sich ein innerer Kampf. Baruch wandte sich an seinen älteren Rivalen.

»Ist etwas?« fragte der *rabbenu* kalt.

»Ich befürchte es«, antwortete Reb Baruch. Er zeigte auf einen Fehler in der Mitte der Schneide, eine winzige Kerbe in dem scharf geschliffenen Stahl.

Der alte, knorrige Reb Samson ben Zanvil trat unglücklich zurück, denn man würde von ihm als dem zweiten Prüfer ein Urteil erwarten, das er nicht fällen wollte.

Reb Daniel, Rahels Vater und ältester Sohn des *rabbenu*, brauste auf. »Was ist das für ein Unsinn? Jeder weiß, wie sorgfältig die rituellen Messer des *rabbenu* geschliffen werden...« Aber sein Vater hob die Hand, und er verstummte.

Der *rabbenu* hielt das Messer ins Licht und fuhr geübt mit dem Finger dicht unter der rasiermesserscharfen Schneide entlang. Es seufzte, denn die Kerbe war vorhanden, ein menschlicher Fehler, durch den das Fleisch für den Verzehr des Gläubigen ungeeignet wurde.

»Es ist ein Segen, daß deine Augen schärfer sind als diese Klinge und uns weiterhin beschützen, mein alter Freund«, sagte er ruhig, und die Zuschauer entspannten sich, als atmeten sie tief auf.

Reb Baruch lächelte. Er strich über die Hand des *rabbenu*, und die beiden Männer blickten einander lange an.

Dann drehte sich der *rabbenu* um und rief nach Mar Reuven, dem Baderchirurgen.

Rob und Simon traten vor und hörten aufmerksam zu. »Der *rabbenu* ersucht Euch, den *treifen* Stierkadaver dem christlichen Fleischer von Gabrovo zu bringen«, übersetzte Simon.

Rob spannte die Stute, die dringend Bewegung brauchte, an einen flachen Schlitten, auf den hilfsbereite Hände den geschlachteten Stier legten. Der *rabbenu* hatte für das zweite Tier ein gebilligtes Messer verwendet, das Tier wurde als *koscher* beurteilt, und die Juden zerteilten es bereits, als Rob die Zügel schüttelte und die Stute aus Tryavna hinauslenkte.

Er fuhr langsam nach Gabrovo. Der Fleischerladen befand sich genau dort, wo man es ihm beschrieben hatte. Die Sprache war kein Hindernis.

»Tryavna.« Rob zeigte auf den toten Stier.

»Ah, *rabbenu*.« Der Fleischer nickte heftig. Er ging zu einem Wirtshaus, kam mit zwei Helfern zurück, und der Stier wurde mit Hilfe eines Seils mit einiger Mühe abgeladen. Als der Fleischer Rob die wenigen Münzen überreichte, wurde diesem klar, warum der Mann selig lächelte, denn er hatte praktisch ein ganzes, ausgezeichnetes Rind geschenkt bekommen, einfach weil das Schlachtmesser eine Kerbe aufgewiesen hatte. Rob konnte nur im Namen der Hebräer die Münzen übernehmen und sie in sicheren Gewahrsam in seine Geldtasche stecken. Nachdem er seinen Auftrag erledigt hatte, suchte er direkt das nahe Wirtshaus auf. Die niedrige Decke war durch das rußende Feuer geschwärzt, um das neun oder zehn Männer saßen und tranken. Drei Frauen warteten aufmerksam an einem kleinen Tisch in der Nähe. Rob musterte sie, während er trank – es war ein brauner, scharfer Gerstenschnaps, der keineswegs nach seinem Geschmack war. Die Frauen waren eindeutig Kneipenhuren. Zwei hatten ihre beste Zeit bereits hinter sich, aber die dritte war eine junge Blondine mit einem sündhaft unschuldigen Gesicht. Sie erkannte, warum er sie betrachtete, und lächelte ihm zu.

Rob trank aus und ging zu ihrem Tisch. »Ich nehme nicht an, daß du Englisch verstehst«, murmelte er und hatte richtig geraten. Eine der älteren Frauen sagte etwas, und die anderen beiden lachten. Aber er zog eine Münze heraus und gab sie der jüngeren. Das genügte zur Verständigung. Sie steckte die Münze in die Tasche, verließ den Tisch, ohne ein weiteres Wort zu ihren Gefährtinnen zu sagen, und holte ihren Mantel, der an einem Haken hin.

Er folgt ihr hinaus und begegnete auf der Straße Mary Cullen.

»Hallo! Verbringt Ihr und Euer Vater einen angenehmen Winter?«

»Wir verbringen einen erbärmlichen Winter«, antwortete sie, und man sah es ihr an. Ihre Nase war gerötet, und auf ihrer Oberlippe prangte eine Fieberblase. »Im Gasthaus ist es immer eisig, und das Essen ist sehr schlecht. Lebt Ihr wirklich bei den Juden?«

»Ja.«

»Wie könnt Ihr nur?« protestierte sie schwach.

Er hatte die Farbe ihrer Augen vergessen, ihre Wirkung auf ihn war nun entwaffnend, als wäre er im Schnee plötzlich auf Eisvögel gestoßen. »Ich schlafe in einem warmen Stall, und das Essen ist ausgezeichnet«, erzählte er ihr mit großer Befriedigung.

»Mein Vater behauptet, daß es einen besonderen Judengestank gibt, den *foetor judaicus*, weil sie die Leiche Christi nach seinem Tod mit Knoblauch eingerieben haben.«

»Manchmal riechen wir alle. Aber es ist bei den Juden Brauch, jeden Freitag von Kopf bis Fuß ins Wasser zu tauchen. Sie baden öfter als die meisten Menschen.«

Sie errötete, denn es war schwierig und gelang nur selten, in einem der Gasthäuser von Gabrovo Badewasser zu bekommen.

Sie sah die Frau an, die geduldig in der Nähe auf Rob wartete. »Mein Vater sagt, daß jemand, der bei den Juden lebt, nie ein ordentlicher Mensch sein kann.«

»Ich hielt Euren Vater für einen netten Mann«, erwiderte er nachdenklich, »aber er ist wohl ein Arschloch.« Nach verschiedenen Richtungen liefen sie gleichzeitig davon.

Er folgte der blonden Frau in ein nahegelegenes Zimmer. Es war unordentlich, schmutzige Frauenkleider lagen herum, und er hatte den Eindruck, daß sie das Zimmer mit den beiden anderen teilte. Er sah ihr zu, während sie sich auszog. »Es ist grausam, dich zu betrachten, nachdem man die andere gesehen hat«, stellte er laut fest, denn er wußte, daß sie kein Wort davon verstand. »Sie hat zwar vielleicht eine recht spitze Zunge, aber… es ist nicht eigentlich ihre Schönheit, doch es können sich nur wenige Frauen mit Mary Cullen vergleichen.«

Die Frau lächelte ihn an.

»Du bist eine junge Hure, siehst aber schon alt aus.« Die Luft im Zimmer war kalt. Die blonde Frau legte ihre Kleidung ab und glitt rasch zwischen die schmutzigen Pelzdecken, um der Kälte zu entkommen, doch Rob hatte bereits mehr mitbekommen, als ihm lieb war. Er war ein Mann, der zwar den Moschusduft der Frauen schätzte, aber von dieser ging ein säuerlicher Gestank aus, und ihre Schamhaare sahen so hart und klebrig aus, als wären unzählige Male Körpersäfte auf ihnen eingetrocknet, ohne mit Wasser in Berührung gekommen zu sein. Die Enthaltsamkeit hatte in ihm einen solchen Hunger erzeugt, daß er gern über sie hergefallen wäre, doch der kurze Blick auf ihren bläulichen Leib hatte ihm verbrauchtes, schmutzstarrendes Fleisch offenbart, das er nicht anrühren wollte.

»Gott verdamme jene rothaarige Hexe«, murmelte er verdrießlich.

Die Frau blickte verdutzt zu ihm empor.

»Es ist nicht deine Schuld, Kleine.« Er griff in seine Börse und gab ihr mehr, als sie wert gewesen wäre, wenn sie eine Leistung erbracht hätte. Sie zog die Hand mit den Münzen unter den Pelz und drückte sie fest an sich. Da er noch gar nicht begonnen hatte, sich auszuziehen, glättete er nur seine Kleidung, nickte ihr zu und ging hinaus in die frische Luft.

Als sich der Februar dem Ende zuneigte, verbrachte er mehr Zeit denn je im Studierhaus, um sich in den persischen *Qu'ran* zu vertiefen. Immer wieder wunderte er sich über die unerbittliche Feindseligkeit des *Qu'ran* gegenüber Christen und über den tiefen Abscheu gegenüber Juden.

Simon erklärte es ihm: »Mohammeds erste Lehrer waren Juden und christliche Mönche aus Syrien. Als er verkündete, daß der Engel Gabriel ihn heimgesucht und daß Gott ihn zum Propheten ernannt und ihm aufgetragen habe, eine neue, vollkommene Religion zu gründen, erwartete er, daß sich ihm diese alten Freunde freudig anschließen würden. Aber die Christen zogen ihre eigene Religion vor, und die verstörten, bedrohten Juden unterstützten jene, die Mohammeds Lehre ablehnten. Solange er lebte, vergab er ihnen nicht, sondern schmähte sie in Wort und Schrift.«

Simons Erklärungen machten den *Qu'ran* für Rob lebendig. Er war beinahe bis zur Hälfte des Buches durchgedrungen und studierte es eifrig, weil ihm klar war, daß sie bald wieder reisen würden. Sobald sie Konstantinopel erreichten, würden er und Meiers Gruppe verschiedene Wege einschlagen, und das hieß, daß er sich nicht nur von seinem Lehrer Simon trennen mußte, sondern auch, was schlimmer war, von dem Buch. Der *Qu'ran* veranschaulichte ihm eine Kultur, die sich von der seinen völlig unterschied, und die Juden von Tryavna gewährten ihm außerdem Einblick in eine dritte Lebensweise. Als Junge hatte er geglaubt, daß England die Welt darstellte, doch nun erkannte er, daß es noch ganz andere Völker gab; manche Züge waren allen gemeinsam, doch sie unterschieden sich voneinander in vieler Hinsicht.

Die Begegnung beim Schächten hatte den *rabbenu* und Reb Baruch ben David versöhnt, und ihre Familien begannen sofort, die Hochzeit von Rahel mit dem jungen Reb Meschullam ben Nathan vorzubereiten. Im Judenviertel setzte lebhafte Geschäftigkeit ein, und die beiden alten Männer wurden oft in bester Stimmung gemeinsam gesehen.

Der *rabbenu* schenkte Rob den alten Lederhut und lieh ihm zum Studium einen winzigen Teil des Talmuds. Das hebräische Gesetzbuch war ins Persische übersetzt, und obwohl Rob die Gelegenheit willkommen war, die persische Sprache in einem anderen Dokument kennenzulernen, begriff er den Abschnitt nicht. Das Fragment befaßte sich mit einem Gesetz, das *schaatnes* hieß: Obwohl die Juden Leinen oder Wolle tragen durften, war ihnen verboten, ein Gemisch aus Leinen und Wolle zu tragen, und Rob verstand nicht, weshalb.

Wen immer er fragte, der wußte es entweder nicht oder zuckte mit den Achseln und sagte, so laute eben das Gesetz.

Als Rob an diesem Freitag nackt im dampferfüllten Badehaus badete, nahm er seinen Mut zusammen, während sich die Männer um ihren Weisen drängten.

»*Schi-aila, Rabbenu, schi-aila*«, rief er. Eine Frage, eine Frage!

Der *rabbenu* hörte auf, seinen großen schwabbeligen Bauch einzuseifen, lächelte dem jungen Fremden zu und sagte dann etwas.

»Er sagt: ›Stell deine Frage, mein Sohn!‹« übersetzte Simon.

»Es ist euch verboten, Fleisch mit Milch zu essen. Es ist euch verboten, Leinen mit Wolle zu tragen. Die Hälfte des Jahres ist es euch verboten, eure Frauen anzurühren. Warum ist so vieles verboten?«

»Um den Glauben zu erzwingen«, erwiderte der *rabbenu*.

»Warum stellt Gott so merkwürdige Anforderungen an die Juden?«

»Um uns von euch zu unterscheiden«, sagte der *rabbenu*, aber seine Augen glitzerten freundlich, und seine Worte klangen nicht boshaft. Rob schnappte nach Luft, als Simon ihm Wasser über den Kopf goß.

Alle nahmen an der Feier teil, als am zweiten Freitag des Monats Adar Rahel, die Enkelin des *rabbenu*, mit Reb Baruchs Enkel Meschullum vermählt wurde.

Am frühen Morgen versammelte sich die Hochzeitsgesellschaft vor dem Hause von Daniel ben Sch'lomo, dem Vater der Braut. Drinnen bezahlte Meschullum den stattlichen Brautpreis von fünfzehn Goldstücken. Die *ketubba*, der Heiratsvertrag, wurde unterschrieben, und Reb Daniel überreichte eine ansehnliche Mitgift, gab dem Paar den Brautpreis zurück und fügte noch fünfzehn Goldstücke, einen Wagen und ein Pferdegespann hinzu. Nathan, der Vater des Bräutigams, schenkte dem glücklichen Paar zwei Milchkühe. Als sie das Haus verließen, ging die strahlende Rahel an Rob vorüber, als wäre er unsichtbar.

Die gesamte Gemeinde begleitete das Paar zur Synagoge, wo die beiden unter einem Baldachin sieben Segenssprüche aufsagten. Meschullum zertrat ein dünnes Glas, um zu veranschaulichen, daß Glück vergänglich ist und daß die Juden die Zerstörung des Tempels nicht vergessen dürfen. Dann waren sie Mann und Frau. Die Feier dauerte den ganzen Tag. Ein Flötist, ein Pfeifer und ein Trommler sorgten für Musik, und die Juden sangen fröhlich. Die beiden Großväter breiteten freudig die Arme aus, schnalzten mit den Fingern, schlossen die Augen, warfen die Köpfe zurück und tanzten. Die Hochzeitsfeier endete erst in den frühen Morgenstunden. Rob hatte viel zuviel Fleisch und schwere Süßspeisen gegessen und zuviel getrunken.

Als er endlich in der Wärme mit der Katze zu seinen Füßen auf dem Stroh lag, mußte er grübeln. Er erinnerte sich mit immer weniger Abscheu an die blonde Frau in Gabrovo und zwang sich, nicht an Mary Cullen zu denken. Er dachte neidisch an den mageren jungen Meschullum, der in diesem Augenblick bei Rahel lag, und hoffte, daß die großartige Gelehrsamkeit des Jungen diesen befähigen würde, sein Glück zu schätzen.

Er erwachte noch vor Sonnenaufgang und spürte die Veränderung in seiner Umwelt mehr, als er sie hörte. Nachdem er wieder eingeschlafen, noch einmal aufgewacht und dann aufgestanden war, konnte er die Geräusche deutlich hören: ein Tropfen, ein Geklingel, ein Rauschen, ein Dröhnen, das immer stärker wurde, weil immer mehr Eis und Schnee schmolzen. Das Schmelzwasser vereinigte sich mit den Gewässern der befreiten Erde, stürzte die Berghänge hinunter und verkündete das Kommen des Frühlings.

Im Weizenfeld

Als Mary Cullens Mutter starb, hatte ihr ihr Vater versprochen, daß er den Rest seines Lebens um seine Frau Jura trauern würde. Sie hatte bereitwillig wie er Schwarz getragen und öffentliche Vergnügungen gemieden, doch als am 18. März ein volles Trauerjahr zu Ende war, sagte sie ihrem Vater, es sei Zeit für sie beide, wieder den Gang des normalen Lebens aufzunehmen.

»Ich trage weiterhin Schwarz«, stellte James Cullen fest.

»Ich nicht«, meinte sie, und er nickte.

Sie hatte aus Schottland einen Ballen leichten Stoffs mitgebracht, der aus Wolle von ihren eigenen Schafen gewebt war, und sie erkundigte sich genau, bis sie eine gute Schneiderin in Gabrovo fand. Die Frau nickte, als sie ihr erklärte, was sie wollte, wies aber darauf hin, daß man den Stoff, der eine unbestimmte Naturfarbe aufwies, färben solle, bevor man ihn zuschnitt. Die Krappwurzeln ergäben rote Töne, doch bei ihrer Haarfarbe würde sie dann zu auffallend sein. Eichenholz aus dem Kern des Stammes ergäbe Grau, aber nach dem ewigen Schwarz sei Grau zu gedämpft. Ahorn oder Sumachrinde führte zu Gelb oder Orange, doch das seien leichtfertige Farben. Braun bot sich an.

»Ich habe mein Leben lang nußschalenbraune Kleider getragen«, murrte sie vor ihrem Vater.

Am nächsten Tag brachte er ihr einen Topf mit einer gelblichen Paste, die wie leicht ranzige Butter aussah. »Das ist ein Farbstoff, ein sehr teurer.«

»Diese Farbe ist aber nicht gerade bewundernswert«, meinte sie vorsichtig.

James Cullen lächelte. »Sie heißt Indigoblau. Die Paste löst sich im Wasser auf, und du mußt darauf achten, daß du sie nicht auf die Hände bekommst. Wenn der feuchte Stoff aus dem gelben Wasser herausgenommen wird, wechselt er an der Luft die Farbe, die dann waschecht ist.«

Der Wollstoff erhielt einen satten, tiefblauen Ton, wie sie ihn noch nie gesehen hatte, und die Schneiderin schnitt ein Kleid und einen Mantel zu. Die fertigen Kleidungsstücke gefielen Mary, aber sie faltete sie zusammen und bewahrte sie bis zum Morgen des 10. April auf, an dem Jäger die Nachricht nach Gabrovo brachten, daß der Weg durch die Berge endlich offen sei.

Am frühen Nachmittag trafen alle Leute in Gabrovo ein, die überall in der Umgebung auf das Tauwetter gewartet hatten, denn die Stadt war der Ausgangspunkt für den großen Paß, dem Tor zum Balkan. Lebensmittelhändler boten ihre Waren an, und die Massen drängten sich um sie und kämpften darum, Vorräte zu kaufen.

Mary mußte der Frau des Wirtes Geld geben, damit sie während dieser turbulenten Stunden Wasser über dem Feuer erhitzte und es in die Schlafräume der Frauen hinauftrug. Zuerst kniete Mary vor dem hölzernen Bottich, um sich die Haare zu waschen, die jetzt lang und dicht waren wie ein Winterpelz. Dann kauerte sie sich in den Bottich und schrubbte sich, bis sie glühte.

Sie zog die neuen Kleidungsstücke an und setzte sich vors Haus. Während ihr Haar an der Sonne trocknete, kämmte sie es mit einem Holzkamm. Sie sah, daß die Hauptstraße von Gabrovo voller Pferde und Wagen war. Dann galoppierte eine Horde betrunkener Männer auf Pferden durch die Stadt, ohne sich um die Verwüstungen zu kümmern, welche die stampfenden Hufe der Reittiere anrichteten. Ein Wagen wurde umgeworfen, die Pferde verdrehten ängstlich die Augen und bockten und scheuten. Während die Männer fluchten und sich bemühten, die Zügel festzuhalten, und die Pferde wieherten, lief Mary ins Haus, obwohl ihr Haar noch nicht ganz trocken war.

Als ihr Vater mit seinem Diener Seredy erschien, hatte sie ihre Habseligkeiten schon gepackt.

»Wer waren diese Männer, die durch die Stadt gestürmt sind?« fragte sie.

»Sie nennen sich christliche Ritter«, antwortete ihr Vater kalt. »Es sind beinahe achtzig Franzosen aus der Normandie hier, die nach Palästina pilgern.«

»Sie sind sehr gefährlich, Lady«, ergänzte Seredy. »Sie tragen zwar nur leichte Kettenhemden, aber sie reisen mit Wagen, die mit schweren Rüstungen beladen sind. Sie sind ständig betrunken...« Er wandte den Blick ab: »Keine Frau ist vor ihnen sicher. Ihr müßt in unserer Nähe bleiben, Lady.«

Sie dankte ihm ernst; doch die Vorstellung, daß Seredy und ihr Vater sie vor achtzig betrunkenen, brutalen Rittern schützen sollten, wäre, wenn sie nicht so schrecklich gewesen wäre, sehr belustigend gewesen. Der wichtigste Grund, weshalb man in einer großen Karawane reiste, war der, sich gegenseitig zu schützen. Sie beluden unverzüglich ihre Packtiere und führten sie auf ein großes Feld am Ostrand der Stadt, wo sich die Karawane sammelte. Als sie an Karl Frittas Wagen vorbeiritten, sah Mary, daß er bereits seinen Tisch aufgestellt hatte und eifrig neue Mitreisende warb.

Es war wie eine Heimkehr, denn sie wurden von etlichen Leuten begrüßt, die sie auf dem ersten Teil der Reise kennengelernt hatten. Die Cullens bekamen ihren Platz diesmal ungefähr in der Mitte der Marschfolge zugewiesen, weil sich so viele neue Mitreisende hinter ihnen angeschlossen hatten.

Mary gab genau acht, obwohl es beinahe dunkel war, bis sie die Gruppe erblickte, auf die sie gewartet hatte. Die fünf Juden, mit denen er die Karawane verlassen hatte, kamen zu Pferd zurück. Hinter ihnen sah sie endlich die kleine braune Stute: Rob Jeremy Cole lenkte den bunten Wagen auf sie zu, und plötzlich begann ihr Herz heftig zu klopfen.

Er sah genauso gut aus wie vor der Trennung und war offenbar froh darüber, zurück zu sein. Er begrüßte die Cullens so herzlich, als hätten er und Mary sich bei ihrer letzten Begegnung nicht im Streit getrennt. Als er sein Pferd versorgt hatte und zu ihrem Lagerplatz kam, erwähnte sie als gute Nachbarin, daß die hiesigen Geschäftsleute kaum noch etwas zu verkaufen hätten, falls er knapp an Vorräten sei.

Er dankte ihr freundlich, sagte aber, daß er in Tryavna bereits Proviant gekauft habe. »Habt Ihr schon genug?«

»Ja, mein Vater hat früh gekauft.« Sie ärgerte sich, weil er ihr neues Kleid und den Mantel nicht erwähnte, obwohl er sie längere Zeit genau gemustert hatte.

»Das paßt genau zum Farbton Eurer Augen«, meinte er endlich.

Sie war nicht sicher, faßte den Hinweis aber als Kompliment auf. »Danke«, antwortete sie ernst, und als ihr Vater zu ihnen trat, zwang sie sich, sich abzuwenden und zuzusehen, wie Seredy das Zelt aufstellte.

Ein weiterer Tag verging, ohne daß die Karawane aufbrach, und überall wurde bereits gemurrt. Vater Cullen suchte Fritta auf und berichtete Mary, als er zurückkam, daß der Anführer der Karawane darauf warte, daß die normannischen Ritter aufbrechen. »Sie haben viel Unheil angerichtet, und Meister Fritta zieht es vernünftigerweise vor, sie vor uns zu wissen, statt sie als Nachhut zu haben.«

Aber am nächsten Morgen waren die Ritter immer noch nicht abgezogen, und Fritta fand, daß er lang genug gewartet habe. Er gab das Signal, die Karawane brach zu ihrer letzten, langen Etappe nach

Konstantinopel auf, und schließlich erreichte die Bewegung auch die Cullens. Im vergangenen Herbst waren sie einem jungen Franken mit Frau und zwei kleinen Kindern gefolgt. Die fränkische Familie hatte außerhalb der Stadt Gabrovo überwintert, aber ausdrücklich erklärt, daß sie die Reise mit der Karawane fortsetzen wollten. Als sie nicht erschienen, wußte Mary, daß etwas Schreckliches geschehen sein mußte, und sie betete für sie. Die Cullens ritten jetzt hinter zwei französischen Brüdern, die erzählt hatten, sie wollten ein Vermögen machen, indem sie türkische Teppiche und andere Schätze kauften. Sie kauten um ihrer Gesundheit willen Knoblauch und drehten sich oft im Sattel um, um Marys Körper stumpfsinnig anzustarren. Ihr fiel ein, daß der junge Baderchirurg hinter ihr sie vielleicht auch beobachtete, und zeitweise bewegte sie boshafterweise ihre Hüften stärker als notwendig. Die riesige Schlange der Reisenden wand sich bald zu dem Paß empor, der zwischen den hohen Bergen hindurchführte. Auf der anderen Seite des Gebirgszugs lagen Hügel, die allmählich in welliges Land übergingen. Sie schliefen die folgende Nacht in einer großen, mit Büschen bestandenen Ebene. Am nächsten Tag zogen sie genau Richtung Süden, und es wurde klar, daß das Tor zum Balkan zwei verschiedene Klimazonen voneinander trennte, denn die Luft war auf dieser Seite des Gebirges milder, und sie wurde mit jeder Stunde, die sie reisten, wärmer.

In dieser Nacht machten sie vor dem Dorf Gornia halt. Mit Erlaubnis der Besitzer lagerten sie in großen Pflaumengärten. Die Bauern verkauften einigen Männern scharfen Pflaumenschnaps sowie grüne Zwiebeln und ein Getränk aus gegorener Milch, das so dick war, daß man es mit dem Löffel essen mußte. Früh am nächsten Morgen, als sie noch lagerten, hörte Mary fernen Donner. Aber das Donnern wurde rasch lauter, und bald gesellte sich wildes Männergeschrei zu dem Lärm.

Als sie aus dem Zelt trat, sah sie, daß die weiße Katze den Wagen des Baderchirurgen verlassen hatte und wie versteinert auf der Straße stand. Die normannischen Ritter galoppierten vorbei wie Dämonen in einem Alptraum, und die Katze verschwand in einer Staubwolke. Doch Mary hatte noch gesehen, was die ersten Hufe dem Tier angetan hatten. Sie merkte nicht, daß sie schrie, und lief auf die Straße, bevor sich der Staub gesetzt hatte.

Mistress Buffington war nicht mehr weiß. Sie war in den Staub getrampelt worden, und Mary hob den armen, zerschundenen kleinen Körper hoch. Jetzt erst bemerkte sie, daß Rob seinen Wagen verlassen hatte und sich über sie beugte.

»Ihr werdet Euer neues Kleid mit dem Blut beflecken«, sagte er rauh, aber sein blasses Gesicht spiegelte Verzweiflung.

Er nahm die Katze, holte einen Spaten und verließ das Lager. Als er wiederkam, ging sie nicht zu ihm, bemerkte aber von fern, daß seine Augen gerötet waren. Es war ein Unterschied, ob man ein totes Tier oder einen Menschen begrub, doch sie fand es nicht seltsam, daß Rob wegen einer Katze weinte. Abgesehen von seiner Größe und seiner Kraft war es diese verletzliche Sanftheit, die sie anzog.

Während der nächsten Tage ließ sie ihn in Ruhe. Die Karawane zog jetzt nicht mehr Richtung Süden, sondern wandte sich wieder nach Osten, aber die Sonne brannte trotzdem jeden Tag heißer. Mary hatte bereits eingesehen, daß die neue Kleidung, die sie in Gabrovo hatte machen lassen, unnütz war, denn das Wetter war viel zu warm für Wolle. Sie durchstöberte die Sommerkleider in ihrem Gepäck und fand ein paar leichte Gewänder, aber die waren zu fein für die Reise und würden bald fadenscheinig aussehen. So entschied sie sich für ein Unterkleid aus Baumwolle und ein grobes, sackartiges Arbeitskleid, dem sie etwas Form gab, indem sie eine Kordel um die Taille band. Dazu setzte sie einen breitkrempigen Lederhut auf, obwohl ihre Wangen und die Nase bereits voller Sommersprossen waren.

Als sie an diesem Vormittag von ihrem Pferd stieg, um wie gewohnt ein Stück zu gehen, lächelte Rob sie an.

»Fahrt mit mir in meinem Wagen!«

Sie machte keine Umstände. Diesmal war sie nicht verlegen, sondern empfand nur tiefe Freude darüber, daß sie neben ihm saß.

Er griff hinter den Sitz und zog einen Lederhut hervor, doch es war die Kopfbedeckung der Juden.

»Wo habt Ihr den her?«

»Ihr heiliger Mann in Tryavna hat in mir geschenkt.«

Marys Vater warf ihm in diesem Augenblick einen so mürrischen Blick zu, daß sie zu lachen begannen.

»Es wundert mich, daß er Euch gestattet, mich zu besuchen«, meinte Rob.

»Ich habe ihn davon überzeugt, daß Ihr arglos seid.«

Sie blickten einander unbefangen an. Sein Gesicht war schön, trotz der entstellenden gebrochenen Nase. Wie gelassen seine Züge auch bleiben mochten, der Schlüssel zu seinen Gefühlen waren seine Augen, die tiefblickend, ruhig und irgendwie älter wirkten, als er war. Sie ahnte in ihnen eine große Einsamkeit, die zu der ihren paßte. Wie alt er wohl war? Einundzwanzig? Zweiundzwanzig?

Erschrocken merkte sie, daß er von dem Ackerland sprach, durch das sie zogen.

»...zumeist Obst und Weizen. Hier muß der Winter kurz und mild sein, denn das Getreide steht schon hoch«, sagte er gerade, aber sie wollte sich die Vertrautheit, die in den letzten Augenblicken zwischen ihnen entstanden war, nicht rauben lassen.

»An jenem Tag in Gabrovo, da habe ich Euch gehaßt.«

Ein anderer Mann hätte vielleicht protestiert oder zumindest gelächelt, er aber reagierte nicht.

»Wegen der blonden Frau. Wie konntet Ihr mit ihr gehen! Ich habe auch sie gehaßt.«

»Vergeudet Euren Haß nicht auf uns beide, denn sie war bedauernswert, und ich habe nicht mit ihr geschlafen. Als ich Euch gesehen hatte, konnte ich sie nicht mehr anrühren.«

Sie zweifelte nicht daran, daß er die Wahrheit gesprochen hatte, und ein warmes, triumphierendes Gefühl begann in ihr zu wachsen wie eine Blume.

Jetzt konnten sie über Unwesentliches sprechen, über ihre Route, über die Art, wie die Tiere angetrieben werden mußten, damit sie durchhielten, darüber, wie schwer es war, Brennholz zum Kochen zu finden. Sie saßen auch den ganzen Nachmittag nebeneinander und sprachen ruhig über alles, nur nicht über die weiße Katze und sie beide, doch seine Augen sagten ihr wortlos ganz andere Dinge.

Sie wußte es. Sie hatte aus mehreren Gründen Angst, aber es gab auf der ganzen Erde keinen Platz, der ihr lieber gewesen wäre als der neben ihm auf dem unbequemen, schwankenden Wagen unter der glühenden Sonne, und sie verließ Rob erst gehorsam, wenn auch zögernd, als der entschiedene Ruf ihres Vaters sie schließlich dazu zwang.

Dann und wann kamen sie an kleinen Herden von schmuddeligen Schafen vorbei, doch ihr Vater hielt immer an, um sie zu prüfen, und er befragte mit Seredys Hilfe die Besitzer. Die Hirten wiesen jedesmal darauf hin, daß er für wirklich gute Schafe nach Anatolien weiterreisen müsse.

Anfang Mai waren sie nur noch eine Wochenreise von der Türkei entfernt, und James Cullen konnte seine Erregung nicht mehr verbergen. Seine Tochter war zwar ebenfalls erregt, aber sie gab sich alle Mühe, dies vor ihm zu verheimlichen. Obwohl sie immer wieder die Möglichkeit fand, dem Baderchirurgen einen Blick zuzuwerfen oder ihn anzulächeln, zwang sie sich, ihn zwei Tage hintereinander zu meiden, denn wenn ihr Vater ihre Gefühle erriet, würde er ihr vermutlich befehlen, sich von Rob Cole fernzuhalten.

Eines Abends, als sie nach dem Essen aufräumte, erschien Rob in ihrem Lager. Er nickte Mary höflich zu, ging geradewegs auf ihren Vater zu und hielt ihm eine Flasche Brandy als Versöhnungsgabe hin. »Setzt Euch«, sagte ihr Vater zögernd. Aber nachdem die beiden Männer gemeinsam getrunken hatten, wurde ihr Vater freundlicher, zweifellos weil es angenehm war, kameradschaftlich zusammenzusitzen und auf englisch zu plaudern, und auch weil es schwer war, Rob Cole gegenüber reserviert zu bleiben. Es dauerte nicht lang, bis James Cullen dem Besucher erzählte, was er vorhatte.

»Ich habe von einer Schafrasse im Osten gehört, deren Tiere mager sind und einen schmalen Rücken haben, deren Schwänze und Hinterbeine jedoch so fett sind, daß das Schaf, wenn die Nahrung knapp wird, von den aufgespeicherten Reserven leben kann. Die Lämmer haben ein seidiges Vlies von seltenem, ungewöhnlichem Glanz. Wartet einen Moment, ich zeige es Euch!« Er verschwand im Zelt und kam mit einem Hut aus Lammfell heraus. Das Vlies war grau und dicht gelockt.

»Feinste Qualität«, erklärte er eifrig. »Das Vlies bleibt nur bis zum fünften Lebenstag des Lammes so gelockt, dann ist das Fell nur noch gewellt, bis das Tier zwei Monate alt ist.«

Rob begutachtete den Hut und versicherte James Cullen, daß dies ein feines Fell sei.

»Und ob es das ist«, sagte Cullen und setzte den Hut auf, worauf sie alle drei lachten, weil es eine warme Nacht und so ein Pelzhut doch für den Schnee gedacht war. Cullen trug ihn wieder ins Zelt, dann saßen sie zu dritt vor dem Feuer, und Marys Vater ließ die Tochter ein- oder zweimal aus seinem Glas trinken. Es fiel ihr schwer, den Brandy hinunterzuschlucken, doch hinterher kam ihr die Welt sicherer vor.

Donner grollte und erschütterte den rötlichen Himmel, Wetterleuchten brachte sekundenlang Helligkeit, so daß sie Robs männliche Gesichtszüge sehen konnte, doch die empfindsamen Augen, die es so schön machten, waren ihren Blicken entzogen.

»Ein merkwürdiges Land, in dem es donnert und blitzt wie bei uns und doch nie ein Tropfen Regen fällt«, meinte ihr Vater. »Ich erinnere mich gut an den Morgen, an dem du zur Welt kamst, Mary Margaret. Auch damals blitzte und donnerte es, aber dazu fiel dichter schottischer Regen, als hätten die Himmel sich geöffnet und würden sich nimmer schließen.«

Rob beugte sich vor. »War das in Kilmarnock, wo Eure Familie ihre Besitzungen hat?«

»Nein, es war in Saltcoats. Ihre Mutter war eine Tedder aus Saltcoats. Ich hatte Jura in das alte Haus der Tedders gebracht, weil sie sich während der Schwangerschaft sehr nach ihrer Mutter sehnte. Sie feierten und umsorgten uns wochenlang, so daß wir zu lange blieben. Jura wurde von den Wehen überrascht, und daher kam Mary dort zur Welt statt in Kilmarnock wie eine richtige Cullen. Sie wurde im Haus ihres Großvaters geboren, von dem aus man einen Blick auf den Firth of Clyde hat.«

»Vater«, unterbrach Mary ihn sanft. »Master Cole interessiert sich nicht für den Tag meiner Geburt.«

»Im Gegenteil«, widersprach Rob. Er stellte Fragen über Fragen an ihren Vater und hörte ihm geduldig zu.

Sie betete, daß es nicht wieder blitzte, denn ihr Vater sollte nicht sehen, daß die Hand des Baderchirurgen auf ihrem nackten Arm lag. Seine Berührung war leicht wie ein Flaum, aber ihr Körper bestand nur noch aus erwachten Gefühlen und Gänsehaut, als hätte sich die Zukunft angekündigt, oder als wäre die Nacht kühl.

Am 11. Mai erreichte die Karawane das Westufer der Arda, und Karl Fritta beschloß, dort einen Tag zu lagern, damit die Wagen instandgesetzt und damit bei den Bauern der Umgebung Vorräte gekauft werden konnten. Cullen nahm Seredy mit und bezahlte einen Führer, der sie über den Fluß in die Türkei bringen sollte, denn ungeduldig wie ein Junge konnte er es nicht erwarten, die Suche nach den Schafen mit den breiten Schwänzen zu beginnen.

Eine Stunde später bestiegen Mary und Rob den ungesattelten Rappen und entfernten sich vom Lärm und dem Durcheinander. Als sie am Lager der Juden vorbeikamen, beobachtete sie der magere Junge. Es war Simon, der als Robs Lehrer fungierte. Er versetzte einem der anderen grinsend einen leichten Rippenstoß, um ihn auf die Vorbeireitenden aufmerksam zu machen.

Mary war das gleichgültig. Ihr war schwindlig, vielleicht infolge der Hitze, denn die Morgensonne glich einem Feuerball. Mary schlang die Arme um Robs Brust, um nicht vom Pferd zu fallen, schloß die Augen und lehnte den Kopf an seinen breiten Rücken.

In einiger Entfernung von der Karawane kamen sie an zwei mürrischen Bauern vorbei, die einen mit Brennholz beladenen Esel führten. Die Männer starrten sie an, erwiderten aber ihren Gruß nicht. Vielleicht waren sie von weit hergekommen, denn es gab in dieser Gegend keine Bäume, nur weite Felder. Niemand arbeitete auf ihnen, weil die Aussaat längst vorüber, das Getreide jedoch noch nicht reif war.

Als sie zu einem Bach kamen, band Rob das Pferd an einen niederen Busch. Sie zogen die Schuhe aus und wateten durch die blendende Helle. Zu beiden Seiten des spiegelnden Wassers befanden sich Weizenfelder, und er zeigte ihr, daß die hohen Halme den Boden beschatteten, so daß er einladend dunkel und kühl war.

»Komm!« forderte er sie auf. »Es ist wie in einer Höhle«, und er kroch hinein, als wäre er ein großes Kind.

Sie folgte ihm zögernd. In ihrer Nähe raschelte ein kleines Lebewesen durch das hohe, reifende Getreide, und sie erschrak.

»Nur eine winzige Maus, die schon davongelaufen ist«, beruhigte er sie. Als er sich ihr auf dem kühlen, lichtgesprenkelten Grund näherte, sahen sie einander an.

»Ich will nicht, Rob.«

»Dann eben nicht, Mary«, antwortete er, obwohl sie an seinen Augen ablas, wie enttäuscht er war.

»Bitte, willst du mich küssen?« fragte sie demütig.

So wurde also aus ihrer ersten vertrauten Berührung ein ungeschickter, trauriger Kuß, den ihre Angst erstickte.

»Das andere mag ich nicht. Ich habe es schon getan, weißt du«, sprudelte sie heraus, und der Moment, den sie gefürchtet hatte, war vorbei.

»Dann hast du also Erfahrung?«

»Nur einmal, mit meinem Vetter in Kilmarnock. Er hat mir schrecklich wehgetan.«

Er küßte zart ihre Augen, ihre Nase, ihren Mund, während sie gegen ihren Zweifel ankämpfte. Wer war dieser Rob? Stephen Tedder war jemand gewesen, den sie ihr ganzes Leben lang gekannt hatte, ihr Vetter und ihr Freund, und er hatte ihr dennoch Schmerzen zugefügt. Und hinterher hatte er über ihr Unbehagen schallend gelacht, als wäre es ungeschickt und komisch gewesen, daß sie es zugelassen hatte, als hätte sie ihm erlaubt, sie mit dem Rücken voran in den Morast zu stoßen.

Doch während sie diese peinlichen Gedanken wälzte, veränderten sich die Küsse des Engländers: Seine Zunge liebkoste die Innenseite ihrer Lippen. Es war nicht unangenehm, und als sie versuchte, ihn nachzuahmen, saugte er an ihrer Zunge. Sie begann jedoch wieder zu zittern, als er ihr Mieder aufknöpfte.

»Ich will sie nur küssen«, drängte er, und Mary machte die merkwürdige Erfahrung, auf ein Gesicht hinunterzublicken, das sich über ihre Brustwarzen beugte, die, wie sie sich widerwillig, aber doch stolz eingestand, bereits fest und rötlich angehaucht waren.

Seine Zunge fuhr sanft über den rosigen Hof, bis Mary erschauerte. Er bewegte die Zunge in immer enger werdenden Kreisen, bis sie ihre hart gewordene, rote Brustwarze traf, die er zwischen die Lippen nahm, um an ihr zu saugen, als wäre er ein Säugling; die ganze Zeit über streichelte er sie dabei in den Kniekehlen und an der Innenseite der Schenkel. Doch als seine Hand zum Venushügel kam, erstarrte Mary. Sie spürte, wie die Muskeln in ihren Schenkeln und im Bauch sich anspannten. Sie war verkrampft und ängstlich, bis er seine Hand wegzog.

Er nestelte an seiner Hose herum, dann suchte er ihre Hand, um ihr ein Geschenk zu machen. Sie hatte schon früher zufällig Männer gesehen – ihren Vater oder einen Arbeiter –, die hinter einem Busch urinierten. Und sie hatte bei diesen Gelegenheiten mehr wahrgenommen als damals bei Stephen Tedder. Genau hingesehen hatte sie aber noch nie, und nun konnte sie nicht anders: Sie mußte Robs Glied betrachten. Ich habe nicht gedacht, daß es so… groß ist, dachte sie vorwurfsvoll, als wäre es seine Schuld. Doch wurde sie mutiger, streichelte seine Hoden und lachte leise, als er zusammenzuckte. Sie waren so prall.

Nun war sie beruhigt, als sie einander liebkosten, bis sie auf eigene Faust versuchte, sich mit seinem Mund zu befassen. Bald glichen ihre Körper warmen Früchten, und es war überhaupt nicht mehr schrecklich, als seine Hand ihre festen runden Hinterbacken verließ, zwischen ihre Beine zurückkehrte und sich hier eingehend beschäftigte.

Sie wußte nicht, was sie mit ihren Händen tun sollte. So steckte sie einen Finger zwischen seine Lippen und spürte seinen Speichel, die Zähne und die Zunge, aber er zog den Kopf zurück, saugte wieder an ihren Brüsten, küßte ihren Bauch und die Schenkel. Er drang zuerst mit einem Finger in sie ein, dann mit zweien, um die kleine Erbse in immer rascher werdenden Kreisen zu liebkosen.

»Ah«, flüsterte sie und zog die Knie an. Doch statt des Martyriums, auf das sie gefaßt war, spürte sie zu ihrer Verwunderung die Wärme seines Atems. Und seine Zunge schlüpfte wie ein Fisch in die Nässe zwischen den haarigen Falten, die sie aus Scham nie berührt hatte. Wie werde ich diesem Mann je wieder in die Augen sehen können? fragte sie sich, doch die Frage war schnell vergessen, auf seltsame Weise und wunderbar verschwunden, denn sie bebte schon, zuckte wild und lautlos mit geschlossenen Augen, schweigend und mit halboffenem Mund.

Bevor sie wieder zu sich kam, war er in sie eingedrungen. Sie waren nun wirklich verbunden, er stellte eine angenehme, seidige Wärme in ihrem tiefsten Inneren dar. Sie spürte keinen Schmerz, nur eine Art Spannung, die nachließ, als er sich langsam bewegte.

Einmal hielt er inne. »Ist es gut so?«

»Ja«, antwortete sie, und er machte weiter.

Sie stellte fest, daß ihr Körper sich im Einklang mit ihm bewegte. Bald war es ihm nicht mehr möglich, sich zurückzuhalten. Er bewegte sich schneller und heftiger mit immer größeren Entfernungen. Sie wollte ihn beruhigen, doch als sie ihn durch die halbgeschlossenen Augen betrachtete, sah sie, daß er den Kopf zurückgeworfen hatte und sich aufbäumte.

Wie einzigartig, sein starkes Zittern zu fühlen und das Knurren überwältigender Erleichterung zu hören, als er sich in sie ergoß! In der Geborgenheit des hohen Getreides bewegten sie sich lange Zeit fast nicht. Ruhig lagen sie nebeneinander, ein Bein Marys lag quer über ihm, und der Schweiß und die Flüssigkeit trockneten.

»Mit der Zeit wirst du auf den Geschmack kommen«, meinte er endlich. »Wie bei Malzbier.«

Sie kniff ihn, so fest sie konnte, in den Arm. Doch sie war nachdenklich. »Warum gefällt uns das?« fragte sie. »Ich habe Pferde beobachtet. Warum gefällt das Tieren?«

Er wirkte erschrocken. Jahre später begriff sie, daß diese Frage sie von allen Frauen unterschied, die er kannte, aber jetzt war ihr nur klar, daß er sie prüfend ansah.

Sie konnte es nicht ausdrücken, aber im Geist unterschied sie ihn schon von anderen Männern. Sie spürte, daß er in einer Weise, die sie nicht ganz verstand, überaus gut zu ihr gewesen war, besaß aber nur den Vergleich mit dem ungeschliffenen Vetter.

»Du hast mehr an mich gedacht als an dich«, meinte sie schließlich.

»Ich habe nicht darunter gelitten.«

Sie streichelte sein Gesicht und zog die Hand nicht zurück, als er die Innenfläche küßte. »Die meisten Männer ... die meisten sind nicht so. Das weiß ich.«

»Du mußt den blöden Vetter in Kilmarnock vergessen.«

Das Angebot

Unter den Neuankömmlingen befanden sich einige Patienten für Rob, und er mußte lachen, als er erfuhr, daß Karl Fritta, als er sie angeworben hatte, damit geprahlt hatte, daß seine Karawane von einem hervorragenden Baderchirurgen betreut werde.

Die Leute erzählten von ihm, daß der große, grinsende fränkische Treiber, den er wegen seiner Drüsenschwellung behandelt hatte, im Winter in Gabrovo an der Krankheit gestorben sei. Rob hatte gewußt, daß es so kommen würde, und hatte dem Mann gesagt, was ihm bevorstand, dennoch stimmte ihn die Nachricht traurig.

»Mich befriedigt es, wenn ich eine Verletzung heilen kann«, erklärte er

Mary. »Einen gebrochenen Knochen, eine klaffende Wunde, wenn der Patient verletzt ist und ich genau weiß, was ich tun muß, um ihm zu helfen. Was ich hasse, sind die Rätsel. Krankheiten, über die ich überhaupt nichts weiß, vielleicht noch weniger als der Betroffene. Leiden, die aus heiterem Himmel kommen und weder vernunftgemäß erklärt noch behandelt werden können. Ach Mary, ich weiß so wenig. Ich weiß überhaupt nichts, und dennoch verlassen sich alle auf mich.«

Ohne ganz zu begreifen, was er sagte, tröstete sie ihn; ihr bedeutete er einen großen Beistand. Eines Abends, als ihre monatliche Blutung einsetzte, kam sie von Krämpfen gequält zu ihm und erzählte ihm von ihrer Mutter. Bei Jura Cullen hatte eine solche Blutung an einem schönen Sommertag begonnen, hatte sich in einen Strom und dann in einen Blutsturz verwandelt, und als sie bald darauf starb, war Marys Kummer so groß gewesen, daß sie nicht weinen konnte. Nun fürchtete sie jeden Monat, wenn ihre Regel einsetzte, daß sie sterben könne.

»Aber, aber! Das war doch keine gewöhnliche Monatsblutung, das muß etwas anderes gewesen sein. Du weißt, daß es so war.« Er legte ihr die warme, beruhigende Hand auf den Bauch und tröstete sie mit Küssen.

Einige Tage später, als er mit ihr auf dem Wagen fuhr, begann er von Dingen zu sprechen, die er noch nie jemandem erzählt hatte: vom Tod seiner Eltern, der Trennung der Geschwister und deren Verlust. Sie weinte, als könne sie nie aufhören, und wandte sich ab, damit ihr Vater es nicht sah.

»Wie ich dich liebe«, flüsterte sie.

»Ich liebe dich«, antwortete er langsam und staunend. Er hatte noch nie diese Worte zu jemandem gesagt.

»Ich will dich nie verlassen«, sagte sie.

Von da an drehte sie sich oft, wenn sie unterwegs waren, auf ihrem schwarzen Wallach um und sah ihn an. Ihr Geheimzeichen war, mit den Fingern der rechten Hand die Lippen zu berühren, als wollten sie ein Insekt oder ein Staubkörnchen wegwischen.

James Cullen suchte häufig Vergessen im Alkohol, und sie suchte manchmal Rob auf, wenn ihr Vater getrunken hatte und tief schlief. Er versuchte, sie davon abzubringen, nachts allein im Lager herumzugehen. Aber sie war eine eigensinnige Frau und kam dennoch, und er freute sich jedesmal.

Mary lernte schnell. Sehr bald kannten die beiden die Eigenheiten und Fehler des anderen, als wären sie alte Freunde. Ihre Körpergröße gehörte zu dem Zauber, und manchmal, wenn sie sich im Einklang bewegten, mußte Rob an riesige Tiere denken, die sich donnernd paarten. Es war in gewissem Sinn für ihn ebenso neu wie für sie; er hatte viele Frauen gehabt, aber vorher nie geliebt. Jetzt wollte er ihr nur Freude schenken.

Er war beunruhigt und schweigsam, und er begriff nicht, was ihm innerhalb von so kurzer Zeit widerfahren war.

Sie kamen immer tiefer in die europäische Türkei, in einen Teil des Landes, der Thrazien hieß. Die Weizenfelder verwandelten sich in wellige, mit dichtem Gras bestandene Ebenen, und sie sahen immer mehr Schafherden.

»Mein Vater erwacht zum Leben«, erzählte ihm Mary.

Wann immer sie an Schafherden vorbeikamen, galoppierten James Cullen und der unentbehrliche Seredy fort, um mit den Hirten zu sprechen. Die braunhäutigen Männer hielten lange Hirtenstäbe in den Händen und trugen langärmelige Hemden und weite Hosen, die an den Knien zusammengebunden wurden.

Eines Abends kam Cullen allein zu Rob. Er setzte sich ans Feuer und räusperte sich unbehaglich.

»Ich möchte nicht, daß Ihr mich für blind haltet.«

»Ich hatte auch nicht angenommen, daß Ihr es seid«, erwiderte Rob nicht ohne Respekt.

»Ich möchte mit Euch über meine Tochter reden. Sie ist nicht ungebildet. Sie kann Latein.«

»Meine Mutter konnte auch Latein. Sie hat es mir ein wenig beigebracht.«

»Mary beherrscht das Latein recht gut. In fremden Ländern leistet das gute Dienste, weil man dann mit Schreibern und Priestern sprechen kann. Ich habe sie zu den Nonnen in Walkirk in die Schule geschickt. Sie nahmen sie, weil sie sie in den Orden locken wollten, aber ich war unbesorgt, sie hat kein großes Talent für Sprachen. Doch nachdem ich ihr erklärt hatte, daß sie Latein können müsse, strengte sie sich an. Schon damals träumte ich davon, nach dem Osten zu reisen, um gute Schafe zu erwerben.«

»Könnt Ihr die Schafe denn lebend heimbringen?« Rob bezweifelte es.
»Und ob. Ich verstehe etwas von Schafen. Es war zunächst nur ein Traum gewesen, aber als meine Frau starb, beschloß ich aufzubrechen. Meine Verwandten behaupteten, ich würde fliehen, weil ich vor Kummer verrückt sei, doch es steckte mehr dahinter.«
Die Stille war beinahe greifbar.
»Wart Ihr schon einmal in Schottland?« fragte Cullen schließlich.
Rob schüttelte den Kopf. »Ich bin nie weiter gekommen als bis an die Nordgrenze Englands und zu den Cheviot Hills.«
Cullen schnaubte. »Ihr habt Euch vielleicht in der Nähe Schottlands befunden, habt jedoch vom Land selbst keine Ahnung. Schottland liegt höher, versteht Ihr, und die Felsen sind schroffer. In den Bergen gibt es gute Flüsse voller Fische, und es bleibt noch reichlich Wasser für das Weideland. Unser Besitz liegt zwischen zerklüfteten Bergen, ein sehr großes Gut. Riesige Herden.«
Er machte eine Pause, als wollte er seine Worte sorgfältig wählen. »Der Mann, der Mary heiratet, wird den Besitz übernehmen; er muß von der rechten Art sein.«
Er beugte sich zu Rob. »In vier Tagen werden wir die Stadt Babaeski erreichen. Dort verlassen meine Tochter und ich die Karawane. Wir werden genau nach Süden zu der Stadt Malkara abschwenken, wo es einen großen Viehmarkt gibt, auf dem ich hoffentlich Schafe kaufen kann. Und dann reisen wir zu der anatolischen Hochebene, auf die ich die größten Hoffnungen setze. Ich würde mich freuen, wenn Ihr uns begleitet.« Er schwieg und blickte Rob ruhig an. »Ihr seid stark und gesund. Ihr habt Mut, sonst würdet Ihr Euch nicht so weit in die Welt hinauswagen, um Geschäfte zu machen und eine bessere Stellung in der Welt zu erreichen. Ihr seid nicht der Mann, den ich für sie ausgesucht hätte, aber sie will Euch. Ich liebe sie und möchte sie glücklich sehen. Sie ist alles, was ich habe.«
»Master Cullen…« begann Rob, doch der Schafzüchter unterbrach ihn.
»Es handelt sich hier um keine Ware,die angeboten wird, oder um ein Geschäft, das leichtfertig abgeschlossen wird. Ihr müßt darüber nachdenken, Mann, wie ich es getan habe.«
Rob dankte ihm höflich, als hätte man ihm einen Apfel oder Konfekt angeboten, und Cullen kehrte zu seinem Lagerplatz zurück.

Rob verbrachte eine schlaflose Nacht, in der er zum Himmel starrte. Er war nicht dumm und wußte genau, daß Mary etwas Besonderes war. Und wunderbarerweise liebte sie ihn. Einer solchen Frau würde er niemals wieder begegnen.

Und *Land*. Gütiger Gott, Land!

Ihm wurde ein Leben in Aussicht gestellt, wie es weder sein Vater noch einer seiner Vorfahren sich je erträumt hätten. Er würde über gesicherte Arbeit und ein gutes Einkommen, über Ansehen und Verantwortung verfügen. Über Besitz, den er seinen Söhnen vererben konnte. Ein Dasein, das er noch nie kennengelernt hatte, wurde ihm zu Füßen gelegt: eine liebende Frau, von der er berauscht war, und eine gesicherte Zukunft als einer der wenigen Menschen, die Land besaßen.

Er warf und wälzte sich hin und her.

Am nächsten Tag kam sie mit dem Rasiermesser ihres Vaters, um ihm die Haare zu schneiden.

»Nicht über den Ohren.«

»Dort sind sie aber besonders struppig. Und warum rasierst du dich nicht? Die Stoppeln lassen dich ganz wild aussehen.«

»Ich werde den Bart stutzen, wenn er länger ist.« Er zog das Tuch von seinen Schultern. »Weißt du, daß dein Vater mit mir gesprochen hat?«

»Er hat natürlich zuerst mit mir gesprochen.«

»Ich werde nicht mit euch nach Malkara reisen, Mary.«

Nur ihr Mund und ihre Hände verrieten, was sie empfand. Ihre Hände schienen ruhig auf ihrem Rock zu liegen, hielten aber das Rasiermesser so fest, daß die Knöchel weiß durch die Haut schimmerten.

»Schließt du dich uns an einem anderen Ort an?«

»Nein.« Es war schwierig. Er war nicht gewohnt, so ehrlich mit Frauen zu sprechen. »Ich fahre nach Persien, Mary.«

»Du willst mich nicht.«

Die bestürzte Trauer in ihrer Stimme machte ihm klar, wie unvorbereitet sie auf eine solche Möglichkeit gewesen war.

»Ich will dich, aber ich habe es mir immer wieder überlegt, und es ist unmöglich.«

»Warum unmöglich? Hast du schon eine Frau?«

»Nein, nein. Aber ich reise nach Isfahan in Persien. Nicht, um erfolgreich Handel zu treiben, wie ich euch erzählt habe, sondern um Medizin zu studieren.«

Ihr Gesichtsausdruck verriet ihre Verwirrung. Sie fragte sich, was die Medizin im Vergleich zum Besitz der Cullen-Tochter war.

»Ich muß Arzt werden.« Es hörte sich wie eine unmögliche Ausrede an. Er empfand ein seltsames Schamgefühl, als gestehe er ein Laster oder eine andere Schwäche ein. Er versuchte nicht, ihr das alles zu erklären, denn es war kompliziert, und er verstand es selbst nicht.

»Deine Arbeit macht dich elend. Du weißt, daß es so ist. Du hast es mir erzählt und dich darüber beklagt, daß sie dich quält.«

»Was mich quält, ist meine Unwissenheit und Unfähigkeit. In Isfahan werde ich lernen, jenen zu helfen, für die ich jetzt nichts tun kann.«

»Kann ich nicht bei dir bleiben? Mein Vater könnte uns doch begleiten und dort Schafe kaufen.« Das Flehen in ihrer Stimme und die Hoffnung in ihren Augen warnten ihn davor, sie zu trösten.

Er erklärte ihr, daß die Kirche den Besuch islamischer Akademien mit dem Bann belegt habe, und gestand ihr, was er vorhatte.

Sie wurde blaß, als sie allmählich begriff. »Du riskierst die ewige Verdammnis.«

»Ich kann nicht glauben, daß ich meine Seele verwirken werde.«

»Ein Jude!« Sie wischte das Rasiermesser gedankenverloren mit dem Tuch ab und tat es wieder in das kleine Ledersäckchen.

»Ja. Du siehst also, daß ich es allein tun muß.«

»Ich sehe einen Mann, der verrückt ist. Ich habe meine Augen davor verschlossen, daß ich nichts von dir weiß. Ich glaube, daß du schon vielen Frauen Lebewohl gesagt hast. Das stimmt doch?«

»Das war nicht das gleiche.« Er wollte ihr den Unterschied erklären, doch sie ließ es nicht zu. Sie hatte gut zugehört, und nun erkannte er, welch eine tiefe Wunde er ihr geschlagen hatte.

»Hast du nicht Angst, daß ich meinem Vater erzähle, daß du mich nur benutzt hast, und daß er jemanden dafür bezahlen könnte, daß du getötet wirst? Oder daß ich dem ersten Priester, den ich treffe, erzähle, daß ein Christ vorhat, die heilige Mutter Kirche zu verspotten?«

»Ich habe dir die Wahrheit gesagt. Ich möchte weder an deinem Tod schuld sein noch dich verraten, und ich bin sicher, daß du es mit mir ebenso hältst.«

»Ich werde nicht auf einen Arzt warten.«

Er nickte und machte sich Vorwürfe wegen des bitteren Ausdrucks in ihren Augen, als sie sich abwandte.

Den ganzen Tag beobachtete er sie, wie sie hoch aufgerichtet ritt. Sie drehte sich nicht um, um ihn anzusehen. An diesem Abend sprachen Mary und James Cullen lange ernst miteinander. Offensichtlich erzählte sie ihrem Vater nur, daß sie sich entschlossen hatte, nicht zu heiraten, denn kurze Zeit später lagen in dem Lächeln, mit dem Cullen Rob ansah, sowohl Erleichterung als auch Triumph. Cullen sprach mit Seredy, und kurz vor Einbruch der Dunkelheit brachte der Diener zwei Männer ins Lager, die Rob aufgrund ihrer Kleidung und ihres Aussehens für Türken hielt.

Später erriet er, daß es Führer gewesen waren, denn als er am nächsten Morgen erwachte, waren die Cullens fort.

Wie es in der Karawane üblich war, rückte nun jeder, der hinter ihnen gereist war, einen Platz vor. Nun folgte Rob nicht mehr Marys schwarzem Wallach, sondern den beiden französischen Brüdern.

Er fühlte sich schuldbewußt und traurig, empfand aber auch Erleichterung, denn er hatte nie ans Heiraten gedacht und war schlecht auf diese Möglichkeit vorbereitet gewesen. Er dachte darüber nach, ob er diese Entscheidung getroffen hatte, weil er sich der Medizin verschworen hatte, oder ob er nur in panischer Angst vor einer Ehe geflüchtet war wie seinerzeit der Bader.

Vielleicht war es beides, dachte er. Du armer, dummer Träumer, sagte er angewidert zu sich, eines Tages wirst du müde, älter und noch liebebedürftiger sein, und doch wirst du dich zweifellos mit einer scharfzüngigen Schlampe zufriedengeben.

Als die Karawane Babaeski erreichte, wurden sein Schuldbewußtsein und sein Kummer noch größer, denn hier wären sie gemeinsam ausgeschieden, um ihren Vater zu begleiten und ein neues Leben zu beginnen. Doch wenn er an James Cullen dachte, war es ihm lieber, allein zu sein, denn er wußte, daß der Schotte ein unangenehmer Schwiegervater gewesen wäre.

Doch er hörte nicht auf, an Mary zu denken.

Nach zwei Tagen legte sich seine Niedergeschlagenheit allmählich. Als sie wieder einmal zwischen grasbestandenen Hügeln dahinzogen, hörte er ein völlig neues Geräusch, das von fern zu der Karawane drang. Es war ein Klingen, das von Engeln stammen mochte. Als er näher kam, erblickte er zum ersten Mal eine Kamelkarawane.

Alle Kamele waren mit Glöckchen behängt, die bei jedem eigenartig schlingernden Schritt der Tiere klingelten.

Die Kamele waren größer, als er erwartet hatte, höher als ein Mann und länger als ein Pferd. Ihre komisch anmutenden Gesichter wirkten ruhig und zugleich unheimlich. Die Tiere hatten große, offene Nüstern, herabhängende Lippen und klare Augen, die halb hinter den Lidern mit langen Wimpern verborgen waren und ihnen ein merkwürdig weibliches Aussehen verliehen. Sie waren aneinandergebunden und mit riesigen Bündeln Gerstenstroh beladen, das zwischen ihren beiden Höckern aufgeschichtet war.

Auf dem Strohbündel jedes siebenten oder achten Kamels saß ein magerer, dunkelhäutiger Treiber, der nur mit einem Turban und einem zerlumpten Lendenschurz bekleidet war. Gelegentlich feuerte einer der Männer die Tiere mit einem »Hat! Hat! Hat!« an, um das sich seine schwankenden Schutzbefohlenen kaum kümmerten.

Die Kamele ergriffen Besitz von der welligen Landschaft. Rob zählte beinahe dreihundert Tiere, bis die letzten in der Ferne verschwammen und das wunderbare, klingelnde Flüstern ihrer Glocken verklang.

Obwohl Rob kein Wasser sehen konnte, sagte ihm Simon, daß sich südlich von ihnen das Marmarameer und nördlich das große Schwarze Meer befänden. In der Luft lag ein erfrischender Salzgeschmack, der Rob an die Heimat erinnerte und ihn beflügelte.

Am nächsten Vormittag erklomm die Karawane einen Hügel, und vor ihnen lag Konstantinopel wie eine Traumstadt ausgebreitet.

Die letzte christliche Stadt

Der Stadtgraben war breit, und als sie die Zugbrücke überquerten, erblickte Rob in der grünen Tiefe Karpfen, die so groß wie junge

Schweine waren. Die innere Böschung war als Brustwehr aufgeschüttet, und fünfundzwanzig Fuß dahinter erhob sich eine massive Mauer aus dunklen Steinen, die vielleicht hundert Fuß hoch war. Wachtposten gingen oben von einer Zinne zur anderen.

Zwanzig Schritt weiter ragte eine zweite Mauer empor, die der ersten genau glich. Konstantinopel war eine Festung mit vier Verteidigungslinien.

Sie kamen durch zwei große Tore. Die riesige Pforte der Innenmauer war dreifach überwölbt und mit der stolzen Bronzestatue eines Mannes, zweifellos eines frühen Herrschers, und fremdartigen Tieren geschmückt. Die Tiere waren massiv und kräftig, hatten große Ohren, kurze, dünne Schwänze und etwas, das wie ein längerer Schwanz aussah und drohend aus ihren Gesichtern herauswuchs.

Rob ließ die Stute anhalten, um die Tiere betrachten zu können. Hinter ihm schrie Gerson, und Tuveh ben Meier stöhnte. »Kommt, setzt Euren Arsch in Bewegung, *Inghiliz!*« rief er.

»Was sind das?«

»Elefanten. Habt Ihr noch nie Elefanten gesehen, bedauernswerter Fremder?«

Rob schüttelte den Kopf und drehte sich um, als er weiterfuhr, um sich die Geschöpfe anzusehen. Die ersten Elefanten, die er sah, waren nur so groß wie Hunde und aus Metall gegossen, dessen Patina fünf Jahrhunderte alt war.

Karl Fritta führte sie zur Karawanserei, einem riesigen Verkehrshof, durch den Reisende und Frachten in die Stadt gelangten und durch den sie sie verließen. Es war ein riesiger, ebener Platz, den Lagerhäuser zur Aufbewahrung der verschiedenen Güter, Pferche für die Tiere und Rasthäuser für die Reisenden säumten. Fritta war ein erfahrener Anführer, wich den lärmenden Haufen im Hof der Karawanserei aus und brachte seine Schutzbefohlenen zu einer Reihe von Herbergen, die als künstliche Höhlen in die angrenzenden Hügel gegraben waren und den Karawanen Kühle und Unterkunft boten. Die meisten Reisenden verbrachten nur einen oder zwei Tage in der Karawanserei, um sich zu erholen, Wagen instandzusetzen oder Pferde gegen Kamele einzutauschen, dann folgten sie einer römischen Straße nach Süden Richtung Jerusalem.

»Wir werden in ein paar Stunden aufbrechen«, sagte Meier zu Rob,

»denn wir sind nur noch zehn Tagereisen von unserem Zuhause in Angora entfernt und möchten unsere Verantwortung loswerden.«

»Ich möchte eine Weile hierbleiben.«

»Wenn Ihr beschließt abzureisen, sucht den *kervanbashi*, den Obersten der Karawanen, auf. Er heißt Zevi. Als junger Mann war er Treiber, dann Karawanenführer, der Kamelkarawanen über alle Routen leitete. Er kennt die Reisenden, ist Jude und ein anständiger Mann. Er wird dafür sorgen, daß Ihr sicher reist.«

Rob gab jedem einzeln die Hand. Er verabschiedete sich mit Bedauern von ihnen, denn sie waren freundlich zu ihm gewesen. Der Abschied fiel ihm außerdem schwer, weil er sich von dem Buch trennen mußte, das ihn in die persische Sprache eingeführt hatte.

Nun fuhr er allein durch Konstantinopel, eine riesige Stadt, die wohl größer als London war. Von ferne hatte der Ort in der warmen, klaren Luft scheinbar zwischen dem Blau des Himmels und dem ebenfalls blauen Marmarameer im Süden geschwebt. War man im Inneren, offenbarte sich Konstantinopel als eine Stadt voll steinerner Kirchen, die sich über engen Straßen erhoben, auf denen es von Reitern auf Eseln, Pferden und Kamelen, von Sänften, Karren und Wagen aller Art wimmelte. Kräftige Träger in einer einheitlichen Tracht aus grobem braunem Stoff schleppten unglaubliche Lasten auf dem Rücken oder auf Gestellen, die sie wie Hüte auf dem Kopf trugen.

Auf einem Platz machte Rob kurz halt und betrachtete eine Statue, die auf einer hohen Porphyrsäule stand und die Stadt überblickte. Die lateinische Inschrift verriet ihm, daß es Konstantin der Große war. Die Priester waren von Konstantin sehr eingenommen, denn er war der erste römische Kaiser, der sich hatte zum Christentum bekehren lassen. Seine Bekehrung bedeutete die Rettung für die christliche Kirche, und als er mit Waffengewalt die alte Griechenstadt Byzanz eroberte und sie zu der seinen gemacht hatte – Konstantinopel, die Stadt Konstantins –, wurde sie zum Juwel der Christenheit im Osten, zu einem Ort der großen Kirchen.

Es war eine an Volksgruppen reiche Stadt, wie es sich für einen Ort ziemte, der am Ende des einen Kontinents und am Anfang des zweiten lag. Rob fuhr durch ein griechisches Viertel, über einen armenischen Markt, durch einen jüdischen Sektor, und plötzlich hörte er Worte auf Parsi.

Sofort erkundigte er sich, und er fand einen Stall, der einem Mann namens Ghiz gehörte. Es war ein guter Stall, und Rob sorgte für die Stute, bevor er sie verließ, denn sie hatte ihm gute Dienste geleistet und verdiente nun Ruhe und viel Hafer. Ghiz führte Rob zu seinem Haus auf der Höhe des Pfades der dreihundertneunundzwanzig Stufen, wo Rob ein Zimmer mietete. Der Raum erwies sich als hell und sauber, und durch das Fenster kam eine salzige Brise.

Von dort blickte Rob auf den violetten Bosporus hinunter, auf dem die Segel wie Blüten dahinglitten. Auf dem vielleicht eine halbe Meile entfernten jenseitigen Ufer ragten hohe Kuppeln und lanzenartige Minarette empor, und Rob begriff, daß sie der Grund für den Stadtgraben, die Erdwälle und die beiden Mauern waren, die Konstantinopel umgaben. Wenige Fuß von seinem Fenster entfernt endete das Reich des Kreuzes. Die Grenzlinie war bemannt, um das Christentum gegen den Islam zu verteidigen. Jenseits der Meerenge begann das Einflußgebiet des Halbmondes.

Er stand am Fenster und starrte hinüber nach Asien, dem Kontinent, den er bald tief ergründen wollte.

In dieser Nacht träumte Rob von Mary. Er erwachte niedergedrückt und verließ das Zimmer. An einem Platz, der Forum des Augustus hieß, fand er ein öffentliches Bad, wo er kurz ins kalte Wasser stieg, um sich dann wie Caesar im warmen Wasser des *tepidarium* zu räkeln, einzuseifen und Dampf einzuatmen.

Als er herauskam, sich abtrocknete und vom letzten kalten Bad glühte, war er unglaublich hungrig und wieder wesentlich optimistischer. Er kaufte auf dem jüdischen Markt kleine, braun gebratene Fische und eine Portion dunkler Trauben, die er aß, während er suchte, was er brauchte.

Er sah in vielen Buden die kurze leinene Unterwäsche, die jeder Jude in Tryavna getragen hatte. Die kurzen Westen trugen die geflochtenen Verzierungen, die *tsitsit* genannt wurden und, wie Simon erklärt hatte, den Juden ermöglichten, den biblischen Hinweis zu befolgen, ihr Leben lang an den Rändern ihrer Kleidung Fransen zu tragen.

Er fand einen jüdischen Händler, der Persisch sprach. »Es ist ein Geschenk für einen Freund, er hat meine Größe«, murmelte Rob. Endlich fand der Alte Unterwäsche mit Fransen, die groß genug war.

Rob wagte nicht, alles auf einmal zu kaufen. Statt dessen kehrte er in den Stall zurück und stellte fest, daß es der Stute gutging.

»Ihr habt da einen ordentlichen Wagen«, meinte Ghiz.

»Ja.«

»Vielleicht würde ich ihn kaufen.«

»Er ist unverkäuflich.«

Ghiz hob die Schultern. »Ein brauchbarer Wagen, obwohl ich ihn neu streichen müßte. Aber leider ein armseliges Tier. Ohne Feuer. Ohne einen stolzen Ausdruck in den Augen. Ihr könnt froh sein, wenn Ihr die Stute loswerdet.«

Rob merkte sofort, daß Ghiz' Interesse für den Wagen ein Ablenkungsmanöver war, um zu verbergen, daß ihm die Stute gefiel.

»Weder Stute noch Wagen sind verkäuflich.«

Der Wagen stand in der Nähe, und während der Stallbesitzer beschäftigt war, traf Rob belustigt und unauffällig seine Vorbereitungen. Dann zog er eine Silbermünze aus dem linken Auge.

»O Allah!«

Er ließ einen Holzball verschwinden, während er mit einem Tuch zugedeckt war, dann ließ er das Tuch die Farbe wechseln und nochmals wechseln, von grün zu braun.

»Im Namen des Propheten…«

Ghiz war entzückt, und so verbrachten sie einen Teil des Tages mit Magie und Jonglieren, und bevor Rob fertig war, hätte er Ghiz alles verkaufen können, was er wollte.

Zum Abendessen wurde eine Flasche eines starken, braunen Getränks aufgetragen, das sehr dick war und widerlich schmeckte. Am Tisch neben Rob saß ein Priester, und Rob bot ihm etwas von dem Getränk an. Der Mann sprach kein Englisch, aber nach vergeblichen Versuchen mit Normannisch und Fränkisch verständigte sich der Priester mürrisch auf Persisch. Er hieß Vater Tamas und war ein Grieche.

Seine Laune besserte sich infolge des alkoholischen Getränks, das er in großen Zügen schlürfte.

»Werdet Ihr Euch in Konstantinopel niederlassen, Meister Cole?«

»Nein, in ein paar Tagen reise ich weiter nach Osten mit der Hoffnung, Heilkräuter kaufen zu können, die ich nach England mitnehmen will.«

Der Priester nickte. »Habt Ihr unsere Kathedrale der heiligen Sophia besucht?« fragte er und war entsetzt, als Rob lächelnd den Kopf schüttelte. »Aber das müßt Ihr tun, mein neuer Freund, bevor Ihr weiterreist! Ihr müßt! Denn sie ist das größte Kirchenwunder der Welt. Sie wurde auf Konstantins Befehl errichtet, und als dieser ehrwürdige Kaiser zum erstenmal die Kathedrale betrat, fiel er auf die Knie und rief: ›Ich habe besser gebaut als Salomon!‹«

Der Alkohol und die Meeresluft verhalfen Rob zu einem tiefen, traumlosen Schlaf. Am nächsten Morgen genoß er noch einmal den Luxus der Augustinischen Bäder, kaufte auf der Straße ein Frühstück aus Fladen und frischen Pflaumen und ging dann zum jüdischen Basar. Auf dem Markt wählte er sorgfältig, denn er hatte sich jedes Stück genau überlegt. Er hatte in Tryavna ein paar leinene Gebetsschals gesehen, aber die Männer, die er dort am meisten geachtet hatte, hatten Wolle getragen; also kaufte er jetzt für sich einen viereckigen Wollschal, der wie die Unterwäsche, die er am vorhergehenden Tag gefunden hatte, mit Fransen versehen war.

Er kam sich komisch vor, als er einen Satz der ledernen Gebetsriemen kaufte, die die Juden während ihres Morgengebetes auf der Stirn befestigten und um den Arm wickelten.

Er hatte jeden Einkauf bei einem anderen Händler getätigt. Einer verfügte über eine besonders große Auswahl an Kaftanen. Der Mann konnte nicht Persisch, aber mit Gebärden verständigten sie sich dennoch. Zwar war kein Kaftan groß genug, aber der Verkäufer bedeutete Rob, daß er warten solle, und dann lief er zu der Bude des alten Mannes, der Rob den *tsitsit* verkauft hatte. Der hatte größere Kaftane, und bald darauf hatte Rob zwei erstanden.

Er packte seine Habseligkeiten in einen Kleidersack, verließ den Basar auf einer Straße, die er noch nicht kannte, und erblickte bald eine so herrliche Kirche, daß es nur die Kathedrale der heiligen Sophia sein konnte. Er trat durch das riesige Bronzeportal ein und befand sich in einem gewaltigen Raum von hinreißenden Proportionen, in dem Pfeiler in Bogen, Bogen in Gewölbe und Gewölbe in eine so hohe Kuppel übergingen, daß Rob sich ganz klein vorkam. Der schier endlose Raum des Mittelschiffs wurde von tausenden Dochten beleuchtet, die sanft und hell in Ölschalen brannten und sich glitzernd viel stärker widerspiegelten, als Rob es in einer Kirche gewohnt war.

Er erkannte, daß dies an den goldgerahmten Ikonen und Wänden aus kostbarem Marmor lag, auch wenn das Gold und der Prunk für seinen englischen Geschmack zuviel waren.

Der größte Teil des Schiffs war leer, und er setzte sich hinten in eine leere, geschnitzte Bank unter die gekrümmte Gestalt, die am Kreuz hing. Er hatte das Gefühl, daß ihm die starren Augen in die Seele blickten und daß sie den Inhalt des Kleidersacks kannten. Er war nicht fromm erzogen worden, doch trotz des Unterfangens, das er plante, überkamen ihn seltsamerweise religiöse Gefühle. Er wußte, daß er die Kathedrale nicht umsonst betreten hatte. So stand er auf und blieb eine Zeitlang schweigend stehen, um sich der Herausforderung dieser Augen zu stellen. Schließlich sagte er laut: »Es muß getan werden. Aber ich verlasse dich nicht.«

Kurze Zeit später, nachdem er den Hügel mit den steinernen Stufen emporgestiegen war und sich wieder in seinem Zimmer befand, war er weniger sicher.

Er stellte den kleinen Stahlwürfel auf den Tisch, in dessen polierten Stahlflächen er sich für gewöhnlich beim Rasieren spiegelte, und schnitt mit einem Messer die Haare, die ihm jetzt lang und wirr über die Ohren fielen. Er hörte erst auf, als nur noch die rituellen Ohrlocken übrig waren, die die Juden *peot* nannten. Dann entkleidete er sich und legte befangen den *tsitsit* an, denn er erwartete beinahe, daß er heimgesucht werde. Die Fransen schienen über sein Fleisch zu kriechen.

Sein Bart war unleugbar noch spärlich. Er ordnete die Ohrlocken so, daß sie lose unter dem glockenförmigen Judenhut hingen. Der Lederhut erwies sich als ein besonders günstiges Geschenk, weil er so offensichtlich alt und gebraucht war.

Dennoch fürchtete er, als er das Zimmer wieder verließ und auf die Straße ging, daß dieser Wahnsinn nicht klappen würde; er wartete darauf, daß jeder, der ihn sah, vor Lachen brüllte.

Ich werde einen Namen brauchen, dachte er. Es wäre falsch gewesen, sich Mar Reuven zu nennen wie in Tryavna. Um sich erfolgreich zu verwandeln, brauchte er mehr als diese schwache hebräische Version seiner gojischen Identität.

Jesse… Das war ein Name, an den er sich von der Bibel her erinnerte.

Ein starker Name, mit dem man leben konnte, der Name von König Davids Vater. Als Familiennamen wählte er Benjamin zu Ehren von Benjamin Merlin, der ihm, wenn auch widerwillig, gezeigt hatte, was ein Medicus sein konnte.

Er würde behaupten, aus Leeds zu stammen, denn er erinnerte sich an die Häuser, die dort den Juden gehörten, und er konnte, wenn es nötig sein sollte, auf Einzelheiten des Ortes eingehen.

Er widerstand dem Impuls, umzukehren und zu fliehen, als ihm drei Priester entgegenkamen und er voll Panik erkennen mußte, daß einer von ihnen Vater Tamas war, sein Tischgefährte vom Vorabend. Die drei schlenderten gemächlich dahin und schienen in ein Gespräch vertieft. Er zwang sich, auf sie zuzugehen. »Friede sei mit Euch«, sagte er, als sie sich auf gleicher Höhe mit ihm befanden.

Der griechische Priester ließ den Blick verächtlich über den Juden gleiten, dann wandte er sich, ohne zu antworten oder zu grüßen, wieder seinen Gefährten zu.

Als sie an ihm vorbei waren, lächelte Jesse ben Benjamin aus Leeds. Er setzte seinen Weg jetzt ruhig und mit mehr Selbstvertrauen fort und drückte die Handfläche an die rechte Wange, wie es der *rabbenu* von Tryavna getan hatte, wenn er tief in Gedanken versunken war.

Dritter Teil

Isfahan

Die letzte Etappe

Trotz seines veränderten Aussehens fühlte er sich immer noch wie Rob
Jeremy Cole, als er zu Mittag die Karawanserei aufsuchte. Ein großer
Troß nach Jerusalem wurde gerade zusammengestellt, und der weite,
offene Platz war ein verwirrender Mahlstrom von Treibern, die bela-
dene Kamele und Esel führten, Männer, die ihre Wagen in die Reihe
zurückfahren wollten, Reitern, die einander bedenklich nahe kamen,
während die Tiere protestierend brüllten und überanstrengte Menschen Tiere und Mitreisende beschimpften. Ein Trupp normannischer
Ritter hatte den einzigen Schatten an der Nordseite der Lagerhäuser
mit Beschlag belegt. Dort lümmelten sie betrunken auf dem Boden und
riefen den Vorübergehenden Schimpfworte zu. Rob wußte nicht, ob
sie die Männer waren, die Mistress Buffington getötet hatten, doch es
war durchaus möglich, und er ging ihnen angeekelt aus dem Weg.
Er setzte sich auf einen Ballen Gebetsteppiche und beobachtete den
Leiter der Karawanen. Der *kervanbashi* war ein stämmiger türkischer
Jude, der auf den graumelierten Haaren, die noch Spuren der ursprünglichen roten Farbe aufwiesen, einen schwarzen Turban trug.
Meier hatte ihm gesagt, daß dieser Mann, der Zevi hieß, sehr nützlich
sei, wenn es darum ging, eine sichere Reise zu planen. Natürlich
zitterten alle vor ihm.
»Verdammt nochmal!« brüllte Zevi einen unglückseligen Viehtreiber
an. »Verschwinde, du Dummkopf! Führe deine Tiere weg, sie sollten
doch den Tieren der Kaufleute vom Schwarzen Meer folgen! Habe ich
dir das nicht schon zweimal gesagt? Kannst du dir denn nie deinen
Platz in der Marschlinie merken, du Mißgeburt?«
Rob hatte den Eindruck, daß Zevi überall zugleich war, Streitigkeiten
zwischen Kaufherren und Fuhrleuten schlichtete, mit dem Anführer der
Karawane über die Route beriet und die Frachtunterlagen überprüfte.
Während Rob zusah, machte sich ein Perser an ihn heran, ein kleiner
Mann, der so mager war, daß er hohle Wangen hatte. Er hatte einen

kümmerlichen Bart und trug einen schmutzigen, orangefarbenen Turban, der für seinen Kopf zu klein war.

»Wohin reist Ihr, Hebräer?«

»Ich hoffe, daß ich bald nach Isfahan aufbrechen kann.«

»Ah, Persien! Braucht Ihr einen Führer, Effendi? Denn ich bin in Qum geboren, in der Gegend von Isfahan, und kenne jeden Stein und Busch auf dem Weg.«

Rob zögerte.

»Jeder andere wird Euch den langen, schwierigen Weg an der Küste entlang führen und dann durch die persischen Berge, weil sie alle die kürzeste Route durch die Große Salzwüste vermeiden, vor der sie Angst haben. Ich aber kann Euch geradewegs durch die Wüste bis zum Wasser führen und dabei allen Räubern ausweichen.«

Rob war in Versuchung, den Mann anzuheuern und sofort aufzubrechen, denn er erinnerte sich daran, wie gut Charbonneau ihm gedient hatte. Aber der Mann hatte etwas Hinterhältiges an sich, und schließlich schüttelte Rob den Kopf.

Der Perser zuckte mit den Achseln. »Wenn Ihr es Euch überlegt, Meister, mit mir macht Ihr als Führer ein gutes Geschäft, ich bin sehr billig.«

Einen Augenblick später ging einer der hochgeborenen normannischen Pilger an dem Ballen vorbei, auf dem Rob saß. Er stolperte und fiel gegen ihn.

»Du Scheißkerl«, sagte er und spuckte vor ihm aus. »Du Jude!«

Rob stand mit rotem Gesicht auf. Der Normanne griff bereits nach seinem Schwert.

Plötzlich stand Zevi zwischen ihnen. »Ich bitte tausendmal um Vergebung, Mylord, zehntausendmal! Ich werde mich mit dem Kerl befassen.« Schon schob er den erstaunten Rob vor sich her.

Als sie in Sicherheit waren, hörte sich Rob den Wortschwall an, den Zevi von sich gab, und schüttelte den Kopf.

»Ich beherrsche die Sprache nicht sehr gut. Aber ich habe dem Franzosen gegenüber Eure Hilfe nicht gebraucht.« Rob suchte nach den entsprechenden Worten in Parsi.

»Meint Ihr? Man hätte Euch umgebracht, junger Ochse!«

»Es war meine Angelegenheit.«

»Nein und nochmal nein! In einem Ort voller Mohammedaner und betrunkener Christen tötet man einen einzelnen Juden genauso, wie man eine Dattel ißt. Sie hätten viele von uns getötet, und deshalb war es durchaus auch *meine* Angelegenheit.« Zevi starrte ihn wütend an. »Was für ein *Jahud* seid Ihr, der Persisch spricht wie ein Kamel, seine eigene Sprache nicht beherrscht und Streit sucht? Wie heißt Ihr und woher kommt Ihr?«

»Ich bin Jesse, Sohn des Benjamin, ein Jude aus Leeds.«

»Wo zum Teufel liegt Leeds?«

»In England.«

»Ein *Inghili!*« staunte Zevi. »Noch nie im Leben habe ich einen Juden kennengelernt, der ein *Inghili* war.«

»Wir sind nur wenige und leben verstreut. Es gibt dort keine Gemeinde. Keinen *rabbenu*, keinen *schochet*, keinen *maschgiot*. Kein Studierhaus und keine Synagoge. Daher hören wir die Sprache nur selten, und deshalb spreche ich sie so schlecht.«

»Schlimm, seine Kinder an einem Ort aufziehen zu müssen, wo sie ihren eigenen Gott nicht spüren und ihre eigene Sprache nicht hören.« Zevi seufzte. »Es ist oft schwer, ein Jude zu sein.«

Als Rob fragte, ob er vielleicht von einer großen Karawane mit Begleitschutz erfahren habe, die Isfahan zum Ziel habe, schüttelte er den Kopf.

»Ein Führer hat mich angesprochen«, erwähnte Rob.

»So ein persischer Gauner mit einem kleinen Turban und schmuddeligem Bart?« schnaubte Zevi. »Der würde Euch geradewegs Halsabschneidern ans Messer liefern. Ihr würdet mit durchschnittener Kehle in der Wüste liegenbleiben, und Eure Habseligkeiten würden gestohlen werden. Nein, Ihr seid in einer Karawane unseres Volkes besser dran.« Er dachte lange nach. »Reb Lonzano«, erklärte er endlich.

»Reb Lonzano?«

Zevi nickte. »Ja, möglich, daß Lonzano die beste Lösung darstellt.« In der Nähe brach ein Streit unter Treibern aus, und jemand rief Zevis Namen. Er verzog das Gesicht. »Diese Nachkommen von Kamelen, diese räudigen Schakale! Ich habe jetzt keine Zeit. Ihr könnt wiederkommen, wenn diese Karawane aufgebrochen ist. Kommt am späten Nachmittag in meine Hütte hinter der Hauptherberge. Dann können wir alles besprechen.«

Als Rob einige Stunden später wiederkam, fand er Zevi in der Hütte, die ihm in der Karawanserei als Bleibe diente. Drei Juden waren ebenfalls anwesend. »Das ist Lonzano ben Era«, stellte er Rob einen Mann vor, den ältesten von ihnen, der sichtlich der Anführer war. Er hatte braunes Haar und einen braunen Bart, in dem noch kein grauer Faden zu finden war, doch der dadurch entstehende Eindruck von Jugendlichkeit wurde von seinem zerfurchten Gesicht und seinen ernst blickenden Augen Lügen gestraft.

Loeb ben Kohen und Arieh Askari waren vielleicht um zehn Jahre jünger als Lonzano. Loeb war groß und schlank, Arieh ziemlich untersetzt und breitschultrig. Beide hatten das dunkle, wettergegerbte Gesicht reisender Kaufleute, enthielten sich aber jeder Meinungsäußerung und warteten Lonzanos Entscheidung ab.

»Sie sind Kaufleute und unterwegs nach Masqat jenseits des Persischen Golfes, wo sie zu Hause sind«, erklärte Zevi und wandte sich dann an Lonzano. »Dieser bedauernswerte Jüngling ist wie ein *goj* vollkommen unwissend in einem christlichen Land aufgezogen worden, und man muß ihm zeigen, daß Juden einander helfen.«

»Was habt Ihr denn in Isfahan vor?« fragte Reb Lonzano.

»Ich will studieren, um Arzt zu werden.«

Lonzano nickte. »Die *madrassa* in Isfahan. Reb Ariehs Vetter, Reb Mirdin Askari, studiert dort Medizin.«

Rob beugte sich interessiert vor und hätte gern eine Frage gestellt, doch Reb Lonzano duldete kein Abschweifen. »Seid Ihr zahlungsfähig und imstande, einen angemessenen Teil der Unkosten zu tragen?«

»Ja.«

»Bereit, Euch während der Reise an der Arbeit zu beteiligen und Verantwortung mitzutragen?«

»Mehr als bereit. Womit handelt Ihr, Reb Lonzano?«

Lonzano runzelte die Stirn. Er war sichtlich der Meinung, daß nur er berechtigt war, Fragen zu stellen. »Mit Perlen«, antwortete er widerwillig.

»Wie groß ist die Karawane, mit der Ihr reist?«

Die Andeutung eines Lächelns spielte um Lonzanos Mundwinkel. »*Wir* sind die Karawane, mit der wir reisen.«

Rob war verwirrt. Er wandte sich an Zevi. »Wie sollen mir drei Männer Schutz vor Räubern und anderen Gefahren bieten?«

»Hört auf mich«, antwortete Zevi. »Das sind *reisende* Juden. Sie wissen, wann sie etwas wagen können und wann nicht. Sie wissen, wann sie sich verkriechen müssen, wohin sie sich um Schutz oder Hilfe wenden können, sie kennen jeden Ort auf ihrem Weg.« Er wandte sich an Lonzano. »Was meint Ihr, mein Freund? Werdet Ihr ihn mitnehmen oder nicht?«

Reb Lonzano sah seine Gefährten an. Sie schwiegen, und ihr unbeteiligter Gesichtsausdruck änderte sich nicht, und doch mußten sie sich irgendwie verständigt haben, denn als Lonzano Rob wieder ansah, nickte er.

»Also gut, Ihr könnt Euch uns anschließen. Wir segeln morgen bei Sonnenaufgang vom Schiffsanlegeplatz am Bosporus ab.«

»Ich werde mit meinem Pferd und meinem Wagen zur Stelle sein.«

Arieh schnaubte, und Loeb seufzte.

»Kein Pferd und keinen Wagen«, lehnte Lonzano ab. »Wir segeln mit kleinen Booten über das Schwarze Meer, um eine lange und gefährliche Landreise zu vermeiden.«

Zevi legte Rob seine riesige Hand aufs Knie. »Wenn sich diese Männer bereit erklären, Euch mitzunehmen, bietet sich Euch eine ausgezeichnete Gelegenheit. Verkauft Pferd und Wagen!«

Rob nickte schnell entschlossen.

»*Masel-tow!*« sagte Zevi zufrieden und schenkte roten türkischen Wein ein, um das Abkommen zu besiegeln.

Von der Karawanserei ging Rob geradewegs zum Stall, wo Ghiz nach Luft schnappte, als er ihn so gekleidet sah. »Ihr seid *Jahud?*«

»Ja, ich bin *Jahud.*«

Ghiz nickte ängstlich, als sei er davon überzeugt, daß dieser Magier ein *djinni* war, der seine Identität nach Belieben ändern konnte.

»Ich habe es mir überlegt, ich werde Euch den Wagen verkaufen.«

Der Perser machte ihm mürrisch ein schlechtes Angebot, einen Bruchteil vom tatsächlichen Wert des Wagens.

»Nein, Ihr werdet mir einen angemessenen Preis bezahlen.«

»Ihr könnt Euren klapprigen Wagen behalten. Aber wenn Ihr das Pferd verkaufen wollt...«

»Das Pferd mache ich Euch zum Geschenk.«

Ghiz kniff die Augen zusammen und versuchte, eine Finte zu erkennen.

»Ihr müßt für den Wagen einen anständigen Preis bezahlen, aber das Pferd mache ich Euch zum Geschenk.«

Er ging zu der Stute und rieb ihr zum letzenmal die Nüstern, dankte ihr stumm für die Treue, mit der sie ihm gedient hatte. »Vergeßt das nie: Diese Stute arbeitet willig, aber sie muß gut und regelmäßig gefüttert und saubergehalten werden, damit sie niemals wund wird. Treffe ich sie gesund an, wenn ich zurückkomme, geht alles in Ordnung. Aber wehe, sie wurde mißhandelt…«

Er sah Ghiz in die Augen, und der Stallbesitzer wurde blaß und blickte zur Seite. »Ich werde sie gut behandeln, Hebräer. Ich werde sie sehr gut behandeln.«

Der Wagen war all diese Jahre Robs einziges Zuhause gewesen. Und ihm war, als nehme er erst jetzt endgültig Abschied vom Bader. Er mußte den Großteil seines Besitzes zurücklassen, was für Ghiz sehr vorteilhaft war. Rob nahm nur seine chirurgischen Instrumente und verschiedene Heilkräuter mit, die kleine Kiefernschachtel mit dem durchlöcherten Deckel, seine Waffen und sonst lediglich noch ein paar Dinge.

Er fand, daß er sich auf das Wichtigste beschränkt hatte, war aber am nächsten Morgen nicht mehr so sicher, als er einen großen Stoffsack durch die noch dunklen Straßen trug. Er erreichte den Anlegeplatz am Bosporus, als der Morgen graute, und Reb Lonzano musterte ungnädig das Bündel auf Robs Rücken.

Sie wurden in einem langen, niedrigen Ruderboot, das eigentlich nur ein ausgehöhlter Baumstamm war, den man eingeölt und mit einem einzigen Paar Ruder ausgestattet hatte, von einem schläfrigen Jungen über den Bosporus gesetzt. Am anderen Ufer gingen sie in Uskular an Land, einer Stadt aus Bretterbuden, die sich um den Hafen drängte. Zu Robs Bestürzung erfuhr er, daß sie einen einstündigen Marsch zu einer kleinen Bucht vor sich hatten, in der das Boot vertäut lag, mit dem sie durch den Bosporus und an der Küste des Schwarzen Meeres entlangfahren würden. Er schulterte sein gewichtiges Bündel und folgte den drei Männern.

Plötzlich ging Lonzano neben ihm.

»Ich habe von Zevi von Eurer Auseinandersetzung mit dem Normannen in der Karawanserei gehört. Ihr müßt Euer Temperament besser im Zaum halten, sonst gefährdet Ihr uns alle.«

»Ja, Reb Lonzano.«

Nach einiger Zeit stieß er einen Seufzer aus und schob seinen Sack auf die andere Seite.

»Ist etwas nicht in Ordnung, *Inghili?*«

Rob schüttelte den Kopf. Er hielt das Bündel auf seiner schmerzenden Schulter fest, der salzige Schweiß rann ihm in die Augen, und er dachte grinsend an Zevi.

»Es ist oft schwer, ein Jude zu sein«, antwortete er.

Schließlich erreichten sie eine verlassene, enge Bucht, in der ein breites, flaches Frachtschiff mit einem Mast und drei Segeln, einem großen und zwei kleinen, auf den Wellen schaukelte.

»Was für ein Boot ist das?« fragte er Reb Arieh.

»Eine *keseboy*. Ein gutes Boot.«

»Endlich!« rief der Kapitän. Er hieß Ilias und war ein friedlicher, blonder Grieche mit sonnengebräuntem Gesicht, der beim Lachen schneeweiße Zähne mit einigen Lücken dazwischen blitzen ließ. Rob fand, daß er allerdings für einen Geschäftsmann zu sorglos war, denn an Bord warteten schon neun Vogelscheuchen, die sich Kopfhaare und Augenbrauen und Wimpern abrasiert hatten.

Lonzano stöhnte. »Derwische, mohammedanische Bettelmönche.«

Ihre Kutten waren dreckige Lumpen. An dem Strick, den sie als Gürtel um die Taille gebunden hatten, hingen ein Napf und eine Schleuder. Auf der Stirnmitte trugen sie ein rundes, dunkles Mal wie eine verhärtete Schwiele. Reb Lonzano erklärte Rob später, daß es sich um die *zabiba* handelte, weil fromme Mohammedaner fünfmal am Tage während des Gebets den Kopf gegen den Boden drücken.

Einer von ihnen, vielleicht ihr Anführer, legte die Hände auf die Brust und verbeugte sich in die Richtung der Juden. »*Salam.*«

Lonzano verbeugte sich ebenfalls. »*Salam aleikum.*«

»Kommt, kommt!« rief der Grieche, und sie wateten durch das angenehm kühle Wasser, weil die Bootsbesatzung, zwei Jungen in Lendentüchern, bereits wartete, um ihnen die Strickleiter hinauf in die flache *keseboy* zu helfen. Es gab weder ein Deck noch Aufbauten, nur einen offenen Laderaum für die Fracht, die aus Bauholz, Pech und Salz bestand. Da Ilias verlangte, daß ein Gang in der Mitte freiblieb, damit die Besatzung die Segel bedienen konnte, blieb wenig Raum für die

Passagiere, und nachdem ihre Bündel verstaut waren, sahen sich Juden und Mohammedaner zusammengepfercht wie Salzheringe.

Als die beiden Anker gelichtet wurden, begannen die Derwische zu schreien. Ihr Anführer, der Dedeh hieß – er hatte ein Greisengesicht und außer der *zabiba* noch drei dunkle Male auf der Stirn, die offenbar Verbrennungen waren, – warf den Kopf zurück und schrie zum Himmel: »*Allah Ek-beer!*« Der gedehnte Vokal schien über dem Meer zu schweben.

»*La ilah illallah!*« schrien seine Schüler im Chor.

»*Allah Ek-beer!*«

Die *keseboy* trieb von der Küste weg, fand mit flatternden Segeln den Wind und steuerte dann stetig nach Osten.

Rob steckte zwischen Reb Lonzano und einem mageren jungen Derwisch. Der Mohammedaner lächelte ihn an, griff in die Tasche und zog vier armselige Stücke Brot heraus, die er an die Juden verteilte.

»Dankt ihm in meinem Namen«, sagte Rob. »Ich will das Brot nicht.«

»Wir müssen es essen«, widersprach Lonzano, »sonst sind sie zutiefst beleidigt.«

»Es ist aus feinem Mehl«, erklärte der Derwisch zwanglos auf Persisch. »Wirklich ein ausgezeichnetes Brot.«

Lonzano sah Rob gereizt an, weil er die Sprache nicht verstand. Der junge Derwisch sah zu, als sie das Brot aßen, das wie kalter Schweiß schmeckte.

»Ich bin Melek abu Ishak«, stellte sich der Derwisch vor.

»Ich bin Jesse ben Benjamin.«

Der Derwisch nickte und schloß die Augen. Bald schnarchte er, was Rob für einen Beweis seiner Weisheit hielt, denn die Reise in einer *keseboy* war überaus langweilig. Weder das Meer noch der nahe Küstenstrich schienen sich jemals zu verändern.

Doch dies bot Rob Gelegenheit zum Nachdenken. Als er Ilias fragte, warum sie sich nahe der Küste hielten, lächelte der Grieche. »Im seichten Wasser können sie uns nicht überfallen«, erklärte er. Rob blickte in die Richtung, in die Ilias zeigte, und sah weit draußen winzige Wölkchen, die aber die großen Segel eines Schiffes waren.

»Die Seeräuber«, erklärte der Grieche. »Sie warten darauf, daß wir aufs Meer hinausgetrieben werden. Dann würden sie uns umbringen und meine Fracht und Euer Geld rauben.«

Als die Sonne höherstieg, breitete sich allmählich der Gestank von ungewaschenen Körpern aus. Die Meeresbrise hatte ihn zuvor zerstreut, aber nun, da das nicht mehr der Fall war, machte er sich unangenehm bemerkbar. Rob stellte fest, daß er von den Derwischen stammte, und er versuchte, Distanz zu Melek abu Ishak zu halten, aber dafür reichte der Platz nicht aus. Doch brachte die Reise mit Mohammedanern auch Vorteile, denn Ilias brachte die *keseboy* fünfmal am Tag an den Strand, damit sich die Derwische in der Richtung nach Mekka niederwerfen konnten. Diese Pausen nützten die Juden, schnell etwas zu essen und hinter den Büschen und Dünen Blase und Darm zu entleeren.

Robs helle englische Haut war auf der Reise längst gebeizt worden, doch nun spürte er, wie Sonne und Salz sie zu Leder gerbten. Wenn es Nacht wurde, war das Fehlen der Sonne ein Segen, aber im Schlaf rutschten die Sitzenden aus ihrer aufrechten Haltung, und Rob wurde zwischen dem schnarchenden Melek zu seiner Rechten und dem selbstvergessenen Lonzano zur Linken eingezwängt. Als er es schließlich nicht mehr ertragen konnte, setzte er seine Ellbogen ein, wofür er wilde Verwünschungen auf beiden Seiten erntete.

Die Juden beteten im Boot. Rob legte jeden Morgen die *tefillin* an, wenn es die anderen taten, und wand den Lederstreifen um seinen linken Arm, wie er es im Stall von Tryavna mit dem Strick geübt hatte. Er schlang den Lederriemen um jeden zweiten Finger, neigte den Kopf und hoffte, daß niemand merken würde, daß er nicht wußte, was er tat. Zwischen den Landgängen betete Dedeh seinen Derwischen auf dem Wasser vor: »Gott ist der Größte! Gott ist der Größte! Gott ist der Größte!«

»Ich bekenne, daß es keinen anderen Gott gibt als Gott! Ich bekenne, daß es keinen anderen Gott gibt als Gott!«

»Ich bekenne, daß Mohammed der Prophet Gottes ist! Ich bekenne, daß Mohammed der Prophet Gottes ist!«

Sie seien Derwische von der Bruderschaft Selmans, des Barbiers des Propheten, und hätten gelobt, ein Leben in Armut und Frömmigkeit zu führen, belehrte Melek Rob. Die Lumpen, die sie trügen, stellten den Verzicht auf die Genüsse der Welt dar. Sie zu waschen wäre eine

Verleugnung ihres Glaubens, was auch den Gestank erklärte. Das Abrasieren aller Körperhaare symbolisierte die Entfernung des Schleiers zwischen Gott und seinen Dienern. Die an ihrem Gürtel hängenden Schalen seien das Zeichen für den tiefen Brunnen der Meditation, die Schleudern dienten dazu, den Teufel zu vertreiben. Die Verbrennungen auf der Stirn verstärkten die Bußfertigkeit, und sie verschenkten an Fremde Brot, weil der Erzengel Gabriel Adam Brot ins Paradies gebracht habe.

Die Derwische befanden sich auf einer *ziaret*, einer Pilgerfahrt zu den heiligen Stätten in Mekka.

»Warum windet ihr jeden Morgen Lederriemen um den Arm?« fragte ihn Melek.

»Es ist ein Gebot des Herrn«, antwortete Rob und erzählte Melek, wie das Gebot im 5. Buch Mose erteilt worden war.

»Warum bedeckt ihr eure Schultern mit Schals, wenn ihr betet, manchmal aber nicht?«

Rob wußte zu wenige Antworten; er besaß nur oberflächliche Kenntnisse, die er aus der Beobachtung der Juden in Tryavna gewonnen hatte. Er bemühte sich, seine Verlegenheit angesichts des Verhörs zu verbergen. »Weil der Unaussprechliche, Er sei gesegnet, uns angewiesen hat, Seine Gebote einzuhalten«, sagte er ernst, und Melek nickte lächelnd.

Als Rob sich von dem Derwisch abwandte, sah er, daß Reb Lonzano ihn aus halbgeschlossenen Augen beobachtete.

Salz

Die ersten Tage vergingen ruhig, aber dann frischte der Wind auf, was schweren Seegang zur Folge hatte. Ilias lavierte die *keseboy* geschickt zwischen den gefährlichen Seeräuberschiffen und der donnernden Brandung. Bei Sonnenuntergang tauchten schlanke, dunkle Gestalten im blutroten Wasser auf, die um ihr Boot kreisten, neben ihm herschwammen, hochsprangen und unter ihm durchtauchten. Rob schauderte und bekam richtig Angst, doch Ilias meinte lachend, es seien nur Delphine, harmlose, verspielte Geschöpfe.

Bei Morgengrauen schwollen die Wellen zu steilen Hügeln an, und die Seekrankheit suchte Rob heim wie ein alter Bekannter. Sein Würgen wirkte selbst auf abgehärtete Seefahrer ansteckend, und bald war das Boot voller seekranker, sich übergebender Männer, die in den verschiedensten Sprachen Gott anflehten, ihrem Elend ein Ende zu bereiten.

Als es am schlimmsten war, bat Rob, man möge ihn an Land aussetzen. Doch Reb Lonzano schüttelte den Kopf. »Ilias wird jetzt nicht mehr anlegen, damit die Mohammedaner beten können, denn hier leben die turkmenischen Stämme. Wen sie nicht töten, versklaven sie, und in jedem ihrer Zelte gibt es herabgewürdigte Unglückliche, die ihr Leben in Ketten verbringen.«

Lonzano erzählte die Geschichte seines Vetters, der gemeinsam mit zwei kräftigen Söhnen versucht hatte, eine Karawane mit Weizen nach Persien zu führen. »Sie wurden gefangen, gefesselt und bis zum Hals in ihren eigenen Weizen eingegraben, bis sie verhungerten; keine schöne Todesart. Schließlich verkauften die Turkmenen unserer Familie die entstellten Leichen, damit wir sie nach jüdischem Ritus begraben konnten.«

Also blieb Rob auf dem Boot und durchlitt vier endlose Tage, die ihm wie eine Reihe von üblen Jahren vorkamen.

Neun Tage, nachdem sie Konstantinopel verlassen hatten, steuerte Ilias die *keseboy* in einen winzigen Hafen, der von etwa vierzig Häusern umgeben war, von denen einige nur windschiefe Holzbauten waren. Die meisten jedoch waren aus in der Sonne getrockneten Lehmziegeln errichtet. Es war ein ungastlicher Hafen, nicht jedoch für Rob, der sich später immer dankbar an den Ort Rize erinnerte.

»*Imshallah! Imshallah!*« riefen die Derwische, als die *keseboy* anlegte. Reb Lonzano sprach einen Segen. Mit dunkel gebräunter Haut, magerem Körper und leerem Bauch sprang Rob aus dem Boot und ging vorsichtig über den schwankenden Boden, weg von dem verhaßten Meer.

Dedeh verbeugte sich vor Lonzano, Melek zwinkerte Rob lächelnd zu, und die Derwische brachen auf.

»Kommt«, sagte Lonzano. Die Juden stapften davon, als wüßten sie, wohin sie sich begaben. Rize war ein erbärmlicher Ort. Gelbe Hunde kamen aus den Häusern und kläfften die Reisenden an. Sie kamen an kichernden Kindern mit entzündeten Augen vorbei. Eine schlampige Frau kochte etwas über einem offenen Feuer, zwei Männer schliefen im Schatten so eng beieinander wie ein Liebespaar. Ein alter Mann spuckte aus, als sie vorbeigingen.

»Ihr Hauptgeschäft ist der Verkauf von Vieh an Reisende, die mit dem Schiff hier ankommen und dann den Weg durch die Berge nehmen«, belehrte Lonzano Rob. »Loeb kennt sich mit Tieren ausgezeichnet aus und wird für uns alle einkaufen.«

Rob gab also Loeb Geld, als sie eine kleine Hütte neben einem großen Pferch mit Eseln und Maultieren erreichten. Auch der Händler hatte entzündete Augen. Der dritte und vierte Finger an seiner linken Hand fehlten; jemand hatte sie stümperhaft entfernt, aber er benützte die Stümpfe, um an den Halftern zu ziehen und die Tiere herauszuholen, die er Loeb zeigen wollte.

Loeb handelte nicht und machte auch nicht viel Aufhebens. Oft schien er kaum einen Blick auf das Tier zu werfen. Nur gelegentlich blieb er stehen und prüfte Augen, Zähne, Widerrist und Fesseln.

Er wollte nur ein Maultier kaufen, und der Verkäufer schnappte bei seinem Angebot nach Luft. »Nicht genug!« schrie er zornig, doch als Loeb die Schultern hob und wegging, hielt ihn der aufgebrachte Mann zurück und nahm das Geld an.

Bei einem anderen Händler kauften sie drei Tiere. Der dritte Händler, den sie aufsuchten, betrachtete lange die Tiere, die sie bei sich führten, und nicke langsam, ehe er aus seiner Herde Tiere für sie aussuchte.

»Jeder kennt den Bestand des anderen Händlers, und er sieht, daß Loeb nur die besten Tiere nimmt«, sagte Arieh. Bald besaßen alle vier Mitglieder der kleinen jüdischen Reisegesellschaft einen zähen, ausdauernden Esel zum Reiten und ein kräftiges Maultier, das als Packtier diente.

Lonzano meinte, wenn alles gutgehe, würden sie nur einen Monat benötigen, um Isfahan zu erreichen, und diese Aussicht verlieh Rob neue Kraft. Sie brauchten einen Tag zur Durchquerung der Küstenebene und drei Tage für das Vorgebirge. Dann hatten sie die Berge erreicht. Rob hatte Berge gern, doch diese hier waren unfruchtbar und voll kahler Felsspitzen; Laubbäume waren eine Seltenheit. »Der

Grund dafür ist, daß es den größten Teil des Jahres über kein Wasser gibt«, erklärte Lonzano. »Im Frühjahr kommt es zu wilden, gefährlichen Überschwemmungen, und während der übrigen Zeit herrscht Dürre. Wenn es hier einen See gibt, besteht er mit großer Wahrscheinlichkeit aus Salzwasser, aber wir wissen, wo man Süßwasser findet.«

Am Morgen beteten sie. Anschließend spuckte Arieh aus und sah Rob verächtlich an. »Ihr versteht einen Dreck. Ihr seid ein blöder *goj*.«

»Und du bist ein Dummkopf und redest wie ein Schwein«, wies ihn Lonzano zurecht.

»Er weiß nicht einmal, wie man die *tefillin* anlegt!« murrte Arieh.

»Er wurde unter Fremden aufgezogen, und wenn er es nicht weiß, haben wir jetzt Gelegenheit, es ihm beizubringen. Ich, Reb Lonzano ben Ezra ḥa-Levi aus Masqat, werde ihm die Sitten seines Volkes beibringen.«

Lonzano zeigte Rob, wie man die Gebetsriemen richtig anlegt. Die Lederriemen wurden dreimal um den linken Oberarm gewunden, so daß sie den hebräischen Buchstaben *shin* bildeten, dann wurden sie siebenmal über den Unterarm, die Handfläche und derart um die Finger gelegt, daß zwei weitere Buchstaben entstanden, nämlich *dalet* und *jod*, die zusammen mit dem ersten das Wort »Shaddaj« bildeten, einen der sieben Namen des Unaussprechlichen.

Während die Riemen angelegt wurden, wurden Gebete gesprochen, darunter die Stelle aus Hosea 2.21–22: »Und ich traue dich mir an auf ewig… um den Brautpreis von Gerechtigkeit und Recht, von Liebe und Erbarmen. Ich traue dich mir an um den Brautpreis der Treue: Dann wirst du den Herrn erkennen.«

Als er die Worte nachsprach, begann Rob zu zittern, denn er hatte Jesus gelobt, daß er ihm trotz seiner Verkleidung als Jude im Glauben treu bleiben würde. Dann fiel ihm ein, daß Christus Jude gewesen war und zweifellos während seines Lebens tausende Male die Gebetsriemen angelegt hatte, während er die gleichen Gebete gesprochen hatte. Die bedrückende Last auf seinem Herzen wich, ebenso seine Furcht, und er sprach Lonzano die Worte nach, während die Riemen um seinen Arm seine Hand eigenartig purpurrot färbten, weil das Blut in den Fingern von den engen Schlingen abgeschnürt wurde. Rob fragte sich, woher das Blut wohl gekommen war und wohin es aus der Hand fließen würde, wenn die Riemen entfernt wurden.

»Noch etwas«, ermahnte ihn Lonzano, als sie die Gebetsriemen lösten. »Ihr dürft nicht versäumen, nach göttlicher Führung zu streben, nur weil Ihr die Sprache nicht beherrscht. Es steht geschrieben, wenn ein Mensch ein vorgeschriebenes Gebet nicht sprechen kann, soll er zumindest an den Allmächtigen denken. Auch das ist ein Gebet.«

Die Reisegruppe bot keinen kühnen Anblick, zumal Rob nicht, denn wenn jemand groß ist, stimmen die Proportionen nicht mehr, sobald er auf einem Esel reitet. Robs Füße berührten daher fast den Boden, aber der Esel konnte sein Gewicht trotzdem leicht tragen; er war ein behendes Tier, das sich ausgezeichnet dafür eignete, Berge zu überwinden. Lonzanos Tempo gefiel Rob nicht, denn der Anführer hielt eine Dornenrute in der Hand, mit der er seinen Esel auf die Flanken schlug, um in anzutreiben.

»Warum so eilig?« brummte er schließlich, doch Lonzano drehte sich nicht einmal nach ihm um.

Loeb antwortete. »In der Nähe leben bösartige Menschen. Sie töten alle Reisenden und hassen besonders die Juden.«

Die drei hatten die Route im Kopf; Rob kannte sie nicht. Wenn seinen Gefährten etwas zustieß, war es zweifelhaft, ob er in dieser öden, feindseligen Umgebung überleben würde. Der Pfad stieg steil an und fiel jäh ab, während er sich zwischen den dunklen, drohenden Gipfeln der Osttürkei hindurchwand. Am Spätnachmittag des fünften Tages erreichten sie einen kleinen Fluß, der träge zwischen steinigen Ufern dahinfloß.

»Der Fluß Coruh«, stellte Arieh fest.

Robs Wasserflasche war beinahe leer, aber Arieh schüttelte den Kopf, als er zum Fluß wollte.

»Er ist salzig«, warnte er scharf, als hätte Rob dies wissen müssen.

In der Dämmerung kamen sie um eine Wegbiegung und stießen auf einen Jungen, der Ziegen hütete. Er rannte davon, als er sie erblickte.

»Sollen wir ihn verfolgen?« fragte Rob. »Vielleicht will er den Räubern melden, daß wir hier sind.«

Nun sah ihn Lonzano lächelnd an, und Rob merkte, daß die Spannung aus seinem Gesicht verschwunden war. »Das war ein jüdischer Junge. Wir kommen nach Bayburt.«

In dem Dorf lebten nicht einmal hundert Menschen, von denen aber ein Drittel Juden waren. Sie wohnten hinter einer mächtigen, hochragenden Mauer, die am Berghang errichtet worden war. Als sie das Tor in der Mauer erreichten, stand es bereits offen. Es wurde sofort hinter ihnen geschlossen und versperrt, und als sie abstiegen, genossen sie Sicherheit und Gastlichkeit innerhalb der Mauern des Judenviertels.

»Shalom!« begrüßte sie der *rabbenu* von Bayburt ohne sonderliche Überraschung. Er war ein kleiner Mann, der aber auf einem Esel vollkommen selbstverständlich ausgesehen hätte. Er trug einen Vollbart, und um seinen Mund spielte ein wehmütiger Zug.

»Shalom aleikhum«, grüßte Lonzano.

Rob hatte schon in Tryavna von dem jüdischen Reisewesen gehört, doch nun erlebte er es als Beteiligter. Jungen führten die Tiere fort, um sie zu versorgen, andere Jungen sammelten ihre Flaschen, um sie zu waschen und mit Süßwasser aus dem Brunnen des Ortes zu füllen. Frauen brachten nasse Tücher, damit sie sich reinigen konnten; sie wurden mit frischem Brot, mit Suppe und Wein verwöhnt, bevor sie sich mit den Männern in der Synagoge zum *ma'ariw* versammelten.

»Ich kenne Euer Gesicht, nicht wahr?« fragte der *rabbenu* Lonzano.

»Ich habe Eure Gastfreundschaft schon früher genossen. Ich war vor sechs Jahren mit meinem Bruder Abraham und unserem Vater Jeremiah ben Label, seligen Angedenkens, hier. Unser Vater wurde uns vor vier Jahren durch den Tod entrissen, als eine kleine Schramme an seinem Arm brandig wurde und sein Blut vergiftete. Es war der Wille des Allerhöchsten.«

Der *rabbenu* nickte seufzend. »Möge er in Frieden ruhen!«

Ein grauhaariger Jude kratzte sich am Kinn und mischte sich eifrig ins Gespräch ein. »Erinnert Ihr Euch vielleicht an mich? Josel ben Samuel aus Bayburt? Es werden im Frühjahr zehn Jahre, daß ich bei Eurer Familie in Masqat gewohnt habe. Ich hatte mit einer Karawane von dreihundertvierzig Kamelen Kupferkies gebracht, und Euer Onkel – hieß er Issachar? – half mir, den Kies an einen Schmelzer zu verkaufen, eine Ladung Meeresschwämme zu erstehen und sie mitzunehmen. Ich habe einen schönen Gewinn damit erzielt.«

Lonzano lächelte. »Mein Onkel Jehiel ben Issachar.«

»Jehiel, genau! Es war Jehiel. Ist er wohlauf?«

»Er war bei guter Gesundheit, als ich Masqat verließ«, antwortete Lonzano.

Der *rabbenu* meldete sich wieder. »Die Straße nach Erzurum wird von einer Bande türkischer Räuber beherrscht. Die Pest soll sie treffen, und alle denkbaren Katastrophen mögen über sie hereinbrechen! Sie morden, verlangen Lösegeld, was immer ihnen paßt. Ihr müßt ihnen ausweichen und einen schmalen Pfad durch die höchsten Berge nehmen. Ihr werdet euch nicht verirren, denn einer unserer Jungen wird euch führen.«

Daher schwenkten ihre Tiere am nächsten Morgen kurz nach Bayburt von der vielbegangenen Straße ab und kletterten einen steinigen Pfad empor, der stellenweise nur wenige Fuß breit war und an steilen Abhängen entlangführte. Der Junge aus Bayburt blieb bei ihnen, bis sie die Hauptstraße erreicht hatten.

Die nächste Nacht verbrachten sie in Karakose, wo ein Dutzend jüdische Familien lebte, wohlhabende Kaufleute, die unter dem Schutz eines mächtigen Kriegsherrn, Ali al-Hamid, standen. Hamids Burg war als Siebeneck auf einem hohen, die Stadt beherrschenden Berg erbaut. Sie sah wie eine riesige abgetakelte, mastlose Kriegsgaleone aus. Das Wasser mußte auf Eseln aus der Stadt in die Burg gebracht werden, und die Zisternen waren immer voll, falls es zu einer Belagerung kommen sollte. Als Gegenleistung für Hamids Schutz hatten sich die Juden von Karakose verpflichtet, die Vorratshäuser der Burg stets mit Hirse und Reis zu füllen. Rob und die drei Juden bekamen Hamid nicht zu Gesicht, verließen aber Karakose gern wieder, denn sie wollten nicht an einem Ort verweilen, wo ihre Sicherheit von der Laune eines einzigen mächtigen Mannes abhing.

Sie zogen durch ein Gelände, das äußerst schwierig und gefährlich war, aber das Reisenetz funktionierte. Jeden Abend erhielten sie einen neuen Vorrat an Süßwasser, ausreichende Nahrung und Unterkunft sowie Angaben über die vor ihnen liegende Wegstrecke. Die Sorgenfalten in Lonzanos Gesicht waren fast verschwunden.

An einem Freitagnachmittag erreichten sie das kleine Bergdorf Igdir. Sie blieben einen zusätzlichen Tag in den kleinen Steinhäusern der dortigen Juden, um nicht am Sabbat reisen zu müssen. In Igdir wurde Obst angebaut, und sie stopften sich dankbar mit schwarzen Kirschen und kandierten Quitten voll. Nun entspannte sich sogar Arieh, und Loeb zeigte Rob großzügig eine geheime Zeichensprache, mit der jüdische Kaufleute im Osten Verhandlungen führten, ohne zu sprechen. »Es wird mit den Händen geredet«, erklärte Loeb. »Der gestreckte Finger gilt zehn, der gekrümmte Finger fünf. Wenn der Finger so umfaßt wird, daß nur die Spitze sichtbar ist, bedeutet es eins, die ganze Hand hundert und die Faust tausend.«

An dem Morgen, an dem sie Igdir verließen, ritten Rob und Loeb nebeneinander. Sie handelten stumm mit den Händen, schlossen Geschäfte über nicht existierende Ladungen ab und kauften und verkauften Gewürze, Gold und Königreiche, um sich die Zeit zu vertreiben. Der Pfad war steinig und schwierig.

»Wir befinden uns nicht weit vom Berg Ararat«, stellte Arieh fest. Rob betrachtete die hohen, abweisenden Gipfel und das verdorrte Gebiet ringsum. »Was muß Noah gedacht haben, als er die Arche verließ?« fragte er, und Arieh zuckte mit den Achseln.

In Nazik, der nächsten Stadt, kam es zu einer Verzögerung. Der Ort lag in einem langen, felsigen Engpaß, und in ihm lebten vierundachtzig Juden und vielleicht dreißigmal so viele Anatolier. »In der Stadt wird eine türkische Hochzeit abgehalten«, erzählte ihnen der *rabbenu*, ein hagerer alter Mann mit gebeugten Schultern und scharfen Augen. »Sie haben schon mit der Feier begonnen und sind bösartig und erregt. Wir wagen es nicht, unser Viertel zu verlassen.«

Ihre Gastgeber behielten sie vier Tage lang im jüdischen Viertel. Sie hatten reichlich Nahrung und eine ergiebige Quelle. Die Juden von Nazik waren liebenswürdig und höflich, und obwohl die Sonne heiß vom Himmel brannte, schliefen die Reisenden in einer kühlen, aus Steinen errichteten Scheune auf sauberem Stroh. Aus der Stadt hörte Rob den Lärm der Schlägereien und Gelage, das Splittern von Möbeln, und einmal kam ein Steinhagel von der anderen Seite der Mauer herüber, doch es wurde niemand verletzt.

Nach vier Tagen war alles ruhig. Einer der Söhne des *rabbenu* wagte sich hinaus und stellte fest, daß die Türken vom Feiern erschöpft und als Folge des wilden Gelages verträglich waren. Am nächsten Morgen konnte Rob mit seinen Reisegefährten Nazik guten Mutes verlassen. Nun folgte ein Treck durch einen Landstrich ohne jüdische Siedlungen und deren Schutz. Drei Tage, nachdem sie Nazik verlassen hatten, erreichten sie eine Hochebene mit einem großen stehenden Gewässer, das von einem breiten, weißen, von Sprüngen durchzogenen Schlammrand umgeben war. Sie stiegen von ihren Eseln ab.

»Das ist der Urmiasee«, erklärte Lonzano, »ein seichtes Salzgewässer. Im Frühjahr schwemmen die Bäche Minerale von den Berghängen an. Aber es gibt keinen Wasserlauf, der den See entwässert. Nur die Sommersonne trocknet das Wasser aus, und das Salz lagert sich dann am Rand ab. Nehmt eine Prise Salz und legt sie Euch auf die Zunge!«

Rob kostete vorsichtig und verzog das Gesicht.

Lonzano grinste. »So schmeckt Persien.«

Es dauerte einen Moment, bis Rob begriff. »Wir sind in Persien?«

»Ja. Hier verläuft die Grenze.«

Rob war enttäuscht. Es war eine so lange Reise gewesen… und das war alles?

Lonzano begriff. »Macht Euch nichts daraus. Ihr werdet bestimmt von Isfahan begeistert sein. Wir sollten lieber aufsitzen, wir haben noch tagelang zu reiten.«

Doch vorher pißte Rob in den Urmiasee, um dem Salz Persiens einen Schuß englischen Spezificums beizufügen.

Der Jäger

Arieh zeigte seine Abneigung deutlich. Zwar hielt er vor Lonzano und Loeb seine Zunge im Zaum, doch wenn die beiden außer Hörweite waren, galten seine bissigen Bemerkungen Rob. Selbst wenn er zu den beiden Juden sprach, war er oft alles andere als freundlich.

Rob war größer und stärker. Manchmal kostete es ihn seine ganze Willenskraft, Arieh nicht zu schlagen.

Lonzano bemerkte es. »Ihr müßt ihn übersehen.«

»Arieh ist ein…« Das persische Wort für Bastard fiel Rob nicht ein.

»Nicht einmal zu Hause ist Arieh ein angenehmer Mensch, aber besonders schlimm ist er auf Reisen. Als wir Masqat verließen, war er erst ein knappes Jahr verheiratet. Er hat einen neugeborenen Sohn und wollte nicht von daheim weg. Seither ist er die ganze Zeit verdrossen.« Er seufzte. »Wir alle haben eine Familie, und es ist oft hart, auf Reisen und fern von zu Hause zu sein, besonders am Sabbat und an Feiertagen.«

»Seit wann seid ihr von Masqat fort?« fragte Rob.

»Es sind jetzt siebenundzwanzig Monate.«

»Wenn das Leben eines fahrenden Kaufmanns so entbehrungsreich und einsam ist, warum bleibt Ihr dann dabei?«

Lonzano sah ihn an. »Ein Jude überlebt eben auf diese Weise.«

Sie umritten den Urmiasee im Nordosten und befanden sich bald wieder zwischen hohen, baumlosen Bergen. Sie übernachteten bei Juden in Tebria und Takestan. Rob merkte kaum einen Unterschied zwischen den Orten und den Dörfern in der Türkei. Es waren öde, auf steinigem Geröll erbaute Bergdörfer, in denen die Menschen im Schatten schliefen und Ziegen beim Gemeindebrunnen herumstreunten. Kashan war auch so, aber Kashan hatte einen Löwen über dem Tor. Einen wirklichen, riesigen Löwen.

»Das ist ein berühmtes Tier, es mißt fünfundvierzig Spannen von der Schnauze bis zum Schwanz«, erklärte Lonzano stolz, als wäre es sein Löwe. »Er wurde vor zwanzig Jahren von Abdallah Schah, dem Vater des jetzigen Herrschers, erlegt. Er richtete sieben Jahre lang großen Schaden unter den Viehherden dieses Gebietes an, und schließlich brachte ihn Abdallah zur Strecke. In Kashan findet jedes Jahr am Jahrestag der Jagd eine Feier statt.«

Nun hatte der Löwe getrocknete Aprikosen statt der Augen und ein Stück roten Filzes als Zunge, und Arieh wies verächtlich darauf hin, daß er mit Lumpen und trockenem Unkraut ausgestopft sei. Generationen von Motten hatten das von der Sonne getrocknete Fell stellenweise bis auf die nackte Haut abgefressen, aber die Beine des Löwen waren wie Säulen, und er hatte noch immer seine großen Zähne, die scharf wie Lanzenspitzen waren, so daß Rob eine Gänsehaut bekam, als er sie sah.

»Ich möchte so einem Tier nicht gern begegnen.«

Arieh lächelte überlegen. »Die meisten Menschen gehen durch das Leben, ohne jemals einen Löwen zu sehen.«

Der *rabbenu* von Kashan war ein vierschrötiger Mann mit rotblondem Haar und Bart. Er hieß David ben Sauli der Lehrer, und Lonzano sagte, daß er schon einen Ruf als Gelehrter besitze, obwohl er noch jung sei. Er war der erste *rabbenu*, den Rob sah, der einen Turban anstelle eines jüdischen Lederhutes trug. Als er sprach, zeigten sich wieder die Sorgenfalten in Lonzanos Gesicht.

»Es ist gefährlich, die Route nach Süden durch die Berge zu nehmen«, warnte sie der *rabbenu*. »Ein großer Verband von Seldschuken versperrt dort den Weg.«

»Wer sind die Seldschuken?« fragte Rob.

»Sie sind ein Hirtenvolk, das statt in Dörfern in Zelten lebt«, antwortete Lonzano. »Mörder und wilde Kämpfer. Sie fallen in den Gebieten zu beiden Seiten der Grenze zwischen Persien und der Türkei ein.«

»Ihr könnt nicht durch die Berge ziehen«, beschied der *rabbenu* traurig. »Die Krieger der Seldschuken sind wilder als Straßenräuber.«

Lonzano sah Rob, Loeb und Arieh an. »Dann bleiben uns nur zwei Möglichkeiten. Wir können hier in Kashan warten, bis die Schwierigkeiten mit den Seldschuken vorbei sind, was viele Monate, vielleicht ein Jahr dauern kann, oder wir können die Berge und die Seldschuken umgehen und durch die Wüste und dann durch die Wälder nach Isfahan gelangen. Ich bin noch nie durch die Wüste Dasht-i-Kavir gezogen, habe aber andere Wüsten durchquert und weiß, wie furchtbar das ist.« Er wandte sich an den *rabbenu*. »Kann man sie durchqueren?«

»Ihr müßt nicht durch die ganze Dasht-i-Kavir, das verhüte der Himmel«, meinte der *rabbenu* bedächtig. »Ihr müßt nur einen Teil davon durchqueren, eine Reise von drei Tagen nach Osten und dann nach Süden. Ja, manche wagen es. Wir können euch die Route beschreiben, die ihr reiten sollt.«

Die vier blickten einander an. Schließlich brach Loeb, der nicht gerne viele Worte machte, das bedrückte Schweigen. »Ich will nicht ein Jahr lang hierbleiben«, entschied er und sprach damit den anderen drei aus dem Herzen.

Jeder kaufte einen großen Wassersack aus Ziegenleder und füllte ihn vor der Abreise aus Kashan. Der volle Sack wog schwer. »Brauchen wir soviel Wasser für drei Tage?« fragte Rob.

»Man muß mit unvorhersehbaren Zwischenfällen rechnen, wir werden uns vielleicht länger in der Wüste aufhalten«, gab Lonzano zu bedenken. »Und Ihr müßt Euren Wasservorrat mit Euren Tieren teilen, denn wir durchqueren die Dasht-i-Kavir mit unseren Eseln und Maultieren und nicht mit Kamelen.«

Ein Führer aus Kashan begleitete sie auf einem alten Schimmel bis zu der Stelle, an der ein fast unkenntlicher Pfad von der Straße abzweigte. Die Dasht-i-Kavir-Wüste begann mit einer lehmigen Hügelkette, auf der man leichter vorankam als in den Bergen. Zuerst machten sie gute Fortschritte, und für einige Zeit stieg ihre Laune. Die Beschaffenheit des Bodens änderte sich so unmerklich, daß sie nicht beunruhigt waren, aber zu Mittag, als die Sonne glühend auf sie niederbrannte, kämpften sie sich bereits durch tiefen Sand vorwärts, der so fein war, daß die Hufe der Tiere darin einsanken. Sie stiegen ab, und Männer und Tiere quälten sich gleichermaßen mühsam weiter.

Rob erschien es wie ein Traum: Ein Ozean aus Sand erstreckte sich in alle Richtungen, so weit er sehen konnte. Manchmal bildete der Sand Hügel, die wie die großen, von Rob gefürchteten Meereswellen aussahen, dann wieder war er wie das spiegelglatte Wasser eines stillen Sees, das der Westwind nur leicht kräuselte. Rob entdeckte nicht die Spur von Leben, keinen Vogel in der Luft, keinen Käfer oder Wurm auf der Erde, aber am Nachmittag kamen sie an bleichenden Knochen vorbei, die wie der unordentlich aufgeschichtete Haufen Brennholz hinter einer englischen Hütte aussahen, und Lonzano erzählte Rob, daß Nomaden die Überreste von Tieren und Menschen sammelten und hier als Wegmarkierung aufschichteten. Dieser Hinweis auf Menschen, die an so einem Ort daheim waren, wirkte zermürbend, und sie versuchten ihre Tiere ruhig zu halten, denn sie wußten, wie weit das Brüllen eines Esels in der regungslosen Luft zu hören war.

Die Dasht-i-Kavir war eine Salzwüste. Mitunter wand sich der Sandpfad, auf dem sie gingen, zwischen Sümpfen aus salzigem Schlamm hindurch, der dem am Ufer des Urmiasees glich. Nachdem sie sechs Stunden so marschiert waren, fühlten sie sich vollkommen erschöpft, und als sie zu einem kleinen Sandhügel kamen, der vor der niedrig stehenden Sonne einen Schatten warf, drängten sich Menschen und Tiere auf dem verhältnismäßig kühlen Platz zusammen. Nach einer Stunde im Schatten waren sie imstande, bis zum Sonnenuntergang weiterzumarschieren.

»Vielleicht sollten wir nur bei Nacht reisen und während der Tageshitze schlafen«, schlug Rob vor.

»Nein«, entgegnete Lonzano rasch. »Als ich jung war, habe ich einmal mit meinem Vater, zwei Onkeln und vier Vettern die Dasht-i-Lut durchquert. Mögen die Toten in Frieden ruhen! Die Dasht-i-Lut ist eine Salzwüste wie diese hier, und wir beschlossen, nur bei Nacht zu reisen, gerieten aber bald in Schwierigkeiten. In der heißen Jahreszeit trocknen die Salzseen und Sümpfe rasch aus, und stellenweise bleiben Krusten an der Oberfläche zurück. Wir mußten erleben, daß Männer und Tiere durch diese Krusten einbrachen. Manchmal befindet sich darunter Lake oder Treibsand, und es ist viel zu gefährlich, bei Nacht zu reisen.«

Weitere Fragen über dieses Erlebnis in der Dasht-i-Lut wollte Lonzano nicht beantworten, und Rob drängte ihn nicht, da er spürte, daß man das Thema lieber nicht vertiefen solle.

Bei Einbruch der Dunkelheit saßen oder lagen sie auf dem salzigen Sand. Die Wüste, in der sie bei Tag gebraten hatten, wurde nachts kalt. Es gab kein Brennholz, und sie hätten auch kein Feuer entfacht, um von keinem feindlichen Auge gesehen zu werden. Rob war so müde, daß er trotz seines Unbehagens in einen tiefen Schlaf fiel, der bis zum Morgengrauen dauerte.

Er bemerkte verblüfft, daß das Wasser, das ihm in Kashan als reichlich bemessen erschienen war, in der trockenen Wüste dahinschwand. Er beschränkte sich auf kleine Schlucke, während er sein Frühstücksbrot aß, und gab seinen Tieren viel mehr. Er schüttete ihre Ration in den ledernen Judenhut und hielt ihn, während sie tranken. Anschließend genoß er es, sich den feuchten Hut auf den heißen Kopf zu setzen.

Dann rief Loeb plötzlich: »Reiter kommen!«

Weit im Süden gewahrten sie eine Staubwolke, die von einer großen Menschenschar herzurühren schien, und Rob befürchtete, daß es die Wüstensöhne seien, die die Markierung aus Knochen zurückgelassen hatten. Doch als das Gebilde näher kam, erkannten sie, daß es sich nur um eine Wolke handelte.

Als sie der heiße Wüstenwind erreichte, hatten ihm die Esel und Maultiere instinktiv den Rücken zugekehrt. Rob kauerte sich, so gut er konnte, hinter die Tiere, und der Wind fegte über sie hinweg. Seine erste Wirkung war einem Fieberanfall ähnlich. Er führte Sand und Salz mit sich, und die Haut verbrannte wie unter Flocken heißer Asche. Die Luft wurde noch schwerer und drückender, und die Männer und die Tiere warteten geduldig, während sie der Sturm zu einem Teil der Salzwüste machte und sie mit einer zwei Finger dicken Schicht aus Sand und Salz bedeckte.

In dieser Nacht träumte Rob von Mary Cullen. Er saß neben ihr und empfand süße Ruhe. Auf ihrem Gesicht lag ein glücklicher Ausdruck, und er war die Ursache für ihre Erfüllung, was ihn froh machte. Sie begann eine Stickerei, und ohne daß er verstand, wie oder warum, stellte sich heraus, daß sie seine Mutter war. Er wurde von einem Gefühl der Wärme und Sicherheit überflutet, das er seit seinem neunten Lebensjahr nicht mehr erlebt hatte.

Dann erwachte er, hustete und spuckte trocken. Sein Mund und seine Ohren waren voll Sand und Salz, und als er sich erhob, um ein paar Schritte zu machen, scheuerten ihn Sand und Salz zwischen den Hinterbacken.

Es war der dritte Morgen. *Rabbenu* David ben Sauli hatte Lonzano angewiesen, zwei Tage nach Osten und dann einen Tag nach Süden zu ziehen. Sie hatten sich in die Richtung bewegt, die Lonzano für Osten hielt, und nun schwenkten sie in die Richtung ein, die Lonzano für Süden hielt.

Rob war nie imstande gewesen, Osten von Süden oder Norden von Westen zu unterscheiden. Er fragte sich, was aus ihnen werden würde, wenn Lonzano nicht wirklich wußte, wo Süden oder Osten war, oder wenn die Angaben des *rabbenu* von Kashan nicht stimmten.

Das Stück der Dasht-i-Kavir, das sie durchquerten, war wie eine kleine Bucht in einem großen Ozean. Der Hauptteil der Wüste war unermeßlich und für sie nicht zugänglich. Wenn sie aber geradewegs ins Zentrum der Dasht-i-Kavir unterwegs waren, statt die Bucht zu durchqueren? Wenn das der Fall war, waren sie verloren.

Rob fragte sich, ob der Gott der Juden sein Leben forderte, weil er sich verkleidet hatte. Aber Arieh war, wenngleich kaum liebenswürdig, kein schlechter Mensch, und Lonzano und Loeb waren höchst achtbare Männer. Es war nicht wahrscheinlich, daß ihr Gott sie vernichten würde, um einen gojischen Sünder zu bestrafen.

Doch war er nicht der einzige, der verzweifelte. Lonzano spürte die Stimmung seiner Reisegefährten und versuchte, sie zum Singen anzuregen. Aber Lonzano blieb der einzige, dessen Stimme sich erhob, und schließlich verstummte auch er.

Rob goß den kümmerlichen Rest Wasser aus dem Sack für seine Tiere in den Hut und ließ sie trinken. In seiner Lederflasche befanden sich noch ungefähr sechs Schluck Wasser.

Wenn sie sich dem Ende der Dasht-i-Kavir näherten, spielte das keine Rolle, wenn sie aber in die falsche Richtung gingen, reichte diese geringe Wassermenge nicht aus, um am Leben zu bleiben.

Also trank er sie. Er zwang sich, das Wasser in kleinen Schlucken zu sich zu nehmen, aber es war rasch getrunken.

Sobald der Vorrat verbraucht war, wurde Robs Durst ärger denn je. Das Wasser schien ihn innerlich zu verbrühen, und darauf folgten schreckliche Kopfschmerzen. Er zwang sich, weiterzugehen, doch seine Schritte wurden unsicher. Ich kann nicht mehr, erkannte er entsetzt.

Lonzano begann heftig in die Hände zu klatschen. »Ai, di-di-di-di-di-di-di, ai, di-di-di-di-di!« sang er, begann zu tanzen, schüttelte den Kopf, drehte sich und hob die Arme und Knie im Rhythmus der Melodie.

In Loebs Augen glänzten Zornestränen. »Hör auf, du Narr!« schrie er. Doch im nächsten Augenblick zog er eine Grimasse und begann ebenfalls zu singen und zu klatschen und sprang hinter Lonzano herum.

Dann folgte auch Rob, und schließlich sogar der mißmutige Arieh.

»Ai, di-di-di-di-di-di, ai, di-di-di-di!«

Sie sangen mit trockenen Lippen und tanzten, obwohl sie in den Füßen kein Gefühl mehr verspürten. Schließlich verstummten sie und hörten mit dem verrückten Tanzen auf, aber sie gingen nun mühsam weiter, setzten einen gefühllosen Fuß vor den anderen und wagten nicht, der Möglichkeit ins Auge zu sehen, daß sie sich tatsächlich verirrt hatten.

Am frühen Nachmittag hörten sie Donner. Er grollte lange Zeit in der Ferne, bevor ein paar Regentropfen fielen. Kurz darauf sahen sie eine Gazelle und dann ein paar Wildesel.

Ihre Tiere wurden plötzlich schneller. Sie bewegten ihre Beine rascher und begannen aus eigenem Antrieb zu traben, da sie spürten, was vor ihnen lag. Die Männer bestiegen die Esel und ritten wieder, während sie den letzten Sandstreifen verließen, nachdem sie sich drei Tage lang durch die Wüste gequält hatten.

Das Land weitete sich zur Ebene, die zuerst mit nur spärlichem Pflanzenbewuchs und dann immer dichter mit Grün bedeckt war.

Vor Sonnenuntergang kamen sie zu einem schilfbestandenen Tümpel, über dem Schwalben herabstießen und ihre Kreise zogen. Arieh kostete das Wasser und nickte. »Es ist gut.«

»Wir dürfen die Tiere nicht zuviel auf einmal trinken lassen, sonst werden sie lahmen«, warnte Loeb.

Sie tränkten die Tiere mit Vorsicht und banden sie an Bäume, dann tranken sie selbst, rissen sich die Kleider vom Leib und legten sich ins Wasser, um sich im Schilf durchtränken zu lassen.

»Habt Ihr in der Dasht-i-Lut Leute verloren?« fragte Rob.

»Wir haben meinen Vetter Calman verloren«, sagte Lonzano. »Er war damals zweiundzwanzig Jahre alt.«

»Ist er durch eine Salzkruste gebrochen?«

»Nein. Er hat die Beherrschung verloren und sein Wasser auf einmal ausgetrunken. Dann ist er verdurstet.«

»Möge er in Frieden ruhen«, sagte Loeb.

»Wie sehen die Symptome aus, wenn ein Mensch verdurstet?«

Lonzano war sichtlich ungehalten. »Ich will nicht mehr daran denken.«

»Ich frage, weil ich Arzt werden will, nicht aus Neugier«, erklärte Rob, und Arieh starrte ihn voll Widerwillen an.

Lonzano überlegte kurz, dann nickte er. »Mein Vetter Calman war von der Hitze verwirrt und trank hemmungslos, bis nichts mehr von seinem Wasser übrig war. Wir hatten uns verirrt, und jeder teilte sich sein Wasser selbst ein. Wir durften nicht teilen. Nach einer Weile begann er zu erbrechen, aber es kam keine Flüssigkeit. Seine Zunge wurde ganz schwarz, und sein Gaumen war weißlichgrau. Seine Gedanken verwirrten sich, und er glaubte, er sei im Haus seiner Mutter. Seine Lippen waren eingeschrumpft, man sah seine Zähne, und sein Mund stand offen wie bei einem Tier. Er keuchte und schnarchte abwechselnd. In dieser Nacht setzte ich mich im Schutz der Dunkelheit über die Abmachung hinweg, goß ein wenig Wasser auf einen Lappen und drückte ihn über seinem Mund aus. Aber es war zu spät. Nach dem zweiten Tag ohne Wasser starb er.«

Sie lagen schweigend in dem braunen Wasser.

»Ai, di-di-di-di-di-di, ai, di-di-di-di!« sang Rob schließlich. Er blickte Lonzano in die Augen, und sie grinsten einander vielsagend an.

Auf Loebs ledrige Wange setzte sich ein Moskito, und er schlug sich ins

Gesicht. »Jetzt können die Tiere mehr Wasser vertragen«, meinte er.
Sie verließen den Tümpel und kümmerten sich wieder um ihre Tiere.

Am nächsten Tag saßen sie bei Sonnenaufgang auf ihren Eseln, und zu
Robs großer Freude kamen sie bald an zahlreichen kleinen Seen vorbei,
die von Wiesen umgeben waren. Die Seen heiterten ihn auf. Das Gras
reichte einem bis ans Knie und duftete köstlich. Es war voller Heuschrecken und Grillen, aber auch voller kleiner Mücken, deren Stiche
brannten und sofort juckende Schwellungen hinterließen. Ein paar
Tage zuvor hätte er sich gefreut, überhaupt ein Insekt zu sehen, doch
jetzt schenkte er nicht einmal den großen, herrlichen Schmetterlingen
auf den Wiesen einen Blick, während er auf die Quälgeister schlug und
alle Mücken und Moskitos verfluchte.
»O Gott, was ist das?« rief Arieh.
Rob folgte seinem ausgestreckten Zeigefinger und erblickte im vollen
Sonnenlicht eine riesige Wolke, die sich im Osten erhob. Er beobach-
tete mit zunehmender Besorgnis, daß sie näher kam, denn sie sah wie
jene Staubwolke aus, die über sie gekommen war, als der heiße Wind
sie in der Wüste überraschte.
Doch aus dieser Wolke drang deutlich das Geräusch von Hufen, als
würde eine große Armee auf sie zusprengen.
»Die Seldschuken?« flüsterte Rob, doch niemand antwortete ihm.
Blaß und angstvoll warteten sie, während die Wolke näher kam und der
Lärm ohrenbetäubend wurde.
In einer Entfernung von etwa fünfzig Schritten klapperten die Hufe,
als hätten tausend geübte Reiter auf einen Befehl hin gleichzeitig
angehalten.
Zuerst konnten sie nichts erkennen. Dann legte sich der Staub, und sie
erblickten zahllose Wildesel, die sich in bestem Zustand befanden und
eine präzise Ordnung einhielten. Die Esel starrten die Männer aufmerksam und neugierig an, und die Männer starrten zurück.
»Hai!« schrie Lonzano, und schon machte die gesamte Herde kehrt
und zog weiter, diesmal nach Norden.
Sie kamen auch an kleineren Eselherden und riesigen Rudeln von
Gazellen vorbei, die manchmal gemeinsam grasten und offensichtlich
selten gejagt wurden, weil sie den Menschen wenig Beachtung schenkten. Bedrohlicher wirkten die Wildschweine, die es im Überfluß gab.

Gelegentlich erblickte Rob eine behaarte Bache oder einen Eber mit gefährlichen Hauern, und er hörte von allen Seiten die Tiere grunzen, während sie im hohen Gras raschelten und wühlten.

Nun sangen sie alle, wenn Lonzano es vorschlug, um die Schweine auf sich aufmerksam zu machen, so daß sie nicht erschreckt wurden und angriffen. Rob bekam eine Gänsehaut; seine langen Beine, die an den Flanken des kleinen Esels herabhingen und am tiefen Gras streiften, erschienen ihm ungeschützt und verwundbar. Aber die Schweine trollten sich vor den lauten Männerstimmen und bereiteten ihnen keine Schwierigkeiten.

Sie kamen an einen rasch strömenden Fluß, der einem tiefen Graben glich und dessen Ufer fast senkrecht anstiegen und von Fenchel überwuchert waren. Obwohl die vier stromauf- und abwärts zogen, fanden sie keine Stelle, wo sie ihn mühelos überqueren konnten. Schließlich trieben sie ihre Tiere einfach ins Wasser. Es wurde sehr schwierig für die Esel und Maultiere, auf dem gegenüberliegenden, überwachsenen Ufer hinaufzuklettern und dabei nicht abzurutschen. Die Luft war von Flüchen und dem scharfen Geruch des zertretenen Fenchels erfüllt, und es dauerte einige Zeit, bis sie alle am anderen Ufer waren. Jenseits des Flusses kamen sie in einen Wald. Sie folgten einem Pfad, wie ihn Rob von zu Hause kannte. Das Land war wilder als die englischen Wälder; das hohe Dach der ineinander verflochtenen Baumkronen hielt die Sonne ab, doch das Unterholz wucherte üppig, und es wimmelte von Tieren. Rob erkannte Rehe, Kaninchen und Stachelschweine, und in den Bäumen nisteten Tauben und kleine Vögel, die er für eine Art Rebhühner hielt.

So ein Weg wäre so recht nach des Baders Geschmack gewesen, und Rob fragte sich, was die Juden gesagt hätten, wenn er sein Sachsenhorn geblasen hätte.

Nach einer Wegbiegung, als Rob die Führung übernommen hatte, scheute sein Esel. Auf einem großen Ast über ihnen duckte sich ein Panther.

Der Esel wich zurück, und das Maultier hinter ihnen nahm den Raubtiergeruch wahr und schrie. Vielleicht spürte der Panther die überwältigende Angst. Noch während Rob nach seiner Waffe griff, sprang ihn das Tier, das ihm ungeheuer groß erschien, an.

Da drang ein langer, schwerer, mit gewaltiger Kraft abgeschossener

Pfeil dem Tier ins rechte Auge. Die großen Klauen rissen den armen Esel auf, als die Katze auf Rob stürzte und ihn dabei aus dem Sattel warf. Im nächsten Augenblick lag er auf dem Boden und glaubte, an dem Moschusgeruch der Katze zu ersticken. Das Tier lag quer über ihm, so daß er das Hinterteil vor sich hatte, das glänzend schwarze Fell sah, den verfilzten After und die große rechte Hintertatze, die sich wenige Zentimeter vor seinem Gesicht befand und beinahe obszön große, geschwollen wirkende Ballen hatte. Die Kralle der zweiten der vier Zehen war erst kürzlich abgerissen worden. Die Wunde war offen, blutete und machte Rob klar, daß sich am Kopf dieser Katze Augen befanden und keine getrockneten Aprikosen und eine Zunge, die nicht aus rotem Filz bestand.

Aus dem Wald kamen Leute. In der Nähe stand ihr Anführer, der noch seinen Langbogen in der Hand hielt. Er trug eine einfache rote, mit Baumwolle gefütterte Kattunjacke, eine Hose aus grobem Stoff, Schuhe aus Eselshaut und einen nachlässig gewickelten Turban. Er war etwa vierzig Jahre alt, kräftig gebaut, hielt sich gerade, hatte einen kurzen, dunklen Bart, eine Adlernase, und in seinen Augen blitzte noch die Jagdleidenschaft, während er zusah, wie seine Diener den toten Panther von dem hochgewachsenen jungen Mann herunterzogen.

Rob kam zitternd auf die Beine und zwang seine Gedärme unter Kontrolle. »Fangt den verdammten Esel ein«, verlangte er von niemand Bestimmten. Weder die Juden noch die Perser verstanden ihn, denn er hatte in der Aufregung Englisch gesprochen. Der Esel kehrte ohnedies infolge des fremdartigen Waldes um, in dem vielleicht noch andere Gefahren lauerten, und trottete, wie sein Besitzer, zitternd zurück.

Lonzano trat neben Rob und brummte etwas, als er den Fremden erkannte. Dann knieten alle in der Demutsstellung, die von Rob später als *ravi zemin*, »Gesicht auf dem Boden«, beschrieben wurde, nieder, und Lonzano zog Rob unsanft mit sich und legte ihm die Hand auf den Nacken, um sich zu vergewissern, daß sein Kopf tief gesenkt war.

Diese Vorkehrung fiel dem Jäger auf; Rob hörte seine Schritte, dann sah er die Schuhe aus Eselshaut, die wenige Zoll vor seinem gesenkten Kopf anhielten.

»Ein großer, toter Panther und ein großer, unwissender *Dhimmi*«, sagte eine belustigte Stimme, und die Schuhe entfernten sich.

Der Jäger und die Diener, die die Beute trugen, gingen ohne ein weiteres Wort davon. Nach einiger Zeit erhoben sich die knienden Männer.

»Seid Ihr unverletzt?« fragte Lonzano.

»Ja, ja.« Robs Kaftan war zwar zerrissen, aber er war heil geblieben.

»Wer war das?«

»Das war Alā-al-Dawla, *Shahansha*. Der König der Könige.«

Rob starrte auf die Straße, auf der die Männer sich entfernt hatten.

»Was ist ein *Dhimmi?*«

»Es bedeutet ›ein Mann des Buches‹; so nennen sie die Juden hier«, erklärte Lonzano.

Reb Jesses Stadt

Rob und die drei Juden trennten sich zwei Tage später in Kupajeh, einem aus einem Dutzend verfallener Ziegelhäuser bestehenden Dorf an einer Straßenkreuzung. Der Umweg durch die Dasht-i-Kavir hatte sie etwas zu weit nach Osten geführt, aber Rob befand sich nicht einmal eine Tagesreise westlich von Isfahan, während die Juden noch drei anstrengende Wochen nach Süden reisen und die Straße von Hormus überqueren mußten, ehe sie zu Hause waren.

Rob war klar, daß er ohne diese Männer und die jüdischen Dorfbewohner, die ihnen Asyl gewährt hatten, Persien niemals erreicht hätte. Er und Loeb umarmten einander. »Geh mit Gott, Reb Jesse ben Benjamin!«

»Geh mit Gott, mein Freund!«

Selbst der griesgrämige Arieh quälte sich ein schiefes Lächeln ab, als sie einander gute Reise wünschten; zweifellos sagte er Rob ebenso gern Lebewohl wie dieser ihm.

»Wenn Ihr die Ärzteschule besucht, müßt Ihr Ariehs Verwandten, Reb Mirdin Askari, unsere Grüße ausrichten«, trug ihm Lonzano auf.

»Gern.« Rob ergriff Lonzanos Hände. »Ich danke Euch, Reb Lonzano ben Ezra!«

Lonzano lächelte. »Für einen Mann, der beinahe ein Andersgläubiger ist, wart Ihr ein angenehmer Reisegefährte und ein trefflicher Mann. Geht in Frieden, *Inghiliz!*«

»Geht auch Ihr in Frieden!«

Mit vielen guten Wünschen gingen sie in verschiedene Richtungen auseinander. Rob ritt auf dem Maultier, denn nach dem Angriff des Panthers hatte er sein Bündel auf den Rücken des armen, verängstigten Esels geladen und führte nun das Tier am Zaum. Er kam mit dieser neuen Regelung zwar langsamer voran, aber die Erregung in ihm wuchs, und er wollte die letzte Etappe bewußt reisen, um sie gebührend zu genießen.

Es war gut, daß er es nicht eilig hatte, denn die Straße war verkehrsreich. Er hörte wieder jenes Geräusch, das ihm so gut gefiel, und bald überholte ihn eine Karawane von Kamelen mit Glocken; jedes der Tiere trug zwei große Reiskörbe. Er hielt sich hinter dem letzten Kamel und erfreute sich am melodischen Geklingel der Glocken.

Am späten Nachmittag erklomm das Maultier die Kuppe eines Hügels. Rob schaute auf ein kleines Flußtal hinunter und erblickte – zwanzig Monate, nachdem er London verlassen hatte – Isfahan.

Sein erster, vorherrschender Eindruck war blendende Weiße mit tiefblauen Schatten. Es war eine blühende Stadt voller Halbkugeln und Kurven, mit großen, gewölbten Gebäuden, die im Sonnenlicht glitzerten, mit Moscheen und Minaretten, die wie hochragende Lanzen aussahen, mit weiten Grünflächen und ausladenden Zypressen und Platanen. Der südliche Teil der Stadt aber leuchtete in warmem Rosa, weil hier die Sonnenstrahlen von Sandhügeln statt von Kalkstein reflektiert wurden.

Nun konnte er sich nicht zurückhalten. »Hai!« schrie er und stieß dem Maultier die Absätze in die Flanken. Der Esel trottete hinterher, als sie aus der Reihe scherten und die Kamele in raschem Trab überholten.

Eine Viertelmeile vor der Stadt verwandelte sich die Straße in eine großartige Allee mit Kopfsteinpflaster – die erste gepflasterte Straße, die er seit Konstantinopel sah. Sie war sehr breit und hatte vier voneinander durch hohe Platanen getrennte Fahrbahnen. Die Allee überquerte den Fluß auf einer Brücke, die in Wirklichkeit ein bogenförmiger Damm war. In der Nähe einer Inschrift, die den Wasserlauf als Zajandeh, den Fluß des Lebens, bezeichnete, spritzten und schwammen braunhäutige Jungen.

Die Allee brachte ihn zur großen, steinernen Stadtmauer und zu einem einzigartigen überwölbten Tor. Hinter der Mauer erhoben sich die großen Häuser der Reichen mit Terrassen, Obstgärten und Weinbergen. Überall sah man Hufeisenbogen: überwölbte Torwege, Bogenfenster, bogenförmige Gartentore. Jenseits des vornehmen Viertels ragten Moscheen und größere Gebäude auf mit weißen runden Kuppeln, die kleine Spitzen hatten, als hätten sich ihre Architekten unsterblich in die weibliche Brust verliebt. Alles war aus weißem Stein, der mit dunkelblauen Fliesen eingefaßt war, die geometrische Muster oder Zitate aus dem Koran bildeten:

Es gibt keinen Gott außer Ihm, dem Barmherzigen.
Kämpft für die Religion Gottes!
Wehe denen, die ihr Gebet vernachlässigen.

Die Straßen waren voller Männer mit Turbanen, aber man sah keine Frauen. Rob kam an einem riesigen freien Platz vorbei und dann, vielleicht eine Meile weiter, an einem weiteren. Die Geräusche und die Gerüche berührten ihn angenehm. Es war unverkennbar ein *municipium*, eine große menschliche Gemeinschaft, wie er sie als Junge in London erlebt hatte, und aus irgendeinem Grund kam es ihm völlig richtig und logisch vor, daß er langsam durch die Stadt am Nordufer des Flusses des Lebens ritt.

Von den Minaretten begannen nun Männerstimmen, manche von fern, andere nah und deutlich, die Gläubigen zum Gebet zu rufen. Der gesamte Verkehr stockte, während die Männer sich nach Südwesten, offenbar die Richtung nach Mekka, wandten. Alle Männer in der Stadt waren auf die Knie gefallen, strichen mit ihren Handflächen über den Boden und beugten sich so tief, daß ihre Stirnen das Pflaster berührten. Rob hielt das Maultier an und stieg ab.

Als die Gebete vorbei waren, trat er zu einem Mann mittleren Alters, der rasch einen kleinen Gebetsteppich zusammenrollte, den er von seinem Ochsenkarren genommen hatte. Rob fragte, wie er das Judenviertel finden könne.

»Ah, es heißt Jehuddijeh. Ihr müßt dieser Allee folgen, bis Ihr den

Judenmarkt erreicht. Am anderen Ende des Marktes befindet sich ein Torgewölbe, und dahinter findet Ihr das Judenviertel. Ihr könnt es nicht verfehlen, *Dhimmi*.«

Der Platz war von Verkaufsständen umgeben, die Möbel, Lampen und Öl, nach Honig und Gewürzen duftendes Brot, Backwerk, Kleidung, alle Arten von Geräten, Gemüse und Obst, Fleisch, Fische, gerupfte oder noch lebende und gackernde Hühner verkauften – alles, was für das physische Leben erforderlich war. Er sah Gebetsschals, Kleidungsstücke mit Fransen, Gebetsriemen. Im Stand eines Briefstellers beugte sich ein alter Mann mit faltigem Gesicht über ein Tintenfaß und Federn, und in einem offenen Zelt wahrsagte eine Frau. Rob wußte, daß er im Judenviertel war, denn hier gab es Frauen, die an den Ständen verkauften und auf dem überfüllten Markt mit Körben am Arm einkauften. Sie trugen lose, schwarze Kleider, und ihr Haar war mit Tüchern bedeckt. Einige trugen einen Gesichtsschleier wie mohammedanische Frauen, aber die meisten waren unverschleiert. Die Männer waren so gekleidet wie Rob und trugen volle, buschige Bärte.

Er ging langsam weiter und genoß den Anblick und all die Geräusche. So kam er auch an zwei Männern vorbei, die wie erbitterte Feinde über den Preis eines Paars Schuhe feilschten. Andere riefen einander scherzhaft etwas zu. Man mußte hier laut sprechen, um sich Gehör zu verschaffen.

Auf der anderen Seite des Marktes durchschritt er das ihm beschriebene Torgewölbe und wanderte enge, schmale Gassen hinunter. Dann kam er auf einen gewundenen, abschüssigen Weg, der zu einem Areal mit elenden, unordentlichen Häusern führte. Viele dieser Gebäude waren miteinander verbunden, doch da und dort stand ein Haus einzeln in einem kleinen Garten. Obwohl letztere nach englischen Maßstäben bescheiden aussahen, hoben sie sich von den anderen Bauten ab, als seien sie Schlösser.

Isfahan war alt, aber die Jehuddijeh schien noch viel älter zu sein. Die Häuser und Synagogen waren aus Stein oder aus alten Ziegeln, die zu einem blassen Rosa gebleicht waren. Kinder führten eine Ziege an ihm vorbei. Die Leute standen in Gruppen beisammen, lachten und plauderten. Bald war Zeit für das Abendessen, und die Küchengerüche aus den Häusern ließen ihm das Wasser im Mund zusammenlaufen.

Er schlenderte durch das Viertel, bis er einen Stall fand, in dem er die

Tiere einstellen konnte. Bevor er seine Begleiter verließ, reinigte er noch die Kratzspuren an der Flanke des Esels, die gut verheilten.

Nicht weit vom Stall fand er einen Gasthof, der von einem hochgewachsenen alten Mann geführt wurde, der freundlich lächelte, einen schiefen Rücken hatte und Salman der Kleinere hieß.

»Warum der Kleinere?« fragte Rob.

»In meinem Geburtsort hieß mein Onkel Salman der Große. Er war ein berühmter Gelehrter«, klärte ihn der Alte auf.

Rob mietete sich einen Strohsack in einer Ecke des großen Schlafsaals.

»Wünscht Ihr auch zu essen?«

Kleine, auf Spießen gebratene Fleischstücke, fetter Reis, den Salman *pilaw* nannte, und kleine, vom Feuer gebräunte Zwiebeln lockten Rob sehr.

»Ist es *koscher*?« fragte er vorsichtshalber.

»Natürlich ist es *koscher*. Ihr könnt es bedenkenlos essen.«

Nach dem Fleisch trug Salman in Honig getränkten Kuchen und ein angenehmes Getränk auf, das er *scherbett* nannte. »Ihr kommt von weit her?« fragte er.

»Aus Europa.«

»Aus Europa. Ah.«

»Wie kommt Ihr darauf?«

Der alte Mann grinste. »Nach der Art, wie Ihr unsere Sprache sprecht.« Er sah Robs Gesichtsausdruck. »Ihr werdet sie bestimmt besser sprechen lernen. Wie ist es, in Europa ein Jude zu sein?«

Rob wußte nicht, was er darauf antworten sollte, dann dachte er an den Ausspruch Zevis. »Es ist oft schwer, ein Jude zu sein.«

Salman nickte ernst.

»Und wie ist es, in Isfahan ein Jude zu sein?«

»Oh, hier ist es nicht übel. Die Menschen werden zwar im *Qu'ran* angewiesen, uns zu schmähen, und deshalb beschimpfen sie uns, aber sie sind an uns gewöhnt und wir an sie. Es hat in Isfahan schon immer Juden gegeben. Die Stadt wurde von Nebukadnezar gegründet, der die Juden, so sagt die Legende, hier ansiedelte, nachdem er sie gefangengenommen hatte, als er Judäa eroberte und Jerusalem zerstörte. Dann verliebte sich neunhundert Jahre später ein Schah namens Jasdegerd in eine Jüdin, die hier lebte. Sie hieß Shusha-Dukht, und er machte sie zu seiner Königin. Dank ihrer Hilfe verbesserte sich die Lage ihres Volkes, und es siedelten sich immer mehr Juden an.«

Rob sagte sich, er hätte keine bessere Identität wählen können. Hier konnte er untertauchen wie eine Ameise in einem Ameisenhaufen, sobald er die hiesige Lebensweise gelernt hatte.

So begleitete er also nach dem Abendessen den Wirt zum Haus des Friedens, wie eine der Dutzend Synagogen hieß. Es war ein quadratisches Gebäude aus alten Steinen, dessen Sprünge mit weichem, braunem Moos ausgestopft waren, obwohl es nicht feucht war. Die Synagoge besaß nur schmale Sehschlitze statt Fenster und eine so niedrige Tür, daß Rob sich bücken mußte, um hindurchzuschlüpfen. Ein dunkler Gang führte ins Innere, wo er im Lampenlicht Säulen erkannte, die einen Dachstuhl trugen, der zu hoch und dunkel war, als daß man ihn ausmachen konnte. Im Hauptraum saßen die Männer, während die Frauen hinter einer Mauer in einem kleinen Alkoven an der Seite des Gebäudes ihre Andacht verrichteten. Rob fand es leichter, die *ma'ariw*-Anbetung in der Synagoge zu verrichten als in Gesellschaft nur weniger Juden. Hier gab es einen Vorbeter und eine ganze Gemeinde, die murmelte oder sang, also schloß er sich dem allgemeinen Vor- und Zurückbeugen an, ohne Hemmungen wegen seiner mangelhaften Hebräischkenntnisse und der Tatsache zu haben, daß er bei den Gebeten oft nicht mithalten konnte.

Auf dem Rückweg zum Gasthof lächelte ihn Salman pfiffig an. »Vielleicht wollt Ihr, da Ihr ein junger Mann seid, ein wenig Unterhaltung, wie? Abends erwachen hier die *maidans,* das sind die Plätze im mohammedanischen Teil der Stadt, zum Leben. Dort gibt es Frauen und Wein, Musik und Unterhaltungen, wie Ihr es Euch kaum vorstellen könnt, Reb Jesse.«

Doch Rob schüttelte den Kopf. »Vielleicht ein andermal«, erwiderte er, »aber heute will ich einen klaren Kopf bewahren, denn morgen habe ich eine Angelegenheit von höchster Wichtigkeit zu erledigen.«

In dieser Nacht schlief er nicht, sondern er warf und wälzte sich unruhig hin und her und hätte nur allzu gern gewußt, ob Ibn Sina ein zugänglicher Mann war.

Am Morgen suchte er das öffentliche Bad auf, einen Ziegelbau, der über einer natürlichen warmen Quelle errichtet war. Mit kräftiger Seife und sauberen Tüchern schrubbte er den angesammelten Reiseschmutz herunter, und als sein Haar trocken war, nahm er ein chirurgisches Messer und stutzte seinen Bart, wobei er sich in seinem polierten Stahlwürfel betrachtete. Der Bart hatte nun die nötige Fülle, und er fand, daß er wie ein echter Jude aussah.

Er trug den besseren von seinen beiden Kaftanen und setzte seinen Lederhut auf. Auf der Straße ersuchte er einen Mann mit verkrüppelten Gliedmaßen, ihm den Weg zu der Ärzteschule zu zeigen.

»Ihr meint die *madrassa*, den Ort des Lernens. Sie steht neben dem Krankenhaus«, gab der Bettler Auskunft, »an der Straße Alis bei der Freitagsmoschee in der Mitte der Stadt.« Als Gegenleistung für eine Münze segnete der Krüppel Robs Kinder bis ins zehnte Glied.

Es war ein langer Weg. Rob erkannte, daß Isfahan eine geschäftige Stadt war, in der überall Männer ihr Handwerk ausübten: Schuhmacher und Schmiede, Töpfer und Stellmacher, Glasbläser und Schneider. Er kam an mehreren Basaren vorbei, in denen Waren aller Art verkauft wurden. Schließlich erreichte er die Freitagsmoschee, ein massives, quaderförmiges Gebäude mit einem herrlichen Minarett, um das Vögel flatterten. Hinter der Moschee lag ein Marktplatz, auf dem es hauptsächlich Bücherstände und kleine Speiselokale gab, und dann sah er die *madrassa*.

Am äußeren Rand des Schulgeländes befanden sich zwischen weiteren Bücherständen, die den Bedarf der Studenten deckten, langgestreckte, niedrige Gebäude mit Unterkünften. Hier spielten viele Kinder. Überall sah er junge Männer, von denen die meisten grüne Turbane trugen. Die Gebäude der *madrassa* bestanden nach der Art der meisten Moscheen aus weißen Kalksteinblöcken. Sie waren weitläufig angelegt, und zwischen ihnen gediehen Gärten. Unter einem Kastanienbaum mit noch geschlossenen, stacheligen Früchten saßen sechs junge Männer im Schneidersitz und hörten einem weißbärtigen Mann, der einen himmelblauen Turban trug, aufmerksam zu.

Rob näherte sich ihnen. »...Syllogistik des Aristoteles«, dozierte der Vortragende gerade. »Eine Behauptung gilt als logisch richtig, wenn zwei ihrer Prämissen richtig sind. Zum Beispiel aus der Tatsache, daß erstens alle Menschen sterblich sind, und zweitens, daß Sokrates ein Mensch ist, kann logisch geschlossen werden, daß drittens Sokrates sterblich ist.«

Rob verzog das Gesicht und ging nachdenklich weiter; es gab vieles, das er nicht wußte, zu vieles, das er nicht verstand.

Er blieb vor einem uralten Gebäude stehen, an das eine Moschee mit einem schlanken Minarett angebaut war, und er fragte einen Studenten mit grünem Turban, in welchem Gebäude Medizin gelehrt werde.

»Im dritten Gebäude. In dem hier unterrichten sie Theologie, im nächsten islamisches Recht, dort Medizin.« Er deutete auf ein kuppel-gekröntes Gebäude aus weißem Stein. Es ähnelte der in Isfahan vorherrschenden Architektur so vollständig, daß Rob es von nun an im Geist als die Große Titte bezeichnete. Daneben befand sich ein mächti-ges einstöckiges Gebäude, das eine Inschrift als den *maristan*, den Ort für Kranke, bezeichnete. Interessiert schritt er, statt die *madrassa* zu betreten, die drei Marmorstufen des *maristan* hinauf, um durch das schmiedeeiserne Tor zu gelangen.

Das Haus der Kranken hatte einen Innenhof mit einem Becken, in dem farbige Fische schwammen; unter Obstbäumen standen Bänke. Von dem Hof gingen wie Sonnenstrahlen Korridore aus, entlang denen sich große Räume befanden. Die meisten waren belegt. Rob hatte noch nie so viele Kranke und Verletzte an einem Ort gesehen, und er ging verwundert umher.

Die Patienten waren nach ihren Leiden zusammengefaßt: Ein langge-streckter Raum war voller Männer, die gebrochene Gliedmaßen hat-ten; hier Opfer von Fiebern; dort – er rümpfte die Nase, es war offensichtlich der Raum für Patienten mit Durchfall und anderen Krankheiten der Ausscheidungsorgane. Doch nicht einmal in diesem Raum war die Atmosphäre so bedrückend, wie man eigentlich hätte annehmen müssen, denn überall gab es große Fenster, bei denen der Luftzug nur durch leichte Stoffe behindert wurde, die gespannt wor-den waren, um die Insekten fernzuhalten. Rob bemerkte am oberen und unteren Ende der Fensterrahmen Rinnen, in die im Winter Fensterläden geschoben werden konnten.

Die Wände waren weiß getüncht, die Fußböden aus Stein und somit leicht zu reinigen; im ganzen Gebäude war es im Vergleich zu der beträchtlichen Hitze, die draußen herrschte, angenehm kühl. In jedem Raum plätscherte ein kleiner Springbrunnen.

Rob blieb vor einer geschlossenen Tür stehen, weil ihm das Schild auffiel, das daran hing: *dar-al-maraftan*, Aufenthaltsort für jene, die gefesselt werden müssen. Als er die Tür öffnete, erblickte er drei nackte Männer mit rasierten Köpfen und gefesselten Armen, die mit um den Hals gelegten Eisenringen an ein hohes Fenster gekettet waren. Zwei waren schlafend oder bewußtlos zusammengesunken, doch der dritte starrte vor sich hin und begann zu heulen wie ein Tier, während Tränen über seine schlaffen Wangen liefen.

»Es tut mir leid«, sagte Rob ruhig und verließ die Verrückten.

Er kam zu einer Halle mit operierten Patienten und wäre gern an jedem Bett stehengeblieben, um die Verbände abzunehmen und die Stümpfe und die Wunden zu untersuchen.

Die Vorstellung, jeden Tag so viele interessante Patienten untersuchen zu können und von großen Gelehrten unterrichtet zu werden – das war, als verbrächte man seine Jugend in der Dasht-i-Kavir und entdeckte dann, daß einem eine Oase gehörte.

Das Schild am Eingang zur nächsten Halle überforderte seine beschränkten Persischkenntnisse, doch als er eintrat, erkannte er rasch, daß dieser Raum für die Krankheiten und Verletzungen der Augen reserviert war. In der Nähe stand ein kräftiger Krankenpfleger zitternd vor einem scheltenden Mann. »Es war ein Irrtum, Meister Karim Harun«, beteuerte der Pfleger. »Ich dachte, Ihr hättet mir aufgetragen, Eswed Omars Verbände abzunehmen.«

»Du Eselsschwanz«, schimpfte der andere angewidert. Er war jung und athletisch schlank, und Rob sah zu seiner Überraschung, daß er den grünen Turban eines Studenten trug, obwohl sein Benehmen so selbstbewußt war wie das eines Arztes, dem das Krankenhaus gehörte, in dem er arbeitete. Er wirkte wie ein gutaussehender Edelmann und war der schönste Mann, den Rob je zu Gesicht bekommen hatte, keine Spur feminin, mit glänzendem schwarzem Haar und tiefliegenden braunen Augen, die jetzt vor Zorn blitzten. »Es war *dein* Fehler, Rumi. Ich habe dir aufgetragen, die Verbände von Kuru Jesidi zu wechseln, nicht die von Eswed Omar. *Ustad* Juzjani hat Eswed Omar persönlich den Star gestochen und mir befohlen, dafür zu sorgen, daß seine Verbände fünf Tage lang nicht angerührt werden. Ich habe den Befehl an dich weitergegeben, und du hast ihn nicht befolgt, du Scheißkerl. Wenn nun Eswed Omar nicht vollkommen klar sehen wird, und wenn al-Juzjanis Zorn auf mich fällt, werde ich dir deinen fetten Arsch aufschneiden wie einen Lammbraten.«

Er bemerkte Rob, der wie angewurzelt neben ihm stand, und runzelte die Stirn. »Was wollt *Ihr?*«

»Mit Ibn Sina darüber sprechen, wie ich in die Ärzteschule kommen kann.«

»Ihr seid schon drin. Erwartet Euch der Arzt aller Ärzte?«

»Nein.«

»Dann müßt Ihr ins erste Stockwerk des nächsten Gebäudes gehen und *Hadschi* Davout Hosein aufsuchen, den stellvertretenden Leiter der Schule. Der Leiter ist Rotun ben Nasr, ein entfernter Vetter des Schahs und General der Armee, dem es um die Ehre geht und der nie die Schule betritt. *Hadschi* Davout Hosein leitet sie, an ihn müßt Ihr Euch wenden.« Dann wandte sich der Student Karim Harun wieder verärgert an den Pfleger: »Glaubst du jetzt, du grüne Scheiße auf einem Kamelhuf, daß du Kuru Jesidis Verbände wechseln kannst?«

Zumindest einige Medizinstudenten wohnten in der Großen Titte, denn entlang des Korridors des düsteren Erdgeschosses lagen viele kleine Zellen. Durch eine offene Tür in der Nähe des Treppenaufganges sah Rob zwei Männer, die offenbar einen gelben Hund aufschnitten, der auf dem Tisch lag und wohl schon tot war.

Im ersten Stockwerk ersuchte er einen Mann mit einem grünen Turban, ihm den Weg zum *hadschi* zu zeigen, und so wurde er schließlich in das Dienstzimmer Davout Hoseins geführt.

Der stellvertretende Schulleiter war ein kleiner, magerer, noch nicht alter Mann, der sich wichtigtuerisch gab, ein Gewand aus gutem, grauem Stoff und den weißen Turban des Mannes trug, der die Pilgerfahrt nach Mekka hinter sich hat. Er hatte kleine, dunkle Augen, und auf seiner Stirne zeugte eine deutlich sichtbare *zabiba* von seiner Frömmigkeit.

Nachdem sie *salams* ausgetauscht hatten, hörte er sich Robs Gesuch an und musterte ihn eingehend. »Ihr sagt, daß Ihr aus England gekommen seid. Aus Europa! Ah, welcher Teil von Europa ist das?«

»Der Norden.«

»Der Norden Europas. Wie lange habt Ihr gebraucht bis zu uns?«

»Nicht ganz zwei Jahre, *Hadschi.*«

»Zwei Jahre? Wie außergewöhnlich! Euer Vater ist ein Medicus, ein Absolvent unserer Schule?«

»Mein Vater? Nein, *Hadschi*.«

»Hm. Vielleicht war es ein Onkel?«

»Nein. Ich werde der erste Medicus in meiner Familie sein.«

Hosein zog die Stirn in Falten. »Wir haben hier nur Studenten, die aus alten Arztfamilien stammen... Besitzt Ihr Empfehlungsschreiben, *Dhimmi*?«

»Nein, Meister Hosein.« In Rob stieg Panik auf. »Ich bin ein Bader-chirurg. Ich habe bereits eine gewisse Ausbildung...«

»Keine Empfehlung von einem unserer berühmten Absolventen?« fragte Hosein erstaunt.

»Nein.«

»Wir nehmen nicht jeden erstbesten, der hier auftaucht, als Schüler auf.«

»Es handelt sich aber um keine vorübergehende Laune. Ich bin schrecklich weit gereist, weil ich fest entschlossen bin, die Medizin zu lernen. Ich habe aus diesem Grund sogar Eure Sprache erlernt.«

»Nicht sehr gut, würde ich meinen.« Der *hadschi* rümpfte die Nase. »Wir bilden nicht einfach Ärzte aus. Wir bringen keine Handwerker hervor, wir erziehen gebildete Männer. Unsere Studenten lernen neben der Medizin auch Theologie, Philosophie, Mathematik, Physik, Astrologie und Rechtswissenschaft, und wenn sie die Schule als allseits gebildete Wissenschaftler abschließen, können sie eine Laufbahn als Lehrer, Medicus oder Jurist wählen.«

Rob wartete beklommen.

»Ihr werdet sicherlich begreifen. Es ist unmöglich.«

Rob begriff. Fast zwei Jahre!

Er hatte sich von Mary Cullen abgewendet. Er hatte in der glühenden Sonne geschwitzt, im eisigen Schnee gezittert, war von Sturm und Regen gepeitscht worden. Er war durch Salzwüsten und gefährliche Wälder gezogen. Wie eine verdammte Ameise hatte er sich über ein Gebirge nach dem anderen gequält.

»Ich gehe erst weg, wenn ich mit Ibn Sina gesprochen habe«, erklärte er entschlossen.

Hadschi Davout Hosein öffnete den Mund, doch er sah einen Aus-druck in Robs Augen, der ihn veranlaßte, den Mund wieder zu schließen. Er wurde blaß und nickte rasch. »Wartet bitte hier!« Damit verließ er den Raum.

Rob blieb allein zurück.

Nach einiger Zeit kamen vier Soldaten. Keiner war so groß wie er, aber sie waren alle sehr kräftig. Sie trugen kurze Schlagstöcke. Einer hatte ein pockennarbiges Gesicht und schlug seinen Stab immer wieder auf die linke Handfläche.

»Wie heißt Ihr, Jude?« fragte der Pockennarbige nicht unhöflich.

»Ich heiße Jesse ben Benjamin.«

»Ein Ausländer, ein Europäer, sagte der *Hadschi*?«

»Ja, aus England. Ein Land, das sehr weit entfernt ist.«

Der Soldat nickte. »Habt Ihr Euch geweigert, Euch auf Ersuchen des *Hadschi* zu entfernen?«

»Das stimmt, aber…«

»Es ist jetzt Zeit, Jude, daß Ihr geht. Und zwar mit uns.«

»Ich werde nicht weggehen, ohne mit Ibn Sina gesprochen zu haben.«

Der Wortführer holte mit seinem Stock aus.

Nur nicht auf meine Nase! dachte Rob voller Angst.

Aber schon begann sie zu bluten, denn die vier wußten, wo und wie sie die Stöcke sparsam und wirkungsvoll einsetzen mußten. Ein Schlag traf ihn oberhalb der Schläfe, und er war plötzlich betäubt; Brechreiz quälte ihn. Er versuchte, im Dienstzimmer des *hadschi* zu erbrechen, aber der Schmerz war zu groß.

Sie verstanden ihr Geschäft sehr gut. Als Rob keine Bedrohung mehr darstellte, hörten sie auf, ihn mit den Stöcken zu traktieren, und verprügelten ihn geschickt mit den Fäusten.

Sie führten ihn aus der Schule, wobei ihn zwei unter den Armen stützten. Draußen hatten sie vier große, braune Pferde angebunden. Langsam ritten sie, während er zwischen zwei Tieren dahinstolperte. Wenn er stürzte, was dreimal der Fall war, stieg einer ab und trat ihn kräftig in die Rippen, bis er wieder auf die Beine kam. Der Weg schien endlos lang zu sein, doch sie verließen nur das Gelände der *madrassa* und gelangten zu einem kleinen Ziegelgebäude, das schäbig und wenig anziehend aussah und das zu der niedrigsten Stufe der islamischen Gerichtsbarkeit gehörte, wie er noch erfahren sollte. Drinnen stand nur ein Holztisch, hinter dem ein mürrischer Mann mit dichtem Haar und Vollbart saß, der ein schwarzes, offensichtlich geistliches Gewand trug, das dem Kaftan Robs nicht unähnlich war. Er war gerade im Begriff, eine Melone durchzuschneiden.

Die vier Soldaten führten Rob vor den Tisch und blieben ehrerbietig stehen, während der Richter mit einem schmutzigen Fingernagel die Kerne aus einer Melonenhälfte kratzte und in eine irdene Schüssel fallen ließ. Dann schnitt er die Hälfte in Spalten und aß sie langsam. Als er fertig war, wischte er sich die Hände und dann das Messer an dem Gewand ab, wandte sich in die Richtung von Mekka und dankte Allah für die Speise.

Als er sein Gebet beendet hatte, seufzte er und blickte die Soldaten an.

»Ein verrückter europäischer Jude, der die öffentliche Ruhe gestört hat, *Mufti*«, meldete der Soldat mit dem pockennarbigen Gesicht. »Auf Veranlassung von *Hadschi* Davout Husein festgenommen, dem er mit Gewaltanwendung gedroht hat.«

Der *mufti* nickte und stocherte mit dem Fingernagel ein Stück Melone zwischen seinen Zähnen hervor. Er sah Rob an. »Ihr seid kein Mohammedaner und werdet von einem Mohammedaner angeklagt. Das Wort eines Ungläubigen gilt nichts gegen das Wort eines Gläubigen. Kennt Ihr einen Mohammedaner, der bereit ist, zu Eurer Verteidigung zu sprechen?«

Rob versuchte zu sprechen, brachte aber keinen Ton hervor, obgleich seine Beine vor Anstrengung einknickten. Die Soldaten zogen ihn wieder in die Höhe.

»Warum benehmt Ihr Euch wie ein Hund! Natürlich, ein Ungläubiger, der unsere Sitten nicht kennt. Daher ist Barmherzigkeit am Platz. Ihr werdet ihn dem *kelonter* übergeben, damit er nach dessen Gutdünken im *carcan* bleibt«, befahl der *mufti* den Soldaten.

So wurde Robs persischer Wortschatz um zwei Wörter erweitert, über die er nachdachte, während ihn die Soldaten aus dem Gebäude schleppten und wieder zwischen ihre Reittiere stellten. Er erriet den einen Begriff richtig; obwohl er es noch nicht wußte, war der *kelonter*, den er für eine Art Gefängnisaufseher hielt, der Profos der Stadt. Als sie zu einem großen, düsteren Gefängnis kamen, nahm Rob an, daß *carcan* die Bezeichnung für Kerker war. Drinnen übergab ihn der pockennarbige Soldat zwei Wächtern, die ihn an übelriechenden, widerlich feuchten Verliesen vorbeistießen, bis sie schließlich aus dem fensterlosen Dunkel in einen hellen Innenhof traten, in dem zwei lange Reihen von Elenden ächzend oder bewußtlos im Block saßen.

Die Wächter führten ihn eine Reihe entlang, bis sie zu einer leeren Vorrichtung kamen, die der eine aufsperrte.

»Steckt Euren Kopf um den rechten Arm in den *carcan*«, befahl er.

Instinkt und Angst ließen Rob zurückschrecken, aber seine Bewacher legten dies als Widerstand aus. Sie schlugen ihn, bis er zu Boden fiel, dann versetzten sie ihm Fußtritte wie die Soldaten. Rob konnte sich nur zusammenrollen, um seinen Unterleib zu decken, und die Arme über dem Kopf schützend verschränken.

Als sie mit den brutalen Schlägen aufhörten, schoben und stießen sie ihn wie einen Sack Mehl, bis sie seinen Hals und den rechten Arm in die erforderliche Lage gebracht hatten, dann klappten sie den *carcan* zu und nagelten ihn zusammen. Fast bewußtlos und ohne Hoffnung ließen sie Rob vollkommen hilflos in der prallen Sonne hängen.

Der *Calaat*

Es waren ganz besondere Blocks, die aus einem Rechteck und zwei Quadraten aus Holz bestanden, die dreieckig angeordnet waren. Das Dreieck umschloß Robs Kopf, so daß sein Körper halb in der Luft hing. Seine rechte Hand, die zum Essen diente, war über das Ende der langen Rechteckseite gelegt und mit einer hölzernen Manschette über dem Handgelenk festgenagelt worden, denn ein Gefangener erhielt keine Nahrung, solange er im *carcan* steckte. Die linke Hand, die zum Abwischen diente, war nicht gefesselt, denn der *kelonter* war ein zivilisierter Mensch.

Von Zeit zu Zeit kam Rob zu sich und starrte auf die lange Doppelreihe von Blöcken, die sämtliche mit einem Unglücklichen besetzt waren. In seinem Gesichtsfeld befand sich am anderen Ende des Hofes ein großer hölzerner Richtblock.

Einmal träumte er von Menschen und Dämonen in schwarzen Gewändern. Ein Mann kniete nieder und legte seine rechte Hand auf den Block; einer der Dämonen schwang ein Schwert, das größer und schwerer war als ein englisches Entermesser, und die Hand wurde am Handgelenk abgetrennt, während die übrigen Gestalten beteten.

Dieser Traum wiederholte sich in der heißen Sonne immer wieder.

Dann veränderte er sich. Ein Mann kniete nieder, so daß sein Nacken auf dem Block lag und seine Augen zum Himmel starrten. Rob befürchtete, daß sie ihm den Kopf abschlagen würden, doch sie schnitten ihm die Zunge heraus.

Als Rob das nächste Mal die Augen aufschlug, sah er weder Menschen noch Dämonen, aber auf dem Boden und dem Richtblock befanden sich frische Flecken, die nicht aus seinen Träumen stammten.

Er spürte beim Atmen Schmerzen. Man hatte ihm die schlimmste Tracht Prügel seines Lebens verabreicht, und er wußte nicht, ob man ihm dabei Knochen gebrochen hatte.

Er hing in dem *carcan* und weinte leise, versuchte still zu sein und hoffte, daß ihn niemand beobachtete.

Schließlich versuchte er, seine Qual zu mildern, indem er seine Nachbarn anredete, die er gerade noch sehen konnte, wenn er den Kopf drehte. Dies war eine Anstrengung, die er bald nur noch aus triftigem Grund unternahm, denn die Haut an seinem Hals scheuerte sich an dem rauhen Holz, das ihn festhielt, schnell wund. Links von ihm befand sich ein Mann, den man bewußtlos geschlagen hatte und der sich nicht rührte. Der Junge zu seiner Rechten betrachtete ihn neugierig, doch er war entweder taubstumm, unglaublich dumm oder unfähig, Robs gebrochenes Persisch zu verstehen. Nach mehreren Stunden bemerkte ein Wächter, daß der Mann links von Rob tot war. Er wurde weggebracht, und ein anderer kam an seine Stelle.

Zu Mittag war Robs Zunge rauh, und sie schien den gesamten Mund auszufüllen. Er hatte weder den Drang zu urinieren noch den, seinen Kot zu entleeren, denn alle Ausscheidungen hatte die Sonne längst aus ihm herausgedörrt. Zeitweise dachte er, er sei wieder in der Wüste, und in lichten Momenten erinnerte er sich sehr lebhaft an Lonzanos Beschreibung, wie ein Mensch verdurstet; an die geschwollene Zunge, die schwarz wurde, und die Vorstellung, daß er sich anderswo befinde.

Dann wandte Rob den Kopf und begegnete dem Blick des neuen Gefangenen. Sie schätzten einander ab, und Rob sah das geschwollene Gesicht und die aufgeplatzten Lippen des anderen.

»Gibt es niemanden, den wir um Gnade bitten können?« flüsterte er. Der andere zögerte, vielleicht wunderte er sich über Robs Akzent.

»Es gibt Allah«, meinte er endlich. Wegen seiner geplatzten Lippe war auch er nicht leicht zu verstehen.

»Aber hier niemanden?«

»Du bist ein Fremdling, *Dhimmi?*«

»Ja.«

Der Mann schüttete seinen Haß über Rob aus. »Du hast mit einem *mullah* gesprochen, Fremder. Ein heiliger Mann hat dich verurteilt.« Er schien das Interesse an Rob zu verlieren und wandte das Gesicht ab.

Der Sonnenuntergang erwies sich als Segen. Der Abend brachte eine Kühle, die Rob beinahe als angenehm empfand. Sein Körper war taub, und er fühlte keinen Schmerz mehr in den Muskeln; vielleicht lag er schon im Sterben.

In der Nacht sprach der Mann neben ihm wieder. »Es gibt noch den Schah, fremder Jude.«

Rob wartete.

»Gestern, der Tag unserer Marter, war Mittwoch, *Chaban Shanbah.* Heute ist *Panj Shanbah.* Und jede Woche hält am Morgen des *Panj Schanbah* Alā-al-Dawla *Shahansha* Audienz, um vor Jom'a, dem Sabbat, seine Seele möglichst vollkommen zu reinigen. Dabei kann sich jeder seinem Thron in der Halle der Säulen nähern, um sich über Ungerechtigkeiten zu beklagen.«

Rob konnte die aufkeimende Hoffnung nicht unterdrücken. »Jeder?«

»Jeder. Sogar ein Gefangener kann verlangen, seinen Fall dem Schah unterbreiten zu dürfen.«

»Nein, du darfst es nicht tun«, rief jemand in die Dunkelheit. Rob konnte nicht sagen, aus welchem *carcan* die Stimme kam. »Das mußt du dir aus dem Kopf schlagen«, fuhr die unbekannte Stimme fort, »denn der Schah stößt fast nie das Urteil oder die Entscheidung eines *mufti* um. Und die *mullahs* warten ungeduldig auf die Rückkehr jener, die mit ihrer schwatzhaften Zunge dem Schah die Zeit stehlen. Dann werden Zungen herausgeschnitten und Bäuche aufgeschlitzt, wie dieser Teufel sicherlich weiß, dieser verfluchte Hurensohn, der dir schlechte Ratschläge erteilt. Du mußt auf Allah vertrauen und nicht auf Alā *Shahansha.*«

Der Mann zu seiner Rechten lachte verschmitzt, als hätte man ihn bei einem lustigen Streich ertappt.

»Es gibt keine Hoffnung«, sagte die Stimme aus der Dunkelheit.

Die Heiterkeit seines Nachbarn hatte sich in einen Husten- und Niesanfall verwandelt. Als er wieder zu Atem kam, meinte der Mann boshaft: »Ja, wir können unsere Hoffnung aufs Paradies setzen.« Niemand sagte darauf ein Wort.

Vierundzwanzig Stunden, nachdem Rob in den *carcan* gesperrt worden war, wurde er freigelassen. Er versuchte zu stehen, fiel aber hin und blieb schwerzverkrümmt liegen, während das Blut nur langsam wieder in seine Muskeln drang.

»Geh schon!« schrie ein Wärter und versetzte ihm einen Tritt.

Er rappelte sich auf, hinkte aus dem Gefängnis und rannte davon. Er ging zu dem großen Platz mit den Platanen und dem plätschernden Brunnen, aus dem er trank und wieder trank, um seinen großen Durst zu stillen. Dann tauchte er den Kopf ins Wasser, bis ihm die Ohren klangen und er das Gefühl hatte, daß er einen Teil des Gefängnisgestanks weggewaschen hatte.

Die Straßen von Isfahan waren voller Menschen, und die Vorübergehenden sahen ihn an. Er war während seiner Bewußtlosigkeit bestohlen worden. Er fluchte wild und wußte nicht, ob der Soldat mit den Pockennarben oder ein Gefängniswächter der Dieb gewesen war. Die Bronzemünze, die man ihm gelassen hatte, war ein Hohn oder ein schlimmer Scherz des Diebes. Er gab sie einem Essenverkäufer, der ihm eine kleine Portion fetten *pilaw* reichte. Das Gericht war gewürzt und enthielt auch ein paar Bohnen. Rob verschlang es zu schnell, vielleicht war aber auch sein Körper durch die Entbehrungen, die Sonne und den *carcan* überfordert worden. Fast sofort erbrach er seinen Mageninhalt auf die staubige Straße. Sein Hals blutete, wo er von dem Block aufgescheuert war, und hinter seinen Augen pochte es hart. Er trat in den Schatten einer Platane und dachte an das grüne England, an sein Pferd, an den Wagen mit dem Geld unter den Bodenbrettern und an Mistress Buffington, die neben ihm gesessen und ihm Gesellschaft geleistet hatte.

Die Menge wurde jetzt dichter; unzählige Menschen strömten durch die Straße, alle in die gleiche Richtung.

»Wohin gehen all die Leute?« fragte er den Essenverkäufer.

»Zur Audienz des Schahs.« Der Mann blickte den zusammengesunkenen Juden mißtrauisch an, bis Rob sich trollte.

Warum nicht? fragte er sich. Blieb ihm eine andere Wahl?

Er schloß sich dem Menschenstrom an, der der Ali- und Fatima-Allee folgte, die vierbahnige Allee der tausend Gärten überquerte und in die großartige Prachtstraße, die Tore des Paradieses hieß, einbog. Menschen aller Altersstufen, *hadschis* mit weißen Turbanen, Studenten mit grünen Turbanen, *mullahs*, gesunde und verkrüppelte Bettler in Lumpen, abgetragene Turbane in allen Farben auf dem Kopf, junge Väter mit Säuglingen, Träger mit Sänften, Reiter auf Pferden und Eseln. Rob hinkte hinter einer Gruppe von Juden in schwarzen Kaftanen her.

Sie näherten sich einer großen, grünen Wiese, die von zwei Steinpylonen an jedem Ende portalartig flankiert wurde. Als das erste Haus der königlichen Hofhaltung in Sicht kam, hielt Rob es für den Palast selbst, denn es war größer als das Schloß des Königs in London. Aber hier folgte Haus auf Haus in der gleichen Größe; die meisten waren aus Ziegeln und Steinen erbaut, viele besaßen Türme und überdachte Portale, und jedes war mit Terrassen und weitläufigen Gärten ausgestattet. Sie kamen an Weingärten, Ställen, zwei Rennbahnen, Obstgärten und Gartenpavillons von solcher Schönheit vorbei, daß er am liebsten die Menge verlassen hätte und in der duftenden Pracht gelustwandelt wäre. Aber er dachte, daß das zweifellos verboten war.

Und dann kam er zu einem so gewaltigen und zugleich so überaus gegliederten Bau, wie er ihn nie für möglich gehalten hätte. Er bestaunte die Tittenkuppeln und die Brustwehr mit Zinnen, auf denen Wachen mit glitzernden Helmen und Schilden unter farbigen, in der Brise flatternden Wimpeln auf und ab patrouillierten.

Rob zupfte den Mann vor ihm am Ärmel, einen untersetzten Juden, dessen fransenbesetztes Unterkleid unter dem Kaftan hervorsah. »Was ist das für eine Festung?«

»Das Haus des Paradieses natürlich, der Wohnsitz des Schahs.« Der Mann sah ihn besorgt an. »Ihr blutet, Freund.«

»Es ist nichts, nur ein kleiner Unfall.«

Sie drängten sich die lange Zufahrtsstraße hinunter, und als sie näher kamen, erkannte Rob, daß das Hauptgebäude des Palastes von einem breiten Graben geschützt wurde. Die Zugbrücke war hochgezogen, aber diesseits des Grabens, in der Nähe eines öffentlichen Platzes, der als Hauptzugang zum Palast diente, stand eine Halle, durch deren Tore die Menge eintrat.

Das Innere war ein Raum, der halb so groß war wie die Kathedrale der heiligen Sofia in Konstantinopel. Der Boden bestand aus Marmor; die Wände und die hohe Decke waren aus Stein und so geschickt mit Spalten versehen, daß sanftes Tageslicht im Gebäude herrschte. Es war die Halle der Säulen, denn entlang der vier Wände befanden sich geschmackvoll bearbeitete, kannelierte Steinsäulen, deren Basen in der Form von Beinen und Tatzen verschiedener Tiere gemeißelt waren.

Die Halle war halb voll, als Rob eintraf, doch sofort traten Leute hinter ihm ein, die ihn in die Gruppe der Juden drängten. Abschnitte der Halle waren durch Seile abgegrenzt, so daß dazwischen Gänge freiblieben. Rob sah sich um und registrierte alles mit einer neuen Intensität, denn die Stunden im *carcan* hatten ihm deutlich gemacht, daß er ein Ausländer war: Handlungen, die er für natürlich hielt, mochten den Persern seltsam und bedrohlich erscheinen, und ihm war bewußt, daß sein Leben davon abhängen konnte, daß er richtig erahnte, wie sie sich verhielten und was sie dachten.

Er bemerkte, daß die Männer aus der oberen Klasse, die gestickte Hosen, Tuniken, Seidenturbane und Schuhe mit Brokatmuster trugen, durch einen gesonderten Eingang hoch zu Roß in die Halle einritten. Jeder wurde etwa hundertfünfzig Schritte vor dem Thron von Dienern angehalten, die sein Pferd für ein Geldstück übernahmen, und von dieser privilegierten Stelle an gingen sie zu Fuß zwischen den Armen weiter.

Untergeordnete Beamte, die graue Kleidung und Turbane trugen, gingen nun durch die Menge und forderten die Leute, die Bitten vorzubringen hatten, auf, ihre Namen zu nennen. Rob drängte sich zum Gang durch und buchstabierte seinen Namen mühsam einem dieser Schreiber, der ihn auf merkwürdig dünnem Pergament notierte.

Ein hochgewachsener Mann hatte das erhöhte Podest an der Front der Halle betreten, auf dem ein großer Thron stand. Rob war zu weit vom Podest entfernt, um Einzelheiten erkennen zu können, aber der Mann war nicht der Schah, denn er setzte sich auf einen kleineren Thron rechts vom Herrscherthron.

»Wer ist das?« fragte Rob den Juden, mit dem er vorher gesprochen hatte.

»Es ist der Großwesir, der heilige Imam Mirza-abul Qandrasseh.« Der Jude blickte Rob beunruhigt an, denn es war nicht unbemerkt geblieben, daß es sich bei ihm um einen Bittsteller handelte.

Alā-al-Dawla *Shahansha* schritt auf das Podest zu, nahm sein Schwertgehenk ab, legte die Schneide auf den Boden und nahm auf dem Thron Platz. Alle Anwesenden verrichteten den *ravi zemin*, während der Imam Qandrasseh die Gunst Allahs auf diejenigen herabrief, die beim Löwen von Persien Gerechtigkeit suchen würden.

Die Audienz begann sofort. Rob konnte trotz der plötzlich eingetretenen Stille weder die Bittsteller noch die beiden Thronenden deutlich vernehmen. Aber wann immer eine wichtige Persönlichkeit sprach, wurden deren Worte von Leuten, die an akustisch günstigen Stellen in der Halle postiert waren, mit lauter Stimme wiederholt, und auf diese Weise erreichten die Worte der Teilnehmer getreulich alle Anwesenden.

Der erste Fall betraf zwei wettergegerbte Schäfer aus dem Dorf Ardistan, die zwei Tage gegangen waren, um ihren Streit in Isfahan vor dem Schah auszutragen. Sie konnten sich über den Besitzanspruch an einem jungen Zicklein nicht einigen.

Dem einen Mann gehörte die Mutterziege, die lange unfruchtbar gewesen war. Der andere erklärte, er habe die Geiß für die erfolgreiche Besteigung durch den Ziegenbock bereit gemacht und betrachte sich daher jetzt als halber Besitzer des Zickleins.

»Hast du Zauberei angewendet?« fragte der Imam.

»Eure Exzellenz, ich habe nur eine Feder eingeführt und sie hitzig gemacht«, erklärte der Mann, worauf die Menge vor Lachen brüllte und stampfte. Darauf verlautbarte der Imam, daß der Schah zugunsten des Mannes mit der Feder entschieden habe.

Für die meisten Anwesenden war die Audienz eine Unterhaltung. Der Schah sprach nie selbst. Vielleicht übermittelte er Qandrasseh seine Wünsche durch Zeichen, aber alle Fragen und Entscheidungen schienen von dem Imam auszugehen, der nichts für Dummköpfe übrig hatte.

Der nächste Fall war weniger vergnüglich. Er wurde von zwei ältlichen Adeligen in kostbaren Seidengewändern vorgebracht, die eine geringfügige Meinungsverschiedenheit wegen irgendwelcher Weiderechte hatten. Er führte zu einer scheinbar endlosen Diskussion im Flüsterton über uralte Vereinbarungen zwischen längst Verstorbenen. Die Zuhörer gähnten und beklagten sich leise über die schlechte Luft in der überfüllten Halle und die Schmerzen in ihren müden Beinen. Sie zeigten keine Gefühlsregung, als das Urteil gesprochen wurde.

»Laßt Jesse ben Benjamin, einen Juden aus England, vortreten«, rief jemand.

Sein Name hing in der Luft, dann hallte er durch den Saal wider, als er immer wieder gerufen wurde. Rob hinkte den langen, teppichbelegten Gang entlang. Ihm war bewußt, daß er den schmutzigen, zerrissenen Kaftan und den schäbigen ledernen Judenhut trug, der zu seinem mißhandelten Gesicht paßte.

Endlich näherte er sich dem Thron und führte dreimal den *ravi zemin* aus, denn er hatte beobachtet, daß dies von einem Bittsteller erwartet wurde.

Als er sich aufrichtete, sah er den Imam, *mullah*-schwarzgekleidet. Eine schmale Hakennase beherrschte sein eigenwilliges Gesicht, das von einem eisengrauen Bart umrahmt war.

Der Schah trug den weißen Turban eines frommen Mannes, der in Mekka gewesen ist; in seinen Falten steckte ein schmales, goldenes Krönchen. Die lange, weiße Tunika bestand aus glattem, leichtem Stoff, der mit blauen und goldenen Fäden durchwirkt war. Dunkelblaue Gamaschen bedeckten seine Unterschenkel, und seine spitzen, blauen Schuhe waren blutrot bestickt. Er wirkte unbewegt, und sein Blick war leer – das Bild eines Mannes, der unaufmerksam ist, weil er sich langweilt.

»Ein *Inghiliz*«, bemerkte der Imam. »Ihr seid derzeit unser einziger *Inghiliz*, unser einziger Europäer. Warum seid Ihr nach Persien gekommen?«

»Ich suche die Wahrheit.«

»Wollt Ihr die wahre Religion annehmen?« fragte Qandrasseh nicht unfreundlich.

»Nein, denn wir sind uns bereits darüber einig, daß es keinen Allah gibt als Ihn, den Barmherzigsten«, antwortete Rob und segnete die langen Stunden, in denen ihn Simon ben Levi, der gelehrte Händler, unterrichtet hatte. »Es steht im *Qu'ran* geschrieben: ›Ich werde nicht das anbeten, was du anbetest, und du wirst nicht das anbeten, was ich anbete… Du hast deine Religion, und ich habe meine Religion.‹«

Du mußt dich kurzfassen, rief er sich ins Gedächtnis. Leidenschaftslos und mit sparsamen Worten erzählte er, wie er sich im Dschungel des westlichen Persien befunden habe, als ihn plötzlich ein wildes Tier ansprang.

Der Schah begann langsam, genauer zuzuhören.

»In meinem Heimatland gibt es keine Panther. Ich hatte keine Waffe und wußte auch nicht, wie man sich vor einem solchen Tier wehrt.«

Er erzählte, wie Alā-al-Dawla *Shahansha*, gleich seinem Vater Abdallah, der den Löwen von Kashan erlegt hatte, ein Jäger von Großkatzen, ihm das Leben gerettet hatte. Die Menschen, die dem Thron am nächsten standen, begannen ihrem Herrscher mit lauten Zurufen Beifall zu spenden. Gemurmel durchlief die Halle, als die Sprecher die Geschichte den Massen weitergaben, die vom Thron zu weit entfernt waren.

Qandrasseh rührte sich nicht, aber Rob schloß aus seinem Blick, daß dem Imam weder die Geschichte noch die Reaktion zusagte, die sie bei der Menge ausgelöst hatte.

»Beeile dich, *Inghiliz*«, forderte er ihn kühl auf, »und erkläre, was du zu Füßen des einzigen wahren Schahs erbittest.«

Rob holte tief Luft, um sich zu beruhigen. »Da auch geschrieben steht, daß jemand, der ein Leben rettet, für dieses verantwortlich ist, bitte ich den Schah um Hilfe, um aus meinem Leben das Bestmögliche zu machen.« Er berichtete von seinem vergeblichen Versuch, als Student in Ibn Sinas Schule für Ärzte aufgenommen zu werden.

Die Geschichte von dem Panther hatte sich jetzt bis in die entfernteste Ecke der Halle herumgesprochen, und das große Auditorium erbebte unter dem andauernden Donner stampfender Füße.

Zweifellos war Alā-al-Dawla an Furcht und Gehorsam gewöhnt, aber vielleicht war es lange her, daß er so spontanen Beifall erhalten hatte. Nach seinem Gesichtsausdruck zu schließen war dieser Lärm für ihn süße Musik.

»Ha!« Der einzige wahre Schah beugte sich vor, seine Augen strahlten, und Rob wußte, daß er sich nun an ihn und den Vorfall mit dem Panther erinnerte.

Der Schah sah Rob einen Augenblick lang in die Augen, dann wandte er sich an den Imam und sagte zum erstenmal seit Beginn der Audienz etwas.

»Gib dem Hebräer einen *calaat*«, befahl er.

Aus einem unerfindlichen Grund lachten die Zuschauer.

»Ihr kommt mit mir!« forderte ihn ein ergrauter Offizier auf. Er würde in wenigen Jahren ein alter Mann sein, aber jetzt war er noch mächtig und stark. Er trug einen flachen Helm aus poliertem Metall, ein Lederwams über einer braunen Militärtunika und Sandalen mit Lederriemen. Seine Narben sprachen für ihn: die Schwielen von geheilten Schwertwunden leuchteten weiß auf den kräftigen braunen Armen, sein linkes Ohr war plattgedrückt und sein Mund war wegen einer alten Stichwunde unter seinem rechten Backenknochen verzerrt.

»Ich bin Khuff«, stellte er sich vor, »Hauptmann der Stadtwache. Mir überträgt man Fälle wie den Euren.« Er betrachtete Robs wunden Hals und lächelte. »Der *carcan*?«

»Ja.«

»Der *carcan* ist schon eine Sache«, stellte Khuff bewundernd fest.

Sie verließen die Halle der Säulen und gingen zu den Ställen. Auf der großen, grünen Wiese mit den Pylonen galoppierten jetzt Männer auf Pferden aufeinander zu, wirbelten herum und schwangen lange Lanzen wie umgekehrte Hirtenstäbe, doch keiner stürzte aus dem Sattel.

»Versuchen sie einander zu treffen?«

»Sie versuchen einen Ball vor sich herzutreiben. Es ist ein Ball- und Stockspiel für Reiter.« Khuff musterte ihn. »Es gibt vieles, was Ihr nicht wißt. Wißt Ihr über den *calaat* Bescheid?«

Rob schüttelte den Kopf.

»Wenn früher jemand die Gunst eines persischen Herrschers errang, nahm der Monarch einen *calaat* ab, eines seiner Kleidungsstücke, und verlieh es ihm als Zeichen seiner Zufriedenheit. Der Brauch hat sich durch die Zeiten als Zeichen höchster Gunst erhalten. Heute besteht dieses königliche Kleidungsstück aus einer regelmäßigen finanziellen Zuwendung, einem Gewand, einer Wohnstatt und einem Pferd.«

Rob war wie benommen. »Dann bin ich reich?«

Khuff lächelte, als wäre Rob verrückt. »Ein *calaat* ist eine einzigartige Auszeichnung, die aber in ihrem Wert sehr unterschiedlich ausfallen kann. Der Gesandte einer Nation, die im Krieg Persiens enger Verbündeter war, würde kostbare Kleidung, einen Palast, der fast so prächtig wie das Haus des Paradieses wäre, und einen feurigen Hengst erhalten, dessen Geschirr und Putz mit Edelsteinen verziert sind. Aber Ihr seid kein Gesandter.«

Hinter den Ställen befand sich ein großer Pferch, in dem sich zahllose Pferde tummelten. Der Bader hatte immer gepredigt, daß man, wenn man ein Pferd aussucht, nach einem Tier mit dem Kopf einer Prinzessin und dem Hinterteil einer fetten Hure Ausschau halten solle. Rob erblickte eine Grauschimmelstute, auf die diese Voraussetzungen zutrafen und aus deren Augen außerdem Stolz sprach.

»Kann ich diese Stute haben?« fragte er und zeigte auf sie. Khuff versuchte erst gar nicht, ihm zu erklären, daß es sich bei der Stute um ein Pferd für einen Fürsten handelte, aber ein spöttisches Lächeln verlieh seinem entstellten Mund ein seltsames Aussehen. Der Stadthauptmann band ein gesatteltes Pferd los und schwang sich darauf. Er ritt in die bewegte Herde und holte geschickt einen ansprechenden, aber recht temperamentlosen braunen Wallach mit kurzen, stämmigen Beinen und kräftigen Schultern heraus.

Khuff zeigte ihm ein großes Brandmal in Form einer Tulpe auf dem Schenkel des Pferdes. »Alā *Shahansha* ist der einzige Pferdezüchter in Persien, und das ist sein Brandzeichen. Dieses Pferd kann gegen ein anderes, das ebenfalls die Tulpe trägt, eingetauscht, aber nie verkauft werden. Sollte es sterben, schneidet das Stück mit dem Brandzeichen heraus, und ich werde Euch dafür ein anderes Pferd geben.«

Khuff überreichte ihm eine Börse, die weniger Münzen enthielt, als Rob durch den Verkauf des Spezificums bei einer einzigen Vorstellung verdient hätte. In einem Lagerhaus in der Nähe suchte der Stadthauptmann, bis er einen brauchbaren Sattel aus Armeebeständen fand. Die Kleidung, die er Rob gab, war gut gearbeitet, aber einfach. Sie bestand aus einer losen Hose, die man an der Taille mit einer Schnur festhielt, leinenen Wickelgamaschen, die über die Hose um die Beine gewunden wurden und wie Bandagen vom Knöchel bis zum Knie reichten, einem losen Hemd, dem *khamisa*, das bis zu den Knien über die Hose herabhing, einer Tunika, die *durra* hieß, zwei Mänteln für die verschiedenen Jahreszeiten – einem kurzen, leichten und einem langen, mit Schaffell gefütterten –, einer *qalansuwa* genannten kegelförmigen Turbanstütze und einem braunen Turban.

»Gibt es den auch in Grün?«

»Dieser ist besser. Der grüne Turban ist aus schlechtem, schwerem Stoff; er wird nur von Studenten und den Ärmsten der Armen getragen.«

»Ich will dennoch so einen«, beharrte Rob. Khuff gab ihm einen billigen grünen Turban und warf ihm einen scharfen, verächtlichen Blick zu.

Diener mit wachsamen Augen beeilten sich, den Befehl des Hauptmanns auszuführen, als er sein persönliches Pferd verlangte. Es war ein arabischer Hengst, der der grauen Stute ähnelte, die sich Rob ausgesucht hätte. Rob trug einen Stoffsack mit seinen neuen Kleidern und ritt auf dem frommen braunen Wallach wie ein Edelmann den ganzen Weg bis zur Jehuddijeh hinter Khuff her. Sie ritten lange durch die engen Straßen des Judenviertels, bis Khuff endlich bei einem kleinen Haus aus alten, dunkelroten Ziegeln anhielt. Zum Haus gehörten ein kleiner Stall, der nur aus einem Dach auf vier Pfosten bestand, und ein winziger Garten, in dem eine Eidechse Rob anblinzelte und dann in einer Spalte der Steinmauer verschwand. Vier verwilderte Aprikosenbäume warfen ihren Schatten auf Dornenbüsche, die ausgeschnitten gehörten. Drinnen gab es drei Räume: einen mit einem Fußboden aus gestampftem Lehm und zwei mit Böden aus den gleichen roten Ziegeln wie die Wände, in denen die Füße vieler Generationen flache Mulden ausgetreten hatten. Die vertrocknete Mumie einer Maus lag in einer Ecke des Raumes mit dem Lehmboden, und ein schwacher, widerlicher Fäulnisgestank hing in der Luft.

»Es gehört Euch«, verkündete Khuff. Er nickte einmal und ging dann fort.

Noch bevor das Geräusch der Hufe seines Pferdes verklungen war, gaben Robs Knie nach. Er sank auf den Lehmboden, legte sich dann auf den Rücken und wußte im nächsten Augenblick genauso wenig wie die tote Maus.

Er schlief achtzehn Stunden lang. Als er erwachte, waren seine Glieder verkrampft; sie schmerzten wie bei einem alten Mann mit steifen Gelenken. Das Haus befand sich nicht gerade im besten Zustand – Sprünge durchzogen den Lehmverputz der Wände, und eines der Fensterbretter zerbröckelte – aber seit seine Eltern gestorben waren, stellte dies die erste Behausung dar, die wirklich ihm gehörte.

Entsetzt fiel ihm ein, daß sein neues Pferd ungetränkt, ungefüttert und noch immer gesattelt in dem kleinen Stall stand. Nachdem er den Sattel abgenommen und in seinem Hut Wasser von dem nahen öffentlichen Brunnen geholt hatte, eilte er zu der Stallung, in der sein Maultier und der Esel untergebracht waren. Er kaufte Holzeimer, Hirsestroh, einen Korb Hafer und brachte alles auf dem Rücken des Esels nach Hause.

Als die Tiere versorgt waren, zog er seine neuen Kleider an und ging ins öffentliche Bad, vorher aber noch zum Gasthaus von Salman dem Kleineren.

»Ich komme wegen meiner Habseligkeiten«, sagte er zum Wirt.

»Sie wurden sicher aufbewahrt, obwohl ich schon um Euer Leben bangte, als zwei Nächte vergingen und Ihr nicht zurückkamt.« Salman sah ihn besorgt an. »Man spricht über einen fremden *Dhimmi*, einen europäischen Juden, der zur Audienz kam und vom Schah ein *calaat* erhalten hat.«

Rob nickte.

»Ihr wart es also wirklich!« flüsterte Salman.

Rob setzte sich schwerfällig. »Ich habe nichts in den Magen bekommen, seit Ihr mir das letzte Mal zu essen gegeben habt.«

Salman tischte ihm eilfertig Essen auf. Rob probierte zunächst vorsichtig Brot und Ziegenmilch, weil er aber so großen Hunger verspürte, ging er bald zu vier gekochten Eiern, noch mehr Brot, einem kleinen harten Käse und einem Teller *pilaw* über. Allmählich kehrte Kraft in seine Glieder zurück.

Im Bad lag er lange im Wasser, um seine Blutergüsse zu pflegen. Als er seine neue Kleidung anlegte, fühlte er sich wie ein Fremder, wenn auch weniger fremd als damals, als er den Kaftan zum erstenmal angezogen hatte. Es gelang ihm zwar mühsam, die Wickelgamaschen anzulegen, aber um den Turban zu wickeln, dazu würde er Unterricht brauchen, weshalb er vorläufig den ledernen Judenhut aufbehielt.

Wieder zu Hause angelangt, entledigte er sich der toten Maus, dann überdachte er seine Lage. Er verfügte nun über einen bescheidenen Wohlstand, aber das war es ja nicht, worum er den Schah gebeten hatte, aber noch während er sich in Gedanken seiner Zukunft zuwandte, wurde er durch Khuffs Ankunft unterbrochen, der mürrisch, wie zuvor, ein dünnes Pergament aufrollte und ihm laut vorlas.

Erlaß des Königs der Welt, Alā-al-Dawla, des hohen und majestäti-schen Gebieters, unvergleichlich erhaben und angesehen, prächtig in Titeln, die unerschütterliche Grundlage des Königreichs, ausgezeich-net, edel und großmütig, der Löwe von Persien und mächtigste Herrscher der Welt. Gerichtet an den Gouverneur, den Verwalter und andere königliche Offiziere der Stadt Isfahan, des Sitzes der Monar-chie und des Ortes der Wissenschaft und Medizin. Es wird ihnen kund und zu wissen getan, daß Jesse, Sohn des Benjamin, Jude und Baderchirurg aus der Stadt Leeds in Europa, in unser Königreich gekommen ist, das bestregierte der ganzen Welt und ein wohlbekann-ter Zufluchtsort der Unterdrückten, und die Gelegenheit und die Ehre hatte, vor den Augen des Allerhöchsten zu erscheinen und mit demütigem Gesuch um die Hilfe des wahren Statthalters des wahren Propheten, der im Paradies ist, nämlich unserer erlauchten Majestät, zu bitten. Sie sollen wissen, daß Jesse, Sohn des Benjamin aus Leeds, königliche Gunst und Wohlwollen zugesichert wird und er hiermit ein königliches Gewand mit den damit verbundenen Ehren und Privile-gien erhält, und daß alle ihn dementsprechend behandeln sollen. Ihr müßt auch wissen, daß dieser Erlaß unter der Androhung strenger Strafen ergeht und daß jeder Verstoß dagegen mit dem Tod geahndet wird. Gegeben am dritten Panj Shanbah des Monats Rejab im Namen unserer allerhöchsten Majestät durch seinen Pilger zu den erhabenen und heiligen Orten und seinen Leiter und Oberaufseher des Palastes der Frauen des Allerhöchsten, den Imam Mirza-abul Qandrasseh, Großwesir. Es ist notwendig, sich in allen weltlichen Angelegenheiten mit der Hilfe des allerhöchsten Gottes zu waffnen.

»Aber die Schule?« Rob konnte nicht an sich halten, er mußte heiser fragen.

»Mit der Schule habe ich nichts zu schaffen«, winkte der Stadthaupt-mann ab und entfernte sich ebenso eilig, wie er gekommen war.

Kurze Zeit später brachten zwei stämmige Träger eine Sänfte vor Robs Tür, in der sich der *hadschi* Davout Hosein befand nebst einer Menge Feigen, die als Zeichen süßen Glücks in dem neuen Haus gedacht waren.

Sie saßen zwischen den Ameisen und den Bienen auf dem Boden in dem vernachlässigten kleinen Aprikosengarten und aßen die Feigen.

»Die Aprikosenbäume sind noch erstklassig«, stellte der *hadschi* fest und musterte sie mit Kennermiene. Er erklärte eingehend, wie die vier Bäume durch fleißiges Beschneiden, Wässern und Düngen mit Pferdemist wieder zum Tragen gebracht werden konnten. Schließlich verstummte Hosein.

»Noch etwas?« murmelte Rob.

»Ich habe die Ehre, die Grüße und Glückwünsche des ehrenwerten Abu Ali al-Hussein Ibn Abdullah Ibn Sina zu überbringen.« Der *hadschi* schwitzte und war so blaß, daß die *zabiba* auf seiner Stirn besonders deutlich hervortrat. Er tat Rob leid, aber nicht so leid, daß dies die köstliche Freude des Augenblicks beeinträchtigt hätte, die süßer und wertvoller war als der betäubende Duft der kleinen Aprikosen, die den Boden unter seinen Bäumen bedeckten. Denn Hosein überreichte Jesse, Sohn des Benjamin, die Einladung, sich in der *madrassa* einzuschreiben und im *maristan* Medizin zu studieren, so daß er schließlich den Stand eines Medicus anstreben konnte.

Vierter Teil

Der Maristan

Ibn Sina

Robs erster Morgen als Student versprach, heiß zu werden, es war ein drückender Tag. Rob zog sorgsam die neuen Kleider an, stellte aber fest, daß es für die Wickelgamaschen zu warm war. Auch der grüne Turban war viel zu schwer, und schließlich nahm er die ungewohnte Last vom Kopf und setzte den ledernen Judenhut auf, den er als Wohltat empfand.

Dadurch war seine Identität leicht erkennbar, als er sich der Großen Titte näherte, wo junge Männer im grünen Turban miteinander plauderten.

»Da kommt dein Jude, Karim«, rief einer von ihnen.

Ein Mann, der auf den Stufen gesessen hatte, stand auf und kam auf Rob zu. Der erkannte den gutaussehenden, schlanken Studenten wieder, der während seines ersten Besuchs im Krankenhaus den Pfleger so heftig zur Rede gestellt hatte.

»Ich bin Karim Harun. Und du bist wohl Jesse ben Benjamin.«

»Ja.«

»Der *hadschi* hat mich angewiesen, dich in der Schule und im Krankenhaus herumzuführen und deine Fragen zu beantworten.«

»Du wirst dich in den *carcan* zurückwünschen, Hebräer!« rief jemand, und die Studenten lachten.

Rob lächelte. »Das glaube ich nicht.« Es war offensichtlich, daß die ganze Schule von dem europäischen Juden gehört hatte, der in den Block genagelt worden war und dann auf Intervention des Schahs hin die Aufnahme an die medizinische Akademie erreicht hatte.

Sie begannen die Führung mit dem *maristan*, und Rob erfuhr dabei, daß das Krankenhaus in eine Männer- und eine Frauenabteilung unterteilt war. Bei den Männern gab es Pfleger, bei den Frauen Pflegerinnen und Krankenträgerinnen. Die Ärzte und die Ehemänner der Patientinnen waren die einzigen Männer, die in die Frauenabteilung Einlaß fanden.

Zwei Räume waren der Chirurgie vorbehalten, und ein langes, niedriges Zimmer enthielt Regale voller säuberlich beschrifteter Gefäße und Flaschen. »Das ist das *khasanat-al-sharaf*, die Schatzkammer der Arzneimittel«, erklärte Karim. »An allen Montagen und Donnerstagen halten die Ärzte in der Schule ein Praktikum ab. Nachdem die Patienten untersucht und behandelt wurden, mischen die Apotheker die Arzneien, welche die Ärzte verschrieben haben. Die Apotheker des *maristan* sind bis zum letzten Gran genau und ehrlich. Die meisten Apotheker in der Stadt sind nämlich Huren, die eine Flasche Pisse verkaufen und schwören, daß es Rosenwasser ist.«

Im benachbarten Schulgebäude zeigte ihm Karim Untersuchungsräume, Hörsäle und Laboratorien, eine Küche und ein Refektorium sowie ein großes Bad für den Lehrkörper und die Studenten. »Es gibt achtundvierzig Ärzte und Chirurgen, aber nicht alle sind Dozenten. Mit dir sind wir siebenundzwanzig Studenten der Medizin. Die Ausbildungszeit ist unterschiedlich, und daran sind die Beamten schuld. Du wirst als Kandidat zur mündlichen Prüfung erst zugelassen, wenn der verdammte Lehrkörper findet, daß du soweit bist. Wenn du durchkommst, nennen sie dich einen *hakim*. Wenn du durchfällst, bleibst du Student und mußt auf eine neuerliche Chance warten.«

»Wie lange bist du schon hier?«

Karim blickte finster drein, und Rob wußte, daß er die falsche Frage gestellt hatte.

»Sieben Jahre. Ich bin zweimal zur Prüfung angetreten. Letztes Jahr bin ich in Philosophie durchgefallen. Mein zweiter Versuch hat vor drei Wochen stattgefunden, da waren meine Antworten in Rechtswissenschaft ungenügend. Was kümmern mich die Geschichte der Logik und die Präzedenzfälle des Rechts? Ich bin bereits ein guter Arzt.« Er seufzte bitter. »Außer den Vorlesungen in Medizin mußt du Vorlesungen in Rechtswissenschaft, Theologie und Philosophie besuchen. Du kannst dir deine Dozenten aussuchen. Am besten ist es, möglichst oft die gleichen Dozenten aufzusuchen«, verriet er Rob, »denn manche sind bei der mündlichen Prüfung nachsichtiger, wenn sie jemanden gut kennen. In der *madrassa* muß jeder die Vormittagsvorlesungen in allen Disziplinen besuchen, und am Nachmittag arbeiten die Medizinstudenten im Krankenhaus. Die Ärzte kommen nachmittags in das Krankenhaus, und die Studenten schließen sich ihnen an, damit sie unter ihrer Aufsicht Patienten untersuchen und Behandlungen vorschlagen können. Die Ärzte stellen ständig Fragen, aus denen man viel lernen kann. Eine großartige Gelegenheit, sich zu bilden oder« – er lächelte sauer – »einen vollkommenen Narren aus sich zu machen.«

Rob musterte das unglückliche Gesicht des gutaussehenden Karim. Sieben Jahre! dachte er entmutigt. Und nichts als ungewisse Aussichten! Dabei hatte dieser Mann sein Medizinstudium zweifellos unter viel besseren Voraussetzungen begonnen als er mit seiner unvollkommenen Bildung.

Aber alle Befürchtungen und gemischten Gefühle schwanden dahin, als sie die Bibliothek betraten, die das Haus der Weisheit genannt wurde. Rob hätte sich nie vorstellen können, daß es so viele Bücher an einem Ort gab. Manche Manuskripte waren auf dickes Pergament aus Tierhäuten geschrieben, doch die meisten Bücher waren aus dem gleichen dünnen Material, auf dem sein *calaat* festgehalten worden war. »In Persien scheint es nur minderwertiges Pergament zu geben«, bemerkte er.

Karim schnaubte. »Das ist überhaupt kein Pergament! Es wird Papier genannt, eine Erfindung der Schlitzaugen im Osten, die sehr kluge Ungläubige sind. Habt ihr in Europa kein Papier?«

»Ich habe es dort nie zu Gesicht bekommen.«

»Papier besteht aus alten Stoffetzen, die fein gemahlen, mit Knochenleim vermischt und dann gepreßt werden. Es ist billig, sogar Studenten können es sich leisten.«

Das Haus der Weisheit beeindruckte Rob wie kein anderes Erlebnis zuvor. Er ging schweigend in dem Raum herum, berührte die Bücher und merkte sich die Autoren, von denen ihm nur wenige Namen geläufig waren.

Hippokrates, Dioscurides, Ardigenes, Rufas von Ephesus, der unsterbliche Galen… Oribasius, Philagrios, Alexander von Tralles, Paul von Ägina…

»Wie viele Bücher stehen hier?«

»Die *madrassa* besitzt fast hunderttausend Bücher«, erwiderte Karim stolz. Er lächelte über Robs ungläubigen Gesichtsausdruck. »Die meisten davon wurden in Bagdad ins Persische übersetzt. An der Universität in Bagdad befindet sich eine Schule für Übersetzer, an der Bücher in allen Sprachen des Östlichen Kalifats auf Papier übertragen werden. Bagdads riesige Universität hat sechshunderttausend Bücher in ihrer Bibliothek; sie stehen über sechstausend Studenten und berühmten Lehrern zur Verfügung. Aber eines gibt es, was unsere kleine *madrassa* besitzt und was ihnen fehlt.«

»Und zwar?« fragte Rob, und der ältere Student führte ihn zu einer Wand im Hause der Weisheit, die den Werken eines einzigen Autors vorbehalten war.

»Ihn«, sagte Karim.

An diesem Nachmittag sah Rob dann im *maristan* jenen Mann, den die Perser als Arzt aller Ärzte bezeichneten. Auf den ersten Blick war Ibn Sina eine Enttäuschung. Sein roter Ärzteturban war verschossen und nachlässig gewickelt, und seine *durra* sah schäbig und einfach aus. Er war klein von Statur, und sein Haar lichtete sich, dazu hatte er eine geäderte Knollennase und ein beginnendes Doppelkinn unter dem weißen Bart. Er sah aus wie viele alternde Araber, bis Rob seine durchdringenden braunen Augen bemerkte, die traurig, doch aufmerksam, ernst und seltsam lebendig waren. Rob spürte sofort, daß Ibn Sina Dinge sah, die gewöhnlichen Menschen verborgen blieben.

Rob war einer der sieben Studenten, die mit vier Ärzten Ibn Sinas Gefolge bildeten, während er durch das Krankenhaus ging. An diesem Tag blieb der Arzt aller Ärzte nicht weit vom Strohsack eines zusammengeschrumpften Mannes mit mageren Gliedern stehen.

»Wer ist der diensttuende Student dieser Abteilung?«

»Ich, Herr. Mirdin Askari.«

Das also ist Ariehs Vetter, dachte Rob. Er betrachtete interessiert den dunkelhäutigen jungen Juden, dessen Gesicht aufgrund eines langen Kinns und der kräftigen weißen Zähne einfach und angenehm wirkte wie das eines intelligenten Pferdes.

Ibn Sina deutete auf den Patienten. »Berichte uns von diesem Kranken, Askari!«

»Er heißt Amahl Rahin, ein Kameltreiber, der vor drei Wochen mit heftigen Schmerzen im unteren Rückenbereich ins Krankenhaus kam. Zuerst vermuteten wir, daß er sich in betrunkenem Zustand die Wirbelsäule verletzt hat, aber der Schmerz griff bald auf den rechten Hoden und die rechte Hüfte über.«

»Wie sieht sein Urin aus?« fragte Ibn Sina.

»Bis zum dritten Tag war sein Urin klar. Hellgelb. Am Morgen des dritten Tages fand ich im Urin Blut, und am Nachmittag schied er sechs Harnsteine aus: vier winzig wie Sandkörner und zwei von der Größe kleiner Erbsen. Seither hat er keine Schmerzen mehr, und sein Urin ist wieder klar, aber er will nichts essen.«

Ibn Sina runzelte die Stirn. »Was habt ihr ihm angeboten?«

Der Student wirkte verwirrt. »Die übliche Kost: verschiedene Arten von *pilaw*, Hühnereier, Schaffleisch, Zwiebeln, Brot... Er rührt nichts an. Seine Gedärme haben aufgehört zu arbeiten, sein Puls ist schwächer, und er wird immer matter.«

Ibn Sina nickte und sah die ihn Umgebenden der Reihe nach an. »Was fehlt ihm also?«

Ein anderer Student nahm seinen ganzen Mut zusammen. »Ich glaube, Herr, daß seine Eingeweide sich verschlungen haben und den Durchgang der Nahrung durch seinen Körper verhindern. Da er das spürt, nimmt er keine Nahrung zu sich.«

»Danke, Fadil Ibn Parviz«, antwortete Ibn Sina höflich. »Aber bei einer solchen Erkrankung würde der Patient essen, nur würde er die Nahrung wieder erbrechen.«

Er wartete. Als keine weitere Bemerkung fiel, trat er zu dem Mann auf dem Strohsack.

»Amahl«, begann er, »ich bin Hussein, der Arzt, Sohn von Abdullah, dem Sohn von al-Hasan, dem Sohn von Ali, dem Sohn von Sina. Das sind meine Freunde, und sie werden auch deine werden. Woher stammst du?«

»Aus dem Dorf Shaini, Herr«, flüsterte der Mann.

»Ah, ein Mann aus Fars! Ich habe glückliche Tage in Fars verbracht. Die Datteln der Oase in Shaini sind groß und süß, nicht wahr?«

In Amahls Augen traten Tränen, und er nickte stumm.

»Askari, geh und bring unserem Freund Datteln und eine Schale warme Milch!«

Bald darauf wurde das Geforderte gebracht, und die Ärzte und Studenten sahen zu, wie der Mann hungrig die Früchte verschlang.

»Langsam, Amahl! Langsam, mein Freund«, warnte ihn Ibn Sina. »Askari, du sorgst dafür, daß die Kost unseres Freundes geändert wird!«

»Ja, Herr.« Sie gingen weiter.

»Das müßt ihr euch über die Kranken, die sich in unserer Obhut befinden, merken: Sie kommen zu uns, aber sie werden nicht unseresgleichen, und sehr oft essen sie nicht das, was wir essen. Löwen mögen kein Heu, auch wenn sie in einem Kuhstall sind. Wüstenbewohner leben hauptsächlich von saurem Quark und ähnlichen Milchprodukten. Die Bewohner des Dar-al-Maraz essen Reis und trockene Speisen. Die Khorasanis wollen nur mit Mehl angedickte Suppe. Die Inder bevorzugen Erbsen, Hülsenfrüchte, Öl und scharfe Gewürze. Die Menschen aus Transoxianien schätzen Wein und Fleisch, besonders Pferdefleisch. Die Leute aus Fars und Arabistan leben hauptsächlich von Datteln. Die Beduinen sind an Fleisch, Kamelmilch und Heuschrecken gewöhnt. Die Menschen aus Gurgan, die Georgier, die Armenier und die Europäer sind gewohnt, zu den Mahlzeiten geistige Getränke zu sich zu nehmen und das Fleisch von Kühen und Schweinen zu essen.« Ibn Sina blickte die um ihn versammelten Männer scharf an. »Wir jagen ihnen Angst ein, junge Herren. Oft können wir sie nicht retten, und manchmal bringt unsere Behandlung sie um; wir dürfen sie aber nicht auch noch verhungern lassen.«

Der Arzt aller Ärzte verschränkte die Hände auf dem Rücken und ließ sein Gefolge stehen.

Am nächsten Morgen besuchte Rob in einem kleinen Amphitheater mit ansteigenden steinernen Sitzreihen seine erste Vorlesung in der *madrassa*. Aus Nervosität war er schon sehr früh gekommen und saß allein in der vierten Reihe, als ein halbes Dutzend Studenten gemeinsam eintrat.

Zuerst schenkten sie ihm keine Beachtung. Dann, als er Rob bemerkte, fragte der, den Ibn Sina Fadil genannt hatte: »*Salam*, wen haben wir denn da? Wie heißt du, *Dhimmi*?«

»Jesse ben Benjamin.«

»Ah, der berühmte Gefängnisinsasse! Der jüdische Baderchirurg mit dem *calaat* des Schahs. Du wirst bald merken, daß man mehr als einen herrscherlichen Erlaß braucht, um Medicus zu werden.«

Der Raum füllte sich allmählich. Mirdin Askari ging die Sitzreihen hinauf zu einem leeren Platz, und Fadil rief ihm zu: »Askari! Hier ist noch ein Hebräer, der ein Blutegel werden will.«

Rob begann zu ahnen, was sein Drang, Medizinstudent zu werden, mit sich bringen würde, denn der eben eingetretene Lehrer für Philosophie, Sajjid Sa'di, sah sich im Saal um und entdeckte sein Gesicht, das ihm fremd war.

»Wie lautet dein Name, *Dhimmi?*«

»Ich bin Jesse ben Benjamin, Herr.«

»Jesse ben Benjamin, erzähl uns, wie Aristoteles die Beziehung zwischen Körper und Geist beschreibt.«

Rob schüttelte den Kopf.

»Es steht in seinem Werk ›Über die Seele‹«, ergänzte der Dozent ungeduldig.

»Ich kenne das Buch ›Über die Seele‹ nicht. Ich habe Aristoteles nie gelesen.«

Sajjid Sa'di starrte ihn besorgt an. »Das mußt du sofort nachholen!«

Rob verstand nur wenig von dem, was Sa'adi in seiner Vorlesung erzählte. Als sie zu Ende war und das Amphitheater sich leerte, ging Rob zu Mirdin Askari. »Ich soll dir die besten Wünsche von drei Männern aus Masqat überbringen, von Reb Lonzano ben Ezra, Reb Loeb ben Kohen und von deinem Vetter, Reb Arieh Askari.«

»Ah. Verlief ihre Reise gut?«

»Ich glaube schon.«

Mirdin nickte. »Du bist ein Jude aus Europa, wie ich höre. Isfahan wird dir merkwürdig vorkommen, aber die meisten von uns kommen aus anderen Ländern.« Unter den Medizinstudenten, berichtete er, gebe es vierzehn Mohammedaner aus Ländern des Östlichen Kalifats, sieben Mohammedaner aus dem Westlichen Kalifat und fünf Ostjuden.

»Dann bin ich also erst der sechste jüdische Student? Ich hätte gedacht, daß wir hier zahlreicher vertreten sind.«

Mirdin sah Rob neugierig an. »Man sagt, du bist ein Baderchirurg. Stimmt das?«

»Ja.«

»Ich würde besser nicht darüber sprechen«, riet ihm Mirdin. »Die persischen Ärzte finden, daß Baderchirurgen…«

»…nicht gerade bewundernswert sind?«

»Sie sind nicht beliebt.«

»Ich kümmere mich nicht darum, wer beliebt ist. Ich entschuldige mich nicht für meinen Stand.«

»Das sollst du auch nicht«, meinte Mirdin. Dann nickte er kühl und verließ das Amphitheater.

Bei der von einem fetten *mullah* namens Abul Bakr gehaltenen Vorlesung in islamischer Theologie erging es Rob kaum besser als beim Vortrag in Philosophie. Der *Qu'ran* war in einhundertvierzehn Kapitel unterteilt, die *suras* hießen. Die Länge der *suras* variierte von wenigen Zeilen bis zu mehreren hundert Versen, und zu Robs Verzweiflung erfuhr er, daß er die *madrassa* erst abschließen durfte, wenn er die wichtigen *suras* auswendig konnte.

Während der nächsten Vorlesung, die der Meisterchirurg Abu Ubaid al'Juzjani hielt, wurde ihm befohlen, die »Zehn Abhandlungen über das Auge« von Hunain zu lesen. Al-Juzjani war klein, dunkelhäutig und furchterregend. Er sah seine Studenten mit starrem Blick an und schien in der gleichen Stimmung zu sein wie ein aus dem Winterschlaf geweckter Bär. Rob wurde angst und bang, wenn er daran dachte, wie viele wissenschaftliche Bücher er lesen mußte, aber al-Juzjanis Vorlesung über die Trübung, die die Augen so vieler Menschen befiel und ihnen die Sehkraft raubte, gefiel ihm. »Man glaubt, daß diese Blindheit dadurch verursacht wird, daß schädliche Flüssigkeit ins Auge dringt«, dozierte al-Juzjani. »Aus diesem Grund nannten frühe persische Ärzte die Krankheit Nazul-i-ab oder Eindringen von Wasser, was im Volksmund zu Wasserfallkrankheit oder Katarakt wurde.«

Rob sah interessiert zu, als al-Juzjani einer toten Katze den Star stach. Bald danach verteilten seine Assistenten Tierleichen an die Studenten, damit sie die Technik an Hunden, Katzen und sogar Hennen üben konnten. Rob erhielt einen scheckigen Köter mit starren Augen und hochgezogenen Lefzen, dem die Vorderpfoten fehlten. Robs Hände zitterten, und er wußte eigentlich nicht, was er tun sollte. Aber er faßte Mut, als er sich daran erinnerte, daß Merlin Edgar Thorpe von seiner Blindheit heilen konnte, weil er diese Operation an dieser Schule, vielleicht sogar in diesem Raum, gelernt hatte.

Plötzlich beugte sich al-Juzjani über ihn und betrachtete das Auge seines toten Hundes. »Setz die Nadel an der Stelle an, an der du stechen willst, und mach dort ein Zeichen!« befahl er scharf. »Dann bewege die Nadelspitze zum äußeren Augenwinkel hin, und zwar auf gleicher Höhe mit und nur ein wenig oberhalb der Pupille. Dadurch sinkt die

Katarakt unter die Pupille. Wenn du das rechte Auge operierst, hältst du die Nadel in der linken Hand und umgekehrt.«

Rob befolgte die Anweisungen und dachte an all die Männer und Frauen, die im Lauf der Jahre mit trüben Augen hinter seinen Wandschirm gekommen waren und denen er nicht hatte helfen können.

Zum Teufel mit Aristoteles und dem *Qu'ran!* sagte er sich frohlokkend. Dieser Unterricht ist der Grund, weshalb ich die Reise nach Persien gewagt habe.

Am Nachmittag folgte er mit einer Gruppe von diensttuenden Studenten al-Juzjani durch den *maristan*. Wie Ministranten einem englischen Bischof, dachte er. Al-Juzjani untersuchte Patienten, dozierte, kommentierte und stellte den Studenten Fragen, während er Verbände wechselte und Fäden entfernte. Er war ein geschickter, einfallsreicher Chirurg. Den Patienten, die er an diesem Tag aufsuchte, hatte er entweder den Star gestochen oder einen zermalmten Arm amputiert oder Bubonen geöffnet oder das Glied beschnitten. Im Gesicht eines Jungen, dessen Wange von einem spitzen Stock durchbohrt worden war, hatte er eine Wunde genäht.

Als al-Juzjani fertig war, ging Rob noch einmal durch das Krankenhaus, diesmal hinter *hakim* Jalal-al-Din, einem Knocheneinrichter, dessen Patienten in komplizierten Apparaten aus Wundhaken, Kupplungen, Seilen und Flaschenzügen steckten, die Rob ehrfürchtig betrachtete.

Er hatte nervös darauf gewartet, aufgerufen oder befragt zu werden, aber die beiden Ärzte hatten seine Existenz nicht zur Kenntnis genommen. Als Jalal fertig war, half Rob den Pflegern, hinfällige Patienten zu füttern und zu reinigen.

Als er mit dieser Beschäftigung im Krankenhaus fertig war, machte er sich auf die Suche nach Büchern. Er fand in der Bibliothek der *madrassa* zahlreiche Exemplare des *Qu'ran*, und er entdeckte auch das Buch »Über die Seele«. Aber er erfuhr, daß das einzige Exemplar von Hunains »Zehn Abhandlungen über das Auge« schon an jemand ausgeliehen worden war, und eine Anzahl Studenten hatte sich bereits vor ihm angemeldet, um das Buch zu studieren.

Der Bibliothekar im Haus der Weisheit war ein freundlicher Mann namens Jussuf-al-Gamal, ein Kalligraph, der seine Freizeit mit Feder und Tinte verbrachte und in Bagdad gekaufte Bücher kopierte. »Ihr habt zu lange gewartet. Jetzt wird es viele Wochen dauern, bis Ihr die ›Zehn Abhandlungen über das Auge‹ bekommen könnt. Wenn ein Dozent ein Buch empfiehlt, müßt Ihr sofort zu mir kommen, sonst kommen Euch andere zuvor.«

Rob nickte resigniert. Er trug die beiden anderen Bücher nach Hause, blieb unterwegs am Judenmarkt stehen und kaufte von einer mageren Frau mit kräftigem Kinn und grauen Augen eine Lampe und Öl.

»Ihr seid Europäer?«

»Ja.«

Sie strahlte. »Wir sind Nachbarn. Ich bin Hinda, die Frau des Großen Isak, drei Häuser nördlich von Euch. Ihr müßt uns besuchen.«

Er dankte ihr herzlich.

Im Gasthaus von Salman dem Kleineren aß er einen *pilaw*, war aber bestürzt, als Salman zwei Nachbarn herbeiholte, die den Juden kennenlernen wollten, der den *calaat* erhalten hatte. Es waren kräftige junge Männer, Brüder, die von Beruf Steinmetz waren. Die Brüder klopften ihm auf den Rücken, hießen ihn willkommen und wollten ihn zu einem Glas Wein einladen. »Erzählt uns vom *calaat*, erzählt uns von Europa!« rief der eine.

Eine Freundschaft zu schließen erschien Rob verlockend, aber er flüchtete sich schließlich dennoch in die Einsamkeit seines Hauses. Nachdem er die Tiere versorgt hatte, las er im Garten den Aristoteles. Er fand ihn schwierig, denn der Sinn der Worte entzog sich ihm, und er war betroffen über seine Unwissenheit.

Als es dunkelte, ging er ins Haus, zündete die Lampe an und wandte sich dann dem *Qu'ran* zu. Die *suras* waren offenbar entsprechend ihrer Länge geordnet, und die längsten kamen zuerst. Aber welche waren die wichtigen *suras*, die man auswendig lernen mußte? Er hatte keine Ahnung. Und es gab so viele einleitende Passagen; waren sie auch von Bedeutung?

Er las die Einleitungen immer wieder, hatte aber erst ein paar Verse auswendig gelernt, als ihm die schweren Lider zufielen. Vollkommen bekleidet sank er auf dem von der Lampe beleuchteten Boden in tiefen Schlaf.

Eine Einladung

Rob wurde jeden Morgen von der aufgehenden Sonne geweckt, die durch das schmale Fenster seines Zimmers blinzelte und deren Strahlen sich golden auf den Dächern der windschiefen Häuser der Jehuddijeh spiegelten. Schon bei Tagesanbruch erschienen die ersten Menschen auf den Straßen: Die Männer gingen zum Morgengebet in die Synagoge, die Frauen eilten auf den Markt, um ihren Platz in einem Stand einzunehmen oder die besten Produkte des Tages möglichst früh einzukaufen. In dem nördlichen Nachbarhaus von Rob wohnten ein Schuhmacher namens Jakob ben Rashi, seine Frau Naoma und ihre Tochter Lea. Das Haus im Süden bewohnten ein Brotbäcker namens Micah Halevi, seine Frau Judith und drei kleine Mädchen. Rob wohnte erst ein paar Tage in der Jehuddijeh, als Micah seine Frau Judith zu ihm schickte. Sie brachte ihm ein rundes Fladenbrot zum Frühstück, das noch ofenwarm und knusprig war. Überall in der Jehuddijeh hatten die Leute ein freundliches Wort für den ausländischen Juden übrig, der einen *calaat* erhalten hatte.

Weniger beliebt war er in der *madrassa:* Dort nannten ihn die mohammedanischen Studenten nie bei seinem Namen, und es machte ihnen sichtlich Vergnügen, ihn mit *Dhimmi* anzusprechen. Sogar die ostjüdischen Studenten nannten ihn Europäer.

Obwohl seine Erfahrungen als Baderchirurg nicht gerade bewundert wurden, waren sie ihm doch im *maristan* nützlich, wo es innerhalb von drei Tagen klar war, daß er verbinden, zur Ader lassen und einfache Brüche einrichten konnte, letzteres mit einer Geschicklichkeit, die der eines Absolventen der Schule gleichkam. Er mußte deshalb nicht mehr schmutziges Geschirr einsammeln und dergleichen verrichten, sondern man übertrug ihm Aufgaben, die direkt mit der Betreuung von Kranken zu tun hatten, und das gestaltete sein Leben ein wenig erträglicher.

Als er Abul Bakr fragte, welche von den einhundertvierzehn *suras* des *Qu'ran* die wichtigen waren, konnte er keine Antwort erhalten. »Alle sind wichtig«, erklärte der dicke *mullah.* »Manche sind nach Ansicht des einen Gelehrten wichtiger, während andere Gelehrte andere für wichtig halten.«

Die erste Vorlesung, die Rob bei Ibn Sina hörte, war eine Lektion in

Anatomie, bei der sie ein großes Schwein sezierten, das den Mohammedanern als Speise verboten, aber als Studienobjekt gestattet ist.

»Das Schwein stellt ein besonders gutes Objekt für das Studium der Anatomie dar, weil seine inneren Organe mit denen des Menschen fast identisch sind«, lehrte Ibn Sina, während er die Haut geschickt ablöste. Das Tier vor ihm war voller Tumore.

»Die Wucherungen mit glatter Oberfläche richten wahrscheinlich keinen Schaden an, aber einige andere sind so rasch gewachsen – seht her, wie diese«, Ibn Sina kippte den schweren Kadaver zur Seite, damit sie es besser beobachten konnten, »– daß sich Klumpen von Fleisch aneinander drängen wie die Röschen in einem Blumenkohlkopf. Die Blumenkohltumore aber sind tödlich.«

»Treten sie auch bei Menschen auf?« fragte Rob.

»Das wissen wir nicht.«

»Könnten wir nicht nachsehen?«

Nun herrschte Stille im Raum. Die anderen Studenten betrachteten den fremden, ungläubigen Kollegen voll Verachtung, während die anwesenden Lehrer aufmerksam wurden. Der *mullah*, der das Schwein geschlachtet hatte, hob den Kopf vom Gebetbuch.

»Es steht geschrieben«, formulierte Ibn Sina vorsichtig, »daß die Toten auferstehen werden und der Prophet sie aufnehmen wird – möge Gott ihn segnen und empfangen –, um sie wieder zum Leben zu erwecken. Für diesen Tag muß ihr Körper unversehrt bleiben.«

Nach einem kurzen Augenblick nickte Rob. Der *mullah* versenkte sich wieder in seine Gebete, und Ibn Sina setzte die Anatomielektion fort.

Am Nachmittag war *hakim* Fadil Ibn Parviz im *maristan*. Er trug einen roten Arztturban und nahm die Glückwünsche der anderen Medizinstudenten entgegen, weil er die Prüfung bestanden hatte. Rob hatte zwar keinen Grund, Fadil sympathisch zu finden, aber er war dennoch aufgeregt und froh: Der Erfolg eines Studenten konnte eines Tages auch der seine sein.

Fadil und al-Juzjani waren die Ärzte, die an diesem Tag die Runde bei den Patienten machten, und Rob folgte ihnen gemeinsam mit vier anderen Studenten: Abbas Sefi, Omar Nivahend, Suleiman-al-Gamal und Sabit ben Qurra. Im letzten Augenblick gesellte sich noch Ibn Sina zu ihnen, und Rob spürte die verstärkte Nervosität und die leichte Erregung, die sich immer bei der Anwesenheit des Arztes aller Ärzte einstellte.

Sie kamen bald zu den Tumorpatienten. Auf einem Strohsack neben dem Eingang lag eine stille, hohläugige Gestalt, und sie blieben etwas entfernt von ihr stehen. »Jesse ben Benjamin«, forderte al-Juzjani Rob auf, »berichte uns von diesem Mann!«

»Er heißt Ismail Ghazali. Er weiß nicht, wie alt er ist, gibt aber an, daß er in Khur während der großen Frühjahrsüberschwemmung geboren wurde. Ich habe erfahren, daß das vierunddreißig Jahre her ist.«

Al-Juzjani nickte anerkennend.

»Er hat Tumore im Hals, unter den Armen und in der Leistengegend, die ihm große Schmerzen bereiten. Sein Vater ist an der gleichen Krankheit gestorben, als Ismail Ghazali ein kleiner Junge war. Das Urinieren verursacht ihm schreckliche Schmerzen. Wenn er es tut, ist sein Urin tiefgelb und enthält Teilchen, die wie kleine rote Fäden aussehen. Er kann nur ein paar Löffel Schleimsuppe essen, ohne zu erbrechen, deshalb wird er mit besonders leichter Kost ernährt.«

»Hast du ihn heute zur Ader gelassen?« fragte al-Juzjani.

»Nein, *Hakim*.«

»Warum nicht?«

»Es ist überflüssig, ihm noch mehr Schmerzen zu bereiten.« Wenn Rob nicht an das Schwein gedacht und sich gefragt hätte, ob Ismail Ghazalis Körper von Blumenkohlgewächsen zerstört wurde, hätte er sich vielleicht nicht selbst diese Falle gestellt. »Beim Einbruch der Nacht wird er tot sein.«

Al-Juzjani starrte ihn an.

»Warum glaubst du das?« fragte Ibn Sina.

Alle Augen waren auf Rob gerichtet, aber er war nicht so dumm, eine Erklärung abzugeben. »Ich weiß es«, antwortete er schließlich, und Fadil vergaß seine frischerworbene Würde und lachte schallend. Al-Juzjanis Gesicht wurde rot vor Zorn, doch Ibn Sina hob die Hand und zeigte damit an, daß sie weitergehen sollten.

Der Vorfall dämpfte Robs Optimismus sehr. An diesem Abend war es ihm unmöglich zu studieren. Die Schule ist ein Fehler gewesen, dachte er. Es gibt nichts, das dich zu etwas machen kann, was du nicht bist, und vielleicht ist es an der Zeit zuzugeben, daß du nicht dazu bestimmt bist, Medicus zu werden.

Am nächsten Morgen ging er in die Schule, hörte drei Vorlesungen und überwand sich am Nachmittag dazu, al-Juzjani bei seinem Patientenbesuch zu begleiten. Als sie sich auf den Weg machten, schloß sich ihnen zu Robs Verzweiflung wie am Vortag Ibn Sina an.

In der Tumorabteilung lag auf dem Strohsack neben der Tür ein junges Bürschchen.«

»Wo ist Ismail Ghazali?« fragte al-Juzjani den Pfleger.

»Er ist in der Nacht verstorben, *Hakim.*«

Al-Juzjani gab keinen Kommentar ab. Als sie weitergingen, behandelte er Rob mit der eisigen Verachtung, die einem fremden *Dhimmi* gebührt, der zufällig richtig geraten hat.

Nachdem sie jedoch den Rundgang beendet hatten und entlassen worden waren, spürte Rob eine Hand auf seinem Arm. Er drehte sich um und blickte in die beunruhigenden Augen des alten Mannes.

»Ihr kommt heute zum Abendessen zu mir«, bestimmte Ibn Sina.

Rob war nervös und voll Erwartung, als er an diesem Abend den Anweisungen des Arztes aller Ärzte folgte und auf seinem braunen Wallach über die Allee der Tausend Gärten zu jener Straße ritt, die zu Ibn Sinas Haus führte. Er erwies sich als riesiger, aus Steinen errichteter Wohnsitz mit zwei Türmen, der von terrassenförmig angelegten Obst- und Weingärten umgeben war. Auch Ibn Sina hatte vom Schah einen *calaat* erhalten, aber erst, als er berühmt war.

Rob wurde von einem Torhüter, der ihn erwartet hatte und ihm das Pferd abnahm, in den von einer Mauer umgebenen Besitz eingelassen. Der Weg zum Haus bestand aus so fein zermahlenen Steinen, daß seine Schritte wie Flüstern klangen. Als er sich dem Haus näherte, ging eine Seitentür auf, und eine Frau trat heraus. Sie war jung und anmutig, trug einen roten, an der Taille engen, an den Säumen mit Flitterwerk verzierten Samtmantel über einem losen Baumwollkleid mit aufgedruckten gelben Blumen, und obwohl sie sehr klein war, schritt sie wie eine Königin. Mit Perlen besetzte Bänder umschlossen ihre Knöchel, an denen die scharlachrote Hose eng zusammengezogen war und mit Wollfransen über anmutigen, nackten Fersen endete. Ibn Sinas Tochter – falls sie das war – schaute ihn mit großen, dunklen Augen ebenso neugierig an, wie er sie musterte, bevor sie, dem Islam gehorchend, ihr verschleiertes Gesicht von dem Mann abwandte.

Hinter ihr trat eine Gestalt mit einem Turban aus dem Haus, die riesig war wie ein böser Traum. Die Hand des Eunuchen lag auf dem juwelenbesetzten Griff des Dolches in seinem Gürtel, und er wandte seine Augen nicht ab, sondern beobachtete Rob grimmig, bis er seine Schutzbefohlene durch eine Tür in einer Gartenmauer geleitet hatte.

Rob sah ihnen noch immer nach, als das Eingangsportal, eine einzige große Steinplatte, auf geölten Angeln aufging und ein Diener ihn in die kühlen Räume einließ.

»Ah, junger Freund, sei in meinem Haus willkommen!«

Ibn Sina ging ihm durch eine Reihe großer Räume voraus, deren gefliste Wände mit kostbaren Teppichen in den Farben der Erde und des Himmels geschmückt waren. Die Teppiche auf den Steinböden waren so dicht wie ein Rasen. Im Atriumgarten im Zentrum des Hauses war neben einem plätschernden Brunnen ein Tisch gedeckt.

Rob war verlegen, denn noch nie war ihm ein Diener behilflich gewesen, sich zu setzen. Ein anderer brachte ein irdenes Tablett mit flachem Brot, und Ibn Sina sang ungezwungen sein islamisches Gebet.

»Möchtest du deinen eigenen Segen sprechen?« fragte er höflich.

Rob brach einen der Fladen auseinander und sagte das hebräische Dankgebet, an das er sich gewöhnt hatte, auf: »Gesegnet seist Du, o Herr, unser Gott, König des Universums, der das Brot aus der Erde hervorbringt.«

»Amen«, schloß Ibn Sina.

Die Mahlzeit war einfach, aber ausgezeichnet: Gurkenscheiben mit Minze und dicker, saurer Milch, ein leichter *pilaw* mit mageren Lamm- und Hühnerstücken, gedünstete Kirschen und Aprikosen und ein erfrischendes *scherbett* aus Obstsäften.

Als sie gegessen hatten, brachte ein Mann, der durch einen Ring in der Nase als Sklave gekennzeichnet war, nasse Tücher für ihre Hände und Gesichter, während andere Sklaven den Tisch abräumten und rauchende Fackeln entzündeten, um die Insekten zu vertreiben.

Eine Schale mit großen Pistazien wurde gebracht, und sie knackten die Nüsse mit den Zähnen und kauten gemütlich.

»Nun.« Ibn Sina beugte sich vor, und seine bemerkenswerten Augen, die so viel aussagen konnten, leuchteten aufmerksam im Fackellicht. »Sprechen wir darüber, wieso du wußtest, daß Ismail Ghazali sterben würde!«

Rob erzählte ihm, wie er im Alter von neun Jahren erkannt hatte, daß seine Mutter sterben würde, als er ihre Hand ergriff, und wie er auf die gleiche Weise vom bevorstehenden Tod seines Vaters erfahren hatte. Dann beschrieb er die anderen Fälle, jene Personen, deren Hand er ergriffen und dabei das furchtbare Grauen und die schreckliche Erkenntnis empfunden hatte.

Ibn Sina stellte geduldig Fragen, während Rob über jeden Fall berichtete, erforschte sein Gedächtnis und sorgte dafür, daß keine Einzelheit übersehen wurde. Langsam verschwand der Vorbehalt aus dem Gesicht des alten Mannes.

»Zeig mir, was du dabei tust!«

Rob ergriff Ibn Sinas Hände, blickte ihm in die Augen, und bald darauf lächelte er. »Derzeit müßt Ihr keine Angst vor dem Tod haben.«

»Du auch nicht«, antwortete der Arzt leise.

Ein Moment verging, und dann dachte Rob: Grundgütiger Gott! »Ist es wirklich etwas, das auch Ihr fühlen könnt, Arzt aller Ärzte?«

Ibn Sina schüttelte den Kopf. »Nicht wie du es fühlst. In mir offenbart es sich irgendwo tief in meinem Innern als Gewißheit – das deutliche Gefühl, ob ein Patient sterben wird oder nicht. Ich habe im Laufe der Jahre mit anderen Ärzten gesprochen, die auch über diese Gabe verfügen, und wir sind eine größere Bruderschaft, als du dir vorstellen kannst. Aber ich habe niemals einen Menschen kennengelernt, bei dem diese Gabe so stark ausgeprägt ist wie bei dir. Du trägst eine Verantwortung, und um ihr gerecht zu werden, mußt du ein hervorragender Medicus werden.«

Damit war die bedrückende Realität wieder da, und Rob seufzte wehmütig. »Vielleicht werde ich gar kein Medicus, ich bin nämlich kein Gelehrter. Eure mohammedanischen Studenten wurden ihr Leben lang mit klassischer Gelehrsamkeit gefüttert, und die anderen jüdischen Studenten wuchsen in der ehrgeizig wissenschaftlichen Atmosphäre ihrer Studierhäuser auf. Hier an der *madrassa* können sie auf diesen Grundlagen aufbauen, während ich nur auf zwei armselige Schuljahre und meine unermeßliche Unwissenheit zurückblicke.«

»Dann mußt du eben fleißiger und schneller lernen als die anderen«, erwiderte Ibn Sina mitleidslos.

Die Verzweiflung machte Rob kühn. »In der Schule wird zu viel verlangt. Manches davon will ich mir weder aneignen, noch brauche ich es. Philosophie, *Qu'ran*...«

Der alte Mann unterbrach ihn spöttisch. »Du verfällst in einen verbreiteten Irrtum. Wie kannst du die Philosophie ablehnen, wenn du sie nicht studiert hast? Die Wissenschaft der Medizin befaßt sich mit dem Körper, während die Philosophie sich mit dem Geist und der Seele beschäftigt, und ein Arzt braucht beides wie Nahrung und Luft. Was die Theologie betrifft – ich konnte den *Qu'ran* im Alter von zehn Jahren auswendig. Es ist mein Glaube und nicht der deine, aber er wird dir nicht schaden, und zehn *Qu'rans* auswendig zu lernen wäre nur ein geringer Preis, wenn es dir die Kenntnis der Medizin brächte. Du besitzt den Verstand dazu, denn wir sehen, daß du eine neue Sprache erfaßt hast, und wir stellen an einem Dutzend anderer Beispiele fest, daß du zu vielversprechenden Hoffnungen berechtigst. Aber du darfst keine Angst vor dem Lernen haben, es muß ein Teil von dir und selbstverständlich werden wie das Atmen. Du mußt deinen Verstand weit öffnen, um alles aufzunehmen, was wir dir vermitteln können.«

Rob hörte schweigend und aufmerksam zu.

»Dank der uns gemeinsamen Gabe, Jesse ben Benjamin, kann ich einen Mann erkennen, in dem ein Arzt steckt, und in dir spüre ich ein so starkes Bedürfnis zu heilen, daß es schmerzt. Aber das Bedürfnis allein genügt nicht. Man wird nicht durch einen *calaat* zum Medicus, was ein Glück ist, denn es gibt schon zu viele unwissende Ärzte. Deshalb haben wir die Schule, um die Spreu vom Weizen zu sondern. Und wenn wir einen würdigen Studenten bemerken, prüfen wir ihn besonders streng. Wenn unsere Prüfungen zu schwer für dich sind, mußt du uns vergessen, wieder als Baderchirurg umherziehen und deine Quacksalbereien verkaufen...«

»Arzneien«, verbesserte Rob scharf.

»Dann also deine angeblichen Arzneien. Den Titel *hakim* muß man verdienen. Wenn du ihn anstrebst, mußt du dich um des Lernens willen plagen und alle Fähigkeiten einsetzen, um mit den anderen Studenten Schritt zu halten und sie zu übertreffen. Du mußt mit dem Eifer des Begnadeten oder des Verfluchten studieren.«

Rob holte Luft. Er blickte Ibn Sina noch immer leidenschaftlich in die Augen und sagte sich, daß er sich nicht durch die halbe Welt gekämpft hatte, um dann zu scheitern.

Er erhob sich, um sich zu verabschieden, doch da fiel ihm etwas ein. »Besitzt Ihr Hunains ›Zehn Abhandlungen über das Auge‹, Arzt aller Ärzte?«

Nun lächelte Ibn Sina. »Ja.« Er holte eilig das Buch und übergab es seinem Studenten.

Der Maidan

Früh an einem Morgen, an dem Rob es eilig hatte, suchten ihn drei Soldaten auf. Er erschrak und machte sich auf alles Mögliche gefaßt, doch diesmal zeigten sie sich äußerst höflich und respektvoll. Ihr Führer, dessen Atem verriet, daß er zum Frühstück grüne Zwiebeln gegessen hatte, verbeugte sich tief.

»Wir wurden ausgesandt, um Euch zu benachrichtigen, Herr, daß morgen nach dem zweiten Gebet ein Empfang bei Hof stattfindet. Die Träger eines *calaat* werden dazu erwartet.«

Somit befand sich Rob am nächsten Morgen wieder unter den vergoldeten Gewölben der Halle der Säulen. Diesmal waren keine Menschenmassen anwesend, was Rob bedauerte, denn der *Shahansha* strahlte in voller Pracht. Alã-al-Dawla trug einen Turban, ein fließendes Gewand, spitze, purpurne Schuhe, eine karmesinrote Hose mit Wickelgamaschen und eine schwere Krone aus getriebenem Gold. Der Großwesir Imam Mirza-abul Quandrasseh saß auf einem niedrigeren Thron neben ihm. Wie gewöhnlich war er in *mullah*-Schwarz gekleidet.

Die Empfänger eines *calaat* standen als Beobachter abseits vom Thron. Rob konnte Ibn Sina nirgends sehen und erkannte niemanden in der Nähe außer Khuff, den Stadthauptmann.

Der Boden in der Umgebung Alãs war mit Teppichen, in denen Seiden- und Goldfäden glänzten, bedeckt. Zu beiden Seiten der Throne und ihnen zugewandt saß eine Schar prächtig gekleideter Männer. Rob ging zu Khuff und berührte seinen Arm. »Wer sind sie?« flüsterte er.

Khuff blickte den fremden Hebräer verächtlich an, antwortete aber geduldig, wie es seine Pflicht war: »Das Reich ist in vierzehn Provinzen unterteilt, in denen es fünfhundertvierundvierzig besondere Orte gibt: Städte, ummauerte Ortschaften und Burgen. Dies hier sind die *mirzes, chawns,* Sultane und *beglerbegs,* die dort regieren und unter der Herrschaft von Alā-al-Dawla *Shahansha* stehen.«

Der Empfang sollte offenbar bald beginnen, denn Khuff eilte davon und postierte sich unter der Tür.

Der Botschafter Armeniens war der erste Gesandte, der in der Halle einritt. Er war ein noch junger Mann mit schwarzem Haar und Bart, seiner Erscheinung nach jedoch eine graue Eminenz, denn er ritt eine graue Stute und trug Silberfuchsschwänze auf einem grauen Seidengewand. Hundertfünfzig Schritte vor dem Thron wurde er von Khuff angehalten, der ihm beim Absteigen half und ihn den restlichen Weg führte, damit er Alās Füße küßte.

Nachdem das erledigt war, überreichte der Gesandte dem Schah verschwenderische Geschenke von seinem Landesherrn, darunter eine große Kristallaterne, neun kleine Kristallspiegel mit Goldrahmen, hundertzwanzig Ellen Purpurstoff, zwanzig Flaschen feines Parfüm und fünfzig Zobelfelle.

Alā hieß den Armenier ohne sonderliches Interesse an seinem Hof willkommen und trug ihm auf, seinem gnädigen Herrn für die Geschenke zu danken.

Als nächster ritt der Gesandte der Khasaren ein, wurde von Khuff in Empfang genommen, und die gesamte Zeremonie wurde wiederholt. Das Geschenk des Khasarenkönigs bestand aus drei schönen Araberpferden und einem angeketteten jungen Löwen, der allerdings nicht gezähmt war, so daß das Tier in seiner Angst auf den Teppich mit den Gold- und Seidenfäden schiß.

Die Anwesenden warteten stumm auf die Reaktion des Schahs. Alā runzelte weder die Stirn noch lächelte er, sondern er wartete, bis Sklaven und Diener eilig die beleidigende Substanz, die Geschenke und den Khasaren entfernten. Die Höflinge zu Füßen des Schahs saßen wie leblose Statuen auf ihren Kissen, den Blick auf den König der Könige gerichtet. Sie waren wie Schatten, bereit, sich im Gleichklang mit Alās Körper zu bewegen. Endlich erfolgte ein kaum wahrnehmbares Signal, und alles atmete auf, als der nächste Gesandte, der des Emirs von Qarmatien, angekündigt wurde und auf einem rotbraunen Pferd in die Halle ritt.

Rob schaute weiterhin respektvoll zu, aber im Geist verließ er den Hof, um stumm seine Lektionen zu memorieren. Die vier Elemente: Erde, Wasser, Feuer und Luft; die durch Berührung erkennbaren Eigenschaften: Kälte, Hitze, Trockenheit und Feuchtigkeit; die Temperamente: sanguinisch, phlegmatisch, cholerisch und melancholisch; die Fähigkeiten: körperliche, seelische und geistige.

Er stellte sich die einzelnen Teile des Auges vor, wie Hunain sie anführte, nannte sieben Heilkräuter und Medikamente, die für Wechselfieber, und achtzehn, die für Fieber empfohlen wurden, und sagte sogar im Geist mehrmals die neun ersten Strophen der dritten *sura* des *Qu'ran* mit dem Titel »Die Familie von Imran« auf.

Seine Beschäftigung begann ihm eben zu gefallen, als er unterbrochen wurde, weil er sah, daß Khuff in einen Wortwechsel mit einem herrischen, weißhaarigen alten Mann auf einem nervösen dunklen Fuchs verstrickt war.

»Ich werde als letzter vorgestellt, weil ich ein Seldschukentürke bin. Das ist eine absichtliche Beleidigung meines Volkes.«

»Jemand muß der letzte sein, Hadad *Kahn*, und an diesem Tag ist es Eure Exzellenz«, beruhigte ihn der Stadthauptmann.

Wütend versuchte der Seldschuke, das große Pferd an Khuff vorbeizutreiben und bis zum Thron zu reiten. Der grauhaarige alte Soldat tat, als wäre der Hengst und nicht der Reiter schuld. »Ho!« schrie er, packte den Zügel und versetzte dem Pferd mit seinem Stock mehrere kräftige Schläge auf die Nase, worauf das Tier wieherte und zurückwich.

Die Soldaten hielten den Hengst im Zaum, während Khuff dem *khan* beim Absteigen half, wobei seine Hände nicht übertrieben sanft mit ihm umgingen. Dann führte er den Gesandten zum Thron.

Der Seldschuke führte den *ravi zemin* nur flüchtig aus und entbot mit zitternder Stimme die Grüße seines Fürsten, ohne Geschenke zu überreichen.

Alā-al Dawla vergeudete kein Wort, sondern entließ ihn kalt mit einem Wink seiner Hand, und die Audienz war zu Ende, die nach Ansicht Robs bis auf den Gesandten der Seldschuken und den scheißenden Löwen außerordentlich langweilig verlaufen war.

Bei Hinda, der Händlerin auf dem Judenmarkt, kaufte er drei *mesusas,* die kleinen, hölzernen Röhrchen, welche winzige, zusammengerollte Pergamente mit Zitaten aus der Heiligen Schrift enthielten. Sie gehörten zu seiner Tarnung. Er befestigte sie an den rechten Pfosten seiner Türen, nicht weniger als eine Handbreite vom oberen Rand, so wie die *mesusas* in den jüdischen Häusern von Tryavna angebracht gewesen waren.

Einem indischen Tischler beschrieb er, was er wollte, indem er Skizzen auf die Erde zeichnete, und der Mann fertigte ihm ohne Schwierigkeiten einen groben Tisch aus Olivenholz und einen Stuhl aus Kiefernholz im europäischen Stil an. Von einem Kupferschmied erstand Rob ein paar Küchengeräte. Sonst befaßte er sich kaum mit dem wenig gepflegten Haus, so daß er genausogut in einer Höhle hätte wohnen können. Der Winter stand bevor. Die Nachmittage waren noch heiß, aber die Nachtluft, die durch die Fenster drang, wurde rauh und kündigte den Wechsel der Jahreszeit an. Er fand auf dem armenischen Markt mehrere billige Schaffelle und schlief zufrieden unter ihnen.

An einem Freitagabend überredete ihn sein Nachbar Jakob ben Rashi, der Schuhmacher, zum Sabbatessen zu ihm zu kommen. Es war ein bescheidenes, aber gemütliches Haus, und Rob genoß zunächst die Gastfreundschaft. Naoma, Jakobs Frau, bedeckte ihr Gesicht und sprach den Segen über die Wachskerzen. Die dralle Tochter Lea trug eine schmackhafte Mahlzeit aus Flußfischen, gedünstetem Geflügel, *pilaw* und Wein auf. Lea hielt den Blick zumeist sittsam gesenkt, lächelte jedoch Rob einige Male an. Sie war im heiratsfähigen Alter, und ihr Vater machte zweimal während des Essens vorsichtige Andeutungen über ihre beträchtliche Mitgift. Man schien allgemein enttäuscht zu sein, als Rob sich bald zu seinen Büchern zurückzog und sich dankend verabschiedete.

Sein Leben verlief nach einer festen Ordnung. Tägliche religiöse Übungen waren für den Studenten der *madrassa* obligatorisch. Die Juden durften ihren eigenen Gottesdienst besuchen, weshalb Rob jeden Morgen zur Synagoge ging, die Haus des Friedens hieß. Die Vormittage waren mit Vorlesungen in Philosophie und Religion, die er mit grimmiger Zielstrebigkeit besuchte, und mit einer Unmenge von medizinischen Kursen ausgefüllt.

Er machte Fortschritte in der persischen Sprache, doch es kam immer wieder während einer Vorlesung vor, daß er gezwungen war, nach der Bedeutung eines Wortes oder einer Redewendung zu fragen. Manchmal gaben ihm die anderen Studenten eine Erklärung, oft freilich auch nicht.

Eines Morgens erwähnte Sajjid Sa'di, der Philosophielehrer, das *gashtagh-daftaran*. Rob beugte sich zu Abbas Sefi, der neben ihm saß. »Was ist das *gashtagh-daftaran*?«

Aber der dicke Medizinstudent warf ihm nur einen ärgerlichen Blick zu und schüttelte den Kopf.

Jemand stieß Rob in den Rücken. Als er sich umdrehte, sah er Karim Harun auf dem steinernen Sitz hinter und über ihm. Karim grinste. »Eine Schule von alten Schreibern«, flüsterte er. »Sie haben die Geschichte der Astrologie und der frühen persischen Wissenschaft aufgezeichnet.« Der Sitz neben ihm war frei, und er zeigte darauf. Rob wechselte den Platz. Von nun an sah er sich um, sooft er eine Vorlesung besuchte; wenn Karim anwesend war, saßen sie nebeneinander.

Der liebste Teil des Tages war ihm der Nachmittag, an dem er im *maristan* arbeitete. Das wurde in seinem dritten Monat an der Schule, als er an die Reihe kam, die Patienten zu untersuchen, noch besser. Der Aufnahmevorgang setzte ihn wegen seiner Kompliziertheit in Staunen, doch al-Juzjani zeigte ihm, wie es gemacht wurde.

»Hör gut zu, denn das ist eine wichtige Aufgabe!«

»Ja, *Hakim*.« Er hatte sich angewöhnt, al-Juzjani immer gut zuzuhören, denn er hatte bald gemerkt, daß der Chirurg neben Ibn Sina der beste Arzt am *maristan* war. Einige Studenten hatten ihm verraten, daß al-Juzjani zwar die längste Zeit seines Lebens Ibn Sinas Assistent und Mitarbeiter gewesen war, daß er jedoch aus eigener Machtbefugnis sprach.

»Du mußt die ganze Geschichte des Kranken aufzeichnen, und bei der ersten Gelegenheit wirst du sie ausführlich mit einem älteren Arzt besprechen.«

So wurde also jeder Kranke nach seiner Beschäftigung, seinen Gewohnheiten, nach ansteckenden Krankheiten, an denen er gelitten hatte, sowie nach Atem-, Magen- und Harnbeschwerden gefragt. Der Patient mußte die gesamte Kleidung ablegen, und die körperliche Untersuchung umfaßte auch eine gehörige Prüfung von Speichel,

Erbrochenem, Urin und Exkrementen; auch der Puls wurde gemessen, und man versuchte, anhand der Wärme der Haut festzustellen, ob der Patient Fieber hatte.

Al-Juzjani zeigte ihm, wie er mit je einer Hand gleichzeitig über beide Arme des Patienten, dann über beide Beine, dann über beide Seiten des Körpers streichen mußte, damit jedes Gebrechen, jede Schwellung oder andere Unregelmäßigkeit erkannt wurde, weil sie sich anders anfühlte als das normale Glied oder die normale Seite. Er zeigte ihm auch, wie er mit den Fingerspitzen scharf und kurz auf den Körper des Patienten klopfen mußte, um vielleicht ein abnormales Geräusch zu bemerken und auf diesem Weg eine Krankheit zu entdecken. Vieles davon war für Rob neu und merkwürdig, aber er wurde rasch mit der Routine vertraut, und er fand sich leicht zurecht, weil er schon jahrelang Patienten untersucht hatte.

Seine schwierigste Tageszeit begann am frühen Abend, wenn er in sein Haus in der Jehuddijeh zurückkehrte, denn da begann der Kampf zwischen dem Bedürfnis zu studieren und dem Bedürfnis zu schlafen. Aristoteles erwies sich dabei als weiser alter Grieche, und Rob lernte, daß ein fesselnder Gegenstand das an sich unangenehme Studium zu einem Vergnügen machen konnte. Dies war eine bedeutsame Entdekkung, vielleicht die einzige, die ihm ermöglichte, so verbissen zu arbeiten, wie es notwendig war, denn Sajjid Sa'di schrieb ihm bald vor, Plato zu lesen; und al-Juzjani trug ihm so nebenbei, als solle er ein Stück Holz ins Feuer legen, auf, die zwölf Bücher über Medizin in der »Historia naturalis« des Plinius zu lesen – »als Vorbereitung für die Lektüre des gesamten Galen im nächsten Jahr«.

Rob mußte auch ständig den *Qu'ran* auswendig lernen. Je mehr er seinem Gedächtnis zumutete, desto gereizter wurde er, zumal das Buch aus Wiederholungen bestand und voller Anschuldigungen gegen Juden und Christen war.

Aber er gab nicht auf. Er verkaufte den Esel und das Maultier, damit er keine Zeit mehr für sie aufwenden mußte. Er aß seine Mahlzeiten schnell und ohne Vergnügen; der Leichtsinn hatte keinen Raum in seinem Leben. Jeden Abend las er, bis er nicht mehr konnte, und es gelang ihm, winzige Mengen Öl in seine Lampe zu gießen, damit sie von selbst erlosch, wenn sein Kopf auf seine Arme sank und er am Tisch über seinen Büchern einschlief. Jetzt wußte er, warum Gott ihm einen großen, kräftigen Körper und gute Augen gegeben hatte, denn sein Bemühen, ein Gelehrter zu werden, strengte ihn bis zur Grenze seiner Leistungsfähigkeit an.

Eines Abends, als er nur noch wußte, daß er nicht mehr studieren konnte und ausspannen mußte, floh er aus dem Häuschen in der Jehuddijeh und stürzte sich in das Nachtleben des nächstgelegenen *maidan.*

Er war die weiten Plätze der Stadt gewöhnt, wie sie ihm tagsüber erschienen: von der Sonne ausgedörrte, freie Räume, auf denen nur wenige Leute umhergingen oder schlafend im Schatten lagen. Doch er stellte fest, daß diese Plätze bei Nacht kühl und lebendig wurden und daß auf ihnen ausgelassene Feste unter den Männern des einfachen Volkes stattfanden.

Rob blieb an einem mit Fackeln beleuchteten Bücherstand stehen, wo der erste Band, den er sich ansah, eine Sammlung von Zeichnungen enthielt. Jede Skizze zeigte im Grunde das gleiche: Mann und Frau, die geschickt in den verschiedenen Stellungen des Liebesaktes abgebildet waren, Stellungen, die ihm nicht einmal in seinen kühnsten Träumen eingefallen wären.

»Alle vierundsechzig sind abgebildet, Herr«, warb der Buchhändler.

Rob hatte nicht die geringste Ahnung, was mit den vierundsechzig gemeint war. Er wußte nur, daß es gegen das Gesetz des Islam war, Bilder von der menschlichen Gestalt zu verkaufen oder zu besitzen, denn der *Qu'ran* besagte, daß Allah – Er sei gepriesen! – der einzige Schöpfer des Lebens war. Aber das Buch fesselte Rob, und er kaufte es.

An einem Getränkestand wurde ihm von einem weibischen Kellner ein Lustknabe angeboten. Er winkte aber lieber einer gut instandgehaltenen Kutsche, auf deren Tür eine Lilie gemalt war. Drinnen war es dunkel. Eine Frau wartete, bis die Maultiere die Kutsche in Bewegung setzten, bevor sie sich regte.

Bald sah er sie so gut, um erkennen zu können, daß der füllige Körper gut auch ihn zur Welt gebracht haben könnte. Während des Aktes fand er sie angenehm, denn sie war eine ehrliche Hure; sie täuschte keine Leidenschaft oder angebliches Vergnügen vor, sondern betreute ihn sanft und geschickt.

Nachher zog die Frau an einer Schnur, um dem Zuhälter auf dem

Kutschbock die Beendigung des Beischlafs anzuzeigen, worauf dieser die Maultiere zügelte.

»Bring mich nach der Jehuddijeh«, rief Rob. »Ich werde die Zeit bezahlen.«

Sie lagen bequem in der schwankenden Kutsche. »Wie heißt du?« fragte er.

»Lorna.« Sie war erfahren genug, um nicht nach seinem Namen zu fragen.

»Ich bin Jesse ben Benjamin.«

»Sei gegrüßt, *Dhimmi!*« Sie berührte schüchtern die angespannten Muskeln in seinen Schultern. »Warum sind sie wie Seilknoten? Wovor hast du Angst, ein großer junger Mann wie du?«

»Ich fürchte, ich bin ein Ochse, wenn ich ein Fuchs sein müßte.« Er erwiderte ihr Lächeln.

»Du bist kein Ochse, das habe ich gemerkt«, antwortete sie trocken. »Was machst du hier?«

»Ich studiere am *maristan*, um Medicus zu werden.«

»Ah. Wie der Arzt aller Ärzte. Meine Kusine ist Köchin bei seiner ersten Frau, seit er in Isfahan weilt.«

»Kennst du den Namen seiner Tochter?« fragte er.

»Es gibt keine Tochter, Ibn Sina hat keine Kinder. Er hat zwei Frauen, Reza, die Fromme, die alt und krank ist, und Despina, die Häßliche, die aber jung und schön ist, aber Allah – Er sei gepriesen! – hat keine von beiden mit Nachkommen gesegnet.«

»Ich verstehe.«

Er nahm sie noch einmal gemächlich, bevor die Kutsche in der Jehuddijeh ankam. Dann dirigierte er den Kutscher bis zu seiner Tür und bezahlte gut dafür, daß er dank dieser Frau wieder fähig war, hineinzugehen, seine Lampe anzuzünden und sich seinen besten Freunden und schlimmsten Feinden, den Büchern, zu stellen.

Die Belustigung des Schahs

Er befand sich in einer großen Stadt inmitten von Menschen, lebte aber dennoch einsam. Jeden Morgen kam er mit den anderen Studenten zusammen, und jeden Abend verließ er sie wieder. Er wußte, daß Karim, Abbas und noch einige in Zellen innerhalb der *madrassa* untergebracht waren, und er nahm an, daß Mirdin Askari und die anderen jüdischen Studenten irgendwo in der Jehuddijeh wohnten, aber er hatte keine Ahnung, wie ihr Leben außerhalb der Schule und des Krankenhauses verlief. Vermutlich weitgehend wie das seine, ausgefüllt mit Lesen und Lernen. Er war zu beschäftigt, um sich seiner Einsamkeit bewußt zu werden.

Nur zwölf Wochen lang blieb Rob damit betreut, neue Patienten ins Krankenhaus aufzunehmen, dann wurde ihm eine Aufgabe zugeteilt, die er haßte: Die diensttuenden Studenten waren abwechselnd an den Tagen, an denen vom *kelonter* Urteile vollstreckt wurden, ans islamische Gericht befohlen.

Robs Magen revoltierte, als er zum erstenmal ins Gefängnis zurückkam und an den *carcans* vorbeiging. Ein Wächter führte ihn zu einem Verlies, in dem sich ein Mann stöhnend hin und her warf. An der Stelle, an der sich die rechte Hand des Gefangenen befinden sollte, war ein grober, blauer Lappen mit einer Hanfschnur an den Stumpf gebunden, über dem der Unterarm schrecklich angeschwollen war.

»Kannst du mich hören? Ich heiße Jesse.«

»Ja, Herr«, murmelte der Mann.

»Wie heißt du?«

»Ich bin Djahel.«

»Wie lange ist es her, seit sie dir die Hand abgeschlagen haben?«

Der Mann schüttelte verwirrt den Kopf.

»Zwei Wochen«, antwortete der Wächter an seiner Statt.

Rob nahm den Lappen ab und fand eine Einlage aus Pferdemist. Als Baderchirurg hatte er oft gesehen, daß Mist auf diese Weise verwendet wurde, aber er wußte, daß dies selten vorteilhaft und meist schädlich war. Er warf die Einlage weg.

Der Unterarm war hinter der Amputationsstelle mit einer weiteren Hanfschnur abgebunden. Infolge der Schwellung hatte sich die Schnur in das Gewebe eingeschnitten, und der Arm begann bereits schwarz zu werden. Rob schnitt die Schnur durch und wusch den Stumpf langsam und sorgfältig. Er rieb ihn mit einer Mischung aus Sandelholz und Rosenwasser ein, bedeckte ihn anstelle des Mistes mit Kampfer, so daß Djahel zwar stöhnte, aber Erleichterung empfand.

Das war aber auch schon der beste Teil dieses Tages, denn er wurde von den Verliesen zum Gefängnishof geführt, wo die Bestrafungen begannen.

Sie spielten sich genauso ab, wie er sie während seiner Gefangenschaft hier erlebt hatte, nur daß er, während er im *carcan* gehangen hatte, sich in Bewußtlosigkeit hatte flüchten können. Jetzt stand er starr zwischen den *mullahs*, die Gebete sangen, während ein muskulöser Wächter ein übergroßes Krummschwert hob. Der Gefangene, ein Mann mit aschgrauem Gesicht, der wegen Anstiftung zum Verrat und Aufruhr verurteilt worden war, wurde gezwungen, niederzuknien und die Wange auf den Block zu legen.

»Ich liebe den Schah! Ich küsse seine geheiligten Füße!« schrie der kniende Mann in einem vergeblichen Versuch, das Urteil abzuwenden, doch niemand antwortete ihm, und das Schwert sauste herab. Der Schlag war sauber geführt, und der Kopf mit den vor Angst und Qual hervorquellenden Augen rollte bis vor einen *carcan*.

Die sterblichen Überreste des Hingerichteten wurden fortgeschafft, dann wurde einem jungen Mann, der mit der Frau eines anderen ertappt worden war, der Bauch aufgeschlitzt. Diesmal benutzte der Scharfrichter einen langen, schlanken Dolch, mit dem er den Bauch von links nach rechts aufschnitt, so daß die Gedärme des Ehebrechers rasch herausquollen.

Zum Glück gab es keine Mörder, die gestreckt, geviertelt und dann ausgelegt worden wären, um von Hunden und Aasgeiern gefressen zu werden.

Ein Dieb, der noch sehr jung war, beschmutzte sich vor Angst und Schmerz, als ihm die Hand abgeschlagen wurde. Es stand zwar ein Krug mit heißem Pech bereit, aber Rob brauchte ihn nicht, denn die Wucht des Schwertschlages verschloß den Stumpf, den Rob nur waschen und verbinden mußte.

Bei einer dicken, weinenden Frau war die Arbeit unangenehmer. Sie war verurteilt worden, weil sie sich zum zweitenmal über den *Qu'ran* lustig gemacht hatte, und ihr wurde die Zunge herausgeschnitten. Das rote Blut spritzte hervor, während sie heiser und wortlos schrie, bis es Rob gelang, die Blutgefäße abzuklemmen.

Ein wilder Haß auf die mohammedanische Justiz und Qandrassehs Gerichtshof begann sich in ihm zu regen.

»Das ist eines eurer wichtigsten Werkzeuge«, erklärte Ibn Sina den Medizinstudenten feierlich. Er hielt ein Uringlas hoch, das seit den Römern *matula* genannt wurde. Es war glockenförmig und hatte einen breiten, gebogenen Rand, um den Urin aufzufangen. Ibn Sina hatte einem Glasbläser beigebracht, die *matulae* für seine Ärzte und Studenten herzustellen.

Rob wußte längst, daß etwas nicht stimmte, wenn der Urin Blut oder Eiter enthielt, Ibn Sina aber hatte bereits zwei Wochen lang nur über den Urin vorgetragen.

War er dünn oder ölig? Die feinen Abstufungen des Geruchs wurden beurteilt und besprochen. Wies süßlicher Duft auf Zucker hin? Oder kreidiger Geruch auf das Vorhandensein von Steinen? Roch er infolge einer verzehrenden Krankheit säuerlich? Oder scharf nach Gras, weil jemand Spargel gegessen hatte? Floß der Harn reichlich, bedeutete das, daß der Körper die Krankheit hinausschwemmte. Floß er spärlich, konnte das bedeuten, daß inneres Fieber die Säfte des Organismus austrocknete.

Was die Färbung betraf, lehrte Ibn Sina seine Schüler, den Urin mit dem Blick eines Künstlers für seine Farbpalette zu betrachten. Einundzwanzig Farbabstufungen von fast Farblos über Gelb, dunklen Ocker, Gelbrot und Braun bis zu Schwarz zeigten die verschiedenen Kombinationen von *contenta* oder unaufgelösten Bestandteilen an.

Warum all dieses Getue über Pisse? dachte Rob müde. Laut fragte er: »Warum ist der Urin denn so wichtig?«

Ibn Sina lächelte. »Er kommt aus dem Körperinneren, wo sich wichtige Dinge abspielen.« Der Arzt aller Ärzte las ihnen einen Ausschnitt aus den Schriften Galens vor, in dem es hieß, daß die Nieren die Organe seien, die den Urin absonderten:

Jeder Schlächter weiß das aufgrund der Tatsache, daß er jeden Tag die Lage der Nieren und die der Harnleiter – Ureter genannt – sieht, die von jeder der beiden Nieren in die Blase führt, und wenn er die Anatomie betrachtet, schließt er daraus, was der Zweck der Nieren ist und welchen Vorgängen diese dienen.

Die Vorlesung brachte Rob in Harnisch. Ärzte sollten sich nicht mit Schlächtern beraten oder anhand von toten Schafen und Schweinen lernen müssen, wie Menschen gebaut sind. Wenn es so verdammt wichtig war zu wissen, was in den Körpern von Männern und Frauen vorging, warum schauten sie dann nicht in Männer und Frauen hinein? Wenn man Qandrassehs *mullahs* bei der Paarung oder einer Sauferei fröhlich vergessen konnte, warum wagten dann die Ärzte nicht, sich über die heiligen Männer hinwegzusetzen, um ihr Wissen zu erweitern? Niemand sprach von ewiger Verstümmelung oder Wiedererweckung der Toten, wenn ein islamischer Gerichtshof einem Gefangenen den Kopf abschnitt oder den Bauch aufschlitzte.

Früh am nächsten Morgen kamen zwei von Khuffs Palastwächtern mit einem von Maultieren gezogenen Wagen in die Jehuddijeh, um Rob abzuholen.

»Seine Majestät wird heute Besuche abstatten, Herr, und fordert Eure Anwesenheit«, meldete einer der Soldaten.

Was jetzt? fragte sich Rob.

»Der Stadthauptmann ersucht Euch um Eile.« Der Soldat räusperte sich verlegen. »Vielleicht wäre es besser, wenn der Herr seine besten Kleider anlegt.«

»Ich trage meine besten Kleider«, erwiderte Rob. Sie ließen ihn hinten im Wagen auf einigen Reissäcken Platz nehmen und hasteten mit ihm davon.

Sie verließen die Stadt in einer wahren Verkehrskolonne, die aus Höflingen zu Pferde und in Sänften bestand. Dazwischen fuhren die verschiedensten Wagen, die Geräte und Vorräte beförderten. Trotz seines einfachen Gefährts fühlte sich Rob königlich, denn er war noch nie über frisch geschotterte und mit Wasser besprengte Straßen gefahren. Jener Teil der Straße, auf dem, wie die Soldaten erzählten, nur der Schah reiste, war mit Blumen bestreut.

Die Fahrt endete vor dem Haus von Rotun ben Nasr, einem General der Armee. Der entfernte Vetter des Schahs war Ehrenvorsitzender der *madrassa*. »Das ist er«, sagte einer der Soldaten zu Rob und zeigte auf einen strahlenden, redseligen, affektierten, dicken Mann.

Der stattliche Besitz umfaßte ausgedehnte Ländereien. Die Belustigung des Schahs begann in einem weitläufigen, gepflegten Garten, in dessen Mitte ein großer Marmorbrunnen plätscherte. Rund um das Becken waren Teppiche aus Seide und Goldfäden ausgebreitet worden, die mit reich bestickten Kissen übersät waren. Diener eilten überall mit Tabletts umher, die mit Zuckerwerk, Bäckereien, parfümierten Weinen und anderen duftenden Getränken beladen waren. Außerhalb eines Tores an der Längsseite des Gartens bewachte ein Eunuch mit blankem Schwert ein drittes Tor, das zum Harem führte. Nach mohammedanischem Gesetz durfte nur der Herr des Hauses die Gemächer der Frauen betreten, und jeder männliche Eindringling mußte damit rechnen, daß ihm der Bauch aufgeschlitzt wurde. Somit hielt sich Rob gern vom dritten Tor entfernt und wanderte aus dem Garten hinaus auf einen angrenzenden offenen Platz voller Tiere, Adeliger, Sklaven, Diener und einem Heer von Gauklern und anderen Unterhaltungskünstlern, die alle zugleich übten.

Eine Schar edler vierbeiniger Geschöpfe war hier versammelt. In jeweils zwanzig Schritt Entfernung voneinander war ein Dutzend der erlesensten Araberschimmelhengste, die er je gesehen hatte, angebunden. Ihre mutigen, dunklen Augen blickten nervös und stolz. Ihr Geschirr war einer näheren Betrachtung wert, denn vier der Zaumzeuge waren mit Smaragden, zwei mit Rubinen, drei mit Diamanten und drei mit verschiedenfarbigen Edelsteinen verziert, die Rob nicht benennen konnte. Die Pferde waren in tief herabhängende, deckenartige Schabracken aus perlenbesetztem Goldbrokat gehüllt und mit geflochtenen Kordeln aus Seide und Gold an Ringe gebunden, die an dicken, goldenen, in den Boden getriebenen Stiften befestigt waren.

Dreißig Schritt von den Pferden entfernt sah er wilde Tiere: zwei Löwen, einen Tiger und einen Leoparden; jedes einzelne ein prächtiges Exemplar auf einem eigenen, großen, scharlachroten Teppich. Die Raubtiere waren auf die gleiche Weise angebunden wie die Pferde, vor jedem stand eine goldene Wasserschüssel.

In einem Gehege dahinter stand ein halbes Dutzend weißer Antilopen beisammen, deren lange Hörner – anders als bei den Hirschen in England – vollkommen gerade waren. Sie beäugten ängstlich die Großkatzen, die sie schläfrig anblinzelten.

Doch Rob verbrachte nur wenig Zeit bei diesen Tieren, er kümmerte sich kaum um all die Gladiatoren, Ringer, Bogenschützen und dergleichen, sondern lief an ihnen vorbei zu einem riesigen Geschöpf, das sofort seine Aufmerksamkeit erregte. In Reichweite von ihm blieb er stehen: Es war der erste lebende Elefant, den er sah.

Das Tier war noch massiger, als Rob erwartet hatte, und viel größer als jene Bronzestatue, die er in Konstantinopel gesehen hatte. Der Elefant war um die Hälfte höher als ein hochgewachsener Mann. Jedes seiner vier Beine glich einer dicken Säule, die in einem kreisrunden Fuß endete. Die faltige Haut schien für den Körper zu weit zu sein, war grau und von großen rosa Flecken übersät, die wie Flechten auf einem Felsen aussahen. Der gewölbte Rücken war höher als die Schulter, und vom Rumpf baumelte ein dickes Seil von Schwanz mit ausgefranstem Ende. Im Verhältnis zum riesigen Kopf erschienen die rosa Augen winzig, obwohl sie gar nicht so klein waren. Auf der schrägen Stirn befanden sich zwei kleine Höcker, als würden dort Hörner erfolglos versuchen durchzubrechen. Die sanft schwingenden Ohren waren beinahe so groß wie der Schild eines Kriegers, aber das hervorstechendste Merkmal dieses außergewöhnlichen Geschöpfes war seine Nase, die sich gleich einer riesigen Schlange dem Betrachter entgegenwölbte.

Der Elefant wurde von einem feingliedrigen Inder betreut, der eine graue Tunika und dazu einen weißen Turban, eine weiße Schärpe und eine weite Hose trug. Auf Robs Frage sagte er, er heiße Harsha und sei der *mahout* oder Elefantenwärter. Der Elefant sei Alā-al-Dawlas persönliches Reittier im Kampf und heiße Zi, die Abkürzung für Zi-al-Quarnayn, der Zweihörnige, zu Ehren der gefährlichen, vorstehenden Zähne, die gebogen und so lang waren, wie Rob groß war, und aus dem Oberkörper des Ungeheuers herausragten.

»Wenn wir in die Schlacht ziehen«, erzählte der Inder stolz, »trägt Zi einen eigenen Panzer, und an seinen Stoßzähnen sind lange, scharfe Schwerter befestigt. Er ist für den Kampf geschult, und wenn Seine Exzellenz auf seinem trompetenden Kriegselefanten angreift, lassen dessen Anblick und dieser Laut das Blut jedes Feindes erstarren.«

Der *mahout* ließ die Diener ununterbrochen Eimer mit Wasser bringen. Diese wurden in ein großes Goldgefäß geleert, aus dem das Tier Wasser in seine Schlangennase saugte, das es dann in seinen Mund spritzte.

Rob blieb beim Elefanten, bis ein Wirbel von Trommeln und Zimbeln die Ankunft des Schahs verkündete, dann kehrte er mit den anderen Gästen in den Garten zurück.

Alā *Shahansha* trug im Gegensatz zu den Gästen, die wie für einen

Staatsakt gekleidet waren, einfache, weiße Kleidung. Er erwiderte den *ravi zemin* mit einem Nicken und nahm auf einem prächtigen Stuhl, der erhöht über den Kissen der anderen Gäste stand, Platz.

Die Belustigung begann mit einer Darbietung der Schwertfechter, die ihre Krummsäbel mit solcher Kraft und Anmut schwangen, daß die Zuschauer gebannt den abgezirkelten Bewegungen einer Kampfübung folgten, die so ritualisiert war wie ein Tanz. Rob bemerkte, daß der Krummsäbel leichter war als das englische Schwert und schwerer als das französische; er erforderte beim Stoß die Geschicklichkeit eines Duellanten, beim Schlagen aber starke Handgelenke und Arme. Die aufregende Darbietung war für Rob viel zu früh zu Ende.

Akrobatische Zauberer zogen als nächste eine große Schau ab. Sie pflanzten einen Samen in die Erde, bewässerten ihn und bedeckten ihn mit einem Tuch. Hinter einer Wand von durcheinanderwirbelnden Körpern, genau auf dem Höhepunkt ihrer akrobatischen Darbietung, zog einer von ihnen heimlich das Tuch weg, stieß einen belaubten Zweig in den Boden und bedeckte ihn wieder. Sowohl die Ablenkung als auch die Täuschung waren für Rob klar ersichtlich, weil er auf sie gewartet hatte, und so war er belustigt, als das Tuch schließlich entfernt wurde und die Zuschauer »dem magisch wachsenden Baum« Beifall spendeten.

Alā *Shahansha* war sichtlich unruhig, als die Ringkämpfe begannen. »Meinen Langbogen«, rief er. Als der Bogen gebracht wurde, spannte und entspannte er ihn und zeigte seinen Höflingen, wie leicht er die schwere Waffe handhaben konnte. Die Menschen in seiner Umgebung bewunderten murmelnd seine Kraft, während andere die entspannte Stimmung nutzten und plauderten. Nun erst erfuhr Rob den Grund, weshalb er eingeladen war: Als Europäer stellte er wie die Tiere oder die Artisten eine zur Schau gestellte Kuriosität dar, und die Perser bestürmten ihn mit Fragen.

»Besitzt Ihr in Eurem Land – wie heißt es doch? – auch einen Schah?«

»Es heißt England. Ja, wir haben einen König. Er heißt Knut.«

»Sind die Männer Eures Landes Krieger und Reiter?« fragte ein alter Mann mit klugen Augen neugierig.

»Ja, ja, große Krieger und hervorragende Reiter.«

»Wie ist das Wetter und das Klima?«

»Kälter und feuchter als hier.«

»Und die Nahrung?«

»Anders als die Eure, nicht so stark gewürzt. Wir kennen keinen *pilaw*.«

Darüber waren alle entsetzt. »Keinen *pilaw!*« wiederholte der Alte verächtlich.

Sie umringten ihn, aber eher aus Neugierde als aus Zuneigung, und er fühlte sich in ihrer Mitte allein.

Alä *Shahansha* erhob sich. »Laßt uns zu den Pferden gehen!« rief er ungeduldig, und die Menge strömte hinter ihm auf das nahe Feld, obwohl die Ringer immer noch knurrend miteinander kämpften.

»Ball-und-Stock, Ball-und-Stock!« rief jemand und wurde sofort mit Beifall belohnt.

»Laßt uns spielen!« stimmte der Schah zu, wählte drei Männer als seine Mannschaft aus und vier Männer als ihre Gegner.

Ihre Pferde, die auf das Feld geführt wurden, waren zähe Ponys, die ein ganzes Stück kleiner waren als die verwöhnten weißen Hengste. Als alle aufgesessen waren, erhielt jeder Spieler einen langen, elastischen Stock, der am Ende gekrümmt war.

An den beiden Schmalseiten des langen Spielfeldes befanden sich je zwei ungefähr acht Schritt voneinander entfernte Steinsäulen. Jede Mannschaft galoppierte auf ihren Pferden zu einem solchen Tor, stellte sich davor in einer Reihe auf, so daß sich die Reiter wie feindliche Armeen gegenüberstanden. Ein Offizier, der als Schiedsrichter eingesetzt war, stand abseits von ihnen und rollte einen Holzball von der Größe eines Apfels in die Mitte des Feldes.

Die Zuschauer begannen zu schreien. Die Pferde stürmten in scharfem Galopp aufeinander zu, die Reiter schwenkten schreiend ihre Stöcke.

Mein Gott, dachte Rob entsetzt. Gebt acht, gebt acht! Drei Pferde stießen mit einem widerlichen Geräusch zusammen, eines von ihnen stürzte und überschlug sich, so daß sein Reiter in hohem Bogen davonflog. Der Schah riß seinen Stock herum, traf den Holzball voll, und die Pferde stürmten hinter ihm her, daß aus dem Rasen Fetzen flogen und die Hufe trommelten.

Das gestürzte Pferd wieherte schrill, als es versuchte, auf dem gebrochenen Sprunggelenk zu stehen. Ein paar Reitknechte kamen herbei, schnitten ihm die Kehle durch und schleppten es vom Feld, noch bevor sein Reiter auf die Füße gekommen war. Der hielt sich den linken Arm und lächelte mit zusammengebissenen Zähnen.

Rob nahm an, daß der Arm gebrochen war, und näherte sich dem Verletzten. »Soll ich Euch helfen?«

»Seid Ihr ein Medicus?«

»Ein Baderchirurg und Student im *maristan*.«

Der Adelige verzog erstaunt und empört das Gesicht. »Nein, nein! Wir müssen Abu Ubaid al-Juzjani rufen«, wehrte er ab, und sie führten ihn weg.

Sofort wurden ein anderes Pferd und ein frischer Mann ins Spiel genommen. Die acht Reiter hatten anscheinend vergessen, daß sie spielten. Sie trieben, als würden sie eine Schlacht austragen, ihre Pferde mit Peitschenhieben aufeinander zu, und beim Versuch, den Ball zu treffen und ihn zwischen die Torpfosten zu treiben, schlugen sie in gefährlicher Nähe ihrer Gegner und deren Pferden herum.

Auf den Schah wurde keine Rücksicht genommen. Männer, die sonst zweifellos getötet worden wären, wenn sie ihrem Herrscher einen verärgerten Blick zugeworfen hätten, taten jetzt ihr Bestes, um ihn zum Krüppel zu schlagen, und dem Murren und Flüstern der Zuschauer entnahm Rob, daß es ihnen nicht mißfallen hätte, wenn Alā *Shahansha* von einem Stockschlag getroffen oder abgeworfen worden wäre. Doch der Schah entging diesem Mißgeschick. Er ritt rücksichtslos wie die anderen, aber mit verblüffender Geschicklichkeit und lenkte sein Pony, ohne die Hände zu gebrauchen, die den Stock hielten, mit kaum erkennbarem Schenkeldruck. Er saß kräftig und selbstsicher im Sattel und ritt, als wäre er mit seinem Pferd verwachsen. Er beherrschte die Reitkunst auf eine Weise, wie Rob sie noch nie erlebt hatte. Verlegen dachte der an den alten Mann, der ihn nach der englischen Reitkunst gefragt und dem er versichert hatte, daß es um sie vortrefflich bestellt sei.

Die Luft war mit Staub erfüllt, und die Zuschauer schrien sich heiser. Trommeln dröhnten, und Zimbeln wurden ekstatisch aneinander geschlagen, wenn jemand einen Treffer erzielte, und schließlich hatte die Mannschaft des Schahs den Ball fünfmal zwischen die Pfosten getrieben, ihre Gegner jedoch nur dreimal. Das Spiel war zu Ende. Alās Augen leuchteten zufrieden, als er abstieg, denn allein er hatte zwei Treffer erzielt. Während die Ponys weggeführt wurden, pflockte man zwei junge Stiere in der Mitte des Feldes an, und zwei Löwen wurden auf sie losgelassen. Der Kampf war erstaunlich ungerecht, denn kaum waren die Großkatzen frei, wurden die Stiere von ihren Treibern niedergerissen. Man schlug ihnen Äxte über die Schädel und ließ dann die Raubtiere das noch zuckende Fleisch zerreißen.

Doch Rob begriff, daß hier menschliche Hilfe gewährt wurde, weil Alã *Shahansha* der Löwe von Persien war. Es wäre ungehörig und ein schlimmes Vorzeichen gewesen, wenn durch einen unglücklichen Zufall während dieser Belustigung ein Stier den Sieg über das Symbol der unerschütterlichen Macht des Königs der Könige errungen hätte.

Im Garten wiegten sich jetzt vier verschleierte Frauen zur Musik von Pfeifen im Takt, während ein Dichter von den *huri* sang, den blühenden, sinnlichen Jungfrauen des Paradieses. Alã *Shahansha* erhob sich, verließ die Menschen am Teich, ging an dem Eunuchen mit dem bloßen Schwert vorbei und begab sich in den Harem.

Rob starrte als einziger irritiert dem König nach, als Khuff, der Stadthauptmann, zu dem Eunuchen trat, um mit ihm das dritte Tor zu bewachen. Die fröhlichen Gespräche wurden lauter, in der Nähe lachte General Rotun ben Nasr, der Gastgeber der Belustigung des Schahs und Hausherr, laut über seine eigenen Scherze, als hätte Alã nicht soeben angesichts des halben Hofes seine Frauen aufgesucht. Hat man vom mächtigsten Herrn der Welt nichts anderes zu erwarten? fragte sich Rob.

Eine Stunde später kehrte der Schah huldvoll lächelnd zurück. Khuff verließ das dritte Tor, gab ein unauffälliges Zeichen, und das Festmahl konnte beginnen.

Die schönsten weißen Teller wurden auf Brokatdecken gestellt. Vier verschiedene Brotarten und acht verschiedene *pilaws* wurden gebracht, letztere in so großen Silberschüsseln, daß eine einzige für alle Gäste gereicht hätte. Der Reis besaß in jeder Schüssel eine andere Farbe und ein anderes Aroma, je nachdem er mit Safran, Zucker, Pfeffer, Zimt, Gewürznelken, Rhabarber, Granatapfelsaft oder Zitronensaft zubereitet worden war. Auf vier riesigen Tranchierbrettern lagen jeweils zwölf Hühner, auf zweien geschmorte Antilopenlenden, auf einem war auf dem Rost gebratenes Schaffleisch angehäuft, und vier weitere hatte man mit ganzen Lämmern beladen, die auf dem Spieß zart, saftig und knusprig gebraten worden waren.

Bader, Bader, wie schade, daß du nicht hier sein kannst! dachte Rob. Für jemanden, der von einem solchen Meisterkoch gelernt hatte, schmackhafte Speisen zu würdigen, hatte Rob in den letzten Monaten viel zu oft nur hastig spartanische Mahlzeiten zu sich genommen, um sich dem Studieren widmen zu können. Jetzt seufzte er und kostete alles mit Lust und Liebe.

Als die langen Schatten in Dämmerung übergingen, befestigten die Sklaven große Fackeln auf dem Rückenpanzer lebender Schildkröten und zündeten sie an. Vier übergroße Kessel wurden aus der Küche auf Stangen herangeschleppt. Einer war angefüllt mit Hühnereiern, die zu einer Creme geschlagen worden waren, einer enthielt eine nahrhafte klare Suppe mit Kräutern, einer war mit kleingehacktem Fleisch gefüllt, das mit scharfen Gewürzen versehen worden war, und der letzte enthielt dicke Scheiben von gebratenem Fisch, den Rob zwar nicht kannte, dessen Fleisch aber weiß und locker war und so köstlich schmeckte wie Forelle.

Aus der Dämmerung wurde Dunkelheit. Nachtvögel schrien. Sonst hörte man nur leises Gemurmel, Rülpsen sowie das Zerreißen und Kauen von Speisen. Denn sie aßen noch immer.

Es gab eine Platte mit Wintersalat, in Lake eingelegtes Wurzelgemüse und eine Schüssel Sommersalat, darunter römischer Lattich und bitteres, scharfes Grünzeug, das er noch nie gekostet hatte. Ein tiefer Suppennapf wurde vor jeden gestellt und mit süß-saurem *scherbett* gefüllt. Nun trugen Diener Ziegenschläuche mit Wein und Becher herbei sowie Teller mit Bäckereien, Honignüssen und gesalzene Pistazien.

Rob saß allein und trank den guten Wein. Er sprach nicht, noch wendete sich jemand an ihn, er beobachtete und lauschte mit der gleichen Neugierde, mit der er das Essen gekostet hatte.

Sobald die Ziegenschläuche geleert waren, wurden volle gebracht; der Vorrat aus dem Lagerhaus des Schahs war unerschöpflich. Gäste standen auf und entfernten sich, um sich zu erleichtern oder zu erbrechen. Einige waren vom Trinken blöd und schlapp. Schließlich wurde dem Schah übel. Dann verlor er das Bewußtsein und wurde zu seinem Wagen getragen.

Danach schlich sich Rob davon. Es schien kein Mond, und der Weg vom Besitz Rotun ben Nasrs zurück zur Stadt war schwer zu finden. Aus tiefem, erbittertem Ungehorsam ging Rob auf der für den Schah reservierten Straßenseite und blieb einmal stehen, um langsam und voll Befriedigung auf die ausgestreuten Blumen zu pissen.

Mitten in Isfahan hielt Rob an und setzte sich auf die niedrige Mauer. Er betrachtete diese seltsamste aller Städte, in der der *Qu'ran* alles verbot und die Menschen doch alles begingen. Ein Mann durfte bis zu vier Frauen haben, aber die meisten Männer waren bereit, ihr Leben aufs Spiel zu setzen, um mit fremden Frauen zu schlafen, während Alā *Shahansha* offen herumhurte, mit wem immer es ihm gefiel. Der Prophet hatte das Trinken von Wein als Sünde verboten, doch das gesamte Volk verlangte nach Wein, ein großer Teil der Bevölkerung trank übermäßig, und der Schah besaß ein riesiges Lagerhaus mit den erlesensten Jahrgängen.

Rob dachte über dieses Rätsel, das Persien hieß, nach, und als der Muezzin vom Minarett der Freitagsmoschee rief, ging er auf unsicheren Beinen unter einem perlgrauen Himmel nach Hause.

Die Abordnung

Ibn Sina war daran gewöhnt, daß der fromme Imam Qandrasseh Verderben prophezeite. Er konnte den Schah nicht beeinflussen, hatte aber seine Ratgeber mit zunehmender Schärfe darauf hingewiesen, daß Weintrinken und Unzucht die Vergeltung durch eine Macht, die über dem Thron stehe, bringen würden. Zu diesem Zweck hatte der Großwesir Nachrichten aus dem Ausland gesammelt und Beweise dafür vorgelegt, daß Allah – allmächtig ist Er! – auf der ganzen Erde die Sünder bestrafte.

Das schlimmste Anzeichen für Allahs Mißfallen kam von den königlichen Astrologen, die mit großer Sorge berichteten, daß es innerhalb von zwei Monaten zu einer Konjunktion der drei bedeutendsten Planeten, Saturn, Jupiter und Mars, im Zeichen des Wassermanns kommen würde. Sie stritten über das genaue Datum des Ereignisses, waren sich aber über seine Bedeutung einig. Selbst Ibn Sina hörte sich die Neuigkeit ernst an, denn er wußte, daß schon Ptolemaios über die von der Konjunktion des Mars und des Jupiter ausgehende Bedrohung geschrieben hatte.

Es war also alles längst vorherbestimmt, als Qandrasseh an einem strahlenden Morgen Ibn Sina kommen ließ und ihm mitteilte, daß in Schiras, der größten Stadt im Gebiet von Anshan, eine Seuche ausgebrochen sei.

»Welche Seuche?«

»Der Schwarze Tod«, antwortete der Imam.

Ibn Sina wurde blaß, hoffte aber, daß der Imam unrecht hatte, denn der Schwarze Tod hatte Persien schon dreihundert Jahre lang verschont. Aber sein Verstand befaßte sich sofort mit dem Problem. »Man muß sofort Soldaten auf der Gewürzstraße hinunter beordern, um alle Karawanen und Reisenden, die vom Süden kommen, zurückzuschikken. Und wir müssen eine Abordnung von Medizinern nach Anshan entsenden.«

»Wir bekommen nicht gerade viel Steuern aus Anshan«, gab der Imam zu bedenken, aber Ibn Sina schüttelte den Kopf.

»Es liegt in unserem eigenen Interesse, die Krankheit einzudämmen, denn der Schwarze Tod schreitet schnell von einem Ort zum anderen fort.«

Während Ibn Sina in sein Haus zurückkehrte, beschloß er, keine Abordnung von Kollegen zu schicken, denn falls die Pest nach Isfahan kam, würden die Ärzte hier benötigt werden. Er wollte statt dessen nur einen Arzt und eine Gruppe von Studenten aussuchen.

Die Notlage sollte benutzt werden, um die Besten und Stärksten zu erproben und abzuhärten. Nach kurzer Überlegung nahm Ibn Sina Feder, Tinte und Papier und schrieb:

Hakim Fadil Ibn Parviz, Leiter
Suleiman-al-Gamal, Student im dritten Jahr
Jesse ben Benjamin, Student im ersten Jahr
Mirdin Askari, Student im zweiten Jahr

Die Gruppe sollte aber auch einige der schwächsten Kandidaten der Schule enthalten, um diesen eine einmalige, von Allah gesandte Gelegenheit zu geben, ihre ungünstigen Lernergebnise vergessen zu lassen und doch noch Ärzte zu werden. Zu diesem Zweck fügte er der Liste folgende Namen hinzu:

Omar Nivahend, Student im dritten Jahr
Abbas Sefi, Student im dritten Jahr
Ali Rashid, Student im ersten Jahr
Karim Harun, Student im siebenten Jahr

Als die acht jungen Menschen versammelt waren und der Arzt aller Ärzte ihnen mitteilte, daß er sie nach Ashan schicken wolle, um die Pest zu bekämpfen, konnten sie weder ihm noch einander in die Augen sehen; es war eine Art von Verlegenheit.

»Jeder von euch muß Waffen tragen«, befahl Ibn Sina, »denn wir können unmöglich voraussehen, wie sich die Menschen verhalten werden, wenn dort die Pest ausgebrochen ist.«

Ali Rashid stieß einen langen, bebenden Seufzer aus. Er war sechzehn Jahre alt, ein Junge mit runden Wangen und sanften Augen, der so viel Heimweh nach seiner Familie in Hamadhān hatte, daß er Tag und Nacht weinte und sich seinem Studium nicht widmen konnte.

Rob zwang sich, sich auf die Worte Ibn Sinas zu konzentrieren: »...Wir können euch nicht sagen, wie ihr die Seuche bekämpfen sollt, denn zu unseren Lebzeiten ist sie nicht aufgetreten. Aber wir besitzen ein Buch, das Ärzte, die Seuchen an verschiedenen Orten überlebt haben, vor drei Jahrhunderten zusammengestellt haben. Wir werden euch dieses Buch geben. Zweifellos enthält es vielerlei Theorien und Maßnahmen von geringem Wert, aber darunter könnte es auch zweckdienliche Informationen geben.«

Ibn Sina strich sich den Bart.

»Angesichts der Möglichkeit, daß der Schwarze Tod eine Folge atmosphärischer Verseuchung durch faulige Ausdünstungen ist, müßt ihr meiner Ansicht nach mit aromatischen Hölzern große Feuer in der Nähe sowohl der Kranken als auch der Gesunden unterhalten. Die Gesunden sollten sich mit Wein oder Essig waschen und ihre Häuser mit Essig bespritzen, und sie sollten Kampfer und andere flüchtige Substanzen einatmen. Auch ihr, die ihr die Kranken behandeln werdet, solltet das tun. Es wäre gut, wenn ihr euch, sobald ihr euch den Kranken nähert, in Essig getauchte Schwämme vor die Nasen haltet und jegliches Wasser kocht, bevor ihr es trinkt, um es von allen Verunreinigungen zu befreien. Und ihr müßt jeden Tag eure Hände pflegen, denn der *Qu'ran* lehrt, daß sich der Teufel unter den Fingernägeln versteckt.«

Ibn Sina räusperte sich.

»Wer diese Seuche überlebt, darf nicht sofort nach Isfahan zurückkehren, sonst bringt er sie auch noch hierher. Ihr sucht ein Haus auf, das eine Tagereise östlich von der Stadt Nain und drei Tagereisen östlich von hier auf Ibrahims Felsen steht. Dort werdet ihr euch einen Monat lang ausruhen, bevor ihr zurückkommt. Verstanden?«

Sie nickten. »Ja, Herr«, antwortete *hakim* Fadil Ibn Parviz mit unsicherer Stimme, wobei er in einer neuen Stellung für alle sprach. Der junge Ali weinte leise vor sich hin. Karim Haruns Gesicht war von düsterer Vorahnung erfüllt. Schließlich sagte Mirdin Askari: »Meine Frau und die Kinder… Ich muß Vorkehrungen treffen, um sicher zu sein, daß es ihnen an nichts mangelt, wenn…«

Ibn Sina nickte. »Denjenigen von euch, die Verpflichtungen haben, stehen nur wenige Stunden Zeit zur Verfügung, um die entsprechenden Dinge zu erledigen.«

Rob hatte nicht gewußt, daß Mirdin verheiratet war und Kinder hatte. Der jüdische Student war stets verschlossen und selbstbewußt gewesen. Doch nun waren seine Lippen blutleer und bewegten sich in stummem Gebet.

Rob hatte ebensolche Angst wie die anderen vor dieser Aufgabe, von der es vielleicht keine Rückkehr gab, aber er bemühte sich um Beherztheit. Er würde nun wenigstens nicht mehr im Gefängnis als Hilfsarzt dienen müssen, sagte er sich.

»Noch etwas«, ergänzte Ibn Sina, der sie väterlich betrachtete. »Ihr müßt sorgfältig Aufzeichnungen führen, für diejenigen, welche die nächste Seuche zu bekämpfen haben. Und ihr müßt sie an einer Stelle hinterlegen, an der sie gefunden werden können, falls euch etwas zustoßen sollte.«

Als am nächsten Morgen die Sonne die Baumkronen rot färbte, trabten sie über die Brücke, die den Fluß des Lebens überquerte. Jeder hatte ein gutes Pferd und war entweder von einem Packpferd oder einem Maultier begleitet.

Nach einer Weile schlug Rob Fadil vor, daß ein Mann als Kundschafter vorausreiten und ein zweiter als Nachhut zurückbleiben solle. Der junge *hakim* tat, als überlegte er, dann gab er die entsprechenden Befehle.

Am selben Abend war Fadil sofort einverstanden, als Rob jenes System einander abwechselnder Wachtposten vorschlug, das in Karl Frittas Karawane angewendet worden war. Sie saßen um das Feuer aus Dornbüschen und schwankten zwischen lustiger und düsterer Stimmung.

»Galens bester Einfall war seine Äußerung darüber, was ein Medicus während der Pest tun soll«, behauptete Suleiman-al-Gamal finster. »Er sagte, ein Medicus sollte vor der Pest fliehen, um am Leben zu bleiben und die Kranken behandeln zu können, und genau das tat er auch.«

»Der große Arzt Rhazes hat es besser formuliert«, meinte Karim:

> *»Drei kleine Wörter vertreiben die Pest,*
> *Schnell, weit und spät, so man dich nur läßt.*
> *Schnell kannst du fort, so weit es nur geht,*
> *Und wenn du zurückkehrst, dann möglichst spät.«*

Ihr Gelächter war zu laut. Den ersten Wachtposten machte Suleiman. Es hätte daher die anderen am nächsten Morgen nicht so zu überraschen brauchen, als sie beim Erwachen feststellten, daß er sich während der Nacht aus dem Staub gemacht und seine Pferde mitgenommen hatte. Als sie am folgenden Abend ihr Lager aufschlugen, bestimmte Fadil Mirdin Askari zum Wachtposten, was sich als gute Wahl erwies: Askari bewachte sie gut.

Der Wachtposten bei ihrem dritten Lager war Omar Nivahend, der es Suleiman nachmachte und während der Nacht mit seinen Tieren floh. Als die zweite Flucht entdeckt wurde, hielt Fadil eine Beratung ab. »Es ist keine Sünde, vor dem Schwarzen Tod Angst zu haben, sonst wäre jeder von uns auf ewig verdammt«, begann er. »Und wenn ihr Galens und Rhazes' Ansichten beipflichtet, ist es auch keine Sünde zu fliehen – obgleich ich Ibn Sinas Meinung bin und glaube, daß ein Medicus die Pest bekämpfen sollte, statt Fersengeld zu geben. Doch es ist eine Sünde, seine Gefährten unbewacht zurückzulassen. Und es ist noch schlimmer, sich mit einem Packtier davonzustehlen, das Vorräte trägt, die von den Kranken und Sterbenden benötigt werden.« Er sah sie ruhig an. »Deshalb meine ich, wenn uns noch jemand verlassen will, dann möge er jetzt gehen. Und ich verspreche bei meiner Ehre, daß er das ohne Schande oder Vorhaltungen tun kann.«

Sie konnten einander atmen hören. Keiner trat vor.

Da meldete sich Rob zu Wort. »Ja, jeder sollte gehen dürfen, aber wenn er uns dadurch ohne Wachtposten zurückläßt, oder wenn er Vorräte mitnimmt, die von den Kranken, zu denen wir reisen, gebraucht werden, müssen wir einem solchen Deserteur nachreiten und ihn töten.«

Wieder herrschte Stille.

Mirdin fuhr sich mit der Zunge über die Lippen. »Ich stimme zu.«

»Ja«, bestätigte Fadil.

»Ich stimme gleichfalls zu«, sage Abbas Sefi.

»Und ich auch«, flüsterte Ali.

»Und ich ebenfalls«, sagte Karim.

Jeder von ihnen wußte, daß dies kein leeres Versprechen, sondern ein feierliches Gelübde war.

Zwei Nächte später war Rob als Wachtposten an der Reihe. Gegen Morgen stand er im Schatten eines großen Felsens nicht weit von den schlafenden Männern, als er merkte, daß einer von ihnen wach war und Vorbereitungen für den Aufbruch traf.

Karim Harun schlich durch das Lager und achtete darauf, die Schlafenden nicht zu wecken. Als er draußen war, begann er leichtfüßig den Weg hinunterzulaufen und war bald außer Sichtweite.

Harun hatte weder Vorräte mitgenommen noch die Gruppe unbewacht gelassen, und Rob unternahm keinen Versuch, ihn aufzuhalten. Aber er war enttäuscht, denn allmählich hatte er den gutaussehenden, verbitterten Studenten, der seit so vielen Jahren studierte, ins Herz geschlossen.

Etwa eine Stunde später zog er sein Schwert, weil er laute Schritte vernahm, die im grauen Morgenlicht auf ihn zukamen. Da tauchte Karim auf, der vor ihm stehenblieb und auf die blanke Klinge starrte, während seine Brust sich hob und senkte und sein Gesicht und das Hemd schweißnaß waren.

»Ich habe gesehen, wie du fortgingst. Ich dachte, daß du davonläufst.«

»Das bin ich auch.« Karim rang nach Luft. »Ich bin weggelaufen…
und ich bin wieder zurückgelaufen. Ich laufe jeden Tag«, sagte er
lächelnd, während Rob das Schwert in die Scheide steckte.

Karim lief jeden Morgen und kam immer schweißnaß zurück. Abbas
Sefi dagegen erzählte komische Geschichten, sang schlüpfrige Lieder
und war ein ironischer Spötter. *Hakim* Fadil rang gern, und wenn sie
abends lagerten, warf ihr Anführer sie alle in den Sand. Nur Rob und
Karim machten es ihm schwer. Mirdin war der beste Koch unter ihnen
und erklärte sich gutgelaunt bereit, die Abendmahlzeiten zuzubereiten. Der junge Ali, der Beduinenblut in den Adern hatte, war ein
gewandter Reiter und tat nichts lieber, als den Kundschafter zu
machen und der Abordnung weit voranzureiten. Bald glänzten seine
Augen vor Begeisterung statt vor Tränen, und er legte einen jugendli-
chen Schwung an den Tag, der ihm die Zuneigung seiner Kameraden
sicherte.
Ihre zunehmende Vertrautheit war angenehm, und auch der lange Ritt
wäre erfreulicher gewesen, wenn ihnen der *hakim* Fadil nicht während
der Ruhepausen immer wieder aus dem Pestbuch vorgelesen hätte, das
Ibn Sina ihm anvertraut hatte. Das Buch enthielt Hunderte von
Vorschlägen, und die verschiedenen Kapazitäten behaupteten alle, sie
wüßten, wie man die Seuche bekämpft.
Schließlich kamen sie überein, die von ihrem Lehrer vorgeschlagene
Lebensweise zu befolgen und alle anderen Ratschläge zu vergessen.
Während einer Rast am achten Tag las Fadil aus dem Buch vor, daß von
fünf Ärzten, die den Schwarzen Tod während der Seuche in Kairo
bekämpft hatten, vier an der Krankheit gestorben waren. Stille Melancholie herrschte, während sie weiterritten, als hätten sie erfahren, daß
ihr Schicksal besiegelt war.
Am nächsten Morgen kamen sie zu einem kleinen Dorf und erfuhren,
daß es Nardiz hieß und daß sie den Bezirk Anshan bereits betreten
hatten. Die Dorfbewohner behandelten sie voll Respekt, als der *hakim*
Fadil verkündete, daß sie Ärzte aus Isfahan seien, die Alā *Shahansha*
entsandt habe, um den von der Seuche Befallenen zu helfen.
»Bei uns gibt es keine Pest, *Hakim*«, sagte der Dorfvorsteher dankbar,
»aber aus Schiras erreichen uns Gerüchte von Tod und Leiden.«
Obwohl sie bei der Weiterreise aufmerksam achtgaben, sahen sie nur

gesunde Menschen. In einem Gebirgstal bei Naksh-i-Rustam kamen sie zu großen, in den Fels gehauenen Gräbern. Es waren die Ruhestätten von vier Generationen persischer Könige. Dort, mit dem Blick über das vom Wind gepeitschte Tal, ruhten seit fünfzehnhundert Jahren Darius der Große, Xerxes, Artaxerxes und Darius II. Seither waren zahllose Kriege, Seuchen und Eroberer gekommen und wieder im Nichts verschwunden. Während die vier Mohammedaner zum zweiten Gebet anhielten, standen Rob und Mirdin bewundernd vor einem der Gräber und lasen die Inschrift:

ICH BIN XERXES DER GROSSE KÖNIG, DER KÖNIG DER KÖNIGE, DER KÖNIG ÜBER LÄNDER UND VIELE VÖLKER, DER KÖNIG DES GROSSEN WELTALLS, DER SOHN VON DARIUS, DEM ACHAEMENIDEN.

Schließlich kamen sie zu einem schönen Besitz, einem prächtigen Haus inmitten bebauter Felder. Es schien verlassen zu sein, aber sie stiegen trotzdem ab. Nachdem Karim laut und lange geklopft hatte, wurde ein Guckloch in der Mitte der Tür geöffnet, und ein Auge starrte sie an.
»Verschwindet!«
»Wir sind eine Abordnung von Ärzten aus Isfahan auf dem Weg nach Schiras«, sagte Karim.
»Ich bin Ishmael, der Kaufmann. Ich kann Euch sagen, daß in Schiras nur mehr wenige Menschen am Leben sind. Vor sieben Wochen kam ein Heer von Seldschuken nach Anshan. Die meisten von uns flohen vor ihnen mit Frauen, Kindern und Tieren in die Mauern von Schiras. Die Seldschuken belagerten uns. Doch da die Pest bereits unter ihnen ausgebrochen war, gaben sie nach wenigen Tagen die Belagerung auf. Aber bevor sie abzogen, schossen sie die Leichen von zwei an der Pest gestorbenen Soldaten mit einem Katapult in die überfüllte Stadt. Sobald sie abgezogen waren, beeilten wir uns, die beiden Leichen aus der Stadt hinauszuschaffen und zu verbrennen, aber es war zu spät. Der Schwarze Tod trat unter uns.«
Erst jetzt fand der *hakim* Fadil die Sprache wieder. »Ist es eine schreckliche Seuche?«
»Man kann sich nichts Schlimmeres vorstellen«, antwortete die Stimme hinter der Tür. »Manche Menschen scheinen gegen die Krankheit unempfindlich zu sein, wie ich es, Allah – dessen Barmherzigkeit

überreich ist – sei Dank, war. Aber die meisten, die sich innerhalb der Mauern von Schiras befanden, sind tot oder liegen im Sterben.«

»Was ist mit den Ärzten von Schiras?« fragte Rob.

»Es gab noch vier Ärzte und zwei Baderchirurgen in der Stadt, alle anderen Nichtsnutzigen waren geflohen, sobald die Seldschuken abzogen. Die beiden Bader und zwei Ärzte halfen den Menschen, bis auch sie starben, und das ging schnell. Ein Arzt lag mit der Krankheit darnieder, und nur ein einziger Arzt war übriggeblieben, um die Kranken zu behandeln, als ich selbst vor zwei Tagen die Stadt verließ.«

»Dann scheint es, daß wir in Schiras dringend gebraucht werden«, stellte Karim fest.

»Ich habe ein großes, sauberes Haus«, erzählte der Mann, »in dem es reichlich Vorräte an Lebensmitteln, Wein, Essig und Limonen gibt. Auch ein großes Lager an Haschisch ist vorhanden, um die Sorgen zu vertreiben. Ich würde euch dieses Haus öffnen, denn es dient meiner Sicherheit, wenn ich Heilkundige einlasse. Später, wenn die Pest abgeklungen ist, können wir zu unserem gemeinsamen Vorteil Schiras aufsuchen. Wer will meine Sicherheit mit mir teilen?«

Stille trat ein.

»Ich«, meldete sich Fadil mit heiserer Stimme.

»Tut es nicht, *Hakim!*« ermahnte ihn Rob.

»Ihr seid unser Führer und unser einziger Arzt«, sagte Karim.

Fadil schien sie nicht zu hören. »Ich komme zu Euch, Kaufmann.«

»Ich werde auch hineingehen«, sagte Abbas Sefi.

Die beiden Männer glitten von ihren Pferden. Das Geräusch einer schweren Eisenstange, die weggeschoben wurde, war zu hören. Ein blasses, bärtiges Gesicht tauchte auf, als die Tür so weit geöffnet wurde, daß die beiden Männer hineinschlüpfen konnten, dann wurde die Tür zugeschlagen und versperrt.

Die zurückgebliebenen fühlten sich wie Schiffbrüchige auf dem Meer. Karim blickte Rob an. »Vielleicht haben sie recht«, murmelte er. Mirdin sprach kein Wort, sein Gesicht war verstört und ratlos. Der junge Ali war wieder den Tränen nahe.

»Das Pestbuch«, sagte Rob, dem einfiel, daß Fadil es in einer großen Tasche an einem Riemen um den Hals trug. Er ging zur Tür und hämmerte dagegen.

»Hau ab!« rief Fadil. Seine Stimme klang erschrocken; zweifellos hatte er Angst, die Tür zu öffnen, denn dann konnten sie sich auf ihn stürzen.

»Hört mich an, Ihr Scheißkerl!« Rob war wütend. »Wenn wir Ibn Sinas Pestbuch nicht bekommen, werden wir Holz und Reisig anhäufen und an den Mauern dieses Hauses aufschichten. Und ich werde es mit Vergnügen in Brand setzen, Ihr unwürdiger Vertreter Eures Standes!«

Einen Augenblick später hörten sie, wie die Stange nochmals entfernt wurde. Die Tür ging auf, und das Buch flog heraus und fiel zu ihren Füßen in den Staub.

Rob hob es auf und bestieg sein Pferd. Er ritt lange, bis er sich entschloß, sich im Sattel umzudrehen. Mirdin Askari und Karim Harun lagen weit zurück, aber sie kamen ihm nach. Der junge Ali Rashid bildete die Nachhut und führte Fadils Packpferd und Abbas' Maultier mit.

Der Schwarze Tod

Als sie schließlich am dritten Morgen ins Tal nach Schiras hinabritten, sahen sie von weitem Rauch aufsteigen. Die Näherkommenden trafen auf Männer, die außerhalb der Mauern Leichen verbrannten. Rob sah Dutzende von schwarzen Vögeln, die über dem Paß hinter Schiras schwebten, und nun wußte er, daß sie endlich auf die Seuche gestoßen waren.

Am Tor stand keine Wache, als sie in die Stadt einritten. »Sind die Seldschuken doch in die Stadt eingedrungen?« fragte Karim, denn Schiras wirkte geplündert. Es war eine schön angelegte Stadt aus rosa Stein mit vielen Gärten, aber überall zeigten rohe Stümpfe, wo früher große Bäume Schatten gespendet hatten, und sogar die Rosenbüsche in den Gärten waren ausgerissen worden, um damit die Scheiterhaufen für die Leichenverbrennungen zu unterhalten. Sie ritten durch menschenleere Straßen.

Da trafen sie auf einen Fußgänger. Sie schlossen ihn mit ihren Pferden ein, als er weglaufen wollte, und Rob zog sein Schwert. »Antworte, und wir tun dir nichts zuleide. Wo sind die Ärzte?«

Der Mann schlotterte vor Angst. Er hielt sich ein kleines Päckchen vor Mund und Nase, vermutlich aromatische Kräuter. »Beim *kelonter*«, keuchte er und zeigte die Straße hinunter.

Auf dem Weg kamen sie an einem Leichenwagen vorbei. Die beiden kräftigen Totengräber, deren Gesichter dichter verschleiert waren als bei einer Frau, hielten an, um den kleinen Leichnam eines Kindes, den man am Straßenrand zurückgelassen hatte, aufzuheben. Auf dem Wagen lagen drei Leichen von Erwachsenen, ein Mann und zwei Frauen.

Im Gemeindehaus stellten sie sich als die Ärzteabordnung aus Isfahan vor und wurden von einem kräftigen, militärisch aussehenden und einem alten, entkräfteten Mann angestaunt. Beide hatten so lange nicht geschlafen, daß ihre Gesichter schlaff und ihre Augen entzündet waren.

»Ich bin Debbid Kafiz, der *kelonter* von Schiras«, stellte sich der Jüngere vor. »Und das ist *Hakim* Isfari Sanjar, unser letzter Arzt.«

»Warum sind Eure Straßen so leer?« fragte Karim.

»Wir waren vierzehntausend Seelen«, antwortete Hafiz. »Als die Seldschuken kamen, flüchteten sich weitere viertausend in den Schutz unserer Mauern. Nach Ausbruch des Schwarzen Todes floh ein Drittel aller Bewohner von Schiras aus der Stadt, darunter alle Reichen und die gesamten Honoratioren, die dem *kelonter* und seinen Soldaten gern die Bewachung ihres Eigentums überließen. Fast sechstausend sind gestorben. Alle jene, die noch nicht erkrankt sind, hocken in ihren Wohnungen und beten zu Allah – Er ist barmherzig! –, daß sie verschont bleiben mögen.«

»Wie behandelt Ihr sie, *Hakim*?« fragte Karim.

»Gegen den Schwarzen Tod gibt es kein Mittel«, gestand der alte Arzt. »Ein Arzt kann nur hoffen, den Sterbenden etwas Trost zu bringen.«

»Wir sind noch keine Ärzte«, erklärte Rob, »sondern erst Studenten, die von ihrem Lehrer Ibn Sina zu Euch geschickt wurden, und wir werden Eure Anweisungen befolgen.«

»Ich gebe Euch keine Anweisungen, Ihr werdet tun, was Ihr könnt«, sagte *hakim* Isfari Sanjar rauh. »Ich gebe Euch nur einen Rat: Wenn Ihr am Leben bleiben wollt, so wie ich, müßt Ihr jeden Morgen zum Frühstück ein Stück in Weinessig getauchtes Röstbrot essen, und jedesmal, wenn Ihr mit jemandem sprecht, müßt Ihr zuerst einen

Schluck Wein trinken.« Rob wurde klar, daß das, was er für die Anzeichen von Altersschwäche gehalten hatte, in Wirklichkeit vorgeschrittene Trunkenheit war.

Aufzeichnungen der Medizinerabordnung aus Isfahan:

Wenn diese Zusammenfassung nach unserem Tod gefunden wird, wird derjenige, der sie Abu Ali al-Hussein Ibn Abdullah Ibn Sina, Arzt aller Ärzte, am maristan in Isfahan, überbringt, großzügig belohnt werden. Gegeben am 16. Tag des Monats Rabia I, im 413. Jahr nach der Hedschra.

Wir sind seit vier Tagen in Schiras, während denen allein 243 Menschen gestorben sind. Die Pest beginnt als leichtes Fieber, gefolgt von Kopfschmerzen, manchmal sehr schweren. Das Fieber steigt, und kurz danach tritt eine krankhafte Veränderung, für gewöhnlich bubo genannt, in der Leiste, in einer Achselhöhle oder hinter einem Ohr auf. Im Pestbuch werden solche bubos erwähnt, von denen hakim Ibn al-Khatim aus Andalusien meinte, daß sie vom Teufel stammen und immer die Form einer Schlange aufweisen. Die hier beobachteten sind nicht schlangenförmig, sondern rund und voll wie die krankhafte Veränderung eines Geschwürs. Sie können so groß wie eine Pflaume werden, aber die meisten haben die Größe einer Linse. Oft erbricht der Kranke Blut, was immer darauf hinweist, daß der Tod unmittelbar bevorsteht. Die meisten Opfer sterben innerhalb von zwei Tagen nach Auftreten eines bubo. Einige wenige haben Glück, weil das bubo eitert. Wenn dieser Fall eintritt, ist es so, als würde ein schlechter Saft aus dem Patienten entweichen, der dann vielleicht gesundet.

Jesse ben Benjamin
Student

Das Gefängnis hatte man in ein Pesthaus umgewandelt, nachdem die Gefangenen freigelassen worden waren. Es war mit Toten, Sterbenden und frisch Erkrankten überfüllt. Es waren so viele, daß es unmöglich war, einen von ihnen zu behandeln. Die Luft barst vom Stöhnen und Schreien, vom Gestank nach blutig Erbrochenem, ungewaschenen Körpern und menschlichen Exkrementen.

Nachdem Rob sich mit den anderen drei Studenten beraten hatte, ging er zum *kelonter* und ersuchte darum, die Zitadelle benutzen zu dürfen, in der Soldaten untergebracht waren. Seinem Wunsch wurde stattgegeben, und er ging im Gefängnis von einem Patienten zum anderen, beurteilte sie und faßte sie bei der Hand.

Die Botschaft, die dabei übermittelt wurde, war im allgemeinen schrecklich: Der Lebenskelch fast eines jeden war zu einem Sieb geworden.

Die Sterbenden wurden in die Zitadelle gebracht. Da es sich dabei um die Mehrzahl der Opfer handelte, konnten die noch nicht dem Tod Geweihten an einem sauberen und weniger überfüllten Ort gepflegt werden.

In Persien war Winter, das bedeutete kalte Nächte und warme Nachmittage. Die Bergspitzen glänzten vor Schnee, und am Morgen brauchten die Studenten Schaffellmäntel. Über dem Paß schwebten immer mehr schwarze Geier.

»Eure Leute werfen Leichen die Schlucht hinunter, statt sie zu verbrennen«, meldete Rob dem *kelonter*.

Kafiz nickte. »Ich habe es verboten, aber Ihr habt wohl recht. Das Holz ist knapp.«

»Jede Leiche muß verbrannt werden, ohne Ausnahme«, erkärte Rob entschieden, denn dies war eine Forderung, die Ibn Sina unnachgiebig vertrat. »Ihr müßt alles Erforderliche unternehmen, damit es auch bestimmt geschieht.«

An diesem Nachmittag wurden drei Männer geköpft, weil sie Leichen die Schlucht hinuntergeworfen hatten, und die Hinrichtung erhöhte die Zahl der Toten. Das hatte Rob nicht gewollt, und Hafiz war ängstlich.

»Woher sollen meine Männer das Holz nehmen? Alle unsere Bäume sind fort.«

»Schickt Soldaten in die Berge, damit sie Bäume fällen«, schlug Rob vor.

»Sie würden nicht mehr zurückkommen.«

Also beauftragte Rob den jungen Ali, Soldaten in die verlassenen Häuser zu führen. Die meisten Gebäude waren aus Stein, aber sie hatten hölzerne Türen, hölzerne Fensterläden und dicke Deckenbalken. Ali ließ die Männer das Holz herausreißen und -brechen, und außerhalb der Stadtmauern prasselten wieder die Scheiterhaufen.

Die Studenten versuchten, Ibn Sinas Anweisungen zu befolgen und durch vorgehaltene essiggetränkte Schwämme zu atmen, aber die Schwämme behinderte sie bei der Arbeit, weshalb sie sie bald wegwarfen. Sie folgten dem Beispiel von dem *hakim* Isfari Sanjar, würgten jeden Tag in Weinessig getauchtes Röstbrot hinunter und tranken reichlich Wein. Manchmal waren sie bei Einbruch der Nacht so betrunken wie der alte Medicus.

Wenn Mirdin zu tief ins Glas geschaut hatte, erzählte er ihnen von seiner Frau Fara und seinen kleinen Söhnen David und Issachar, die darauf warteten, daß er wohlbehalten nach Isfahan zurückkehrte. Er sprach sehnsüchtig vom Haus seines Vaters am Arabischen Meer, wo seine Familie die Küste bereiste und Zuchtperlen aufkaufte. »Ich mag dich«, gestand er Rob. »Wie kann jemand wie du mit meinem schrecklichen Vetter Arieh befreundet sein?«

Nun verstand Rob Mirdins anfängliche Zurückhaltung. »Ich bin kein Freund von Arieh. Arieh ist ein Scheißkerl.«

»Das ist er, ein Scheißkerl, genau das!« rief Mirdin, und sie lachten beide herzlich.

Der schöne Karim erzählte Geschichten über seine Eroberungen und versprach, für den jungen Ali das schönste Paar Titten im Östlichen Kalifat ausfindig zu machen, sobald sie nach Isfahan zurückkehrten. Karim lief jeden Tag durch die Stadt des Todes. Überall umgab sie der Tod, doch sie waren jung und lebendig, und sie versuchten, ihr Entsetzen zu verdrängen, indem sie so taten, als seien sie unempfindlich und nicht ansteckbar.

Aufzeichnungen der Medizinerabordnung aus Isfahan:

Niedergeschrieben am 28. Tag des Monats Rabia I, im 413. Jahr nach der Hedschra.

Aderlassen, Schröpfen und Purgieren zeitigen wenig Wirkung. Der Zusammenhang zwischen den bubos und dem Tod ist bemerkenswert, denn es erweist sich, daß der Patient wahrscheinlich überlebt, wenn das bubo aufbricht oder seine grüne, übelriechende Absonderung ausscheidet.

Möglicherweise kommen viele durch das erschreckend hohe Fieber ums Leben, das das Fett ihrer Körper frißt. Aber wenn die bubos aufbrechen, fällt das Fieber jäh, und die Genesung beginnt.

Nach dieser Beobachtung haben wir uns bemüht, die bubos *zum Reifen zu bringen, damit sie sich öffnen, indem wir Umschläge von Senf und Lilienknollen, von Feigen und gekochten Zwiebeln, die wir zerstoßen und mit Butter vermischt hatten, aufgelegt haben. Manchmal haben wir die* bubos *aufgeschnitten und sie wie Geschwüre behandelt, dies aber mit geringem Erfolg. Oft werden diese Schwellungen teils infolge der Krankheit und teils, weil die Wirkung der Zugmittel zu stark ist, so hart, daß man sie mit keinem Instrument aufschneiden kann. Wir haben auch versucht, sie mit Ätzmitteln auszubrennen, aber ohne Erfolg. Viele Patienten sind vor Schmerzen rasend gestorben und manche sogar während der Operation, so daß man uns nachsagen könnte, daß wir diese armen Kreaturen zu Tode gequält haben. Einige wurden jedoch gerettet. Sie wären vielleicht auch ohne uns am Leben geblieben, aber es bringt uns Trost zu glauben, daß wir einigen wenigen helfen konnten.*

Jesse ben Benjamin
Student

»Ihr Leichenfledderer!« schrie der Mann. Seine beiden Diener ließen ihn unsanft auf den Boden des Pesthauses fallen und flüchteten, zweifellos um sich seine Habseligkeiten anzueignen. Dergleichen war schon fast alltäglich angesichts der Seuche, die die Seelen ebenso schnell verdarb wie die Körper. Kinder mit *bubos* wurden von ihren vor Angst wahnsinnigen Eltern im Stich gelassen. Drei Männer und eine Frau waren an diesem Morgen geköpft worden, weil sie Plünderer waren, und ein Soldat wurde geschunden, weil er eine Sterbende vergewaltigt hatte. Karim, der die Soldaten die Häuser, in denen es Pestfälle gegeben hatte, mit Eimern voll Kalktünche reinigen ließ, behauptete, daß alle Laster grassierten und daß er Zeuge von unzähligen sexuellen Ausschreitungen geworden sei; offenbar klammerten sich viele mit fleischlicher Wildheit ans Leben.

Kurz vor Mittag schickte der *kelonter*, der das Pesthaus nie selbst betrat, einen blassen, zitternden Soldaten, der Rob und Mirdin auf die Straße holen sollte. Kafiz roch an einem mit Gewürzen gespickten Apfel, um die Krankheit abzuwehren. »Ich kann Euch mitteilen, daß die Zahl der Toten gestern auf siebenunddreißig zurückgegangen ist«, berichtete er triumphierend. Es war ein eindeutiger Fortschritt, denn am schlimmsten Tag in der dritten Woche nach Ausbruch der Seuche waren zweihundertsiebzig Menschen gestorben.

Kafiz erzählte ihnen, daß Schiras nach seiner Zählung 801 Männer, 502 Frauen, 3 193 Kinder, 566 männliche und 1 417 weibliche Sklaven, 2 syrische Christen und 32 Juden verloren habe.

Rob und Mirdin tauschten einen verständnisvollen Blick aus, denn ihnen war nicht entgangen, daß der *kelonter* die Opfer in der Reihenfolge ihrer Bedeutung aufgezählt hatte.

Der junge Ali kam die Straße herunter. Merkwürdigerweise wollte der Junge an ihnen vorbeigehen, ohne sie zu bemerken. Da rief Rob seinen Namen. Als er zu Ali trat, sah er, daß seine Augen verändert waren. Und als er Alis Kopf berührte, erschreckte ihn die wohlbekannte Hitze. *Mein Gott!*

»Ali«, sagte er freundlich, »du mußt jetzt mit mir ins Haus kommen.«

Sie hatten schon viele Menschen sterben sehen, aber als sie miterlebten, wie rasch die Krankheit von Ali Rashid Besitz ergriff, fühlten Rob, Karim und Mirdin die Schmerzen des Jungen mit.

Von Zeit zu Zeit krümmte sich Ali in einem plötzlichen Anfall zusammen, als hätte ihn etwas in den Magen gebissen. Er erschauerte zuckend vor Qual, und sein Körper verkrampfte sich zu seltsam verkrümmten Stellungen. Sie wuschen ihn mit Essig, und am frühen Nachmittag faßten sie wieder Hoffnung, denn er fühlte sich beinahe kühl an. Aber es war, als hätte das Fieber sich gesammelt, und als ein neuerlicher Anfall erfolgte, war er noch heißer als zuvor, seine Lippen platzten auf, und er verdrehte die Augen, bis nur noch das Weiße sichtbar war.

Inmitten all des Geschreis und Stöhnens ging das seine beinahe unter, doch die drei Kameraden vernahmen die schrecklichen Geräusche ganz deutlich, weil die Umstände sie sozusagen zu seiner Familie gemacht hatten.

Als die Nacht kam, lösten sie sich an seinem Bett ab. Der Junge lag kraftlos auf dem zerwühlten Lager, als Rob Mirdin vor Morgengrauen ablöste. Rob ergriff Alis Hände und spürte das Dahinschwinden seiner Lebenskräfte.

Als Karim Rob ablösen wollte, war Ali bereits verschieden. Nun konnten sie sich nicht mehr einreden, daß sie unempfindlich und nicht ansteckbar waren. Es wurde ihnen klar, daß bald einer von ihnen nachfolgen würde, und allmählich begriffen sie, was wahre Angst ist.

Sie begleiteten Alis Leiche zum Scheiterhaufen, und während er verbrannte, betete jeder auf seine Weise.

An diesem Morgen wurden sie aber auch Zeugen des Umschwungs: Es war offensichtlich, daß weniger Erkrankte ins Pesthaus gebracht wurden. Drei Tage danach berichtete der *kelonter*, der die Hoffnung in seiner Stimme kaum unterdrücken konnte, daß nur elf Personen gestorben waren.

Als Rob am Pesthaus vorbeiging, sah er eine große Schar toter und sterbender Ratten, und er bemerkte etwas Außergewöhnliches, als er sie genauer betrachtete: Die Nager hatten die Pest, denn fast alle von ihnen wiesen eine kleine, aber unübersehbare Beule aus. Er fand eine, die vor so kurzer Zeit gestorben war, daß ihr warmer Pelz noch vor Flöhen wimmelte. Er legte sie auf einen flachen Stein und schnitt sie mit einem Messer so fachgerecht auf, als blickte ihm al-Juzjani oder ein anderer Lehrer über die Schulter.

Aufzeichnungen der Medizinerabordnung aus Isfahan:

Geschrieben am 5. Tag des Monats Rabia II, im 413. Jahr nach der Hedschra:

Nicht nur Menschen, sondern auch Tiere sind gestorben. Wir haben erfahren, daß Pferde, Kühe, Schafe, Kamele, Hunde, Katzen und Vögel in Ashan an der Seuche gestorben sind. Die Untersuchung von sechs an der Pest gestorbenen Ratten hat interessante Ergebnisse gezeitigt. Die äußeren Symptome sind die gleichen wie bei den menschlichen Opfern: starrende Augen, verkrampfte Muskeln, aufgerissener Mund, heraushängende, schwärzliche Zunge, bubo in der Leistengegend oder hinter dem Ohr.

Wenn man diese Ratten untersucht, wird klar, warum die chirurgische Entfernung der Beule zumeist keinen Erfolg bringt. Die krankhafte Veränderung besitzt meist tiefe, karottenartige Wurzeln, die nach der Entfernung des sichtbaren Teils der Beule im Opfer zurückbleiben und ihr Vernichtungswerk vollenden.

Als ich die Bäuche der Ratten öffnete, stellte ich fest, daß die unteren Partien aller sechs Mägen und die oberen Gedärme durch grüne

Galle vollkommen verfärbt waren. Die unteren Gedärme waren fleckig. Die Leber war bei allen sechs Nagern verschrumpelt, und bei vier Ratten waren auch die Herzen geschrumpft.

Treten diese Veränderungen auch an den Organen menschlicher Opfer der Seuche auf?

Student Karim Harun sagt, Galen habe geschrieben, daß die innere Anatomie des Menschen der des Schweines und des Affen stark ähnle, sich aber von der der Ratte unterscheide.

Obwohl wir die kausalen Zusammenhänge des Pesttodes beim Menschen nicht kennen, können wir doch sicher sein, daß sie im Inneren vonstatten gehen und daher unserer Beobachtung entzogen sind.

Jesse ben Benjamin
Student

Als Rob zwei Tage später im Pesthaus arbeitete, fühlte er ein Unbehagen, eine Schwere, eine Schwäche in den Knien, Schwierigkeiten beim Atmen und ein inneres Brennen, als hätte er zu viele Gewürze genossen. Dieses Gefühl hörte nicht auf und wurde im Lauf des Nachmittags noch stärker. Rob zwang sich, es nicht zu beachten, bis er einem Opfer ins Gesicht sah. Es war entzündet und verzerrt, die glänzenden Augen quollen dem Mann aus den Höhlen, und Rob hatte das Gefühl, daß er sich selbst sah.

Er suchte Mirdin und Karim auf. In ihren Augen las er die Antwort. Bevor er sich von ihnen zu einem Strohsack führen ließ, bestand er darauf, das Pestbuch und seine Aufzeichnungen zu holen und sie Mirdin zu übergeben. »Wenn auch ihr beiden nicht überleben solltet, muß dies vom letzten so zurückgelassen werden, daß man es finden und an Ibn Sina schicken kann.«

»Ja, Jesse«, versprach Karim.

Rob war ruhig. Eine Last war von seinen Schultern genommen worden; das Schlimmste war eingetreten, aber er war auch von dem schrecklichen Gefängnis der Angst befreit.

»Einer von uns wird bei dir bleiben«, tröstete ihn der bekümmerte Mirdin.

»Nein, es gibt so viele hier, die euch brauchen.«

Aber er spürte, daß sie in der Nähe waren und ihn beobachteten. Er beschloß, jedes einzelne Stadium der Krankheit zu beobachten und es gut im Gedächtnis zu behalten. Doch schon als das hohe Fieber einsetzte und er so ungeheure Kopfschmerzen verspürte, daß die Haut seines ganzen Körpers empfindlich wurde, überwältigte ihn der Schlaf.

Am Morgen wurde er vom Lärm der Soldaten geweckt, die ihre schaurige Last vom Pesthaus zum Leichenwagen schleppten. Für ihn als Medizinstudenten war dies ein vertrauter Anblick, aber aus der Sicht eines Betroffenen sah es etwas anders aus. Sein Herz hämmerte, in seinen Ohren summte es. Die Schwere in all seinen Gliedern war schlimmer geworden, und in ihm tobte ein Feuerbrand.

»Wasser!«

Mirdin holte es eilig herbei, als Rob sich jedoch aufrichtete, um zu trinken, hielt er erschrocken den Atem an. Er zögerte, bevor er die Stelle betrachtete, wo er Schmerzen verspürte. Schließlich deckte er sie auf, und er und Mirdin wechselten einen angstvollen Blick. In seiner linken Armbeuge befand sich eine scheußliche, fahl-purpurfarbene Beule.

Er packte Mirdin am Handgelenk. »Ihr werdet sie nicht aufschneiden! Und ihr dürft sie nicht mit Ätzmitteln verbrennen. Versprichst du es mir?«

Mirdin riß seine Hand los und drückte Rob auf den Strohsack zurück. »Ich verspreche es dir, Jesse«, antwortete er sanft und eilte davon, um Karim zu holen.

Mirdin und Karim zogen seine Hand hinter seinen Kopf und banden sie an einen Pfosten, so daß die Beule freilag. Sie erhitzten Rosenwasser und tränkten Lappen damit, um Kompressen aufzulegen, und sie wechselten die Umschläge gewissenhaft, wenn sie ausgekühlt waren.

Das Fieber stieg höher, als Rob es je, sei es als Erwachsener oder als Kind, erlebt hatte, und der ganze Schmerz in seinem Körper lief in der Beule zusammen, bis sein Geist der pausenlosen Qual nicht mehr gewachsen war und er phantasierte.

Er suchte Kühle im Schatten eines Weizenfeldes und küßte Mary. Er berührte ihren Mund und liebkoste ihr Gesicht. Ihr rotes Haar fiel über ihn wie dunkler Nebel.

Er hörte Karim persisch und Mirdin hebräisch beten. Als Mirdin das »*Schema Jisrael*« sprach, betete Rob mit: »Höre, o Israel, der Herr, unser Gott, der Herr ist einzig. Und du sollst den Herrn, deinen Gott, mit deinem ganzen Herzen lieben...«

Er wollte nicht mit den heiligen Worten der Juden auf den Lippen sterben und suchte nach einem christlichen Gebet. Das einzige, das ihm einfiel, war ein Kirchengesang der Priester aus seiner Kindheit.

Jesus Christus natus est.
Jesus Christus crucifixus est.
Jesus Christus sepultus est.
Amen.

Irgendwann hörte der Schmerz in seinem Arm so plötzlich auf, daß er die Erleichterung wie einen neuen Schmerz empfand. Er konnte sich keine falschen Hoffnungen erlauben und zwang sich, geduldig zu warten, bis jemand kam. Nach, wie ihm schien, übermäßig langer Zeit beugte sich Karim über ihn.

»Mirdin! Mirdin! Allah sei gepriesen! Die Beule ist aufgegangen!«

Zwei lächelnde Gesichter schwebten über ihm. Das eine war schön und dunkel, das andere schlicht und gütig wie das eines Heiligen.

»Ich werde einen Docht anlegen, damit sich der Eiter entleert«, sagte Mirdin, und eine Zeitlang waren die beiden zu beschäftigt, um ein Dankgebet sprechen zu können.

Es war, als hätte Rob das stürmische Meer durchquert und treibe jetzt in einem ruhigen, friedlichen Gewässer. Seine Genesung erfolgte ebenso rasch und problemlos wie bei anderen Überlebenden. Er war schwach und zittrig, was eine natürliche Folge des hohen Fiebers war. Rob wurde unruhig, weil er sich nützlich machen wollte, doch seine Pfleger zwangen ihn, müßig auf dem Strohsack liegenzubleiben.

»Die Medizin bedeutet dir alles«, bemerkte Karim eines Morgens scharfsinnig. »Ich weiß es, und deshalb habe ich keinen Einwand erhoben, als du die Führung unserer kleinen Gruppe in die Hand nahmst.«

Rob öffnete den Mund, um zu widersprechen, schloß ihn aber rasch, denn er merkte, daß es der Wahrheit entsprach.

»Ich war wütend, als Fadil ibn Parviz zum Anführer ernannt wurde«, gestand Karim. »Er schneidet bei Prüfungen stets gut ab und wird von den Lehrern geschätzt, aber als praktizierender Medicus ist er nichts wert. Außerdem hat er das Studium zwei Jahre nach mir begonnen und ist bereits *hakim*, während ich noch Student bin.«

»Wie konntest du dann mich anerkennen, obwohl ich noch nicht einmal ein volles Jahr studiere?«

»Du bist etwas anderes, du stehst unter einer Art Zwang zu heilen und bist deshalb außerhalb des Wettbewerbs.«

Rob lächelte. »Ich habe dich in diesen schweren Wochen beobachtet. Bist du nicht aus dem gleichen Holz?«

»Nein«, antwortete Karim ruhig. »Mißverstehe mich aber nicht! Ich möchte der beste aller Ärzte werden aber zumindest ebenso gern möchte ich reich werden. Reich zu werden ist aber nicht dein großes Ziel, oder, Jesse?«

Rob schüttelte den Kopf.

»Als ich im Dorf Carsh in der Provinz Hamadhān lebte und noch ein Kind war, führte Abdallah Scha, Alā *Shahanshas* Vater, eine große Armee gegen Seldschukenbanden durch unser Gebiet. Wo immer Abdallahs Armee haltmachte, kehrte Elend ein: die Heimsuchung durch die Soldaten. Sie raubten Feldfrüchte und Tiere, Nahrung, die für das Volk Überleben oder Untergang bedeutete. Als die Armee weiterzog, hungerten wir. Ich war fünf Jahre alt. Zuerst starb mein Vater, dann meine Mutter. Ein Jahr lang lebte ich auf den Straßen mit Bettlern; ich war ein Betteljunge. Schließlich wurde ich von Zaki-Omar, einem Freund meines Vaters, aufgenommen. Er war ein bekannter Athlet. Er zog mich auf und lehrte mich zu laufen – und neun Jahre lang fickte er mich in den Arsch.«

Karim verstummte einen Augenblick, die Stille wurde nur vom leisen Stöhnen eines Patienten am anderen Ende des Raumes unterbrochen.

»Als er starb, war ich fünfzehn. Seine Familie warf mich hinaus, aber er hatte dafür gesorgt, daß ich in die *madrassa* eintreten konnte. So kam ich nach Isfahan, zum erstenmal ein freier Mensch. Wenn ich einmal Söhne bekomme, bin ich fest entschlossen, ihnen eine gesicherte Zukunft zu bieten, und diese Sicherheit gibt nur der Reichtum.«

Als Kinder haben wir, eine halbe Welt voneinander entfernt, die gleichen Schicksalsschläge erlebt, dachte Rob. Wenn er etwas weniger Glück gehabt hätte oder der Bader ein weniger guter Mensch gewesen wäre…

Ihr Gespräch wurde durch die Ankunft Mirdins unterbrochen, der sich auf der anderen Seite des Strohsacks auf den Boden setzte.

»Gestern ist in Schiras niemand gestorben.«

»Allah!« staunte Karim.

»Niemand ist gestorben!«

Rob reichte beiden die Hand. Auch Karim und Mirdin faßten einander an der Hand. Sie waren über Lachen und über Tränen hinaus wie alte Männer, die ein ganzes Leben miteinander geteilt haben. Sie blickten einander an und genossen das Bewußtsein, überlebt zu haben.

Es dauerte noch zehn Tage, bis Rob stark genug war, um heimzureisen. Die Kunde, daß die Pest zu Ende war, hatte sich verbreitet. Es würde zwar Jahre dauern, bis wieder Bäume in Schiras wuchsen, aber die Menschen begannen zurückzukommen, und einige brachten Holz mit. Sie kamen an einem Gebäude vorbei, an dessen Fenster Tischler Fensterläden befestigten, und an anderen Häusern, wo Männer Türen einsetzten. Es tat ihnen gut, die Stadt zu verlassen und nach Norden zu reiten.

Sie reisten ohne Hast. Als sie das Haus des Kaufmanns Ishmael erreichten, stiegen sie ab und klopften an. Aber niemand öffnete.

Mirdin rümpfte die Nase. »In der Nähe liegen Tote«, erklärte er leise. Als sie das Haus betraten, fanden sie die verwesten Leichen des Kaufmanns und des *hakim* Fadil. Von Abbas Sefi war keine Spur zu entdecken. Er war zweifellos aus dem »sicheren Zufluchtsort« geflohen, als er sah, daß die beiden anderen von der Seuche befallen waren. So mußten sie noch eine letzte Pflicht erfüllen, ehe sie das Pestgebiet verlassen konnten. Sie sprachen Gebete, entzündeten mit der wertvollen Einrichtung des Kaufmanns ein großes Feuer und verbrannten die beiden Leichen.

Von acht Mann, die Isfahan mit der Medizinerabordnung verlassen hatten, kamen nur drei von Schiras zurück.

Die Gebeine eines Ermordeten

Als Rob zurückkehrte, kam ihm Isfahan unwirklich vor, denn die Stadt war voller gesunder Menschen, die lachten oder stritten. Zwischen ihnen herumzugehen war für Rob ungewohnt, als stünde die Welt schief.

Ibn Sina war betrübt, aber nicht überrascht, als er von der Fahnenflucht und den Todesfällen hörte. Das Buch mit Robs Aufzeichnungen nahm er gespannt in Empfang. Während des Monats, den die drei Studenten in dem Haus auf Ibrahims Felsen zugebracht hatten, um sicherzugehen, daß sie die Pest nicht einschleppten, hatte Rob einen langen, ausführlichen Abschlußbericht über ihre Arbeit in Schiras verfaßt.

Er stellte in seinen Aufzeichnungen unmißverständlich fest, daß die beiden Kameraden ihm das Leben gerettet hatten, und lobte sie wärmstens.

»Auch Karim?« fragte ihn Ibn Sina, als sie allein waren.

Rob zögerte, denn er hielt es für anmaßend, einen Studienkollegen zu beurteilen. Doch er holte tief Luft und beantwortete die Frage. »Er hat vielleicht Schwierigkeiten mit seinen Prüfungen, aber er ist bereits ein wunderbarer Arzt, ruhig und entschlossen bei Katastrophen und voll Mitgefühl mit den Leidenden.«

Ibn Sina schien zufrieden. »Und jetzt mußt du das Haus des Paradieses aufsuchen und Alā *Shahansha* Bericht erstatten, denn der Schah will unbedingt über das Treiben der Seldschuken in Schiras sprechen.«

Der Winter ging dem Ende zu, gab aber noch kräftige Lebenszeichen von sich, und im Palast war es kalt. Khuffs schwere Stiefel hallten auf den Steinböden, als Rob ihm durch die dunklen Korridore folgte.

Alā *Shahansha* saß allein an einem großen Tisch.

»Jesse ben Benjamin, Majestät.« Der Stadthauptmann zog sich zurück, während Rob den *ravi zemin* ausführte.

»Du kannst dich zu mir setzen, *Dhimmi*, und ziehe das Tischtuch über deine Knie!« wies ihn der König an. Als Rob der Aufforderung Folge leistete, erlebte er eine angenehme Überraschung. Der Tisch stand über einem Rost am Boden, durch den die Wärme der unterhalb befindlichen Öfen wohlig heraufdrang.

Rob wußte, daß er den Monarchen nicht zu lange oder zu direkt ansehen durfte, aber er hatte bereits die Anzeichen bemerkt, die die am Markt umlaufenden Gerüchte von dem zunehmend ausschweifenden Leben des Schahs bestätigten. Alās Augen brannten wie die eines Wolfes, und die glatten Flächen seines mageren Raubvogelgesichts wirkten schlaff, zweifellos die Folge des übermäßigen Genusses von Wein.

Vor dem Schah lag ein abwechselnd in helle und dunkle Quadrate unterteiltes Brett, auf dem kunstvoll geschnitzte Elfenbeinfiguren aufgestellt waren. Daneben standen Becher und ein Krug Wein. Alā schenkte für beide ein und stürzte seinen Wein rasch hinunter.

»Trink ihn, trink ihn! Der Wein wird dich zu einem fröhlichen Juden machen.« Die geröteten Augen blickten befehlsgewohnt.

»Ich ersuche um Eure gütige Erlaubnis, davon Abstand nehmen zu dürfen. Er macht mich nicht fröhlich, Majestät. Er macht mich verdrossen und wütend, deshalb kann ich den Wein nicht genießen wie andere, glücklichere Menschen.«

Damit hatte er die Aufmerksamkeit des Schahs erregt. »Er ist auch daran schuld, daß ich jeden Morgen mit heftigen Schmerzen hinter den Augen und zitternden Händen erwache. Du bist Medicus. Gibt es ein Heilmittel dagegen?«

Rob lächelte. »Weniger Wein, Hoheit, und häufigere Ausritte in der reinen Luft Persiens.«

Die scharfen Augen suchten nach einem Anzeichen von Unverschämtheit in Robs Gesicht, fanden aber keines. »Dann mußt du mit mir ausreiten, *Dhimmi*.«

»Ich stehe Euch zu Diensten, Majestät.«

Alā winkte mit der Hand, zum Zeichen, daß dies abgemacht war. »Laß uns jetzt über die Seldschuken in Schiras sprechen. Du mußt mir alles erzählen.«

Der Schah hörte aufmerksam zu, während Rob eingehend schilderte, was er über die Streitkräfte wußte, die in Anshan eingefallen waren. Schließlich nickte der Schah. »Unser Feind im Nordwesten hat uns umzingelt und versucht, sich im Südosten von uns festzusetzen. Hätten sie ganz Anshan erobert und besetzt, wäre Isfahan nur ein Häppchen für den großen Appetit der Seldschuken.« Er schlug auf den Tisch. »Allah sei gesegnet, daß er ihnen die Pest geschickt hat. Wenn sie wiederkommen, werden wir bereit sein.« Dann schob er das große karierte Brett so, daß es zwischen ihnen lag. »Du kennst diesen Zeitvertreib?«

»Nein, Majestät.«

»Unsere alte Beschäftigung. Wenn man verliert, heißt es *shahtreng*, der Schmerz des Königs. Aber zumeist ist es als Spiel des Schahs bekannt, denn es besteht aus Krieg.« Er lächelte belustigt. »Ich werde dich das Spiel des Schahs lehren, *Dhimmi*.«

Er erklärte Rob das Spiel in großen Zügen, dann schenkte er sich wieder Wein ein, trank ihn und funkelte Rob an. »Hast du es verstanden?«

»Ich glaube ja, Majestät«, antwortete Rob vorsichtig.

»Dann wollen wir beginnen.«

Rob beging Fehler, zog mit manchen Figuren falsch, und jedesmal korrigierte ihn Alā *Shahansha* murrend. Die Partie dauerte nicht lang, denn Robs Figuren wurden sehr schnell geschlagen, und sein König wurde mattgesetzt.

»Noch eine Partie!« forderte Alā zufrieden.

Die zweite Partie war fast ebenso schnell zu Ende wie die erste, doch Rob erkannte allmählich, daß der Schah seine Züge voraussah, da er Hinterhalte gelegt hatte und ihn in Fallen lockte, als führten sie einen echten Krieg.

Als die zweite Partie zu Ende war, entließ der Schah Rob mit einer Handbewegung.

»Ein geübter Spieler kann tagelang eine Niederlage abwehren«, erklärte er. »Wer beim Spiel des Schahs gewinnt, ist fähig, die Welt zu regieren. Aber du hast dich für einen Anfänger wacker geschlagen. Es ist keine Schande für dich, *shahtreng* hinnehmen zu müssen, denn schließlich bist du ja nur ein Jude.«

Wie angenehm, wieder in dem Häuschen in der Jehuddijeh zu weilen und sich wieder in die Routine des *maristan* und der Vorlesungssäle zu fügen! Zu seiner großen Freude wurde Rob nicht wieder zum Dienst im Gefängnis eingeteilt, sondern statt dessen für eine Zeitlang im Einrichten von Knochenbrüchen unterrichtet; mit Mirdin zusammen arbeitete er unter *hakim* Jalal-al-Din. Der schlanke, finstere Jalal war ein typischer angesehener und wohlhabender Exponent der Ärztegesellschaft von Isfahan. Aber er unterschied sich in vielen Dingen von den meisten Ärzten in Isfahan.

»Du bist also Jesse, der Baderchirurg, von dem ich schon gehört habe?« fragte er, als Rob sich bei ihm meldete.

»Ja, *Hakim*.«

»Ich kann die allgemeine Verachtung für Baderchirurgen nicht teilen. Es stimmt: Viele sind Diebe und Narren, aber unter ihnen befinden sich auch Männer, die ehrlich und klug sind. Bevor ich Medicus wurde, gehörte ich einem anderen von der persischen Ärzteschaft verachteten Beruf an: Ich war ein reisender Knocheneinrichter, und wenn ich jetzt auch *hakim* bin, bin ich doch derselbe Mensch geblieben. Auch wenn ich dich als Bader nicht verachte, mußt du dennoch hart arbeiten, um meine Achtung zu gewinnen. Wenn du sie nicht verdienst, werde ich dich mit einem Fußtritt aus meinem Dienst jagen, Europäer!«

Beide, Rob wie Mirdin, waren bei ihrer harten Arbeit glücklich. Jalal-al-Din war als Spezialist für Knochenbrüche berühmt und hatte die verschiedensten gepolsterten Schienen und Streckvorrichtungen erdacht. Er lehrte sie, die Fingerspitzen zu verwenden, als wären sie Augen, die unter verletztes und gequetschtes Fleisch sehen und sich von der Verletzung ein Bild machen konnten, bis die beste Behandlungsmethode gefunden war. Jalal war besonders in der Behandlung von Splittern und Bruchstücken geschickt, die er an ihren angestammten Platz zurückschob, wo die Natur sie wieder zu einem Teil des Knochengerüsts machen konnte.

»Er scheint ein merkwürdiges Interesse an Verbrechen zu haben«, brummte Mirdin nach ihren ersten paar Tagen als Jalals Gehilfen. Und das stimmte, denn auch Rob hatte bemerkt, daß der Arzt sich übermäßig lang über einen Mörder verbreitete, der diese Woche vor Imam Qandrassehs Gericht seine Schuld eingestanden hatte.

Ein gewisser Fakhr-i-Ayn, ein Hirte, hatte zugegeben, daß er zwei Jahre zuvor einen anderen Hirten namens Qifti al-Ullah mißhandelt und dann erschlagen und sein Opfer in einem flachen Grab vor den Stadtmauern verscharrt hatte. Das Gericht verurteilte den Mörder, der sofort hingerichtet und geviertelt wurde.

Wenige Tage später, als Rob und Mirdin sich bei Jalal meldeten, erzählte er ihnen, daß die Leiche des Ermordeten aus ihrem unwürdigen Grab exhumiert und auf einem mohammedanischen Friedhof mit Gebeten bestattet werden sollte, damit die Seele Zutritt ins Paradies erlange.

»Kommt!« forderte Jalal sie auf. »Das ist eine seltene Gelegenheit. Heute werden wir Totengräber sein.«

Er verriet ihnen nicht, wen er bestochen hatte, doch bald begleiteten die beiden Studenten und der Medicus mit einem beladenen Maultier einen *mullah* und einen Soldaten des *kelonters* zu dem einsamen Hang, den der inzwischen hingerichtete Fakhr-i-Ayn den Behörden angegeben hatte.

»Seid vorsichtig!« ermahnte sie Jalal, als sie ihre Spaten ansetzten. Bald erblickten sie die Knochen einer Hand, und kurz darauf holten sie das ganze Skelett heraus und legten die Knochen des Erschlagenen auf eine Decke.

»Zeit zum Essen«, erklärte Jalal und führte den Maulesel in den Schatten eines in einiger Entfernung vom Grab stehenden Baumes. Der Packen, den das Tier trug, wurde geöffnet, und gebratenes Geflügel, üppiger *pilaw*, große Wüstendatteln, Honigkuchen und ein Krug *scherbett* kamen zum Vorschein. Der Soldat und der *mullah* begannen eifrig zu essen, und Jalal und seine Studenten überließen sie der üppigen Mahlzeit und einem Nickerchen, das sicherlich folgen mußte.

Die drei eilten zu dem Skelett zurück. Die Erde hatte das Ihre getan, und die Knochen waren sauber bis auf einen Rostfleck um die Stelle, an der Fakhrs Dolch das Brustbein durchstoßen hatte. Sie knieten murmelnd neben den Knochen und dachten kaum daran, daß die Überreste einmal ein lebendiger Mann gewesen waren.

»Beachtet den Oberschenkelknochen«, sagte Jalal, »den größten, stärksten Knochen im Körper! Ist es nicht offensichtlich, weshalb es so schwierig ist, einen Bruch am Oberschenkelknochen einzurichten? Zählt die zwölf Rippenpaare. Seht ihr, daß die Rippen einen Korb bilden? Der Brustkorb schützt das Herz und die Lunge, ist das nicht wunderbar?«

Es war ein großer Unterschied, ob man menschliche Knochen oder das Gerippe eines Schafes studierte, fand Rob. »Das Herz und die Lunge des Menschen – habt Ihr sie schon gesehen?« fragte er Jalal.

»Nein. Aber Galen sagt, sie ähneln denen eines Schweines. Die Organe des Schweines haben wir alle gesehen.«

»Was ist, wenn sie nicht gleich sind?«

»Sie sind gleich«, entgegnete Jalal ärgerlich. »Wir wollen diese einmalige Möglichkeit zum Studium nicht verstreichen lassen, denn die beiden werden bald wieder kommen. Seht ihr, wie die oberen sieben Rippenpaare durch elastisches Bindegewebe am Brustbein hängen? Die nächsten drei sind durch ein gemeinsames Gewebe verbunden, und die letzten beiden Paare sind überhaupt nicht mit der Vorderseite verbunden. Ist Allah – groß und mächtig ist Er! – nicht der begabteste Schöpfer, ihr *Dhimmis*? Ist es nicht ein erstaunliches Gerüst, mit dem Er Seine Menschen aufgebaut hat?«

Sie hockten in der heißen Sonne und benutzten mit wissenschaftlichem Genuß den Ermordeten zu einer anatomischen Demonstration.

Nachher verbrachten Rob und Mirdin lange Zeit im Bad der Schule, wuschen den Leichengeruch weg und lockerten ihre Muskeln, die das Graben nicht gewohnt waren. Dort fand sie Karim, und Rob las vom Gesicht seines Freundes sofort ab, daß etwas nicht in Ordnung war.

»Ich soll wieder geprüft werden.«

»Aber das wünschst du dir doch!«

Karim warf einen Blick auf zwei Mitglieder des Lehrkörpers, die am anderen Ende des Raumes miteinander plauderten, und senkte die Stimme. »Ich habe Angst. Ich hatte beinahe die Hoffnung auf eine neuerliche Prüfung aufgegeben. Das wird meine dritte sein. Wenn ich diesmal versage, ist alles vorbei.« Er sah die Kameraden finster an. »Jetzt bin ich wenigstens ein diensttuender Student.«

»Du wirst wie ein Rennpferd durch die Prüfung galoppieren«, munterte ihn Mirdin auf.

Karim wehrte jeden Versuch, ihm Unbeschwertheit zu vermitteln, ab. »Ich mache mir keine Sorgen wegen des medizinischen Teils. Es geht um die Philosophie und die Rechtswissenschaft.«

»Wann?« fragte Rob.

»In sechs Wochen.«

»Dann haben wir ja noch Zeit.«

»Ja, ich werde mit dir Philosophie büffeln«, versprach Mirdin ruhig. »Jesse und du, ihr könnt an deinen Jurakenntnissen arbeiten.«

Rob stöhnte innerlich, denn er hielt sich kaum für einen Juristen. Aber sie hatten die Pest gemeinsam überstanden und waren durch ähnliche Erlebnisse in der Kindheit verbunden. Er wußte, daß er es versuchen mußte. »Heute abend fangen wir an«, versprach er und griff nach einem Tuch, um sich abzutrocknen.

»Ich habe nie gehört, daß jemand sieben Jahre lang Student blieb und dann zum Medicus ernannt wurde«, zweifelte Karim und unternahm keinen Versuch, seine schreckliche Angst vor ihnen zu verbergen, was ein neuer Beweis ihrer Vertrautheit war.

»Du wirst durchkommen«, meinte Mirdin, und Rob nickte dazu.

»Ich muß«, sagte Karim.

Das Rätsel

Zwei Wochen lang forderte Ibn Sina Rob jeden Abend auf, mit ihm zu speisen.

»Der Meister hat einen Lieblingsstudenten«, spottete Mirdin, aber in seinem Lächeln lag Stolz und keineswegs Mißgunst.

»Es ist gut, daß er sich für dich interessiert«, stellte Karim ernst fest.

»Al-Juzjani wurde von Ibn Sina gefördert, seit sie junge Leute waren, und al-Juzjani ist ein großer Medicus geworden.«

Rob runzelte die Stirn, denn er wollte die einmalige Erfahrung nicht einmal mit ihnen teilen. Er konnte nicht beschreiben, wie es war, einen ganzen Abend lang als einziger von Ibn Sinas Klugheit zu profitieren. An einem Abend hatten sie über die Himmelskörper gesprochen – oder, um es präzise auszudrücken, Ibn Sina hatte gesprochen, und Rob hatte zugehört. An einem anderen Abend hatte sich Ibn Sina stundenlang über die Theorien der griechischen Philosophen ausgelassen. Er wußte so viel und konnte es mühelos weitervermitteln.

Rob hingegen mußte lernen, bevor er Karim beim Büffeln helfen konnte. Er beschloß, sechs Wochen lang keine anderen Vorlesungen zu hören als Rechtslehrgänge, und er holte sich aus dem Haus der Weisheit Bücher über Rechtspflege und Jurisprudenz. Karim in Jura zu helfen würde nicht einfach ein selbstloser Freundschaftsakt sein, denn Jura war ein Gebiet, das Rob vernachlässigt hatte. Wenn er Karim beistand, bereitete er sich selbst auf den Tag vor, an dem er seine Prüfung ablegen würde.

Im Islam gab es zwei Rechtsgrundlagen: *Fiqh* oder die Gesetzeswissenschaft und *sharī'a*, das Gesetz, wie es von Allah göttlich offenbart worden war. Als noch die *sunna* hinzukam, Wahrheit und Recht, wie sie durch das beispielhafte Leben und die Aussprüche Mohammeds offenbart wurden, war das Ergebnis ein komplexes und kompliziertes Wissensgebiet, bei dem selbst Gelehrte verzagten.

Karim versuchte, sich diesem Gebiet zu nähern, aber es war klar, daß es ihm schwerfiel. »Das wächst mir über den Kopf«, klagte er. Die Anstrengung war ihm deutlich anzumerken. Zum erstenmal seit sieben Jahren, mit Ausnahme der Zeit, in der er in Schiras gegen die Pest gekämpft hatte, ging er nicht täglich in den *maristan*, und er gestand Rob, daß er sich ohne die ständige Routine der Behandlung von Kranken seltsam und fehl am Platz fühle.

Jeden Morgen, bevor er mit Rob zusammentraf, um Jura zu studieren, und dann mit Mirdin, um sich den Philosophen und ihren Lehren zu widmen, lief Karim im ersten grauen Tageslicht seine Runden. Einmal versuchte Rob, mit ihm zu laufen, aber er blieb bald weit hinter ihm zurück. Karim rannte, als versuche er, seinen Ängsten zu entkommen. Einige Male ritt Rob den braunen Wallach, um mit dem Läufer Schritt halten zu können. Doch beunruhigte diese tägliche Verausgabung Rob.

»Sie raubt Karim die Kraft«, beklagte er sich bei Mirdin. »Er sollte seine Energien auf das Studium konzentrieren.«

Aber der kluge Mirdin zupfte an seiner Nase, strich über sein langes Pferdekinn und schüttelte den Kopf. »Nein, wenn er nicht laufen würde, wäre er nicht imstande, die schwere Zeit durchzustehen«, meinte er, und Rob gab klugerweise nach, denn er vertraute fest darauf, daß Mirdins gesunder Menschenverstand so groß war wie seine Gelehrsamkeit.

Eines Morgens wurde Rob zum Arzt aller Ärzte gerufen, und er ritt mit dem braunen Pferd über die Allee der tausend Gärten, bis er zu der staubigen Gasse kam, die zu Ibn Sinas schönem Haus führte. Der Torhüter nahm sein Pferd in Empfang, und als er zu der Steintüre kam, stand bereits Ibn Sina unter ihr, um ihn zu begrüßen.

»Es geht um meine Frau. Ich wäre dankbar, wenn du sie untersuchen würdest.«

Rob verbeugte sich verwirrt; Ibn Sina fehlte es nicht an hervorragenden Kollegen, die es als Freude und Ehre empfunden hätten, seine Frau zu untersuchen. Er folgte Ibn Sina zu einer Tür, hinter der eine steinerne Treppe nach oben führte. Sie sah wie das Innere eines Schneckenhauses aus, und die beiden erstiegen den Nordturm des Hauses.

Die alte Frau lag auf einer Pritsche und starrte teilnahmslos und blicklos durch die zwei Männer hindurch. Ibn Sina kniete neben ihr nieder.

»Reza.«

Ihre trockenen Lippen waren aufgesprungen. Er befeuchtete ein Tuch mit Rosenwasser und wischte ihr Mund und Gesicht zärtlich ab. Ibn Sina besaß lebenslange Erfahrung darin, wie man es einem Kranken behaglich machen kann, doch nicht einmal die saubere Umgebung, die frisch gewechselte Kleidung und die duftenden Rauchfahnen, die von Weihrauchtellern aufstiegen, konnten den üblen Geruch ihrer Krankheit überdecken.

Die Knochen schienen ihre durchscheinende Haut zu durchbohren. Ihr Gesicht war wächsern, ihr Haar spärlich und weiß. Ihr Mann war vielleicht der bedeutendste Arzt der Welt, aber sie war eine alte Frau im Endstadium einer Knochenkrankheit. Große *bubos* waren auf ihren mageren Armen und Unterschenkeln zu sehen. Ihre Gelenke und Füße waren infolge der angesammelten Flüssigkeit geschwollen. Ihre rechte Hüfte war weitgehend zerstört, und Rob wußte, daß er, wenn er ihr Nachtgewand hob, weitere fortgeschrittene Geschwüre finden würde, die sich über ihren Körper ausgebreitet hatten. Auch war dem Geruch nach sicher, daß sie auf ihre Eingeweide übergegriffen hatten.

Ibn Sina hatte ihn kaum kommen lassen, damit er eine schreckliche, eindeutige Diagnose bestätigte. Rob wußte jetzt, was von ihm erwartet wurde. Er ergriff ihre zarten Hände und sprach leise auf sie ein. Er ließ sich mehr Zeit als notwendig und blickte in ihre Augen, die einen Moment klar waren. »Da'ud?« flüsterte sie, und ihr Griff um seine Hände wurde stärker.

Rob sah Ibn Sina fragend an.

»So hieß ihr Bruder, der seit vielen Jahren tot ist.«

Die Leere kehrte in ihre Augen zurück, ihre Finger erschlafften. Rob legte ihre Hände auf die Pritsche zurück, und sie verließen den Turm.

»Wie lange noch?«

»Nicht mehr lange, *Hakim-bashi*. Es ist nur eine Frage von Tagen.«
Rob war unbeholfen; der andere war um so vieles älter als er, daß er
unmöglich die üblichen Beileidsbezeugungen äußern konnte. »Gibt es
denn nichts, was man für sie tun kann?«
Ibn Sina verzog den Mund. »Ich kann ihr meine Liebe nur mit immer
stärkeren Infusionen beweisen.« Er führte seinen Studenten zur Haustür und dankte ihm, dann kehrte er zu seiner kranken Frau zurück.
»Herr«, sprach da jemand Rob an.
Als er sich umdrehte, sah er den riesigen Eunuchen, der zur Bewachung der zweiten Frau diente. »Wollt Ihr mir bitte folgen?«
Sie gingen durch eine Tür in der Gartenmauer, deren Öffnung so klein
war, daß sich beide bücken mußten, und kamen vor dem Südturm in
einen anderen Garten.
»Was gibt es?« fragte er den Sklaven kurz.
Der Eunuch antwortete nicht. Aber Robs Blick wurde von etwas
angezogen, und er schaute dorthin, wo ein verschleiertes Gesicht
durch ein kleines Fenster auf ihn herunterstarrte.
Als ihre Blicke einander trafen, verschwand sie mit flatternden Schlei-
ern, und das Fenster war leer.
Rob wandte sich an den Sklaven, und der Eunuch hob lächelnd die
Schultern.
»Sie befahl mir, Euch hierher zu bringen. Sie wünschte Euch zu sehen,
Herr.«
An diesem Abend studierte Rob gerade das Besitzrecht, als er das
Klappern von Hufen hörte, die die Straße herunterkamen und vor
seiner Tür hielten.
Es klopfte.
Er griff nach seinem Schwert, da er an Diebe dachte. Für einen Besuch
war es viel zu spät. »Wer ist draußen?«
»Wasif, Herr.«
Rob kannte keinen Wasif, aber er erkannte die Stimme. Er hielt die
Waffe bereit, öffnete die Tür und sah, daß er recht gehabt hatte. Es war
der Eunuch, der die Zügel eines Esels hielt.
»Wurdest du vom *hakim* geschickt?«
»Nein, Herr. Ich wurde von ihr geschickt, die wünscht, daß Ihr
kommt.«
»Warte«, befahl Rob grob und schloß die Tür.

Er trat hinaus, nachdem er sich hastig gewaschen hatte, stieg ohne Sattel auf den braunen Wallach, ritt hinter dem riesigen Sklaven durch die dunklen Straßen und bog in die Gasse ein, deren tiefer Staub das Hufgeklapper dämpfte. Dann kamen sie auf ein Feld, das hinter der Mauer von Ibn Sinas Besitz endete. Der Eunuch öffnete das Tor zum Turm, verneigte sich und ließ Rob allein weitergehen.

Als Rob das oberste Stockwerk erreicht hatte, befand er sich im geräumigen Harem.

Im Lampenlicht sah er, daß sie auf einem großen Lager mit Kissen wartete: eine Perserin, die sich für die Liebe geschmückt hatte. Hände, Füße und ihr Geschlechtsteil waren rot mit Henna geschminkt und glatt vor Öl. Ihre Brüste waren für Rob eine Enttäuschung, sie waren kaum gewölbter als die eines Jungen.

Er hob ihren Schleier.

Sie hatte schwarzes Haar, das ebenfalls mit Öl getränkt und straff an ihrem runden Kopf zurückgekämmt war. Zu Robs Verwunderung war Ibn Sinas zweite Frau ein bezauberndes junges Mädchen mit zitterndem Mund, den sie jetzt nervös mit einer kurzen Bewegung ihrer rosa Zunge befeuchtete. Sie hatte ein herzförmiges, liebreizendes Gesicht mit spitzem Kinn und einer kurzen, geraden Nase. Im dünnwandigen rechten Nasenflügel hing ein kleiner Metallring, gerade groß genug für den kleinen Finger eines Mannes.

Er lebte schon zu lange in diesem Land: Ihre unverschleierten Gesichtszüge wirkten auf ihn erregender als ihr rasierter Körper.

»Warum heißt du Despina die Häßliche?«

»Das hat Ibn Sina angeordnet. Um den bösen Blick abzuwehren«, erklärte sie, während er neben ihr auf das Lager sank.

Am nächsten Nachmittag im *maristan* folgte Rob al-Juzjani durch die Räume und blieb mit den anderen am Strohsack eines mageren, kleinen Jungen namens Bilāl stehen. In der Nähe saß ein Bauer mit stumpfem, resigniertem Blick.

»Eine Krankheit des Leibes«, sagte al-Juzjani. »Ein Beispiel dafür, wie eine Kolik die Seele aussaugen kann. Wie alt ist er?«

Eingeschüchtert, aber geschmeichelt, weil er angesprochen wurde, senkte der Vater den Kopf. »Er ist im neunten Lebensjahr, Herr.«

»Und wie lange krank?«

»Zwei Wochen. Es ist die Seitenkrankheit. Sie hat schon zwei seiner Onkel und meinen Vater umgebracht. Schreckliche Schmerzen. Sie kommen und gehen. Aber vor drei Tagen ist der Schmerz gekommen und nicht wieder vergangen.«

Der Pfleger, der sich unterwürfig an al-Juzjani wandte und es zweifellos gern gesehen hätte, wenn sie weitergegangen wären, sagte, daß das Kind nur *scherbetts* aus gesüßten Säften erhalten habe. »Alles, was er schluckt, spuckt oder scheißt er wieder aus.«

Al-Juzjani nickte. »Untersuch ihn, Jesse!«

Rob schlug die Decke zurück. Der Junge hatte eine Narbe unter dem Kinn, die aber vollkommen verheilt war und in keinem Zusammenhang mit seiner Krankheit stand. Er legte eine Handfläche auf die schmale Wange, und Bilāl versuchte, sich zu bewegen, hatte aber nicht genug Kraft dazu. Rob streichelte seine Schulter.

»Heiß.«

Er strich langsam mit den Fingerspitzen über den Körper des Jungen. Als er zum Bauch kam, schrie der Knabe auf.

»Der Bauch ist links weich und rechts hart.«

»Allah hat versucht, die Körperseite, in der sich die Krankheit festgesetzt hat, zu schützen«, erklärte al-Juzjani.

Rob ging mit seinen Fingerspitzen so sanft wie möglich vor, um das Gebiet des Schmerzes vom Nabel ausgehend auf der rechten Bauchhälfte abzugrenzen. Der Junge tat ihm leid, weil er ihm jedesmal, wenn er auf den Bauch drückte, Qualen verursachte. Er drehte Bilāl um, und sie sahen, daß der After rot und entzündet war.

Rob legte die Decke wieder an ihren Platz, ergriff die kleinen Hände und hörte wieder den alten, schwarzen Ritter lachen.

»Wird er sterben, Herr?« fragte der Vater sachlich.

»Ja«, antwortete Rob, und der Mann nickte.

Niemand lächelte über Robs Diagnose. Seit sie aus Schiras zurückgekehrt waren, hatten Mirdin und Karim entsprechende Geschichten erzählt, die sich herumgesprochen hatten. Rob bemerkte, daß jetzt niemand mehr höhnisch johlte, wenn er behauptete, daß jemand sterben würde.

»Aelius Cornelius Celsus hat die Seitenkrankheit in seinen Schriften beschrieben, man sollte das lesen«, sagte *Hakim* al-Juzjani und wandte sich dem nächsten Strohsack zu.

Als der letzte Patient versorgt war, ging Rob zum Haus der Weisheit und bat Jussuf-al-Gamal, herauszusuchen, was der Römer über die Seitenkrankheit geschrieben hat. Es faszinierte ihn, daß Celsus die Leichen der Toten geöffnet hatte, um sein Wissen zu vervollkommnen. Doch man wußte nicht viel über dieses besondere Leiden, das Celsus als eine Krankheit im Dickdarm in der Nähe des Blinddarms beschrieb, die von einer heftigen Entzündung und von Schmerzen auf der rechten Bauchseite begleitet wird.

Als Rob das Kapitel gelesen hatte, kehrte er zu Biläls Bett zurück. Der Vater war fort. Ein strenger *mullah* beugte sich wie ein großer Rabe über den Knaben und sprach Verse aus dem *Qu'ran*, während das Kind auf seine schwarze Kleidung starrte.

Rob schob den Strohsack so, daß der Kleine den *mullah* nicht mehr anblicken mußte. Auf einem niedrigen Tisch hatte der Pfleger drei Granatäpfel zurückgelassen, die bei der Abendmahlzeit gegessen werden sollten. Rob ergriff sie und schleuderte sie nacheinander in die Luft, bis sie von einer Hand über seinen Kopf zur anderen flogen, genau wie in alten Zeiten. Er war natürlich nicht mehr geübt, aber mit nur drei Gegenständen hatte er keine Schwierigkeiten, und so vollführte er mit den Früchten ein paar Tricks.

Die Augen des Knaben wurden so rund wie die fliegenden Granatäpfel.

»Jetzt brauchen wir nur noch eine Melodie!«

Er kannte kein persisches Lied, aber er wollte etwas Lebhaftes. Schließlich stimmte er heiser des Baders altes Liebeslied an:

> *Deine Blicke liebkosten mich einst,*
> *Deine Arme umfangen mich jetzt,*
> *Drum schwöre keinen sinnlosen Eid,*
> *In mein Bett kommst du doch noch zuletzt.«*

Das war bestimmt nicht das passende Lied für ein sterbendes Kind, doch der *mullah*, der ungläubig Robs Possen bestaunte, sorgte für Feierlichkeit und ein Gebet, während Rob etwas Lebensfreude beisteuerte. Die Worte verstanden die beiden ohnehin nicht, also war Robs Benehmen nicht unehrerbietig. Er sang Biläl mehrere Strophen vor und sah dann, wie sich der Körper des Kindes in einem letzten

Krampf zu einem Bogen krümmte. Immer noch singend, fühlte Rob, wie der letzte Puls in Bilāls Halsschlagader verebbte.

Er schloß ihm die Augen, wischte den Schleim von seiner Nase, streckte die Leiche und säuberte sie. Dann kämmte er Bilāls Haar und band sein Kinn mit einem Tuch hoch.

Der *mullah* sang noch immer mit gekreuzten Beinen aus dem *Qu'ran*. Seine Augen funkelten; er war imstande, gleichzeitig zu beten und zu hassen. Zweifellos würde er sich darüber beschweren, daß der *Dhimmi* ein Sakrileg begangen hatte, aber in seinem Bericht würde nicht stehen, daß Bilāl kurz vor seinem Tod noch gelächelt hat.

In vier von sieben Nächten holte ihn Wasif, und er blieb bis zu den frühen Morgenstunden im Turmharem.

Sie erteilten einander Sprachunterricht.

»Der Schwanz.«

Sie lachte. »Nein, dein *lingam,* und das ist meine *yoni.*«

Sie behauptete, daß die beiden gut zueinander paßten. »Ein Mann ist entweder ein Hase, ein Stier oder ein Pferd. Du bist ein Stier. Eine Frau ist entweder eine Hindin, eine Stute oder eine Elefantenkuh, und ich bin eine Hindin. Das ist gut. Einem Hasen würde es schwerfallen, einer Elefantenkuh Liebesfreude zu bereiten«, sagte sie ernst.

Sie war die Lehrerin, er der Schüler, als wäre er wieder ein Junge und hätte nie geliebt. Sie tat Dinge, die er aus den Bildern in dem Buch kannte, das er auf dem *maidan* gekauft hatte, und etliches mehr, das im Buch nicht enthalten war. Sie zeigte ihm *kshiraniraka*, die Milch-und-Wasser-Umarmung. Die Stellung von Indras Frau. Die *auparishtaka-*Mund-Begegnung.

Anfangs war er fasziniert und entzückt, als sie vom Karussell über das Klopfen an der Tür zum Beischlaf des Schmiedes gelangten. Er wurde ärgerlich, als sie versuchte, ihm die richtigen Laute beim Höhepunkt beizubringen: *sut* oder *plat* statt des Stöhnens.

»Entspannst du dich nie und fickst einfach drauflos? Es ist ja schlimmer, als *fiqh* auswendig zu lernen.«

»Es ist vergnüglicher, wenn man es erlernt hat«, entgegnete sie beleidigt.

Der Vorwurf in ihrer Stimme beeindruckte ihn nicht. Außerdem zog er es vor, wenn Frauen ihre Körperhaare nicht entfernten.

»Genügt dir der alte Mann nicht?«

»Früher einmal war er mehr als genug. Seine Manneskraft war einmalig. Er liebte das Trinken und Frauen, und in der richtigen Stimmung machte er die Schlange, die weibliche Schlange.« In ihren Augen glänzten Tränen. »Aber er hat seit zwei Jahren nicht mehr mit mir geschlafen. Als sie krank wurde, hat er damit aufgehört.«

Despina hatte ihr Leben lang Ibn Sina gehört. Sie war die Tochter von zwei seiner Sklaven, einer Inderin und einem Perser, der sein vertrauter Diener gewesen war. Ihre Mutter starb, als sie sechs Jahre alt war. Der alte Mann hatte sie beim Tod ihres Vaters geheiratet – da war sie zwölf gewesen – und sie nie freigelassen.

Rob berührte ihren Nasenring, das Symbol ihrer Sklaverei. »Und warum nicht?«

»Als sein Eigentum und als seine zweite Frau bin ich doppelt geschützt.«

»Was wäre, wenn er jetzt hier heraufkäme?« Er dachte an die einzige Treppe.

»Wasif steht unten, er würde ihn ablenken. Aber er sitzt an Rezas Lager und läßt ihre Hand nicht los.«

Rob blickte Despina an, nickte und empfand Schuld, die unbewußt in ihm gewachsen war. Er mochte das kleine, schöne Mädchen mit der olivfarbenen Haut, den winzigen Brüsten, dem runden Bäuchlein und dem heißen Mund. Er bedauerte sie, weil sie dieses Leben führte, eine Gefangene in einem luxuriösen Gefängnis. Er wußte, daß die islamische Tradition sie die meiste Zeit im Haus und in den Garten einsperrte, und er machte ihr keine Vorwürfe, aber er hatte den verbrauchten alten Mann mit dem glänzenden Verstand und der großen Nase ins Herz geschlossen.

Er stand auf und begann sich anzuziehen. »Ich werde dein Freund bleiben.«

Sie war nicht dumm. Sie beobachtete ihn interessiert. »Du bist fast jede Nacht hier gewesen und bist jetzt gesättigt. Wenn ich in zwei Wochen Wasif schicke, wirst du kommen?«

Er küßte sie auf die Nase knapp über dem Ring.

Elf Nächte später klopfte Wasif an seine Tür.

Despina hätte beinahe recht behalten, denn Rob geriet in große

Versuchung und wollte schon zustimmend nicken. Doch dann schüttelte er den Kopf. »Sage ihr, ich kann nicht mehr zu ihr kommen.«

Drei Tage später starb Reza die Fromme, während die *muezzins* der Stadt das erste Gebet sangen – eine passende Zeit für das Ende eines frommen Lebens.

In der *madrassa* und im *maristan* sprachen die Leute darüber, wie Ibn Sina mit eigenen Händen den Leichnam seiner Frau gewaschen und gesalbt hatte, und über das einfache Begräbnis, zu dem er nur ein paar betende *mullahs* zugelassen hatte. Ibn Sina betrat weder die Schule noch das Krankenhaus. Niemand wußte, wo er sich aufhielt.

Eine Woche nach Rezas Tod traf Rob eines Abends al-Juzjani, der am zentralen *maidan* trank.

»Setz dich, *Dhimmi*«, forderte al-Juzjani Rob auf und bestellte weiteren Wein.

»*Hakim,* wie geht es dem Arzt aller Ärzte?«

Es war, als wäre die Frage nicht gestellt worden. »Er hält dich für etwas Besonderes, für einen besonderen Studenten«, behauptete al-Juzjani verstimmt.

Wäre er nicht diensttuender Student und wäre al-Juzjani nicht der große Medicus gewesen, hätte Rob angenommen, daß der andere auf ihn eifersüchtig war.

»Wenn du kein besonderer Student bist, *Dhimmi,* mußt du mit mir rechnen.« Al-Juzjani sah ihn mit funkelnden Augen an, und Rob erkannte, daß der Chirurg ziemlich betrunken war. Sie schwiegen, als der Wein gebracht wurde.

»Ich war siebzehn Jahre alt, als wir uns in Jurjān kennengelernt haben. Ibn Sina war nur ein paar Jahre älter als ich, aber Allah! Mir war, als blicke ich geradewegs in die Sonne. Mein Vater hat dann das Abkommen getroffen, daß mich Ibn Sina in Medizin unterrichten soll, ich würde sein Gehilfe sein.«

Al-Juzjani trank nachdenklich.

»Ich bediente ihn. Er lehrte mich Mathematik, wobei er den ›Almagest‹ als Lehrbuch verwendete. Und er diktierte mir mehrere Bücher, einschließlich des ersten Teils von ›Der Kanon der Medizin‹, fünfzig Seiten jeden goldenen Tag. Als er Jurjān verließ, folgte ich ihm in ein halbes Dutzend Orte. In Hamadhān ernannte ihn der Emir zum Wesir, aber die Armee rebellierte, und Ibn Sina wurde ins Gefängnis geworfen. Zuerst sagten sie, sie würden ihn töten, aber er wurde freigelassen – der glückliche Sohn einer Stute! Bald wurde der Emir von einer Kolik geplagt, und Ibn Sina heilte ihn, worauf er zum zweitenmal das Wesirsamt erhielt. Ich blieb bei ihm, ob er nun Arzt, Gefangener oder Wesir war. Er war nicht nur mein Meister, sondern auch mein Freund. Jeden Abend versammelten sich Schüler in seinem Haus, während ich abwechselnd laut aus seinem Buch ›Heilen‹ vorlas und jemand anderer aus dem ›Kanon‹ las. Reza sorgte dafür, daß wir immer gutes Essen bekamen. Wenn wir fertig waren, tranken wir eine Menge Wein, gingen aus und suchten uns Frauen. Er war der lustigste Gefährte und beim Feiern ebenso gut wie beim Arbeiten. Er hatte Dutzende schöner Punzen – wahrscheinlich fickte er hervorragend, übertraf er ja in allen Belangen die meisten Männer. Reza wußte immer davon, aber sie liebte ihn dennoch.«

Er schaute weg.

»Jetzt ist sie begraben, und er ist verbraucht. Er schickt alte Freunde weg, und jeden Tag geht er allein durch die Stadt und gibt den Armen Almosen.«

»*Hakim*«, sagte Rob sanft.

Al-Juzjani starrte ihn an.

»*Hakim*, soll ich Euch nach Hause bringen?«

»Fremdling, ich möchte, daß du mich jetzt in Ruhe läßt.«

Also nickte Rob, dankte ihm für den Wein und ging.

Rob wartete noch eine Woche, dann ritt er am hellichten Tag zu Ibn Sinas Haus und ließ sein Pferd bei dem Mann am Tor zurück.

Der Alte war allein. Seine Augen blickten sanft. Er saß mit Rob behaglich beisammen, sie sprachen manchmal, dann wieder schwiegen sie.

»Wart Ihr schon Medicus, als Ihr sie geheiratet habt, Herr?«

»Ich wurde mit sechzehn *hakim*. Verheiratet hatte man uns, als ich zehn war, in dem Jahr, als ich den *Qu'ran* auswendig lernte und mit dem Studium der Heilkräuter begann.«

Rob war beeindruckt. »In diesem Alter versuchte ich, ein Scharlatan und ein Baderchirurg zu werden.« Er erzählte Ibn Sina, wie der Bader den Waisenknaben als Lehrling aufgenommen hatte.

»Was war der Beruf deines Vaters?«

»Er war Zimmermann.«

»Ich weiß über die europäischen Zünfte Bescheid. Ich habe gehört, daß es in Europa sehr wenige Juden gibt und daß sie nicht in die Zünfte aufgenommen werden.«

Er weiß wirklich Bescheid, dachte Rob verzweifelt. »Ein paar werden zugelassen«, murmelte er.

Ibn Sinas Augen schienen ihn sanft zu durchbohren. Rob war davon überzeugt, daß ihn der alte Mann durchschaut hatte.

»Du sehnst dich verzweifelt danach, die Heilkunst und die Wissenschaft zu erlernen.«

»Ja, Herr.«

Ibn Sina seufzte, nickte und blickte an ihm vorbei.

Rob stellte erleichtert fest, daß seine Angst unbegründet gewesen war, denn sie sprachen bald von anderen Dingen.

Ibn Sina erinnerte sich, wie er als Junge Reza kennengelernt hatte. »Sie stammt aus Buchārā, ein Mädchen, das um vier Jahre älter war als ich. Unsere Väter waren beide Steuereinnehmer, und die Hochzeit wurde freundschaftlich vereinbart. Nur eine kleine Schwierigkeit tauchte auf, weil ihr Großvater einwendete, daß mein Vater ein Ismaili war, der während des heiligen Gottesdienstes Haschisch rauchte. Wir wurden aber dennoch getraut. Sie war mir mein Leben lang treu.«

Der alte Mann sah Rob an. »Du hast das Feuer noch in dir. Was strebst du an?«

»Ich will ein guter Medicus werden.« Von der Art, wie nur Ihr sie ausbilden könnt, fügte er im Geist hinzu. Doch Ibn Sina hatte ihn bestimmt verstanden.

»Du bist bereits ein Heiler. Was das Verdienst betrifft…«

Ibn Sina zuckte mit den Achseln. »Um ein guter Medicus zu sein, muß man imstande sein, die Lösung eines unlösbaren Rätsels zu finden.«

»Und wie lautet die Frage?« erkundigte sich Rob verblüfft.

Doch der alte Mann lächelte schmerzlich. »Vielleicht kannst du sie eines Tages herausfinden. Das gehört zu dem Rätsel.«

Die Prüfung

An dem Nachmittag, an dem Karims Prüfung stattfand, verrichtete Rob seine gewohnten Tätigkeiten mit besonderer Energie und Aufmerksamkeit. Er versuchte, nicht an die Szene zu denken, die sich bald im Sitzungsraum neben dem Haus der Weisheit abspielen würde.

Er und Mirdin hatten Jussuf-al-Gamal, den freundlichen Bibliothekar, als Komplizen und Spion angeworben. Während er seinen Pflichten in der Bibliothek nachging, konnte Jussuf die Zusammensetzung der Prüfungskommission in Erfahrung bringen. Mirdin wartete draußen auf die Neuigkeiten, die er unverzüglich an Rob weitergab.

»Er hat Sajjid Sa'di in Philosophie«, hatte Jussuf Mirdin berichtet, bevor er wieder in den Saal eilte, um mehr zu erfahren. Das war nicht schlecht; der Philosoph war schwierig, würde sich aber nicht bemühen, den Kandidaten durchfallen zu lassen.

Doch von da an waren die Nachrichten niederschmetternd. Nadir Bukh, der autokratische, spitzbärtige Paragraphenreiter, der Karim bei der ersten Prüfung hatte durchfallen lassen, würde in Rechtskunde prüfen. Der *mullah* Abul Bakr würde die theologischen Fragen stellen, und der Arzt aller Ärzte würde höchstpersönlich in Medizin prüfen. Rob hatte gehofft, daß Jalal-al-Din der Prüfungskommission für Chirurgie angehören würde, aber Rob sah Jalal, der seine üblichen Pflichten erfüllte und Patienten behandelte. Und nun kam Mirdin hereingelaufen und flüsterte, daß das letzte Mitglied eingetroffen sei. Es war Ibn al-Natheli, den keiner von ihnen gut kannte.

Rob ging nach der Arbeit ins Haus der Weisheit, setzte sich, las Celsus und versuchte dabei zu hören, was im Prüfungszimmer gesprochen wurde. Er vernahm aber nur ein unverständliches Murmeln. Schließlich gab er seine Bemühungen auf, ging hinaus und wartete auf den Stufen der *madrassa*, wohin ihm Mirdin nachkam.

»Sie sind noch drinnen.«

»Ich hoffe, es zieht sich nicht allzu sehr in die Länge«, meinte Mirdin.

»Karim kann eine überlange Prüfung nicht durchstehen.«

»Ich bin nicht sicher, ob er überhaupt eine Prüfung durchsteht. Heute morgen hat er eine Stunde lang erbrochen.«

Nachdem sie länger, als sie es für möglich gehalten hatten, gewartet hatten, stand Rob auf. »Hier kommt er!«

»Kannst du etwas von seinem Gesicht ablesen?« fragte Mirdin.

Rob konnte es nicht, aber noch bevor Karim sie erreicht hatte, schrie er die Neuigkeit heraus. »Ihr müßt mich von nun an *Hakim* anreden, Studenten!«

Sie rannten die Stufen hinunter. Alle drei umarmten einander, tanzten und schrien, trommelten mit den Fäusten aufeinander ein und vollführten einen solchen Krach, daß *Hadschi* Davout Hosein, der an ihnen vorbeiging, ihnen vorwurfsvoll sein vor Entrüstung erblaßtes Gesicht zuwandte, weil Studenten seiner Akademie sich derart aufführten.

Der Rest des Tages und der Abend wurden zu einem Fest, das sie ihr Leben lang nicht vergaßen.

»Ihr müßt zu mir kommen, damit ich euch bewirten kann«, forderte Mirdin sie auf.

Es war das erste Mal, daß er sie zu sich nach Hause einlud, das erste Mal, daß sie einander Einblick in ihre private Welt gewährten.

Mirdins Wohnung bestand aus zwei gemieteten Räumen in einem Haus neben dem Gebäude der Haus-von-Zion-Synagoge, von Robs Domizil aus gesehen auf der anderen Seite. Seine Familie war eine erfreuliche Überraschung. Die schüchterne Frau, Fara, klein, dunkel, mit tiefsitzendem Gesäß und ruhigem Blick. Dazu die zwei Söhne mit rundem Gesicht, David und Issachar, die sich an die Röcke ihrer Mutter klammerten. Fara trug süße Kuchen und Wein auf, sie war offensichtlich auf die Feier vorbereitet, und nach etlichen Trinksprüchen gingen die Freunde wieder fort, zu einem Schneider, der dem frischgebackenen *hakim* für ein schwarzes Ärztehabit Maß nahm.

»Das ist eine Nacht für die *maidans!*« erklärte Rob, und so trafen sie sich am Abend in einem Speiselokal mit Blick auf den großen Hauptplatz der Stadt. Sie nahmen eine erstklassige persische Mahlzeit ein und bestellten immer von neuem aromatischen Wein, den Karim kaum brauchte, denn er war trunken vor Glück über seine neue Würde.

Sie befaßten sich genau mit jeder Prüfungsfrage und jeder seiner Antworten.

»Ibn Sina stellte mir die Fragen in Medizin. ›Was sind die verschiedenen Erkenntnisse, die man vom Schweiß erhält, Kandidat?... Sehr gut, Karim, sehr vollständig... Und was sind die allgemeinen Anzeichen, die wir für eine Prognose verwenden? Würdest du jetzt über die richtige Hygiene für einen Reisenden zu Lande und zur See sprechen?‹ Es war fast, als wüßte er, daß Medizin meine Stärke ist und die anderen Wissensgebiete meine Schwäche sind.

Sajjid Sa'di forderte mich auf, über Platos Lehre zu sprechen, nach der alle Menschen das Glück erstreben, und ich war froh, Mirdin, daß wir sie so intensiv studiert haben. Ich antwortete ausführlich, mit vielen Hinweisen auf die Meinung des Propheten, daß Glück Allahs Lohn für Gehorsam und gläubiges Gebet ist. Und damit war diese Gefahr überstanden.«

»Und was war mit Nadir Bukh?« fragte Rob.

»Der Jurist.« Karim schauderte. »Er verlangte von mir, den *fiqh* hinsichtlich der Bestrafung von Verbrechern zu interpretieren. Ich konnte nicht nachdenken. Also sagte ich, daß jede Bestrafung auf den Schriften Mohammeds beruhe – Er sei gesegnet! –, laut denen wir alle auf dieser Welt aufeinander angewiesen sind, obgleich wir jetzt und immerdar ausschließlich auf Allah angewiesen sind. Die Verfügung über die Seele bleibt somit vollkommen Allah überlassen, der für die Bestrafung aller Sünder sorgt.«

Rob starrte ihn an. »Und was bedeutet das?«

»Das weiß ich jetzt nicht. Vorhin wußte ich es auch nicht. Ich merkte, wie Nadir Bukh über die Antwort nachdachte, um zu sehen, ob sie ein Faktum enthielt, das er nicht erkannt hatte. Doch dann stellte mir Ibn Sina die Aufgabe, den Saft des Blutes zu beschreiben, worauf ich mit seinen eigenen Worten aus den beiden Büchern antwortete, die er über das Thema verfaßt hat – und die Prüfung war zu Ende.«

Sie brüllten, bis sie weinten, und tranken immer wieder.

Als sie schließlich nicht mehr trinken konnten, torkelten sie auf die Straße hinter dem *maidan* und winkten dem Maultierwagen mit der Lilie auf der Tür. Rob setzte sich neben den Zuhälter auf den Kutschbock, Mirdin schlief mit dem Kopf auf dem stattlichen Schoß der Hure Lorna ein, und Karim legte seinen Kopf auf ihren Busen und sang Schlummerlieder.

Faras sanfte Augen weiteten sich vor Besorgnis, als sie ihren Mann halb in seine Wohnung trugen.

»Ist er krank?«

»Er ist betrunken. Wie wir alle«, erklärte Rob, und sie kehrten zur

Kutsche zurück. Diese brachte sie zu dem kleinen Haus in der Jehuddijeh, wo Rob und Karim auf den Boden sanken, sobald sie die Tür hinter sich geschlossen hatten, und angekleidet einschliefen.

Während der Nacht weckte Rob ein leises, krächzendes Geräusch, und er wußte, daß Karim weinte.

Bei Morgengrauen wurde er wieder geweckt, weil sein Besucher schon aufstand. Rob stöhnte. Ich sollte überhaupt nicht trinken, dachte er verdrossen.

»Es tut mir leid, daß ich dich störe. Ich muß laufen.«

»Laufen? Ausgerechnet heute morgen? Nach dem gestrigen Abend?«

»Um mich auf den *chatir* vorzubereiten.«

»Was ist der *chatir*?«

»Ein Wettlauf.«

Karim schlüpfte aus dem Haus. Man hörte das Schlapp-schlapp-schlapp, als er zu laufen begann, ein immer schwächer werdendes Geräusch, das bald verstummte.

Ein Ausritt aufs Land

»Der *chatir* ist unser nationaler Wettlauf, ein alljährlich stattfindendes Ereignis, das beinahe so alt ist wie Persien«, erklärte Karim Rob. »Er wird abgehalten, um das Ende des *ramadan* zu feiern, des religiösen Fastenmonats. Ursprünglich – so weit zurück in den Nebeln der Zeit, daß wir den Namen des Königs vergessen haben, der den ersten Lauf veranstaltet hat – war er ein Wettbewerb, um den *chatir*, das hieß den Läufer des Schahs, zu bestimmen, doch im Lauf der Jahrhunderte hat er die besten Läufer Persiens und anderer Länder nach Isfahan geführt und den Charakter einer großen Lustbarkeit angenommen.«

Der Wettlauf begann bei den Toren des Hauses des Paradieses, führte zehneinhalb römische Meilen lang durch die Straßen von Isfahan und endete bei einer Reihe von Pfosten im Hof des Palastes. An den Pfosten waren Schlingen befestigt, von denen jede zwölf Pfeile enthielt und einem bestimmten Läufer zugeteilt war. Jedesmal, wenn ein Läufer die Pfosten erreichte, nahm er einen Pfeil aus der Schlinge und steckte ihn in einen Köcher auf seinem Rücken, dann lief er wieder eine Runde.

Traditionsgemäß begann der Wettlauf mit dem Ruf zum ersten Gebet. Er stellte eine mörderische Belastungsprobe dar. Wenn der Tag heiß und drückend war, wurde der letzte Läufer, der überhaupt noch im Rennen war, zum Sieger erklärt. Rannten sie bei kühlem Wetter, vollendeten die Teilnehmer manchmal die vollen zwölf Runden, also einhundertsechsundzwanzig römische Meilen, und nahmen sich den letzten Pfeil irgendwann nach dem fünften Gebet. Obwohl es hieß, daß früher die Läufer bessere Zeiten erzielt hätten, liefen die meisten die Strecke in ungefähr vierzehn Stunden.

»Seit Menschengedenken kann sich niemand daran erinnern, daß ein Läufer die Strecke in weniger als dreizehn Stunden geschafft hat«, erzählte Karim. »Alā *Shahansha* hat verkündet, daß derjenige, der sie in zwölf Stunden oder weniger zurücklegt, einen großartigen *calaat* erhält. Außerdem gewinnt er eine Prämie von fünfhundert Goldstücken und die ehrenamtliche Ernennung zum Hauptmann der *chatirs,* was eine stattliche jährliche Zuwendung bedeutet.«

»Deshalb also hast du dich so angestrengt und bist jeden Tag so weit gelaufen? Du glaubst, du kannst dieses Rennen gewinnen?«

Karim zuckte mit den Achseln. »Jeder Läufer träumt davon, den *chatir* zu gewinnen. Natürlich möchte ich den Lauf um den *calaat* gewinnen. Nur eines scheint mir besser als Medicus zu sein – und das ist, ein reicher Medicus in Isfahan zu sein.«

Das Wetter schlug um, und die Luft wurde so feucht und mild, daß sie Robs Haut liebkoste, als er das Haus verließ. Die ganze Welt war jung, und der Zajandeh, der Fluß des Lebens, toste seit der Schneeschmelze Tag und Nacht. In London war der April neblig, aber in Isfahan war der Monat *Shaban* milder und schöner als der englische Mai. Die vernachlässigten Aprikosenbäume hinter Robs kleinem Haus blühten in überwältigender weißer Pracht, als eines Morgens Khuff vor seiner Tür hielt und ihm die Nachricht überbrachte, daß Alā *Shahansha* an diesem Tag bei einem Ausritt seine Gesellschaft wünsche.

Rob hatte Bedenken, seine Zeit mit dem launischen Monarchen zu verbringen, und er war überrascht, daß der Schah sich an sein Versprechen erinnert hatte, sie würden zusammen ausreiten.

Im Stall des Hauses des Paradieses wurde ihm bedeutet, er möge warten. Er geduldete sich eine beträchtliche Weile. Schließlich kam

Alā mit einem so großen Gefolge, daß Rob nicht mehr aus dem Staunen kam.

»Nun, *Dhimmi.*«

»Majestät.«

Alā *Shahansha* brach den *ravi zemin* ungeduldig ab, und sie schwangen sich rasch in den Sattel. Sie ritten tief in das Hügelland, der Schah auf einem weißen arabischen Hengst, der mühelos dahinzufliegen schien, während Rob hinter ihm herritt. Dann legte der Schah einen leichten Galopp vor und winkte Rob neben sich.

»Du bist ein ausgezeichneter Arzt, weil du das Reiten verordnest, Jesse. Ich bin im Sumpf des Hofes versunken. Ist es nicht angenehm, fern von den Menschen zu sein?«

»So ist es, Majestät.«

Rob warf einen Augenblick später verstohlen einen Blick zurück. Weit hinter ihnen kam der gesamte Hof: Khuff und seine Garde, die ein wachsames Auge auf den Monarchen hatten, Stallmeister mit Ersatzpferden und Packtieren, dazu Wagen, die schwankten und rasselten, während sie über das rauhe, freie Gelände gezogen wurden.

»Möchtest du ein lebhafteres Pferd als Reittier?«

Rob lächelte. »Es wäre eine Vergeudung der Großzügigkeit Eurer Majestät. Dieses Pferd paßt zu meiner bescheidenen Reitkunst.« In Wirklichkeit hatte er den braunen Wallach längst ins Herz geschlossen. Alā schnaufte. »Es ist klar, daß du kein Perser bist, denn kein Perser würde sich eine Gelegenheit entgehen lassen, ein besseres Pferd zu bekommen. Uns Persern geht das Reiten über alles, und männliche Kinder werden von ihren Müttern mit einem winzigen Sattel zwischen den Beinen geboren.« Er stieß dem Araber die Fersen übermütig in die Flanken. Das Pferd sprang über einen umgestürzten Baum, der Schah drehte sich um, spannte seinen riesigen Langbogen über die linke Schulter hin und lachte schallend, als der große Pfeil sein Ziel verfehlte.

»Kennst du die Geschichte, die hinter dieser Übung steckt?«

»Nein, Majestät. Bei Eurer Belustigung haben sie Reiter vorgeführt.«

»Ja, man sieht sie oft bei uns, und es gibt Leute, die sie hervorragend beherrschen. Die Übung heißt der parthische Schuß. Vor achthundert Jahren waren die Parther eines der vielen Völker unseres Landes. Sie lebten östlich von Medien in einem Gebiet, das vor allem aus schrecklichen Bergen und einer noch schrecklicheren Wüste, der Dasht-i-Kavir, besteht.«

»Ich kenne die Dasht-i-Kavir. Ich habe einen Teil von ihr durchquert, als ich zu Euch kam.«

»Dann kennst du auch den Menschenschlag, der dort leben kann«, sagte Alā und zügelte kräftig den Hengst, um neben dem Wallach zu bleiben.

»Es gab einen Kampf um die Herrschaft über Rom. Einer der Bewerber um die Macht war der alternde Crassus, Statthalter von Syrien. Er brauchte einen militärischen Erfolg, um die Taten seiner Rivalen Caesar und Pompeius zu übertreffen, und er beschloß, die Parther herauszufordern. Das parthische Heer, das ein Viertel der gefürchteten römischen Legionen des Crassus ausmachte, wurde von einem General namens Suren angeführt. Es bestand zumeist aus Bogenschützen auf kleinen, schnellen persischen Pferden und einer kleinen Streitmacht von gepanzerten Soldaten, Reitern, die lange, todbringende Lanzen trugen. Die Legionen des Crassus marschierten geradewegs auf Suren zu, der sich in die Dasht-i-Kavir zurückzog. Crassus verfolgte ihn in die Wüste, statt sich nach Norden, nach Armenien zu wenden. Und etwas Wunderbares geschah. Die gepanzerten Reiter griffen die Römer an, bevor diese die Möglichkeit gehabt hatten, ihre klassische Verteidigungsformation zu bilden. Nach dem ersten Angriff zogen sich die Lanzenreiter zurück, und die Bogenschützen griffen ein. Sie verwendeten persische Langbogen, die so aussahen wie meiner und durchschlagskräftiger waren als die römischen. Ihre Pfeile durchbohrten die römischen Schilde, Brustharnische und Beinschienen, und zur Verblüffung der Legionen schossen die Parther ihre Pfeile treffsicher über ihre Schultern ab, während sie sich zurückzogen.«

»Der parthische Schuß«, sagte Rob.

»Der parthische Schuß. Zunächst hielt die Kampfmoral der Römer an, weil sie erwarteten, daß den Parthern der Vorrat an Pfeilen bald ausgehen würde. Aber Suren brachte mit Lastkamelen neue Pfeile herbei, und die Römer konnten ihre gewohnte Taktik des Nahkampfes nicht anwenden. Crassus schickte als Ablenkung seinen Sohn auf ein Stoßtruppunternehmen, doch der Kopf des jungen Mannes wurde ihm auf der Spitze einer persischen Lanze zurückgeschickt. Die Römer flohen im Schutz der Nacht – die mächtigste Armee der Welt! Zehntausend Mann entkamen unter der Führung von Cassius, einem der späteren Mörder Caesars. Zehntausend wurden gefangengenommen. Und zwanzigtausend, darunter Crassus, fanden den Tod. Die Verluste der Parther waren unbedeutend, und seit diesem Tag übt jeder persische Schuljunge den parthischen Schuß.«

Alā ließ dem Hengst die Zügel schießen und versuchte es wieder. Diesmal schrie er vor Freude, als der Pfeil tief in den Stamm eines Baumes drang. Dann hob er den Bogen hoch in die Luft, ein Zeichen für sein Gefolge, daß es zu ihm aufschließen solle.

Ein dicker Teppich wurde herbeigebracht und ausgerollt, und auf ihm stellten die Soldaten das Zelt des Königs auf. Bald wurden die Speisen aufgetragen, während drei Musikanten leise auf Zimbeln spielten.

Alā setzte sich und winkte Rob, neben ihm Platz zu nehmen. Man setzte ihnen Brüste von verschiedenem, mit schmackhaften Gewürzen gebratenem Wildgeflügel vor, eine *pilaw*-Pastete, Brot, Melonen, die man über den Winter in einem Keller aufbewahrt haben mußte, und drei verschiedene Weine. Rob aß mit Vergnügen, während Alā nur wenig von den Speisen kostete, dafür beständig von allen drei Weinen trank. Als Alā das Spiel des Schahs verlangte, wurde sofort ein Schachbrett mit Figuren gebracht. Rob erinnerte sich an die verschiedenen Züge, aber der Schah schlug ihn mit Leichtigkeit dreimal hintereinander, obwohl er weiteren Wein verlangte und ihn rasch hinunterstürzte.

»Qandrasseh will die Verordnung gegen das Weintrinken mit Gewalt durchsetzen«, sagte Alā *Shahansha*.

Rob fiel keine unverfängliche Antwort ein.

»Ich will dir von Qandrasseh erzählen, *Dhimmi*. Qandrasseh nimmt an – zu Unrecht! –, daß die Hauptaufgabe des Herrschers darin besteht, die Übertretung des *Qu'ran* zu ahnden. Das Königtum dient jedoch der Vergrößerung des Reichs und dazu, es zu einem Machtfaktor zu machen, nicht, um sich um die häßlichen Sünden von Dorfbewohnern zu kümmern. Aber der Imam glaubt, er sei Allahs schreckliche rechte Hand. Es genügt ihm nicht, daß er vom Vorsteher einer kleinen Moschee in Medien zum Großwesir des Schahs von Persien aufgestiegen ist. Er ist nämlich entfernt mit der Abbasidenfamilie verwandt, in seinen Adern fließt das Blut der Kalifen von Bagdad. Er würde allzu gern eines Tages in Isfahan herrschen und von meinem Thron aus mit religiösem Fanatismus zuschlagen.«

Auch wenn ihm eine Antwort eingefallen wäre, hätte Rob diesmal nichts entgegnen können, denn er war starr vor Schreck. Die vom Wein gelöste Zunge des Schahs hatte ihn in höchste Gefahr gebracht, denn wenn Alā wieder nüchtern war und seine Worte bedauerte, würde es ihm nicht schwerfallen, den Zeugen rasch aus dem Weg zu räumen.

Aber Alā *Shahansha* zeigte keinerlei Unbehagen. Als ein versiegelter Krug Wein gebracht wurde, warf er ihn Rob zu und führte ihn dann zu den Pferden zurück. Sie machten keinen Versuch zu jagen, sondern ritten einfach durch den trägen Tag, bis ihnen heiß wurde und sie angenehm müde wurden. Die Hügel waren mit Blumen übersät, kelchartige rote, gelbe und weiße Blüten auf dicken Stengeln. Es waren Pflanzen, die Rob in England nie gesehen hatte. Alā konnte ihm ihre Namen nicht nennen, doch er wußte, daß sie keinem Samen entsprossen, sondern einer zwiebelähnlichen Knolle.

»Ich bringe dich nun an einen Ort, den du nie jemandem zeigen darfst«, sagte Alā und führte Rob durch dickes Gebüsch, bis sie sich am farnbewachsenen Eingang einer Höhle befanden. Es stank nach verdorbenen Eiern, doch in der Höhle war die Luft warm, und vor ihnen glänzte ein Teich mit dunklem Wasser, der von grauen Felsblöcken umgeben war, auf denen purpurfarbene Flechten wuchsen. Alā entkleidete sich bereits. »Zögere nicht! Leg deine Kleider ab, du dummer *Dhimmi!*«

Rob folgte unsicher und zögernd der Aufforderung und fragte sich, ob der Schah zu den Männern gehörte, die den Körper eines anderen Mannes lieben. Doch Alā war schon im Wasser und betrachtete ihn unverfroren, aber ohne Begierde.

»Bring den Wein! Du bist nicht besonders üppig bestückt, Europäer.«

Rob erkannte, daß es unklug wäre, darauf hinzuweisen, daß sein Glied größer war als das des Herrschers.

Der Schah war jedoch feinfühliger, als Rob vermutet hatte, denn er grinste und sagte. »Ich muß nicht wie ein Hengst gebaut sein, denn ich kann jede Frau haben. Ich treibe es nie zweimal mit derselben, weißt du. Deshalb veranstaltet kein Gastgeber mehr als eine Belustigung für mich, es sei denn, er bekommt eine neue Frau.«

Rob setzte sich vorsichtig in das heiße, nach Schwefeldämpfen riechende Wasser, und Alā öffnete den Weinkrug und trank. Dann lehnte er sich zurück und schloß die Augen. Schweiß drang ihm aus den Poren, bis jener Teil seines Körpers, der sich außerhalb des Wassers befand, ebenso naß war wie der untergetauchte. Rob beobachtete ihn und fragte sich, wie man sich als Herrscher wohl fühlen mochte.

»Wann hast du deine Unschuld verloren?« fragte Alā mit geschlossenen Augen.

Rob erzählte ihm von der Witwe in England, die ihn in ihr Bett genommen hatte.

»Ich war auch zwölf Jahre alt. Mein Vater trug damals seiner Schwester auf, zu mir ins Bett zu kommen, wie es bei uns jungen Prinzen Brauch ist. Das ist sehr vernünftig. Meine Tante war zärtlich und erfahren, fast wie eine Mutter. Ich dachte jahrelang, daß hinterher jedesmal eine Schale warmer Milch und Zuckerwerk kommen muß.«

Sie lagen zufrieden im Wasser.

»Ich möchte der König der Könige sein, Europäer«, sagte Alā schließlich.

»Ihr seid der König der Könige.«

»So werde ich genannt.«

Jetzt schlug er die Augen auf und schaute Rob direkt an, ohne zu blinzeln. »Xerxes. Alexander. Cyrus. Darius. Alles große Männer, und wenn sie auch nicht alle Perser von Geburt waren, starben sie als persische Könige, als große Herrscher über große Reiche. Jetzt gibt es kein einheitliches Reich mehr. In Isfahan bin ich der König. Im Westen regiert Toghrul-beg über große Stämme von nomadischen Seldschuken. Im Osten regiert Sultan Mahmud die Bergfesten von Ghazna. Jenseits von Ghazna herrschen zwei Dutzend schwache Rajahs in Indien, aber sie stellen nur untereinander eine Bedrohung dar. Die einzigen Herrscher, die stark genug sind, um von Bedeutung zu sein, sind Mahmud, Toghrul-beg und ich. Wenn ich hinausreite, stürzen die *chawns* und *beglerbegs*, die die Städte und Stadtstaaten regieren, aus ihren Mauern, um mir Tribut zu zahlen und mir kriecherisch Ehrenbezeigungen zu erweisen. Ich weiß aber, daß die gleichen *chawns* und *beglerbegs* sowohl Mahmud als auch Toghrul-beg huldigen würden, wenn sie ihr Heer dorthin führten. Früher, in alten Zeiten, kämpften kleine Königreiche und Könige, um ein gewaltiges Reich zu erwerben. Schließlich hielten nur noch zwei Männer die ganze Macht in Händen. Ardashir und Ardewan traten einander im Zweikampf gegenüber, während ihre Heere zusahen. Zwei große, gepanzerte Männer umkreisten einander in der Wüste. Der Kampf endete damit, daß Ardewan mit einer Keule erschlagen wurde und Ardashir der erste Mann war, der den Titel *Shahanshah* annahm. Wärst du nicht gern so ein König der Könige?«

Rob schüttelte den Kopf. »Ich will nur ein Medicus sein.«

Er sah das Staunen auf dem Gesicht des Schahs. »Etwas Neues! In meinem ganzen Leben hat noch niemand eine Gelegenheit versäumt, mir zu schmeicheln. Doch du würdest mit dem Herrscher nicht tauschen wollen, das ist klar. Ich habe mich über dich erkundigt. Es heißt, daß du als Schüler bemerkenswert bist. Daß große Dinge von dir erwartet werden, wenn du einmal *hakim* wirst. Ich werde Männer brauchen, die großer Taten fähig sind und nicht meinen Hintern küssen. Ich werde mich der Tücke und der Macht des Thrones bedienen, um Qandrasseh abzuwehren. Die Schahs mußten immer kämpfen, um Persien zu behalten. Ich werde meine Heere und mein Schwert gegen die anderen Könige wenden. Bevor ich sterbe, wird Persien wieder ein großes Reich sein, und ich werde mich mit Berechtigung *Shahanshah* nennen.«

Seine Hand faßte Robs Handgelenk. »Willst du mein Freund sein, Jesse ben Benjamin?«

Rob wußte, daß er von einem schlauen Jäger geködert und in die Falle gelockt worden war. Alä versicherte sich seiner zukünftigen Treue für seine Zwecke. Und er ging dabei kühl und berechnend vor. In diesem Monarchen steckte eindeutig mehr als ein betrunkener Wüstling.

Rob hätte sich aus eigenem Antrieb nie dazu entschlossen, sich mit Politik zu befassen, und er bedauerte, daß er an diesem Morgen mit aufs Land hinausgeritten war. Aber es war geschehen, und er wußte genau, daß er in der Schuld des Schahs stand.

Er ergriff das Handgelenk des Schahs. »Ich bin Euer Gefolgsmann, Majestät.«

Alä nickte. Er tauchte wieder in den heißen Teich ein und kratzte sich auf der Brust. »So. Und gefällt dir mein Lieblingsort?«

»Es stinkt hier so schwefelig wie ein Furz, Majestät.«

Alä war kein Mann, der schallend lachte. Er öffnete nur die Augen und lächelte. Schließlich sagte er wieder etwas: »Du kannst ruhig eine Frau mit hierher bringen, wenn du Lust hast, *Dhimmi*«, gestattete er träge.

»Mir gefällt das nicht«, meinte Mirdin, als er hörte, daß Rob mit Alā ausgeritten war. »Er ist unberechenbar und gefährlich.«

»Es ist eine große Chance für dich«, sagte dagegen Karim.

»Aber eine Chance, die ich gar nicht haben will«, erwiderte Rob.

Zu seiner Erleichterung vergingen Tage, und der Schah rief ihn nicht wieder zu sich. Er hatte das Bedürfnis nach Freunden, die keine Herrscher waren, und verbrachte einen großen Teil seiner Freizeit mit Mirdin und Karim.

Karim gewöhnte sich an das Leben eines jungen Arztes und arbeitete wie zuvor im *maristan,* nur daß ihm jetzt al-Juzjani ein kleines Gehalt für die tägliche Untersuchung und Behandlung seiner Patienten bezahlte. Da er mehr Zeit für sich selbst und etwas mehr Geld zur Verfügung hatte, besuchte er regelmäßig die *maidans* und die Freudenhäuser. »Komm doch mit!« drängte er Rob. »Ich bringe dich zu einer Hure, deren Haare so schwarz wie Rabenfedern und so fein wie Seide sind.«

Rob schüttelte lächelnd den Kopf.

»Was für eine Frau möchtest du?«

»Eine mit feuerrotem Haar.«

Karim grinste. »Die laufen einem hier nicht über den Weg.«

»Ihr beide braucht Ehefrauen«, erklärte ihnen Mirdin gelassen, aber keiner der beiden hörte auf ihn. Rob widmete seine ganze Energie dem Studium, während Karim seine Schürzenjägerei fortsetzte, und seine Unersättlichkeit wurde für den Stab im Krankenhaus zu einer ständigen Quelle der Heiterkeit.

Karim lief jetzt mehr denn je, zum Auftakt und Abschluß jeden Tages. Er übte hart und ausdauernd und nicht nur, indem er lief, er unterrichtete Rob und Mirdin außerdem im Gebrauch des persischen Krummschwerts, des *scimitar.*

Nach Einbruch der Dunkelheit sahen sie Karim nur selten, aber mit einem Mal forderte er Rob nicht mehr auf, ihn in die Bordelle zu begleiten. Er vertraute ihm vielmehr an, daß er ein Verhältnis mit einer verheirateten Frau eingegangen und verliebt sei. Dafür wurde Rob immer häufiger in Mirdins Wohnung neben der Zion-Synagoge zum Abendessen eingeladen.

Zu seiner Überraschung erblickte er auf einer Truhe in Mirdins Wohnung ein Schachbrett. »Ist das das Spiel des Schahs?«

»Ja. Kennst du es? In unserer Familie hat man es seit eh und je gespielt.«

Mirdins Figuren waren nur aus Holz, aber das Spiel war das gleiche, das Rob mit Alā *Shahansha* gespielt hatte, nur daß Mirdin, statt auf einen schnellen, opferreichen Sieg auszugehen, ihn behutsam unterrichtete. Bald begann Rob unter Mirdins geduldiger Anleitung die Feinheiten des Schachspiels zu begreifen.

Fünf Tagesreisen nach Westen

Aus Anatolien traf eine große Karawane ein, und ein junger Treiber kam mit einem Korb getrockneter Feigen für den Juden namens Jesse in den *maristan*. Der Treiber hieß Sadi, war der älteste Sohn von Debbid Hafiz, des *kelonters* von Schiras, und die Feigen waren ein Geschenk, das die Liebe und Dankbarkeit seines Vaters für die Kämpfer gegen die Pest bekunden sollte.

Sadi und Rob saßen beisammen, tranken Tee und aßen die köstlichen Feigen, die groß, fleischig und voller Zuckerkristalle waren. Nun wollte Sadi die Kamele wieder nach dem Osten treiben, nach Schiras, und der Heiler-*Dhimmi* ersuchte ihn, für seinen ehrwürdigen Vater Debbid Hafiz als Geschenk Isfahan-Weine mitzunehmen.

Die Karawanen stellten die einzige Quelle für Nachrichten aus entfernten Gegenden dar, und Rob befragte den Jungen eingehend. Es hatte keine weiteren Anzeichen einer Seuche mehr gegeben. Einmal waren Seldschuken im gebirgigen Ostteil von Medien gesehen worden, aber es war nur ein kleiner Trupp gewesen, und sie griffen die Karawane – Allah sei Dank! – nicht an. Hamadhān war seuchenfrei, aber ein christlicher Ausländer hatte ein europäisches Fieber eingeschleppt, worauf die *mullahs* der Bevölkerung jeglichen Kontakt mit den ungläubigen Teufeln untersagten.

»Wie sehen die Anzeichen für diese Krankheit aus?«

Sadi Ibn Debbid zögerte. Er wußte nur, daß sich niemand außer der Tochter des Christen in seine Nähe wagte.

»Der Christ hat eine Tochter?«

Sadi konnte weder den kranken Mann noch seine Tochter beschreiben, meinte aber, daß der Kamelhändler Boudi, der zur Karawane gehörte, beide gesehen habe.

Sie suchten gemeinsam den Kamelhändler auf, einen verschrumpelten Mann mit schlauen Augen, der Betelnüsse kaute, so daß seine Zähne geschwärzt waren und er roten Speichel spuckte.

Er erinnere sich kaum an die Christen, bedauerte Boudi, als ihm aber Rob eine Münze in die Hand drückte, half diese seinem Gedächtnis auf die Sprünge, und ihm fiel ein, daß er die beiden je fünf Tagesreisen weit nach Westen und einen halben Marschtag jenseits des Ortes Datur gesehen habe. Der Vater sei mittleren Alters, habe lange, graue Haare und keinen Bart. Er trage fremdartige Kleidung, schwarz wie das Gewand eines *mullahs*. Die Frau sei jung und groß und habe merkwürdiges Haar: ein wenig heller rot als Henna.

Rob blickte ihn entsetzt an. »Wie krank wirkte der Europäer?«

Boudi lächelte freundlich. »Ich weiß es nicht, Herr. Krank.«

»Hatten sie Diener?«

»Ich habe niemanden gesehen, der ihnen behilflich war.«

Zweifellos waren die Diener davongelaufen, dachte Rob. »Haben sie über genügend Nahrungsmittel verfügt?«

»Ich selbst habe der Frau einen Korb Hülsenfrüchte und drei Laib Brot gegeben, Herr.«

Rob schaute Boudi so durchdringend an, daß dieser Angst bekam. »Warum hast du ihnen die Lebensmittel gegeben?«

Der Kamelhändler zuckte mit den Achseln. Er drehte sich um, stöberte in einem Sack und zog mit dem Griff voran ein Messer heraus. Man konnte auf jedem persischen Markt schönere finden, aber dieser Dolch war der endgültige Beweis, denn als Rob ihn zum letztenmal gesehen hatte, hing er am Gürtel von James Geikie Cullen.

Wenn er sich Karim und Mirdin anvertraute, würden sie darauf bestehen, ihn zu begleiten. Er aber wollte allein reiten. Er hinterließ ihnen bei Jussuf-al-Gamal eine Nachricht. »Richtet ihnen aus, daß ich in einer persönlichen Angelegenheit abberufen wurde und ihnen bei meiner Rückkehr alles erklären werde«, trug er dem Bibliothekar auf. Nur Jalal weihte er in seine Pläne ein.

»Ihr reitet für einige Zeit fort? Aber warum?«

»Es ist wichtig. Es handelt sich um eine Frau...«

»Selbstverständlich«, murmelte Jalal. Der Knocheneinrichter war verärgert, bis er überlegte, daß es ja genügend Studenten gab, die ihm in der Klinik helfen konnten. Dann erst nickte er.

Rob brach am nächsten Morgen auf. Es war eine lange Reise, und er wollte unangebrachte Hast vermeiden, doch er hielt den braunen Wallach in Trab, denn er mußte unaufhörlich an Mary denken, die sich allein mit ihrem kranken Vater in einer wilden, fremden Welt befand. Es war Sommerwetter. Die Schmelzwässer des Frühjahrs waren längst unter der kupferfarbenen Sonne verdunstet, so daß ihn der salzige Staub Persiens bedeckte, der auch in seine Satteltasche drang. Er aß ihn mit seiner Nahrung und trank eine dünne Salzschicht mit jedem Schluck Wasser. Überall erblickte er wilde Blumen, die braun geworden waren, aber er kam auch an Menschen vorbei, die den felsigen Boden bestellten. Sie nutzten die geringste Feuchtigkeit, um die Weingärten und Dattelbäume zu bewässern, wie es seit tausend Jahren getan wurde.

Am vierten Tag kam er bei Einbruch der Dämmerung nach Datur. Wegen der Dunkelheit konnte er nichts unternehmen, aber am nächsten Morgen ritt er bei Sonnenaufgang weiter. Am Vormittag nahm ein Kaufmann in einem kleinen Dorf Robs Münze an, biß hinein und berichtete ihm dann, daß jeder hier von den Christen wisse. Sie lebten in einem Haus in Ahmads *wadi*, einen kurzen Ritt nach Westen.

Das Tal fand er nicht, aber er traf zwei Ziegenhirten, einen alten Mann und einen Jungen. Auf seine Frage nach den Christen spuckte der alte Mann aus.

Rob zog seine Waffe. Eine fast vergessene Bösartigkeit stieg in ihm auf. Der Alte spürte sie, hob, ohne das Breitschwert aus den Augen zu lassen, den Arm und zeigte in eine bestimmte Richtung.

Rob ritt los. Als er außer Reichweite war, legte der jüngere Ziegenhirte einen Stein in seine Schlinge und schleuderte ihn. Rob hörte, wie er hinter ihm auf die Felsen prallte.

Plötzlich stieß er auf das *wadi*. Er folgte dem ausgetrockneten Flußbett ein gutes Stück, bis er das kleine, aus Lehm und Steinen errichtete Haus sah. Mary stand draußen und kochte Wäsche aus. Als sie ihn sah, sprang sie wie ein wildes Tier ins Haus. Bis er vom Pferd gestiegen war, hatte sie drinnen einen schweren Gegenstand vor die Tür geschoben.

»Mary?«

»Bist du es?«

»Ja.«

Stille folgte, dann ein scharrendes Geräusch. Offenbar schob sie einen Steinblock weg. Die Tür ging auf, zuerst nur einen Spaltbreit, dann weiter.

Ihm fiel ein, daß sie ihn nie mit dem Bart oder in persischer Kleidung gesehen hatte, wenn auch der lederne Judenhut derselbe war, den sie kannte.

Sie hielt das Schwert ihres Vaters in der Hand. Die schwere Prüfung stand ihr ins Gesicht geschrieben, das schmaler geworden war, so daß ihre Augen, die breiten Backenknochen und die lange, schlanke Nase noch mehr auffielen. Sie hatte Blasen auf den Lippen, und er erinnerte sich, daß sie sie immer bekam, wenn sie erschöpft war. Ihre Wangen waren rußig und von zwei Linien durchzogen, die von den Tränen am rauchenden Feuer kamen. Als sie blinzelte, sah er, daß sie so vernünftig war, wie er sie in Erinnerung hatte.

»Bitte. Wirst du ihm helfen?« fragte sie und zog ihn schnell ins Haus.

Als Rob James Cullen sah, wurde ihm schwer ums Herz. Er mußte nicht erst die Hände des Schafzüchters ergreifen, um zu wissen, daß er im Sterben lag. Auch Mary mußte es gewußt haben, aber sie sah ihn an, als erwarte sie von ihm, daß er ihren Vater mit der Berührung seiner Hände heilen würde.

In der Luft stand der Gestank von Cullens Eingeweiden.

»Hat er Durchfall gehabt?«

Sie nickte müde und berichtete mit tonloser Stimme die Einzelheiten. Das Fieber hatte vor Wochen mit Erbrechen und schrecklichen Schmerzen im Unterleib begonnen. Mary hatte ihren Vater aufopfernd gepflegt. Nach einiger Zeit war das Fieber zurückgegangen, und zu ihrer großen Erleichterung war es ihm besser gegangen. Einige Wochen lang hatte er ständig zugenommen und sich fast schon wieder erholt, aber dann waren die Symptome wiedergekommen, diesmal in noch schwererer Form.

Cullens Gesicht war blaß und eingesunken, seine Augen blickten trüb. Sein Puls war kaum zu ertasten. Ein Schüttelfrost hatte ihn vollkommen geschwächt, und er litt an Durchfall und ständigem Erbrechen.

»Die Diener dachten, es handle sich um die Pest. Sie sind weggelaufen«, erklärte Mary.

»Nein. Die Pest ist es nicht.« Das Erbrochene war nicht schwarz, und Cullen hatte keine Beulen. Ein geringer Trost. Cullens Unterbauch war auf der rechten Seite hart wie ein Brett. Als Rob darauf drückte, schrie Cullen auf, obgleich er in die tiefe Bewußtlosigkeit des Komas verfallen war.

Rob wußte, was es war. Als ihm die Krankheit das letzte Mal begegnet war, hatte er jongliert und gesungen, damit ein kleiner Junge ohne Angst sterben konnte.

»Eine Krankheit des Dickdarms. Manchmal nennt man sie auch Seitenkrankheit. Es ist ein Gift, das vom Darm ausgeht und sich im ganzen Körper verbreitet.«

»Wodurch ist es entstanden?«

Er schüttelte den Kopf. »Vielleicht kam es zu einem Knick oder einer Verstopfung im Darm.« Beide erkannten, wie trostlos seine Unwissenheit war.

Rob gab sich mit James Cullen große Mühe und versuchte alles, was Abhilfe versprach. Er verabreichte ihm Klistiere mit dem Tee wilder Kamillen, und als sie nicht halfen, versuchte er es mit Rhabarber und Abführsalzen. Er machte heiße Umschläge auf den Unterbauch, doch da wußte er schon, daß es vergeblich war.

Er blieb am Bett des Schotten. Mary hätte er gern ins Nebenzimmer geschickt, damit sie die Ruhe fand, die sie sich bisher versagt hatte, aber er wußte, daß das Ende nahte, und fand, daß sie später noch genug Zeit zum Ausruhen haben würde.

Mitten in der Nacht machte Cullen eine leichte Bewegung, es war mehr ein Zucken. »Es ist ja schon gut, Dad«, flüsterte Mary und rieb seine Hände. Er glitt so still und leicht hinüber, daß eine Zeitlang weder sie noch Rob erkannten, daß ihr Vater nicht mehr am Leben war.

Sie hatte ein paar Tage vor seinem Tod aufgehört, ihn zu rasieren, weshalb nun der graue Bart abgenommen werden mußte. Rob kämmte das Haar und hielt den Leichnam in den Armen, während sie ihn wusch, ohne Tränen zu vergießen. »Ich bin froh, daß ich ihm den letzten Dienst erweisen kann. Bei meiner Mutter durfte ich seinerzeit nicht helfen«, sagte sie.

Cullen hatte eine lange Narbe auf dem rechten Oberschenkel. »Die hat er bei der Jagd auf einen wilden Eber im Dickicht abbekommen, als ich elf Jahre alt war. Er mußte den Winter im Haus verbringen. Wir haben zusammen eine Krippe für Weihnachten gebastelt, und damals habe ich ihn erst richtig kennengelernt.«

Nachdem ihr Vater zurechtgemacht war, holte Rob Wasser von der Quelle und wärmte es auf dem Feuer. Während Mary badete, hob er ein Grab aus, was sich als höllisch schwierig erwies, denn der Boden war felsig, und geeignetes Werkzeug stand nicht zur Verfügung. Schließlich benutzte er Cullens Schwert, einen kräftigen, zugespitzten Ast und die Hände zum Graben. Als die Grube fertig war, machte er aus zwei Stöcken, die er mit dem Gürtel des Toten zusammenband, ein Kreuz.

Sie trug das schwarze Kleid, in dem er sie kennengelernt hatte. Er hatte Cullen in eine Wolldecke gewickelt, die sie von daheim mitgebracht hatten und die so schön und warm war, daß es ihm leid tat, sie ins Grab zu legen.

Eigentlich hätte er eine Seelenmesse lesen müssen, aber er konnte nicht einmal ein richtiges Totengebet sprechen, denn er war nicht sicher, ob er den lateinischen Text richtig aufsagen konnte. Doch fiel ihm ein Psalm ein, den ihn seine Mutter gelehrt hatte.

»Der Herr ist mein Hirte, mir wird nichts mangeln.
Er weidet mich auf einer grünen Aue und führet mich zum frischen Wasser.
Er erquicket meine Seele, er führet mich auf rechter Straße um seines Namens willen.
Und ob ich schon wanderte im finstern Tal, fürchte ich kein Unglück;
Denn du bist bei mir, dein Stecken und Stab trösten mich.
Du bereitest vor mir einen Tisch im Angesicht meiner Feinde.
Du salbest mein Haupt mit Öl und schenkest mir voll ein.
Gutes und Barmherzigkeit werden mir folgen mein Leben lang, und ich werde bleiben im Haus des Herrn immerdar.«

Er schaufelte das Grab zu und stellte das Kreuz auf. Als er wegging, verharrte Mary mit geschlossenen Augen auf den Knien. Ihre Lippen bewegten sich und formten Worte, die nur ihr Geist hören konnte.

Er ließ ihr Zeit, im Haus allein zu sein. Sie hatte ihm erzählt, daß sie ihre beiden Pferde freigelassen hatten, damit sie sich selbst unter dem spärlichen Bewuchs des *wadi* Nahrung suchen konnten, und er ritt aus, um die Tiere einzufangen.

Er sah, daß sie mit einem Dornbuschzaun eine Koppel eingefriedet hatten. Drinnen fand er die Knochen von vier Schafen, die wahrscheinlich Raubtiere getötet und gefressen hatten. Zweifellos hatte Cullen viel mehr Schafe gekauft, die dann von Menschen gestohlen worden waren.

Dieser verrückte Schotte! Er hätte nie eine Herde bis nach Schottland bringen können. Und nun würde er selbst auch nicht mehr heimkommen, und seine Tochter war in einem unwirtlichen Land allein auf sich gestellt.

An einem Ende des schmalen, steinigen Tales entdeckte Rob die Überreste von Cullens Schimmel. Vielleicht hatte er sich ein Bein gebrochen und war so zu einer leichten Beute geworden; der Kadaver war fast ganz aufgezehrt. Rob erkannte die Spuren von Schakalen, kehrte zu dem frischen Grab zurück und legte schwere, flache Steine darauf, damit die Tiere die Leiche nicht ausgruben.

Er fand Marys schwarzes Pferd am hinteren Ende des *wadi*, so weit von den fressenden Schakalen entfernt, wie es ihm möglich gewesen war. Es war nicht schwer, dem Pferd ein Halfter anzulegen, denn es sehnte sich offensichtlich nach Geborgenheit und Sicherheit.

Als er zum Haus zurückkam, war Mary gefaßt, aber noch sehr blaß. »Was hätte ich getan, wenn du nicht gekommen wärst?«

Er lächelte und erinnerte sich an die verbarrikadierte Tür und das Schwert in ihrer Hand. »Was notwendig gewesen wäre.«

Sie war sehr beherrscht. »Ich möchte mit dir nach Isfahan gehen.«

»Das möchte ich auch.« Sein Herz tat einen Sprung, doch ihre nächsten Worte ernüchterten ihn.

»Gibt es dort eine Karawanserei?«

»Ja. Sie ist sehr gut besucht.«

»Dann werde ich mich einer Karawane mit Begleitschutz anschließen, die nach Westen zieht zu einem Hafen, von dem aus ich eine Passage nach Hause buchen kann.«

Er trat zu ihr und ergriff ihre Hände, es war das erste Mal seit ihrem Wiedersehen, daß er sie berührte. Ihre Finger waren von der Arbeit rauh geworden und nicht so glatt wie die Hand einer Haremsdame, aber er wollte sie nicht loslassen. »Mary, ich habe einen schrecklichen Fehler begangen. Ich kann dich nicht wieder gehen lassen.«

Ihre Augen ruhten ruhig auf ihm.

»Komm mit mir nach Isfahan, aber bleib dort bei mir!«

Es wäre leichter gewesen, wenn er nicht gezwungen gewesen wäre, ihr schuldbewußt alles über Jesse ben Benjamin und die Notwendigkeit, sich zu tarnen, zu erzählen.

Es war, als fließe ein Strom zwischen ihren Fingern, aber aus ihren Augen sprach Aufgebrachtheit, eine Art Entsetzen. »So viele Lügen!« tadelte sie ihn ruhig. Sie löste sich von ihm und ging ins Freie.

Sie blieb so lange draußen, daß er sich bereits Sorgen machte, da kam sie wieder zurück.

»Erkläre mir, warum die Täuschung der Mühe wert ist.«

Er zwang sich, seine Gründe in Worte zu fassen, ein schwieriges Unterfangen, dem er sich unterzog, weil er sie wollte und wußte, daß sie das Recht auf Wahrheit hatte.

»Weil ich berufen bin. Als hätte Gott gesagt: ›Bei der Erschaffung des Menschen habe ich Fehler begangen, und ich beauftrage dich, einige meiner Fehler zu beheben.‹ Es ist nicht meine Entscheidung. Das Schicksal hat mich auserwählt.«

Seine Worte jagten ihr Angst ein. »Es ist eine Gotteslästerung, sich als jemanden hinzustellen, der Gottes Fehler verbessert!«

»Nein, nein«, entgegnete er sanft. »Ein guter Arzt ist nur sein Werkzeug.«

Sie nickte, und nun glaubte er einen Schimmer von Verständnis, vielleicht sogar von Neid in ihren Augen zu erkennen.

»Ich müßte dich immer mit einer Geliebten teilen.«

Irgendwie spürt sie mein Verhältnis mit Despina, dachte er dummerweise und sagte: »Ich will nur dich.«

»Nein, du liebst nur deine Arbeit, und sie wird immer an erster Stelle stehen – vor deiner Familie, vor allem anderen. Aber ich liebe dich so, Rob, und ich will deine Frau sein.«

Er schloß sie in die Arme.

»Die Cullens heiraten in der Kirche«, sagte sie, den Kopf an seine Schulter gelehnt.

»Selbst wenn wir in Persien einen Priester fänden, würde er eine

Christin nicht mit einem Juden trauen. Wir müssen den Leuten weismachen, wir hätten in Konstantinopel geheiratet. Wenn meine Ausbildung als Medicus beendet ist, werden wir nach England zurückkehren und uns rechtmäßig trauen lassen.«

»Und bis dahin?« fragte sie traurig.

»Eine in die Hand gelobte Ehe.« Er nahm ihre Hände in die seinen. Sie sahen einander ernst an.

»Selbst bei einer in die Hand gelobten Ehe sollten Worte gesprochen werden«, verlangte sie.

»Mary Cullen, ich nehme dich zu meiner Frau«, sagte er heiser. »Ich verspreche, für dich zu sorgen und dich zu beschützen, und du bist meiner Liebe sicher.« Er hätte die Worte gern besser gewählt, doch war so tief gerührt, daß er seine Zunge nicht unter Kontrolle hatte.

»Robert Jeremy Cole, ich nehme dich zum Mann«, sprach sie deutlich. »Ich verspreche, dir dorthin zu folgen, wo du hingehst, und immerdar dein Wohlergehen im Auge zu haben. Du besitzt meine Liebe, seit ich dich zum erstenmal sah.«

Sie drückte seine Hände so fest, daß es schmerzte, und er konnte das Pochen ihres Pulses fühlen. Er wußte, daß das frische Grab draußen Freude unschicklich erscheinen ließ, dennoch empfand er ein wildes Gemisch von Gefühlen, und er sagte sich, daß ihrer beider Gelübde besser gewesen sei als viele andere, die in der Kirche gesprochen wurden.

Er packte ihre Habseligkeiten auf sein braunes Pferd, und sie stieg auf den Rappen. Er legte den Packen jeden Morgen einem anderen Tier auf. In den seltenen Fällen, wenn der Weg gut und eben war, saßen er und Mary auf einem Pferd, aber die meiste Zeit ritt nur sie, und er ging zu Fuß voran. Es war eine langsame Reise, aber er hatte es nicht eilig. Sie war schweigsamer, als er sie in Erinnerung hatte, und er unternahm keinen Versuch, sie anzurühren, weil er ihren Kummer achtete. In der zweiten Nacht ihrer Reise nach Isfahan lagerten sie auf einer buschbestandenen Lichtung neben der Straße; er lag wach und hörte, wie sie endlich weinte.

»Wenn du Gottes Helfer bist und Seine Fehler behebst, warum konntest du dann ihn nicht retten?«

»Ich weiß nicht genug.«

Es hatte lange gedauert, bis sie zu weinen anfing, und nun konnte sie nicht aufhören. Er schloß sie in die Arme. Während sie den Kopf an seine Schulter legte, begann er ihr nasses Gesicht zu küssen. Schließlich küßte er ihren Mund, der so weich und nachgiebig war und genauso schmeckte wie in seiner Erinnerung. Er streichelte ihren Rücken und liebkoste die reizende Grube am Ende ihres Rückgrats und dann, als ihr Kuß drängender wurde und er ihre Zunge spürte, griff er unter ihre Kleider.

Sie weinte wieder, ließ aber seine Hände gewähren, und schließlich spreizte sie die Beine, um ihn in sich aufzunehmen.

Bei aller Leidenschaft empfand er Dankbarkeit und nahm unendliche Rücksicht auf sie. Ihre Vereinigung war ein zartes, köstliches Schaukeln, bei dem sie sich kaum bewegten. Es ging immer weiter, immer weiter, bis er herrlich zum Höhepunkt gelangte. Beim Versuch zu heilen wurde er selbst geheilt, beim Versuch zu trösten wurde er selbst getröstet. Um aber auch ihr ein wenig Trost zu spenden, mußte er sie mit der Hand zum Höhepunkt führen.

Nachher hielt er sie in den Armen und sprach leise zu ihr, erzählte ihr von Isfahan und der Jehuddijeh, von der *madrassa*, vom Krankenhaus und von Ibn Sina. Und von seinen Freunden, dem Mohammedaner und dem Juden: Karim und Mirdin.

»Haben sie Frauen?«

»Mirdin hat eine Frau. Karim hat viele Frauen.«

Ineinander verschlungen schliefen sie ein.

Im trüben, grauen Morgenlicht wurde er von knirschendem Sattelleder und langsamem Hufgetrappel auf staubiger Straße geweckt. Er hörte jemanden husten und die Unterhaltung von Männern, die auf den Tieren saßen.

Er blickte über Marys Schulter durch den dornigen Busch, der ihr Versteck von der Straße trennte, und sah einen Trupp Soldaten vorbeireiten. Sie sahen grimmig aus, trugen die gleichen orientalischen Schwerter wie Alās Männer, führten aber Bogen mit, die kürzer waren als die persischen. Die Soldaten trugen zerlumpte Kleidung und ehemals weiße Turbane mit dunklen Schweiß- und Schmutzflecken. Ein Gestank ging von ihnen aus, der bis zu Rob drang. Voller Angst wartete er darauf, daß eines seiner Pferde ihn verraten oder ein Reiter durch die Büsche spähen und ihn und die schlafende Frau entdecken könnte.

Ein vertrautes Gesicht kam in Sicht, und er erkannte Hadad *Khan*, den ungestümen Gesandten der Seldschuken am Hof von Alā *Shahansha*. Das waren also Seldschuken. Und neben dem weißhaarigen Hadad *Khan* ritt noch jemand, den er kannte, ein *mullah* namens Musa Ibn Abbas, persönlicher Gehilfe des Imam Mirza-abul Qandrasseh, des persischen Großwesirs.

Rob sah noch sechs andere *mullahs* und zählte sechsundneunzig berittene Soldaten. Er konnte unmöglich wissen, wie viele vorbeigeritten waren, während er noch geschlafen hatte.

Weder sein Pferd noch das von Mary wieherte oder gab ein Geräusch von sich, das ihre Anwesenheit verraten hätte. Endlich ritt der letzte Seldschuke vorbei, und Rob wagte wieder zu atmen, während er hörte, wie der Lärm schwächer wurde.

Nun küßte er seine Frau, um sie zu wecken, und dann verlor er keine Zeit mehr. Er brach das primitive Lager ab, und sie machten sich auf den Weg, denn jetzt hatte er jeden Grund zur Eile.

Der *Chatir*

»Verheiratet?« fragte Karim. Er sah Rob grinsend an.

»Eine Frau! Ich hatte nicht erwartet, daß du meinen Rat annehmen würdest«, strahlte Mirdin. »Wer hat diese Ehe vereinbart?«

»Niemand. Das heißt«, unterbrach sich Rob hastig, »es gab vor einem Jahr eine Heiratsvereinbarung, die aber bis jetzt nicht durchgeführt wurde.«

»Wie heißt sie?« fragte Karim.

»Mary Cullen. Sie ist Schottin. Ich habe sie und ihren Vater in einer Karawane auf meiner Reise nach dem Osten kennengelernt.« Er erzählte ihnen von James Cullen, seiner Krankheit und seinem Tod.

Mirdin schien kaum zuzuhören. »Eine Schottin. Sie ist Europäerin?«

»Ja. Sie stammt aus einem Ort nördlich von meiner Heimat.«

»Sie ist Christin?«

Rob nickte.

»Ich muß diese Europäerin kennenlernen«, sagte Karim. »Ist sie hübsch?«

»Sie ist sehr schön!« platzte Rob heraus, und Karim lachte. »Aber ich will, daß ihr euch selbst ein Urteil macht.« Rob dehnte durch eine Handbewegung die Einladung auf Mirdin aus, merkte aber, daß sein Freund bereits gegangen war.

Rob freute sich nicht gerade darauf, dem Schah zu berichten, was er gesehen hatte, aber er wußte, daß er sich zur Treue verpflichtet hatte und ihm keine andere Wahl blieb. Als er im Palast erschien und verlangte, den König zu sprechen, lächelte Khuff hart.

»Was ist Euer Begehr?«

Der Stadthauptmann warf ihm einen eisigen Blick zu, als Rob schweigend den Kopf schüttelte.

Khuff ersuchte ihn zu warten und ging zu Alā, um ihm zu melden, daß der fremde *Dhimmi* Jesse ihn zu sprechen wünsche, und gleich darauf führte der alte Soldat Rob zum König.

Alā roch nach Alkohol, hörte sich aber ziemlich nüchtern Robs Bericht an, daß sein Großwesir frömmelnde *mullahs* ausgesandt habe, um mit Feinden des Schahs zusammenzukommen und Absprachen zu treffen.

»Es hat keinen Bericht über Angriffe in Hamadhān gegeben«, sagte Alā langsam. »Es war also kein Raubzug der Seldschuken. Sie sind zweifellos zusammengekommen, um Verrat zu planen.« Er betrachtete Rob mit verschleierten Augen. »Mit wem hast du darüber gesprochen?«

»Mit keinem Menschen, Majestät.«

»So soll es auch bleiben.«

Statt eines weiteren Gesprächs stellte Alā *Shahansha* ein Schachbrett zwischen sie. Er freute sich sichtlich darüber, daß Rob ein ernstzunehmender Gegner geworden war.

»Ah, *Dhimmi*, du wirst geschickt und schlau wie ein Perser!«

Es gelang Rob, eine Zeitlang Widerstand zu leisten. Am Ende schlug ihn Alā vernichtend, und es war wie immer *shahtreng*. Aber beide erkannten, daß das Spiel eine neue Dimension gewonnen hatte. Es war jetzt eher ein Kampf, und vielleicht hätte Rob sogar noch länger durchhalten können, wenn er es nicht so eilig gehabt hätte, wieder zu seiner Frau zu kommen.

Isfahan war die schönste Stadt, die Mary je gesehen hatte, oder vielleicht kam es ihr so vor, weil sie mit Rob dort lebte. Sie freute sich über das kleine Haus in der Jehuddijeh, obwohl das Judenviertel schäbig war. Das Haus war nicht so groß wie jenes, das sie und ihr Vater im Ahmads *wadi* in Hamadhān bewohnt hatten, aber es war solider gebaut.

Auf ihr Drängen kaufte Rob Mörtel und ein paar einfache Werkzeuge, und sie versprach, das Haus am ersten Tag, an dem sie allein war, herzurichten. Die volle Hitze des persischen Sommers lastete auf ihr, und das schwarze Trauerkleid mit den langen Ärmeln war bald durchgeschwitzt.

Am Vormittag klopfte der schönste Mann, den sie je gesehen hatte, an die Tür. Er trug einen Korb mit dunklen Pflaumen, den er abstellte, um ihr rotes Haar zu berühren, was sie in Angst versetzte. Er kicherte, sah beeindruckt aus und lächelte sie mit makellos weißen Zähnen im braungebrannten Gesicht an. Er sprach lange; es klang gewandt, angenehm und voll Gefühl, aber es war Persisch.

»Es tut mit leid«, bedauerte sie.

»Ah.« Er verstand sofort und berührte seine Brust. »Karim.«

Sie verlor ihre Befangenheit und war entzückt. »Ihr seid also der Freund meines Mannes. Er hat von Euch gesprochen.«

Karim strahlte und führte sie, während sie mit Worten protestierte, die er nicht verstand, zu einem Stuhl, auf den sie sich setzte und eine süße Pflaume aß, während er den Mörtel zu der genau richtigen Konsistenz mischte, ihn in drei Sprünge an den Innenwänden verteilte und dann ein Fenstersims erneuerte. Sie erlaubte ihm auch ungehemmt, ihr beim Ausschneiden der großen, verwilderten Büsche im Garten zu helfen.

Karim war noch da, als Rob nach Hause kam, und Mary bestand darauf, daß er an ihrer Mahlzeit teilnahm, die sie verschieben mußten, bis es dunkel geworden war, denn es war *Ramadan*, der neunte Monat, der Monat des Fastens.

»Ich mag Karim«, sagte sie, als er gegangen war. »Wann werde ich den anderen – Mirdin – kennenlernen?«

Er küßte sie und schüttelte den Kopf. »Ich weiß es nicht.«

Ramadan erschien Mary als ein höchst merkwürdiges Fest. Es war Robs zweiter *Ramadan* in Isfahan, und er erklärte ihr, es sei ein düsterer Monat, der vor allem dem Gebet und der Buße geweiht war, aber alle dachten zumeist nur ans Essen, denn es war den Mohammedanern verboten, von Sonnenaufgang bis Sonnenuntergang feste Nahrung oder Flüssigkeit zu sich zu nehmen. Auf den Märkten und den Straßen gab es keine Essenverkäufer, die *maidans* blieben den ganzen Monat lang dunkel und still, obwohl Freunde und Familien sich abends versammelten, um zu essen und sich für das Fasten des nächsten Tages zu stärken.

»Voriges Jahr hielten wir uns während des *Ramadan* in Anatolien auf«, erinnerte sich Mary sehnsüchtig.. »Vater kaufte Lämmer von einem Hirten und gab ein Fest für unsere mohammedanischen Diener.«

»Wir könnten anläßlich des *Ramadan* ein Abendessen geben.«

»Das wäre schön, aber ich bin in Trauer«, erinnerte sie ihn.

Sie war zwischen widersprechenden Gefühlen hin und her gerissen, manchmal war der Kummer über ihren Verlust so groß, daß sie wie gelähmt war, dann wieder war ihr schwindelerregend bewußt, daß sie in ihrer Ehe die glücklichste Frau war.

Bei den wenigen Gelegenheiten, zu denen sie das Haus verließ, schien es ihr, daß die Menschen sie feindselig anstarrten. Ihr schwarzes Trauerkleid glich ganz den Kleidern der anderen Frauen in der Jehuddijeh, aber zweifellos war sie durch ihr unbedecktes rotes Haar als Europäerin kenntlich. Sie versuchte, ihren breitkrempigen Reisehut zu tragen, aber sie sah, daß die Frauen auf der Straße trotzdem mit Fingern auf sie zeigten und ihr gegenüber unvermindert kühl blieben.

Während des ganzen Monats *Ramadan* besuchte sie nur Karim, und sie sah den jungen persischen Arzt auch mehrmals durch die Straßen laufen, ein Anblick, bei dem sie den Atem anhielt, denn es war, als beobachte sie ein elegantes Reh. Rob erzählte ihr von dem Wettlauf, dem *chatir*, der am ersten Tag des dreitägigen Festes stattfinden sollte, das *Bairam* hieß und am Ende der langen Fastenzeit gefeiert wurde.

»Ich habe versprochen, Karim während des Wettlaufs beizustehen.«

»Wirst du sein einziger Helfer sein?«

»Mirdin wird auch hinkommen. Aber Karim wird uns beide brauchen.«

»Dann bist du dazu verpflichtet«, erklärte sie entschieden.

»Der Wettlauf selbst ist keine Feier. Es kann kein Verstoß sein, wenn jemand, der Trauer trägt, zusieht.«

Sie dachte darüber nach, während der *Bairam* näherrückte, und schließlich rang sie sich zu dem Entschluß durch, daß ihr Mann recht hatte und sie dem *chatir* beiwohnen würde.

Am ersten Morgen des Monats *Shawwa* stand Karim früh auf, kochte einen großen Topf Erbsen mit Reis und bestreute den einfachen *pilaw* mit Selleriesamen, die er mit großer Sorgfalt abmaß. Er aß mehr, als er brauchte, stopfte sich voll, kehrte dann in sein Bett zurück und ruhte sich aus, während der Selleriesamen zu wirken begann.

Er betete nicht um Sieg. Als er ein Junge war, hatte ihm Zaki-Omar oft genug gepredigt: »Jeder gelbe Hund von einem Läufer betet um den Sieg. Wie verwirrend für Allah! Es ist besser, wenn man Ihn bittet, einem Schnelligkeit und Ausdauer zu verleihen, um damit selbst die Verantwortung für Sieg oder Niederlage zu übernehmen.«

Als er den Drang verspürte, stand er auf, ging zum Eimer und hockte sich lange und befriedigend darüber, um seine Gedärme zu entleeren. Die Menge Selleriesamen war richtig bemessen gewesen: Als er fertig war, war er entleert, aber nicht geschwächt.

Er wärmte Wasser, badete bei Kerzenlicht und rieb sich rasch trocken, denn die abnehmende Dunkelheit brachte Kühle. Dann fettete er sich mit Olivenöl gegen die Sonne ein, und jene Stellen zweimal, an denen durch Reibung offene Stellen entstehen konnten: Brustwarzen, Achselhöhlen, Leiste und Penis, die Gesäßfalte und schließlich die Füße, wobei er darauf achtete, auch die Zehenspitzen einzuölen.

Er legte ein leinenes Hüfttuch und ein Leinenhemd an, leichte Laufschuhe und eine schmucke, federgeschmückte Mütze. Um den Hals hängte er den Köcher des Bogenschützen und ein Amulett in einem kleinen Stoffbeutel. Er warf sich einen Umhang über die Schultern, um sich gegen die Kühle zu schützen, und verließ dann das Haus.

Er ging zuerst langsam und dann schneller, spürte die Wärme, die seine Muskeln und Gelenke lockerte. Es waren noch wenige Menschen unterwegs. Niemand bemerkte ihn, als er zu einem Busch trat und ein letztes Mal nervös seine Blase entleerte. Doch als er zum Start bei der Zugbrücke des Hauses des Paradieses kam, hatte sich dort schon eine hundertköpfige Menschenmenge versammelt. Er bahnte sich vorsichtig den Weg hindurch, bis er, wie verabredet, ganz hinten auf Mirdin stieß, und dort gesellte sich etwas später auch Jesse ben Benjamin zu ihnen.

Die Freunde begrüßten einander förmlich. Karim merkte, daß etwas zwischen ihnen stand. Er schob es aber sofort beiseite. Jetzt durfte man nur an den Wettlauf denken.

Jesse lächelte ihn an und deutete fragend auf den kleinen Beutel an seinem Hals.

»Mein Glücksbringer«, erklärte Karim. »Von meiner Liebsten.« Aber er sollte vor einem Wettlauf nicht sprechen, konnte es nicht. Er lächelte Jesse und Mirdin kurz zu, um anzudeuten, daß er sie nicht beleidigen wollte, schloß die Augen, schuf eine Leere um sich und schloß damit das laute Gerede und das lärmende Gelächter aus.

Er betete.

Als er die Augen aufschlug, war der Nebel perlgrau geworden. Er sah durch ihn hindurch als vollkommen runde, rote Scheibe die Sonne. Die Luft war schon drückend warm. Schlagartig wurde ihm klar, daß es ein erbarmungslos heißer Tag werden würde. Dagegen war er machtlos. *Imshallah!*

Er nahm den Umhang ab und übergab ihn Jesse.

Mirdin war blaß. »Allah sei mit dir!«

»Lauf mit Gott, Karim!« sagte Jesse.

Er antwortete nicht. Jetzt war Stille eingetreten. Die Läufer und die Zuschauer starrten zum nächsten Minarett, es war jenes der Freitagsmoschee, hinauf, wo eine winzige Gestalt in einem dunklen Gewand soeben den Umgang betrat.

Einen Augenblick später drang der eindringliche Ruf zum ersten Gebet an ihre Ohren, und Karim warf sich in Richtung Südosten gen Mekka zu Boden.

Als das Gebet zu Ende war, schrien Läufer und Zuschauer aus vollem Hals. Es war beängstigend und ließ Rob erzittern. Einige riefen den Läufern aufmunternde Worte zu, andere riefen Allah an. Viele brüllten einfach den schrecklichen Kampfruf, den Männer ausstoßen, wenn sie eine feindliche Festung angreifen.

Karim stand weiter hinten, wo man die Bewegung unter den vordersten Läufern nur ahnen konnte, denn er wußte aus Erfahrung, daß manche vorsprangen, um in die erste Reihe zu gelangen, kämpften und drängten, ohne sich darum zu kümmern, wer niedergestoßen oder verwundet wurde.

Deshalb wartete er voll Verachtung und geduldig in der hintersten

Reihe, während eine Gruppe von Läufern nach der anderen vor ihm startete und ihn mit ihrem Lärm störte. Aber endlich lief auch Karim. Der *chatir* hatte begonnen, und Mirdins und Jesses Freund lag am Ende einer langen Schlange von Läufern.

Er lief sehr langsam. Für die ersten fünfeinviertel Meilen würde er lang brauchen, doch das gehörte zu seiner Taktik. Die Alternative wäre gewesen, sich in die erste Reihe durchzukämpfen und dann, vorausgesetzt, daß er im Gedränge nicht verletzt wurde, ein Tempo vorzulegen, mit dem er ungefährdet die Spitze vor dem Hauptfeld halten konnte. Aber das hätte schon zu Beginn sehr viel Energie gekostet. Er hatte den sicheren Weg gewählt.

Sie liefen auf der breiten Prachtstraße Tore des Paradieses, bogen nach links ab und folgten über eine Meile der Allee der tausend Gärten, die erst bergab ging und dann anstieg. Die Strecke bog nach rechts in die Straße der Vorkämpfer ein, die nur eine Viertelmeile lang war. Die kurze Straße verlief auf dem Weg stadtauswärts bergab und war dafür auf dem Rückweg anstrengend. Dann schwenkten die Läufer nach links auf die Ali-und-Fatima-Allee ein, der sie bis zur *madrassa* folgten.

Unter den Läufern gab es Männer aus allen möglichen Bevölkerungsschichten. Es war bei jungen Adeligen Mode, eine halbe Runde mitzulaufen, und Männer in seidener Sommerkleidung liefen Schulter an Schulter mit Läufern in Lumpen. Karim blieb nach wie vor zurück, denn zu diesem Zeitpunkt war das Ganze weniger ein Wettlauf als ein laufender Volkshaufen, den das Ende des *Ramadan* in gehobene Stimmung versetzt hatte. Es war ein guter Beginn für ihn, denn das langsame Tempo ermöglichte seinen Säften, allmählich in Fluß zu geraten.

Sie schlängelten sich durch das Gelände der *madrassa* und dann zum zentralen *maidan*, wo zwei große, offene Zelte aufgestellt worden waren. Das eine war für Adelige bestimmt, mit Teppichen ausgelegt und mit Brokat ausgeschlagen. Auf Tischen standen alle möglichen köstlichen Speisen und Weine. Das andere Zelt war für Läufer einfacher Herkunft bestimmt, denen Fladenbrot, *pilaw* und *scherbet* angeboten wurde. Es wirkte nicht weniger einladend, so daß für fast die Hälfte der Wettkämpfer hier das Rennen endete, weil sie sich mit begeisterten Rufen über die Erfrischungen hermachten.

Karim gehörte zu jenen, die an den Zelten vorbeiliefen. Sie umrunde-
ten die steinernen Ball-und-Stock-Tore und nahmen dann die Strecke
zurück zum Haus des Paradieses in Angriff.

Jetzt waren es weniger Läufer, die auf eine größere Distanz verteilt
waren, und Karim hatte genügend Spielraum, um sein eigenes Tempo
zu laufen.

Es gab verschiedene Strategien. Manche waren dafür, die ersten Runden rasch zurückzulegen, um die Morgenkühle auszunutzen. Aber
Zaki-Omar hatte ihn gelehrt, daß das Geheimnis, Langstrecken durchzustehen, darin bestand, ein Tempo zu wählen und unverändert
durchzuhalten, das einem erlaubte, beim Endspurt die letzten Energien einzusetzen. Er konnte so den vollendeten Rhythmus und die
Gleichmäßigkeit eines trabenden Pferdes beibehalten. Die römische
Meile bestand aus eintausend fünf Fuß langen Schritten, aber Karim
brauchte ungefähr zwölfhundert Schritte pro Meile, von denen jeder
etwas mehr als vier Fuß lang war. Er hielt seine Wirbelsäule vollkommen gerade und den Kopf hoch erhoben. Das Klopfen seiner Füße auf
dem Boden in der von ihm gewählten Geschwindigkeit war wie die
Stimme eines alten Freundes.

Er begann jetzt, einige Läufer zu überholen, obwohl er wußte, daß die
meisten keine ernsten Konkurrenten darstellten, und lief leichtfüßig zu
den Palasttoren, wo er den ersten Pfeil nahm und in seinen Köcher
steckte.

Mirdin bot ihm Balsam an, damit er sich gegen die Sonne einreiben
konnte. Er lehnte ab. Das Wasser aber nahm er dankbar an, trank
jedoch nur mäßig.

»Du bist zweiundvierzigster«, sagte Jesse. Karim nickte und lief
weiter.

Nun lief er im vollen Tageslicht. Die Sonne stand noch tief, war aber
schon kräftig und ließ auf die bevorstehende Hitze schließen. Das kam
für ihn nicht unerwartet. Manchmal war Allah den Läufern günstig
gesinnt, aber die meisten *chatirs* wurden wegen der Hitze zu wahren
Zerreißproben. Die Höhepunkte von Zaki-Omars leichtathletischer
Karriere waren zwei zweite Plätze in zwei *chatirs* gewesen, einmal, als
Karim zwölf, und einmal, als er vierzehn Jahre alt gewesen war.

Die Hügel kosteten Karim nicht mehr Kräfte als bei der ersten Runde,
und er erklomm sie fast, ohne es zu merken. Die Zuschauermenge

wurde überall dichter, denn es war ein schöner, sonniger Morgen, und Isfahan hatte einen Feiertag, an dem die meisten Geschäfte geschlossen blieben.

Als Karim wieder zum *maristan* kam und noch immer nicht die Frau sah, die versprochen hatte hinzukommen, versetzte es ihm einen Stich. Vielleicht hatte ihr Mann es ihr schließlich doch verboten.

Während er sich dem *maidan* näherte, merkte er, daß es dort schon so lebhaft zuging, als wäre es Donnerstag abend. Musikanten, Jongleure, Fechter, Akrobaten, Tänzer und Zauberer produzierten sich vor einem dichtgedrängten Publikum, an dem die Läufer beinahe unbemerkt am Rand des Platzes vorbeizogen.

Karim kam an erschöpften Konkurrenten vorbei, die neben der Straße lagen oder saßen.

Als er den zweiten Pfeil holte, versuchte Mirdin wieder, ihm eine Salbe zum Schutz der Haut vor der Sonne zu geben, doch er lehnte ab, obwohl er sich zu seiner Schande eingestehen mußte, daß er es deshalb tat, weil die Salbe häßlich machte und die Angebetete ihn ohne Salbe sehen sollte. Wenn er sie brauchte, würde sie zur Verfügung stehen, da ihm Jesse, wie abgemacht, von dieser Runde an auf dem braunen Wallach folgte. Karim wußte, daß seine erste seelische Prüfung bevorstand, denn nach fünfundzwanzig römischen Meilen war er unabänderlich erschöpft.

Die Schwierigkeiten trafen beinahe programmgemäß ein. Auf halber Steigung der Allee der tausend Gärten bemerkte er eine wundgeriebene Stelle an der linken Ferse. Wenn man eine so lange Strecke lief, mußten die Füße Schaden davontragen, und er wußte, daß er die Beschwerden nicht beachten durfte. Doch bald gesellte sich ein stechender Schmerz in der rechten Seite hinzu, der zunahm, bis Karim jedesmal nach Luft schnappte, wenn er den rechten Fuß auf die Straße setzte.

Er winkte Jesse, der ein Ziegenfell mit Wasser hinter seinem Sattel befestigt hatte. Aber ein warmer Schluck, der nach Ziegenleder schmeckte, trug wenig zur Linderung seiner Beschwerden bei.

Als er sich jedoch der *madrassa* näherte, erblickte er auf dem Dach des Krankenhauses sofort die Frau, auf die er gewartet hatte, und es war, als falle alles, was ihn belastet hatte, von ihm ab.

Rob, der hinter Karim wie ein Knabe ritt, der seinem Ritter folgt, sah Mary, als sie am *maristan* vorbeikamen, und sie lächelten einander an. Sie trug ihr schwarzes Trauerkleid und wäre nicht aufgefallen, wenn ihr Gesicht verschleiert gewesen wäre, denn alle anderen Frauen in Sichtweite trugen den schweren, schwarzen Straßenschleier. Die anderen Leute auf dem Dach sonderten sich ein wenig von seiner Frau ab, als fürchteten sie, durch ihre europäischen Sitten verdorben zu werden.

Die Frauen wurden von Sklaven begleitet, und Rob erkannte den Eunuchen Wasif, der hinter einer kleinen Gestalt stand, die in ein weites, schwarzes Kleid gehüllt war. Ihr Gesicht war hinter dem Roßhaarschleier verborgen, doch er erkannte Despinas Augen und sah, worauf sie gerichtet waren. Als er nämlich ihrer Blickrichtung folgte, sah er Karim, und ein Umstand verschlug ihm den Atem. Auch Karim hatte Despina erkannt und bannte sie mit seinem Blick. Als er an ihr vorbeilief, hob er die Hand und berührte das an seinem Hals hängende Säckchen.

Rob war davon überzeugt, daß alle Zuschauer die kleine Szene bemerkt hatten, aber der Jubel blieb gleich. Und obwohl Rob Ibn Sina in der Menge suchte, fand er ihn nicht unter den Zuschauern.

Karim lief dem Schmerz in seiner Seite davon, bis er verschwand, und er kümmerte sich nicht um die Beschwerden in seinen Füßen. Jetzt setzte die Zermürbung ein, und an der Laufstrecke waren Männer in Eselwagen damit beschäftigt, Läufer aufzulesen, die nicht weiterkonnten.

Als Karim seinen dritten Pfeil holte, ließ er sich von Mirdin mit der Salbe einschmieren, die aus Rosenöl, Muskatnußöl und Zimt bestand. Sie färbte seine hellbraune Haut gelb, war aber ein guter Sonnenschutz. Jesse knetete seine Beine, während Mirdin ihn mit der Salbe einrieb, dann hielt ihm Rob einen Becher an die aufgesprungenen Lippen und flößte ihm mehr Wasser ein, als er wollte.

Karim versuchte zu protestieren. »Ich will nicht pissen müssen.«

»Du schwitzt zu stark, um zu pissen.«

Karim wußte, daß es stimmte, und trank. Gleich darauf war er wieder unterwegs und lief und lief.

Jetzt stand die Sonne heiß und hoch am Himmel und erwärmte den Boden so stark, daß die Hitze der Straße durch das Leder seiner

Schuhe drang und seine Sohlen verbrannte. An der Straße standen Männer mit Wasserbehältern, und manchmal legte er eine Pause ein, um seinen Kopf zu befeuchten, bevor er ohne Dank oder Segen weiterrannte.

Nachdem er den vierten Pfeil erobert hatte, verließ ihn Jesse, tauchte aber kurz darauf auf dem Rappen seiner Frau auf; zweifellos ließ er den Wallach tränken und sich im kühlen Schatten ausruhen. Mirdin wartete bei dem Pfosten, wo die Pfeile steckten, und beobachtete, wie ausgemacht, die anderen Läufer.

Als Karim während der fünften Runde am *maristan* vorbeikam, stand Despina nicht mehr auf dem Dach. Vielleicht hatte sie sein Aussehen erschreckt. Das spielte keine Rolle, denn er hatte sie gesehen, und nun berührte er gelegentlich das Säckchen, das die dichten, schwarzen Locken enthielt, die er ihr mit eigenen Händen abgeschnitten hatte.

Stellenweise wirbelten die Wagen, die Füße der Läufer und die Hufe der begleitenden Tiere dichten Staub auf, der sich in seinen Nasenlöchern und in seiner Kehle festsetzte und ihn zum Husten reizte.

Der Ruf zum zweiten Gebet versetzte ihm einen Schock. Überall auf der Rennstrecke warfen sich Läufer und Zuschauer in Richtung Mekka auf den Boden. Er zitterte, sein Körper konnte sich nicht darauf einstellen, daß die Beanspruchung aussetzte, wenn auch nur für kurze Zeit. Karim hätte am liebsten die Schuhe ausgezogen, wußte aber, daß er sie nicht wieder an seine geschwollenen Füße bringen würde. Als das Gebet zu Ende war, rührte er sich einen Moment lang nicht.

»Wie viele sind wir noch?«

»Achtzehn. Jetzt beginnt der Wettkampf«, sagte Jesse zu ihm.

Karim erhob sich und zwang sich, in der flirrenden Hitze zu laufen. Doch er wußte, daß dies noch nicht der Wettkampf war.

Es fiel ihm schwerer als am Vormittag, die Hügel hinaufzulaufen, aber er behielt seinen gleichmäßigen Laufrhythmus bei. Jetzt war die schlimmste Zeit. Die Sonne befand sich direkt über ihm, und die wahre Prüfung stand ihm noch bevor. Er dachte an Zaki-Omar und wußte, daß er, falls er nicht starb, weiterlaufen würde, bis er zumindest den zweiten Platz errungen hatte.

Bisher hatte er diese Erfahrung nicht gemacht, und in einem Jahr würde er vielleicht für eine solche Strapaze zu alt sein. Es mußte heute sein. Als er den sechsten Pfeil in seinen Köcher schob, wandte er sich sofort an Mirdin. »Wie viele?«

»Es sind noch sechs Läufer im Rennen«, antwortete Mirdin verwundert, und Karim nickte und begann wieder zu laufen.

Nun erst begann der Wettkampf.

Er sah drei Läufer vor sich, zwei von ihnen kannte er. Er überholte einen kleinen, zart gebauten Inder. Etwa achtzig Schritte vor dem Inder lief ein Junge, dessen Name Karim nicht geläufig war, in dem er aber einen Soldaten der Palastgarde erkannte. Und weit vorne, aber doch so nahe, daß Karim ihn erkennen konnte, lief ein bedeutender Athlet, ein Mann aus Hamadhān namens al-Harāt.

Der Inder war langsamer geworden, lief aber schneller, als Karim auf gleiche Höhe kam, und sie zogen Schritt für Schritt miteinander gleich. Die Haut des Inders war sehr dunkel, fast wie Ebenholz, und unter ihr glänzten lange, flache Muskeln in der Sonne, während er sich bewegte.

Auch Zakis Haut war dunkel gewesen – ein Vorteil unter heißer Sonne. Karims Haut brauchte die gelbe Salbe; sie hatte die Farbe von hellem Leder, was, wie Zaki-Omar behauptete, davon kam, daß einer von Alexanders hellhäutigen Griechen eine Vorfahrin gefickt hatte.

Ein kleiner, gefleckter Hund war aufgetaucht und lief bellend neben ihnen her.

Als sie an den Besitzungen entlang der Allee der tausend Gärten vorbeikamen, streckten ihnen Leute Melonenschnitten und Becher mit *scherbett* entgegen, aber Karim nahm nichts, weil er Angst vor Krämpfen hatte. Er ließ sich Wasser geben, das er in seine Mütze goß, bevor er sie wieder aufsetzte, was ihm eine gewisse Erleichterung verschaffte, bis die Mütze erstaunlich rasch in der Sonne trocknete.

Gemeinsam mit dem Inder überholte er den Jungen von der Palastwache. Er stellte keine Konkurrenz mehr dar, denn er lag eine volle Runde zurück, weshalb in seinem Köcher nur fünf Pfeile steckten.

Karim bemerkte bestürzt, daß der Inder noch locker lief und daß sein Gesicht gespannt, aber relativ frisch war.

Der gefleckte Hund, der einige Meilen lang neben ihnen her gelaufen war, schwenkte plötzlich herum und lief ihnen quer über den Weg. Karim machte einen Sprung, um ihm auszuweichen, und das warme

Fell streifte über seine Beine. Dafür prallte das Tier dem anderen Läufer mit voller Wucht gegen die Beine, und der Inder fiel hin.

Als Karim sich zu ihm umdrehte, wollte er gerade aufstehen, doch er setzte sich wieder auf die Straße. Sein rechter Fuß war vollkommen verdreht, und er starrte ungläubig auf seinen Knöchel. Er konnte nicht begreifen, daß das Rennen für ihn zu Ende war.

»Lauf!« feuerte Jesse Karim an. »Ich kümmere mich um ihn. Lauf weiter!«

Karim drehte sich um und lief, als hätte sich die Kraft des Inders in seine Glieder übertragen und als hätte Allah mit der Stimme des *Dhimmis* zu ihm gesprochen. Er begann wirklich zu glauben, daß jetzt sein Moment gekommen war.

Er lief fast die ganze Runde hinter al-Harāt her. Auf der Straße der Vorkämpfer kam er einmal nahe an ihn heran, und sein Gegner warf einen Blick zurück. Sie hatten einander in Hamadhān kennengelernt, und al-Harāt erkannte ihn. Er steigerte sein Tempo und führte bald wieder mit zweihundert Schritt Vorsprung.

Karim nahm den siebenten Pfeil, und Mirdin berichtete ihm über die anderen Läufer, während er ihm Wasser gab und ihn mit der gelben Salbe einschmierte.

»Du liegst an vierter Stelle. An erster Stelle befindet sich ein Afghane, dessen Name ich nicht kenne. Ein Mann aus al-Rayy namens Mahdavi ist zweiter. Dann kommen al-Harāt und du.«

Eineinhalb Runden folgte er al-Harāt, als wisse er, wo er hingehöre. In Ghazna, einem Gebiet mit hohen Bergen, liefen die Afghanen in Höhen, in denen die Luft dünn war, und es hieß, daß sie in niedrigeren Lagen nicht müde wurden. Er hatte auch gehört, daß Mahdavi aus al-Rayy ein sehr guter Läufer sei.

Während er die kurze, steile Strecke auf der Allee der tausend Gärten hinunterlief, sah er einen benommenen Läufer am Straßenrand, der sich die rechte Seite hielt und weinte. Sie liefen an ihm vorbei, aber Jesse brachte bald die Nachricht, daß es Mahdavi gewesen sei.

Karim hatte wieder starkes Seitenstechen, und beide Füße schmerzten. Der Ruf zum dritten Gebet erreichte ihn, als er die neunte Runde begann. Das dritte Gebet kam zu einer Zeit, die ihm Sorgen bereitet hatte, denn die Sonne stand nicht mehr hoch am Himmel, und er befürchtete, daß seine Muskeln steif würden. Aber die Hitze hatte nicht nachgelassen und lastete auf ihm wie eine schwere Decke, während er betete, und er schwitzte stark, als er sich erhob und wieder zu laufen begann.

Obwohl er diesmal sein Tempo beibehielt, überholte er al-Harāt. Als sie nebeneinander liefen, versuchte al-Harāt schneller zu werden, doch bald ging sein Atem laut und rasselnd, und er taumelte. Die Hitze hatte ihr Opfer gefordert: Als Arzt wußte Karim, daß der Mann sterben konnte, wenn es jene Überhitzung war, die ein rotes Gesicht und trockene Haut hervorruft. Aber al-Harāts Gesicht war bleich und naß.

Dennoch blieb Karim stehen, als der andere taumelnd anhielt.

Al-Harāt funkelte ihn zwar verächtlich an, aber er wollte, daß ein Perser siegte. »Lauf, du Schweinehund!«

Karim verließ ihn erleichtert.

Er blickte vom höchsten Punkt des ersten Gefälles auf die gerade Straße hinunter und sah eine kleine Gestalt, die in der Ferne die lange Steigung hinauflief.

Während Karim beim Laufen zusah, stürzte der Afghane, stand wieder auf und begann wieder zu laufen. Schließlich bog er in die Straße der Vorkämpfer ein und geriet außer Sicht. Es fiel Karim schwer, sich zu beherrschen, aber er behielt sein Tempo bei und sah den anderen Läufer erst wieder, als er die Ali-und-Fatima-Allee hinter sich hatte.

Sie waren einander schon viel näher. Der Afghane stürzte wieder und stand auf, lief dann taumelnd weiter. Er war zwar an die dünne Luft gewöhnt, aber die Berge von Ghazna waren kühl, und die Hitze von Isfahan begünstigte Karim, der ihm immer näher kam.

Als sie am *maristan*'vorbeiliefen, sah er weder die Leute noch hörte er sie, weil er sich ganz auf den anderen Läufer konzentrierte.

Karim holte den Afghanen nach dem vierten, endgültigen Straucheln ein. Sie hatten dem Gestürzten Wasser gebracht und legten ihm feuchte Tücher auf, während er wie ein an Land gezogener Fisch keuchte; er war ein untersetzter Mann mit breiten Schultern und dunkler Haut. Seine leicht schräg stehenden, braunen Augen sahen ruhig zu, wie Karim an ihm vorbeilief.

Der Sieg brachte mehr Qual als Triumph, denn nun mußte er einen Entschluß fassen. Er hatte das Wettrennen gewonnen; besaß er noch genügend Kraft, um den *calaat* des Schahs zu gewinnen? Das »königliche Gewand«, fünfhundert Goldstücke und die ehrenamtliche, aber gut bezahlte Ernennung zum Hauptmann des *chatirs* würde jenem Läufer zufallen, der die gesamte Strecke in weniger als zwölf Stunden zurücklegte.

Die Sonne berührte beinahe den Horizont. War noch Zeit? Hatte er noch Kraft in seinem Körper? War es Allahs Wunsch? Die Zeit würde sehr knapp werden, und vielleicht konnte er nicht weitere einunddreißig Meilen zurücklegen, bevor der Ruf zum vierten Gebet erklang, das den Sonnenuntergang anzeigte.

Er wußte jedoch, daß ein vollkommener Sieg Zaki-Omar endgültiger aus seinen bösen Träumen verbannen konnte als der Beischlaf mit allen Frauen der Welt.

Als er einen weiteren Pfeil einsteckte, nahm er daher, statt sich dem Zelt der Aufsichtsbeamten zuzuwenden, die zehnte Runde des Rennens in Angriff.

Nachdem das Feld der Läufer auf den letzten Konkurrenten zusammengeschrumpft und der *chatir* gewonnen war, hatten sie Zuschauer begonnen, sich zu zerstreuen. Doch nun sahen sie Karim allein herankommen, und sie kehrten zurück, weil sie merkten, daß er den *calaat* des Schahs gewinnen wollte.

Sie kannten sich bei dem alljährlichen *chatir* sehr gut aus und wußten, was es bedeutete, einen Tag lang in lähmender Hitze zu laufen. Deshalb erhoben sie ein solch heiseres Freudengeheul, daß das Geräusch Karim um die Rennstrecke zu treiben schien, eine Runde, die er beinahe genoß. Beim Krankenhaus konnte er Gesichter erkennen, die vor Stolz strahlten: al-Juzjani, den Pfleger Rumi, den Bibliothekar Jussuf, den *Hadschi* Davout Hosein, sogar Ibn Sina. Als er den alten Mann sah, eilte sein Blick sofort zum Dach des Krankenhauses, und er sah, daß sie zurückgekommen war, und er wußte, daß sie der wahre Preis sein würde, wenn er wieder mit ihr allein war.

Aber während der zweiten Hälfte der Runde begannen seine größten Schwierigkeiten. Er ließ sich oft Wasser reichen und goß es sich über den Kopf. Aber die Ermüdung machte ihn unaufmerksam, und etwas Wasser spritzte auf seinen linken Schuh, wo das feuchte Leder fast sofort die gereizte Haut an seinem Fuß aufschürfte. Vielleicht hatte dies eine winzige Änderung in seinem Schritt zur Folge, denn bald bekam er einen Krampf in der rechten Kniesehne.

Alles wurde schwerer. Er behielt seine Geschwindigkeit bei, doch seine Füße verwandelten sich in Steine, der Köcher mit den Pfeilen schlug bei jedem Schritt schwer auf seinen Rücken, und sogar das Säckchen mit den Haarlocken stieß beim Laufen merklich gegen seine Brust. Er goß sich öfter Wasser über den Kopf und fühlte, wie er immer schwächer wurde.

Aber die Menschen am Straßenrand hatte ein seltsames Fieber ergriffen. Jeder war zu Karim Harun geworden. Frauen schrien, wenn er vorbeirannte, Männer legten tausend Gelübde ab, lobten ihn lautstark, riefen Allah an, flehten zum Propheten und zu den zwölf gemarterten Imamen. Sie erwarteten ihn jubelnd, besprengten die Strecke mit Wasser, bevor er kam, streuten ihm Blumen auf den Weg, liefen an seiner Seite mit, fächelten ihm Luft zu oder spritzten ihm parfümiertes Wasser ins Gesicht, auf Schenkel, Arme und Beine.

Er spürte, wie sie sein Blut und seine Knochen aktivierten, und wurde von ihrem Feuer angesteckt. Sein Schritt wurde wieder kraftvoller und sicherer. Seine Füße hoben und senkten sich gleichmäßig. Er behielt das Tempo bei, doch jetzt wich er dem Schmerz nicht aus, sondern kompensierte die erstickende Ermüdung, indem er sich auf den Schmerz in seiner Seite, den Schmerz in seinen Füßen, den Schmerz in seinen Beinen konzentrierte.

Als er den elften Pfeil zu sich nahm, begann die Sonne hinter den Hügeln zu verschwinden und nahm die Form einer halben Münze an. Er lief im schwächer werdenden Licht, es war sein letzter Tanz, die erste kurze Steigung hinauf, das steile Gefälle zur Allee der tausend Gärten hinunter, über den ebenen Teil und dann die lange Steigung mit pochendem Herzen hinauf.

Der Schmerz nahm bei jeder Reaktion ab, während er weiterlief. Doch die Füße, die er nicht mehr spürte, hoben und senkten sich weiter, trieben ihn vorwärts, klapp-klapp-klapp.

Diesmal schaute am *maidan* niemand die Darbietungen an, aber Karim hörte weder das Gebrüll, noch sah er die Leute. Er lief in seiner lautlosen Welt dem Ende eines dahinschwindenden Tages entgegen.

Als er wieder auf die Allee der tausend Gärten kam, sah er hinter den Hügeln ein formloses, erlöschendes rotes Licht. Er hatte das Gefühl, daß er sich ganz langsam, völlig langsam bewegte, über den flachen Teil und den Hügel hinauf – den letzten Hügel, den er erklimmen mußte.

Er lief bergab. Das war die gefährlichste Strecke, denn wenn seine gefühllosen Beine ihn zum Stolpern und Stürzen brachten, würde er sich nicht mehr erheben können.

Als er einbog und durch die Tore des Paradieses kam, war die Sonne fort. Er sah jetzt undeutlich Menschen, die über dem Boden zu schweben schienen und ihn lautlos antrieben, doch sein Verstand war vollkommen klar. Er sah, wie ein *mullah* die enge Wendeltreppe der Moschee betrat, zu dem kleinen Umgang des hohen Turms emporstieg und darauf wartete, daß der letzte Lichtstrahl erstarb.

Er wußte, daß ihm nur noch wenige Augenblicke blieben.

Er versuchte, mit seinen tauben Beinen größere Schritte zu machen, bemühte sich, das bisherige Tempo zu beschleunigen.

Vor ihm riß sich ein kleiner Junge von seinem Vater los und lief auf die Straße hinaus. Der Knirps blieb stehen und starrte auf den Riesen, der sich auf ihn zuschleppte.

Karim hob das Kind hoch und setzte es sich auf die Schultern, während er lief, und tosender Beifall ließ die Erde erbeben. Als er mit dem Jungen die Pfosten erreichte, erwartete ihn Alā *Shahansha,* und während er den zwölften Pfeil ergriff, nahm der Schah seinen Turban ab und tauschte ihn gegen die federgeschmückte Mütze des Läufers ein. Dem Toben der Menge gebot der Ruf des *muezzins* von den Minaretten der Stadt Einhalt. Die Menschen warfen sich in Richtung Mekka auf den Boden und versanken im Gebet. Das Kind, das immer noch bei Karim war, begann zu weinen, und er ließ es los. Dann war das Gebet vorüber, und als er sich erhob, stürzten sich der Schah und die Adeligen auf ihn. Hinter ihnen begannen die einfachen Leute wieder zu schreien. Sie drängten sich vor, um ihm näher zu sein, und es war, als gehöre ganz Persien plötzlich Karim Harun.

Fünfter Teil

Der Feldscher

Das Geständnis

»Warum mögen sie mich nicht?« fragte Mary Rob.

»Ich weiß es nicht.« Er versuchte nicht, es zu leugnen; sie war nicht dumm. Als die jüngste Halevi-Tochter vom Nachbarhaus zu ihnen watschelte, lief ihre Mutter Judith, die dem fremden Juden kein warmes Fladenbrot mehr schenkte, zu der Kleinen, hob sie wortlos auf und flüchtete wie vor einem verderblichen Einfluß. Rob nahm Mary auf den jüdischen Markt mit und stellte fest, daß man ihn nicht mehr anlächelte, weil er der Jude mit dem *calaat* war, und daß er auch bei der Händlerin Hinda nicht mehr der bevorzugte Kunde war. Sie kamen an ihrer Nachbarin und deren draller Tochter Lea vorbei, und die beiden Frauen blickten ostentativ beiseite, als hätte Jakob ben Rashi nicht anläßlich eines Abendessens am Sabbat Rob zu verstehen gegeben, daß er ein Mitglied der Schuhmacherfamilie werden könne.

Wo immer Rob durch die Jehuddijeh ging, verstummten plaudernde Juden und starrten ihn an. Er redete sich ein, daß es ihm nichts ausmache: Was bedeuteten ihm die Leute im Judenviertel wirklich?

Bei Mirdin Askari war es etwas anderes; Rob bildete sich nicht nur ein, daß Mirdin ihm aus dem Weg ging. Wenn er ihm jetzt begegnete, zeigte ihm Mirdin jedesmal ein steinernes Gesicht, grüßte kurz und ging weiter.

Schließlich suchte Rob Mirdin auf, der im Schatten eines Kastanienbaums auf dem Gelände der *madrassa* den zwanzigsten und letzten Band des »Al-Hawi« von Rhazes las. »Rhazes war gut. *Al-Hawi* behandelt die gesamte Medizin«, erklärte Mirdin verlegen.

»Ich habe bisher zwölf Bände gelesen. Zu den anderen komme ich bald.« Rob sah ihn an. »Ist es schlimm, daß ich eine Frau gefunden habe, die ich liebe?«

Mirdin erwiderte seinen Blick. »Wie konntest du eine Andersgläubige heiraten!«

»Sie ist ein Juwel, Mirdin.«

»Ja, die Lippen einer fremden Frau tröpfeln wie eine Honigwabe, und ihr Mund ist glatter als Öl. Sie ist eine Nichtjüdin, Jesse! Du Dummkopf, wir sind ein verstreutes, umzingeltes Volk, das um sein Überleben kämpft. Sobald einer von uns außerhalb unseres Glaubens heiratet, bedeutet dies das Ende zukünftiger Generationen der Unsrigen. Wenn du das nicht einsiehst, bist du nicht der Mann, für den ich dich gehalten habe, und ich kann nicht dein Freund sein.«

Er hatte sich getäuscht – die Menschen des Judenviertels waren ihm nicht gleichgültig, denn sie hatten ihn bereitwillig aufgenommen. Und dieser Mann war ihm am wichtigsten, denn er hatte ihm seine Freundschaft geschenkt, und Rob besaß nicht so viele Freunde, daß er auf Mirdin verzichten konnte. »Ich bin *nicht* der Mann, für den du mich gehalten hast.« Er fühlte sich verpflichtet, alles zu gestehen, glaubte felsenfest, daß er Mirdin gefahrlos ins Vertrauen ziehen konnte. »Ich habe nicht außerhalb meines Glaubens geheiratet.«

»Sie ist Christin.«

»Ja.«

Aus Mirdins Gesicht wich das Blut. »Soll das ein dummer Scherz sein?« Als Rob nichts erwiderte, griff er nach dem Buch und stand auf. »Du Schurke! Sollte das wirklich wahr sein – falls du nicht verrückt bist –, setzt du nicht nur dein Leben aufs Spiel, sondern auch meines. Wenn du im *fiqh* nachliest, wirst du erfahren, daß du, indem du mir dies erzählt hast, mich zum Verbrecher und Mitschuldigen gemacht hast, wenn ich dich nicht anzeige.« Er spuckte aus. »Du Ausgeburt des Bösen, du hast meine Kinder in Gefahr gebracht, und ich verfluche den Tag, an dem wir einander kennengelernt haben!« Und Mirdin eilte davon.

Tag um Tag verging, ohne daß die Männer des *kelonter* Rob holten. Mirdin hatte ihn nicht angezeigt.

Im Krankenhaus brachte Robs Heirat keine Schwierigkeiten. Die Neuigkeit, daß er eine Christin geehelicht hatte, hatte sich unter dem Stab des *maristan* verbreitet, aber er galt ohnedies als Sonderling – der Ausländer, der Jude, der vom Gefängnis zu einem *calaat* gekommen war –, und diese ungehörige Verbindung wurde hier als eine weitere Verirrung betrachtet. Ansonsten war der Umstand, daß jemand eine Frau nahm, in der mohammedanischen Gesellschaft, die jedem Mann vier Frauen zugestand, nichts Außergewöhnliches.

Dennoch schmerzte ihn der Verlust Mirdins zutiefst. Zudem sah er in diesen Tagen auch Karim nur selten: Der junge *hakim* war von den Adeligen des Hofes mit Beschlag belegt worden und ließ sich Tag und Nacht bei Empfängen feiern. Sein Name war seit dem *chatir* in aller Munde.

Somit war Rob mit seiner Frau so alleine wie sie mit ihm, und sie gewöhnten sich mühelos an ihr gemeinsames Leben. Sie war die Frau, die das Haus gebraucht hatte: Es war ein wärmerer, behaglicher Ort geworden. Hingerissen verbrachte er jeden freien Augenblick mit ihr, und wenn sie getrennt waren, dachte er an ihr rosiges, feuchtes Fleisch, an die lange, zartgeschwungene Linie ihrer Nase und an ihre lebhaften, intelligenten Augen.

Sie ritten in die Hügel und liebten sich in dem warmen, schwefelhaltigen Wasser in Alās geheimer Höhle. Er ließ das alte Buch mit den Bildern an einer Stelle liegen, wo sie es finden mußte, und als er die verschiedenen Stellungen ausprobierte, die dort abgebildet waren, merkte er, daß sie es studierte hatte. Manche dieser Praktiken waren angenehm, andere reizten sie eher zum Lachen. Sie lachten oft und ausgelassen auf ihrer Bettmatte und trieben seltsame, sinnliche Liebesspiele.

Er blieb dabei immer der Wissenschaftler. »Was bringt dich bloß dazu, so feucht zu werden? Du bist wie ein Brunnen, der mich allmählich einsaugt.«

Sie stieß ihm den Ellbogen in die Rippen. Aber ihre eigene Neugierde war ihr nicht peinlich. »Er gefällt mir, wenn er so klein ist – schlaff und schwach und sich anfühlt wie Atlasseide. Was bringt ihn dazu, sich so zu verwandeln? Ich hatte einmal eine Amme, die mir erzählte, er werde lang, schwer und kräftig, weil er sich mit Luft füllt.«

Er schüttelte den Kopf. »Nicht mit Luft. Er füllt sich mit Pulsaderblut. Ich habe einen Gehängten gesehen, dessen steifer Schwanz so voller Blut war, daß er rot leuchtete wie ein Lachs.«

»Dich habe ich aber nicht gehängt, Robert Jeremy Cole!«

»Es hat mit den Gerüchen und dem Anblick des Partners zu tun. Einmal habe ich nach einer anstrengenden Reise ein Pferd geritten, das fast lahm war, so ermüdet war es. Aber der Wind trug dem Hengst den Geruch einer Stute zu, und noch bevor wir sie sahen, waren sein Geschlechtsorgan und seine Muskeln hart wie Stein, und er rannte so wild auf sie zu, daß ich ihn kaum zügeln konnte.«

Er liebte sie so sehr, und sie war jedes Opfer wert. Dennoch vollführte sein Herz einen Sprung, als eines Abends eine vertraute Gestalt unter ihrer Tür auftauchte und grüßend nickte.

»Komm herein, Mirdin!«

Als Mary dem Besucher vorgestellt wurde, betrachtete sie ihn neugierig. Dann stellte sie Wein und Süßigkeiten auf den Tisch und verließ sie mit dem wachen Instinkt, den er an ihr liebte, um die Tiere zu füttern.

»Du bist wirklich ein Christ?«

Rob nickte.

»Ich kann dich in eine entfernte Stadt in Fars bringen, wo der *rabbenu* mein Vetter ist. Wenn du bei den gelehrten Männern dort Bekehrung suchst, werden sie sich vielleicht dazu bereit erklären. Dann gäbe es keinen Grund mehr für Lügen und Betrug.«

Rob sah ihn an und schüttelte langsam den Kopf.

Mirdin seufzte. »Wenn du ein charakterloser Mensch wärst, würdest du sofort zustimmen. Aber du bist ein anständiger, ehrlicher Mann und auch ein ungewöhnlicher Heilkundiger. Deshalb kann ich dir nicht den Rücken kehren.«

»Danke.«

»Jesse ben Benjamin ist nicht dein Name?«

»Nein. Mein wahrer Name ist...«

Doch Mirdin schüttelte warnend den Kopf und hob die Hand. »Der andere Name darf zwischen uns nicht genannt werden. Du mußt Jesse ben Benjamin bleiben.« Er sah Rob prüfend an. »Du bist mit der Jehuddijeh verschmolzen. Irgend etwas hat mich aber immer gestört. Ich nahm an, daß es daher kam, weil dein Vater ein europäischer Jude, ein Abtrünniger war, der sich von unseren Bräuchen abgewendet und sein Geburtsrecht nicht an seinen Sohn weitergegeben hat. Aber du mußt ständig wachsam bleiben, damit du keinen tödlichen Fehler begehst. Wenn man deine Täuschung entdeckt, würde sie eine schreckliche Verurteilung durch ein Gericht von *mullahs* heraufbeschwören, die zweifellos deinen Tod beschließen würden. Wenn du ertappt wirst, bringst du alle hiesigen Juden in Gefahr, auch wenn sie an deiner Täuschung keinen Anteil haben. In Persien kann es leicht geschehen, daß Unschuldige leiden müssen.«

»Und du, willst du ein solches Risiko eingehen?« fragte Rob leise.

»Ich habe darüber nachgedacht. Ich muß dein Freund bleiben.«

»Ich freue mich darüber.«

Mirdin nickte. »Aber ich habe meinen Preis.«

Rob wartete.

»Du mußt verstehen, was zu sein du vorgibst. Um Jude zu sein, genügt es nicht, einen Kaftan anzuziehen und den Bart auf bestimmte Art zu tragen.«

»Wie soll ich dieses Verständnis erwerben?«

»Du mußt die Gebote Gottes studieren.«

»Ich kenne die Zehn Gebote.« Agnes Cole hatte sie jedem ihrer Kinder beigebracht.

Mirdin schüttelte den Kopf. »Diese zehn sind ein Bruchteil der Gebote, aus denen unsere Thora besteht. Die Thora enthält sechshundertdreizehn Gebote. Diese mußt du studieren – zusammen mit dem Talmud, den Kommentaren, die sich mit jedem Gebot befassen. Nur dann wirst du die Seele meines Volkes erkennen.«

»Mirdin, das ist schlimmer als der *fiqh*. Ich werde an Gelehrsamkeit ersticken«, klagte er verzweifelt.

Mirdins Augen glitzerten. »Das ist mein Preis.«

Rob sah, daß er es ernst meinte. Er seufzte. »Hol dich der Teufel! In Ordnung.«

Nun lächelte Mirdin zum erstenmal an diesem Abend. Er schenkte Wein ein, übersah den europäischen Tisch und die Stühle, setzte sich auf den Boden und blieb mit untergeschlagenen Beinen sitzen. »Also, beginnen wir! Das erste Gebot lautet: ›Du sollst fruchtbar sein und dich vermehren!‹«

Rob war so froh, Mirdins freundliches, schlichtes Gesicht wieder in seinem Hause zu sehen. »Ich versuche es, Mirdin«, sagte er grinsend. »Ich gebe mein Bestes.«

Jesse wird geformt

»Sie heißt Mary wie die Mutter Jesu«, erklärte Mirdin seiner Frau in ihrer Sprache.

»Sie heißt Fara«, erklärte Rob Mary auf Englisch.

Die beiden Frauen musterten einander.

Mirdin hatte Fara zu Besuch mitgebracht, zusammen mit ihren braunhäutigen kleinen Jungen David und Issachar. Die Frauen konnten sich nicht miteinander unterhalten, weil sie keine gemeinsame Sprache hatten. Dennoch verständigten sie sich bald kichernd durch Handzeichen, verdrehte Augen und protestierende Ausrufe. Vielleicht wurde Fara vor allem auf Wunsch ihres Mannes Marys Freundin, aber die beiden in jeder Hinsicht verschiedenen Frauen achteten und schätzten einander von Anfang an.

Fara zeigte Mary, wie sie ihr langes, rotes Haar aufstecken und mit einem Tuch bedecken solle, bevor sie das Haus verließ. Einige jüdische Frauen trugen Schleier nach Art der Mohammedanerinnen, aber viele bedeckten einfach ihr Haar, und durch diese einfache Maßnahme wurde auch Mary unauffälliger. Fara führte sie zu Marktständen, bei denen die Waren und das Fleisch frisch waren, und sie machte Mary darauf aufmerksam, welche Händler sie besser meiden solle. Fara lehrte sie, das Fleisch *koscher* zu machen, indem sie es einweichte und salzte, um überschüssiges Blut zu entfernen, und wie sie Fleisch, gemahlenen Paprika, Knoblauch, Lorbeerblätter und Salz in einen zugedeckten irdenen Topf legen solle, auf den dann heiße Kohlen gehäuft wurden, so daß er den ganzen *shabbat* langsam kochte und würzig und zart wurde: ein köstliches Gericht, das *shalent* hieß und zu Robs Lieblingsessen wurde.

»Ach, ich würde so gern mit ihr sprechen, ihr Fragen stellen und ihr verschiedenes erzählen!« sagte Mary zu Rob.

»Ich werde dir Unterricht in ihrer Sprache erteilen.«

Aber sie wollte nichts von der Sprache der Juden und der der Perser hören. »Ich kann nicht so gewandt mit fremden Wörtern umgehen wie du«, sagte sie. »Ich habe Jahre gebraucht, um Englisch zu lernen, und mußte arbeiten wie eine Sklavin, um halbwegs Latein zu beherrschen. Werden wir nicht bald dorthin ziehen, wo ich mein heimisches Gälisch hören kann?«

»Wenn die Zeit dazu gekommen ist«, antwortete er, verlor aber kein Wort darüber, wann das sein würde.

Mirdin nahm es auf sich, durchzusetzen, daß Jesse ben Benjamin von den Bewohnern der Jehuddijeh wieder akzeptiert wurde.

»Seit König Salomon – nein, schon vor Salomon – haben Juden

nichtjüdische Frauen genommen und sind innerhalb der jüdischen Gemeinde geblieben. Es waren immer Männer, die durch ihr tägliches Leben gezeigt haben, daß sie weiter an ihrem Glauben festhielten.«

Auf Mirdins Vorschlag machten er und Rob es sich zur Gewohnheit, zweimal täglich zum Gebet in der Jehuddijeh zusammenzutreffen: am Morgen zum *schacharit* in der kleinen Synagoge, die Haus des Friedens hieß, und am Tagesende zum *ma'ariw* in der Zion-Synagoge nahe Mirdins Wohnung. Rob empfand dies nicht als lästige Pflicht. Da ihm die Sprache immer vertrauter wurde, vergaß er, daß er die Synagoge als Teil seiner Tarnung aufsuchte, und er hatte manchmal das Gefühl, daß auch hier seine Gedanken Gott erreichten. Er betete nicht als Jesse der Jude oder als Rob der Christ, sondern als einer, der Verständnis und Trost suchte.

Allmählich sahen ihn die Leute immer seltener empört an, und schließlich beachtete man ihn nicht mehr. Die Monate vergingen, und die Bewohner der Jehuddijeh gewöhnten sich an den Anblick des großen englischen Juden, der mit einer duftenden Zitrone in der Hand während des Erntefestes *Sukkot* im Haus des Friedens Palmzweige schwenkte, zu *Jom Kippur* mit den anderen Gläubigen fastete, in der Prozession tanzte und den Rollen folgte, wenn die Übergabe der Thora an das Volk durch Gott gefeiert wurde. Jakob ben Rashi vertraute Mirdin an, es sei offensichtlich, daß Jesse ben Benjamin sich bemühe, seine unbesonnene Heirat mit einer ungläubigen Frau zu sühnen.

Mirdin war klug und kannte den Unterschied zwischen Tarnung und vollkommener Hingabe. »Ich verlange eines von dir«, erklärte er. »Du darfst niemals zulassen, daß du der zehnte Mann bist.«

Rob verstand. Wenn Gläubige auf eine *minyan*, eine Versammlung von zehn Juden, warteten, die ihnen erlaubte, in der Öffentlichkeit eine Andacht zu verrichten, wäre es schrecklich gewesen, wenn er sie um seiner Tarnung willen getäuscht hätte. Er gab Mirdin das Versprechen sofort und achtete immer darauf, es zu halten.

Fast jeden Tag nahmen er und Mirdin sich Zeit, um die Gebote zu studieren. Sie benutzten dazu kein Buch. Mirdin kannte die Gebote als mündliche Überlieferung. »Man ist sich allgemein darüber einig, daß der Thora sechshundertdreizehn Gebote entnommen werden können«, lehrte er Rob. »Aber über deren genaue Form ist man sich nicht einig. Ein Gelehrter hält eine Vorschrift vielleicht für ein gesondertes

Gebot, ein anderer Gelehrter kann es als Teil des vorangehenden Gebotes sehen. Ich lehre dich jene Version aller Gebote, die seit vielen Generationen in meiner Familie weitergegeben wird und die mich mein Vater, Reb Mulka Askar aus Masqat, gelehrt hat.«

Mirdin sagte, daß zweihundertachtundvierzig Gebote positiv waren, die *mitzvot*, wie etwa die Vorschrift, daß ein Jude für Witwen und Waisen sorgen muß. Die restlichen waren negative Gebote wie zum Beispiel die Ermahnung, daß ein Jude keine Bestechung annehmen darf.

Rob bereitete es mehr Vergnügen, die *mitzvot* von Mirdin zu lernen, als die Studienfächer zu studieren, weil er wußte, daß er darin keine Prüfungen ablegen mußte. Es gefiel ihm, sich bei einem Becher Wein die jüdischen Gesetze anzuhören, und er stellte bald fest, daß solche Sitzungen ihm auch beim Studium des islamischen *fiqh* halfen.

Er arbeitete härter denn je, genoß aber seine Tage. Es war das Jahr, in dem er den Galen studierte, und er vertiefte sich in die Beschreibungen anatomischer Phänomene, die er nicht sehen konnte, wenn er einen Patienten untersuchte: den Unterschied zwischen Arterien und Venen, den Puls und die Funktionen des Herzens, das während der Systole wie eine sich immer wieder zusammenpressende Faust Blut hinauspumpte, sich dann entspannte und während der Diastole wieder mit Blut füllte.

Er wurde von seinem Praktikum bei Jalal-al-Din abgezogen und von den Wundhaken, Kopplern und Seilen des Knocheneinrichters zu den Chirurgenbestecken versetzt, denn er war jetzt al-Juzjani zugeteilt.

»Er mag mich nicht. Er läßt mich nur die Instrumente reinigen und schärfen«, beschwerte Rob sich bei Karim, der über ein Jahr im Dienst al-Juzjanis verbracht hatte.

»So hält er es am Anfang mit jedem neuen Praktikanten«, tröstete ihn Karim. »Du darfst dich nicht entmutigen lassen.«

Karim konnte natürlich leicht Geduld predigen. Ein Teil seines *calaat* bestand aus einem großen vornehmen Haus, wo er jetzt seine Patienten betreute, die sich größtenteils aus den Familien des Hofes rekrutierten. Es gehörte für einen Adligen zum guten Ton, nebenbei erwähnen zu können, daß sein Medicus Persiens Läuferheld Karim Harun war, und dieser gewann so rasch Patienten, daß er auch ohne das Preisgeld und das Stipendium, das er vom Schah erhalten hatte, ein wohlhabender

Mann gewesen wäre. Er kokettierte mit Mary und machte ihr anzügliche Anträge auf Persisch, worauf sie erklärte, sie sei froh, daß sie ihn nicht verstehe. Aber sie mochte ihn gern und behandelte ihn wie einen ungezogenen Bruder.

Im Krankenhaus, wo Rob erwartet hatte, daß Karims Beliebtheit abnehmen würde, war das keineswegs der Fall. Rob mußte Mirdin Askari zustimmen, der grinsend meinte, die beste Art, ein erfolgreicher Medicus zu werden, sei, den *chatir* zu gewinnen.

Gelegentlich unterbrach al-Juzjani Rob bei seiner Tätigkeit, um nach dem Namen eines Instrumentes, das er reinigte, oder nach seiner Verwendung zu fragen. Hier gab es viel mehr Instrumente, als Rob als Baderchirurg kennengelernt hatte, dazu chirurgische Werkzeuge, die für bestimmte Aufgaben vorgesehen waren. So reinigte und schärfte er abgerundete Operationsmesser, gekrümmte Operationsmesser, Skalpelle, Knochensägen, Ohrenküretten, Sonden, kleine Messer zum Öffnen von Zysten und Bohrer zum Entfernen von Fremdkörpern, die im Bindegewebe steckten.

Al-Juzjanis Methode erwies sich schließlich als sinnvoll, denn nach zwei Wochen, als Rob begann, ihm im Operationssaal des *maristan* zu assistieren, mußte der Chirurg nur einen Wunsch murmeln, und Rob konnte das geforderte Instrument aussuchen und es ihm sofort reichen.

Er assistierte und beobachtete zehn Wochen lang, bevor ihm al-Juzjani erlaubte, einen Schnitt zu setzen, und das auch nur unter Aufsicht. Als die Gelegenheit kam, handelte es sich um die Abnahme eines Zeigefingers bei einem Treiber, dessen Hand von einem Kamelhuf zerquetscht worden war.

Rob hatte durch Zusehen gelernt. Al-Juzjani verwendete immer eine Aderpresse aus einem Lederriemen, wie er vor dem Aderlaß zum Hervorpressen einer Vene verwendet wurde. Rob legte die Aderpresse geschickt an und führte die Amputation durch, ohne zu zögern, denn er hatte sie im Laufe der Jahre als Baderchirurg oft vollzogen. Damals war er aber immer von Blutungen behindert worden, nun war er von al-Juzjanis Technik begeistert, die ihm ermöglichte, einen Hautlappen zu bilden und den Stumpf zu schließen, ohne ständig das Blut wegtupfen zu müssen.

Al-Juzjani beobachtete ihn genau mit dem für ihn typischen mürrischen Gesichtsausdruck. Als Rob fertig war, wandte sich der Chirurg ohne ein Wort des Lobes ab, doch er hatte weder geknurrt noch auf eine bessere Methode hingewiesen. Rob, der nach der Operation den Tisch säuberte, glühte innerlich, weil er auf seinen kleinen Erfolg stolz war.

Vier Freunde 1

Sieben Monate waren vergangen, ohne daß der Schah ihn zu sich gerufen hatte. Rob war es recht, denn neben seiner Frau und der medizinischen Ausbildung blieben ihm nur wenige Stunden der Muße.

Eines Morgens wurde er zu Marys Bestürzung wie bei den früheren Gelegenheiten von Soldaten abgeholt.

»Der Schah wünscht, daß Ihr heute mit ihm ausreitet.«

»Es ist alles in Ordnung«, beruhigte Rob seine Frau und ging mit ihnen. Vor den großen Ställen hinter dem Haus des Paradieses traf er auf den aschgrauen Mirdin Askari. Sie kamen beide zu dem Schluß, daß Karim hinter dieser Aufforderung stecken mußte, der seit seinem Aufstieg zur Läuferberühmtheit Alās bevorzugter Begleiter geworden war.

Und so war es auch. Als Alā *Shahansha* zu den Ställen kam, ging Karim unmittelbar hinter dem Herrscher, und um seine Züge spielte ein breites Lächeln, während er dem Schah zu seinen Freunden folgte.

Das Lächeln verlor ein wenig an Selbstsicherheit, als der Schah sich vorneigte und Mirdin Askari zuhörte, der deutlich vernehmbar Worte in seiner Muttersprache murmelte, während er sich zum *ravi zemin* auf den Boden warf.

»Komm! Du mußt Persisch sprechen und uns erzählen, was du sagen willst«, fuhr ihn Alā an.

»Es ist ein Segen, Majestät. Ein Segen, den die Juden sprechen, wenn sie den König sehen«, erklärte Mirdin. »Gesegnet seist Du, o Herr unser Gott, König des Universums, der Fleisch und Mensch Seine Herrlichkeit verliehen hat.«

»Die *Dhimmis* sprechen ein Dankgebet, wenn sie ihren Schah sehen?« wunderte sich Alā erfreut.

Rob wußte, daß es eine *beraccha* war, eine Lobpreisung, die von frommen Juden beim Anblick jedes Königs gebraucht wurde, doch weder er noch Mirdin hielten es für nötig, darauf hinzuweisen. Dafür befand sich Alā in glänzender Stimmung, als er sich auf seinen Schimmel schwang und sie hinter ihm auf das weite Land hinausritten.

Er wandte sich an Rob: »Ich habe gehört, daß du eine europäische Frau genommen hast.«

»Das stimmt, Majestät.«

»Man hat mir auch erzählt, daß ihr Haar hennafarben ist.«

»Ja, Majestät.«

»Eine Frau sollte schwarzes Haar haben.«

Rob konnte nicht gut mit dem Schah streiten, und er hatte auch keinen Grund dazu, doch er war froh, daß seine Frau dem Schah nicht gefiel.

Alā *Shahansha* entdeckte zu seiner Freude bei Mirdin tiefgehende Kenntnisse der persischen Geschichte, und während sie langsam in die Hügel hineinritten, sprachen sie darüber, daß Alexander einst Persepolis geplündert hatte, was der Perser in Alā bedauerte und der Heerführer in ihm bewunderte. Im Laufe des Vormittags trat Alā an einer schattigen Stelle mit dem *scimitar* gegen Karim an, und während die Krummschwerter klirrend gegeneinanderschlugen, sprachen Mirdin und Rob leise über chirurgische Abbindungsschnüre und über die jeweiligen Vorzüge von Seide, von Leinenfäden – beide fanden, daß sich diese zu leicht zersetzten –, von Roßhaar und von den von Ibn Sina bevorzugten Menschenhaaren. Zu Mittag gab es im Schatten des königlichen Zeltes reichlich zu essen und zu trinken, und die drei Mediziner lösten einander beim Spiel des Schahs ab, das sie regelmäßig verloren, obwohl Mirdin sich wacker schlug und eine Partie beinahe gewonnen hätte, was für Alā den Sieg noch wertvoller machte.

In Alās geheimer Höhle lagen die vier gesellig im warmen Wasser beisammen, das ihre Muskeln lockerte, und sie gerieten dank eines unerschöpflichen Vorrats erlesener Getränke in eine gelöste Stimmung.

Karim ließ den Wein anerkennend auf der Zunge zergehen, ehe er ihn schluckte, und sagte dann lächelnd zu Alā: »Ich war ein Betteljunge. Habe ich Euch das bereits erzählt, Majestät?«

Alā erwiderte sein Lächeln und schüttelte den Kopf.

»Ein Betteljunge trinkt jetzt den Wein des Königs der Könige.«

»Ja. Ich habe einen Betteljungen und zwei Juden zu meinen Freunden erwählt.« Alā lachte lauter und länger als sie. »Mit dem Sieger im *chatir* habe ich hochfliegende, vortreffliche Pläne, und diesen *Dhimmi* mag ich schon lange.« Er versetzte Rob leicht betrunken einen freundschaftlichen Stoß. »Und nun erweist sich ein anderer *Dhimmi* als ausgezeichneter, bemerkenswerter Mann. Wenn du die *madrassa* beendet hast, Mirdin Askari, mußt du in Isfahan bleiben und Medicus an meinem Hof werden.«

Mirdin errötete verlegen. »Ihr erweist mir große Ehre, Majestät. Ich bitte Euch, es nicht als Beleidigung aufzufassen, aber ich ersuche Euch, mir wohlwollend zu gestatten, wenn ich einst ein *hakim* bin, in meine Heimat, in die Länder am großen Golf, zurückzukehren. Mein Vater ist alt und leidend. Ich werde der erste Medicus in unserer Familie sein, und vor seinem Tod soll er noch erleben, daß ich mich im Schoß unserer Familie niederlasse.«

Alā nickte unbekümmert. »Was tut diese Familie, die am großen Golf lebt?«

»Unsere Männer sind, so weit man zurückdenken kann, die Küsten entlanggesegelt und haben Perlen von den Tauchern gekauft, Majestät.«

»Perlen! Das ist gut, denn ich kaufe Perlen, sooft ich gute finde. Du wirst das Glück deiner Verwandten begründen, *Dhimmi*, denn du mußt ihnen auftragen, die größte, vollendetste Perle zu suchen und sie mir zu bringen. Ich werde sie kaufen und deine Familie reich machen.«

Als sie nach Hause ritten, schwankten sie in den Sätteln. Alā mußte sich bemühen, aufrecht zu sitzen. Als sie die königlichen Stallungen erreichten und seine Diener und Untergebenen sich um die Ankommenden scharten, geruhte der Schah, mit seinen Begleitern zu prahlen.

»Wir sind vier Freunde«, rief er so laut, daß der halbe Hof es hörte. »Einfach vier gute Männer, die Freunde sind!«

Diese Worte machten schnell die Runde und verbreiteten sich, wie jeder Klatsch, der den Schah betraf, in der ganzen Stadt.

»Bei manchen Freunden ist Vorsicht am Platze«, warnte Ibn Sina Rob an einem Vormittag ungefähr eine Woche später.

Sie nahmen an einer Belustigung teil, die von Fath Ali, einem reichen Mann, gegeben wurde, dessen Handelshaus Wein an das Haus des Paradieses und die meisten Adeligen am Hof lieferte. Rob freute sich, Ibn Sina zu sehen.

Ihre Anwesenheit war durch die Tatsache bedingt, daß jeder von ihnen der Empfänger eines *calaat* war, aber Rob langweilten die königlichen Belustigungen. »Ich würde viel lieber im *maristan* arbeiten, wo ich hingehöre«, sagte er.

Ibn Sina sah sich vorsichtig um. Sie gingen allein auf dem Besitz des Kaufmanns spazieren. »Du darfst nie vergessen, daß der Umgang mit einem Monarchen schwieriger ist als mit einem gewöhnlichen Mann. Ein Schah ist kein Mensch wie du und ich. Er läßt gleichgültig die Hand sinken, und Leute wie wir werden getötet. Oder er winkt mit einem Finger, und jemandem ist das Leben geschenkt.«

Rob hob die Schultern. »Ich suche nie die Gesellschaft des Schahs und hege auch nicht den Wunsch, mich in die Politik einzumischen.«

Ibn Sina nickte zustimmend. »Es ist eine Eigenheit der Monarchen im Orient: Sie wählen gern Ärzte als Wesire, weil sie das Gefühl haben, daß Heiler von Haus aus Allah näherstehen. Als ich jünger war, habe ich zweimal im Hamadhān den Titel Wesir angenommen. Es war ein gefährlicheres Amt als die Ausübung der Medizin. Nach dem ersten Mal entging ich nur knapp der Hinrichtung. Ich wurde in das Schloß-gefängnis geworfen, wo ich monatelang schmachtete. Nachdem ich daraus entlassen wurde, wußte ich, daß ich, Wesir oder nicht, in Hamadhān meines Lebens nicht sicher war. Ich machte mich mit al-Juzjani und meiner Familie auf den Weg nach Isfahan, wo ich seither unter Alās *Shahanshas* Schutz lebe.«

»Welch ein Glück für Persien, daß Alā großen Ärzten gestattet, ihren Beruf auszuüben«, meinte Rob.

Ibn Sina lächelte. »Es paßt in seine Pläne, als großer König bekannt zu werden, der die Künste und Wissenschaften fördert«, stellte er trocken fest. »Schon als junger Mann sehnte er sich nach einem mächtigen Reich. Jetzt muß er es vergrößern und seine Feinde verschlingen, bevor sie ihn verschlingen.«

»Die Seldschuken.«

»Wenn ich Wesir in Isfahan wäre, würde ich die Seldschuken am meisten fürchten«, sagte Ibn Sina. »Aber am aufmerksamsten beob-achtet der Schah Mahmud von Ghazna, denn die beiden sind vom gleichen Schlag. Alā hat vier Raubzüge nach Indien unternommen, bei denen er achtundzwanzig Kriegselefanten erbeutet hat. Mahmud be-findet sich näher an der Quelle, er ist öfter in Indien eingefallen und besitzt über fünfzig Kriegselefanten. Alā beneidet und fürchtet ihn. Wenn Alā seinen Traum verwirklichen will, muß er Mahmud als nächsten ausschalten.«

Ibn Sina blieb stehen und legte Rob die Hand auf den Arm. »Du mußt überaus vorsichtig sein. Achtsame Männer behaupten, daß Qandrassehs Tage als Großwesir gezählt sind. Und daß ein junger Medicus seinen Platz einnehmen soll.«

Rob schwieg, doch ihm fiel plötzlich ein, daß Alā erwähnt hatte, er habe mit Karim »hochfliegende, vortreffliche Pläne«.

»Wenn das wahr ist, wird Qandrasseh mitleidlos jeden zu treffen suchen, den er für einen Freund oder Anhänger seines Rivalen hält. Es genügt nicht, daß du dich aus der Politik heraushältst. Wenn ein Arzt mit den Mächtigen verkehrt, muß er lernen, sich zu fügen und auszuweichen, oder er überlebt nicht.«

Rob bezweifelte, daß er fähig war, sich zu fügen und auszuweichen.

»Sei nicht allzu besorgt«, ermahnte ihn Ibn Sina. »Alā ändert seine Meinung oft und rasch, und man kann sich nicht auf das verlassen, was er in Zukunft unternehmen wird.«

Sie gingen weiter und erreichten die Gärten, kurz bevor der Gegenstand ihres Gesprächs entspannt und gut gelaunt aus Fath Alis Harem zurückkehrte.

Im Lauf des Nachmittags begann Rob sich zu fragen, ob Ibn Sina jemals Gastgeber einer Belustigung für den Schah und Beschützer gewesen war. Er machte sich an Khuff heran und fragte ihn beiläufig danach.

Der grauhaarige Stadthauptmann dachte mit zusammengekniffenen Augen konzentriert nach, dann nickte er. »Es ist schon einige Jahre her«, erinnerte er sich.

Alā hatte bestimmt für die erste Frau, die alte und fromme Reza, kein Interesse gezeigt, daher war es sicher, daß er seine königlichen Rechte auf Despina angemeldet hatte. Rob stellte sich vor, wie der Schah die Wendeltreppe im Steinturm emporstieg, während Khuff den Zugang bewachte, und wie er den zierlichen, sinnlichen Körper des Mädchens bestieg.

Dieses Persien machte der Reihe nach jeden Mann zum Hahnrei.

Chirurgische Instrumente in der Hand zu haben, kam Rob so selbstverständlich vor, als wären sie auswechselbare Teile seines Körpers. Al-Juzjani widmete ihm immer mehr von seiner kostbaren Zeit und zeigte ihm gewissenhaft und geduldig, wie er jede Operation durchführen mußte. Die Perser hatten Methoden entwickelt, mit denen sie die Patienten bewegungsunfähig und unempfindlich machten. Wenn Hanf tagelang in Gerstenwasser eingeweicht wurde und man den Aufguß trank, blieb man bei Bewußtsein, doch der Schmerz wurde abgeschwächt. Rob verbrachte zwei Wochen bei den Apothekern des *khasanat-al-sharaf* und lernte, Tränke zuzubereiten, die die Patienten in Schlaf versenkten. Die Wirkung der Substanzen war schwer vorhersehbar, und es war schwierig, sie richtig zu dosieren, aber manchmal ermöglichten sie dem Chirurgen, ohne das krampfhafte Zittern, das Stöhnen und die Schmerzensschreie des Patienten zu operieren. Die Rezepte erinnerten ihn eher an Magie als an Medizin:

Nimm das Fleisch eines Schafes. Befreie es von Fett und schneide es in Brocken, häufe die Fleischstücke über und um eine ansehnliche Menge von geschmorten Bilsenkrautsamen. Stelle das Ganze in einem Steinguttopf unter einen Haufen Pferdedünger, bis sich Würmer gebildet haben. Tu dann die Würmer in ein Glasgefäß, bis sie austrocknen. Wenn sie gebraucht werden, nimm zwei Teile davon und einen Teil pulverisiertes Opium und führe es dem Patienten in die Nase ein.

Das Opium wurde aus dem Saft einer orientalischen Blume, der Mohnblume, gewonnen. Sie wurde auf Feldern um Isfahan angepflanzt, aber die Nachfrage war größer als das Angebot, denn Opium wurde bei den Riten in den Moscheen der ismaelischen Moslems ebenso verwendet wie in der Medizin, so daß es auch aus der Türkei und aus Ghazna eingeführt werden mußte. Es bildete die Grundlage aller schmerztötenden Mittel.

Nimm reines Opium und Muskatnuß. Mahle und koche sie zusammen und lasse das Ganze vierzig Tage lang in altem Wein ziehen. Stelle dann die Flasche in die Sonne. Der Inhalt wird bald zu einer breiigen Masse. Macht man daraus eine Pille und verabreicht sie jemandem, wird er sofort bewußtlos und gefühllos werden.

Sie bevorzugten aber meist ein anderes Rezept, weil Ibn Sina dieses am liebsten anwendete:

Nimm zu gleichen Teilen Bilsenkraut, Opium, Wolfsmilch und Lakritzensamen. Zerreibe sie einzeln und mische alles zusammen in einem Mörser. Lege etwas von der Mischung auf eine beliebige Speise, und wer immer davon ißt, wird sofort in Schlaf fallen.

Trotz Robs Verdacht, daß al-Juzjani ihm seine Beziehung zu Ibn Sina übelnahm, konnte er bald geschickt mit allen chirurgischen Instrumenten umgehen. Die anderen Helfer al-Juzjanis fanden, daß der neue Praktikant interessantere Arbeit zugewiesen bekam als sie. Sie wurden mürrisch und machten ihrem Neid auf Rob mit Gemurmel und gemeinen Beleidigungen Luft. Rob kümmerte sich nicht darum, denn er lernte mehr, als er sich erträumt hatte. Eines Nachmittags, nachdem er zum erstenmal allein die Operation durchgeführt hatte, die ihn in der Chirurgie am meisten faszinierte – das Stechen des Stars –, versuchte er, al-Juzjani zu danken.
Doch der Chirurg unterbrach ihn barsch: »Du besitzt das Geschick dafür, in Fleisch zu schneiden. Es ist eine Fertigkeit, die nicht viele Studenten beherrschen, aber die besondere Ausbildung ist von Eigennutz diktiert, denn ich werde dich eine große Menge Arbeit für mich verrichten lassen.«
Es stimmte. Tag für Tag führte er Amputationen durch, behandelte jede Art von Wunden, stach in Bäuche, um den Druck der in der Bauchhöhle angestauten Flüssigkeit zu erleichtern, entfernte Hämorrhoiden, verödete Krampfadern...
»Das Schneiden macht dir allmählich zu viel Spaß«, bemerkte Mirdin scharfsinnig, als sie eines Abends in seinem Haus bei einer Partie des Spiels des Schahs zusammensaßen. Im Zimmer daneben hörte Fara zu, während Mary die Askari-Söhne mit einem gälischen Wiegenlied in den Schlaf sang.
»Es zieht mich sehr an«, gab Rob zu. Seit einiger Zeit dachte er daran, Chirurg zu werden, wenn er einmal zum *hakim* ernannt würde. In

England rangierten die Chirurgen deutlich unter den Ärzten, aber in Persien trugen sie den besonderen Titel *ustad* und waren genauso geachtet und wohlhabend.

Aber Rob hatte auch Vorbehalte. »Die Chirurgie ist in gewisser Weise durchaus befriedigend. Wir sind aber darauf beschränkt, auf der Außenseite der Haut zu operieren. Das Körperinnere ist ein Geheimnis, das in über tausend Jahre alten Büchern weitergegeben wird. Wir wissen fast nichts über das Körperinnere.«

»So muß es auch sein«, meinte Mirdin gelassen und schlug einen *rukh* mit seinem Bauern. »Christen, Juden und Mohammedaner sind sich darin einig, daß es Sünde ist, die menschliche Gestalt zu entweihen.«

»Ich spreche nicht von Entweihung. Ich spreche von Chirurgie, ich spreche vom Sezieren. Die Alten haben ihre Wissenschaft nicht aus Furcht vor einer Sünde geknebelt, und das wenige, das wir wissen, stammt von den alten Griechen, denen es erlaubt war, den Körper zu öffnen und zu studieren. Sie haben die Toten seziert und nachgesehen, wie der Mensch innen ausschaut. In diesen längst vergessenen Tagen erleuchtete ihr Geist einen kurzen Augenblick lang die gesamte Medizin, und dann versank die Welt in Dunkelheit.« Er kam ins Grübeln, und sein Spiel litt darunter, so daß Mirdin rasch den anderen *rukh* und eines seiner Kamele schlug.

»Ich glaube«, sagte Rob schließlich fast zu sich selbst, »daß es während all dieser langen Jahrhunderte finsteren Unwissens kleine, geheime Feuer gegeben hat.«

Jetzt wurde Mirdins Aufmerksamkeit vom Brett abgelenkt.

»Männer, die die Kraft besaßen, heimlich Leichname zu sezieren, die den Priestern Trotz boten und als Ärzte Gottes Auftrag erfüllten.«

Mirdin war starr. »Mein Gott. Sie galten als Hexenmeister.«

»Sie waren nicht imstande, ihr Wissen weiterzugeben, hatten es aber wenigstens für sich selbst gewonnen.«

Nun blickte Mirdin beunruhigt drein.

Rob lächelte. »Nein, ich tue es nicht«, sagte er sanft. »Ich habe schon genug Probleme damit, daß ich mich als Jude ausgebe. Ich besitze einfach nicht den dafür notwendigen Mut.«

»Man muß auch für kleine Geschenke dankbar sein«, schloß Mirdin trocken. Er war ziemlich verwirrt und abgelenkt worden, so daß jetzt er schlecht spielte und kurz nacheinander einen Elefanten und zwei

Pferde verlor, aber Rob hatte noch nicht gut genug gelernt, wie man einen Vorteil ausnutzt, um zu siegen. Rasch und konzentriert sammelte Mirdin seine Kräfte, und nach einem Dutzend Zügen mußte Rob zu seinem Bedauern wieder einmal *shahtreng*, den Schmerz des Königs, hinnehmen.

Marys Erwartungen

Fara war Marys einzige Freundin, aber die Jüdin genügte ihr. Die beiden Frauen gewöhnten sich daran, stundenlang miteinander zu gestikulieren. Ihre Unterhaltung verlief ohne die Fragen und Antworten, die für die meisten Gespräche in der Gesellschaft kennzeichnend sind. Manchmal sprach Mary, und Fara hörte sich einen Erguß auf Gälisch an, den sie nicht verstand, manchmal wieder sprach Fara in ihrer Sprache, und Mary blickte verständnislos drein.
Die Worte waren merkwürdigerweise unwichtig. Worauf es ankam, waren die Spiegelung der Gefühle in den Gesichtern, die Handbewegungen, der Klang der Stimme, Geheimnisse, die durch die Augen mitgeteilt wurden.
So teilten sie einander ihre Gefühle mit, und für Mary war es ein Vorteil, denn sie sprach über Themen, die sie jemandem gegenüber, den sie erst so kurz kannte, nie erwähnt hätte. Sie offenbarte den Schmerz über den Verlust ihres Vaters, ihre Sehnsucht nach der christlichen Messe. Und sie sprach über Dinge, die sie sonst auch einer langjährigen Freundin nicht anvertraut hätte: wie sie Rob so sehr liebte, daß sie manchmal zu zittern begann und es nicht unterdrücken konnte; von Augenblicken, in denen die Begierde sie mit solcher Wärme durchströmte, daß sie zum erstenmal rossige Stuten verstand.
Sie wußte nicht, ob Fara auch über solche Dinge sprach, aber Liebe, Achtung und Bande der Freundschaft vereinten die beiden Frauen.
Eines Morgens schlug Mirdin Rob freudig lachend auf die Schulter.
»Du hast das Gebot befolgt, dich zu vermehren. Sie erwartet ein Kind, du europäischer Bock!«
»Das stimmt nicht!«

»Doch«, widersprach Mirdin entschieden. »Du wirst schon sehen. In dieser Hinsicht irrt sich Fara nie.«

Zwei Tage später wurde Mary nach dem Frühstück blaß und erbrach Essen und Flüssigkeit, so daß Rob den gestampften Lehmboden säubern und scheuern und frischen Sand bringen mußte. In dieser Woche wurde sie regelmäßig von Brechreiz geplagt, und als ihre monatliche Regel ausblieb, gab es keinen Zweifel mehr. Es kam nicht weiter überraschend, denn sie hatten sich unermüdlich geliebt, aber Mary hatte schon befürchtet, daß Gott ihre Verbindung vielleicht nicht segnete.

Rob hielt ihr den Kopf und reinigte sie, wenn sie erbrechen mußte, dachte sowohl voll Freude als voll Angst an das Kind und fragte sich unruhig, was für ein Geschöpf aus seinem Samen wachsen würde. Er entkleidete seine Frau jetzt mit noch mehr Leidenschaft als bisher, denn der Wissenschaftler in ihm freute sich über die Möglichkeit, die Veränderungen bis zur geringsten Einzelheit zu beobachten: die Brustwarzenhöfe, die größer und röter wurden, die schwellenden Brüste, den sich sanft wölbenden Bauch, den neuen Gesichtsausdruck, weil Mund und Nase fast unmerklich anschwollen. Er verlangte, daß sie sich auf den Bauch legte, damit er die Ansammlung von Fett an ihren Hüften und Hinterbacken und das leichte Dickerwerden ihrer Beine beurteilen konnte. Zuerst gefiel Mary diese Aufmerksamkeit, doch allmählich verlor sie die Geduld.

»Die Zehen«, brummte sie. »Was ist mit den Zehen?«

Er musterte ihre Füße ernsthaft und berichtete, daß die Zehen unverändert seien.

Der Reiz der Chirurgie wurde Rob durch eine Flut von Kastrationen verdorben. Die Schaffung von Eunuchen war ein alltägliches Verfahren, und es gab zwei Methoden. Bei gutaussehenden Männern, die die Eingänge der Harems bewachen sollten, wo sie wenig Kontakt mit den Frauen des Hauses hatten, kam es nur zur Entfernung der Hoden. Für den allgemeinen Dienst im Harem wurden häßliche Männer vorgezogen, oder man bezahlte für Entstellungen wie eine eingeschlagene oder von Natur abstoßende Nase, einen verzogenen Mund, wulstige Lippen und schwarze oder unregelmäßige Zähne einen Aufpreis. Um solche Männer für den Geschlechtsverkehr vollkommen unfähig zu machen, wurden ihre Geschlechtsteile gänzlich entfernt, und sie waren gezwungen, eine Feder bei sich zu tragen, die sie brauchte, um ihre Blase zu entleeren.

Oft wurden Knaben kastriert. Manchmal wurden sie nach Bagdad in eine Schule zur Ausbildung von Eunuchen geschickt, wo sie zu Sängern oder Musikern heranwuchsen, oder aber sie lernten eingehend die Geschäftspraktiken oder wurden als Einkäufer und Verwalter ausgebildet. Dadurch wurden sie zu überaus geschätzten Dienern, zu einem wertvollen Besitz ihres Herrn – wie Ibn Sinas kastrierter Sklave Wasif.

Die Technik des Kastrierens war einfach. Der Chirurg ergriff den zu amputierenden Körperteil mit der linken Hand. In der rechten Hand hielt er ein scharfes Rasiermesser und trennte die zu entfernenden Teile mit einem einzigen Schnitt ab, denn Schnelligkeit war entscheidend. Sofort danach wurde ein Brei aus warmer Asche auf die blutende Wunde gelegt, und der Mann war für immer verändert.

Al-Juzjani hatte ihm erklärt, daß die Kastrierung manchmal als Bestrafung durchgeführt wurde. Man legte dann keinen Aschenbrei auf und ließ den Patienten verbluten.

Rob kam eines Abends nach Hause, betrachtete seine Frau und versuchte, nicht daran zu denken, daß keiner der Männer oder Knaben, die er operiert hatte, jemals eine Frau schwängern würde. Er legte ihr die Hand auf den warmen Bauch, der noch nicht merklich größer geworden war.

»Bald wird er so groß sein wie eine grüne Melone«, sagte sie.

»Ich möchte ihn sehen, wenn er eine Wassermelone ist.«

Er war ins Haus der Weisheit gegangen und hatte über den Fötus nachgelesen. Ibn Sina hatte geschrieben, daß das Leben, nachdem sich die Gebärmutter über dem Samen geschlossen habe, in drei Stadien entstehe. Dem Arzt aller Ärzte zufolge wird das Klümpchen im ersten Stadium in ein kleines Herz verwandelt; im zweiten Stadium bildet sich ein zweites Klümpchen und entwickelt sich zur Leber; und im dritten Stadium bilden sich alle wichtigen Organe.

»Ich habe eine Kirche entdeckt«, berichtete Mary.

»Eine christliche Kirche?« fragte er und war erstaunt, als sie nickte. Er hatte nicht gewußt, daß es eine Kirche in Isfahan gab.

In der vorhergehenden Woche waren Mary und Fara auf den armenischen Markt gegangen, um Weizen zu kaufen. Sie waren irrtümlich in eine schmale, nach Urin stinkende Nebengasse geraten und so auf die Kirche des Erzengels Michael gestoßen.

»Ostkatholiken?«

Sie nickte wieder. »Es ist ein kleines, armseliges Gotteshaus, das von einer Handvoll sehr armer armenischer Tagelöhner besucht wird. Zweifellos wird sie geduldet, weil sie zu unbedeutend ist, um eine Bedrohung darzustellen.« Sie war zweimal allein dorthin zurückgegangen und hatte die ärmlich gekleideten Armenier beneidet, die die Kirche betraten und sie verließen.

»Die Messe wird in ihrer Sprache gelesen. Wir können nicht einmal die Antworten geben«, gab Rob zu bedenken.

»Aber sie zelebrieren das heilige Abendmahl. Christus ist auf ihrem Altar anwesend.«

»Wir würden mein Leben aufs Spiel setzen, wenn wir sie besuchen. Geh mit Fara zum Gebet in die Synagoge, aber sprich deine eigenen, stummen Gebete. Wenn ich in der Synagoge bin, bete ich zu Jesus und den Heiligen.«

Sie hob den Kopf, und zum erstenmal sah er den schwelenden Brand in ihren Augen.

»Ich brauche keine Juden, die mir erlauben zu beten«, trotzte sie hitzig.

Mirdin stimmte darin mit ihm überein, daß die Chirurgie als Beruf nicht in Frage kam. »Es ist nicht nur das Kastrieren, obgleich es schrecklich ist. Aber an Orten, wo es keine medizinischen Studenten gibt, die bei den *mullah*-Gerichten Dienst tun, muß der Chirurg die Gefangenen nach der Bestrafung behandeln. Es ist besser, wenn wir unsere Kenntnisse und Fähigkeiten bei der Behandlung von Krankheiten und Verletzungen verwenden, als Stummeln und Stümpfe in Ordnung zu bringen, die gesunde Gliedmaßen und Organe sein könnten.«

Sie saßen in der frühen Morgensonne auf den Steinstufen der *madrassa*, und Mirdin seufzte, als ihm Rob von Mary und ihrer Sehnsucht nach dem Trost der Kirche erzählte. »Du mußt eure Gebete mit ihr sprechen, wenn ihr allein seid. Und du mußt sie zu deinem Volk bringen, sobald du dazu in der Lage bist.«

Rob nickte und betrachtete sein Gegenüber nachdenklich. Mirdin war verbittert und von Haß erfüllt gewesen, als er Rob für einen Juden gehalten hatte, der seinem Glauben untreu war. Aber seit er wußte, daß Rob ein Andersgläubiger war, hatte er sich als wahrer Freund erwiesen.

»Hast du dir überlegt«, fragte Rob gedehnt, »daß jeder Glaube behauptet, er allein besitze Gottes Herz und Ohr? Wir, ihr und die Mohammedaner – alle erklären feierlich, daß sie die einzig wahre Religion haben. Kann es sein, daß wir alle drei unrecht haben?«

»Vielleicht haben wir alle drei recht?« erwiderte Mirdin.

Rob empfand aufwallende Zuneigung. Bald würde Mirdin Medicus sein und nach Masqat zu seiner Familie zurückkehren, und wenn er *hakim* war, würde auch er nach Hause reisen. Zweifellos würden sie einander nie wiedersehen.

Als er Mirdin in die Augen sah, war er sicher, daß sein Freund das gleiche dachte.

»Werden wir einander im Paradies wiedersehen?«

Mirdin starrte ihn ernst an. »Ich werde dich im Paradies treffen. Schwörst du es hoch und heilig?«

Rob lächelte. »Ich schwöre es hoch und heilig.«

Sie faßten einander bei den Handgelenken.

»Ich stelle mir die Trennung zwischen Leben und Paradies als Fluß vor«, sagte Mirdin. »Wenn es viele Brücken über den Fluß gibt, wird es Gott dann stören, welche Brücke der Reisende wählt?«

»Ich glaube nicht«, stimmte Rob zu.

Die beiden Freunde verabschiedeten sich herzlich, und jeder eilte an seine Arbeit.

Rob saß mit zwei Studenten im Operationssaal und hörte al-Juzjani zu, der im Hinblick auf die bevorstehende Operation auf die ärztliche Schweigepflicht aufmerksam machte. Er würde die Identität der Patientin nicht bekanntgeben, um ihren Ruf zu schützen, aber er gab ihnen zu verstehen, daß sie eine nahe Verwandte eines mächtigen, berühmten Mannes war und daß sie Brustkrebs hatte.

Wegen der Schwere der Erkrankung würde das theologische Verbot, das jedem außer dem Ehemann einer Frau untersagte, ihren Körper vom Hals bis zum Knie zu betrachten, außer acht gelassen, damit sie operiert werden konnte.

Der Frau waren Betäubungsmittel und Wein eingeflößt worden, und sie wurde in bewußtlosem Zustand hereingetragen. Sie war füllig und schwer. Unter dem Tuch, das um ihren Kopf gebunden war, sahen graue Haarsträhnen hervor. Sie war leicht verschleiert und vollkommen eingehüllt, mit Ausnahme ihrer Brüste, die groß, weich und schlaff waren, was darauf hinwies, daß die Patientin nicht mehr jung war.

Al-Juzjani befahl jedem der Studenten, beide Brüste sanft abzutasten, um zu lernen, wie sich ein Brusttumor anfühlt. Er war sogar ohne Abtasten erkennbar: eine deutlich sichtbare Geschwulst seitlich an der linken Brust, so lang wie Robs Daumen und dreimal so dick.

Das Zusehen war für ihn sehr lehrreich; er hatte noch nie zuvor eine geöffnete menschliche Brust gesehen. Während al-Juzjani das Messer in das nachgiebige Fleisch drückte und den Schnitt ein Stück unterhalb des Tumors setzte, um alles herauszuholen, quoll Blut hervor. Die Frau stöhnte, und der Chirurg arbeitete rasch, um die Operation zu beenden, bevor die Patientin aufwachte.

Das Innere der Brust enthielt Muskeln, graues Zellgewebe und Klumpen von gelblichem Fett, wie bei einem ausgenommenen Huhn. Rob konnte deutlich mehrere rosa Milchgänge erkennen, die sich wie die Arme eines Flusses, die zusammentreffen, an der Brustwarze vereinigten. Vielleicht hatte al-Juzjani einen der Gänge verletzt; rötliche Flüssigkeit quoll aus der Brustwarze wie ein Tropfen rosiger Milch.

Al-Juzjani hatte den Tumor herausgeholt und vernähte schnell die Wunde. Wenn dies überhaupt möglich war, hätte Rob angenommen, daß der Chirurg diesmal nervös war.

Sie ist mit dem Schah verwandt, dachte er. Vielleicht eine Tante. Vielleicht sogar jene Frau, von der der Schah ihm in der Höhle erzählt hatte, die Tante, die Alā ins Sexualleben eingeführt hatte. Sie stöhnte, war fast völlig wach und wurde hinausgetragen, sobald die Brust geschlossen war.

Al-Juzjani seufzte. »Es gibt keine Heilung. Der Krebs wird sie letzten Endes töten, aber wir können versuchen, sein Wachstum zu verlangsamen.« Er sah Ibn Sina draußen und ging hinaus, um über die Operation zu berichten, während die Studenten im Operationssaal Ordnung machten.

Bald darauf betrat Ibn Sina den Operationssaal und sprach kurz mit Rob, dem er auf die Schulter klopfte, bevor er ihn verließ.

Rob war durch die Mitteilung des Arztes aller Ärzte verstört. Er verließ den Operationssaal und ging zum *khasanat-al-sharaf,* wo Mirdin gerade arbeitete. Sie trafen einander in dem Korridor, der zur Apotheke führte. Rob las von Mirdins Gesicht genau die Gefühlsregungen ab, die auch ihn bewegten.

»Du auch?«

Mirdin nickte. »In zwei Wochen?«

»Ja.« Er geriet in Panik. »Ich bin noch nicht für die Prüfung bereit, Mirdin! Du bist seit vier Jahren hier, aber bei mir sind es erst drei Jahre. Ich bin einfach noch nicht soweit.«

Mirdin vergaß seine eigene Nervosität und lächelte. »Du bist soweit. Du warst Baderchirurg, und alle, die dich unterrichtet haben, haben gesehen, was du kannst. Wir haben noch zwei Wochen, um gemeinsam zu büffeln, und dann werden wir unsere Prüfung ablegen.«

Das Abbild eines Gliedes

Ibn Sina war in einer kleinen Siedlung namens Afshanah außerhalb des Dorfes Kharmaythan zur Welt gekommen, und bald nach seiner Geburt war seine Familie in die nahe Stadt Buchara übersiedelt. Während er noch ein kleiner Junge war, vereinbarte sein Vater, ein Steuereinnehmer, daß er bei einem Lehrer des Korans und einem Lehrer der Literatur studierte, und als er zehn Jahre alt war, konnte er den ganzen Koran auswendig, und er hatte bereits viel von der mohammedanischen Kultur in sich aufgenommen. Sein Vater lernte einen gebildeten Gemüsehändler namens Mahmud der Mathematiker kennen, der dem Kind indische Mathematik und Algebra beibrachte. Bevor dem begabten Jungen die ersten Barthaare sprossen, hatte er die Eignungsprüfung in den Rechtswissenschaften erworben und sich mit Euklid sowie der Geometrie beschäftigt. Seine Lehrer bestürmten seinen Vater, ihm zu erlauben, sein Leben der Gelehrsamkeit zu widmen.

Mit elf Jahren begann er das Studium der Medizin, und als er sechzehn war, hielt er Vorträge vor älteren Ärzten. Nebenher arbeitete er viel als Jurist. Sein ganzes Leben lang pflegte er die Juristerei und die Philosophie. Obwohl diese gelehrten Berufe in der persischen Welt hoch im Ansehen standen, erkannte er, daß für einen Menschen nichts wichtiger ist als sein Wohlergehen und die Frage, ob er leben würde oder sterben mußte. Schon in jungen Jahren diente Ibn Sina einer Reihe von Herrschern, die seine Begabung für ihr gesundheitliches Wohl nützten, und obwohl er Dutzende Bücher über Recht und Philosophie schrieb, die ihm den liebevollen Beinamen Zweiter Lehrer eintrugen (der Erste Lehrer war Mohammed), errang er als Arzt aller Ärzte noch größere Berühmtheit und Anerkennung. Sein Ruf eilte ihm voraus, wohin er auch reiste.

In Isfahan, wo er vom politischen Flüchtling schnell zum *hakim-bashi*, zum Obersten der Ärzte, aufgestiegen war, gab es ein großes Angebot an Ärzten, und weitere Männer wurden ständig durch ein einfaches Verfahren zu Heilern erklärt. Wenige dieser angeblichen Ärzte besaßen jenen verbissenen Wissensdrang oder jene intellektuelle Begabung, die für Ibn Sinas Hinwendung zur Medizin kennzeichnend gewesen waren, und er erkannte, daß eine Möglichkeit geschaffen werden mußte, um die Qualifikation für die Ausübung der Tätigkeit des Mediziners festzustellen. Über ein Jahrhundert lang waren Anwärter auf den Arztberuf in Bagdad geprüft worden, bis Ibn Sina die Ärzteschaft davon überzeugte, daß auch in Isfahan die Befähigungsprüfung an der *madrassa* über die Anerkennung als Arzt entscheiden sollte, wobei er als leitender Prüfer in Medizin fungieren wollte.

Ibn Sina war der beste Arzt im östlichen und westlichen Kalifat, er arbeitete jedoch in einem Unterrichtssystem, das keine großen Einrichtungen besaß. Die Akademie in Toledo hatte ihr Haus der Wissenschaft, die Universität in Bagdad hatte ihre Schule für Übersetzer, Kairo verfügte über eine reiche, fundierte medizinische Tradition, die viele Jahrhunderte zurückreichte. Jedes dieser Institute besaß eine berühmte, großartige Bibliothek, die von den Spenden des größeren und reicher dotierten Instituts in Bagdad lebte. Der *maristan* war ein kleinerer, bescheidener Abklatsch des großen Azudi-Krankenhauses in Bagdad. Nur die Anwesenheit von Ibn Sina wog die fehlende Größe und Bedeutung des Instituts auf.

Ibn Sina gestand ein, daß er von der Sünde des Stolzes beherrscht wurde. Während sein eigener Ruf so überragend war, daß er sich nichts mehr daraus machte, reagierte er in bezug auf das Ansehen der von ihm ausgebildeten Ärzte empfindlich.

Am achten Tag des Monats *Shawwa* brachte ihm eine Karawane aus Bagdad einen Brief von Ibn Sabur Yāqūt, dem obersten medizinischen Prüfer von Bagdad. Ibn Sabur wollte in der ersten Hälfte des Monats *Zulkadah* nach Isfahan kommen und den *maristan* besuchen. Ibn Sina kannte Ibn Sabur bereits und wappnete sich gegen die Herablassung und die ständigen überheblichen Vergleiche seines Bagdader Rivalen. Trotz aller Vorteile, die die Medizin in Bagdad genoß, wußte er, daß die Prüfungen dort oft berüchtigt lax gehandhabt wurden. Im *maristan* gab es derzeitig zwei der besten Medizinstudenten, die er je erlebt hatte. Er sah sofort, daß er der Ärzteschaft in Bagdad damit eindrucksvoll vor Augen führen konnte, welche Ärzte Ibn Sina in Isfahan ausbildete.

Weil also Ibn Sabur Yāqūt den *maristan* besuchte, wurden Jesse ben Benjamin und Mirdin Askari zu der Prüfung zugelassen, die ihnen das Recht, sich *hakim* zu nennen, zuerkennen oder verweigern würde.

Ibn Sabur Yāqūt entsprach ganz dem Bild, das Ibn Sina von ihm im Gedächtnis bewahrt hatte. Der Erfolg ließ seine Augen unter den dicken Lidern leicht hochmütig blicken. Seine Haare waren grauer als vor zwölf Jahren, als die beiden in Hamadhān zusammengetroffen waren. Er trug ein auffallendes, teures Gewand aus buntem Stoff, das seine Stellung und seinen Wohlstand verkündete, aber trotz der hervorragenden Ausführung nicht verbergen konnte, daß er seit seiner Jugend erheblich an Umfang zugenommen hatte. Ibn Sabur besichtigte die *madrassa* und den *maristan* mit einem Lächeln auf den Lippen und eingebildet-guter Laune, seufzte und bemerkte, daß es ein Genuß sein müßte, sich in so geringem Ausmaß mit Problemen befassen zu müssen.

Der vornehme Besucher fühlte sich sichtlich geschmeichelt, als man ihn ersuchte, der Prüfungskommission anzugehören, die zwei Studenten examinieren würde.

Isfahan verfügte über keine große Zahl an hervorragenden Wissenschaftlern, konnte aber an der Spitze der meisten Fächer genügend Koryphäen aufweisen, so daß Ibn Sina keine Mühe hatte, eine Prüfungskommission zusammenzustellen, die auch in Kairo oder Toledo respektiert worden wäre. Al-Juzjani würde in Chirurgie prüfen. Imam Jussef Gamali von der Freitagsmoschee würde in Theologie examinieren. Musa Ibn Abbas, der *mullah* aus der Umgebung von Imam Mirzaabul Qandrasseh, des Großwesirs von Persien, würde die Fragen in Recht und Jurisprudenz stellen. Ibn Sina war für Philosophie und Medizin zuständig, und der Besucher aus Bagdad wurde geschickt dazu ermutigt, selbst die schwierigsten Fragen zu stellen.

Die Tatsache, daß beide Kandidaten Juden waren, störte Ibn Sina nicht. Auch unter den Juden gab es natürlich Einfaltspinsel, die schlechte Ärzte abgaben, aber seiner Erfahrung nach hatten die intelligenten *Dhimmis*, die Medizin studierten, bereits die Prüfung in der Tasche, denn Forschungen, intellektuelle Schlußfolgerungen und das Vertiefen in Wahrheiten und Beweise gehörten zu ihrer Religion und wurden ihnen lange, bevor sie Medizinstudenten wurden, in ihren Studierhäusern anerzogen.

Mirdin Askari war als erster an der Reihe. Sein alltägliches Gesicht mit dem langen Kinn wirkte aufmerksam, aber ruhig, und als Musa Ibn Abbas eine Frage über das Eigentumsrecht stellte, antwortete Mirdin nicht aufgeplustert, sondern ausführlich und vollständig, zitierte Beispiele und Präzedenzfälle aus dem *fiqh* und der *sharī'a*. Die anderen Prüfer richteten sich erstaunt auf, als Jussef Gamali in seinen Fragen Recht und Theologie vermengte, doch Mirdins profundes Wissen zerstreute die Vorstellung, daß der Kandidat im Nachteil sein könnte, weil er ein wahrer Gläubiger war. Er zitierte als Beweise Beispiele aus Mohammeds Leben und seinen schriftlich niedergelegten Gedanken, wobei er die rechtlichen und gesellschaftlichen Unterschiede zwischen dem Islam und seiner eigenen Religion beleuchtete, wo sie belangvoll waren. Dort, wo sie es nicht waren, zog er in seinen Antworten die Thora hinzu als Beweis für den Koran, oder den Koran als Grundlage der Thora. Er benutzte seinen Verstand wie ein Schwert, fand Ibn Sina, indem er Scheinangriffe vortrug, parierte, um dann und wann einen Treffer zu landen, als wäre er aus geschliffenem Stahl. Seine Gelehrsamkeit war so vielseitig, daß jeder Zuhörer, obwohl er in etwa über die gleiche Gelehrsamkeit verfügte, wie betäubt und von Bewunderung für den außergewöhnlichen Verstand erfüllt war.

Als Ibn Sabur an der Reihe war, schoß er Frage um Frage wie Pfeile ab. Die Antworten kamen ohne Zögern, aber sie drückten nie Mirdin

Askaris persönliche Meinung aus, sondern waren Zitate von Ibn Sina oder Rhazes, Galen oder Hippokrates. Einmal zitierte Mirdin sogar aus »Über niedrige Fieber« von Ibn Sabur Yāqūt. Der Gelehrte aus Bagdad verzog keine Miene, als ihm seine eigenen Worte wiederholt wurden.

Die Prüfung dauerte viel länger als sonst, bis schließlich keine weiteren Fragen von den Prüfern kamen. Da entließ Ibn Sina Mirdin freundlich und ließ Jesse ben Benjamin holen.

Die Atmosphäre veränderte sich unmerklich, als der neue Kandidat hereinkam. Hochgewachsen und breitschultrig stellte er für ältere, asketische Männer eine Herausforderung dar. Seine Haut war von der Sonne des Westens und Ostens gegerbt, in seinen weit auseinanderliegenden blauen Augen lagen wohl Wachsamkeit als auch Arglosigkeit, und seine gebrochene Nase verlieh ihm eher das Aussehen eines Speerträgers als das eines Mediziners. Seine großen, kräftigen Hände schienen dazu geschaffen, Eisen zu biegen, doch Ibn Sina hatte gesehen, wie sie behutsam über Gesichter von Fiebernden streichelten und mit absoluter Sicherheit in lebendes Fleisch schnitten. Im Geist war er längst ein Medicus.

Ibn Sina hatte absichtlich Mirdin zuerst prüfen lassen, um die richtigen Voraussetzungen zu schaffen und weil Jesse ben Benjamin anders war als die Studenten, an die die Sachverständigen gewöhnt waren. Er besaß Eigenschaften, die bei einer akademischen Prüfung nicht zutage treten konnten. Er hatte sich in drei Jahren erstaunlich viel erarbeitet, aber seine Gelehrsamkeit war nicht so tiefschürfend wie die Mirdins. Er war aber trotz seiner Nervosität die stärkere Persönlichkeit.

Der Gehilfe von Imam Qandrassehs hatte den fast unhöflichen Blick bemerkt, den Rob auf Musa Ibn Abbas warf, und der *mullah* begann unvermittelt mit einer politischen Frage, deren Tücken er gar nicht verbergen wollte.

»Gehört das Königreich zur Moschee oder zum Palast?«

Rob antwortete nicht mit der raschen, bereitwilligen Sicherheit, die bei Mirdin so beeindruckt hatte. »Im Koran ist es festgelegt«, antwortete er in seinem nicht völlig akzentfreien Persisch. »Allah sagt in *sura* zwei: ›Ich setze einen Vizekönig auf der Erde ein.‹ Und in *sura* achtunddreißig wird die Aufgabe des Schahs mit folgenden Worten umrissen: ›Siehe, David, Wir haben dich als Vizekönig auf der Erde eingesetzt, deshalb urteile gerecht über Menschen und folge keiner Laune, damit du nicht vom Pfad Gottes abweichst.‹ Daher gehört das Königreich zu Gott.«

Indem er das Königreich Gott zuwies, hatte er die Wahl zwischen Qandrasseh und Alā vermieden; es war eine gute, geschickte Antwort. Der *mullah* widersprach ihm nicht.

Ibn Sabur forderte den Kandidaten auf, den Unterschied zwischen Pocken und Masern zu schildern.

Rob zitierte aus Rhazes' Abhandlung »*Al-Hawi*« und wies darauf hin, daß die Frühsymptome von Pocken Fieber und Rückenschmerzen sind, während bei Masern das Fieber höher ist und es zu deutlicher geistiger Erschöpfung kommt. Er zitierte Ibn Sina, als säße der Arzt nicht vor ihm, weil in Buch vier von »Der Kanon der Medizin« darauf hingewiesen werde, daß bei Masern der Ausschlag für gewöhnlich auf einmal erscheint, während bei Pocken der Ausschlag nach und nach auftritt. Er war ruhig und unerschütterlich und versuchte nicht, seine Erfahrung mit der Pest ins Spiel zu bringen, was ein unbedeutenderer Mann vielleicht getan hätte. Ibn Sina wußte, daß Rob ein würdiger Kandidat war; doch unter den Prüfern wußten nur er und al-Juzjani, welch ungeheure Leistung dieser Mann in den letzten drei Jahren vollbracht hatte.

»Wie geht Ihr vor, wenn Ihr ein gebrochenes Knie behandeln müßt?« fragte al-Juzjani.

»Wenn das Bein gerade ist, muß man es stillegen, indem man es zwischen zwei starre Schienen bindet. Wenn es verbogen ist, hat *Hakim* Jalal-al-Din eine Methode, es zu schienen, erdacht, die nicht nur beim Knie, sondern auch bei einem gebrochenen oder verrenkten Ellbogen anwendbar ist.« Neben dem Besucher aus Bagdad lagen Papier, Tinte und Feder, und der Kandidat ging zu diesen Materialien. »Ich kann ein Glied zeichnen, so daß Ihr die Anordnung der Schiene sehen könnt«, schlug er vor.

Ibn Sina war entsetzt. Wenn auch der *Dhimmi* ein Europäer war, mußte er doch wissen, daß jemand, der das Abbild einer menschlichen Gestalt im ganzen oder teilweise zeichnet, im heißesten Höllenfeuer brennen muß. Es war für einen strenggläubigen Mohammedaner eine Sünde und eine Gesetzesübertretung, ein solches Bild auch nur anzuschauen. Da der *mullah* und Imam Jussef anwesend waren, würde der Künstler, der

Gott verhöhnte und ihre Moral verdarb, indem er einen Menschen zeichnete, vor ein islamisches Gericht gestellt und nie zum *hakim* ernannt werden.

Die Prüfer ließen die verschiedensten Gefühlsregungen erkennen. Al-Juzjanis Gesicht zeigte tiefes Bedauern, um Ibn Saburs Mund zitterte ein leichtes Lächeln, Imam Jussef war verwirrt und der *mullah* bereits zornig.

Die Feder flog zwischen Tintenfaß und Papier hin und her. Sie kratzte rasch über das Papier, und bald war alles zu spät: Die Zeichnung war fertig. Rob reichte sie Ibn Sabur, und der Gelehrte aus Bagdad musterte sie ungläubig. Als er sie an al-Juzjani weitergab, konnte der Chirurg ein Grinsen nicht unterdrücken.

Es dauerte lange, bis die Zeichnung Ibn Sina erreichte, aber als er das Papier endlich erhielt, sah er, daß das abgebildete Glied ein Ast war. Zweifellos der gebogene Zweig eines Aprikosenbaumes, denn er trug Blätter. Raffinierterweise nahm ein Knorren die Stelle des verletzten Knies ein, und die Enden der Schiene waren weit unterhalb und oberhalb des Knorrens an dem Ast festgebunden.

Über die Schiene wurde keine weitere Frage gestellt.

Ibn Sina sah Jesse an und achtete darauf, seine Erleichterung ebenso zu verbergen wie seine Zuneigung. Es bereitete ihm großes Vergnügen, das Gesicht des Besuchers aus Bagdad zu betrachten. Er lehnte sich zurück und begann seinem Studenten die interessanteste philosophische Frage zu stellen, die er formulieren konnte, denn er war davon überzeugt, daß der *maristan* von Isfahan es sich leisten konnte, etwas dicker aufzutragen.

Es hatte Rob einen gewaltigen Schock versetzt, als er in Musa Ibn Abbas den persönlichen Gehilfen des Großwesirs erkannte, der sich heimlich mit dem Gesandten der Seldschuken getroffen hatte. Aber ihm fiel schnell ein, daß man ihn bei dieser Gelegenheit nicht bemerkt hatte, weshalb die Anwesenheit des *mullahs* im Prüfungskomitee keine besondere Bedrohung darstellte.

Als die Prüfung zu Ende war, begab Rob sich geradewegs in jenen Flügel des *maristan*, in dem die chirurgischen Patienten untergebracht waren, denn er und Mirdin waren sich darin einig, daß es ihnen zu schwer fallen würde, gemeinsam untätig zu warten, bis sie die Ergebnisse der Prüfung erfuhren. Jeder wollte die Zeit lieber mit Arbeit ausfüllen, und so stürzte sich Rob auf alle möglichen Arbeiten, untersuchte Patienten, wechselte Verbände, entfernte Nähte – all die einfachen Verrichtungen, an die er sich gewöhnt hatte.

Die Zeit verging, doch es kam keine Nachricht.

Dann endlich betrat Jalal-al-Din den Flügel, was bedeuten mußte, daß die Prüfungskommission sich aufgelöst hatte. Rob hätte gern gefragt, ob Jalal das Ergebnis kannte, brachte es aber nicht über sich.

Am vorhergehenden Tag hatten sie gemeinsam einen Hirten zusammengeflickt, den ein Stier auf die Hörner genommen hatte. Rob hatte die zerrissenen Muskeln und das Fleisch an Schulter und Arm in die richtige Lage gebracht und genäht, und Jalal hatte die Brüche eingerichtet und geschient. Jalal bemängelte jetzt, daß die dicken Verbände neben den Schienen unförmig wirkten.

»Kann man die Verbände nicht abnehmen?«

Rob wunderte sich, denn Jalal sollte es besser wissen. »Es ist zu früh.«

Jalal zuckte mit den Achseln, blickte Rob freundlich an und lächelte.

»Es wird wohl so sein, wie Ihr sagt, *Hakim*«, sagte er und verließ das Zimmer.

So erfuhr Rob das Ereignis. Es machte ihn schwindlig, so daß er eine Zeitlang wie vom Donner gerührt dastand.

Schließlich wurde er von seinen Dienstpflichten geweckt: Er mußte noch vier Kranke untersuchen. Er machte weiter und zwang sich zur Sorgfalt, wie es einem guten Arzt anstand.

Als jedoch der letzte Patient behandelt worden war, überließ er sich wieder seinen Gefühlen, der reinsten Freude seines Lebens. Fast taumelnd lief er nach Hause, um Mary die gute Nachricht zu bringen.

Der Befehl

Rob war sechs Tage vor seinem fünfundzwanzigsten Geburtstag *hakim* geworden, und das Hochgefühl hielt wochenlang an. Er war froh, daß Mirdin nicht vorschlug, ihren Erfolg auf den *maidans* zu feiern. Statt dessen kamen die beiden Familien in Askaris Haus zusammen und genossen gemeinsam das Abendessen.

Rob und Mirdin gingen zusammen zum Schneider, um sich das schwarze Ärztegewand und den Umhang anmessen zu lassen.

»Wirst du jetzt nach Masqat zurückkehren?« fragte Rob seinen Freund.

»Ich werde noch ein paar Monate hierbleiben, denn es gibt noch einiges, was ich im *khasanat-al-sharaf* lernen muß. Und du? Wann wirst du nach Europa reisen?«

»Mary kann während der Schwangerschaft nicht reisen. Wir warten am besten, bis das Kind geboren und kräftig genug ist, um die Strapazen zu überstehen.« Er lächelte. »Deine Familie wird in Masqat feiern, wenn ihr Medicus heimkommt. Hast du ihnen mitgeteilt, daß der Schah eine große Perle von ihnen kaufen will?«

Mirdin schüttelte den Kopf. »Meine Verwandten klappern die Dörfer der Perlenfischer ab und kaufen winzige Zuchtperlen. Die verkaufen sie meßbecherweise an Händler, die sie weiterverkaufen, damit mit ihnen Kleider bestickt werden. Meinen Verwandten würde es schwerfallen, den Betrag für eine große Perle aufzubringen. Und sie wären gar nicht darauf erpicht, mit dem Schah Geschäfte zu machen, denn Herrscher sind selten bereit, für die großen Perlen, die sie so lieben, anständig zu zahlen. Ich hoffe nur, daß Alā *Shahansha* das ›große Glück‹ vergessen hat, das er für meine Verwandten vorgesehen hat.«

»Gestern abend haben Mitglieder des Hofs nach dir gefragt und dich vermißt«, beschwerte sich Alā *Shahansha*.

»Ich habe eine schwerkranke Frau behandelt«, antwortete Karim.

»Es gibt auch kranke Menschen an meinem Hof, die deine Weisheit brauchen«, wandte Alā verdrießlich ein.

»Ja, Majestät.«

Alā hatte deutlich gemacht, daß Karim die Gunst des Thrones besaß, aber Karim hatte bereits genug von den Mitgliedern der adeligen Familien, die oft mit eingebildeten Leiden zu ihm kamen, und ihm fehlten das geschäftige Treiben und die echte Arbeit im *maristan*, wo er sich immer als Arzt nützlich machen konnte, statt als Aushängeschild zu dienen.

»Ich schmiede Pläne, Karim«, sagte der Schah gerade. »Ich schaffe die Voraussetzungen für große Ereignisse.«

»Möge Allah ihnen gewogen sein!«

»Du mußt deine Freunde kommen lassen, die beiden Juden. Ich möchte mit euch dreien sprechen.«

»Ja, Majestät.«

Am übernächsten Morgen wurden Rob und Mirdin aufgefordert, mit dem Schah auszureiten. Dies stellte für die beiden eine Gelegenheit dar, mit Karim zusammenzusein, der in letzter Zeit von Alā voll in Anspruch genommen wurde. In den Stallungen des Hauses des Paradieses erzählten die jungen Ärzte zu Karims Vergnügen wieder von ihren Prüfungen, und als der Schah eintraf, bestiegen sie die Pferde und ritten hinter ihm hinaus aufs Land.

Der Ausritt hatte eine bereits vertraute Routine. Sie speisten gut und sprachen belangloses Zeug, bis alle vier im heißen Wasser des Teiches in der Höhle saßen und Wein tranken.

Hier erzählte ihnen Alā ruhig, daß er in fünf Tagen mit einem großen Stoßtrupp von Isfahan aufbrechen würde.

»Wem gilt der Überfall, Majestät?« fragte Rob.

»Den Elefantengehegen in Südwestindien.«

»Darf ich Euch begleiten, Majestät?« fragte Karim sofort mit leuchtenden Augen.

»Ich hoffe, daß ihr alle drei mitkommen werdet«, sagte Alā.

Er sprach lange mit ihnen und schmeichelte ihnen, indem er ihnen seine geheimsten Pläne verriet. Die Seldschuken im Westen bereiteten sich eindeutig auf einen Krieg vor. Sultan Mahmud in Ghazna führte sich wilder auf denn je, und man würde sich einmal mit ihm befassen müssen. Alā hatte jetzt eine Gelegenheit, seine Streitkräfte auszubauen. Seine Spione meldeten ihm, daß in Mansura eine schwache indische Garnison viele Elefanten bewachte. Ein Überfall würde eine nützliche Gefechtsübung darstellen und ihm, was noch wichtiger war, wertvolle Tiere einbringen, die, mit Panzerplatten bedeckt, eine eindrucksvolle Waffe darstellten, die den Ausgang einer Schlacht bestimmen konnte.

»Mir schwebt noch ein anderes Ziel vor«, fuhr Alā fort. Er griff nach der Scheide, die neben dem Teich lag, und zog einen Dolch heraus, dessen Klinge aus fremdartigem, blauem Stahl war und ein Muster von kleinen Wirbeln aufwies.

»Das Metall dieses Messers findet man nur in Indien. Es unterscheidet sich von jedem Metall, das wir besitzen. Diese Schneide ist besser als unser Stahl und bleibt länger scharf. Sie ist so hart, daß sie in gewöhnliches Metall eindringt. Wir werden Schwerter suchen, die aus diesem blauen Stahl gemacht sind, denn eine Armee, die genügend derartige Schwerter besitzt, muß siegen.« Er reichte den anderen den Dolch, damit sie seine gehärtete Schneide prüfen konnten.

»Wirst du uns begleiten?« fragte er Rob.

Beide wußten, daß es ein Befehl war, keine Frage. Jetzt wurde die Rechnung präsentiert, und Rob mußte seine Schuld bezahlen.

»Ja, Majestät, ich komme mit«, antwortete er und versuchte, dabei einen forschen Eindruck zu machen. Er war nicht nur vom Wein benommen und fühlte, wie sein Puls raste.

»Und du, *Dhimmi*?« fragte Alā Mirdin.

Mirdin war blaß. »Eure Majestät hat mir gestattet, zu meiner Familie in Masqat zurückzukehren.«

»Gestattet? Natürlich hatte ich es gestattet. Jetzt mußt du entscheiden, ob du uns begleiten willst oder nicht«, sagte Alā förmlich.

Karim griff hastig nach dem Ziegenschlauch und füllte Wein in ihre Becher. »Komm mit nach Indien, Mirdin!«

»Ich bin kein Soldat«, meinte der zögernd und blickte dabei Rob an.

»Komm mit uns!« drängte auch Rob. »Wir haben noch nicht einmal ein Drittel der Gebote besprochen. Unterwegs könnten wir zusammen studieren.«

»Wir werden Ärzte brauchen«, gab Karim zu bedenken. »Übrigens ist Jesse der erste Jude in meinem Leben, der bereit ist zu kämpfen.«

Es war gutmütiger, wenn auch derber Spott, doch Mirdins Augenlider zogen sich zusammen.

»Es ist nicht wahr, Karim! Der Wein macht dich dumm«, mischte sich Rob ein.

»Ich komme mit«, sagte Mirdin, und sie jubelten vor Freude.

»Stellt euch das einmal vor«, sagte Alā *Shahansha* zufrieden, »vier Freunde überfallen gemeinsam Indien!«

An diesem Nachmittag suchte Rob die Hebamme Nitka auf. Sie war eine magere, strenge, aber noch nicht alte Frau. Er erklärte ihr nur, daß er abreisen müsse. Ihr Gesicht verriet ihm, daß dies für sie etwas Alltägliches war: Der Ehemann geht auf Reisen, die Frau bleibt zurück und muß allein leiden.

»Ich habe Eure Frau gesehen: die rothaarige Andersgläubige.«

»Ja. Sie ist eine europäische Christin.«

Nitka dachte nach, dann faßte sie einen Entschluß. »Also gut. Ich werde ihr beistehen, sobald ihre Zeit gekommen ist. Wenn es Schwierigkeiten gibt, werde ich in den letzten Wochen vor der Entbindung in Eurem Haus wohnen.«

»Danke.« Er gab ihr fünf Münzen, vier davon aus Gold. »Genügt das?«

»Es genügt.«

Statt heimzugehen, verließ er die Jehuddijeh wieder und begab sich unangesagt zu Ibn Sina.

Der Arzt aller Ärzte begrüßte ihn und hörte ihm dann ernst zu.

»Was geschieht, wenn Ihr in Indien fallt? Mein Bruder Ali wurde getötet, als er an einem ähnlichen Unternehmen teilnahm.«

»Ich hinterlasse meiner Frau genügend Geld. Nur wenig davon ist meines, das meiste stammt von ihrem Vater«, erklärte er gewissenhaft. »Falls ich sterbe, werdet Ihr dann dafür sorgen, daß sie und das Kind nach Hause zurückreisen können?«

Ibn Sina nickte. »Ihr müßt darauf achten, daß ich nicht in diese Lage komme.«

Dann sagte er plötzlich in einem anderen Ton. »Jetzt setzt Euch näher zu mir, *Hakim*. Ihr würdet gut daran tun, mit mir einige Zeit über die Behandlung von Wunden zu sprechen.«

Als sie im Bett lagen, erzählte Rob Mary alles. Er erklärte ihr, daß er keine Wahl habe, daß er verpflichtet sei, Alā seine Schuld zurückzuzahlen, und daß seine Teilnahme am Stoßtruppunternehmen auf jeden Fall ein Befehl sei. »Ich brauche wohl nicht zu betonen, daß weder Mirdin noch ich verrückten Abenteuern nachjagen würden, wenn es sich vermeiden ließe.«

Er ging nicht auf mögliche Unglücksfälle ein, teilte ihr aber mit, daß er sich Nitkas Dienste für die Geburt gesichert habe und daß Ibn Sina ihr helfen würde, falls Schwierigkeiten aufträten.

In der Nacht legte er ihr einmal seine Hand auf den Bauch und fühlte das warme Fleisch darunter, das schon deutlich wuchs.

»Du wirst es vielleicht nicht sehen können, wenn es so groß ist wie eine Wassermelone, wie du vorhattest«, sagte sie in der Dunkelheit.

»Bis dahin werde ich bestimmt schon zurück sein.«

Mary zog sich in sich selbst zurück, als der Tag der Abreise kam, und wurde wieder jene harte Frau, die ihren sterbenden Vater im Ahmads *wadi* allein beschützt hatte.

Als es für ihn Zeit wurde zu gehen, stand sie im Hof und striegelte ihren Rappen. Ihre Augen waren trocken, als sie ihn küßte und zusah, wie er fortritt. So stand sie da, eine hochgewachsene Frau, die um die Taille stärker wurde und ihren Körper jetzt so hielt, als wäre sie immer müde.

Der Kamelreiter

Für eine Armee wäre die Streitmacht klein gewesen, aber für ein Stoßtruppunternehmen war sie groß: sechshundert Soldaten, ein Großteil auf Pferden und Kamelen, und vierundzwanzig Elefanten. Als Rob zum Musterungsplatz geritten kam, requirierte Khuff sofort den braunen Wallach.

»Ihr bekommt Euer Pferd wieder, wenn wir nach Isfahan zurückkehren. Wir verwenden nur Reittiere, die dazu abgerichtet wurden, vor dem Geruch von Elefanten nicht zu scheuen.«

Zu Robs Bestürzung und Mirdins großer Belustigung wies man ihm eine schmuddelige, graue Kamelstute zu, die ihn hochmütig musterte, während sie wiederkäute. Ihre gummiartigen Lippen bewegten sich gleichmäßig, und ihre Kiefer mahlten gegenläufig.

Mirdin bekam einen braunen Kamelhengst. Er war sein Leben lang auf Kamelen geritten und zeigte Rob, wie er an den Zügeln zerren und einen Befehl bellen mußte, daß das einhöckerige Dromedar die Vorderbeine abbog, in die Knie ging, dann die Hinterbeine beugte und auf den Boden sank. Der Reiter saß im Damensitz, riß an den Zügeln, erteilte einen anderen Befehl, und das Tier stand in der umgekehrten Reihenfolge wie beim Niederlegen auf.

Es waren zweihundertfünfzig Fußsoldaten, zweihundert berittene Soldaten und hundertfünfzig auf Kamelen. Dann erschien Alā, der einen prächtigen Anblick bot. Sein Elefant war um Ellen größer als alle anderen. Goldringe schmückten seine gefährlichen Stoßzähne. Der *mahout* saß stolz auf dem Kopf des Bullen und lenkte ihn mit den Füßen, die er hinter den Ohren des Tiers einsetzte. Der Schah saß aufrecht in einem mit Kissen ausgelegten Gehäuse auf dem gewölbten Rücken und war herrlich anzuschauen. Er war in dunkelblaue Seide gekleidet und trug einen roten Turban. Das Volk tobte. Vielleicht jubelten einige von ihnen auch dem Hauptmann des *chatirs* zu, denn Karim saß auf einem nervösen grauen Araberhengst mit wilden Augen und ritt unmittelbar hinter dem königlichen Elefanten.

Khuff schrie einen heiseren Befehl, und schon trabte sein Pferd hinter dem Elefanten des Königs und Karim her, dann schlossen sich die anderen Elefanten an und verließen den Platz. Nach ihnen kamen die Pferde und dann die Kamele, sodann hunderte Packesel, deren Nüstern aufgeschlitzt waren, damit sie bei großen Anstrengungen mehr Luft bekamen. Die Fußsoldaten bildeten den Abschluß.

Wieder einmal befand sich Rob im dritten Viertel der Marschlinie, was offenbar sein schicksalhafter Standort war, wenn er mit größeren Gruppen reiste. Das bedeutete, daß er und Mirdin ständig unter Staubwolken zu leiden hatten. In weiser Voraussicht hatten beide ihre Turbane mit ledernen Judenhüten vertauscht, die ihnen besseren Schutz vor Staub und Sonne boten.

Rob fand seine Kamelstute beängstigend. Wenn sie kniete, und er sein beträchtliches Gewicht auf ihrem Höcker zurechtrückte, wimmerte sie laut, dann knurrte und stöhnte sie, während sie mühsam in die Höhe kam. Er mißtraute dieser Art zu reiten. Er saß viel höher als auf einem Pferd, wurde durchgerüttelt und spürte nur wenig Fett und Fleisch, die seinen Sitz weicher gemacht hätten.

Als sie die Brücke über den Fluß des Lebens überquerten, sah ihn Mirdin an und lachte. »Du wirst sie noch lieben lernen!« rief er seinem Freund zu.

Rob lernte nie, sein Kamel zu lieben. Sobald es eine Möglichkeit dazu hatte, bespuckte ihn das Tier mit klebrigen Schleimpfropfen und schnappte wie ein Köter, so daß er ihm das Maul zubinden mußte. Dazu keilte es bösartig nach rückwärts aus wie ein störrischer Maulesel. Er mußte sich die ganze Zeit vor der Stute in acht nehmen.

Das Reisen gefiel ihm, da er von Soldaten umgeben war. Sie hätten genausogut eine römische Kohorte sein können, und er sah sich in

Gedanken als Teil einer Legion, die überall, wohin sie kam, Eindruck machte. Doch dieses Hirngespinst wurde jeden Nachmittag zerstört, denn sie errichteten kein ordentliches römisches Lager. Alā hatte sein Zelt, weiche Teppiche, Musikanten, Köche sowie Diener in Hülle und Fülle, um seine Wünsche zu befriedigen. Die anderen suchten sich einen Platz auf der nackten Erde und wickelten sich in ihre Kleider. Der Gestank der tierischen und menschlichen Exkremente umgab sie ständig, und wenn sie zu einem Bach kamen, war er schmutzig, nachdem sie ihn verließen.

Wenn sie nachts in der Dunkelheit auf dem harten Boden lagen, lehrte ihn Mirdin weiterhin die Gebote des jüdischen Gottes. Das vertraute Studieren half ihnen, Unbehagen und Besorgnis zu vergessen.

Eine Woche lang lebten sie von ihren Vorräten, dann waren sie planmäßig verbraucht. Hundert Fußsoldaten wurden zu Furieren ernannt und marschierten vor dem Haupttrupp. Sie durchstreiften das Gebiet sachkundig, und man sah täglich Soldaten, die Ziegen an einem Strick führten oder Schafe trieben, gackerndes Geflügel schleppten oder mit landwirtschaftlichen Produkten beladen waren. Das Beste blieb dem Schah vorbehalten, und der Rest wurde verteilt, so daß jeden Abend an hundert Feuern gekocht wurde und die Invasoren gut essen konnten.

Bei jedem Lager wurden täglich die Kranken behandelt. Das geschah in Sichtweite des Schahzeltes, um Simulanten abzuschrecken. Dennoch war die Schlange lang. Eines Abends tauchte Karim dort auf.

»Willst du dich an der Arbeit beteiligen? Wir brauchen Hilfe«, forderte ihn Rob auf.

»Das darf ich nicht. Ich muß in der Nähe des Schahs bleiben.«

»Ah«, sagte Mirdin.

Karim lächelte schief. »Wollt ihr mehr Essen?«

»Wir haben genug«, antwortete Mirdin.

»Ich kann euch beschaffen, was ihr wollt. Es wird einige Monate dauern, bis wir die Elefantengehege in Mansura erreichen. Ihr solltet euch das Leben während des Marsches so angenehm wie möglich machen.«

»Ich möchte dich um etwas bitten«, meinte Rob. »An den vier Grenzlinien jedes Lagers sollten Gräben ausgehoben werden, die als Latrinen benützt werden können.«

Karim nickte.

Der Vorschlag wurde sofort in die Tat umgesetzt, und es wurde bekanntgemacht, daß diese Maßnahme auf Befehl der Ärzte erfolgte. Dies machte sie nicht gerade beliebter, denn nun wurden jeden Abend müde Soldaten zum Ausheben von Gräben abkommandiert, und wer nachts mit Bauchkrämpfen aufwachte, mußte in der Dunkelheit herumstolpern und einen Graben suchen. Wer die Vorschrift mißachtete und dabei erwischt wurde, erhielt Prügel. Doch der Gestank wurde erträglicher, und es tat gut, am Morgen nicht in menschliche Exkremente zu treten, wenn das Lager abgebrochen wurde.

Als sie Schiras erreichten, suchte sie der *kelonter* Debbid Hafiz, wie vorher abgemacht, in Begleitung einer mit Lebensmitteln beladenen Tragtierkolonne außerhalb der Stadt auf, ein Opfer, das den Bezirk Schiras davor bewahrte, beim Requirieren rücksichtslos geplündert zu werden. Nachdem der *kelonter* dem Schah seine Reverenz erwiesen hatte, umarmte er Rob, Mirdin und Karim, und sie tranken mit ihm Wein und erinnerten sich an die Zeit der Pest.

Rob und Karim ritten mit Debbid Hafiz bis zu den Toren der Stadt zurück. Auf dem Rückweg ließen sie sich von einem flachen, glatten Stück der Straße und vom Wein in ihrem Blut dazu verführen, ihre Kamele ein Rennen laufen zu lassen. Es war eine Offenbarung für Rob, denn die wiegende, unbequeme Gangart veränderte sich vollkommen, wenn das Kamel lief. Die Schritte des Tieres wurden länger, verwandelten sich in schwungvolle Sprünge, die das Tier und seinen Reiter gleichmäßig und schnell durch die Luft trugen. Rob meisterte die Stute mühelos und erlebte die unterschiedlichsten Eindrücke: Er schwebte, er schwang empor, er wurde zum Wind.

Jetzt verstand er, warum die persischen Juden dafür ein eigenes hebräisches Wort geprägt hatten, das die Bevölkerung übernommen hatte: *gemala sarka*, fliegende Kamele.

Die graue Stute strengte sich bis zum äußersten an, und zum erstenmal empfand Rob etwas wie Zuneigung für sie. »Komm, meine Kleine! Komm, Mädchen!« schrie er, während sie Richtung Lager jagten.

Mirdins brauner Hengst siegte zwar, aber das Rennen versetzte Rob in fröhliche Stimmung. Er erbat von den Elefantenhütern zusätzliches Futter und gab es der Stute, worauf sie ihn in den Unterarm biß. Der

Biß verletzte seine Haut nicht, hinterließ aber einen unangenehmen, blauroten Bluterguß, der ihn tagelang schmerzte. Und jetzt taufte er die Kamelstute auf den Namen Biest.

Indien

Südlich von Schiras erreichten sie die Gewürzstraße und folgten ihr, bis sie, um das Gebirge im Landesinneren zu umgehen, in der Nähe von Hormuz zur Küste abzweigten. Es war Winter, aber die Luft am Golf war warm und duftete. Als sie ins Fischerdorf Tiz kamen, nahm Mirdin Rob an der Hand und führte ihn zum Ufer. »Dort auf der gegenüberliegenden Seite«, er zeigte auf den azurblauen Golf, »liegt Masqat. Von hier könnte uns ein Boot in ein paar Stunden zum Haus meines Vaters bringen.«

Diese Nähe war quälend, aber schon am nächsten Morgen brachen sie das Lager ab und entfernten sich mit jedem Schritt von der Familie Askari.

Beinahe einen Monat, nachdem sie Isfahan verlassen hatten, überschritten sie die Landesgrenze. Nun änderte sich einiges. Alā befahl, daß nachts drei Ringe von Wachtposten um das Lager stehen sollten, und an jedem Morgen wurde ein neues Losungswort ausgegeben. Wer versuchte, ins Lager zu gelangen, ohne die Parole zu kennen, war des Todes.

Als sich die Soldaten im Lande Sind befanden, plünderten sie hemmungslos, und eines Tages trieb der Trupp der Furiere Frauen ins Lager, als wären sie Vieh. Alā gab bekannt, daß sie nur für diese Nacht Frauen haben durften und dann nicht mehr. Es war ohnedies sehr schwierig, mit sechshundert Mann unbemerkt nach Mansura zu gelangen, und er wollte nicht, daß ihnen Gerüchte vorauseilten, weil sie unterwegs Frauen geraubt hatten.

Die Nacht versprach hitzig zu werden. Sie sahen, wie Karim sehr sorgfältig vier Frauen auswählte.

»Warum braucht er vier?« fragte Rob.

»Er sucht sie nicht für sich selbst aus«, erklärte Mirdin, was stimmte, denn Karim führte die Frauen zum Zelt des Schahs.

Die Soldaten reichten die anderen Frauen von Mann zu Mann weiter und losten sie untereinander aus. Die Männer, die noch nicht an der Reihe waren, sahen den anderen zu und spornten sie an. Die Wachen wurden abgelöst, damit sie sich ebenfalls beteiligen konnten.

Die Nacht war von Frauengeschrei und betrunkenem Gegröle erfüllt.

Mirdin hatte sich geweigert, eine Waffe für den Kampf mitzunehmen, aber er hatte das Spiel des Schahs mitgebracht, und das war ein Segen, denn er und Rob spielten jeden Abend, bis es dunkel wurde. Jetzt endlich wurde hart um den Sieg gekämpft, die Ergebnisse waren knapp, und gelegentlich, wenn er etwas Glück hatte, gewann auch Rob.

Beim Spielen vertraute er Mirdin einmal an, daß er sich um Mary Sorgen mache.

»Es geht ihr bestimmt gut, denn Fara behauptet, daß die Frauen das Kinderkriegen von Natur aus beherrschen«, scherzte Mirdin gutgelaunt.

Rob hätte gern gewußt, ob es eine Tochter oder ein Sohn werden würde.

»Wie viele Tage nach ihrer letzten Regel habt ihr gebumst?«

Rob zuckte die Schultern.

»Al-Habib hat geschrieben, daß es beim Geschlechtsverkehr vom ersten bis zum fünften Tag nach Ende der Blutung ein Junge wird. Wenn es vom fünften bis zum achten Tag nach der Periode passiert, ein Mädchen.« Er zögerte, denn al-Habib hatte auch geschrieben, daß bei einem Beischlaf nach dem fünfzehnten Tag die Möglichkeit bestehe, daß das Kind ein Hermaphrodit wird.

»Al-Habib behauptet auch, daß braunäugige Väter Söhne und blauäugige Väter Töchter zeugen. Ich komme aber aus einem Land, wo die meisten Männer blaue Augen haben, und sie haben trotzdem immer viele Söhne gehabt«, meinte Rob.

»Zweifellos hat al-Habib nur über Menschen geschrieben, wie man sie im Orient findet«, schränkte Mirdin ein.

Statt sich im Spiel des Schahs zu üben, unterhielten sie sich auch manchmal über Ibn Sinas Anleitungen zur Behandlung von Kampfwunden, oder sie kontrollierten ihre Vorräte und bereiteten sich darauf vor, daß sie ihre Arbeit als Chirurgen ausführen konnten. Es war gut, daß sie dies taten, denn eines Abends wurden sie zum Abendessen in

Alās Zelt geladen, um seine Fragen über ihre Vorbereitungen zu beantworten. Karim war anwesend und begrüßte seine Freunde verlegen. Es wurde bald klar, daß er Befehl hatte, sie zu prüfen und sich von ihrer Leistungsfähigkeit ein Bild zu machen.

Diener brachten Wasser und Tücher, damit sie sich vor dem Essen die Hände waschen konnten. Alā tauchte seine Hände in eine schön getriebene Goldschüssel und trocknete sie mit hellblauen Leinenhandtüchern ab, in die mit Goldfäden Sätze aus dem Koran gestickt waren.

»Sagt uns, wie ihr Hiebwunden behandeln werdet«, forderte Karim sie auf.

Rob wiederholte, was Ibn Sina gelehrt hatte: Man mußte Öl kochen und es so heiß wie möglich auf die Wunde gießen, um Eiterbildung und üble Säfte zu vermeiden.

Karim nickte.

Alā war beim Zuhören blaß geworden. Jetzt befahl er entschieden, daß sie ihm Schlafmittel verabreichen sollten, falls er tödlich verwundet werde, um den Schmerz zu lindern, sobald ein *mullah* mit ihm das letzte Gebet gesprochen habe.

Die Mahlzeit war für königliche Begriffe einfach: am Spieß gebratenes Geflügel und Gemüse, das unterwegs gesammelt worden war. Aber die Speisen waren besser zubereitet als die Kost, an die sie gewöhnt waren, und sie wurden auf Tellern serviert. Nachher forderte Mirdin Alā beim Spiel des Schahs heraus, während Musikanten auf Zimbeln spielten, aber der *Shahansha* schlug ihn mühelos.

Der Abend war eine willkommene Abwechslung von ihrem täglichen Einerlei, aber Rob fühlte sich nicht unglücklich, als sie gnädig vom Herrscher entlassen wurden. Er beneidete Karim nicht, der in letzter Zeit oft auf dem Staatselefanten ritt und dabei mit dem Schah in dem Gehäuse saß.

Rob war noch immer von den Elefanten begeistert und beobachtete sie bei jeder sich bietenden Gelegenheit genau. Manche waren mit Kriegspanzern versehen, die dem Harnisch der Menschen ähnelten. Fünf Elefanten trugen zwanzig zusätzliche *mahouts,* die Alā als Reserve mitgenommen hatte, weil er hoffte, daß sie dann die in Mansura erbeuteten Elefanten betreuen würden. Alle *mahouts* waren Inder, die bei früheren Überfällen gefangengenommen worden waren. Da sie ausgezeichnet behandelt und reichlich entlohnt wurden, wie es ihrem Wert entsprach, konnte der Schah ihrer Treue sicher sein.

Die Elefanten suchten sich ihr Futter selbst. Am Ende jedes Tages führten die kleinen, dunklen Wärter sie an Orte, wo Pflanzen wuchsen und wo sie sich mit Gras, Blättern, kleinen Zweigen und Rinde vollfraßen; oft gewannen sie ihre Nahrung, indem sie erstaunlich mühelos Bäume umwarfen.

Eines Abends verjagten die weidenden Elefanten ein schnatterndes Rudel von menschenähnlichen, fellbedeckten kleinen Geschöpfen mit Schwänzen, die Rob aus Beschreibungen als Affen kannte. Danach sahen sie jeden Tag Affen und eine Vielfalt von Vögeln, dazu gelegentlich Schlangen auf dem Boden und in den Bäumen. Harsha, der *mahout* des Schahs, erzählte Rob, daß der Biß einiger Schlangen tödlich sei. »Wenn jemand gebissen wird, muß man die Bißstelle mit dem Messer aufschneiden und das gesamte Gift heraussaugen und ausspucken. Dann muß man ein kleines Tier töten und dessen Leber auf die Wunde binden, um das restliche Gift herauszuziehen.« Der Inder wies darauf hin, daß die Person, die das Gift aussaugte, keine offene Wunde und keinen Schnitt im Mund haben dürfe. »Sonst dringt das Gift dort ein, und er stirbt noch am selben Tag.«

Eines Abends kamen Rob und Mirdin zum fünfhundertvierundzwanzigsten Gebot, das auf den ersten Blick erstaunlich wirkte: »Wenn ein Mann eine Sünde begangen hat, auf der die Todesstrafe steht, und er zum Tod verurteilt wird und ihr ihn an einem Baum aufhängt, darf seine Leiche nicht die ganze Nacht an dem Baum hängen bleiben, sondern ihr müßt ihn gewiß am selben Tag begraben.«

Mirdin empfahl Rob, sich die Worte gut einzuprägen. »Ihretwegen sezieren wir tote Menschen nicht, wie es die heidnischen Griechen taten.«

Rob bekam eine Gänsehaut und richtete sich auf.

»Die Weisen und Gelehrten leiten von diesem Gebot drei Erlässe ab«, kommentierte Mirdin. »Erstens: Wenn die Leiche eines verurteilten Verbrechers mit so viel Achtung behandelt wird, sollte die Leiche eines angesehenen Bürgers erst recht schnell begraben werden, ohne Schimpf und Schande ausgesetzt zu sein. Zweitens: Wer seine Toten über Nacht unbestattet läßt, übertritt ein negatives Gebot. Und drittens: Die Leiche muß vollständig und unversehrt bestattet werden, denn wenn man auch nur ein kleines Stück Gewebe vergißt, ist es, als hätte kein Begräbnis stattgefunden.«

»Das also ist die Wurzel allen Übels!« staunte Rob. »Weil dieses Gesetz verbietet, die Leiche eines Mörders unbestattet zu lassen, haben Christen, Mohammedaner und Juden ihren Ärzten verboten, den Körper zu studieren, den sie heilen wollen.«

»Es ist Gottes Gebot«, ermahnte ihn Mirdin streng.

Rob legte sich zurück und starrte in die Dunkelheit. »Eure Handlungsweise bedeutet eine Mißachtung der Toten. Ihr bringt sie mit solcher Hast unter die Erde, als könntet ihr nicht erwarten, sie aus den Augen zu bekommen.«

»Das stimmt, wir machen kurzen Prozeß mit der Leiche. Nach dem Begräbnis ehren wir das Andenken des Verstorbenen durch die *shiva*, sieben Tage, während denen die Leidtragenden trauernd und betend in ihrem Hause bleiben.«

»Es ergibt keinen Sinn. Das ist ein unvernünftiges Gebot.«

»Du sollst nicht sagen, daß Gottes Wort unvernünftig ist!«

»Ich spreche nicht von Gottes Wort, ich spreche von der Auslegung des Wortes Gottes durch die Menschen. Diese hat die Welt tausend Jahre lang in Unwissenheit und Dunkelheit gehalten.«

Mirdin schwieg einen Augenblick. »Deine Billigung ist nicht erforderlich«, erklärte er endlich. »Wir haben uns darauf geeinigt, daß du Gottes Gebote studieren wirst.«

»Ja, ich war bereit, sie zu studieren. Ich war aber nicht bereit, meinen Verstand dabei auszuschalten oder auf eine eigene Meinung zu verzichten.«

Diesmal antwortete Mirdin nicht mehr.

Zwei Tage später erreichten sie endlich das Ufer eines großen Flusses, des Indus. Einige Meilen weiter nördlich gab es eine seichte Furt, aber die *mahouts* sagten ihnen, daß sie manchmal von Soldaten bewacht werde, weshalb sie einige Meilen nach Süden zu einer anderen Furt zogen, die tiefer, aber noch passierbar war. Khuff ließ eine Abordnung Flöße bauen. Jene Soldaten, die schwimmen konnten, schwammen mit den Tieren ans andere Ufer. Die Nichtschwimmer wurden auf den Flößen übergesetzt. Einige der Elefanten legten sich auf den Grund des Flusses, tauchten gänzlich unter und streckten nur ihre Rüssel zum

Atmen aus dem Wasser. Wenn der Fluß sogar für sie zu tief wurde, schwammen die Elefanten ebensogut wie Pferde.

Am anderen Ufer sammelten sich die Soldaten wieder und zogen weiter nach Norden in Richtung auf Mansura, wobei sie einen weiten Bogen um die bewachte Furt schlugen.

Karim rief Mirdin und Rob zum Schah, und sie ritten eine Zeitlang mit Alā auf dem Rücken des Staatselefanten. Rob mußte sich auf die Worte des Herrschers konzentrieren, denn vom Rücken eines Elefanten sah die Welt ganz anders aus.

Alās Spione hatten ihm in Isfahan berichtet, daß Mansura nur schwach bewacht sei. Der alte Rajah dieses Ortes, einst ein grimmiger Befehlshaber, war vor kurzem gestorben, und seine Söhne waren angeblich erbärmliche Strategen, die ihre Garnisonen unterbesetzten.

»Ich muß jetzt Kundschafter aussenden, die diese Aussagen bestätigen«, erklärte Alā. »Ihr beide werdet gehen, denn zwei *Dhimmi*-Kaufleute können sich Mansura nähern, ohne Mißtrauen zu erwecken. Rob unterdrückte den Impuls, Mirdin einen Blick zuzuwerfen.

»Ihr müßt im Umkreis des Dorfes euer Augenmerk auf Elefantenfallen richten. Manchmal bauen diese Leute Holzgestelle, aus denen scharfe Eisenstacheln vorstehen, und versenken sie in seichten Gräben außerhalb ihrer Mauern. Diese Fallen würden unsere Elefanten außer Gefecht setzen, und wir müssen sicher sein, daß sie hier nicht verwendet werden.«

Rob nickte. Wenn man auf einem Elefanten ritt, erschien einem alles möglich. »Ja, Majestät«, versprach er dem Schah.

Die Soldaten schlugen ein Lager auf, in dem sie warten wollten, bis die Kundschafter zurückkamen. Rob und Mirdin stiegen von ihren Kamelen, weil sie als Militärreittiere nicht zum Tragen von Lasten abgerichtet waren, und verließen das Lager mit zwei Eseln an der Leine.

Es war ein frischer, sonniger Morgen. In dem üppigen Wald schrien und kreischten wilde Vögel, und ein Affentrupp schimpfte von einem Baum herunter.

»Ich möchte einen Affen sezieren.«

Mirdin war noch böse auf ihn und empfand zudem das Dasein eines Kundschafters als noch unangenehmer als das Soldatenleben. »Warum?« fragte er.

»Nun, um zu entdecken, was möglich ist«, antwortete Rob. »So wie Galen Berberaffen seziert hat, um an ihnen zu lernen.«

»Du hast doch beschlossen, Medicus zu sein.«

»Das gehört zum Arztberuf.«

»Nein, dann bist du ein Sezierer. *Ich* werde Medicus sein und mein Leben lang die Menschen von Masqat heilen, wenn sie krank sind, denn das tut ein wahrer Arzt. Du kannst dich nicht entschließen, ob du ein Chirurg, ein Sezierer oder ein Arzt... oder eine männliche Hebamme sein willst. Du willst alles gleichzeitig sein.«

Rob lächelte seinen Freund an, erwiderte aber nichts. Er konnte nur wenig zu seiner Verteidigung anführen, denn Mirdin hatte mit seinen Beschuldigungen zum größten Teil recht.

Sie gingen eine Zeitlang schweigend weiter. Zweimal kamen sie an Indern vorbei. Rob wünschte ihnen, sie würden nicht auf das Lager stoßen, denn nun würde jeder, der den Soldaten begegnete, sofort zum Sklaven oder zur Leiche werden.

Dann kam ihnen an einer Biegung der Straße ein halbes Dutzend Männer entgegen, die ebenfalls Esel führten, und Mirdin lächelte Rob zum erstenmal an, denn diese Reisenden trugen staubige, lederne Judenhüte wie sie und schwarze Kaftane, welche die Spuren einer beschwerlichen Reise aufwiesen.

»*Shalom!*« rief Rob, als sie nah genug heran waren.

»*Shalom aleichem!* Und seid willkommen!«

Ihr Sprecher und Anführer stellte sich als Hillel Nafthali, Gewürzhändler aus Ahwaz, vor. Einer der anderen Männer war sein Bruder Ari, einer war sein Sohn, und die drei anderen waren Ehemänner seiner Töchter. Er kannte Mirdins Vater nicht, hatte aber von der Familie Askari aus Masqat, die Perlen kaufte, gehört.

»Ihr kommt von Norden?« fragte Mirdin.

»Wir waren in Multan. Ein kleiner Auftrag«, erwähnte Nafthali zufrieden, was auf den Umfang des Geschäftes schließen ließ. »Wohin reist Ihr?«

»Mansura. Geschäfte, ein wenig von dem, ein wenig von jenem«, antwortete Rob, und der Mann nickte. »Kennt Ihr Mansura gut?«

»Sehr gut. Wir haben die letzte Nacht dort bei Ezra ben Husik verbracht, der mit Pfeffer handelt. Ein äußerst würdiger Mann und ein zuvorkommender Gastgeber.«

»Dann habt Ihr die dortige Garnison gesehen?« fragte Rob.

»Die Garnison?« Nafthali sah ihn erstaunt an.

»Wie viele Soldaten sind in Mansura stationiert?« fragte Mirdin ruhig.

Nafthali begann zu verstehen und wich entsetzt zurück. »Wir interessieren uns nicht für solche Angelegenheiten«, wehrte er mit leiser Stimme ab.

Rob wußte, daß es an der Zeit war, Vertrauen zu zeigen. »Ihr dürft dieser Straße nicht mehr sehr weit folgen, sie wird nämlich lebensgefährlich. Auch nach Mansura solltet Ihr nicht zurückkehren.«

Sie starrten ihn schreckensbleich an.

»Wohin sollen wir uns dann wenden?« fragte Nafthali.

»Führt eure Tiere von der Straße weg, und versteckt euch in den Wäldern. Bleibt so lang wie notwendig im Versteck – bis ihr gehört habt, daß eine große Schar vorbeizieht. Wenn alle fort sind, kehrt auf die Straße zurück und zieht so schnell ihr könnt nach Ahwaz.«

»Wir danken Euch«, sagte Nafthali trüb.

»Können wir ungefährdet nach Mansura gehen?« fragte Mirdin.

Der Gewürzhändler nickte. »Sie sind an jüdische Händler gewöhnt.«

Rob war noch nicht zufrieden. Er erinnerte sich an die Zeichensprache, die Loeb ihn auf dem Weg nach Isfahan gelehrt hatte, jene geheimen Zeichen, mit denen jüdische Kaufleute im Orient ihr Geschäft abwickeln, ohne zu sprechen. Er streckte die Hand an den linken Ellbogen, das Zeichen für Hunderte. Dann spreizte er alle fünf Finger. Während er den Daumen der linken Hand einschlug, spreizte er die andern Finger und legte sie an den rechten Ellbogen.

Rob mußte sicher sein, daß er richtig verstanden hatte. »Neunhundert Soldaten?«

Nafthali nickte. »Shalom!« grüßte er leicht ironisch.

»Friede sei mit Euch!« erwiderte Rob.

Der Wald lichtete sich, und sie erblickten Mansura. Der Ort lag in einem kleinen Tal am Ende eines steinigen Hangs. Von der Höhe aus sahen sie die Garnison und ihre Anlage: Baracken, Exerzierplätze, Pferdepferche, Elefantengehege. Rob und Mirdin prägten sich die Anordnung sorgfältig ein.

Der Ort und die Garnison waren von einer Palisade aus Pfählen umgeben, die nebeneinander im Boden steckten und am oberen Ende zugespitzt waren, um das Überklettern zu erschweren.

Als sie sich der Palisadenwand näherten, versetzte Rob einem der Esel einen Stoß mit einem Stock, dann verfolgte er das flüchtende Tier, gefolgt von schreienden und lachenden Kindern, um die Palisade herum. Mirdin schlug die entgegengesetzte Richtung ein und tat, als wolle er dem Esel den Weg abschneiden.

Von Elefantenfallen war nichts zu sehen.

Sie blieben nicht, sondern zogen wieder nach Westen. Sie brauchten nicht lange, bis sie das Lager erreicht hatten. Das Losungswort des Tages war *mahdi*, was Retter bedeutet. Nachdem sie den drei Linien von Wachtposten die Parole genannt hatten, meldete sie Khuff beim Schah an.

Alā runzelte die Stirn, als er von neunhundert Soldaten hörte, denn nach der Aussage der Spione hatte er mit weit weniger Verteidigern in Mansura gerechnet. Doch er ließ sich nicht abschrecken. »Wenn wir sie überraschen können, haben wir den Vorteil auf unserer Seite.«

Rob und Mirdin zeichneten die Einzelheiten der Befestigungsbauten und die Lage der Elefantengehege mit Stöcken in den Sand, während der Schah aufmerksam zuhörte und seinen Plan vorbereitete.

Die Soldaten hatten sich den ganzen Vormittag um ihre Ausrüstung gekümmert, die Geschirre eingeölt und die Klingen geschliffen, bis sie fehlerlos waren. Die Elefanten bekamen Wein in die Eimer. »Nicht viel. Nur so viel, daß sie ungeduldig und kampflustig sind«, erklärte Harsha. »Sie bekommen ihn nur vor einer Schlacht.«

Die Tiere schienen dies zu verstehen. Sie bewegten sich ruhelos, und ihre *mahouts* mußten auf der Hut sein, während die Rüstungen der Elefanten ausgepackt, ausgelegt und angeschnallt wurden. Besondere, lange Schwerter mit Fassungen statt Griffen wurden an den Stoßzähnen befestigt, und zu dem Eindruck der brutalen Kraft dieser Tiere gesellte sich lebensbedrohende Gefährlichkeit.

Als Alā der gesamten Streitmacht den Marschbefehl erteilte, setzte hektische Betriebsamkeit ein. Der Stoßtrupp marschierte sehr langsam die Gewürzstraße entlang, denn die richtige zeitliche Abstimmung war ausschlaggebend, und Alā wollte, daß sie bei Tagesende in Mansura eintrafen. Keiner sprach. Sie trafen nur ein paar Unglückliche, die sofort ergriffen, gefesselt und von Fußsoldaten bewacht wurden, damit sie niemanden warnen konnten. Als sie die Stelle auf der Straße erreichten, an der Rob die Juden aus Ahwaz zuletzt gesehen hatte, dachte er an die hier in der Nähe versteckten Männer, die dem Hufschlag der Tiere, dem Marschtritt der Soldaten und dem leisen Klirren der Elefantenrüstungen lauschten.

Bei Einbruch der Dämmerung verließen sie den Wald, und im Schutz der Dunkelheit verteilte Alã seine Streitkräfte entlang der Hügelkuppe. Hinter jedem Elefanten, auf dem vier Bogenschützen Rücken an Rücken saßen, befanden sich Männer mit Schwertern auf Kamelen und Pferden, und hinter der Kavallerie folgten Fußsoldaten mit Lanzen und Krummsäbeln.

Auf ein Signal hin setzten sich zwei Elefanten, die keine Rüstung, sondern nur ihre *mahouts* trugen, in Bewegung. Die Soldaten auf dem Hügel beobachteten, wie sie langsam im friedlichen Dämmerlicht hinabstiegen. Vor ihnen flackerten im Dorf die Kochfeuer, an denen die Frauen das Abendessen zubereiteten. Als die beiden Elefanten die Palisade erreichten, drückten sie die Köpfe an die Holzpfosten. Der Schah hob den Arm. Die Elefanten machten einen Schritt. Es krachte und dröhnte, als die Palisade umstürzte. Nun senkte der Schah seinen Arm, und die Perser setzten sich in Bewegung. Die Elefanten liefen angriffslustig den Hügel hinunter. Hinter ihnen begannen die Kamele und Pferde zu traben, dann zu galoppieren. Aus dem Dorf ertönten die ersten gedämpften Schreie.

Rob hatte sein Schwert gezogen und benutzte es, um Biest auf die Flanken zu schlagen, aber die Stute mußte nicht angetrieben werden. Zuerst hörte man nur das schnelle Dröhnen der Hufe und das Geklirr der Elefantenpanzer, dann drang aus sechshundert Kehlen der Schlachtruf, die Tiere stimmten ein, die Kamele brüllten, und die Elefanten trompeteten wild und schrill.

Robs Nackenhaare sträubten sich, und er heulte wie ein Tier auf, als Alã *Shahanshas* Angreifer sich auf Mansura stürzten.

Der indische Schmied

Rob prägten sich nur flüchtige Eindrücke ein, als sähe er eine Reihe von Zeichnungen. Sein Kamel bahnte sich im Galopp seinen Weg durch die zersplitterte Palisade. Als er die Garnison erreichte, war bereits eine erbitterte Schlacht im Gang. Die Inder kämpften zu Fuß, aber sie kannten sich mit Elefanten aus und wußten, wie man sie angreift. Fußsoldaten mit langen Spießen versuchten, den Elefanten die Augen auszustechen. Bei einem der ungepanzerten Elefanten, der die Palisade eingedrückt hatte, waren sie erfolgreich. Der *mahout* war nicht mehr zu sehen, er war zweifellos tot. Das Tier hatte beide Augen verloren, zitterte und schrie jämmerlich.

Rob starrte in ein wutverzerrtes braunes Gesicht, sah ein geschwungenes Schwert, die herabsausende Klinge. Er wußte nachher nicht, daß er sein Breitschwert wie eine dünne französische Klinge gebraucht hatte. Er stieß einfach zu, und die Spitze drang dem Inder in die Kehle. Der Mann stürzte zu Boden, und Rob wandte sich einer Gestalt zu, die auf der anderen Seite seines Kamels auf ihn eindrang. Er schlug zu.

Einige Inder kämpften mit Äxten und Krummsäbeln. Sie versuchten vor allem, die Elefanten außer Gefecht zu setzen, indem sie auf die Rüssel oder auf die mächtigen Beine einschlugen, aber es war ein ungleicher Kampf. Die Elefanten griffen an, zornig hatten sie die Ohren wie Segel ausgebreitet. Sie bogen ihre Rüssel nach innen, rollten sie unter den Stoßzähnen mit den tödlichen Schwertern zusammen, drängten vorwärts wie rammende Kriegsschiffe und gingen gegen die Inder in Attacken vor, die viele zu Boden warfen. Die riesigen Tiere hoben ihre Füße hoch wie bei einem wilden Tanz und stampften so heftig auf, daß die Erde bebte. Männer, die unter die stampfenden Füße gerieten, wurden zermalmt wie zerquetschte Trauben.

Rob war in einer Hölle des Mordens gefangen, die voll schrecklicher Geräusche war: Stöhnen, Trompeten, Geschrei, Flüche, Geheul, das Jammern der Sterbenden. Da der Elefant des Schahs das größte Tier und königlich herausgeputzt war, zog er mehr Angreifer auf sich als alle anderen. Khuff kämpfte in der Nähe seines Schahs, er hatte sein Pferd verloren, schwang sein schweres Schwert, wirbelte es über seinem Kopf und brüllte wilde Flüche und Verwünschungen. Alā saß auf dem Elefanten und benutzte den Langbogen.

Als Rob auf dem Kamel einem Lanzenträger nachjagte, der pariert hatte und davonlief, erblickte er Mirdin zu Fuß. Sein Freund hatte einen Verwundeten unter den Armen gepackt und schleppte ihn, ohne sich um seine Umgebung zu kümmern, aus dem Kampfgetümmel.

Der Anblick war wie ein Guß mit Eiswasser. Rob blinzelte, riß an den

Zügeln des Kamels und glitt von Biest herunter, bevor das Tier kniete. Er lief zu Mirdin und half ihm, den Verletzten zu tragen, der infolge einer Wunde am Hals schon grau im Gesicht war.

Von da an vergaß Rob das Töten und arbeitete als Wundarzt.

Die beiden Feldschere brachten die Verwundeten in ein Dorfhaus, während das Gemetzel weiterging. Sie konnten nicht viel mehr tun, als die Verwundeten einzusammeln, denn ihre sorgfältig vorbereiteten Vorräte für die Verarztung befanden sich auf den Rücken von einem halben Dutzend versprengter Esel, und nun hatten sie weder Opium noch Öl noch die großen Bündel von sauberen Lappen. Wenn sie etwas brauchten, um pulsierendes Blut zu stillen, schnitten Rob oder Mirdin einfach ein Stück von der Kleidung eines Toten ab.

Bald wurde aus dem Kampf ein Massaker. Die Inder waren überrascht worden, so daß sich nur die Hälfte im Besitz von Waffen befand, während die anderen mit Stöcken und Steinen auf die Angreifer losgingen. Sie wurden mühelos überwunden, doch die meisten kämpften verzweifelt, weil sie genau wußten, daß sie, wenn sie sich ergaben, die schmähliche Hinrichtung oder das Leben als Sklaven oder Eunuch in Persien erwartete.

In einem verlassenen Haus fand Rob Lampen, und in anderen entdeckte er Öl und Lappen, und er brachte alles zu den Verwundeten.

Als der Kampf spät nachts vorbei war, töteten die persischen Krieger alle feindlichen Verwundeten. Nun begann das Plündern und Vergewaltigen. Rob, Mirdin und eine Handvoll Soldaten suchten das Schlachtfeld mit Fackeln ab. Sie ließen die Toten oder die, die schon im Sterben lagen, dort, wo sie waren, und suchten Perser, die sie vielleicht noch retten konnten. Bald fand Mirdin zwei ihrer wichtigen Packesel, und die Feldschere begannen bei Lampenlicht, die Wunden mit heißem Öl zu behandeln, zu nähen und zu verbinden.

Sie behandelten einunddreißig Soldaten, und als es beim Morgengrauen in dem grausigen zerstörten Ort hell wurde, fanden sie sieben weitere Verwundete.

Nach dem ersten Gebet überbrachte Khuff den Befehl, daß die Feldschere die Wunden von fünf Elefanten behandeln sollten, ehe sie sich weiter um die Soldaten kümmerten. Drei Tiere hatten Schnitte in den Beinen, einem war das Ohr von einem Pfeil durchbohrt worden, und dem letzten war der Rüssel abgetrennt worden. Auf Robs Vorschlag wurden dieser Elefant und jener, der geblendet worden war, von den Lanzenträgern getötet.

Nach dem Frühstücks-*pilaw* gingen die *mahouts* in die Elefantengehege von Mansura, um dort die Tiere auszusuchen. Sie sprachen leise mit ihnen und führten sie herum, indem sie sie mit Stachelstöcken, die man *ankushas* nannte, an den Ohren zogen.

Mit sanften Rufen trennten die *mahouts* die abgerichteten Tiere von den noch halbwilden, denn sie konnten nur gefügige Tiere brauchen, die ihnen auf dem Rückmarsch nach Isfahan gehorchen würden. Die anderen wurden freigelassen, so daß sie in den Wald zurückkehren konnten.

Zu den Stimmen der *mahouts* gesellte sich noch ein weiteres Geräusch: das Summen der Schmeißfliegen, die die Leichen entdeckt hatten. Mit zunehmender Hitze sollte auch der Leichengeruch unerträglich werden. Dreiundsiebzig Perser waren ums Leben gekommen. Von den Indern waren nur einhundertdrei am Leben geblieben; sie hatten sich ergeben. Als Alā ihnen anbot, in seinem Heer Lastenträger zu werden, nahmen sie sichtbar erleichtert an. Im Laufe der Jahre konnten sie sich Vertrauen erwerben und dann die Erlaubnis erhalten, für Persien zu kämpfen. Sie wurden selbstverständlich lieber Soldaten als Eunuchen. Vorerst betreute man sie allerdings mit dem Ausheben eines Massengrabes für die gefallenen Perser.

Mirdin sah Rob an. Schlimmer, als ich befürchtet habe, sagten seine Augen. Rob stimmte ihm zu, tröstete sich aber damit, daß es vorbei war und sie nun nach Hause zurückkehren konnten.

Da suchte sie Karim auf. Khuff hatte einen indischen Offizier getötet, aber vorher hatte das Schwert des Inders den weicheren Stahl von Khuffs überbreiter Klinge fast zur Hälfte durchschlagen. Karim zeigte ihnen, wie tief Khuffs Schwert eingekerbt war. Das eroberte indische Schwert war aus jenem kostbaren blauen Stahl mit dem Wirbelmuster geschmiedet, und nun trug es Alā *Shahansha*. Der Schah hatte persönlich das Verhör der Gefangenen geleitet, bis er erfuhr, daß ein Schmied namens Dhan Vangalil in Kausambi, einem Dorf, das drei Tagesmärsche nördlich von Mansura lag, das Schwert angefertigt hatte.

»Alā hat beschlossen, nach Kausambi zu marschieren«, eröffnete ihnen Karim.

Sie wollten den indischen Schmied gefangennehmen und nach Isfahan mitnehmen, wo er Waffen aus dem harten Stahl herstellen sollte, damit der Schah seine Nachbarn besiegen und das einstige persische Großreich wiederherstellen konnte.

Das war leicht gesagt, erwies sich aber als äußerst schwierig.

Kausambi war ein kleines Dorf am Westufer des Indus, ein aus einigen Dutzend windschiefer Holzhäuser bestehender Ort, dessen vier staubige Straßen alle zu der Militärgarnison führten. Wieder gelang es ihnen, einen Überraschungsangriff durchzuführen, indem sie durch den Wald krochen, der das Dorf an der dem Flußufer abgewandten Seite umschloß. Als die indischen Soldaten erkannten, daß sie angegriffen wurden, rannten sie wie erschrockene Affen aus dem Ort in alle Windrichtungen davon und verkrochen sich in der Wildnis.

Alã war entzückt, weil ihm die Feigheit des Feindes einen leichten Sieg geschenkt hatte. Er setzte unverzüglich einem verängstigten Dorfbewohner sein Schwert an die Kehle und zwang ihn, ihn zu Dhan Vangalil zu führen. Der Waffenschmied war ein drahtiger Mann, der sich nicht überrascht zeigte. Er hatte graue Haare und einen weißen Bart, der sein altersloses Gesicht beinahe vollkommen verdeckte. Vangalil war durchaus bereit, nach Isfahan mitzukommen und dem Schah zu dienen, erklärte aber, er würde in den Tod gehen, wenn ihm der Schah nicht gestatte, seine Frau, zwei Söhne und eine Tochter mitzunehmen sowie verschiedene Vorräte, die erforderlich waren, um den blauen Stahl mit dem Muster von kleinen Winkeln herzustellen, darunter einen großen Stapel quadratischer Barren aus hartem indischen Stahl.

Der Schah war sofort damit einverstanden. Bevor sie aber das Dorf verlassen konnten, brachten Kundschafter beunruhigende Nachricht: Die indischen Truppen waren keineswegs geflohen, sondern hatten im Wald und an der Straße Stellungen errichtet, und sie waren bereit, über jeden herzufallen, der Kausambi verließ.

Alã wußte, daß die Inder nicht unbegrenzt ausharren konnten. Wie in Mansura waren auch die versteckten Soldaten schlecht bewaffnet; außerdem waren sie gezwungen, von den wilden Früchten des Landes zu leben. Die Offiziere machten den Schah darauf aufmerksam, daß zweifellos Läufer ausgeschickt worden waren, um Verstärkungen heranzubringen, aber die nächste bekannte indische Garnison befand sich in dem sechs Tagereisen entfernten Sehwan.

»Ihr müßt den Wald durchkämmen und säubern«, befahl Alā.

Die gut fünfhundert Perser wurden in zehn Einheiten von Fußsoldaten zu je fünfzig Mann aufgeteilt. Sie verließen das Dorf und durchstreiften den Busch, um ihre Feinde aufzustöbern, als jagten sie Wildschweine. Wenn sie auf Inder stießen, war der Kampf heftig, blutig und zäh.

Alā befahl, alle persischen Gefallenen aus dem Wald zu entfernen, damit der Feind sie nicht zählen und daraus schließen konnte, daß die Stärke des persischen Stoßtrupps abnahm. So wurden also die persischen Toten in den grauen Staub einer Straße nach Kausambi gelegt, um von den Gefangenen aus Mansura in Massengräbern bestattet zu werden. Die erste Leiche, die zu Beginn der Kämpfe aus dem Wald herausgetragen wurde, war die des Stadthauptmanns Khuff. Er war von einem indischen Pfeil, der ihn im Rücken traf, getötet worden. Als strenger, ernster Mann und Stütze des Heeres war er schon zu Lebzeiten eine Legende gewesen. Die Narben auf seinem Körper erzählten die Geschichte der verlustreichen Feldzüge unter zwei Schahs. Den ganzen Tag hindurch defilierten persische Soldaten an seiner Leiche vorbei, um sich von ihm zu verabschieden.

Zweimal täglich wurden die Verwundeten auf einer Lichtung zusammengelegt, und einer der Feldschere ging mit einer Leibwache hinaus, leistete Erste Hilfe und brachte die Stöhnenden ins Dorf. Die Kämpfe dauerten drei Tage. Von den achtunddreißig in Mansura Verwundeten waren elf gestorben, bevor die Perser den Ort verlassen hatten, und weitere sechzehn hatten auf dem dreitägigen Marsch nach Kausambi ihr Leben ausgehaucht.

Zu den elf Verwundeten, die dank der Behandlung von Mirdin und Rob überlebten, kamen nun während der drei Kampftage im Wald weitere sechsunddreißig. Siebenundvierzig weitere Perser fielen.

Zuerst behandelten Mirdin und Rob die Wunden so, wie Ibn Sina es sie gelehrt hatte: Sie kochten Öl und gossen es so heiß wie möglich in die Wunden, um eine Eiterung zu vermeiden. Aber am Morgen des letzten Tages ging Rob das Öl aus. Er erinnerte sich, daß der Bader Fleischwunden mit Metheglin behandelt hatte. Also nahm er einen Ziegenschlauch mit starkem Wein und wusch jede neue Wunde mit dem alkoholischen Getränk, bevor er sie verband.

An diesem Morgen hatten sofort nach Sonnenaufgang die letzten erbitterten Kämpfe begonnen. Am Vormittag traf eine neue Gruppe von Verwundeten ein, und Träger brachten einen Toten, der von Kopf bis Fuß in eine erbeutete indische Decke gehüllt war.

»Hier kommen nur Verwundete her«, sagte Rob grob.

Aber sie legten den Toten nieder und blieben verlegen wartend stehen, bis Rob plötzlich merkte, daß der Tote Mirdins Schuhe trug.

»Wenn er ein Soldat gewesen wäre, hätten wir ihn auf die Straße gelegt«, erklärte einer von ihnen. »Aber er ist ein *hakim*, deshalb haben wir ihn zum *hakim* gebracht.«

Sie erzählten, sie seien auf dem Rückweg gewesen, als ein Mann mit einer Axt aus dem Gebüsch hervorgesprungen sei. Der Inder hatte als ersten Mirdin getroffen und war dann getötet worden.

Rob dankte den Männern, und sie entfernten sich.

Als er die Decke vom Gesicht schob, sah er, daß es wirklich Mirdin war. Sein Gesicht schien verzerrt, es wirkte verdutzt und leicht wunderlich.

Rob drückte Mirdins gütige Augen zu und band das lange Kinn hoch. Er dachte dabei nicht nach, bewegte sich wie ein Betrunkener. Von Zeit zu Zeit ging er weg, um die Sterbenden zu trösten oder die Verwundeten zu versorgen, er kam aber immer wieder zurück und setzte sich zu dem toten Freund. Einmal küßte er den kalten Mund, glaubte aber nicht, daß Mirdin dies merke. Das gleiche empfand er, als er versuchte, die Hand des Freundes zu halten. Mirdin war nicht mehr bei ihnen. Er hoffte, daß Mirdin eine seiner Brücken überquert habe. Schließlich verließ Rob den Toten und versuchte, blindwütig zu arbeiten. Ein Mann mit einer verstümmelten Hand wurde hereingebracht, und Rob führte die letzte Amputation dieses Feldzugs durch; er nahm die Hand dicht über dem Handgelenk ab. Als er gegen Mittag zu Mirdin zurückkehrte, hatten sich bereits Fliegen auf dem Leichnam niedergelassen.

Er zog die Decke weg und sah, daß die Axt Mirdins Brust gespalten hatte. Als er sich über die große Wunde beugte, konnte er sie mit den Händen weiter öffnen.

Er bemerkte weder den Leichengeruch im Zelt noch den Duft des heißen, zerstampften Grases. Das Stöhnen der Verwundeten, das Summen der Fliegen und die Schreie und Kampfgeräusche drangen nicht mehr an sein Ohr. Er vergaß, daß sein Freund tot war, und die erdrückende Last seines Kummers schwand.

Zum erstenmal griff er ins Innere eines menschlichen Körpers und berührte das menschliche Herz.

Vier Freunde 2

Rob wusch Mirdin, schnitt ihm die Nägel, kämmte sein Haar und hüllte ihn in seinen Gebetsschal, von dem er die Hälfte der Fransen abgeschnitten hatte, wie es der Brauch erforderte.

Er suchte Karim auf, der bei der Nachricht blinzelte, als hätte man ihn ins Gesicht geschlagen.

»Ich will nicht, daß er ins Massengrab kommt«, sagte Rob. »Seine Familie wird bestimmt herkommen, um ihn zu holen und bei seinem Volk in Masqat in geweihter Erde zu bestatten.«

Sie wählten einen Platz direkt vor einem Felsen, der so groß war, daß ihn Elefanten nicht wegrollen konnten, bestimmten dann die genaue Lage und schritten die Entfernung vom Felsen zum Rand der nahen Straße ab. Karim erhielt auf Grund seines Vorrechts Papier, Feder und Tinte, und nachdem sie das Grab ausgehoben hatten, fertigte Rob eine genaue Skizze an, um sie nach Masqat zu schicken. Wenn es keinen unbestreitbaren Beweis dafür gab, daß Mirdin gestorben war, würde Fara als *aguna*, als verlassene Ehefrau, betrachtet werden und durfte nicht wieder heiraten. So lautete das Gesetz; Mirdin hatte es ihn gelehrt.

»Alā *Shahansha* wird dabei sein wollen«, meinte Rob und beobachtete Karim, der den Schah aufsuchte. Alā trank mit seinen Offizieren und sonnte sich im warmen Schein seines Sieges. Er hörte Karim einen Moment zu und winkte dann ungeduldig ab.

Rob fühlte, wie Haß in ihm aufstieg, denn er hörte noch die Stimme des Königs in der Höhle, der zu Mirdin gesagt hatte: »Wir sind vier Freunde.«

Karim kam zurück und meinte beschämt, sie müßten weitermachen. Er murmelte Stellen aus islamischen Gebeten, während sie die Grube zuschaufelten, aber Rob versuchte nicht zu beten. Mirdin standen trauernde, im *Haskara* andächtig erhobene Stimmen und der *Kaddish* zu. Doch der *Kaddish* mußte von zehn Juden gesprochen werden, er aber war ein Christ, der sich als Jude ausgab und erschüttert und schweigend die Erde über seinem Freund aufhäufte.

An diesem Nachmittag fanden die Perser im Wald keine Inder mehr, die sie töten konnten. Der Weg zurück war offen. Alā ernannte einen kampferprobten Veteranen namens Farhad zu seinem neuen Stadthauptmann, und der Offizier begann alsbald, lauthals seine Befehle zu brüllen, um die Streitmacht zum Abmarsch zusammenzutrommeln.

Unter allgemeinem Jubel stellte Alā seine Rechnung auf: Er hatte einen indischen Waffenschmied gewonnen. Er hatte in Mansura zwei Elefanten verloren, dort aber achtundzwanzig erbeutet. Außerdem hatten die *mahouts* vier junge, gesunde Elefanten in einem Gehege in Kausambi gefunden. Es waren Arbeitselefanten, nicht für die Schlacht geschult, aber dennoch wertvoll. Die indischen Pferde waren armselige, kleine Tiere, die von den Persern gar nicht beachtet wurden, dafür hatten sie eine kleine Herde schöner, schneller Kamele in Mansura und Dutzende von Tragkamelen in Kausambi erbeutet.

Alā strahlte über den Erfolg seines Feldzugs.

Hundertzwanzig Mann von den sechshundert, die dem Schah aus Isfahan gefolgt waren, hatten den Tod gefunden, und Rob war für siebenundvierzig Verwundete verantwortlich. Von diesen waren viele schwer verletzt, so daß sie während der Reise sterben würden, aber es kam nicht in Frage, sie in dem geplünderten Dorf zurückzulassen. Sobald frische indische Truppe eintrafen, würde jeder Perser, der dort gefunden wurde, getötet werden.

Rob schickte Soldaten aus, um Teppiche und Decken in den Häusern einzusammeln, die zwischen Stangen befestigt wurden, um Tragbahren zu bilden. Als sie am nächsten Tag bei Morgengrauen abzogen, trugen Inder diese Bahren.

Nach dreieinhalb Tagen harten, anstrengenden Marsches erreichten sie die Stelle, an der sie den Fluß überqueren konnten. Gleich zu Beginn wurden zwei Männer fortgerissen und ertranken. In der Mitte des Indus war das Wasser nicht tief, aber reißend, und die *mahouts* stellten stromaufwärts Elefanten auf, welche die Gewalt des Wassers wie eine lebende Mauer brachen, womit der wahre Wert dieser Tiere einmal mehr bewiesen war.

Die schwersten Fälle unter den Verwundeten starben sehr schnell. An einem Tag verschieden allein ein halbes Dutzend. Nach zwei Wochen erreichten sie Belutschistan, wo sie auf einem freien Feld lagerten und Rob seine Verwundeten in einer Scheune, die keine Seitenwände hatte, unterbrachte. Als er Farhad sah, ersuchte er um eine Audienz, aber der neue Stadthauptmann posierte nur und vertröstete ihn selbstherrlich auf später. Zum Glück hörte Karim sein Ansuchen und brachte ihn sofort zum Schah.

»Ich habe noch einundzwanzig Verwundete. Aber sie müssen für einige Tage an einem Ort liegen bleiben können, sonst werden sie ebenfalls sterben, Majestät.«

»Ich kann nicht auf Verwundete warten«, lautete Alās Absage, weil er seinen triumphalen Einzug in Isfahan nicht verschieben wollte.

»Dann ersuche ich um Eure Erlaubnis, mit ihnen hierbleiben zu dürfen.«

Der Schah starrte ihn an. »Aber ich werde nicht auf Karim verzichten, damit er als *hakim* bei dir bleiben kann. Karim muß mit mir zurückkehren.«

Rob nickte.

Sie ließen ihm fünfzehn Inder für die Tragbahren und siebenundzwanzig bewaffnete Soldaten, dazu zwei *mahouts* und alle fünf verletzten Elefanten, damit er die Tiere weiter behandeln konnte. Karim ließ Säcke mit Reis abladen. Am nächsten Morgen erfüllte die übliche hektische Geschäftigkeit das Lager. Dann machte sich der Stoßtrupp auf den Weg, und als endlich der letzte Mann abgezogen war, blieb Rob mit seinen Kranken und einer Handvoll Helfer in einer plötzlichen Stille zurück, die willkommen und zugleich beunruhigend war.

Die Ruhe im Schatten und ohne Staub tat seinen Patienten gut und erlöste sie von dem unaufhörlichen Gerüttel beim Marsch. Am ersten Tag starben zwar zwei Männer in der Scheune, und ein anderer folgte ihnen am vierten Tag, aber die Überlebenden waren zähe Kerle, die sich ans Leben klammerten. Robs Entschluß, in Belutschistan eine Rastpause einzulegen, rettete ihnen das Leben.

Zuerst ärgerten sich die Soldaten über den Dienst. Die Kameraden würden bald sicher und unter triumphierendem Beifall in Isfahan einziehen, während sie weiterhin den Gefahren ausgesetzt waren und schmutzige Arbeiten verrichten mußten. Zwei bewaffnete Wachtposten verschwanden in der zweiten Nacht auf Nimmerwiedersehen. Die waffenlosen Inder versuchten nicht zu fliehen, aber auch die übrigen Angehörigen der Wache. Da sie Berufssoldaten waren, wurde ihnen bald klar, daß ein andermal einer von ihnen verwundet werden könnte, und sie waren froh, daß ein *hakim* sich der Gefahr aussetzte, um ihnen zu helfen.

Rob schickte jeden Morgen einen Jagdtrupp aus. Das Niederwild, mit dem die Soldaten zurückkehrten, wurde mit dem Reis gedünstet, den Karim ihnen gelassen hatte. Die Patienten wurden zusehends kräftiger.

Rob stellte eine merkwürdige Tatsache fest: Fast jede Wunde, die er mit kochendem Öl behandelt hatte, entzündete sich, schwoll an und war voll Eiter. Viele dieser Verwundeten waren gestorben, während die meisten, deren Wunden behandelt worden waren, nachdem das Öl ausgegangen war, keine Eiterbildung zeigten und am Leben blieben. Er begann Aufzeichnungen zu machen und ahnte, daß allein diese Beobachtung seine Reise nach Indien vielleicht rechtfertigte. Er besaß fast keinen Wein mehr, hatte aber bei der Herstellung des Universal-Spezificums seinerzeit gelernt, daß man überall dort, wo es Bauern gab, Fäßchen mit starken alkoholischen Getränken bekommen konnte; er wollte unterwegs solche kaufen.

Als sie schließlich nach drei Wochen die Scheune verließen, ging es vier Patienten so gut, da sie bereits wieder reiten konnten.

Zwölf Soldaten trugen keine Lasten, so daß sie die Träger der Bahren ablösen und sich immer einige ausruhen konnten.

Drei Elefanten hinkten noch und erhielten keine Lasten aufgeladen, und Rob ritt auf dem Rücken eines genesenen Elefanten. Er war froh, Biest los zu sein, und wollte nie wieder auf einem Kamel reiten. Im Gegensatz dazu bot der breite Rücken des Elefanten Bequemlichkeit und Sicherheit und einen königlichen Blick auf die Welt.

Die angenehme Reise verschaffte ihm unbegrenzte Zeit zum Nachdenken, und die Erinnerung an Mirdin war bei jedem Zoll des Weges in ihm wach. Tausende Vögel, die plötzlich auflogen, der Sonnenuntergang, der den Himmel in Flammen setzte, ein Elefant, der auf den Rand eines steilen Grabens trat, um ihn hinunterzutreten, sich dann wie ein Kind auf die entstandene Erdrampe setzte und hinunterrutschte – all diese einfachen Wunder einer Reise bemerkte er zwar, sie bereiteten ihm aber wenig Freude.

Jesus, dachte er, oder Shaddai oder Allah, wer immer Du sein magst, wie kannst Du solche Verschwendung zulassen?

Könige führen gewöhnliche Männer in die Schlacht, und manche der Überlebenden sind erbärmliche Wesen, andere schlicht und einfach schlecht, dachte Rob bitter. Dennoch hatte Gott es zugelassen, daß einer niedergemetzelt wurde, der den Charakter eines Heiligen besaß und einen Verstand, um den Gelehrte ihn beneiden. Mirdin hätte sein ganzes Leben der Aufgabe gewidmet, Kranke zu heilen und der Menschheit zu dienen.

Sie näherten sich am späten Nachmittag Isfahan, und die Stadt bot denselben Anblick wie damals, als er sie zum erstenmal erblickt hatte: weiße Gebäude mit blauen Schatten und Dächern, die das Rosa der Sandhügel widerspiegelten. Sie ritten geradewegs zum *maristan,* wo die achtzehn Verwundeten anderen Ärzten zur Behandlung übergeben wurden.

Dann zogen sie weiter zu den Ställen des Hauses des Paradieses, wo Rob die Tiere, die Soldaten und die Sklaven übergab.

Als er das hinter sich hatte, verlangte er seinen braunen Wallach. Farhad, der neue Stadthauptmann, stand in der Nähe, hörte es und befahl dem Stallburschen, keine Zeit damit zu verlieren, ein Pferd in dem Gewühl der Herde zu suchen. »Gib dem *hakim* ein anderes Pferd.«

»Khuff hat gesagt, ich würde *mein* Pferd zurückbekommen.« Es darf doch nicht alles umgestoßen werden, dachte er.

»Khuff ist tot.«

»Trotzdem.« Zu seiner eigenen Überraschung wurden seine Stimme und sein Blick scharf. »Ich verlange dasselbe Pferd!«

Farhad hörte die Herausforderung in der Stimme des *hakim.* Er hatte nichts zu gewinnen, wenn er mit diesem *Dhimmi* stritt, aber vielleicht eine Menge zu verlieren. Er zuckte mit den Achseln und wandte sich ab.

Rob ritt neben dem Stallburschen in der Herde hin und her. Als er endlich seinen Wallach erblickte, schämte er sich seines unbeherrschten Verhaltens. Sie trennten das Pferd von den anderen und legten ihm einen Sattel auf, während Farhad deutlich seine Verachtung darüber zeigte, daß der *Dhimmi* wegen dieses minderwertigen Tiers so aufgebracht gewesen war.

Auf dem braunen Pferd trabte Rob durch die Dämmerung nach der Jehuddijeh.

Mary hörte Geräusche draußen bei den Tieren. Sie griff nach dem Schwert ihres Vaters und der Lampe und öffnete die Tür zwischen Haus und Stall.

Er war heimgekehrt.

Er hatte dem braunen Wallach den Sattel schon abgenommen, und er war dabei, das Tier in den Stall zu führen. Er drehte sich um, und sie sah in dem schwachen Licht, daß er erheblich Gewicht verloren hatte. Er sah fast so aus wie der magere, halbwilde Junge, den sie in Karl Frittas Karawane kennengelernt hatte.

Mit drei Schritten war er bei ihr und umarmte sie wortlos. Dann berührte seine Hand ihren flachen Bauch.

»Ist es gutgegangen?«

Sie lachte zitternd, denn sie war müde und aufgerieben. Er hätte ihre verzweifelten Schreie noch vor fünf Tagen hören können. »Dein Sohn hat zwei Tage gebraucht, um auf die Welt zu kommen.«

»Ein Sohn.«

Er legte ihr seine große Hand an die Wange. Bei seiner Berührung erbebte sie vor übergroßer Erleichterung, so daß sie beinahe Öl aus der Lampe vergossen hätte, und die Flamme flackerte.

Sechster Teil

Der Hakim

Die Bestallung

Am Morgen nach seiner Rückkehr besah Rob sich seinen Sohn im Tageslicht, und er erkannte, daß das Kind schön war, tiefblaue Augen und große Hände und Füße besaß.

Er und Mary stritten wegen der Beschneidung. »Er wird leichter anerkannt werden«, argumentierte Rob.

»Ich will nicht, daß er in Persien anerkannt wird«, entgegnete sie müde.

»Ich will, daß er zu Hause anerkannt wird, wo Männer nicht gestutzt und verbeult, sondern in ihrem natürlichen Zustand belassen werden.« Er lachte, und sie begann zu weinen. Er tröstete sie und verschwand dann, um sich mit Ibn Sina zu beraten.

Der Arzt aller Ärzte begrüßte ihn herzlich, dankte Allah für Robs Überleben und sprach ergriffen über Mirdins Tod. Ibn Sina lauschte aufmerksam Robs Bericht über die bei den Schlachten durchgeführten Behandlungen und Amputationen, besonders interessierte ihn der Vergleich zwischen der Wirksamkeit von heißem Öl gegenüber Weinbädern zur Reinigung offener Wunden. Ibn Sina war mehr an wissenschaftlicher Erkenntnis als an seiner Unfehlbarkeit gelegen. Obgleich Robs Beobachtungen seinen Lehren widersprachen, die er mündlich und schriftlich verbreitet hatte, bestand er darauf, daß Rob seine Entdeckung niederschrieb. »Außerdem soll die Behandlung der Wunden mit Wein Thema Eurer Antrittsvorlesung als *hakim* sein«, schlug er vor, und Rob stimmte seinem Mentor zu.

Dann sah ihn der Alte an. »Ich möchte, daß Ihr mit mir arbeitet, Jesse ben Benjamin: als Assistent.«

Das hatte sich Rob nie erträumt. Er wollte dem Arzt aller Ärzte erzählen, daß er nach Isfahan gekommen war, nur um den Saum von Ibn Sinas Kleidung zu berühren. Statt dessen nickte er. »Das würde ich gern werden, *Hakim-bashi.*«

Mary machte keine Einwände, als er es ihr mitteilte. Nachdem er merkte, wie sie sich für ihn freute, schloß er sie in die Arme. »Ich verspreche dir, daß ich dich nach Hause bringen werde, Mary. Aber nicht in der nächsten Zeit. Bitte habe Vertrauen zu mir.«

Sie versprach es. Doch sie sah auch ein, daß sie sich bei einem längeren Aufenthalt ändern mußte. Sie beschloß zu versuchen, sich dem Land anzupassen. Widerwillig gab sie bezüglich der Beschneidung des Kindes nach.

Rob ging zu der Hebamme Nitka, um ihren Rat einzuholen.

»Kommt«, sagte sie und führte ihn zwei Straßen weit zu Reb Asher Jakobi, dem *mohel.*

»So«, sagte der *mohel,* »eine Beschneidung. Die Mutter…« Nachdenklich sah er Nitka aus zusammengekniffenen Augen an, und seine Finger wühlten in seinem Bart, »…ist eine Andersgläubige.«

»Es muß ja keine *berit* mit allen Gebeten sein«, sagte Nitka ungeduldig. Da sie den ersten Schritt getan hatte, den Sohn einer Andersgläubigen zu entbinden, schlüpfte sie mühelos in die Rolle der Beschützerin. »Wenn der Vater das Siegel Abrahams auf dem Kind verlangt, ist es ein Segen, es zu beschneiden, nicht?«

»Ja«, gab Reb Asher zu. »Und Euer Vater. Wird er das Kind halten?« fragte er Rob.

»Mein Vater ist tot.«

Reb Asher seufzte. »Werden andere Familienmitglieder anwesend sein?«

»Nur meine Frau. Hier leben keine anderen Familienmitglieder. Ich werde das Kind selbst halten.«

»Eine Gelegenheit zum Feiern«, meinte Nitka freundlich. »Macht es Euch etwas aus? Meine Söhne Shemuel und Chofni, ein paar Nachbarn…«

Rob nickte.

»Ich werde mich darum kümmern«, versprach Nitka.

Am nächsten Morgen trafen sie und ihre beiden stämmigen Söhne, die Steinmetzen waren, als erste vor Robs Haus ein. Hinda, die Händlerin vom jüdischen Markt, kam mit ihrem Großen Isak, einem graubärtigen Gelehrten, der nachdenklich dreinblickte. Hinda lächelte noch immer nicht, aber sie brachte als Geschenk eine Windel. Jakob der Schuhmacher und seine Frau Naoma brachten einen Krug Wein. Micha Halevi, der Bäcker, kam in Begleitung seiner Frau Judith, die zwei große Laibe gezuckertes Brot brachte.

Während Rob den süßen kleinen Körper auf seinem Schoß hielt, kamen ihm Bedenken, als Reb Asher die Vorhaut von dem kleinen Penis schnitt. »Möge der Knabe an Geist und Körperkraft zunehmen und ein Leben guter Werke führen«, erklärte der *mohel*, und der Kleine schrie. Die Nachbarn hoben die Becher mit Wein und spendeten Beifall, und Rob gab dem Knaben den jüdischen Namen Mirdin ben Jesse.

Für Mary war jeder Augenblick der Feier eine Qual. Eine Stunde später, als alle nach Hause gegangen waren und sie und Rob mit ihrem Kind allein waren, befeuchtete sie ihre Finger mit Gerstenschleim und berührte ihren schreienden Sohn leicht an der Stirn, dem Kinn und den beiden Ohrläppchen.

»Im Namen des Vaters und des Sohnes und des Heiligen Geistes taufe ich dich auf den Namen Robert James Cole«, sagte sie deutlich, indem sie ihn nach seinem Vater und seinem Großvater taufte. Von da an rief sie, sobald sie allein waren, ihren Mann Rob, und das Kind Rob James.

An den Hochgeehrten Reb Mulka Askari, Perlenhändler in Masqat, mit den besten Grüßen.

Euer verstorbener Sohn Mirdin war mein Freund. Möge er in Frieden ruhen!

Wir waren zusammen Feldschere in Indien, von wo ich die Habseligkeiten mitgebracht habe, die ich Euch jetzt durch das freundliche Entgegenkommen von Reb Moise ben Zavil, Kaufmann aus Qum, übersende, dessen Karawane heute mit einer Ladung Olivenöl nach Eurer Stadt aufbricht.

Reb Moise wird Euch eine Karte aus Pergament übergeben, die die genaue Lage von Mirdins Grab beim Dorf Kausambi anzeigt, damit seine Gebeine eines Tages, wenn es Euer Wunsch ist, heimgeführt werden können. Ich schicke euch auch die *tefillin,* die er täglich um seinen Arm gewunden hat und die Ihr ihm, wie er mir erzählt hat, geschenkt habt, als er sein vierzehntes Lebensjahr erreichte. Außerdem sende ich die Figuren und das Brett des Schachspiels, bei dem Mirdin und ich viele glückliche Stunden verbracht haben.

Er hatte in Indien keine anderen Habseligkeiten bei sich. Er wurde selbstverständlich in seinem *tallit* bestattet. Ich bete, der Herr möge Eurem und unserem schweren Verlust Verständnis entgegenbringen. Mit Mirdins Hinscheiden ist ein Licht aus meinem Leben verschwunden. Er war der beste Mensch, den ich jemals zu meinen Freunden zählen durfte. Ich weiß, daß Mirdin bei *Adashem* ist, und hoffe, daß ich eines Tages würdig sein werde, mit ihm zusammenzusein.

Bitte übermittelt seiner Witwe, die inzwischen bei Euch weilt, und seinen tapferen jungen Söhnen meine Zuneigung und Hochachtung und teilt ihnen mit, daß meine Frau einen gesunden Sohn, Mirdin ben Jesse, geboren hat und ihnen ihre liebevollen Wünsche für ein gutes Leben sendet.

Jivorechachachah Adonai V'Jishmorechah, möge der Herr Euch beschützen! Ich bin Jesse ben Benjamin, *hakim*.

Abu Ubaid al-Juzjani war jahrelang Ibn Sinas Assistent gewesen. Er hatte selbst einen guten Ruf als Chirurg erlangt und war der reichste von den ehemaligen Assistenten, die alle Erfolg gehabt hatten. Der *hakim-bashi* ließ seine Assistenten hart arbeiten, und die Stellung war wie eine verlängerte Ausbildung, also eine Gelegenheit, weiter zu lernen. Rob assistierte Ibn Sina nicht nur und brachte ihm Dinge, die er benötigte, sondern sein Meister erwartete, daß man ihn beizog, wenn es ein Problem gab oder seine Ansicht erforderlich war. Der junge *hakim* genoß sein Vertrauen, und Ibn Sina erwartete von ihm, daß er selbständig handelte.

Für Rob war es eine glückliche Welt. Er hielt an der *madrassa* einen Vortrag über Weinbäder für offene Wunden, doch hatte er nur wenige Zuhörer, weil ein zu Besuch weilender Medicus an diesem Vormittag einen Vortrag über das Thema der körperlichen Liebe hielt. Die persischen Ärzte drängten sich immer zu Vorlesungen, die mit dem Geschlechtsleben zu tun hatten, was Rob merkwürdig erschien, denn in Europa waren die Ärzte für dieses Thema nicht zuständig. Also besuchte auch er viele solche Vorträge, und dank oder trotz dem, was er lernte, gestaltete sich seine Ehe glücklich.

Mary erholte sich rasch von der Geburt. Sie befolgten die Vorschriften Ibn Sinas, der darauf hinwies, daß nach der Niederkunft sechs Wochen lang Enthaltsamkeit geübt werden solle. Er riet auch, die Scham der jungen Mutter vorsichtig mit Olivenöl zu behandeln und mit einem Gemisch aus Honig und Gerstenschleim einzureiben. Die Behandlung hatte ausgezeichneten Erfolg, nur das sechswöchige Warten wollte Mary wie eine Ewigkeit erscheinen, und als es vorüber war, wandte sie sich Rob ebenso begierig zu, wie er sie umarmte.

Einige Wochen später begann die Milch in ihren Brüsten zu versiegen. Sie brauchten also eine Amme, und Rob sprach mit mehreren Hebammen, durch deren Vermittlung er eine kräftige, einfache Armenierin namens Prisca fand, die genug Milch für ihre neugeborene Tochter und den Sohn des *hakim* hatte. Viermal am Tag trug Mary das Kind zum Ledergeschäft von Priscas Ehemann Dikran und wartete, während der kleine Rob die Brust bekam. Abends kam Prisca zum Haus in der Jehuddijeh und übernachtete mit den beiden Kindern im anderen Zimmer, während Mary und Rob sich bemühten, beim Liebesakt keinen Lärm zu machen, und dann den ungestörten Schlaf genossen. Mary war zufrieden, und ihr Glück ließ sie aufblühen, ja sie schien dank einer neuen Selbstsicherheit richtig aufzuleuchten.

In der ersten Woche des Monats Schaban kam die Karawane von Reb Moise ben Zavil wieder auf dem Weg nach Qum durch Isfahan, und der Kaufmann brachte Geschenke von Reb Mulka Askari und seiner Schwiegertochter Fara mit. Fara schickte dem Kind Mirdin ben Jesse sechs Leinenkleidchen, die sie mit Liebe und Sorgfalt selbst genäht hatte. Der Perlenhändler schickte Rob das Schachspiel zurück, das seinem toten Sohn gehört hatte.

Es war das letztemal, daß Mary aus Sehnsucht nach Fara weinte. Als sie sich die Augen getrocknet hatte, stellte Rob Mirdins Figuren auf dem Brett auf und lehrte sie das Spiel des Schahs. Danach grübelten sie oft über dem Schachbrett. Er erwartete zunächst nicht viel von ihr, denn es war doch ein Spiel für Krieger, und sie, dachte er, war ja nur eine Frau. Aber sie lernte schnell und schlug bald seine Figuren jubelnd mit einem Schlachtruf, der zu einem seldschukischen Plünderer gepaßt hätte. Die Geschicklichkeit und Schnelligkeit, mit der die Armee ihres Königs angriff, überraschte Rob, war aber dennoch kein großer Schreck, denn er hatte längst erkannt, daß Mary Cullen ein außergewöhnliches Geschöpf war.

In diesem Jahr beteiligte sich Karim nicht an dem *chatir*. Er hatte nicht mehr geübt und war auch für einen Läufer viel zu schwer geworden. Er wohnte dem Rennen mit Alā *Shahansha* als Zuschauer bei.

Der erste Tag des Monats *Shawwa* dämmerte noch heißer herauf als der Tag, an dem Karim gesiegt hatte, und die Läufer waren diesmal sehr langsam. Der Herrscher hatte wieder jedem einen *calaat* versprochen, der Karims Spitzenleistung wiederholen und alle zwölf Runden vor dem letzten Gebet beenden konnte. Aber es war klar ersichtlich, daß an diesem Tag niemand einhundertsechsundzwanzig Meilen laufen würde.

Es kam erst ab der fünften Runde zu einem Wettkampf und schließlich zu einem Duell zwischen al-Harāt aus Hamadhān und einem jungen Soldaten namens Nafis Jurjis. Aber nachdem Nafis sich seinen achten Pfeil geholt hatte, gab er auf, so daß nur noch al-Harāt im Rennen war. Da es schon spät am Nachmittag und die Hitze unmenschlich war, gab al-Harāt vernünftigerweise durch Zeichen zu verstehen, daß er die Runde beenden und seinen Sieg anmelden würde.

Karim und der Schah ritten die letzte Runde ein Stück vor dem Läufer her, um ihn am Ziel zu begrüßen, Alā auf seinem wilden weißen Hengst und Karim auf seinem unruhigen grauen Araber. Karims schlechte Stimmung hatte sich im Lauf des Rennens gebessert, weil es lange dauern würde – wenn es überhaupt dazu kam –, bis ein anderer Läufer den *chatir* so gut schaffen würde wie er.

Als sie an der *madrassa* vorbeikamen, erblickte er den Eunuchen Wasif auf dem Dach des Krankenhauses und neben ihm die verschleierte Despina. Bei ihrem Anblick vollführte Karims Herz einen Sprung, und er lächelte. War es nicht besser, auf einem herrlichen Pferd und in Seide und Leinen gekleidet vor ihr vorbeizureiten, als nach Schweiß stinkend und blind vor Erschöpfung vorbeizuwanken?

Nicht weit von Despina wurde einer Frau ohne Schleier die Hitze zuviel. Sie nahm ihren schwarzen Schal ab und schüttelte den Kopf, als wolle sie Karims stolzes Pferd nachahmen. Ihr Haar fiel herab und breitete sich, lang und wogend, fächerförmig aus. Die Sonne schimmerte herrlich in den Flechten und zauberte verschiedene Farbabstufungen von Gold und Rot auf sie.

Der Schah fragte den neben ihm reitenden Karim: »Ist das die Frau des *Dhimmi*, die Europäerin?«

»Ja, Majestät. Die Frau unseres Freundes Jesse ben Benjamin.«

»Das dachte ich mir«, sagte Alā.

Der Schah beobachtete die unverschleierte Frau, bis sie an ihr vorbei waren. Er stellte keine Fragen mehr, und bald konnte ihn Karim in ein Gespräch über den indischen Schmied Dhan Vangalil und die Schwerter verwickeln, die dieser mit seinem neuen Ofen in der Schmiede hinter den Ställen des Hauses des Paradieses herstellte.

Die verschmähte Belohnung

Der Meister hatte über viele Themen geschrieben. Noch als Student hatte Rob Gelegenheit gehabt, seine Werke über Medizin zu lesen, doch jetzt studierte er andere Schriften Ibn Sinas, und er empfand noch mehr Ehrfurcht vor ihm. Er hatte über Musik und Poesie, über Astronomie und Metaphysik, über die östliche Denkweise, die Sprachen und den schöpferischen Geist geschrieben und außerdem Kommentare zu allen Büchern von Aristoteles. Während er in der Festung Fardajän gefangengehalten wurde, hatte er ein Buch mit dem Titel »Anleitung« geschrieben, das alle Sparten der Philosophie zusammenfaßte. Es lag sogar ein militärisches Handbuch vor, »Die Führung und Versorgung von Soldaten, Sklaventruppen und Armeen«, das Rob nützlich gewesen wäre, wenn er es gelesen hätte, bevor er als Feldscher nach Indien zog. Ibn hatte über Mathematik, die menschliche Seele und über das Wesen des Kummers geschrieben. Und immer wieder hatte er über den Islam geschrieben, die Religion, in der ihn sein Vater erzogen hatte und die er, trotz der Wissenschaft, die sein ganzes Sein erfüllte, voll Vertrauen akzeptieren konnte.
Deshalb liebten ihn auch die Menschen so. Sie sahen, daß Ibn Sina trotz des luxuriösen Besitzes und aller Einkünfte aus dem königlichen *calaat*, trotz der Tatsache, daß Gelehrte aus aller Welt ihn aufsuchten und Könige um die Ehre wetteiferten, als Gönner des Meisters zu gelten – trotz all dieses Glanzes wie der niedrigste Bettler unter ihnen die Augen zum Himmel erhob und rief:

La ilah illallah;
Muhammadun rasulallah.
Es gibt keinen Gott außer Gott;
Mohammed ist der Prophet Gottes.

Jeden Morgen vor dem ersten Gebet versammelten sich mehrere hundert Menschen vor seinem Haus. Es waren Bettler, *mullahs*, Hirten, Kaufleute, Arme und Reiche. Der Arzt aller Ärzte trug seinen Gebetsteppich hinaus und verrichtete seine Andacht gemeinsam mit seinen Verehrern; wenn er dann zum *maristan* ritt, gingen sie neben seinem Pferd her, sangen vom Propheten und rezitierten Verse aus dem Koran.

Jede Woche versammelten sich an mehreren Abenden Schüler in seinem Haus. Für gewöhnlich wurden medizinische Texte gelesen. Ein Vierteljahrhundert lang hatte al-Juzjani jede Woche laut aus Ibn Sinas Werken vorgelesen, am häufigsten aus dem berühmten »Kanon der Medizin«. Manchmal wurde auch Rob ersucht, aus Ibn Sinas Buch »Heilen« vorzulesen. Dann entwickelte sich eine lebhafte Diskussion, eine Mischung aus Trinkgelage und klinischer Debatte, oft hitzig und manchmal auch heiter, aber immer lehrreich.

»Wie gelangt das Blut in die Finger?« rief zum Beispiel al-Juzjani, indem er die verzweifelte Frage eines Studenten wiederholte. »Habt ihr vergessen, daß Galen gelehrt hat, das Herz arbeite wie eine Pumpe und setze so das Blut in Bewegung?«

»Ah!« warf dann Ibn Sina ein. »Und der Wind setzt ein Segelschiff in Bewegung. Aber wie findet es den Weg nach Bahrain?«

Wenn Rob fortging, sah er häufig den Eunuchen Wasif im Dunkeln vor der Tür zum Südturm. Eines Abends schlich Rob zu dem Feld hinter der Mauer von Ibn Sinas Besitz. Er war nicht überrascht, daß Karims grauer Araberhengst dort angebunden war.

Während Rob zu seinem Pferd, das er nicht versteckt hatte, zurückging, beobachtete er das Zimmer im Südturm. Durch die Fensterschlitze in der runden Steinmauer flackerte das gelbe Licht, und er erinnerte sich ohne Neid oder Bedauern daran, daß Despina gern beim Licht von Kerzen liebte.

Ibn Sina führte Rob in Geheimnisse ein, von denen er bisher kaum eine Ahnung hatte. »Es gibt in uns ein seltsames Wesen – manche nennen es den Geist, andere die Seele –, das große Auswirkungen auf unseren Körper und unsere Gesundheit hat. Zum erstenmal stieß ich bei einem jungen Mann in Buchārā darauf, als ich mich für das Thema zu interessieren begann, das mich veranlaßte, ›Der Puls‹ zu schreiben. Ich hatte einen Patienten in meinem Alter namens Achmed; sein Appetit hatte nachgelassen, und er hatte abgenommen. Sein Vater, ein reicher Kaufmann, war verzweifelt und bat mich um Hilfe.

Als ich Achmed untersuchte, konnte ich nichts Ungewöhnliches feststellen. Aber als ich bei ihm verweilte, geschah etwas Merkwürdiges: Meine Finger lagen auf seiner Arterie am Handgelenk, während wir freundschaftlich über verschiedene Orte von Buchārā plauderten. Der Puls war langsam und regelmäßig, bis ich das Dorf Efsene erwähnte, in dem ich geboren bin. Da war in seinem Handgelenk ein solches Tremolo zu spüren, daß ich Angst bekam.

Ich kannte das Dorf gut und begann, verschiedene Straßen zu erwähnen. Dies blieb ohne große Wirkung, bis ich zur Straße des elften Imam kam, wobei der Puls sich wieder beschleunigte und unregelmäßig wurde. Ich kannte nicht mehr alle Familien in der Straße, aber weitere Fragen und Gedächtnishilfen führten mich darauf, daß in dieser Straße der Kupferschmied Ibn Razi wohnte. Er besaß drei Töchter, von denen die älteste, Ripka, sehr schön war. Wenn Achmed von diesem Mädchen sprach, erinnerte mich das Flattern in seinem Handgelenk an einen verwundeten Vogel.

Ich erklärte dem Vater, daß Achmeds Heilung in der Heirat mit dieser Ripka zu finden sei. Die Hochzeit wurde festgesetzt und fand bald statt. Nicht lange darauf kehrte Achmeds Appetit zurück. Als ich ihn das letzte Mal sah, war er ein dicker, zufriedener Mann.

Galen lehrte, daß das Herz und alle Arterien im gleichen Rhythmus pulsieren, so daß man anhand einer Stelle alle anderen beurteilen kann, und daß ein langsamer, regelmäßiger Puls auf gute Gesundheit schließen läßt. Aber seit dem Erlebnis mit Achmed habe ich herausgefunden, daß der Puls auch die Erregung eines Patienten oder seine Seelenruhe anzeigen kann. Ich habe es oft bestätigt gesehen, und der Puls hat sich als ›der Bote, der nie lügt‹, erwiesen.«

So lernte Rob, daß er neben seiner Gabe, die Lebenskraft eines Menschen abzuschätzen, den Puls dazu benutzen konnte, um Aufschluß über die Gesundheit und die Stimmung des Patienten zu erhalten. Und er hatte reichlich Gelegenheit zu üben. Verzweifelte Menschen strömten in Scharen zum Arzt aller Ärzte, und viele suchten Wunderheilung. Reiche und Arme wurden zwar gleich behandelt, aber Ibn Sina und Rob konnten nur wenige Patienten annehmen und mußten die meisten an andere Ärzte verweisen.

Ein großer Teil von Ibn Sinas medizinischem Wirken galt dem Schah und geachteten Mitgliedern von dessen Gefolge. So schickte eines Morgens der *hakim-bashi* Rob ins Haus des Paradieses, weil Siddha, die Frau des indischen Waffenschmiedes Dhan Vangalil, an einer Kolik litt.

Als Übersetzer wählte Rob Alās persönlichen *mahout*, den Inder Harsha. Siddha erwies sich als freundliche Frau mit rundem Gesicht und ergrauendem Haar. Die Familie Vangalil verehrte Buddha, somit galten hier die mohammedanischen Verbote nicht, und Rob konnte den Bauch der Frau abtasten, ohne bei den *mullahs* angezeigt zu werden. Nachdem er Siddha eingehend untersucht hatte, kam er zu dem Schluß, daß sie an Ernährungsstörungen litt, denn Harsha erzählte ihm, daß weder die Familie des Schmieds noch die *mahouts* genügend Kümmel, Gelbwurzel oder Pfeffer erhielten, Gewürze, an die sie ihr Leben lang gewöhnt waren und die sie für ihre Verdauung brauchten. Rob brachte die Angelegenheit in Ordnung, indem er dafür sorgte, daß die Inder diese Gewürze erhielten. Er hatte schon die Achtung einiger *mahouts* erworben, als er die Kampfwunden ihrer Elefanten behandelt hatte, und nun gewann er auch die Dankbarkeit der übrigen und der Vangalils. Er besuchte sie öfter, denn es faszinierte ihn, was Dhan Vangalil alles mit Stahl anfangen konnte.

Dhan hatte über einer seichten Mulde im Boden einen Schmelzofen errichtet: Lehmwände, umgeben von einer dickeren, äußeren Mauer aus Steinen und Schlamm, mit Bändern aus Schößlingen zusammengehalten. Der Ofen war schulterhoch, einen Schritt breit und verjüngte sich oben etwas, um die Hitze zu konzentrieren und die Wände gegen Risse zu schützen.

In diesem Ofen stellte Dhan Schmiedeeisen her, indem er abwechselnd Lagen von erbsen- bis nußgroßer Holzkohle und persischem Erz schichtete. Um den Ofen war ein Graben ausgehoben worden. Dhan saß mit den Füßen in diesem Graben am Rand und betätigte Blasebälge aus ganzen Ziegenhäuten, um genau berechnete Mengen Luft in die glühende Masse zu leiten. Im heißen Feuer wurde das Erz zu Tropfen einer Art metallischen Regens reduziert. Diese Teilchen setzten sich im Ofen und sammelten sich auf dem Boden zu einem tropfsteinartigen

Gemisch von Holzkohle, Schlacke und Eisen, das Vorblock genannt wurde.

Dhan hatte das Spundloch mit Lehm verschlossen, den er jetzt aufbrach, um den Vorblock herauszuziehen. Durch kräftiges Hämmern, das ein wiederholtes Erhitzen im Schmiedefeuer erforderte, wurde er geläutert. Das reduzierte Schmiedeeisen war von sehr guter Beschaffenheit.

Es sei jedoch noch weich, ließ Dhan Harsha übersetzen. Die quadratischen Barren des indischen Stahls, den die Elefanten von Kausambi hierher befördert hatten, waren dagegen sehr hart. Dhan schmolz mehrere von ihnen und löschte dann das Feuer. Nach dem Auskühlen war der Stahl äußerst spröde, er zerschlug ihn und häufte ihn auf Stücke des Schmiedeeisens.

Nun ließ der zwischen seinen Ambossen, Zangen und Hämmern schwitzende drahtige Inder seinen Bizeps wie eine Schlange spielen, während er das weiche und harte Metall verband. Er schweißte mit Hilfe des Feuers mehrere Lagen von Eisen und Stahl zusammen, hämmerte wie besessen, drehte und schnitt, überlappte, klappte das Blech zusammen und hämmerte immer wieder. Er mischte das Metall, wie ein Töpfer den Ton oder eine Frau das Brot knetet.

Während Rob ihm zusah, wußte er, daß er die Vielfalt, die Varianten, die ein subtiles Können erforderten, das seit Generationen weitergegeben worden war, nie erlernen konnte; aber er begriff den Vorgang zum Teil, zumal er unzählige Fragen stellte.

Dhan schmiedete einen *scimitar*, einen Krummsäbel, und härtete die Waffe in mit Zitronenessig befeuchtetem Ruß, was eine säuregeätzte Klinge mit Wirbelmuster und bläulicher, rauchgrauer Farbe ergab. Aus Eisen allein wäre sie weich und stumpf gewesen, allein aus dem harten indischen Stahl dagegen zu spröde. Dieses Schwert hatte eine scharfe Schneide, die einen herabfallenden Faden in der Luft zerschneiden konnte, und es war eine geschmeidige Waffe.

Die Schwerter, die Alã bei Dhan bestellt hatte, waren nicht für den Herrscher bestimmt. Es waren unverzierte Waffen für Soldaten, die bei einem künftigen Krieg eingesetzt werden sollten. Diese überlegenen Krummschwerter sollten den Persern den erforderlichen Vorteil sichern.

»Der indische Stahl wird ihm innerhalb weniger Wochen ausgehen«, bemerkte Harsha. Dennoch bot Dhan Rob an, ihm einen Dolch zu schmieden aus Dankbarkeit für alles, was der *hakim* für seine Familie und die *mahouts* getan hatte. Rob lehnte bedauernd ab, die Waffen seien zwar sehr schön, aber er wolle nicht mehr töten. Doch dann öffnete er seine Tasche und zeigte Dhan ein Skalpell, ein Paar Operationsmesser und zwei andere Messer, die für Amputationen verwendet wurden, eines mit einer gebogenen, dünnen und das andere mit einer breiten, gezahnten Klinge zum Durchsägen von Knochen.

Dhan lächelte breit, so daß man seine vielen Zahnlücken sah, und nickte.

Eine Woche später überreichte er Rob Instrumente aus gemustertem Stahl, die die schärfste Schneide besaßen und sie behalten sollten wie kein anderes chirurgisches Instrument, das Rob je in der Hand gehalten hatte.

Diese Instrumente würden sein Leben überdauern. Sie waren ein fürstliches Geschenk, das ein großzügiges Gegengeschenk verlangte, aber Rob war zu überwältigt, um im Augenblick daran zu denken. Dhan sah die ungeheure Freude des *hakim* und war stolz auf sie. Da sie sich nicht mit Worten verständigen konnten, umarmten sie einander. Gemeinsam ölten sie die Stahlinstrumente ein und wickelten sie einzeln in Lappen. Dann steckte sie Rob in einen Lederbeutel.

Er wollte gerade begeistert vom Haus des Paradieses wegreiten, als er auf eine zurückkehrende Jagdgesellschaft unter Führung des Schahs traf. In seiner groben Jagdkleidung sah Alã genauso aus wie damals, als Rob ihn vor Jahren zum erstenmal erblickt hatte.

Rob zügelte sein Pferrd, verbeugte sich und hoffte, daß die Gesellschaft an ihm vorbeireiten würde, doch einen Augenblick später galoppierte Farhad heran.

»Er wünscht, daß Ihr Euch ihm nähert.«

Der Stadthauptmann machte kehrt, und Rob folgte ihm zum Schah.

»Ah, *Dhimmi*. Du mußt ein wenig mit mir reiten.« Alã winkte die ihn begleitenden Soldaten beiseite, und er und Rob ritten im Schritt zum Palast.

»Ich habe den Dienst, den du Persien erwiesen hast, noch nicht belohnt.«

Rob war überrascht, denn er hatte angenommen, daß alle Belohnungen für die Dienste während des Einfalls in Indien der Vergangenheit angehörten. Mehrere Offiziere waren wegen Tapferkeit befördert worden, und die Soldaten hatten Geld erhalten. Karim war vom Schah in der Öffentlichkeit so überschwenglich gelobt worden, daß der Marktklatsch lautete, er werde bald zu jeder Menge hervorragender Posten ernannt werden. Rob hatte nichts dagegen gehabt, daß man ihn übersehen hatte, und er war glücklich, weil der Überfall nun der Geschichte angehörte.

»Ich möchte dir noch einen *calaat* verleihen, der aus einem größeren Haus und einem ausgedehnten Gelände besteht, einem Besitz, der sich auch für eine königliche Unterhaltung eignet.«

»Es bedarf keines *calaat*, Majestät.« Rob dankte dem Schah recht spröde für dessen Freigebigkeit. »Meine Teilnahme war nur ein geringer Ausdruck meiner ungeheuren Dankbarkeit Euch gegenüber.«

Es wäre geziemender gewesen, wenn er von seiner Liebe zum Monarchen gesprochen hätte, aber das konnte er nicht, und Alā schien seine Worte nicht sehr zu beachten.

»Trotzdem verdienst du eine Belohnung.«

»Dann bitte ich meinen Schah, mich zu belohnen, indem er mir gestattet, in dem kleinen Haus in der Jehuddijeh zu bleiben, wo ich mich wohl fühle und wo ich glücklich bin.«

Der Schah blickte ihn scharf an. Schließlich nickte er. »Du bist entlassen, *Dhimmi.*« Er stieß dem Schimmel die Fersen in die Flanken, und der Hengst sprengte davon. Die Eskorte galoppierte hinter ihm her, und gleich darauf zogen die berittenen Soldaten rasselnd und klirrend an Rob vorbei.

Nachdenklich wendete er seinen braunen Wallach, um sich wieder auf den Weg nach Hause zu machen und Mary die gemusterten stählernen Instrumente zu zeigen.

Ein Auftrag in Idhaj

In diesem Jahr war der Winter streng, und er kam früh nach Persien. Eines Morgens waren alle Bergspitzen weiß, und am nächsten Tag fegte heftiger, eisiger Wind ein Gemisch von Salz, Sand und Schnee durch die Straßen Isfahans. Auf den Märkten deckten die Kaufleute ihre Waren mit Tüchern ab und sehnten sich nach dem Frühling. Aber der Ernst auf vielen verkniffenen Gesichtern war keine Folge des rauhen Windes, sondern die des neuesten Skandals.

Angesichts der täglichen Trinkgelage und der Ausschweifungen des Schahs hatte Imam Mirza-abul Qandrasseh seinen Freund und obersten Gehilfen, den *mullah* Ibn Abbas, zum König geschickt, um ihm ins Gewissen zu reden und ihn daran zu erinnern, daß alkoholische Getränke für Allah ein Greuel seien, den der Koran verbot.

Alā hatte seit Stunden gezecht, als er den Abgesandten des Großwesirs empfing. Er hörte Musa ernst an. Als er das Anliegen der Botschaft sowie den vorsichtig ermahnenden Ton erkannte, stieg der Schah von seinem Thron und ging auf den *mullah* zu.

Verwirrt und ohne recht zu wissen, wie er sich jetzt verhalten solle, sprach Musa weiter. Da goß der Herrscher, ohne dabei seinen Gesichtsausdruck zu verändern, zur Verwunderung aller anwesenden Höflinge, Diener und Sklaven dem alten Mann Wein über den Kopf. Während Musa weitersprach, schüttete der Schah das alkoholische Getränk über seinen Bart und seine Kleidung. Durchnäßt schickte er ihn dann zutiefst gedemütigt mit einer Handbewegung zu Qandrasseh zurück.

Dies war eine Zurschaustellung seiner Verachtung für die heiligen Männer von Isfahan und wurde als Hinweis darauf gedeutet, daß Qandrassehs Zeit als Großwesir zu Ende ging. Und schon am nächsten Morgen hörte man in jeder Moschee der Stadt düstere, beunruhigende Prophezeiungen über die Zukunft Persiens.

Karim Harun beriet sich mit Rob und Ibn Sina wegen des Vorfalls.

»Er ist nicht so. Er kann ein selbstloser, fröhlicher und liebenswerter Gefährte sein. Du hast ihn in Indien erlebt, Jesse. Er ist der tapferste Kämpfer, und wenn er ehrgeizig ist, ein großer *Shahansha* sein will, dann deshalb, weil seine Pläne in bezug auf Persien höchst anspruchsvoll sind.«

Sie hörten ihm schweigend zu.

»Ich habe versucht, ihn vom Trinken abzuhalten«, sagte Karim. Er schaute seinen ehemaligen Lehrer und seinen Freund unglücklich an.

Ibn Sina seufzte. »Er ist früh am Morgen für andere höchst gefährlich, wenn er nach dem übermäßigen Weingenuß des Vortags mit Übelkeit erwacht. Verabreicht ihm dann Sennesblättertee, um die Giftstoffe abzuführen und seine Kopfschmerzen zu lindern, und gebt gemahlenes Bergblau in seine Speisen, um seine Melancholie zu vertreiben. Aber vor sich selbst wird ihn nichts beschützen. Wenn er trinkt, müßt Ihr ihm aus dem Weg gehen, so gut Ihr könnt.« Er sah Karim ernst an. »Ihr müßt Euch auch hüten, wenn Ihr in der Stadt herumgeht, denn Ihr seid als Günstling des Schahs bekannt und geltet allgemein als Qandrassehs Rivale. Ihr habt jetzt einflußreiche Feinde, die sehr daran interessiert sind, Euren Aufstieg zur Macht zu verhindern.«

Rob lenkte Karims Aufmerksamkeit auf sich. »Du mußt dich bemühen, ein untadeliges Leben zu führen«, ermahnte er ihn bedeutungsvoll, »denn deine Feinde werden sich jede deiner Schwächen zunutze machen.«

Er erinnerte sich, wie ihn vor sich selbst geekelt hatte, als er den Meister zum Hahnrei machte. Er kannte Karim; trotz seines Ehrgeizes und seiner Liebe zu dieser Frau besaß Karim eine angeborene Rechtschaffenheit, und Rob konnte sich vorstellen, welche Qual er litt, wenn er Ibn Sina betrog.

Karim nickte. Als er sich verabschiedete, ergriff er Robs Handgelenk und lächelte. Karim besaß noch immer großen Charme, und er sah sehr gut aus, obwohl er nicht mehr unbekümmert war wie früher. Große Spannung und nervöse Unsicherheit prägten sein Gesicht, und Rob schaute seinem Freund mitleidig nach.

Der kleine Robert James hatte angefangen herumzukriechen, und seine Eltern freuten sich, als er lernte, aus einem Becher zu trinken. Auf Ibn Sinas Anraten versuchte Rob, ihm Kamelmilch zu geben, die nach Ansicht des Meisters die gesündeste Nahrung für ein Kleinkind war. Als er sie nicht zurückwies, stillte ihn Prisca nicht mehr.

Im Gefolge der bitterkalten Luft suchten zahlreiche Patienten die Ärzte mit Katarrhen, schmerzenden Gliedern und entzündeten und geschwollenen Gelenken auf. Plinius der Jüngere hatte geschrieben, der Kranke solle, um eine Erkältung auszukurieren, die haarige Schnauze einer Maus küssen. Aber Ibn Sina fand, daß Plinius der Jüngere in dieser Hinsicht nicht lesenswert sei. Er hatte sein eigenes Mittel gegen Schleim und Rheumatismus und zeigte Rob, wie er es zusammenmischen solle.

Rob suchte die Elefantengehege auf, wo die *mahouts* schnieften und husteten und sich alles andere denn gutgelaunt mit einer Jahreszeit abfinden mußten, die so ganz anders war als die milden Winter in Indien. Er besuchte sie drei Tage nacheinander und gab ihnen Erdrauch sowie Ibn Sinas Salbe, doch war der Erfolg so zweifelhaft, daß er ihnen lieber des Baders Universal-Spezificum verabreicht hätte. Die Elefanten sahen nicht mehr so großartig aus wie in der Schlacht, da sie jetzt mit Zeltbahnen und mit Decken behängt waren, damit sie sich nicht erkälteten.

Rob stand bei Harsha und beobachtete den großen Elefantenbullen des Schahs, der sich gerade mit Heu vollstopfte. Er zitterte, während sie ihn beobachteten, und Rob ordnete an, sie sollten den Tieren Eimer mit erwärmtem Trinkwasser geben, um sie von innen warm zu halten. Harsha war skeptisch. »Wir haben mit ihnen gearbeitet, und sie arbeiten trotz der Kälte gut.«

Aber Rob hatte im Haus des Wissens einiges über Elefanten gelesen. »Hast du je von Hannibal gehört?«

»Nein«, antwortete der *mahout*.

»Ein Soldat, ein großer Heerführer.«

»So groß wie Alā *Shahansha?*«

»Mindestens so groß, aber in längst vergangener Zeit. Er hat eine Armee mit siebenunddreißig Elefanten über die Alpen geführt, über hohe, schreckliche, steile, mit Schnee bedeckte Berge, und er hat kein einziges Tier verloren. Aber die Kälte und die Entkräftung haben sie geschwächt. Später, als sie niedrigere Berge überquerten, starben alle Elefanten bis auf einen. Die Lehre daraus ist, daß ihr eure Tiere ruhen lassen und sie warmhalten müßt.«

Harsha nickte ehrerbietig. »Wißt Ihr, daß Euch jemand folgt?«

Rob erschrak.

»Der Mann, der dort in der Sonne sitzt.«

Ein Mann lehnte sich mit dem Rücken an die Mauer, um sich gegen den kalten Wind zu schützen, und hüllte sich in das Fell seines *cadabi*.

»Bist du sicher?«

»Ja, *Hakim*. Er ist Euch schon gestern gefolgt. Auch jetzt behält er Euch im Auge.«

»Kannst du ihm vorsichtig folgen, wenn ich wegreite, damit wir herausfinden können, wer er ist?«

Harshas Augen glänzten. »Ja, *Hakim.*«

Am späten Abend kam Harsha in die Jehuddijeh und klopfte an Robs Tür.

»Er ist Euch bis nach Hause gefolgt, *Hakim.* Als er Euch hier verließ, folgte ich ihm zur Freitagsmoschee. Ich habe mich sehr schlau verhalten, Ehrenwerter, ich war unsichtbar. Er betrat das Haus des *mullah* in seinem abgerissenen *cadabi*, kam aber bald darauf in schwarzer Kleidung heraus und erreichte die Moschee rechtzeitig für das letzte Gebet. Er ist ein *mullah, Hakim.*«

Rob dankte ihm nachdenklich, und Harsha ging zufrieden seiner Wege. Rob war davon überzeugt, daß der *mullah* von Qandrassehs Freunden geschickt worden war. Zweifellos waren sie Karim zu seiner Zusammenkunft mit Ibn Sina und ihm gefolgt, und nun wollten sie feststellen, wie weit Rob mit dem voraussichtlichen Wesir verbunden war.

Vielleicht waren sie zu dem Schluß gelangt, daß die Verbindung harmlos war, denn am nächsten Tag gab er sorgfältig acht, konnte aber niemanden entdecken, der ihm folgte. Soweit er sah, spionierte ihm auch in den nächsten Tagen niemand nach.

Es blieb kühl, aber der Frühling lag in der Luft. Nur die Spitzen der rötlichgrauen Berge waren noch schneebedeckt, und in den Gärten waren die nackten Äste der Aprikosenbäume mit kleinen, schwarzen, kugelrunden Knospen bedeckt.

Eines Morgens kamen zwei Soldaten, um Rob ins Haus des Paradieses zu begleiten. Der Schah saß am Tisch über dem Bodengitter, durch das die Ofenwärme aufstieg. Nach dem *ravi zemin* winkte er Rob zu sich an den Tisch, und die durch das schwere Filztischtuch festgehaltene Wärme tat beiden sehr wohl.

Das Spiel des Schahs war schon aufgestellt, und Alā machte den ersten Zug, ohne sich zu unterhalten.

»Du bist ein hungriger Kater geworden, *Dhimmi*«, bemerkte er.

Es war richtig: Rob hatte gelernt anzugreifen.

Der Schah spielte mit gerunzelter Stirn, den Blick aufmerksam auf das Brett gerichtet. Rob hatte mit seinen beiden Elefanten zugeschlagen und schnell ein Kamel, ein Pferd mit Reiter und drei Fußsoldaten gewonnen.

Die Höflinge verfolgten das Spiel in gespannter, wortloser Stille. Zweifellos waren einige entsetzt und manche entzückt über die Tatsache, daß ein europäischer Ungläubiger den *Shahansha* im Spiel zu besiegen schien. Aber der Schah konnte auf seine reiche Erfahrung als hinterlistiger General bauen. Gerade als Rob begann, sich für einen guten Spieler und Meister der Strategie zu halten, bot Alā Opfer an, lockte aber damit seinen Gegner in die Falle. Er benutzte seine beiden Elefanten geschickter, als Hannibal seine siebenunddreißig eingesetzt hatte. Rob wehrte sich hartnäckig und wandte alle Feinheiten an, die Mirdin ihn gelehrt hatte, und doch dauerte es nicht lange, bis er *shahtreng* war. Als die beiden das Spiel beendeten, applaudierten die Höflinge zum Sieg des Herrschers, und Alā sah zufrieden aus.

Der Schah zog einen massiven Goldring vom Finger und legte ihn in Robs rechte Hand. »Ich komme auf den *calaat* zurück. Ich vergebe ihn jetzt. Du sollst ein Haus bekommen, das groß genug für eine königliche Unterhaltung ist.«

Mit einem Harem. Und Mary in dem Harem, schoß es Rob durch den Kopf.

Die Edelleute sahen und hörten zu.

»Ich werde diesen Ring mit Stolz und Dankbarkeit tragen«, sagte er. »Was den *calaat* betrifft, bin ich schon dank Eurer Majestät früherer Großzügigkeit glücklich, und ich werde in meinem Haus bleiben.«

Seine Stimme war ehrerbietig, aber sie klang entschieden, und er wandte den Blick nicht sofort ab, um seine Demut zu zeigen. Alle Anwesenden hörten den *Dhimmi* diese herausfordernden Worte sprechen.

Am folgenden Morgen kamen sie Ibn Sina zu Ohren.

Nicht umsonst war der Arzt aller Ärzte zweimal Wesir gewesen. Er besaß Informanten bei Hof und unter den Dienern im Haus des Paradieses, und er erfuhr aus mehreren Quellen von der unbesonnenen Torheit seines Assistenten.

Wie immer in kritischen Augenblicken dachte Ibn Sina nach. Ihm war klar, daß der König auf seine Anwesenheit in der Hauptstadt berechtigterweise stolz war, weil sie ihn in die Lage versetzte, sich als Monarch mit dem Kalifen von Bagdad als Förderer der Kultur und der Wissenschaft zu vergleichen. Ibn Sina wußte auch, daß sein Einfluß begrenzt war. Eine direkte Bitte seinerseits würde Jesse ben Benjamin nicht retten.

Alā träumte sein ganzes Leben lang, einer der größten Schahs zu sein, ein Herrscher mit einem unsterblichen Namen. Jetzt bereitete er sich auf einen Krieg vor, der ihm entweder Unsterblichkeit oder Vergessensein bescheren würde, und in diesem Augenblick konnte er unmöglich jemandem gestatten, sich seinem Willen zu widersetzen. Ibn Sina wußte, daß der König Jesse ben Benjamin töten lassen würde.

Vielleicht hatten unbekannte Handlanger bereits Befehl erhalten, auf der Straße über den jungen *hakim* herzufallen, oder er würde vielleicht von Soldaten verhaftet und von einem islamischen Gericht verhört und abgeurteilt werden. Alā war zu jeder politischen List fähig und würde die Hinrichtung dieses *Dhimmi* auf eine Art benutzen, die ihm den größten Vorteil brachte.

Ibn Sina hatte Alā Schah nicht umsonst jahrelang beobachtet, und er wußte, wie das Hirn des Königs funktionierte. Er wußte, was geschehen mußte. An diesem Morgen rief er seinen Stab im *maristan* zusammen. »Wir haben gehört, daß in der Stadt Idhaj etliche Bürger so schwer erkrankt sind, daß sie nicht hierher ins Krankenhaus reisen können«, erklärte er, und das entsprach auch den Tatsachen. »Infolgedessen«, wandte er sich an Jesse ben Benjamin, »müßt Ihr nach Idhaj reiten und für die Behandlung dieser Menschen sorgen.«

Nachdem sie über die Kräuter und Drogen gesprochen hatten, die er auf einem Packtier mitnehmen sollte, und über die Medikamente, die es in der Stadt gab, verabschiedete sich Jesse und machte sich unverzüglich auf den Weg.

Idhaj – das bedeutete einen langen, mühsamen, dreitägigen Ritt nach Süden, und die Behandlung würde zumindest weitere drei Tage in Anspruch nehmen. Dadurch gewann Ibn Sina mehr als genug Zeit.

Am nächsten Nachmittag ritt er allein in die Jehuddijeh, direkt zum Haus seines Assistenten. Die Frau kam mit dem Kind auf dem Arm zur Tür. Überraschung und kurzzeitig auch Verwirrung zeichneten sich auf ihrem Gesicht ab, als der Arzt aller Ärzte auf ihrer Schwelle stand, aber sie faßte sich rasch und führte ihn mit gebührender Hochachtung ins Innere. Das Haus war einfach, aber sauber gehalten, und mit den Wandbehängen und den Teppichen auf dem Lehmboden wirkte es behaglich. Mit erstaunlicher Flinkheit stellte Mary eine irdene Schüssel mit süßem Gewürzkuchen sowie ein *scherbett* aus Rosenwasser mit Ingwergeschmack vor Ibn Sina.

Er hatte nicht daran gedacht, daß sie nicht Persisch konnte. Als er sich mit ihr verständigen wollte, stellte sich schnell heraus, daß sie nur ein paar Brocken sprach. Er wollte aber ausführlich und eindringlich mit ihr reden, wollte ihr sagen, daß er den Europäer als Arzt schätze, weil es ihm klargeworden sei, daß Gott Jesse ben Benjamin zum Heiler bestimmt habe.

»Alle Herrscher sind verrückt. Für jemanden, der über die entsprechende Macht verfügt, ist es gleich, ob er jemandem das Leben nimmt oder ihm einen *calaat* verleiht. Doch wenn Ihr jetzt flieht, werdet Ihr es für den Rest Eures Lebens bedauern, denn er ist zu weit gegangen, hat zu viel gewagt. Ich weiß, daß er kein Jude ist.«

Die Frau hielt das Kind auf dem Schoß und beobachtete Ibn Sina mit wachsender Unruhe. Er versuchte erfolglos, Hebräisch zu sprechen, dann rasch hintereinander Türkisch und Arabisch. Er war zwar ein Sprachgelehrter, beherrschte aber nur wenige europäische Sprachen, denn er lernte ein Idiom nur im Zusammenhang mit der wissenschaftlichen Beschäftigung. So sprach er auch Griechisch mit ihr, bekam aber keine Antwort.

Dann versuchte er es mit Latein und sah, daß sie den Kopf leicht bewegte und blinzelte.

»*Rex te venire ad se vult. Si non, maritus necabitur.*« Er wiederholte es. »Der König wünscht, daß du zu ihm kommst. Wenn du nicht kommst, wird dein Ehemann getötet werden.«

»*Quid dicis?*« (Was sagst du?) fragte sie.

Er wiederholte seine Worte sehr langsam.

Das Kind in ihren Armen begann sich zu bewegen, aber die Frau achtete nicht darauf. Sie starrte Ibn Sina an, ihr Gesicht hatte jegliche Farbe verloren. Es wirkte wie aus Stein, aber es sprach auch etwas daraus, das er vorher übersehen hatte. Der alte Mann verstand sich auf Menschen, und zum erstenmal ließ seine Besorgnis etwas nach, denn er erkannte die Stärke dieser Frau. Er würde die entsprechenden Anordnungen treffen, und sie würde das Notwendige tun.

Sklaven holten sie in einer Sänfte ab. Sie wußte nicht, was sie mit Rob James anfangen sollte, also nahm sie ihn mit. Dies erwies sich als eine glückliche Lösung, denn im Harem des Hauses des Paradieses nahmen die Frauen das Kind begeistert auf.

Sie wurde zu den Bädern geführt, was ihr peinlich war. Rob hatte ihr erzählt, daß es für mohammedanische Frauen ein religiöses Gebot war, alle zehn Tage ihre Schamhaare mit einem Enthaarungsmittel aus Kalk und Arsen zu entfernen. Ebenso wurden die Haare in den Achselhöhlen bei einer verheirateten Frau einmal wöchentlich, bei einer Witwe alle zwei Wochen und bei einer Jungfrau einmal im Monat ausgezupft oder abrasiert. Die Frauen, die sie bedienten, starrten sie mit unverhohlenem Abscheu an.

Nachdem man sie gewaschen hatte, bot man ihr drei Tabletts mit Parfüms und Farbstoffen an, aber sie verwendete nur ein wenig Duftwasser.

Sie wurde in einen Raum geführt und angewiesen zu warten. Die Einrichtung bestand nur aus einer großen Strohmatratze mit Kissen und Decken und einer geschlossenen Truhe, auf der ein Waschbecken stand. Irgendwo in der Nähe spielten Musikanten. Sie fror. Als sie schon ziemlich lang gewartet hatte, nahm sie eine Decke und hüllte sich ein.

Dann kam Alā. Sie war verängstigt, aber er lächelte, als er sie in der Decke sah.

Er bedeutete ihr mit Gesten, die Decke abzulegen, und dann mit einer ungeduldigen Handbewegung, auch das Kleid auszuziehen. Sie wußte, daß sie, an den orientalischen Frauen gemessen, mager war, und die persischen Frauen hatten ihr deutlich vor Augen geführt, daß Sommersprossen Allahs gerechte Strafe für schamlose Frauen bedeuteten, die keinen Schleier trugen.

Er berührte ihr schweres, rotes Haupthaar, hob eine Handvoll davon an seine Nase. Sie hatte ihre Strähnen nicht parfümiert, und er verzog das Gesicht, weil der Duft fehlte.

Die Hände des Königs lagen noch auf ihrem Kopf. Er sprach Persisch, und sie wußte nicht, ob mit sich selbst oder zu ihr. Sie wagte nicht einmal, den Kopf zu schütteln, um anzudeuten, daß sie ihn nicht verstand, damit er die Geste nicht als Ablehnung deutete.

Er begann, sich ungeniert mit ihren Schamhaaren zu befassen. Sie erregten seine Neugierde.

»Henna?«

Dieses eine Wort verstand sie, und sie versicherte ihm in einer Sprache, die er natürlich nicht verstand, daß die Farbe nicht Henna war. Er zog eine Strähne vorsichtig durch die Fingerspitzen und versuchte, das Rot wegzuwischen.

Dann legte er sein einziges, loses Kleidungsstück aus Baumwolle ab. Seine Arme waren muskulös, aber er war um die Körpermitte dicklich und hatte einen vorstehenden, behaarten Bauch. Sein ganzer Körper war behaart, und sein Glied war kleiner als das Robs und dunkler.

In der Sänfte auf dem Weg zum Palast hatte sie sich den verschiedensten Vorstellungen hingegeben. Bei einer hatte sie geweint und sich daran erinnert, daß Jesus den christlichen Frauen verboten hatte, diesen Akt außerhalb der Ehe zu vollziehen. Wie in einer Heiligenlegende hatten dann ihre Tränen sein Mitleid erweckt, und er hatte sie aus Güte nach Hause geschickt. In einem anderen Tagtraum hatte sie, weil sie gezwungen war, den Ehemann zu retten, den sinnlichsten körperlichen Orgasmus ihres Lebens kennengelernt, eine Beglückung durch einen einmaligen Liebhaber, der sie erwählt hatte, obwohl er über die allerschönsten Frauen Persiens verfügen konnte.

Die Wirklichkeit hatte keinerlei Ähnlichkeit mit ihren Phantasien. Alā wendete sich ihren Brüsten zu, berührte die Warzen; vielleicht hatten die Höfe eine ihm ungewohnte Farbe. Die kühle Luft hatte ihre Brüste hart gemacht, aber er verlor bald das Interesse an ihnen. Als er sie zur Matratze drängte, flehte sie stumm die Hilfe der heiligen Mutter Gottes an, deren Namen sie trug. Sie war kein aufnahmebereites Gefäß, so daß sie aus Angst und aus Widerwillen gegenüber diesem Mann, der beinahe den Tod ihres Ehemannes beschlossen hätte, trocken blieb. Sie vermißte die süßen Liebkosungen, mit denen Rob sie erfreute und die sie in seinen Händen zu Wachs werden ließen. Statt senkrecht wie ein Stock zu sein, hing Alās Glied schräg herab, und er hatte Schwierigkeiten, in sie einzudringen. Deshalb griff er zu Olivenöl, das er aber gereizt auf sie goß statt auf sich. Endlich zwängte er sich in sie, und sie hielt die Augen geschlossen.

Sie war gebadet worden, entdeckte aber, daß er sich nicht gereinigt hatte. Er war alles andere als kraftvoll und wirkte fast gelangweilt, während er leise grunzend zustieß. Nach wenigen Augenblicken erschauerte er für einen so großen Mann ganz unköniglich schwach, und er stöhnte angewidert. Dann zog sich der König der Könige mit einem leise-schmatzenden, öligen Geräusch aus ihr zurück und verließ den Raum ohne ein Wort oder einen Blick.

Sie blieb klebrig und erniedrigt liegen und wußte nicht, was sie als nächstes tun sollte. Mit Gewalt hielt sie ihre Tränen zurück.

Schließlich wurde sie von den anderen Frauen wieder abgeholt und zu ihrem Sohn gebracht. Sie kleidete sich eilig an und nahm Rob James in die Arme. Die Frauen schickten sie nach Hause und stellten einen Sack mit grünen Melonen in die Sänfte. Als sie mit dem Sohn die Jehuddijeh erreichte, wollte sie die Melonen schon auf der Straße stehen lassen. Es erschien ihr jedoch einfacher, sie nach Hause mitzunehmen und die Sänfte zu verabschieden.

Als Rob aus Idhaj zurückkehrte, aß er von den grünen Melonen, die köstlicher schmeckten als alle, die er bisher gekostet hatte.

Das Beduinenmädchen

Merkwürdig. Rob mußte noch immer den Atem anhalten, und sein Herz klopfte heftig, wenn er den *maristan* betrat und ihm die schnatternden Studenten wie Gänseküken ihrer Mutter folgten. Sie folgten ihm, und dabei war er noch vor kurzer Zeit anderen gefolgt.

Ibn Sina drängte ihn, Vorlesungen zu halten, und wenn er sich dazu entschloß, kamen auch Studenten von anderen Fächern, um ihn zu hören. Aber er fühlte sich nie vollkommen sicher, wenn er ordentlich schwitzte und sich über ein Thema verbreitete, das er sorgfältig in den Büchern nachgelesen hatte. Ihm war bewußt, wie er auf sie wirken mußte, denn er war größer als die meisten, und seine englische Nase war gebrochen. Auch wußte er, wie seine Stimme klang, denn jetzt sprach er das Persische so fließend, daß ihn sein Akzent störte.

Ebenso verfaßte er auf Ibn Sinas Wunsch eine kurze Abhandlung über die Wundbehandlung mit Wein. Er mühte sich mit diesem Aufsatz ab, hatte aber keine rechte Freude daran, auch nicht, als er fertig, übertragen und im Haus der Gelehrsamkeit hinterlegt war.

Rob wußte, daß er sein Wissen und Können weitergeben mußte, wie diese Erfahrungen an ihn weitergegeben worden waren, aber Mirdin hatte sich dennoch geirrt: Rob wollte nicht alles tun. Er wollte sich Ibn

Sina nicht zum Vorbild nehmen. Er hatte nicht den Ehrgeiz, auch noch als Philosoph, Erzieher und Theologe zu wirken, er empfand nicht das Bedürfnis, zu schreiben oder zu predigen. Er mußte lernen und forschen, um zu wissen, was er zu tun hatte, sobald er handeln mußte. Für ihn kam die Stunde der Wahrheit jedesmal, wenn er die Hände eines Patienten hielt. Es war der gleiche unheimliche Zauber, den er zum erstenmal empfunden hatte, als er neun Jahre alt gewesen war.

Eines Morgens wurde ein Mädchen namens Sitara von ihrem Vater, einem Beduinen-Zeltmacher, in den *maristan* gebracht. Sie war sehr krank, litt an Übelkeit und Brechreiz und verspürte heftige Schmerzen im rechten unteren Teil ihres harten Bauches. Rob wußte, woran sie litt, hatte aber keine Ahnung, wie er die Seitenkrankheit behandeln sollte. Das Mädchen stöhnte und konnte kaum antworten, aber er befragte sie eingehend und suchte von ihr etwas zu erfahren, das ihm weiterhelfen könnte.

Er gab ihr Abführmittel, versuchte es mit heißen Packungen und kalten Kompressen und erzählte an diesem Abend auch seiner Frau von dem Beduinenmädchen. Er ersuchte Mary, für sie zu beten.

Mary belastete der Gedanke, daß ein so junges Mädchen an der Krankheit litt, die James Geikie Cullen befallen hatte. Er erinnerte sie auch an die Tatsache, daß ihr Vater in einem Grab im Ahmads *wadi* lag, das niemand besuchte.

Am nächsten Morgen ließ Rob das Beduinenmädchen zur Ader, gab ihr Drogen und Kräuter, doch alles, was er auch versuchte, blieb erfolglos. Sie fieberte, ihre Augen wurden glasig, und sie welkte dahin wie ein vom Frost überraschtes Blatt. Am dritten Tag starb sie.

Rob überdachte die Stationen ihres kurzen Lebens gewissenhaft. Sie war gesund gewesen, bis diese Reihe von schmerzhaften Anfällen sie getötet hatte. Eine zwölfjährige Jungfrau, die erst vor kurzem ihre erste Monatsblutung gehabt hatte. Was hatte sie mit jenem kleinen Knaben und Robs in den besten Jahren stehendem Schwiegervater gemein? Ihm fiel nichts auf. Doch alle drei waren auf genau die gleiche Weise ums Leben gekommen.

Der Bruch zwischen Alā und seinem Großwesir, dem Imam Qandrasseh, wurde bei der Audienz des Schahs überdeutlich. Der Imam saß wie gewöhnlich auf dem kleineren Thron zu Alās rechter Hand, aber er wandte sich mit so kalter Höflichkeit an den Schah, daß seine Einstellung allen Anwesenden klar wurde.

An diesem Abend saß Rob bei Ibn Sina, und sie spielten das Spiel des Schahs. Es war mehr eine Lektion als ein Kampf, wie ein Spiel zwischen einem Erwachsenen und einem Kind.

»Menschen versammeln sich auf den Straßen und *maidans*, sie tuscheln miteinander«, berichtete Rob.

»Sie werden besorgt und unruhig, wenn die Priester Allahs mit dem Herrn des Hauses des Paradieses im Streit liegen, denn sie befürchten, daß dieser Streit die Welt vernichten wird.« Ibn Sina schlug mit seinem Reiter einen *rukh*. »Es wird vorbeigehen. Es geht immer vorbei, und jene, die Glück haben, überleben.«

Eine Zeitlang spielten sie schweigend, dann berichtete Rob Ibn Sina vom Tod des Beduinenmädchens. Er schilderte die Symptome und beschrieb die beiden anderen Fälle, die ihn quälten.

Ibn Sina seufzte. Aber er hatte keine Erklärung für den Tod des Mädchens, sondern wechselte das Thema, indem er Neuigkeiten vom Hof erzählte. Eine königliche Expedition sollte nach Indien geschickt werden. Diesmal handelte es sich um keinen Überfall, sondern Kaufleute hatten Vollmachten vom Schah erhalten, indischen Stahl oder das Erz zu kaufen, aus dem man ihn schmolz, denn Dhan Vangalil besaß längst keine Vorräte mehr, um die gemusterten blauen Klingen zu schmieden, die Alā so hoch schätzte.

»Er hat ihnen aufgetragen, nicht ohne eine schwerbeladene Karawane mit Erz oder hartem Stahl zurückzukommen, und wenn sie bis ans Ende der Seidenstraße ziehen müßten.«

»Was liegt am Ende der Seidenstraße?« fragte Rob.

»Chung-Kuo. Ein gewaltiges Land.«

»Und dahinter?«

Ibn Sina hob die Schultern. »Wasser. Meere.«

»Reisende haben mir erzählt, daß die Erde eine flache Scheibe und von Feuer umgeben ist, und daß man sich nur so weit vorwagen kann, daß man nicht ins Feuer fällt; das sei die Hölle.«

»Geschwafel von Reisenden«, wehrte Ibn Sina verächtlich ab. »Es ist nicht wahr. Ich habe gelesen, daß es außerhalb der bewohnten Erde nur Salz und Sand gibt wie in der Dasht-i-Kavir. Es steht auch geschrieben, daß ein großer Teil der Erde aus Eis besteht.« Er blickte Rob nachdenklich an. »Was befindet sich hinter Eurem Heimatland?«

»England ist eine Insel. Dahinter liegt ein Ozean, und dann kommt Dänemark, das Land der Nordmenschen, aus dem unser König kam. Dahinter soll ein Land aus Eis liegen.«

»Und wenn man von Persien nach Norden reist, liegt jenseits von Ghazna das Land der Reußen – und dahinter erstreckt sich ein Land aus Eis. Ja, ich glaube, es ist wahr, daß ein großer Teil der Erde mit Eis bedeckt ist«, stellte Ibn Sina fest. »Aber es gibt keine feurige Hölle an den Rändern, denn vernunftbegabte Menschen haben immer gewußt, daß die Erde rund ist wie eine Pflaume. Ihr seid doch auf dem Meer gereist! Wenn man ein entgegenkommendes Schiff in der Ferne erblickt, sieht man zuerst die Mastspitze am Horizont und dann immer mehr von dem Schiff, weil es über die gerundete Oberfläche der Erde segelt.«

Er besiegte Rob, indem er seinem König eine Falle stellte, obwohl er geistesabwesend gewirkt hatte. Dann schickte er einen Diener um *scherbett* und eine Schüssel Pistazien. »Erinnert Ihr Euch nicht an den Astronomen Ptolemaios?«

Rob lächelte; er hatte gerade so viel Astronomie studiert, um den Anforderungen der *madrassa* zu genügen. »Ein alter Grieche, der seine Schriften in Ägypten verfaßte.«

»So ist es. Er schrieb, daß die Erde rund ist. Sie hängt unter dem konkaven Firmament und ist das Zentrum des Universums. Um sie kreisen Sonne und Mond, so daß es zu Tag und Nacht kommt.«

»Diese Erdkugel, die auf ihrer Oberfläche Meer, Festland, Berge, Flüsse, Wälder, Wüsten und Eisflächen trägt – ist sie hohl oder massiv? Und wenn sie massiv ist, woraus besteht ihr Inneres?«

»Das können wir nicht wissen. Die Erde ist riesig, wie Ihr es erlebt habt, weil Ihr über ein großes Stück von ihr geritten und marschiert seid. Und wir sind nur winzige Menschen, die nicht tief genug graben können, um diese Frage zu beantworten.«

»Wenn Ihr aber imstande wäret, ins Innerste der Erde zu blicken – würdet Ihr es tun?«

»Selbstverständlich!«

»Ihr wäret aber imstande, in den menschlichen Körper zu blicken, doch Ihr tut es nicht.«

Ibn Sinas Lächeln schwand. »Die Menschheit ist halb wild und muß nach festen Regeln leben. Wenn nicht, würden wir zu unserer tierischen Natur zurückkehren und zugrunde gehen. Eines unserer Gesetze verbietet die Verstümmelung von Toten, weil sie eines Tages vom Propheten aus ihren Gräbern wiedererweckt werden.«

»Warum leiden die Menschen an Unterleibsbeschwerden?«

Ibn Sina zuckte mit den Achseln. »Öffnet den Bauch eines Schweines und studiert das Rätsel! Die Organe eines Schweines sind mit denen des Menschen identisch.«

»Seid Ihr dessen sicher, Meister?«

»Ja. So steht es seit Galens Zeiten geschrieben, dessen griechische Zeitgenossen ihm nicht erlaubten, Menschen aufzuschneiden. Die Juden und die Christen unterliegen dem gleichen Verbot. Alle Menschen teilen diesen Abscheu vor dem Sezieren.« Ibn Sina blickte ihn mit zärtlicher Besorgnis an. »Ihr habt viele Widerstände überwunden, um Medicus zu werden. Aber Ihr müßt Eure Tätigkeit innerhalb der Grenzen der religiösen Vorschriften und des allgemeinen Empfindens der Menschen ausüben. Wenn Ihr Euch nicht daran haltet, wird Euch ihre Macht vernichten.«

Als Rob nach Hause ritt, starrte er zum Himmel empor, bis die Lichtpunkte vor seinen Augen verschwammen. Von den Sternen kannte er nur den Mond und den Saturn und einen glühenden Punkt, der vielleicht der Jupiter war, denn er leuchtete gleichmäßig inmitten der funkelnden Himmelskörper.

Ihm war klar, daß Ibn Sina kein Halbgott war. Der Arzt aller Ärzte war einfach ein alternder Gelehrter, der zwischen der Medizin und dem Glauben steckte, in dem er fromm erzogen worden war. Rob liebte den alten Mann gerade auch wegen seiner menschlichen Beschränkungen, aber irgendwie hatte er das Gefühl, betrogen worden zu sein, wie ein kleiner Junge, der die Schwächen seines Vaters erkennt.

In der Jehuddijeh war er in Gedanken versunken, während er sein braunes Pferd versorgte. Mary und das Kind schliefen im Hause, er zog sich vorsichtig und leise aus, lag dann wach und dachte nach, wodurch die Unterleibskrankheit verursacht werden könnte.

Mitten in der Nacht schreckte Mary plötzlich auf. Sie lief hinaus, wo sie würgte und erbrach. Er folgte ihr. Weil er so viel an die Krankheit dachte, die ihren Vater hinweggerafft hatte, wußte er, daß das Erbrechen ein erstes Anzeichen war. Obwohl Mary abwehrte, untersuchte er sie, als sie ins Haus zurückkehrte, aber ihr Unterleib war weich, und sie hatte kein Fieber.

Endlich kehrten sie ins Bett zurück.

»Rob!« rief sie später. Und wieder: »Mein Rob!« Es war ein Schrei der Verzweiflung wie in einem Alptraum.

»Still, sonst weckst du den Kleinen«, flüsterte er. Er war überrascht, denn er hatte nicht gewußt, daß sie Alpträume hatte. Er streichelte ihren Kopf und tröstete sie, und sie zog ihn mit verzweifelter Kraft an sich.

»Ich bin doch bei dir, Mary. Ich bin doch hier, meine Liebste.« Er flüsterte ihr leise tröstende Worte ins Ohr, Zärtlichkeiten auf englisch, persisch und hebräisch, bis sie sich beruhigte.

Kurze Zeit später wurde sie wieder unruhig, aber dann berührte sie sein Gesicht, seufzte und umschlang seinen Kopf mit den Armen. Rob lag nun mit der Wange auf der weichen Brust seiner Frau, bis das süße, langsame Klopfen ihres Herzens auch ihm Ruhe brachte.

Karim

Die immer wärmer werdende Sonne ließ blaßgrüne Schößlinge aus der Erde sprießen, als der Frühling in Isfahan einzog. Es war, als hätte Rob die Hände der Erde ergriffen, um die grenzenlose, immerwährende Kraft der Natur zu fühlen. Mary war ein Beweis dieser Fruchtbarkeit. Die Anfälle von Übelkeit dauerten an und wurden schlimmer, aber diesmal brauchten sie Fara nicht, um festzustellen, daß sie schwanger war. Rob freute sich sehr, aber Mary war niedergeschlagen und wurde schneller ärgerlich als zuvor. Er verbrachte mehr Zeit denn je mit seinem Sohn.

In der gleichen Woche, in der das Kind die ersten zögernden, unsicheren Schritte machte, begann es auch zu sprechen. Es war kein Wunder, daß sein erstes Wort »Pa« war.

An einem milden Nachmittag überredete er Mary, mit ihm zum

armenischen Markt zu gehen. Rob James trug er auf dem Arm. Beim Ledergeschäft stellte er das Kind auf den Boden, so daß Rob James einige wacklige Schritte auf Prisca zu machen konnte, und die ehemalige Amme schrie entzückt auf und schloß das Kind in die Arme.

Später, während Mary *pilaw* kochte und Rob einen der Aprikosenbäume beschnitt, kamen zwei von den kleinen Töchtern Micah Halevis, des Bäckers, aus dem benachbarten Haus und spielten im Garten mit seinem Sohn. Rob freute sich über ihr kindliches Geschrei und ihre Dummheiten. Es gibt schlimmere Menschen als die Juden in der Jehuddijeh, sagte er sich, und schlimmere Orte als Isfahan.

Eines Tages traf Rob im *maristan* mit Ibn Sina zusammen. Sobald er den Arzt aller Ärzte erblickte, wußte er, daß Schlimmes geschehen war.

»Meine Despina und Karim Harun – sie sind verhaftet worden!«

»Setzt Euch, Meister, und beruhigt Euch«, sagte Rob sanft, denn Ibn Sina war erschüttert und verwirrt und sah sehr gealtert aus.

Robs schrecklichste Befürchtungen waren also wahr geworden. Er zwang sich, die notwendigen Fragen zu stellen, und war nicht überrascht, als er erfuhr, daß die beiden des Ehebruchs und der Unzucht beschuldigt wurden.

Qandrassehs Spitzel waren Karim an diesem Vormittag zu Ibn Sinas Haus gefolgt. *Mullahs* und Soldaten waren dann in den steinernen Turm eingedrungen und hatten die Liebenden entdeckt.

»Was war mit dem Eunuchen?«

Ibn Sina blickte ihn kurz an, und Rob haßte sich, weil er begriff, was er mit seiner Frage zugegeben hatte.

Aber Ibn Sina schüttelte nur den Kopf. »Wasif ist tot. Hätten sie ihn nicht mit einer List getötet, hätten sie nicht in den Turm eindringen können.«

»Wie können wir Karim und Despina helfen?«

»Nur Alā *Shahansha* kann ihnen helfen. Wir müssen ihn darum bitten.«

Zwei ganze Tage lang saßen sie im Haus des Paradieses, ohne zu Alā vorgelassen zu werden. Allmählich begriffen sie, daß der Herrscher, trotz des hohen Ranges des Arztes aller Ärzte und trotz der Tatsache, daß Karim Alās Günstling war, nicht eingreifen würde.

»Er ist bereit, Karim Qandrasseh zu opfern«, stellte Rob betrübt fest, »als spielten sie das Spiel des Schahs und als wäre Karim eine Figur, deren Verlust man verschmerzen kann.«

Als sie das Haus des Paradieses verließen, trafen sie al-Juzjani, der auf sie gewartet hatte. Der Chirurg liebte Ibn Sina mehr als jeder andere, und aus dieser Liebe heraus brachte er ihm die schlimme Nachricht: Karim und Despina waren vor ein islamisches Gericht gestellt worden. Drei Zeugen hatten ausgesagt, jeder von ihnen ein *mullah*. Zweifellos, um nicht gefoltert zu werden, hatten weder Despina noch Karim versucht, sich zu verteidigen. Der *mufti*, der den Vorsitz führte, hatte beide zum Tod am nächsten Morgen verurteilt.

»Die Frau wird geköpft. Karim wird der Bauch aufgeschlitzt.«

Sie starrten einander entsetzt an. Rob wartete darauf, daß Ibn Sina vielleicht al-Juzjani sagen würde, wie Karim und Despina noch gerettet werden könnten. Doch der alte Mann schüttelte den Kopf. »Wir können das Urteil nicht umstoßen«, erklärte er müde. »Wir können nur dafür sorgen, daß ihr Ende barmherzig ist.«

»Dann muß Verschiedenes getan werden«, sagte al-Juzjani ruhig. »Man muß Bestechungsgelder bezahlen. Und den medizinischen Gehilfen im Gefängnis des *kelonter* müssen wir durch einen Arzt ersetzen, dem wir vertrauen können.«

Trotz der warmen Frühlingsluft überlief es Rob eiskalt. »Laßt mich dieser Mann sein«, sagte er.

Nach einer schlaflosen Nacht stand er vor Sonnenaufgang auf und ritt zu Ibn Sinas Haus. Ibn Sina gab ihm eine Flasche mit Traubensaft. »Er ist mit viel Opiaten und einem Pulver aus reinen Hanfsamen, das *buing* heißt, vermischt. Es besteht aber ein gewisses Risiko: Sie müssen viel davon trinken, wenn jedoch einer so viel trinkt, daß er nicht mehr gehen kann, wenn sie abgeholt werden, sterbt Ihr mit ihnen.«

Im Gefängnis erklärte Rob der Wache, daß er der Medicus sei, und er erhielt eine Eskorte. Despina wartete in einer winzigen Zelle. Sie war ungewaschen und nicht parfümiert, und ihr Haar hing in glatten Strähnen herab. Ihr zierlicher, zarter Körper war in ein schmutziges, schwarzes Kleid gehüllt.

»Ich habe dir etwas zu trinken gebracht.«

In ihren Augen standen Tränen, aber sie wies das Getränk zurück.

»Du mußt trinken. Es wird dir helfen.«

Sie schüttelte den Kopf. Ich werde bald im Paradies sein, flehten ihn ihre angstgeweiteten Augen, um Bestätigung heischend, an. »Gib es ihm«, flüsterte sie, und Rob verabschiedete sich von ihr.

Sein Freund war blaß. »Also, Europäer.«

»Also, Karim.«

Sie umarmten einander, hielten sich fest umschlungen.

»Ist sie…?«

»Ich war bei ihr. Sie ist wohlauf.«

Karim seufzte. »Ich hatte seit Wochen nicht mehr mit ihr gesprochen. Ich wollte nur ihre Stimme hören, verstehst du? Ich war sicher, daß mir an diesem Tag niemand gefolgt war.«

Rob nickte.

Karims Lippen zitterten. Als Rob ihm die Flasche reichte, ergriff er sie und trank mit einem Zug zwei Drittel der Flüssigkeit, bevor er sie zurückgab.

»Es wird wirken. Ibn Sina hat es selbst gemischt.«

»Der alte Mann, den du verehrst. Ich habe oft davon geträumt, daß ich ihn vergifte, um sie ganz besitzen zu können.«

»Jeder Mensch hat böse Gedanken. Du hättest sie nie ausgeführt.«

Karim nickte. Rob beobachtete ihn genau, weil er befürchtete, daß Karim zuviel *buing* getrunken haben könnte. Wenn der Trank zu schnell wirkte, würde ein Gericht von *muftis* auch einen zweiten Arzt hinrichten lassen.

Karims Augen blickten müde. Er blieb wach, beschloß aber, nicht mehr zu sprechen. Rob harrte schweigend bei ihm aus, bis er endlich Schritte hörte. »Karim!«

Er blinzelte. »Ist es soweit?«

»Denk an den Gewinn des *chatir*«, erinnerte Rob ihn sanft. Die Schritte hielten an, die Tür ging auf. Es waren drei Soldaten und zwei *mullahs*. »Denk an den glücklichsten Tag deines Lebens!«

»Zaki-Omar konnte auch ein liebenswerter Mann sein«, sagte Karim. Er schenkte Rob ein leichtes, ausdrucksloses Lächeln.

Zwei Soldaten ergriffen seine Arme. Rob folgte ihm bis in den Hof, über dem die pralle Sonne brütete. Karims Knie gaben beim Gehen nach, aber ein unbeteiligter Zuschauer mußte annehmen, daß dies eine Folge der Angst war.

Etwas Schreckliches lag schon zu Füßen einer schwarzgekleideten Gestalt auf dem blutdurchtränkten Boden, aber das *buing* schlug den *mullahs* ein Schnippchen: Karim bemerkte Despina nicht.

Karims Augen waren glasig, als ihn die Soldaten vorführten. Es kam zu keinem Abschiedswort. Der Hieb des Henkers kam schnell und sicher. Seine Schwertspitze traf jedoch das Herz und führte sofort den Tod herbei, weil er bestochen worden war.

Es war Robs Aufgabe, Despina und Karim zu einem Friedhof außerhalb der Stadtmauern bringen zu lassen. Als das Begräbnis vorbei war, trank Rob den Rest des Gemisches in der Flasche aus und überließ es dem braunen Wallach, ihn nach Hause zu bringen. Als sie sich jedoch dem Hause des Paradieses näherten, zügelte er das Pferd und betrachtete den Palast. Er erschien ihm an diesem Tag besonders schön, die bunten Wimpel flatterten in der Frühlingsbrise, die Sonne blitzte auf den Standarten und Hellebarden und ließ die Waffen der Wachtposten funkeln.

Er konnte Alās Stimme hören: Wir sind vier Freunde... Wir sind vier Freunde...

Er schüttelte die Faust. »Du Unwürdiger!«

Ein Offizier kam zu den Torposten hinunter. »Wer ist das? Kennt ihr ihn?«

»Ja. Ich glaube, es ist der *hakim* Jesse, der *Dhimmi.*«

Sie beobachteten die Gestalt auf dem Pferd, sahen, wie er noch einmal die Faust schüttelte, bemerkten die Weinflasche und die losen Zügel des Wallachs.

Der Offizier wußte, daß der Jude beim Vorstoß nach Indien zurückgeblieben war, um die Wunden der Soldaten zu behandeln. »Sein Kopf ist voll vom Trinken.« Er grinste. »Aber er ist kein schlechter Kerl. Laßt ihn in Ruhe!« Sie sahen zu, wie das braune Pferd den Arzt zu den Stadttoren trug.

Die graue Stadt

Er war also das letzte überlebende Mitglied jener Abordnung aus Isfahan. Wenn er daran dachte, daß Mirdin und Karim unter der Erde lagen, war es, als trinke er ein Gebräu aus Zorn, Schmerz und Trauer. Doch so abwegig es schien, ihr Tod versüßte dennoch sein Leben wie ein liebevoller Kuß. Er genoß nun die alltäglichen Freuden des Lebens bewußter: einen tiefen Atemzug, ein ausführliches Pissen, einen gemächlichen Furz.

Und das trotz der Tatsache, daß Isfahan ein düsterer Ort geworden war. Wenn Allah und der Imam Qandrasseh sogar den heldenhaften Läufer zugrunde richten konnten, welcher Mensch würde dann noch wagen, die vom Propheten erlassenen islamischen Gebote zu brechen? Die Huren verschwanden, und auf den *maidans* gab es nachts keine Ausschweifungen mehr. *Mullahs* patrouillierten zu zweit durch die Straßen und achteten genau darauf, ob ein Schleier vielleicht das Gesicht einer Frau zuwenig verdeckte, ob sich jemand auf den Ruf des *muezzin* hin zu langsam niederwarf oder ob der Besitzer eines Erfrischungshauses so ungeschickt war, Wein zu verkaufen. Sogar in der Jehuddijeh, wo die Frauen ihre Haare ohnedies sorgfältig bedeckten, begannen viele jüdische Frauen, den schweren muselmanischen Schleier zu tragen.

Jeden Morgen kamen mehr Gläubige zu Ibn Sinas Haus und beteten mit ihm, aber sobald er seine Andacht beendet hatte, kehrte der Arzt aller Ärzte jetzt in sein Haus zurück und wurde erst wieder gesehen, wenn es Zeit zum nächsten Gebet war. Er gab sich vollkommen der Trauer und Selbstbeobachtung hin und kam nicht mehr in den *maristan,* um zu unterrichten oder Kranke zu heilen. Diejenigen, die sich von einem *Dhimmi* nicht berühren lassen wollten, wurden von al-Juzjani behandelt, aber es waren nicht viele. Rob hatte deshalb alle Hände voll zu tun, weil er sich Ibn Sinas Patienten und den seinen widmen mußte.

Eines Morgens kam ein magerer alter Mann mit stinkendem Atem und schmutzigen Füßen ins Krankenhaus. Qasim Ibn Sahdi hatte Storchenbeine mit knorrigen Knien und einen mottenzerfressenen, strähnigen weißen Bart. Er wußte nicht, wie alt er war, und hatte kein Zuhause, denn er hatte den größten Teil seines Lebens als Treiber bei der einen oder anderen Karawane zugebracht.

Er besaß keine Familie, aber Allah hielt seine Hand über ihn. »Ich kam gestern mit einer Karawane hier an, die Wolle und Datteln aus Qum brachte. Unterwegs befiel mich ein Schmerz wie ein böser *djinni.*«

»Schmerz? Wo?«

Qasim stöhnte und hielt sich die rechte Seite.

Er wurde zu einem Strohsack geführt, wo er gewaschen wurde und eine leichte Mahlzeit bekam. Es war der erste Patient mit der Seitenkrankheit, den Rob in einem Frühstadium des Leidens beobachten konnte. Vielleicht wußte Allah, wie Qasim zu heilen war, Rob jedenfalls wußte es nicht.

Er verbrachte Stunden in der Bibliothek. Schließlich fragte ihn Jussuf-al-Gamal, der Hüter des Hauses der Weisheit, höflich, was er so emsig suche.

»Das Geheimnis der Seitenkrankheit. Ich versuche Berichte von alten Ärzten zu finden, die den menschlichen Bauch geöffnet haben, bevor es verboten wurde.«

Der ehrwürdige Bibliothekar blinzelte und nickte freundlich. »Ich werde versuchen, Euch zu helfen. Laßt mich sehen, was ich finden kann«, versprach er.

Nach einigen Tagen vergingen Qasims Schmerzen, doch Rob wollte ihn nicht entlassen. »Wohin werdet Ihr von hier gehen?«

Der alte Treiber zuckte die Schultern. »Ich werde eine Karawane suchen, *Hakim*, denn dort bin ich zu Hause.«

»Nicht alle, die hierher kommen, können wieder gehen. Manche sterben, versteht Ihr.«

Qasim nickte ernst. »Alle Menschen müssen einmal sterben.«

»Wenn man die Toten wäscht und sie für das Begräbnis zurechtmacht, dient man Allah. Könntet Ihr eine solche Arbeit verrichten?«

»Ja, *Hakim*. Denn es ist Gottes Arbeit, wie Ihr sagt«, erklärte er feierlich. »Allah hat mich hierher gebracht, und vielleicht ist es Sein Wille, daß ich bleibe.«

Neben den beiden Räumen, die als Leichenhaus des *maristan* dienten, lag eine kleine Vorratskammer. Sie brachten sie in Ordnung und machten sie zu Qasim Ibn Sahdis Unterkunft.

»Ihr werdet Eure Mahlzeiten hier einnehmen, nachdem die Patienten gegessen haben, und Ihr könnt Euch in den Bädern des *maristan* waschen.«

»Ja, *Hakim*.«

Rob gab ihm eine Schlafmatte und eine Tonlampe. Der Alte rollte seinen abgenutzten Gebetsteppich auf und erklärte, daß der Raum die beste Wohnung sei, die er je gehabt habe.

Es dauerte fast zwei Wochen, bis Robs arbeitsreicher Zeitplan ihm erlaubte, Jussuf-al-Gamal im Haus der Weisheit aufzusuchen. Er brachte dem Bibliothekar als Anerkennung für die Hilfe ein Geschenk mit: einen Schilfkorb mit zarten Wüstendatteln.

Sie aßen die Früchte spät am Abend im Haus der Weisheit; die Räume waren verlassen.

»Ich bin diesmal zeitlich so weit zurückgegangen, wie es mir möglich ist, bis in die Antike. Sogar die Ägypter, deren Balsamierungskunst Ihr kennt, lehrten, daß es böse und eine Entstellung der Toten ist, den Unterleib zu öffnen.«

»Aber... wie brachten sie ihre Mumien fertig?«

»Sie waren Heuchler. Sie bezahlten verachtete Männer, die *paraschisten* hießen, für die Sünde, daß sie den verbotenen ersten Einschnitt ausführten. Sobald sie den Einschnitt gemacht hatten, flohen die *paraschisten*, damit man sie nicht steinigte. Dieses Schuldbekenntnis ermöglichte es den ehrbaren Einbalsamierern dann, die Organe aus dem Leib zu entfernen und mit der Konservierung fortzufahren.«

»Haben sie die Organe studiert, die sie entfernt haben? Haben sie Schriften über ihre Beobachtungen hinterlassen?«

»Sie haben fünftausend Jahre lang einbalsamiert, insgesamt fast eine dreiviertel Milliarde Menschen ausgeweidet, und sie haben die Eingeweide in Gefäßen aus Ton, Kalkstein oder Alabaster aufbewahrt oder sie einfach weggeworfen. Es gibt aber keinen Hinweis darauf, daß sie die Organe je studiert haben. Bei den Griechen war es anders. Es geschah übrigens ebenfalls im Niltal.« Jussuf nahm sich noch eine Dattel. »Alexander der Große stürmte neunhundert Jahre vor Mohammeds Geburt durch unser Persien wie ein schöner, jugendlicher Kriegsgott. Er eroberte die Welt, und am nordwestlichen Ende des Nildeltas, auf einem Landstrich zwischen dem Mittelmeer und dem See Mareotis, gründete er eine anmutige Stadt, der er seinen Namen verlieh. Zehn Jahre später starb er am Sumpffieber, aber Alexandria war bereits ein Zentrum der griechischen Kultur. Bei dem Zusammenbruch des hellenistischen Reiches fielen Ägypten und die neue Stadt an Ptolemaios von Mazedonien, einen der gelehrtesten Begleiter Alexanders. Ptolemaios errichtete das Museion von Alexandria, die erste Universität der Welt, und die große Bibliothek von Alexandria. Alle Wissenszweige blühten, aber die medizinische Schule zog die talentiertesten Studenten aus der ganzen Welt an. Zum ersten und einzigen Mal in der langen Geschichte der Menschheit stellte die Anatomie den Grundpfeiler der Medizin dar, und das Sezieren des menschlichen Körpers wurde in den folgenden dreihundert Jahren in großem Umfang praktiziert.«

Rob beugte sich eifrig vor. »Dann ist es möglich, aus dieser Zeit Beschreibungen jener Krankheiten nachzulesen, die die inneren Organe befallen?«

Jussuf schüttelte den Kopf. »Die Bücher ihrer herrlichen Bibliothek gingen verloren, als die Legionen Julius Caesars siebenundvierzig Jahre vor der christlichen Zeitrechnung Alexandria plünderten. Die Römer vernichteten die meisten Schriften der Ärzte von Alexandria. Celsus sammelte die kümmerlichen Reste und nahm sie in ›De medicina‹ auf, um sie zu erhalten, aber er erwähnt nur kurz ein ›akutes Leiden im Bereich des Dickdarms, das hauptsächlich in jenem Teil auftritt, in dem sich der Blinddarm befindet, und von einer hitzigen Entzündung und heftigen Schmerzen, besonders auf der rechten Seite, begleitet wird.‹«

Rob brummte enttäuscht. »Ich kenne das Zitat. Ibn Sina erwähnt es, wenn er unterrichtet.«

Jussuf hob die Schultern. »So seid Ihr nun trotz meines angestrengten Stöberns in der Vergangenheit genau dort, wo Ihr wart, als ich anfing.«

Rob nickte düster. »Warum, meint Ihr, begann der einzige kurze Abschnitt in der Geschichte, in dem Ärzte Menschen öffnen durften, ausgerechnet mit den Griechen?«

»Sie hatten nicht den einen starken Gott, der ihnen untersagte, das Werk seiner Schöpfung zu entweihen. Statt dessen glaubten sie an diese vielen unzüchtigen, schwachen, sich zankenden Götter und Göttinnen.« Der Bibliothekar spuckte einen Mundvoll Dattelkerne in seine hohle Hand und lächelte freundlich. »Sie konnten sezieren, weil sie schließlich nur Barbaren waren, *Hakim*.«

Zwei Ankömmlinge

Marys Schwangerschaft war so weit fortgeschritten, daß sie nicht mehr reiten konnte, daher ging sie zu Fuß, um die notwendigen Nahrungsmittel für ihre Familie einzukaufen. Dabei führte sie den Esel, der die Waren und Rob James trug. Der Kleine ritt in einem Gurt auf dem Rücken des Tieres. Wie gewöhnlich, wenn sie zum armenischen Markt ging, machte sie vor dem Ledergeschäft halt, um mit Prisca ein *scherbett* und heißes Fladenbrot zu sich zu nehmen.

Prisca freute sich immer, ihre frühere Herrin und das Kind zu sehen, das sie gestillt hatte, heute aber war sie besonders redselig. Mary hatte zwar versucht, Persisch zu lernen, aber sie verstand nur wenige Worte: »Fremder... von weit her... genau wie der *hakim*... wie Ihr.«

Am Abend ärgerte sich Mary, als sie ihrem Mann von dem Vorfall berichten wollte. Er wußte bereits, was Prisca versucht hatte ihr zu erzählen, denn die Neuigkeit hatte sich bis zum *maristan* herumgesprochen. »Ein Europäer ist in Isfahan eingetroffen.«

»Aus welchem Land?«

»Aus England. Ein Kaufmann.«

»Ein Engländer?« Sie starrte ihn verblüfft an. »Warum bist du nicht sofort zu ihm gegangen?«

»Mary...«

»Aber das mußt du tun! Weißt du, wo er wohnt?«

»Im armenischen Viertel, deshalb wußte Prisca auch von ihm. Angeblich wollte er zunächst nur bei Christen wohnen«, Rob lächelte, »als er aber sah, in welch elenden Hütten die wenigen armenischen Christen hausen, hat er rasch von einem Moslem ein schöneres Haus gemietet.«

»Du mußt ihm eine Botschaft senden! Lade ihn ein, zum Abendessen zu uns zu kommen!«

»Ich weiß nicht einmal, wie er heißt.«

»Was macht das schon aus! Miete einen Boten. Jeder im armenischen Viertel wird ihm sagen können, wo der Fremde wohnt. Rob! Wir werden Neuigkeiten erfahren!«

Der gefährliche Kontakt mit einem englischen Christen war das letzte, was Rob sich gegenwärtig wünschte. Aber er wußte, daß er Mary die Gelegenheit, von Ländern zu hören, die ihrem Herzen näher standen als Persien, bieten mußte. Deshalb setzte er sich hin und schrieb an den Engländer.

»Mein Name ist Bostock. Charles Bostock.«

Rob erinnerte sich sofort. Nachdem er als Lehrling des Baderchirurgen zum erstenmal nach London zurückgekehrt war, waren der Bader und er zwei Tage lang in Begleitung von Bostocks Packpferden geritten, die mit Salz aus den Bergwerken von Arundel beladen waren. Im Lager hatten sie jongliert, und der Kaufmann hatte Rob zwei Pence geschenkt, die er ausgeben sollte, wenn sie nach London kämen.

»Jesse ben Benjamin. Arzt in diesem Ort.«

»Eure Einladung war englisch geschrieben. Und Ihr sprecht meine Sprache.«

Rob konnte nur die Antwort geben, die er sich für Isfahan ausgedacht hatte: »Ich bin in Leeds aufgewachsen.« Er war eher belustigt als besorgt. Vierzehn Jahre waren vergangen. Der Welpe von damals hatte sich zu einem merkwürdigen Hund ausgewachsen, und es war kaum zu erwarten, daß Bostock einen Zusammenhang zwischen dem jonglierenden Baderjungen und dem ungewöhnlich großen jüdischen Medicus herstellen würde, der ihn in sein persisches Heim eingeladen hatte.

»Und das ist meine Frau Mary, eine Schottin aus dem nördlichen Landesteil.«

»Mistress.«

Marys bestes blaues Kleid paßte nicht mehr wegen ihres dicken Bauchs, und so trug sie ein loses schwarzes Gewand. Aber ihr frisch gewaschenes rotes Haar glänzte prachtvoll. Sie trug ein gesticktes Stirnband, daran ihr einziges Schmuckstück, eine kleine Häkelarbeit aus Staubperlen, die zwischen ihren Brauen hing.

Bostock hatte noch sein langes, mit Bändern zurückgehaltenes Haar, das aber jetzt mehr grau als blond war. Das schöne, rotbestickte Samtgewand, das er trug, war zu warm für das Klima und zu kostbar für den Anlaß. Rob hatte noch nie so scharf abschätzende Augen erlebt, die so sichtlich den Wert jedes Tieres, des Hauses, ihrer Kleidung, jedes einzelnen Möbelstückes taxierten und mit einer Mischung aus Neugierde und Widerwillen den dunkelhäutigen, bärtigen

Juden, die keltische, rothaarige, hochschwangere Frau und das schlafende Kind musterten, das ein weiterer Beweis für die verwerfliche Verbindung dieses seltsamen Paares war.

Trotz seiner unverhohlenen Ablehnung sehnte sich der Besucher ebenso danach, englische Worte zu hören, wie sie, und bald waren die drei in ein Gespräch vertieft, bei dem Rob und Mary nicht umhinkonnten, Fragen zu stellen.

»Habt Ihr Nachrichten über Schottland?«

»Waren die Zeiten gut oder schlecht, als Ihr London verlassen habt?«

»Herrschte dort Frieden?«

»War Knut noch König?«

Bostock war genötigt, sich sein Abendessen sozusagen zu verdienen, obwohl seine letzten Neuigkeiten fast zwei Jahre alt waren. Er wußte nichts über das Land der Schotten, kaum etwas über den Norden Englands. Die Verhältnisse waren günstig geblieben, und London wuchs rasch. Jedes Jahr wurden neue Häuser gebaut, und es gab mehr Schiffe, als die Hafenanlagen an der Themse aufnehmen konnten. Zwei Monate vor Bostocks Abreise aus England war König Knut eines natürlichen Todes gestorben, und als der Kaufmann in Calais gelandet war, hatte er vom Tod Roberts I., des Herzogs der Normandie, gehört.

»Jetzt herrschen Bastarde auf beiden Seiten des Kanals. In der Normandie ist Roberts unehelicher Sohn Wilhelm mit Hilfe von Freunden und Verwandten seines Vaters Herzog der Normandie geworden, obwohl er noch ein Knabe ist. In England hätte die Nachfolge rechtmäßig Harthacnut gehört, dem Sohn Knuts und der Königin Emma, aber Harthacnut hat seit Jahren in Dänemark ein Leben fern von Britannien geführt, und so wurde der Thron von seinem jüngeren Halbbruder Harold Harefoot usurpiert. Knut hatte ihn als seinen unehelichen Sohn von einer wenig bekannten Frau aus Northampton namens Aelfgifu anerkannt, jetzt ist er König von England.«

»Wo sind Edward und Alfred, die beiden Prinzen, die Emma König Aethelred vor ihrer Heirat mit König Knut geboren hat?«

»Sie leben unter dem Schutz von Herzog Wilhelm in der Normandie, und man kann annehmen, daß sie mit großer Anteilnahme über den Kanal blicken«, berichtete Bostock.

So ausgehungert die in der Fremde Lebenden auch nach Einzelheiten aus ihrer Heimat waren, der Duft von Marys Abendessen hatte allen dreien Appetit auf die Mahlzeit gemacht, und der Blick des Kaufmanns wurde etwas freundlicher, als er sah, was ihm zu Ehren gekocht worden war.

Ein Paar Fasane, gut eingefettet und häufig begossen, auf persische Art mit Reis und Trauben gefüllt, langsam und lange im Topf gegart. Nicht zu vergessen ein Schlauch mit gutem, rosigem Wein, den sie teuer und unter Gefahren gekauft hatten. Mary war mit Rob auf den jüdischen Markt gegangen, wo Hinda zuerst heftig abstritt, daß sie Wein verkaufe, und sich ängstlich umsah, ob jemand mitgehört habe. Nach vielem Betteln und Bezahlen des dreifachen Preises hatte sie aus einem Getreidesack einen Schlauch ausgegraben, den Mary, vor den Blicken der *mullahs* im Gurt neben ihrem schlafenden Kleinen verborgen, heimbrachte.

Bostock aß mit Genuß und erklärte nach einem kräftigen Rülpser, daß er in wenigen Tagen nach Europa abreisen werde.

»Ich war froh, als ich endlich Persien erreicht hatte, wo ich Teppiche und schöne Wirkwaren gekauft habe. Aber ich werde nicht mehr hierher zurückkommen, denn es läßt sich wenig daran verdienen. Ich muß eine kleine Armee bezahlen, um die Waren sicher nach England zu bringen.«

Bostock erzählte auch, daß er von England zuerst nach Rom gereist war. »Ich habe die Geschäfte mit der Überbringung einer Botschaft von Aethelnoth, dem Erzbischof von Canterbury, verbunden. Im Lateran-Palast versprach mir Papst Benedikt IX. reiche Belohnung für *expeditiones in terra et mari,* und er befahl mir im Namen Jesu Christi, meine Geschäftsreise über Konstantinopel zu nehmen, um dort dem Patriarchen Alexios Briefe des Papstes zu überreichen.«

»Ein päpstlicher Legat!« rief Mary.

Mehr ein Kurier als ein Legat, vermutete Rob geringschätzig, obwohl sich Bostock offensichtlich über Marys ehrfürchtiges Staunen freute.

»Sechshundert Jahre lang hat die Ostkirche mit der westlichen Kirche in Fehde gelegen«, dozierte der Kaufmann wichtigtuerisch. »In Konstantinopel wird Alexios zum Ärgernis der Heiligen Kurie als dem Papst gleichgestellt angesehen. Die verdammten bärtigen Priester des Patriarchen heiraten, und sie beten weder zu Jesus und Maria, noch zeigen sie hinreichende Ehrfurcht vor der Heiligen Dreifaltigkeit. Deshalb bekommen sie immer wieder Beschwerdebriefe aus Rom.«

Der Krug war leer, und Rob trug ihn ins benachbarte Zimmer, um ihn aus dem Weinschlauch nachzufüllen.

»Seid Ihr Christin?«

»Ja.«

»Wie seid Ihr dann Sklavin dieses Juden geworden? Wurdet Ihr von Seeräubern oder Moslems gefangengenommen und an ihn verkauft?«

»Ich bin seine Frau«, sagte sie klar und deutlich.

Im Nebenzimmer hörte Rob erbittert zu. Der Engländer verachtete ihn so, daß er nicht einmal den Versuch unternahm, leiser zu sprechen.

»Ich könnte Euch und das Kind in meiner Karawane unterbringen. Ihr könntet eine Sänfte und Träger bekommen, bis Ihr nach der Entbindung wieder auf einem Pferd sitzen könnt.«

»Es kommt nicht in Frage, Master Bostock. Ich gehöre mit Freuden und vollem Einverständnis meinem Mann an«, lehnte Mary das Angebot ab, dankte ihm aber kühl dafür.

Rob Jeremy Cole hätte Bostock am liebsten zusammengeschlagen, aber als Jesse ben Benjamin befleißigte er sich orientalischer Gastfreundschaft und schenkte seinem Besucher Wein ein, statt ihn zu erwürgen. Dennoch verlief das weitere Gespräch kühl und knapp. Der englische Kaufmann verabschiedete sich, bald nachdem er gegessen hatte, und Rob und Mary blieben allein zurück.

Jeder war mit seinen Gedanken beschäftigt, während sie die Reste der Mahlzeit wegräumten.

Schließlich meinte sie: »Werden wir jemals in die Heimat zurückkehren?«

Er war erstaunt. »Selbstverständlich.«

»War Bostock nicht meine einzige Chance?«

»Das schwöre ich.«

Ihre Augen glänzten. »Er tut recht daran, eine Armee zum Schutz anzuheuern. Die Reise ist so gefährlich… Wie sollten zwei Kinder wohlbehalten so weit reisen?«

Er nahm sie vorsichtig in die Arme. »Nach unserer Ankunft in Konstantinopel werden wir Christen sein und uns einer starken Karawane anschließen.«

»Und von hier bis Konstantinopel?«

»Da habe ich auf der Reise etwas Wunderbares kennengelernt. Von Isfahan bis Konstantinopel werde ich Jesse ben Benjamin bleiben. Und wir werden von einem jüdischen Dorf nach dem anderen aufgenommen werden. Man wird uns verköstigen, beschützen und uns den Weg zeigen wie einem Mann, der einen gefährlichen Strom überquert, indem er von einem sicheren Stein auf den anderen tritt.« Er berührte ihr Gesicht, dann legte er ihr die Hand auf den großen, warmen Bauch und spürte, wie sich das Ungeborene bewegte. Es erfüllte ihn mit Dankbarkeit und Milde. Ja, so wird es sich abspielen, sagte er sich. Aber er konnte ihr nicht sagen, wann das sein würde.

Er hatte sich daran gewöhnt, im Schlaf seinen Körper an ihren großen, festen Bauch zu drücken, doch eines Nachts wachte er auf, weil er außer der Wärme auch Nässe spürte, und als er ganz zu sich gekommen war, fuhr er rasch in die Kleider, um die Hebamme Nitka zu holen. Obwohl sie daran gewöhnt war, daß Leute während der Nachtruhe an ihre Türe hämmerten, tauchte sie verärgert und mürrisch auf und befahl ihm, ruhig und geduldig zu sein.
»Ihr Wasser ist abgegangen.«
»Schon gut, das ist in Ordnung«, brummte sie.
Bald danach bildeten sie eine kleine Karawane, die durch die nachtdunkle Straße zog. Rob beleuchtete den Weg mit einer Fackel, Nitka folgte mit einem großen Sack voll gewaschener Lappen, dahinter kamen ihre beiden kräftigen Söhne, die unter dem Gewicht des Geburtsstuhls brummten und keuchten.
Chofni und Shemuel stellten den Stuhl neben den Kamin, und Nitka forderte Rob auf, ein Feuer zu entfachen, denn die Nachtluft war kühl. Mary bestieg den Stuhl wie eine nackte Königin den Thron. Als die Söhne fortgingen, nahmen sie Rob James mit, um auf ihn achtzugeben, während seine Mutter in den Wehen lag. In der Jehuddijeh halfen in solchen Fällen die Nachbarn einander, auch wenn es sich um eine Nichtjüdin handelte.
Mary. verlor ihre königliche Haltung bei der ersten Wehe, und der kurrende, knirschende Schrei, der sich ihr entrang, erschreckte Rob. Der Stuhl war solide gebaut, so daß er Stößen und Schlägen standhielt, und Nitka befaßte sich mit dem Falten und Stapeln ihrer Lappen, ohne unruhig zu werden, während Mary sich an den seitlichen Lehnen des Stuhls festhielt und schluchzte.
Ihre Beine zitterten die ganze Zeit über, aber während der schreckli-

chen Wehen bebten und zuckten sie. Nach der dritten Wehe stand Rob hinter ihr und zog ihre Schultern an die Rücklehne des Stuhles. Mary entblößte ihre Zähne und knurrte wie ein Wolf; er wäre nicht überrascht gewesen, wenn sie aufgeheult oder ihn gebissen hätte.

Er hatte Männern Gliedmaßen abgeschnitten und sich an alle möglichen widerlichen Krankheiten gewöhnt, aber er spürte, wie er blaß wurde. Die Hebamme blickte ihn scharf an, nahm eine Fleischpartie auf seinem Arm zwischen ihre kräftigen Finger und kniff ihn. Der Schmerz belebte ihn wieder, und er brachte keine Schande über sich.

»Raus«, befahl Nitka. »Raus, raus!«

Er ging also in den Garten, blieb im Dunkeln stehen und lauschte den Geräuschen, die aus dem Haus drangen. Es war kühl und still; er dachte kurz an Vipern, die aus der Steinmauer krochen, und beschloß, sich nicht darum zu kümmern, aber schließlich fiel ihm ein, daß er sich um das Feuer kümmern mußte, also ging er wieder hinein, um nachzulegen.

Als er Mary ansah, waren ihre Knie weit gespreizt.

»Jetzt werdet Ihr pressen«, befahl Nitka streng. »Arbeitet, meine Liebe. Arbeitet!«

Wie versteinert sah Rob den Scheitel des Neugeborenen zwischen den Schenkeln seiner Frau hervorkommen. Es erinnerte an den Kopf eines Mönchs mit einer nassen, roten Tonsur, und Rob flüchtete wieder in den Garten. Er blieb lange draußen, bis er ein dünnes Wimmern hörte, da kehrte er ins Zimmer zurück und sah das Kind.

»Wieder ein Junge«, verkündete Nitka fröhlich, während sie mit der Spitze ihres kleinen Fingers Schleimreste aus dem winzigen Mund entfernte. Die dicke, schleimige Nabelschnur sah im diesigen Licht des Morgengrauens blau aus.

»Es war viel leichter als das erste Mal«, meinte Mary.

Nitka reinigte und tröstete sie und übergab Rob die Nachgeburt, um sie im Garten zu vergraben. Dann nahm die Hebamme die großzügige Bezahlung mit einem zufriedenen Nicken entgegen und ging nach Hause.

Als sie in ihrem Schlafzimmer allein waren, umarmten sie einander, dann verlangte Mary Wasser und taufte das Kind auf den Namen Thomas Scott Cole.

Rob hob ihn hoch und untersuchte ihn: Er war ein wenig kleiner, als sein Bruder es gewesen war, aber kein Zwerg. Ein kräftiger, gesunder Knabe mit runden, braunen Augen und einem dunklen Haarbüschel, das schon einen Schimmer vom roten Haar seiner Mutter aufwies. Rob kam aber zu dem Schluß, daß das Neugeborene durch die Augen und die Kopfform, durch den großen Mund und die langen, schmalen Finger viel Ähnlichkeit mit seinen Brüdern William Stewart und Jonathan Carter zeige. Es sei immer leicht, sagte er zu Mary, einen kleinen Cole zu erkennen.

Die Diagnose

Qasim Ibn Sahdi war seit zwei Monaten Totenwäscher, als der Schmerz in seinem Unterleib wieder auflebte.

»Wie ist er?« fragte ihn Rob.

»Er ist schlimm, *Hakim.*«

»Ist es ein dumpfer oder stechender Schmerz?«

»Er ist, als würde ein *djinni* in mir an den Eingeweiden reißen, drehen und zerren.«

Er hatte kein Fieber wie beim ersten Anfall, der ihn zum *maristan* geführt hatte, und sein Unterleib war diesmal auch nicht hart. Rob verordnete die häufige Einnahme eines Aufgusses aus Honig und Wein, den Qasim eifrig trank, denn er war ein Trinker, und die erzwungene religiöse Abstinenz hatte er immer als schmerzlich empfunden.

Qasim verbrachte mehrere angenehme Wochen in leicht berauschtem Zustand, während denen er untätig im Krankenhaus herumging und Ansichten und Meinungen austauschte. Die letzte Neuigkeit war, daß Imam Qandrasseh trotz seines offensichtlichen politischen und taktischen Sieges über den Schah die Stadt verlassen habe.

Es hieß, daß Qandrasseh zu den Seldschuken geflüchtet sei und mit einer Invasionsarmee zurückkehren werde, um Alä abzusetzen und einen streng islamischen Eiferer – vielleicht sich selbst? – auf den persischen Thron zu setzen.

Der Schah lebte im Haus des Paradieses wie in einem Versteck. Er hielt keine Audienzen ab, und seit Karims Hinrichtung hatte Rob nichts mehr von ihm gehört. Rob wurde weder zu einer Lustbarkeit noch zur Jagd, noch zum Spiel oder zu Empfängen bei Hof eingeladen. Und wenn im Hause des Paradieses einmal anstelle des unpäßlichen Ibn Sina ein anderer Arzt gebraucht wurde, ließ man al-Juzjani kommen, aber niemals Rob.

Doch hatte der Schah ein Geschenk für den neuen Sohn geschickt. Es traf nach der hebräischen Namensgebung des Knaben ein. Diesmal wußte Rob Bescheid und lud die Nachbarn von sich aus ein. Das Kleine bekam in Wein getauchtes Brot, damit sein Schmerzgeschrei aufhörte, und auf hebräisch wurde erklärt, daß er Tam, Sohn des Jesse, sei.

Alä hatte kein Geschenk gesandt, als der kleine Rob James geboren wurde, doch nun schickte er einen schönen kleinen Teppich, hellblaue Wolle mit glänzenden Seidenfäden in der gleichen Farbe und mit dem Wappen der königlichen Samaniden-Familie in dunklerem Blau verziert.

Rob wurde in eine Prüfungskommission berufen. Er wußte, daß er Ibn Sina vertreten sollte, und er schämte sich, weil ihn jemand für anmaßend halten konnte, wenn er den Platz des Arztes aller Ärzte einnahm.

Aber er konnte nichts daran ändern, also tat er sein Bestes. Er bereitete sich für die Kommission vor, als wäre er ein Prüfling und kein Prüfer. Er stellte durchdachte Fragen, die nicht darauf abzielten, den Kandidaten in Verlegenheit, sondern sein Wissen zum Vorschein zu bringen, und er hörte sich die Antworten aufmerksam an. Die Kommission prüfte vier Kandidaten, drei von ihnen ernannte sie zu Ärzten. Der vierte war ein unangenehmer Fall. Gabri Beidhawi war seit fünf Jahren Medizinstudent. Er hatte schon zwei Prüfungen nicht bestanden, aber sein Vater war ein reicher, mächtiger Mann.

Rob hatte zusammen mit Beidhawi studiert und wußte, daß er ein fauler Taugenichts war, der die Kranken nachlässig und gleichgültig behandelte. Auch auf die dritte Prüfung hatte er sich schlecht vorbereitet.

Rob wußte, wie sich Ibn Sina verhalten hätte. »Ich lehne den Kandidaten ab«, erklärte er entschieden und mit wenig Bedauern. Die anderen Prüfer stimmten ihm hastig zu, und die Sitzung wurde geschlossen.

Einige Tage nach der Prüfung kam Ibn Sina wieder in den *maristan*.

»Willkommen im Krankenhaus, Meister!« rief Rob erfreut.

Ibn Sina schüttelte den Kopf. »Ich komme nicht zurück.« Er wirkte müde und abgespannt und eröffnete Rob, daß er zu einer Untersuchung gekommen sei, die al-Juzjani und er durchführen sollten.

Sie saßen im Untersuchungsraum mit ihm beisammen und stellten seine Krankengeschichte zusammen, wie er es sie gelehrt hatte. Er war daheim gewesen und hatte gehofft, seine Pflichten bald wieder aufnehmen zu können. Aber er hatte sich von dem doppelten Verlust, dem Abschied von Reza und dann von Despina, nicht erholt. Er sah immer schlechter aus und fühlte sich immer schlechter. Er war matt und schwach und kaum noch imstande, die einfachsten Aufgaben durchzuführen. Zuerst hatte er seine Symptome einer akuten Melancholie zugeschrieben. »Wir wissen ja alle genau, daß der Geist dem Körper schrecklichen, seltsamen Schaden zufügen kann.«

Aber in letzter Zeit hatte sich sein Darm explosionsartig entleert, und der Stuhl war mit Schleim, Eiter und Blut vermengt. Das war der Grund, weshalb er diese ärztliche Untersuchung verlangte.

Die beiden gingen so gründlich vor, als hätten sie nie wieder Gelegenheit, einen Menschen zu untersuchen. Sie übersahen nichts, und Ibn Sina ließ sie mit unendlicher Geduld drücken, klopfen, horchen und fragen.

Als sie fertig waren, sah al-Juzjani blaß aus, sein Gesicht aber verriet Zuversicht. »Es ist der blutige Ausfluß, Meister, verursacht durch die Belastungen Eures Gemüts.«

Robs Intuition wies dagegen in eine andere Richtung. Er sah seinen geliebten Lehrer an. »Ich glaube, es ist *schirri* im Frühstadium.«

Ibn Sina blinzelte. »Darmkrebs?« fragte er so ruhig, als spräche er zu einem Patienten, den er noch nie gesehen hatte.

Rob nickte und versuchte, nicht an die langandauernden Qualen dieser Krankheit zu denken.

Al-Juzjani war rot vor Erregung, weil sein Urteil verworfen wurde, aber Ibn Sina beruhigte ihn. Deshalb hat er uns beide zugezogen, erkannte Rob, er hat gewußt, daß al-Juzjani vor lauter Liebe nicht imstande sein würde, die verhaßte Wahrheit zu erkennen.

Robs Beine gaben nach. Er nahm Ibn Sinas Hände in die seinen, und sie blickten einander lange an. »Ihr seid noch stark, Meister. Ihr müßt Eure Gedärme offenhalten, um sie vor einer Stauung der schwarzen Galle zu schützen, die das Krebswachstum fördert.«

Der Arzt aller Ärzte nickte.

»Ich bete, daß meine Diagnose falsch ist«, fügte Rob hinzu.

Ibn Sina schenkte ihm ein sanftes Lächeln. »Beten kann nie schaden.«

Rob sagte, er würde ihn gern bald besuchen und einen Abend beim Spiel des Schahs mit ihm verbringen, worauf der alte Mann erklärte, Jesse ben Benjamin sei in seinem Haus immer willkommen.

Grüne Melonen

An einem trockenen, staubigen Tag gegen Ende des Sommers tauchte aus dem Dunst im Nordosten eine Karawane von hundertsechzehn Kamelen auf. Ein Mann namens Khendi, der oberste Treiber der Karawane, wurde in den Palast gerufen, um dem Schah persönlich die Einzelheiten seiner Nachrichten vorzutragen.

Vor mehreren Monaten war Mahmud, der Sultan von Ghazna, schwer erkrankt. Er hatte Fieber und so viel Eiter in der Brust, daß sich eine breite, weiche Schwellung auf seinem Rücken bildete. Sein Arzt hatte entschieden, daß der Eiter aus dieser Geschwulst abgezogen werden müsse, wenn Mahmud am Leben bleiben wolle.

Die anwesenden Höflinge stellten Khendi eine Menge Fragen.

»Euer Gnaden, ich bin Anführer der Treiber und kein *hakim!*« rief er verzweifelt. »Ich kann keine dieser Fragen beantworten. Ich weiß nur eines.«

»Und zwar?«

»Drei Tage nachdem sie ihn aufgeschnitten hatten, war der Sultan von Ghazna tot.«

Alā und Mahmud waren zwei junge Löwen gewesen. Beide waren früh als Nachfolger eines starken Vaters auf den Thron gekommen, und einer hatte den anderen im Auge behalten, denn sie wußten, daß sie eines Tages aneinandergeraten würden und daß Ghazna Persien oder Persien Ghazna verschlingen würde.

Doch dazu war es nie gekommen. Sie hatten einander vorsichtig umkreist, und gelegentlich hatten ihre Streitkräfte kleine Geplänkel ausgetragen, aber jeder hatte gewartet, weil er spürte, daß die Zeit für einen richtigen Krieg noch nicht gekommen war. Doch der Schah hatte oft von Mahmud geträumt. Immer war es der gleiche Traum, bei dem ihre Armeen zusammengezogen und kampfbegierig warteten und Alā allein auf Mahmuds wilde afghanische Stämme zuritt, um dem Sultan die Aufforderung zum Einzelkampf zuzurufen, so wie Ardashir einst Ardewan herausgefordert hatte, damit der Überlebende als wahrer, erwiesener König der Könige regieren konnte.

Nun hatte Allah eingegriffen, und der *Shahansha* würde Mahmud nie im Kampf gegenüberstehen. In den vier Tagen nach der Ankunft der Kamelkarawane kehrten drei erfahrene und verläßliche Spione einzeln nach Isfahan zurück. Sie verbrachten einige Zeit im Hause des Paradieses, und aus ihren Berichten gewann der Schah allmählich ein klares Bild über die Vorgänge in der Hauptstadt von Ghazna.

Unmittelbar nach dem Tod des Sultans hatte Mahmuds Sohn Muhammad versucht, den Thron zu besteigen, war aber von seinem Bruder Abu Said Masūd daran gehindert worden, einem jungen Krieger, hinter dem das gesamte Heer stand. Innerhalb von Stunden war Muhammad ein gefesselter Gefangener, und Masūd war zum Sultan erklärt worden. Mahmuds Begräbnis wurde zu einem barbarischen Ereignis: teils ein grimmiger Abschied und teils eine wilde Feier. Als es zu Ende war, hatte Masūd seine Stammeshäuptlinge zusammengerufen und erklärt, daß er tun würde, was sein Vater nie getan hatte: Das Heer erfuhr, daß es schon in wenigen Tagen gegen Isfahan marschieren würde.

Das war eine Nachricht, die Alā endlich veranlaßte, das Haus des Paradieses zu verlassen.

Die geplante Invasion war ihm aus zwei Gründen nicht unwillkommen. Masūd war ungestüm und unerfahren, und Alā freute sich auf die Gelegenheit, seine Feldherrnkunst gegen die dieses unreifen Bürschchens auszuspielen.

Er hielt militärische Besprechungen ab, die zu kleinen Feiern wurden, mit Wein und Frauen, die zur richtigen Zeit erschienen, wie in alten Zeiten. Alā und seine Befehlshaber brüteten über ihren Karten und sahen, daß es von Ghazna nur eine Route nach Isfahan gab, die für eine große Streitmacht geeignet war. Masūd mußte die Lehmhügel und Vorberge nördlich der Dasht-i-Kavir überqueren und die große Wüste umgehen, bis sein Heer sich tief in Hamadhān befand. Von dort würden sie sich nach Süden wenden.

Alā beschloß, daß sein Heer nach Hamadhān marschieren und sich ihnen dort stellen sollte, bevor sie sich auf Isfahan stürzen konnten.

Die Vorbereitungen des Feldzugs Alās waren der einzige Gesprächsstoff, dem man nicht einmal im *maristan* entgehen konnte, obwohl Rob es versuchte. Er dachte nicht an den bevorstehenden Krieg, weil er nicht an ihm teilnehmen wollte. Seine Schuld Alā gegenüber, so beträchtlich sie auch gewesen sein mochte, war bezahlt. Der Einsatz in Indien hatte ihn davon überzeugt, daß er nie wieder Soldat spielen wollte. Er machte sich also Sorgen und wartete auf eine königliche Aufforderung, die nicht kam.

Inzwischen arbeitete er schwer. Qasims Unterleibsschmerzen waren wieder verschwunden; zur Freude des ehemaligen Treibers verschrieb ihm Rob weiterhin eine tägliche Portion Wein, schickte ihn aber zu seinen Pflichten im Leichenhaus zurück. Rob sah sich mit mehr Patienten denn je konfrontiert, denn al-Juzjani hatte viele Aufgaben des Arztes aller Ärzte übernommen und einen Teil seiner Patienten Rob überantwortet.

Rob erfuhr zu seiner Verwunderung, daß Ibn Sina sich freiwillig als Leiter des Ärztekontingents gemeldet hatte, das Alās Heer Richtung Norden begleiten sollte. Al-Juzjani, der seinen Groll überwunden hatte oder zumindest verbarg, berichtete es ihm.

»Ein Frevel, eine solche Persönlichkeit in den Krieg zu schicken!«

Al-Juzjani zuckte mit den Achseln. »Der Meister möchte noch einen letzten Feldzug mitmachen.«

»Er ist alt und wird ihn nicht überleben.«

»Er hat schon immer alt ausgesehen, ist aber noch nicht einmal sechzig.« Al-Juzjani seufzte bekümmert. »Er hofft wahrscheinlich, daß ihn ein Pfeil oder Speer treffen wird. Es wäre keine Tragödie, einen rascheren Tod zu erleiden als den, mit dem er zu rechnen hat.«

Ibn Sina verlautbarte bald, daß er eine Gruppe von elf Chirurgen ausgewählt habe, die mit ihm die persische Armee begleiten würden. Nun erhielt al-Juzjani den Titel Arzt aller Ärzte verliehen. Es war eine grausame Beförderung, weil sie der Ärzteschaft klarmachte, daß Ibn Sina nicht mehr ihr Leiter war.

Zu Robs Überraschung und Bestürzung übertrug man ihm einige der Pflichten, die al-Juzjani von Ibn Sina übernommen hatte, obwohl es erfahrenere Ärzte gab, die al-Juzjani hätte dazu bestimmen können. Auch waren fünf von den zwölf Ärzten, die zum Heer gingen, Lehrer, und man erwartete nun von ihm, daß er öfter eine Vorlesung hielt und unterrichtete, wenn er seine Patienten im *maristan* besuchte. Außerdem wurde er zum ständigen Mitglied der Prüfungskommission ernannt und ersucht, im Komitee mitzuwirken, das die Zusammenarbeit zwischen Krankenhaus und Schule überwachte. Die erste Zusammenkunft des Komitees, bei der er anwesend war, fand in dem prächtigen Haus von Rotun ben Nasr, dem Leiter der Schule, statt. Es war eine ehrenamtliche Tätigkeit, und Rotun gab sich nicht die Mühe, der Versammlung beizuwohnen, aber er hatte sein Haus zur Verfügung gestellt und angeordnet, daß den teilnehmenden Ärzten eine ausgezeichnete Mahlzeit aufgetischt wurde.

Der erste Gang bestand aus Schnitten von großen Melonen mit grünem Fleisch, das von besonderem Geschmack und zarter Süße war. Rob hatte solche Melonen nur einmal zuvor gegessen und wollte eine Bemerkung darüber machen, als sein ehemaliger Lehrer Jalal-al-Din grinsend meinte: »Wir können der neuen Frau Rotun ben Nasrs für die köstlichen Früchte danken.«

Rob verstand nichts.

Der Knocheneinrichter zwinkerte. »Rotun ben Nasr ist General und ein Vetter des Schahs, wie Ihr vielleicht wißt. Alā war vorige Woche hier zu Besuch, um den Feldzug zu planen, und dabei hat er zweifellos die jüngste Frau des Hauses kennengelernt. Sobald der königliche Samen versenkt ist, folgen immer als Geschenk Alās besondere Melonen. Und wenn der Samen einen männlichen Sproß treibt, dann gibt es als fürstliches Geschenk einen Teppich mit dem Samaniden-Wappen.«

Es war Rob nicht mehr möglich, bei der Mahlzeit sitzen zu bleiben, sondern er gab vor, daß er sich nicht wohl fühle, und verließ die Versammlung. Tief erschüttert ritt er geradewegs zu seinem Haus in der Jehuddijeh. Rob James spielte draußen im Garten mit seiner Mutter. Der Säugling lag in der Wiege, und Rob hob Tam hoch, um ihn zu betrachten.

Ein kleines Neugeborenes, dasselbe Kind, das er geliebt hatte, als er an diesem Morgen das Haus verlassen hatte.

Er legte den Knaben wieder in die Wiege, ging zu der Sandelholztruhe, nahm den vom Schah geschenkten Teppich heraus und breitete ihn neben der Wiege auf dem Boden aus.

Als er aufblickte, stand Mary im Türrahmen. Sie blickten einander an. Da wurde die Vermutung zur Gewißheit, und der Schmerz, aber auch das Mitleid, das er für sie empfand, zerrissen ihm das Herz.

Er trat zu ihr und wollte sie in die Arme schließen, doch seine Hände umklammerten sie. Er versuchte zu sprechen, doch er brachte kein Wort heraus. Sie riß sich von ihm los und knetete ihre Oberarme.

»Deinetwegen sind wir noch hier. Meinetwegen sind wir noch am Leben«, sagte sie verächtlich. Die Traurigkeit in ihrem Blick hatte sich in Kälte, ins Gegenteil von Liebe, verwandelt.

Am Nachmittag zog sie aus dem gemeinsamen Zimmer aus. Sie kaufte einen schmalen Strohsack und legte ihn zwischen die Schlafstellen ihrer Kinder neben den Teppich des Samaniden-Fürsten.

Qasims Kammer

Er konnte diese Nacht nicht schlafen, fühlte sich wie behext, als wäre ihm der Boden unter den Füßen weggezogen worden, und er müßte einen weiten Weg durch die Luft zurücklegen. Es wäre nicht ungewöhnlich gewesen, wenn jemand in seiner Lage Mutter und Kind getötet hätte, aber er wußte, daß Tam und Mary im Raum nebenan vor ihm sicher waren. Er wurde zwar von verrückten Gedanken geplagt, aber er war nicht verrückt.

Am Morgen stand er auf und ging in den *maristan*, wo auch nicht alles in Ordnung war. Vier Pfleger hatte Ibn Sina als Bahrenträger und zum Einsammeln der Verwundeten ins Heer übernommen, und al-Juzjani hatte noch keinen Ersatz gefunden, der seinen Anforderungen entsprach. Die im *maristan* verbliebenen Pfleger waren überarbeitet und mürrisch. Rob besuchte die Patienten und kam seinen ärztlichen Verpflichtungen ohne Hilfe nach. Manchmal reinigte er etwas, das ein Pfleger aus Zeitmangel versäumt hatte, oder er wusch ein fiebriges Gesicht oder holte Wasser, um einen trockenen, durstigen Mund anzufeuchten.

Er stieß auf Qasim Ibn Sahdi, der bleich und stöhnend dalag; der

Boden neben ihm war von Erbrochenem beschmutzt. Qasim, dem übel geworden war, hatte seine Kammer neben dem Leichenhaus verlassen und von sich aus einen Platz als Kranker eingenommen, weil er wußte, daß Rob ihn auf seinem Weg durch den *maristan* finden würde. Er hatte in der letzten Woche mehrere Anfälle gehabt.

»Warum habt Ihr es mir nicht gemeldet?«

»Herr, ich hatte meinen Wein. Ich habe ihn getrunken, und der Schmerz verging. Doch jetzt hilft der Wein auch nicht mehr, *Hakim*, und ich kann den Schmerz kaum ertragen.«

Seine Stirn fühlte sich fiebrig an, aber nicht brennend heiß, und sein Unterleib war wohl empfindlich, aber weich. Manchmal keuchte er vor Schmerzen wie ein Hund, seine Zunge war belegt, und sein Atem roch übel.

»Ich werde Euch einen Trunk zubereiten.«

»Allah wird Euch dafür segnen, Herr!«

Rob ging sofort zur Apotheke. Er mischte Betäubungsmittel und *buing* in den Rotwein, den Qasim so liebte, dann eilte er zu seinem Patienten zurück. Die Augen des alten Hüters des Leichenhauses waren von ängstlicher Ahnung erfüllt, als er das Gebräu trank.

Als Rob den *maristan* verließ, sah er, daß die ganze Stadt auf den Beinen war, um die Soldaten zu verabschieden. Er folgte den Leuten auf die *maidans*, wo das Gedränge der Menge fürchterlich war, nicht weniger das Stimmengewirr.

Rob bekam Ibn Sina nicht zu Gesicht, dafür erschienen die königlichen Musikanten. Einige bliesen auf langen, goldenen Trompeten, andere schlugen Silberglöckchen und kündigten das Herannahen des großen Elefanten Alās an. Der *mahout* war weiß gekleidet, und der Schah trug blaue Seide und einen roten Turban, das war seine Kriegskleidung.

Als er seine Hand königlich grüßend erhob, wußten die Menschen, daß ihnen damit Ghazna versprochen wurde. Rob betrachtete den steif aufgerichteten Rücken des Schahs. In diesem Augenblick war Alā nicht Alā: Er war Xerxes, Darius und Cyrus der Große in einer Person.

Wir sind vier Freunde. Wir sind vier Freunde. Rob schwindelte. Er dachte an die Gelegenheiten, bei denen es so leicht gewesen wäre, ihn zu töten. Er wandte sich ab, entfernte sich aus der Menge und ging mit leerem Blick, bis er zum Ufer des Zajandeh, des Flusses des Lebens, kam.

Er zog den massiven Goldring vom Finger, den ihm Alā für seine Verdienste in Indien geschenkt hatte, und warf ihn in das braune Wasser. Während die Menge in der Ferne jubelte und schrie, ging er in den *maristan* zurück.

Qasim hatte eine große Dosis von dem Trunk erhalten, war aber offensichtlich sehr krank. Er zitterte, obwohl es ein warmer Tag war, und Rob zog eine Decke über ihn, die bald schweißdurchtränkt war. Als Rob Qasims Gesicht berührte, war es glühend heiß.

Am späten Nachmittag wurden die Schmerzen so schlimm, daß der alte Mann aufschrie, als Rob seinen Unterleib berührte.

Rob ging nicht nach Hause. Er blieb im *maristan* und kehrte oft an Qasims Lager zurück.

Am Abend trat mitten in Qasims Qualen plötzlich Erleichterung ein. Eine Zeitlang ging sein Atem ruhig und gleichmäßig; er schlief. Rob schöpfte schon Hoffnung, aber nach wenigen Stunden kam das Fieber wieder, sein Körper wurde immer heißer, sein Puls jagte und war zeitweise kaum überprüfbar. Rob ergriff seine Hände – und verlor den Mut. Er ließ sie nicht mehr los, denn nun konnte er Qasim nur noch seine Gegenwart und den geringen Trost einer menschlichen Berührung bieten. Qasims rasselnder Atem wurde immer langsamer und hörte dann ganz auf. Rob hielt noch immer die schwieligen Hände, als Qasim das Leben ausgehaucht hatte.

Er schob einen Arm unter die knotigen Knie und den anderen unter die nackten, knochigen Schultern und trug den Toten ins Leichenhaus. Dann betrat er die danebenliegende Kammer. Sie stank; er würde dafür sorgen müssen, daß sie gereinigt wurde. Er setzte sich zwischen Qasims spärliche Habseligkeiten.

Es war nach Mitternacht, und fast das ganze Krankenhaus schlief. Dann und wann schrie ein Patient auf oder weinte. Niemand sah Rob, als er Qasims armseligen Besitz aus dem kleinen Raum entfernte. Während er den Holztisch hineintrug, begegnete er einem Pfleger. Der aber nahm von ihm gar nicht Notiz. Er schaute weg und hastete an dem *hakim* vorbei, damit dieser ihm nicht noch mehr Arbeit aufbürden konnte.

In der Kammer legte Rob unter zwei Beine des Tisches ein Brett, so daß er schräg stand, und unter die niedrige Kante stellte er eine große Waschschüssel. Er brauchte genügend Licht und schlich im *maristan* herum, um sich vier Lampen und ein Dutzend Kerzen zu besorgen, die er um den Tisch anordnete, als wäre dieser ein Altar. Dann holte er Qasim aus dem Leichenhaus und legte ihn auf den Tisch.

Schon als Qasim im Sterben lag, hatte Rob gewußt, daß er das Verbot brechen würde.

Doch nun war der Augenblick gekommen, und das Atmen fiel ihm schwer. Er war kein altägyptischer Einbalsamierer, der einen verachteten *paraschisten* herbeirufen konnte, damit dieser den Körper öffnete und die Sünde auf sich nahm. Er mußte die Tat und die Sünde, wenn es eine war, auf sich nehmen.

Er ergriff ein gebogenes chirurgisches Messer, ein sogenanntes Bistouri, machte einen Einschnitt und schlitzte den Bauch von der Leistengegend bis zum Brustbein auf. Das Fleisch leistete keinen Widerstand und begann leicht zu bluten.

Rob wußte nicht, wie er vorgehen sollte, und löste zuerst die Haut vom Brustbein. Dann verlor er den Mut. Er hatte in seinem ganzen Leben nur zwei unvergleichliche Freunde gehabt, und beide waren gestorben, weil man ihren Körper grausam verletzt hatte. Wenn er ertappt wurde, würde er auf die gleiche Weise sterben, aber er würde außerdem noch geschunden werden, die schlimmste Marter. Er verließ die kleine Kammer und schlich nervös durch das Krankenhaus. Doch die Menschen, die noch wach waren, beachteten ihn nicht. Er hatte das Gefühl, als habe sich der Boden unter ihm geöffnet, und er gehe auf Luft, doch nun glaubte er, tief in einen Abgrund zu blicken.

Er holte eine Knochensäge mit kleinen Zähnen aus dem kleinen Operationsraum und sägte das Brustbein durch, indem er die Wunde nachahmte, die Mirdin in Indien davongetragen hatte. Am unteren Ende der Öffnung setzte er einen Schnitt von der Leistengegend zur Innenseite des Oberschenkels und erhielt so einen breiten, unförmigen Lappen, den er zurückschlagen konnte, womit er die Bauchhöhle bloßlegte. Unter der rosa Bauchhaut bestand die Bauchdecke aus rotem Fleisch und weißlichen Sehnensträngen, und sogar im Gewebe des mageren Qasim gab es gelbe Fettkügelchen.

Der dünne Innenbelag der Bauchwand war wund und mit einer

geronnenen Substanz bedeckt. Zu Robs Verblüffung schienen die Organe gesund zu sein bis auf den Dünndarm, der gerötet und an vielen Stellen entzündet war. Selbst die kleinsten Gefäße waren so mit Blut gefüllt, daß sie aussahen, als wären sie voll roten Wachses. Ein kleiner, sackähnlicher Teil des Darmes war ungewöhnlich schwarz und haftete an der Bauchdecke. Als er versuchte, die beiden durch vorsichtiges Ziehen voneinander zu trennen, riß ein Häutchen, und zwei oder drei Löffelvoll Eiter kamen zum Vorschein. Das mußte die Infektion gewesen sein, die Qasim so starke Schmerzen bereitet hatte. Rob hegte den Verdacht, daß Qasims Qualen aufgehört hatten, als das kranke Gewebe aufgebrochen war. Eine dünne, dunkle und übelriechende Flüssigkeit hatte sich an der entzündeten Stelle in der Bauchhöhle angesammelt. Er tauchte die Fingerspitze hinein und roch neugierig daran, denn das konnte das Gift sein, das Fieber und Tod verursacht hatte.

Er wollte noch andere Organe untersuchen, hatte aber zuviel Angst. Also nähte er die Bauchdecke sorgfältig zu, damit Qasim Ibn Sahdi als ganzer Mensch aus dem Grab zum Leben erweckt werden konnte, falls die heiligen Männer recht hatten. Dann kreuzte er die Handgelenke, band sie zusammen und schlang ein großes Tuch um die Lenden des alten Mannes. Er wickelte den Toten sorgfältig in ein Leichentuch und trug ihn wieder ins Leichenhaus. Am Morgen würde er begraben werden.

»Ich danke Euch, Qasim«, flüsterte er ernst. »Ruhet in Frieden!«

Er nahm eine Kerze in die Bäder des *maristan* mit, schrubbte sich sauber und wechselte seine Kleidung. Aber er hatte den Eindruck, daß der Geruch des Todes noch immer an ihm haftete, und besprühte deshalb seine Hände und Arme mit Parfüm.

Draußen in der Dunkelheit wollte die Furcht noch immer nicht von ihm weichen. Er konnte selbst nicht glauben, was er da gewagt hatte. Es dämmerte beinahe, als er sich auf sein Lager legte. Am Morgen schlief er noch tief, und Marys Gesicht verwandelte sich zu Stein, als sie glaubte, den Blumenduft einer anderen Frau einzuatmen, der ihr Haus verpestete.

Ibn Sinas Irrtum

Jussuf-al-Gamal zog Rob in das wissenschaftliche Dunkel der Bibliothek. »Ich möchte Euch einen Schatz zeigen.«

Es war ein dickes Buch, eine offensichtlich neue Kopie von Ibn Sinas Meisterwerk »Der Kanon der Medizin«.

»Dieses Exemplar ist eine von einem mir bekannten Schreiber angefertigte Abschrift des Originals aus dem Besitz des Hauses der Weisheit. Sie ist zu verkaufen.«

Rob ergriff das Buch. Es war mit viel Liebe angefertigt, die Buchstaben standen schwarz und klar auf jeder der elfenbeinfarbenen Seiten. Es war ein Kodex, ein Buch mit vielen Lagen, großen Stücken aus Pergament, die gefaltet und dann so geschnitten worden waren, daß jede Seite unbehindert umgeblättert werden konnte. Die Lagen waren zwischen zwei Deckeln aus weich gegerbtem Schafleder sorgfältig eingenäht.

»Ist es teuer?«

Jussuf nickte.

»Wieviel?«

»Er will es für achtzig Silber-*bestis* verkaufen, weil er Geld braucht.«

Rob schob die Unterlippe vor, weil er wußte, daß er nicht soviel Geld besaß. Mary verfügte noch über große Beträge, das Geld ihres Vaters, aber er und Mary waren nicht mehr...

Rob schüttelte den Kopf.

Jussuf seufzte. »Ich hatte das Gefühl, daß es Euch gehören sollte.«

»Wann muß es verkauft werden?«

Jussuf hob die Schultern. »Ich kann es noch zwei Wochen behalten.«

»Also gut. Hebt es auf!«

Der Bibliothekar sah ihn zweifelnd an. »Werdet Ihr dann das Geld haben, *Hakim*?«

»Wenn es Gottes Wille ist.«

Jussuf lächelte. »Ja, *Imshallah*.«

Er brachte an der Tür der Kammer neben dem Leichenhaus ein kräftiges Schließband und ein schweres Schloß an. Dann trug er einen zweiten Tisch hinein, dazu einen Wetzstahl, eine Gabel, ein kleines Messer, mehrere scharfe Skalpelle und einen Grabstichel, den die

Steinmetzen Meißel nennen, ein Zeichenbrett, Papier, Zeichenkohle und Graphitstifte, Lederriemen, Ton und Wachs, Federkiele und ein Tintenfaß.

Eines Tages nahm er mehrere kräftige Studenten zum Markt mit, und sie brachten mit einiger Mühe ein frisch geschlachtetes Schwein zurück. Niemand schien etwas daran zu finden, daß er es in dem kleinen Raum sezieren wollte.

In der darauffolgenden Nacht trug er allein die Leiche einer jungen Frau in die Kammer und legte sie auf den leeren Tisch. Sie war wenige Stunden zuvor gestorben und hatte Melia geheißen.

Diesmal war er eifriger, und er hatte weniger Angst. Seiner Meinung nach hatte er Arzt werden dürfen, um zum Wohl von Gottes edelster Schöpfung zu wirken. Der Allmächtige würde es ihm bestimmt nicht übelnehmen, wenn er sein Wissen über ein so kompliziertes und interessantes Geschöpf erweiterte.

Er schnitt das Schwein und die Frau auf, weil er die Anatomien der beiden sorgfältig miteinander vergleichen wollte. Kaum hatte er seine doppelte Untersuchung an jener Körperstelle begonnen, an der die Seitenkrankheit ausbricht, hielt er schon inne. Der Blinddarm des Schweins, der beutelförmige Schlauch, mit dem der Dickdarm begann, war stattlich, fast achtzehn Zoll lang. Der Blinddarm der Frau aber war winzig, nur zwei oder drei Zoll lang und nur so dick wie Robs kleiner Finger... Und siehe da! An diesem kleinen Schlauch hing noch etwas. Es sah aus wie ein kleiner rosa Wurm, den man im Garten entdeckt, aufgehoben und in den Bauch der Frau gesteckt hatte.

Das Schwein auf dem anderen Tisch wies keinen Wurmfortsatz auf, und Rob hatte an einem Schweinedarm auch noch nie einen ähnlichen Fortsatz bemerkt. Zuerst glaubte er, daß die geringe Größe des Blinddarms der Frau eine Anomalie und der wurmartige Fortsatz eine seltene Geschwulst oder eine andere Wucherung war.

Er machte Melias Leiche ebenso sorgfältig für die Bestattung zurecht wie die Qasims und trug sie wieder ins Leichenhaus.

Doch in den folgenden Nächten öffnete er die Leichen eines jungen Bürschchens, einer Frau mittleren Alters und eines sechs Wochen alten Knaben. In jedem Fall stellte er mit zunehmender Erregung fest, daß der gleiche winzige Wurmfortsatz vorhanden war. Dieser Wurm war ein Teil jedes Menschen – ein winziger Beweis dafür, daß die Organe des Menschen nicht die gleichen waren wie die eines Schweines.

O du verlogener Ibn Sina. »Du verlogener alter Mann«, flüsterte er. »Du hast nicht recht!«

Trotz der Schriften des Celsus, trotz all dessen, was man tausend Jahre lang gelehrt hatte, war der Mensch einzigartig. Und wenn dem so war, wer wußte, wie viele wunderbare Geheimnisse entdeckt und gelöst werden konnten, indem man einfach in den Leichen von Menschen nachschaute?

Sein ganzes Leben lang war Rob allein und einsam gewesen, bis er Mary kennengelernt hatte. Und nun war er wieder einsam und konnte es nicht ertragen. Als er eines Nachts nach Hause kam, legte er sich neben sie zwischen die beiden schlafenden Kinder. Er traf keine Anstalten, sie zu berühren, doch sie wandte sich wie ein wildes Geschöpf um. Ihre Hand traf sein Gesicht mit einem brennenden Schlag. Sie war eine starke Frau und konnte einem durchaus Schmerz zufügen.

Er ergriff ihre Hände und hielt sie fest. »Du Närrin!«

»Komm nicht nach deinen persischen Huren zu mir!«

Ihm wurde klar, daß es das Parfüm sein mußte. »Ich verwende es, weil ich im *maristan* Tiere seziert habe.«

Einen Moment lang schwieg sie, versuchte jedoch, sich zu befreien. Er spürte den vertrauten Körper an dem seinen, während sie sich wehrte, und der Duft ihres roten Haares stieg ihm in die Nase.

»Mary!«

Sie beruhigte sich; vielleicht lag es an seiner Stimme. Als er sie küßte, hätte es ihn nicht überrascht, wenn sie ihn in die Lippen oder in den Hals gebissen hätte, doch sie tat nichts dergleichen. Er brauchte einen Augenblick, bis er begriff, daß sie seinen Kuß erwiderte. Er ließ ihre Hände los, und es tat ihm unendlich wohl, ihre Brüste berühren zu können, deren Warzen steif waren, aber nicht wie bei den Toten.

Er konnte nicht unterscheiden, ob sie weinte oder nur erregt war, sie stöhnte leise. Er kostete ihre milchigen Brustwarzen und saugte an ihrem Nabel.

Als er in sie eindrang, bewegten sie sich gegeneinander wie klatschende

Hände, stießen und schlugen, als versuchten sie, etwas zu zerstören, dem sie nicht gewachsen waren. Sie trieben den *djinni* aus, den Dämon. Ihre Nägel bohrten sich in seinen Rücken, als sie sich ihm entgegenwarf. Nur das leise Stöhnen und Klatschen der Paarung war zu hören, bis sie endlich aufschrie. Gleich darauf schrie er auf, dann brüllte Tam, und Rob James erwachte schreiend. Alle vier lachten oder weinten, die Erwachsenen taten beides zugleich.

Schließlich kehrte wieder Ruhe ein. Der kleine Rob James schlief ein, der Säugling wurde an die Brust genommen, und während sie ihn stillte, erzählte sie Rob, wie Ibn Sina zu ihr gekommen war und ihr geraten hatte, was sie tun müsse. Und so hörte er, wie seine Frau und der alte Mann ihm das Leben gerettet hatten.

Er war überrascht und erschüttert, als er von Ibn Sinas Eingreifen hörte. Was den Rest betraf, entsprach dieser ungefähr dem, was er angenommen hatte, und nachdem auch Tam eingeschlafen war, schloß er sie in seine Arme und schwor ihr, daß sie auf ewig die einzige für ihn sei. Er strich ihr rotes Haar glatt und küßte ihren weißen Nacken, an den sich keine Sommersprossen wagten. Als sie einschlummerte, starrte er zur dunklen Decke hinauf.

Tam sah Robs verschwundenem Bruder William Stewart erstaunlich ähnlich. Vor und nach der Zeit, die er in Ibn Sinas Auftrag in Idhaj verbracht hatte, hatte er mit Mary oft geschlafen. Wer konnte sagen, ob Tam nicht die Frucht seines eigenen Samens war?

Einige Wochen später liebten er und Mary einander zärtlich und liebevoll. Bei aller Entspannung war es aber nicht das gleiche wie einst. Alles unterliegt dem Wandel, wurde ihm klar. Sie war nicht mehr die junge Frau, die ihm so vertrauensvoll ins Weizenfeld gefolgt war, und er war nicht mehr der junge Mann, der sie dorthin geführt hatte.

Und das war nicht die kleinste der Schulden, die er Alā *Shahansha* unbedingt zurückzahlen wollte.

Der durchsichtige Mann

Im Osten erhob sich eine Staubwolke von solchen Ausmaßen, daß die Beobachtungsposten mit Bestimmtheit eine riesige Karawane oder vielleicht sogar mehrere große zu einem einzigen Zug vereinigte Karawanen erwarteten.

Statt dessen näherte sich der Stadt eine Armee. Als sie die Tore erreichte, konnte man erkennen, daß die Soldaten Afghanen aus Ghazna waren. Sie lagerten außerhalb der Mauern, und ihr Befehlshaber, ein junger Mann, der ein blaues Gewand und einen schneeweißen Turban trug, ritt in Begleitung von vier Offizieren nach Isfahan hinein. Niemand hielt ihn auf. Alās Heer war nach Hamadhān gezogen, und die Tore wurden von einer Handvoll älterer Soldaten bewacht, die beim Herannahen des fremden Heeres verschwunden waren, so daß Sultan Masūd – um ihn handelte es sich – unangefochten in die Stadt einritt. Vor der Freitagsmoschee stiegen die Afghanen ab und traten ein, wobei sie sich der Gemeinde der Gläubigen beim dritten Gebet anschlossen, um sich dann mehrere Stunden lang mit dem Imam Musa Ibn Abbas und seinen *mullahs* zurückzuziehen.

Die meisten Einwohner von Isfahan hatten Masūd nicht gesehen, aber als sich die Anwesenheit des Sultans herumsprach, waren Rob und al-Juzjani unter jener Menge, die auf die Mauer hinaufstieg und auf die Soldaten von Ghazna hinunterblickte. Es waren kräftige Männer in zerlumpten Hosen und langen, losen Hemden, die diszipliniert und ohne Gewalttätigkeiten warteten, während ihr Anführer sich in der Moschee aufhielt. Rob fragte sich, ob sich jener Afghane unter ihnen befand, der sich beim *chatir* so wacker gegen Karim gehalten hatte.

»Was kann Masūd von den *mullahs* wollen?« fragte er al-Juzjani.

»Zweifellos haben ihm seine Spione von Alās Schwierigkeiten mit der Geistlichkeit berichtet. Er hat bestimmt vor, bald hier zu herrschen, und er verhandelt deshalb mit den *mullahs,* um sich ihres Segens und Gehorsams zu versichern.«

Vermutlich war es so, denn Masūd und seine Offiziere kehrten bald zu ihren Truppen zurück, und es kam zu keiner Plünderung. Der Sultan war jung, kaum älter als ein Knabe, aber er und Alā hätten verwandt sein können: Sie hatten das gleiche stolze, grausame Raubvogelgesicht. Er nahm den sauberen weißen Turban ab, der dann sorgfältig verstaut wurde, und setzte einen schmutzigen schwarzen Turban auf, bevor er sich wieder in Marsch setzte.

Die Afghanen ritten nach Norden, sie folgten der Route von Alās Heer.

»Der Schah hat sich geirrt, als er annahm, sie würden über Hamadhān kommen.«

»Ich glaube, daß sich die Hauptmacht aus Ghazna bereits in Hamadhān befindet«, sagte al-Juzjani langsam. »Jedenfalls macht es keinen Unterschied, ob Alā Masūd besiegt oder Masūd Alā. Wenn der Imam Qandrasseh wirklich die Seldschuken gegen Isfahan führen will, werden letzten Endes weder Masūd noch Alā die Oberhand behalten. Die Seldschuken sind schreckliche Krieger und so zahlreich wie der Sand am Meer.«

»Was wird aus dem *maristan,* wenn die Seldschuken kommen oder Masūd die Stadt einnimmt?«

Al-Juzjani zuckte mit den Achseln. »Das Krankenhaus wird wohl für einige Zeit geschlossen werden, und wir werden uns zunächst alle verstecken müssen. Dann werden wir aus unseren Löchern hervorkriechen, und das Leben wird weitergehen wie zuvor. Ich habe mit unserem Meister einem halben Dutzend Königen gedient. Monarchen kommen und gehen, aber die Welt braucht weiterhin Ärzte.«

Rob bat Mary um Geld für das Buch, und »Der Kanon der Medizin« wurde sein Eigentum. Wenn er das Exemplar in der Hand hielt, war er von Ehrfurcht erfüllt, doch er verbrachte nicht allzuviel Zeit mit dem Lesen, denn Qasims Kammer zog ihn magisch an.

Er sezierte mehrere Nächte in der Woche und begann, sein Zeichenmaterial zu verwenden. Er wollte noch mehr tun, war aber dazu nicht imstande, weil er ein Mindestmaß an Schlaf brauchte, um während des Tages im *maristan* zuverlässig zu sein.

In einer der Leichen, die er untersuchte – es handelte sich um einen jungen Mann, der bei einer Wirtshausrauferei erstochen worden war –, fand er den kleinen Wurmfortsatz vergrößert. Die Oberfläche war gerötet und rauh, und er nahm an, daß er das früheste Stadium der Seitenkrankheit vor sich hatte, während dem der Kranke die ersten, zeitweise auftretenden stechenden Schmerzen empfand. Nun konnte er sich ein Bild vom Verlauf der Krankheit vom Beginn bis zum Tod machen, und er schrieb in sein Patientenbuch:

Die perforierende Seitenkrankheit wurde bei sechs Patienten beobachtet, die alle gestorben sind. Das erste deutliche Symptom der

Krankheit ist ein plötzlich eintretender Schmerz im Unterleib. Der Schmerz ist für gewöhnlich intensiv und in seltenen Fällen schwächer. Gelegentlich wird er von Schüttelfrost, aber öfter von Übelkeit und Erbrechen begleitet. Dem Schmerz im Unterleib folgt Fieber als nächstes gleichbleibendes Symptom. Beim Abtasten des rechten Unterbauches ist eine abgegrenzte Resistenz spürbar, wobei das ganze Gebiet oft druckempfindlich ist und die Bauchmuskeln angespannt und starr sind. Der Zustand wird von einem Fortsatz des Blinddarms hervorgerufen, der Ähnlichkeit mit einem dicken, rosa Wurm besitzt. Wenn dieses Organ entzündet oder infiziert ist, färbt es sich rot und dann schwarz, füllt sich mit Eiter und platzt schließlich, wobei sich sein Inhalt in die Bauchhöhle ergießt.

In diesem Fall tritt der Tod rasch ein, für gewöhnlich innerhalb eines Zeitraums von einer halben Stunde bis zu sechsunddreißig Stunden nach dem Einsetzen des hohen Fiebers.

Er sezierte und untersuchte nur jene Teile des Körpers, die später vom Leichentuch bedeckt wurden. Das schloß die Füße und den Kopf aus, was ihn sehr unzufrieden machte, weil er sich nicht mehr damit abfinden mochte, das Gehirn eines Schweines zu untersuchen.

Rob arbeitete geduldig. Er legte die Muskeln wie Draht und wie Seilstränge bloß und skizzierte sie. Manche begannen und endeten an einem Band, bei manchen waren die Muskelbänder flach, bei anderen rund, wieder andere hatten nur an einem Ende ein Band, und manche komplizierte Muskeln besaßen zwei Bänder, deren besonderer Wert offensichtlich darin bestand, daß im Falle einer Verletzung des einen das andere seine Aufgabe übernahm. Er fertigte Skizzen vom Aufbau, von der Form und Lage der Knochen und der Gelenke an, wobei er erkannte, daß solche anatomische Zeichnungen für die Behandlung von Verstauchungen und Brüchen von unschätzbarem Wert wären.

Wenn er mit seiner Arbeit fertig war, hüllte er die Leichen ein, trug sie zurück und nahm seine Zeichnungen mit. Er hatte nicht mehr das Gefühl, in den gähnenden Abgrund seiner Verdammung zu blicken, aber ihm war immer bewußt, daß ihn ein schreckliches Ende erwartete, wenn er entdeckt wurde. Er hatte guten Grund für seine Furcht.

Eines Morgens trug er den Körper einer älteren Frau, die erst vor kurzem gestorben war, aus dem Leichenhaus. Vor der Tür sah er plötzlich einen Pfleger auf sich zukommen, der den Leichnam eines Mannes trug. Der Kopf der Frau baumelte, und ein Arm pendelte hin und her, als Rob stehenblieb und den Pfleger wortlos ansah, der höflich den Kopf beugte.

»Soll ich Euch helfen, *Hakim?*«

»Sie ist nicht schwer.«

Er trat vor dem Pfleger ein, und sie legten die beiden Leichen nebeneinander, dann verließen sie gemeinsam das Leichenhaus.

Das Schwein, das er sezierte, hatte innerhalb von nur vier Tagen einen Zustand der Zersetzung erreicht, der die Entfernung des Kadavers notwendig machte. Doch wenn er den menschlichen Magen und die Därme öffnete, setzte er viel schlimmere Gerüche frei als den unangenehm süßlichen Geruch von verwesendem Schweinefleisch. Trotz Seife und Wasser war der Raum von dem Geruch durchtränkt.

Eines Morgens erstand er ein neues Schwein. Am selben Nachmittag ging er an Qasims Kammer vorbei und entdeckte den *hadschi* Davout Hosein, der an der versperrten Tür rüttelte.

»Warum ist sie versperrt? Was ist da drinnen?«

»Es ist der Raum, in dem ich ein Schwein seziere«, antwortete Rob ruhig.

Der stellvertretende Direktor der Schule blickte ihn angewidert an. In letzter Zeit betrachtete Davout Hosein alles mit äußerstem Mißtrauen, denn er hatte von den *mullahs* den Auftrag erhalten, im *maristan* und in der *madrassa* nach Verletzungen der islamischen Gesetze zu forschen.

Den ganzen Tag über bemerkte Rob Davout Hosein mehrmals in seiner Nähe. Am Abend ging er früh nach Hause. Als er am nächsten Morgen ins Krankenhaus kam, sah er, daß das Schloß an der Tür der Kammer aufgebrochen worden war. Drinnen lagen die Gegenstände da, wie er sie zurückgelassen hatte, aber nicht genauso. Das zugedeckte Schwein lag auf dem Tisch. Robs Instrumente waren durcheinandergebracht worden, doch es fehlte keines. Sie hatten nichts gefunden, dessen sie ihn bezichtigen konnten, und er konnte sich im Augenblick sicher fühlen. Aber die Einmischung führte zu unangenehmen Folgerungen: Er wußte, daß man ihn früher oder später überraschen würde. Doch angesichts der wichtigen Erkenntnisse und wunderbaren Zusammenhänge war er nicht bereit aufzuhören.

Er wartete zwei Tage, während der ihn der *hadschi* Hosein in Ruhe ließ. Dann war ein alter Mann im Krankenhaus gestorben, während Rob sich mit ihm unterhalten hatte. In dieser Nacht öffnete er den Körper, um zu sehen, was einen so friedlichen Tod bewirkt hatte, und stellte fest, daß die Arterie, die das Herz und die unteren Extremitäten versorgte, vertrocknet und zusammengeschrumpft wie ein welkes Blatt war.

In der Leiche eines Kindes sah er, warum der Krebs so hieß, denn die gierige, bösartige Wucherung hatte ihre Klauen nach allen Richtungen ausgestreckt. In der Leiche eines anderen Mannes stellte er fest, daß die Leber nicht weich und satt rotbraun gefärbt war, sondern sich in ein gelbliches Organ von der Härte des Holzes verwandelt hatte.

In der darauffolgenden Woche sezierte er eine seit mehreren Monaten schwangere Frau, und er skizzierte die Gebärmutter in dem sich wölbenden Bauch wie einen umgekehrten Trinkbecher, der das Leben umschloß, das sich in ihm entwickelte. In der Zeichnung verlieh er der Frau das Gesicht Despinas, die nun nie mehr ein Kind zur Welt bringen würde. Er nannte die Zeichnung »Die schwangere Frau«.

Und eines Nachts saß er am Seziertisch und zeichnete einen jungen Mann, dem er Karims Züge gab; die Ähnlichkeit war unvollkommen, aber für jeden, der Karim geliebt hatte, erkennbar. Rob zeichnete seine Gestalt, als wäre die Haut aus Glas. Was er nicht selbst in dem Körper vor ihm auf dem Tisch sehen konnte, zeichnete er so, wie Galen es geschildert hatte. Er wußte, daß einige Details falsch waren, aber die Zeichnung war bemerkenswert, denn sie zeigte Organe und Blutgefäße, als blicke Gottes Auge durch das feste Fleisch des Menschen.

Als die Zeichnung fertiggestellt war, signierte er sie triumphierend mit seinem Namen und dem Datum und nannte sie »Der durchsichtige Mann«.

Das Haus in Hamadhān

Während all dieser Zeit hatten sie keine Neuigkeiten vom Krieg erfahren. Und dann traf eines Nachmittags kurz vor dem vierten Gebet ein Reiter ein, der die schlimmste aller vorstellbaren Nachrichten brachte.

Wie al-Juzjani, als Masūd in Isfahan eine Marschpause einlegte, vermutet hatte, war dessen Hauptmacht schon auf die Perser gestoßen und griff sie an. Masūd hatte sein Heer unter den zwei ranghöchsten Generälen Sahl al-Hamdūni und Tāsh Farrāsh auf die ursprünglich erwartete Marschroute geschickt. Sie planten den Frontalangriff und führten ihn fehlerlos durch. Sie teilten ihre Streitkräfte in zwei Hälften, versteckten sich hinter dem Dorf al-Karaj und schickten die Späher aus. Als die Perser nahe genug herangekommen waren, schwenkte Sahl al-Hamdūnis Truppe um eine Seite von al-Karaj herum, und Tāsh Farrāshs Leute kamen von der anderen Seite. Sie griffen Alā *Shahanshas* Truppen mit zwei Flügeln an, die sich einander rasch näherten, bis das Heer von Ghazna sich entlang einer halbkreisförmigen Kampflinie wie ein Netz zusammengezogen hatte.

Nach der anfänglichen Überraschung kämpften die Perser mutig, aber sie waren zahlenmäßig unterlegen und ausmanövriert. Sie verloren ständig an Boden. Schließlich entdeckten sie, daß sich in ihrem Rücken eine weitere Truppe unter der Führung von Sultan Masūd näherte. Nun wurde der Kampf immer verzweifelter und wilder, und das Ende war unvermeidlich. Die überlegenen Streitkräfte der beiden Ghazna-Generäle standen den Persern gegenüber. Im Rücken hatten sie die zahlenmäßig kleinere, aber wilde Kavallerie des Sultans. Die Afghanen schlugen immer wieder zu und verschwanden, um an einem anderen Kampfabschnitt wieder aufzutauchen.

Als die Perser schließlich hinreichend geschwächt und demoralisiert waren, setzte Masūd unter dem Schutz eines Sandsturmes zum Totalangriff seiner drei Truppen an.

Am nächsten Morgen durchdrang die Sonne den über dem größten Teil des persischen Heeres wirbelnden Sand. Einige seien entkommen, und es hieß, daß Alā *Shahansha* sich unter ihnen befinde, berichtete ein Kurier, aber das sei nicht sicher.

»Was ist aus Ibn Sina geworden?« fragte al-Juzjani.

»Ibn Sina hat die Armee lange vor der Ankunft in al-Karaj verlassen, *Hakim*«, sagte der Kurier. »Er wurde von einer schrecklichen Kolik geplagt, die ihn hilflos niederwarf. Deshalb brachte ihn der jüngste Arzt seiner Feldschere, ein gewisser Bibi al-Ghūri, in die Stadt Hamadhān, wo Ibn Sina noch das Haus seines Vaters besitzt.«

»Ich kenne das Haus«, bestätigte al-Juzjani.

Rob wußte, daß al-Juzjani hinreisen würde. »Laßt mich mitkommen!« bat er ihn.

Einen Moment lang sprach aus den Augen des älteren Arztes Eifersucht, doch die Vernunft siegte schnell, und er nickte.

»Wir werden uns sofort auf den Weg machen«, beschloß er.

Sie mußten einen Umweg nach Osten in Kauf nehmen, um den Kämpfen auszuweichen, die, soviel sie wußten, noch in der Umgebung von Hamadhān ausgefochten wurden. Aber als sie die Hauptstadt erreichten, von der die Region ihren Namen hatte, wirkte Hamadhān verschlafen und friedlich. Nichts deutete auf das große Gemetzel hin, das sich in einer Entfernung von nur wenigen Meilen abgespielt hatte.

Während sie sich dem Haus näherten, fand Rob, daß es besser zu Ibn Sina paßte als der große Besitz von Isfahan. Das aus Lehm und Steinen erbaute Haus war wie die Kleidung, die Ibn Sina immer trug, unauffällig fast und schäbig, aber bequem.

Im Inneren jedoch schlug ihnen der Gestank der Krankheit entgegen. Al-Juzjani ersuchte Rob in einem Anflug von Eifersucht, vor dem Zimmer zu warten, in dem Ibn Sina lag. Einen Augenblick später vernahm Rob murmelnde Stimmen, dann zu seiner Überraschung und Bestürzung das unverkennbare Geräusch einer Ohrfeige.

Der junge Medicus namens Bibi al-Ghūri kam aus dem Zimmer. Sein Gesicht war weiß, und er weinte. Er eilte grußlos an Rob vorbei und stürzte aus dem Haus.

Bald darauf kam al-Juzjani, dem ein älterer *mullah* folgte, heraus. »Der junge Scharlatan hat Ibn Sina auf dem Gewissen. Als sie hier eintrafen, verabreichte al-Ghūri dem Meister Selleriesamen gegen die Blähungen. Aber statt zwei *dung* Samen gab er ihm fünf *mescal*, und seither hat Ibn Sina große Mengen von Blut ausgeschieden.«

Ein *mescal* entsprach sechs *dung;* das bedeutete, daß Ibn Sina das Fünfzehnfache der empfohlenen Dosis des starken Abführmittels verabreicht worden war.

Al-Juzjani sah Rob an. »Ich war Mitglied der Prüfungskommission, die al-Ghūri durchkommen ließ«, sagte er bitter.

»Ihr konntet nicht in die Zukunft schauen und diesen Fehler voraussehen«, tröstete ihn Rob.

Aber al-Juzjani ließ sich nicht trösten. »Was für eine grausame Ironie des Schicksals«, klagte er, »daß der große Arzt von einem unwürdigen *hakim* getötet wird!«

»Ist der Meister bei Bewußtsein?«

Der *mullah* nickte. »Er hat seine Sklaven freigelassen und sein Vermögen den Armen geschenkt.«

»Darf ich hineingehen?«

Al-Juzjani nickte.

Im Zimmer erschrak Rob. In den vier Monaten, seit er ihn das letzte Mal gesehen hatte, war Ibn Sinas Fleisch geschmolzen. Seine geschlossenen Augen waren eingesunken, sein Gesicht war eingefallen, und seine Haut wächsern.

Al-Ghūris Behandlung hatte ihm geschadet, aber sie hatte nur die unvermeidlichen Folgen des Magenkrebses beschleunigt.

Rob ergriff Ibn Sinas Hände und spürte so wenig Leben in ihnen, daß es ihm schwerfiel zu sprechen. Ibn Sina öffnete die Augen. Sie bohrten sich in die seinen. Er fühlte, daß sie seine Gedanken lesen konnten, es war unnötig, ihm etwas vorzumachen.

»Warum ist es so eingerichtet, Meister«, fragte Rob bitter, »daß ein Arzt trotz allem, was er tun kann, nur ein Blatt im Wind ist, und die wahre Macht doch bei Allah liegt?«

Zu seiner Verblüffung leuchteten die verfallenen Züge auf. Und plötzlich wußte er, warum Ibn Sina zu lächeln versuchte.

»Ist das das Rätsel?« fragte er schwach.

»Es ist das Rätsel... mein Europäer. Ihr müßt den Rest Eures Lebens damit verbringen... es zu lösen.«

»Meister?«

Ibn Sina hatte die Augen wieder geschlossen und antwortete nicht. Eine Zeitlang saß Rob schweigend neben ihm. »Ich hätte, ohne zu heucheln, anderswohin gehen können«, sagte er auf englisch. »Ins westliche Kalifat – nach Toledo, Cordoba. Aber ich hatte von einem Mann namens Avicenna gehört, dessen arabischer Name mich berührte wie ein Zauber und mich erschütterte wie ein Fieber: Abu Ali al-Hussein Ibn Abdullah Ibn Sina.«

Der Arzt aller Ärzte konnte nicht mehr als seinen Namen verstanden haben, doch er öffnete die Augen wieder, und seine Finger übten einen leichten Druck auf Robs Hände aus.

»Um den Saum Eures Gewandes zu berühren. Des größten Arztes der Welt«, flüsterte Rob.

Das war der einzige Vater, den seine Seele je gekannt hatte. Er vergaß alles, worüber er sich geärgert hatte, und war sich nur eines Wunsches bewußt: »Ich bitte um Euren Segen.«

Die stockenden Worte, die Ibn Sina sprach, waren reines Arabisch, aber es war nicht notwendig, daß Rob sie verstand. Er wußte, daß Ibn Sina ihn schon lange vorher gesegnet hatte.

Er küßte den alten Mann zum Abschied. Als er ging, hatte sich der *mullah* wieder neben das Bett gesetzt, um laut aus dem Koran zu lesen.

Der König der Könige

Rob ritt allein nach Isfahan zurück. Al-Juzjani war in Hamadhān geblieben und hatte ihm erklärt, daß er mit seinem sterbenden Meister während der letzten Tage allein sein wolle.

»Wir werden Ibn Sina nie wiedersehen«, eröffnete Rob Mary sanft, als er nach Hause zurückkam, und sie wandte das Gesicht ab und weinte wie ein Kind.

Sobald er sich ausgeruht hatte, eilte er in den *maristan.* Ohne Ibn Sina oder al-Juzjani befand sich das Krankenhaus schnell in Auflösung, und es gab viel zu erledigen. So verbrachte er einen langen Tag damit, Patienten zu untersuchen und zu behandeln, über Wunden zu dozieren und – eine unangenehme Aufgabe – mit *Hadschi* Davout Hosein über die allgemeine Verwaltung der Schule zu beraten.

In dieser Nacht waren Marys Augen rot und geschwollen, und sie und Rob klammerten sich mit einer Zärtlichkeit aneinander, die sie schon beinahe vergessen hatten.

Als er am Morgen das kleine Haus in der Jehuddijeh verließ, spürte er in der Luft die Veränderung wie die Feuchtigkeit eines englischen Gewitters.

Auf dem jüdischen Markt waren die meisten Läden ungewöhnlich leer, und Hinda packte fieberhaft ihre Waren zusammen.

»Was ist los?«

»Die Afghanen!«

Er ritt zur Mauer. Als er die Treppe hinaufstieg, war die Mauerkrone von merkwürdig schweigenden Menschen besetzt, und er erkannte sofort die Ursache ihrer Angst: Die Streitmacht aus Ghazna stand in voller Kriegsstärke vor den Toren. Masūds Fußsoldaten füllten die Hälfte der kleinen Ebene im Westen der Stadt. Die Pferde- und Kamelreiter hatten ihr Lager auf den Vorbergen aufgeschlagen, und auf den höheren Hängen waren in der Nähe der einfachen Zelte und der Prunkzelte der Adeligen und Befehlshaber, deren Standarten im trokkenen Wind flatterten, die Kriegselefanten angepflockt.

In der Mitte des Lagers schwebte über allem das schlangenförmige Banner der Ghaznaniden-Familie, ein schwarzer Leopardenkopf in einem orangefarbenen Feld.

Rob schätzte, daß das Ghazna-Heer viermal so groß war wie jenes, das Masūd auf seinem Weg nach Westen durch Isfahan geführt hatte.

»Warum sind sie nicht in die Stadt eingedrungen?« fragte er einen Untergebenen des *kelonter.*

»Sie haben Alā bis hierher verfolgt. Er befindet sich innerhalb der Stadtmauern.«

»Und warum sollten sie deshalb draußen bleiben?«

»Masūd verlangt, daß Alā von seinem eigenen Volk verraten wird. Wenn wir den Schah ausliefern, wird er unser Leben schonen. Wenn wir nicht dazu bereit sind, droht er aus unseren Gebeinen auf dem zentralen *maidan* einen Haufen zu errichten.«

»Wird Alā ausgeliefert?«

Der Mann funkelte ihn an und spuckte aus. »Wir sind Perser. Und er ist unser Schah.«

Rob nickte. Aber er glaubte nicht daran.

Er verließ die Mauer und ritt zu seinem Haus in der Jehuddijeh zurück. Sein englisches Schwert war in ölige Lappen gewickelt und aufbewahrt worden. Er schnallte es um und bat Mary, das Schwert ihres Vaters herauszuholen und die Tür hinter ihm zu verbarrikadieren. Dann bestieg er wieder sein Pferd und ritt zum Haus des Paradieses.

Als er das äußere Tor erreichte, trat die Palastwache heraus, um ihn aufzuhalten.

»Ich bin Jesse, *hakim* im *maristan,* und zum Schah bestellt.«

Der Wachtposten nickte, trat zur Seite und ließ den Reiter durch.

Rob ritt durch die für den König künstlich angelegten Wälder, an dem grünen Feld für das Ball-und-Stock-Spiel, an den beiden Rennplätzen und den Pavillons vorbei. Dann schlug er die Prachtauffahrt zum Hause des Paradieses ein. Die Hufe seines Pferdes klapperten über die Zugbrücke, und er band das Pferd vor dem Eingang an.

Im Hause des Paradieses hallten seine Schritte in den leeren Korridoren. Endlich kam er zum Audienzzimmer, in dem ihn der Schah immer empfangen hatte und in dem Alā jetzt allein mit gekreuzten Beinen in einer Ecke auf dem Boden saß. Vor ihm stand ein halbvoller Weinkrug, daneben ein Brett mit den Figuren des Spiels des Schahs.

Er sah so verwildert und ungepflegt aus wie die Gärten draußen. Sein Bart war nicht gestutzt worden. Unter seinen Augen befanden sich violette Ringe, und er hatte abgenommen, so daß seine Adlernase noch schmaler wirkte. Er starrte zu Rob hinauf, der mit der Hand auf dem Schwertgriff vor ihm stand.

»Nun, *Dhimmi?* Bist du gekommen, um dich zu rächen?«

Rob wurde erst nach einer kurzen Pause klar, daß Alā, der schon die Figuren auf dem Spielbrett ordnete, das Spiel des Schahs meinte.

Rob hob die Schultern, ließ den Griff los und legte das Schwert so zurecht, daß er sich dem König gegenüber bequem auf den Boden setzen konnte.

»Frische Armeen«, sagte Alā ohne Humor und eröffnete mit einem Elfenbeinbauern.

Rob erwiderte mit einem schwarzen Ebenholzbauern. »Wo ist Farhad? Ist er in der Schlacht gefallen?« Er hatte nicht erwartet, den Schah allein anzutreffen. Er war darauf gefaßt gewesen, den Stadthauptmann zuerst töten zu müssen.

»Farhad ist nicht gefallen. Er ist geflohen.« Alā schlug einen Bauern mit seinem weißen Reiter, und sofort benutzte Rob einen seiner schwarzen Reiter, um einen weißen Bauern zu schlagen.

»Khuff hätte Euch nicht im Stich gelassen.«

»Nein, Khuff wäre nicht davongelaufen«, pflichtete ihm Alā geistesabwesend bei. Er studierte die Lage auf dem Brett. Schließlich ergriff er den *rukh*-Kämpfer am Ende der Linie, der die elfenbeinernen Mörderhände an die Lippen hielt, um das Blut seiner Feinde zu trinken, und zog mit ihm.

Rob stellte ihm eine Falle und erwischte Alā, indem er einen schwarzen Reiter gegen den weißen *rukh* tauschte.

Alā starrte auf das Brett. Danach überlegte der Schah seine Züge besser, und er brauchte Zeit zum Nachdenken. Seine Augen glänzten, als er den zweiten schwarzen Reiter schlug, wurden aber wieder matt, als er einen Elefanten verlor.

»Was ist aus Eurem großen Elefanten geworden?«

»Ah, *das* war ein guter Elefant. Ich habe auch ihn am Tor von al-Karaj verloren.«

»Und aus dem *mahout* Harsha?«

»Gefallen, bevor der Elefant starb. Eine Lanze traf ihn in die Brust.« Er trank den Wein, ohne Rob welchen anzubieten, direkt aus dem Krug und verschüttete einen Teil davon auf sein bereits verschmutztes Gewand. Er wischte sich Mund und Bart mit dem Handrücken ab. »Genug geredet«, knurrte er und wendete sich dem Spiel zu, denn die Ebenholzfiguren waren leicht im Vorteil.

Alā griff nun wütend an und versuchte alle Kniffe, die ihm einmal so gut gelungen waren, aber Rob hatte in den letzten Jahren gegen stärkere Gegner gekämpft. Mirdin hatte ihm gezeigt, wann er kühn und wann er vorsichtig sein mußte, und von Ibn Sina hatte er gelernt, vorauszuschauen und weit vorauszudenken. Es sah jetzt ganz so aus, als führe er Alā genau auf den Weg der Niederlage, und die Vernichtung der Elfenbeinfiguren wurde zur Gewißheit. Die Zeit verging, und Alās Gesicht glänzte vor Schweiß, obwohl der Raum dank der Mauern und Fußböden aus Stein kühl war.

Rob hatte den Eindruck, als würden Mirdin und Ibn Sina für ihn mitspielen.

Dann standen von den Elfenbeinfiguren nur noch der König, der General und ein Kamel auf dem Brett, und bald schlug Rob, während sich sein Blick in die Augen des Schahs bohrte, mit seinem General das Kamel.

Alā stellte seinen General vor die Königsfigur und blockierte die Angriffslinie. Aber Rob hatte noch fünf Figuren zur Verfügung: den König, den General, einen *rukh*, ein Kamel und einen Bauern. Er zog den nicht bedrohten Bauern zur gegenüberliegenden Seite des Feldes, wo ihm die Regeln gestatteten, ihn gegen den zweiten *rukh* einzutauschen.

In drei Zügen hatte er den neu gewonnenen *rukh* geopfert, um den Elfenbeingeneral zu schlagen. Und in zwei weiteren Zügen bedrohte sein Ebenholzgeneral den Elfenbeinkönig. »Ziehe, o Schah«, flüsterte er.

Er wiederholte die Worte dreimal, während er seine Figuren so aufstellte, daß es für Alās König keinen Ausweg mehr gab.

»*Shahtreng*«, verkündete er schließlich.

»Ja, der Todeskampf des Königs.« Alā fegte die restlichen Figuren vom Brett.

Nun sahen sie einander prüfend an, und Robs Hand lag wieder auf dem Griff seines Schwertes.

»Masūd hat erklärt, wenn die Einwohner von Isfahan Euch nicht ausliefern, werden die Afghanen alle ermorden und die Stadt plündern.«

»Die Afghanen werden morden und diese Stadt plündern, ob man mich ausliefert oder nicht. Es gibt nur eine Chance für Isfahan.« Der Schah erhob sich mühsam, und Rob stand auch auf, damit ein Untertan nicht saß, während der Herrscher stand. »Ich werde Masūd zum Zweikampf herausfordern: König gegen König.«

In Rob brannte der Wunsch, den Schah zu töten, nicht zu bewundern oder zu lieben, und er runzelte die Stirn.

Alā spannte den schweren Bogen, den nur wenige Männer so handhaben konnten, und zeigte auf das Schwert aus gemustertem blauen Stahl, das an der gegenüberliegenden Wand hing. »Hol meine Waffe, *Dhimmi!*«

Rob brachte sie und sah zu, wie er sie umschnallte. »Ihr wollt jetzt gegen Masūd kämpfen?«

»Der Augenblick scheint mir günstig.«

»Wollt Ihr, daß ich Euch begleite?«

»Nein!«

Der Schah von Persien reagierte empört und verächtlich darauf, daß ihn ein Jude begleiten wollte. Statt in Zorn zu geraten, empfand Rob Erleichterung darüber, denn er hatte sich unüberlegt angeboten und dies bereits bedauert, da es weder sinnvoll noch eine Ruhmestat war, neben dem Schah zu sterben.

Doch das Falkengesicht wurde weich, und Alā *Shahansha* blieb stehen, bevor er ging. »Es war ein ritterliches Angebot«, sagte er. »Denk nach, was du dir als Belohnung wünschst. Wenn ich zurückkomme, werde ich dir einen *calaat* verleihen.«

Rob stieg eine schmale Steintreppe zu den höchsten Zinnen des Hauses des Paradieses empor. Von diesem luftigen Standort aus sah er die Häuser des vornehmen Viertels von Isfahan, die Perser, die auf der Stadtmauer standen, die Ebene vor ihnen und das Lager des Ghazna-Heeres, das sich bis zu den Hügeln erstreckte.

Er wartete lange, während der Wind ihm Haar und Brust zauste, ohne daß Alā erschien.

Dann begann er sich Vorwürfe zu machen, weil er den Schah nicht getötet hatte. Er war sicher, daß Alā ihn übertölpelt hatte und daß ihm die Flucht geglückt war.

Doch jetzt sah er ihn.

Das Westtor lag außerhalb seiner Sichtweite, doch in dieser Richtung, auf der flachen Ebene jenseits der Mauer, tauchte der Schah auf. Er ritt sein vertrautes Pferd, den wilden, schönen weißen Araberhengst, der den Kopf hochwarf und ungebärdig tänzelte.

Rob sah zu, wie Alā auf das feindliche Lager zuritt. Als er nahe genug war, zügelte er sein Pferd, richtete sich in den Steigbügeln auf und rief seine Herausforderung. Rob konnte die Worte nicht verstehen, hörte nur ein fernes unverständliches Geschrei. Aber einige von den Leuten des Schahs konnten ihn hören. Sie waren mit der Legende von Ardewan und Ardashir und ihrem Duell, um einen ersten *shahansha* zu küren, aufgewachsen, und von den Mauerzinnen erklangen vielfältige Jubelrufe. Im Ghazna-Lager verließ eine kleine Gruppe von Reitern den Bereich der Offizierszelte. Ihr Anführer trug einen weißen Turban, aber Rob konnte nicht erkennen, ob es Masūd war. Wo immer Masūd sich befand – falls er überhaupt je von Ardewan und Ardashir und dem alten Kampf um das Recht gehört hatte, König der Könige zu werden, er kümmerte sich nicht um Legenden. Aus den Reihen der Afghanen löste sich ein Trupp von Bogenschützen auf schnellen Pferden.

Alās Schimmelhengst war das schnellste Roß, das Rob je gesehen hatte, aber sein Reiter versuchte nicht zu entrinnen. Wieder erhob er sich in den Steigbügeln. Diesmal war Rob sicher, daß er dem jungen Sultan, der nicht kämpfen wollte, Schmähungen und Beschimpfungen zuschrie.

Als die Soldaten ihn beinahe erreicht hatten, spannte Alā den Bogen und begann zu fliehen. Aber der freie Raum war eng begrenzt. Er ritt scharf, drehte sich im Sattel um und schoß einen Pfeil ab, der den führenden Afghanen fällte: ein vollendeter Partherschuß, der den Zuschauern auf der Mauer Beifallsrufe entlockte. Aber als Antwort traf ihn ein Hagel von Pfeilen.

Vier Pfeile trafen auch sein Pferd. Aus dem Maul des Hengstes trat blutiger Schaum. Der Schimmel wurde langsamer, dann hielt er an und schwankte, bevor er mit seinem toten Reiter zu Boden stürzte.

Rob wurde unvermutet von Trauer ergriffen.

Er sah zu, wie sie ein Seil an Alās Knöcheln befestigten und ihn dann zum Ghazna-Lager schleppten, wobei sie eine Wolke aus Staub aufwirbelten. Aus einem Rob unverständlichen Grund störte ihn besonders die Tatsache, daß sie den König mit dem Gesicht nach unten über den Boden schleiften.

Er lenkte den braunen Wallach zur Koppel hinter den königlichen Ställen und nahm ihm den Sattel ab. Es war schwierig, das mächtige Tor allein zu öffnen, aber der Platz war ebenso unbewacht wie der Rest des Hauses des Paradieses, und er wurde damit fertig.

»Leb wohl, Freund!« sagte er.

Er schlug das Pferd auf die Kruppe, und als es sich zu der Herde gesellte, schloß er sorgfältig das Tor. Gott allein wußte, wem das braune Pferd am nächsten Morgen gehören würde.

Auf der Kamelkoppel nahm er zwei Halfter von den Geschirren, die in einem offenen Schuppen hingen, und suchte zwei junge, kräftige Kamelstuten aus, die ihm gefielen. Sie knieten im Staub, käuten wieder und beobachteten ihn.

Die erste versuchte, ihm den Arm abzubeißen, als er mit dem Zaumzeug näher kam. Aber Mirdin, der sanfteste aller Männer, hatte ihm gezeigt, wie man mit Kamelen umging, und er versetzte dem Tier einen so kräftigen Schlag in die Rippen, daß es seinen Atem zwischen den quadratischen gelben Zähnen herauspfiff. Nun war das Kamel gefügig, und das zweite Tier machte keine Schwierigkeiten, als hätte es durch Beobachtung gelernt. Er ritt das größere und führte das zweite Tier an einem Strick.

Er mußte einen weiten Bogen um den östlichen Teil der Stadt schlagen, um die Jehuddijeh zu erreichen. Menschen und Tiere stauten sich schon eine Viertelmeile weit, weil sie versuchten, durch das Osttor aus Isfahan zu fliehen, um dem Feind zu entgehen, der hinter der westlichen Stadtmauer lagerte.

Als er das Haus erreichte, öffnete Mary die Tür auf seinen Ruf, ihr Gesicht war aschgrau, und sie hielt das Schwert ihres Vaters noch immer in der Hand.

»Wir reisen nach Hause.«

Sie war entsetzt, doch ihre Lippen sprachen ein stummes Dankgebet. Er nahm den Turban ab, zog die persische Kleidung aus, legte seinen schwarzen Kaftan an und setzte den ledernen Judenhut auf.

Sie nahmen seine Abschrift von Ibn Sinas »Der Kanon der Medizin«, rollten die anatomischen Zeichnungen zusammen und steckten sein Patientenbuch, seine Tasche mit den medizinischen Instrumenten, Mirdins Schachspiel, Lebensmittel und ein paar Arzneien, das Schwert James Cullens und eine kleine Schachtel, die ihre Barschaft enthielt, ein. Das alles wurde auf das kleinere Kamel gepackt.

Auf die Seite des größeren Kamels hängte er einen Schilfkorb und auf die andere einen locker gewebten Sack. Er hatte in einer Phiole eine kleine Menge *buing* bei sich, gerade genug, um damit die Spitze seines kleinen Fingers anzufeuchten. Er ließ Rob James an der Fingerspitze saugen und dann Tam ebenfalls. Als sie schliefen, legte er den älteren Jungen in den Korb und den Säugling in den Sack, und ihre Mutter bestieg das Kamel, um zwischen ihnen zu reiten.

Es war noch nicht vollkommen dunkel, als sie das kleine Haus in der Jehuddijeh für immer verließen. Aber sie hatten keine Zeit zu verlieren, weil die Afghanen jeden Augenblick über die Stadt herfallen konnten.

Als er die beiden Kamele durch das von den Posten verlassene Westtor führte, war die Dunkelheit hereingebrochen. Der Jagdsteig, dem sie durch die Hügel folgten, führte so nahe an den Ghazna-Lagerfeuern vorbei, daß sie das Singen und Johlen hörten, mit dem sich die Afghanen vor der Plünderung in die richtige Stimmung steigerten.

Sie wurden nicht verfolgt. Bald ließen sie die Lagerfeuer hinter sich. Als Rob jedoch zurückblickte, war tief am Himmel eine rosa Wolke aufgetaucht, und er wußte, daß Isfahan jetzt in Flammen stand. Am nächsten Morgen, nach einer durchrittenen Nacht, weinten beide

Kinder, und seine Frau saß mit grauem Gesicht und geschlossenen Augen auf dem Kamel. Rob konnte jedoch nicht haltmachen. Er zwang seine müden Beine, weiterzustapfen, und führte die Kamele nach Westen zu dem ersten jüdischen Dorf.

Siebenter Teil

Die Heimkehrer

London 2

Sie überquerten den großen Kanal am 24. März im Jahr des Herrn 1043 und landeten am späten Nachmittag in Queen's Hythe. Es war kaum Platz vorhanden, um an Land zu gehen; Rob zählte allein mehr als zwanzig fürchterliche schwarze Kriegsschiffe, die in der Dünung vor Anker lagen, und dazu gab es zahllose Handelsschiffe. Sie waren alle vier von der Reise erschöpft. So begaben sie sich zu einem der Gasthöfe von Southwark, an die sich Rob erinnerte, aber die Unterkunft erwies sich als erbärmlich, und es wimmelte auch noch von Ungeziefer.

Am nächsten Morgen machte er sich beim ersten Tageslicht auf die Suche nach einem besseren Logis. London war gewachsen; wo es einst Wiesen und Obstgärten gegeben hatte, sah er unbekannte Gebäude und Straßen, die so verrückt verwinkelt waren wie die in der Jehuddijeh.

In einer Taverne erkundigte er sich nach leerstehenden Häusern, und man nannte ihm eines in der Nähe des Walbrook. Es lag neben der kleinen Kirche St. Asaph, und er vermutete, daß es Mary gefallen würde. Im Erdgeschoß wohnte der Besitzer, Peter Lound. Das erste Stockwerk war zu vermieten, es bestand aus einem kleinen Raum und einem großen Wohnzimmer, das mit der belebten Straße darunter, der Thames Street, durch eine steile Treppe verbunden war.

Er fand keine Spuren von Wanzen, und der Preis war annehmbar. Die Lage war gut, denn auf den Straßen nördlich davon wohnten reiche Kaufleute und hatten dort auch ihre Geschäfte. Rob kehrte sofort nach Southwark zurück, um seine Familie zu holen. Sobald sie sich eingerichtet hatten, eilte er zu einem Schildermacher und bestellte bei dem Mann ein Eichenschild. Als es fertig war, geschnitzt, die Buchstaben schwarz eingefärbt, befestigte er es neben der Eingangstür des Hauses an der Thames Street, damit alle sahen, daß es das Heim von Robert Jeremy Cole, Medicus, war.

Zuerst fand es Mary angenehm, unter Briten zu leben und Englisch zu sprechen, obwohl sie mit ihren Kindern weiterhin Gälisch sprach, da sie wollte, daß sie die Sprache der Schotten beherrschten. Die Möglichkeit, in London einzukaufen, war berauschend. Sie fand eine Näherin und bestellte ein Kleid aus unaufdringlichem braunen Stoff: lang, mit Gürtel, hochgeschlossen und mit so losen Ärmeln, daß sie in verschwenderischen Falten herabfielen.

Für Rob bestellte sie eine schöne graue Hose und einen Kittel. Obwohl er gegen diese Verschwendung protestierte, kaufte sie ihm zwei schwarze Arztgewänder, eines aus leichtem, ungefüttertem Stoff für den Sommer, das andere dicker und mit einer mit Fuchsfell verbrämten Kapuze. Er hatte seinen buschigen Bart zu einem Spitzbart zurechtgestutzt und kleidete sich westlich. Seit sie sich auf der Rückreise einer Karawane angeschlossen hatten, gab es keinen Jesse ben Benjamin mehr. An seiner Stelle reiste Robert Jeremy Cole, ein Engländer, der seine Familie nach Hause brachte.

Die immer sparsame Mary hatte den Kaftan behalten und verwendete das Material, um daraus Kleidung für ihre Söhne zu schneidern. Rob James' abgelegte Sachen hob sie für Tam auf, obwohl dies schwierig war, weil Rob James für sein Alter sehr groß war und Tam etwas kleiner als die meisten Jungen, zumal er während ihrer Reise nach dem Westen schwer erkrankt war. In der Bischofsstadt Freising waren beide Kinder von einer schweren Halsentzündung mit tränenden Augen befallen worden. Sie bekamen so hohes Fieber, daß Mary die schreckliche Angst hatte, sie könne ihre Söhne verlieren. Die Kinder hatten tagelang gefiebert; bei Robert James war keine sichtbare Schädigung zurückgeblieben, aber die Krankheit hatte sich in Tams linkem Bein festgesetzt, das blaß wurde und leblos wirkte.

Die Familie Cole war mit einer Karawane nach Freising gekommen, die bald weiterziehen sollte, und der Karawanenleiter erklärte, er könne die Genesung der Kinder nicht abwarten.

»Geht zum Teufel«, hatte ihm Rob zugerufen, weil sein Sohn Pflege brauchte und diese auch erhalten sollte. Er machte Tam feuchtwarme Umschläge auf das Bein und schlief so gut wie nie, um sie ständig zu wechseln. Er umfaßte das kleine Bein mit seinen großen Händen, bog das Knie und massierte die Muskeln immer wieder, drückte, knetete und rieb das Bein mit Bärenfett ein.

Tam erholte sich, aber nur langsam. Er hatte, ein Jahr bevor die Krankheit ihn befiel, zu gehen begonnen. Nun mußte er wieder kriechen und krabbeln, und als er diesmal die ersten Schritte wagte, geriet er aus dem Gleichgewicht, da das linke Bein ein wenig kürzer war als das rechte.

Sie warteten in Freising beinahe zwölf Monate auf Tams Genesung und dann auf eine geeignete Karawane. Obwohl er die Ostfranken niemals lieben lernte, kam Rob so weit, daß er die ostfränkischen Eigenschaften etwas milder beurteilte. Trotz seiner Unkenntnis der Landessprache waren die Kranken zu ihm gekommen, um sich behandeln zu lassen, nachdem sie gesehen hatten, mit welcher Sorgfalt und Hingabe er sein eigenes Kind pflegte. Er hörte nie auf, sich um Tams Bein zu bemühen, und obwohl der Knabe beim Gehen manchmal seinen linken Fuß ein wenig nachzog, gehörte er in London zu den lebhaftesten Kindern.

Die beiden Söhne fühlten sich in London wohler als ihre Mutter, denn sie konnte sich mit ihrer Umgebung nicht anfreunden. Sie fand das Wetter feucht und die Engländer kalt. Wenn sie auf den Markt ging, mußte sie sich davor hüten, in das lebhafte orientalische Feilschen zu verfallen, an das sie sich so sehr gewöhnt hatte. Die Leute waren hier im allgemeinen weniger freundlich, als sie erwartet hatte. Sogar Rob vermißte den blumigen Überschwang persischer Redegewandtheit. »Obwohl diese hübschen Schmeicheleien meist nicht ernst gemeint waren, waren sie doch sehr angenehm«, erinnerte er sich wehmütig.

Den beiden kam London wie ein schwarzer Morast vor, in dem sie knöcheltief standen. Der Vergleich war nicht zufällig, denn die Stadt roch schlimmer als jeder Sumpf, den sie auf ihren Reisen gesehen hatten.

Als sie Konstantinopel erreicht hatten und Mary sich wieder inmitten einer mehrheitlich christlichen Bevölkerung befand, hatte sie sich von einer Kirche in die nächste gestürzt, aber das hatte jetzt seinen Reiz verloren. Sie fand Londons Kirchen angsteinflößend. Es gab in London viel mehr Kirchen als in Isfahan Moscheen, über hundert an der Zahl. Sie überragten alle anderen Gebäude – London war eine zwischen Kirchen erbaute Stadt –, und sie lärmten ständig mit einer dröhnenden Stimme, bei der Mary erzitterte. Für Mary symbolisierten die Glocken die Stadt. Und sie haßte diese vermaledeiten Glocken.

Der erste Mann, der aufgrund des neuen Schildes an ihre Tür klopfte, war kein Patient. Er war schmächtig, ging leicht gebückt und blinzelte aus zusammengekniffenen Augen.

»Nicholas Hunne, Medicus«, stellte er sich vor, neigte seinen kahl werdenden Kopf zur Seite wie ein Spatz und wartete auf die Reaktion. »Von der Thames Street«, fügte er bedeutungsvoll hinzu.

»Ich habe Euer Schild gesehen«, sagte Rob. Er lächelte. »Ihr ordiniert am anderen Ende der Thames Street, Master Hunne, und ich lasse mich jetzt hier nieder. Zwischen uns leben genügend leidende Londoner, um ein Dutzend fleißiger Ärzte zu beschäftigen.«

Hunne schniefte. »Nicht so viel Kranke, als Ihr vielleicht annehmt. In London sind die Ärzte dicht gesät, und meiner Ansicht nach böte eine etwas abseits liegende Stadt bessere Möglichkeiten für einen Arzt, der gerade beginnt.«

Als er fragte, wo Master Cole ausgebildet worden sei, log Rob wie ein Teppichhändler und behauptete, er habe sechs Jahre lang im ostfränkischen Königreich studiert.

»Und was werdet Ihr berechnen?«

»Berechnen?«

»Ja. Honorare, Mann. Eure Behandlungskosten!«

»Darüber habe ich eigentlich noch nicht nachgedacht.«

»Das müßt Ihr aber sofort tun. Ich sage Euch, was hier üblich ist, denn es wäre unangebracht, wenn ein Neuankömmling die ortsansässigen Ärzte unterböte. Die Honorare sind je nach der Vermögenslage des Patienten verschieden – natürlich gibt es keine Grenze nach oben. Doch dürft Ihr nie weniger als vierzig Pence für eine Venenöffnung verlangen, denn der Aderlaß ist die Haupteinnahmequelle unseres Gewerbes, und auch nicht weniger als sechsunddreißig Pence für eine Harnuntersuchung.«

Rob wurde nachdenklich, denn diese Honorare lagen skrupellos hoch.

»Ihr sollt Euch nicht um das Gesindel kümmern, das an den Enden der Thames Street wohnt. Die haben ihre Baderchirurgen. Es wird auch nicht von Erfolg gekrönt sein, sich dem Adel anzubieten, denn der wird von einigen wenigen Ärzten betreut: Dryfield, Hudson, Simpson und diese Leute. Aber die Thames Street bietet eine große Auswahl an reichen Kaufleuten. Ich habe mir angewöhnt, die Bezahlung zu verlangen, bevor ich mit der Behandlung beginne, da ist die Angst der

Kranken am größten.« Er warf Rob einen listigen Blick zu. »Unsere Konkurrenz kann durchaus ihre guten Seiten haben, denn ich habe festgestellt, daß es Eindruck macht, wenn ich einen zweiten Medicus hinzuziehe, falls der betreffende Patient wohlhabend ist. Wir könnten einander häufig und einträglich unter die Arme greifen, wie?«

Rob ging zur Tür, um ihn hinauszubegleiten. »Ich ziehe es meist vor, allein zu arbeiten«, entgegnete er kalt.

Der andere wurde rot, denn die Ablehnung war unmißverständlich.

»Dann könnt Ihr zufrieden sein, Master Cole. Ich werde Eure Ansichten verbreiten, und kein anderer Medicus wird in Eure Rufweite kommen.« Er nickte kurz und verschwand.

Es kamen Kranke, aber nicht allzu viele.

Das ist zu erwarten gewesen, sagte sich Rob. Ich bin ein neuer Fisch in einem fremden Meer, und es wird Zeit erfordern, bis ich mich eingeführt habe. Besser, man wartet, als man bedient sich der schmutzigen Praktiken von Leuten vom Schlag eines Hunne.

Inzwischen lebte er sich ein. Er besuchte mit seiner Frau und seinen Kindern die Familiengräber, und die kleinen Jungen spielten zwischen den Grabsteinen auf dem St.-Botolphs-Friedhof.

Er fand auf dem Cornhill eine Taverne, die ihm zusagte. Sie hieß »The Fox« und war ein Wirtshaus von der Art, bei der sein Vater Zuflucht gesucht hätte, als Rob noch ein Junge war. Dort mied er das Metheglin und trank nur braunes Ale. Einmal entdeckte er einen Bauunternehmer namens George Markham, der mit Robs Vater Mitglied der Zimmermannszunft gewesen war.

Rob erzählte den Leuten im »The Fox«, daß er sich jahrelang im Ausland aufgehalten und im ostfränkischen Königreich Medizin studiert habe.

Von Markham und anderen Gästen des »Fox« erfuhr Rob, was mit Englands Herrschergeschlecht geschehen war. Einen Teil der Geschichte hatte er ja schon von Bostock in Isfahan gehört. Jetzt vernahm er, daß sich Knuts Nachfolger Harold Harefoot als schwacher König erwiesen hatte. Harold hatte sich rasch zu Tode gegessen und getrunken, und Harthacnut, einer seiner Halbbrüder, war ihm nach der Rückkehr von einem Krieg in Dänemark auf dem Thron gefolgt.

Harthacnut hatte nur zwei Jahre regiert, als er eines Tages bei einer

Hochzeitsfeier tot umfiel, und so war endlich Edward an der Reihe gewesen. Inzwischen hatte dieser Godwins Tochter geheiratet, und auch er wurde von dem sächsischen Grafen beherrscht. Aber das Volk mochte ihn. »Edward ist ein guter König«, versicherte George Markham. »Er hat eine gehörige Flotte von schwarzen Schiffen gebaut.« Rob nickte. »Ich habe sie gesehen. Sind sie schnell?«

»Schnell genug, um die Meeresstraßen von Seeräubern freizuhalten.« Die königlichen Geschichten, die mit Wirtshaustratsch und Erinnerungen ausgeschmückt wurden, sorgten für durstige Kehlen. Diese wollten geschmiert sein, und sie verlangten auch nach vielen Trinksprüchen auf die toten königlichen Brüder und vor allem auf den noch lebenden Edward, den Monarchen des Reiches. So vergaß Rob an etlichen Abenden, daß er keinen Alkohol vertrug, und er schwankte vom »Fox« zu dem Haus in der Thames Street. Mary fiel dann die undankbare Aufgabe zu, einen mürrischen Trunkenbold zu entkleiden und zu Bett zu bringen.

Der traurige Zug in ihrem Gesicht vertiefte sich.

»Liebster, laß uns von hier wegziehen«, bat sie ihn eines Tages.

»Warum? Wohin sollen wir denn gehen?«

»Wir könnten in Kilmarnock leben. Dort liegt mein Besitz, und dort leben meine Verwandten, die sich freuen würden, meinen Mann und meine Söhne kennenzulernen.«

»Wir müssen es mit London noch einmal probieren.«

Er war kein Narr und gelobte sich, enthaltsamer zu sein, wenn er »The Fox« aufsuchte, und auch weniger oft hinzugehen. Er verschwieg ihr aber, daß ihn mit London eine Vision verband, die Stadt war für ihn viel mehr als nur eine Gelegenheit, als »Blutegel« zu leben. Er hatte in Persien Erfahrungen gesammelt, die nun sein Eigentum waren, ein Wissen, das hier nicht bekannt war. Er sehnte sich nach dem Austausch medizinischer Erkenntnisse, den es in Isfahan gegeben hatte. Dazu brauchte er aber ein Krankenhaus, und London schien ihm ein ausgezeichneter Standort für eine Einrichtung wie den *maristan* zu sein.

In diesem Jahr ging der lange, winterlich kalte Frühling in einen feuchten Sommer über. Jeden Morgen verbarg dichter Nebel das Hafenviertel. An den Tagen, an denen es nicht regnete, durchbrach am Vormittag die Sonne die graue Düsternis, und die Stadt erwachte sofort zu neuem Leben. Diesen Augenblick der Wiederkehr der Sonne nutzte Rob am liebsten zu einem Spaziergang, und an einem besonders freundlichen Tag löste sich der Nebel auf, als er an einem Handelskai vorbeikam, auf dem eine große Zahl Leibeigener Eisenbarren zur Verschiffung aufstapelte.

Der Fahrer eines Rollwagens trieb seine schmutzigen Schimmel zu weit und zu schnell rückwärts, so daß der schwere Wagen drohend gegen den Stapel prallte. Der oberste Eisenbarren setzte sich klirrend in Bewegung, hing einen Augenblick über dem Rand und glitt dann, gefolgt von zwei weiteren, herunter.

Jemand schrie warnend, die Leute stoben hastig auseinander, aber zwei Leibeigene wurden von anderen Menschen behindert. Sie stürzten, und ein Barren fiel mit seinem vollen Gewicht auf einen von ihnen, so daß er auf der Stelle tot war.

Das Ende eines anderen Barrens traf den rechten Unterschenkel des zweiten Mannes, und auf seinen Aufschrei hin griff Rob ein.

»Hier, hebt den Barren herunter! Schnell und vorsichtig!« befahl er, und ein halbes Dutzend Leibeigener schafften den Eisenbarren weg.

Der Verletzte schrie nicht mehr, als man ihn wegtrug, denn er hatte das Bewußtsein verloren. Das war auch besser so: Sein Fuß und Knöchel waren entsetzlich verstümmelt, und Rob sah keine Möglichkeit, die Gliedmaßen wiederherzustellen. Er schickte einen Leibeigenen in die Thames Street, damit er seine chirurgischen Instrumente von Mary holte. Während der Verwundete bewußtlos am Boden lag, machte er einen Einschnitt oberhalb der Verletzung und begann, die Haut abzuheben. Er stellte einen Lappen her, und dann durchtrennte er das Fleisch und den Muskel.

»Was zum Teufel treibt Ihr da?«

Er blickte auf und bemühte sich, keine Miene zu verziehen, denn neben ihm stand ein Mann, den er zuletzt als Jesse ben Benjamin in seinem Haus in Persien gesehen hatte.

»Ich behandle einen Mann.«

»Aber es heißt, Ihr seid ein Medicus.«

»Das ist richtig.«

»Ich bin Charles Bostock, Kaufmann und Importeur, Besitzer dieses Lagerhauses und dieses Docks. Und ich bin nicht so verrückt, verdammt noch mal, daß ich einen Medicus zu einem Leibeigenen kommen lasse!«

Rob zuckte mit den Achseln. Die Instrumente wurden gebracht, und er machte sich zur Amputation bereit. Er nahm die Knochensäge, schnitt den zerquetschten Fuß ab und nähte den Hautlappen sorgfältig über den Stumpf, aus dem Blut sickerte, so wie al-Juzjani es von ihm verlangt hätte.

Bostock war noch immer da. »Ihr habt meine Worte wohl nicht verstanden«, begann er wieder. »Ich bezahle Euch nichts. Ihr bekommt keinen halben Penny von mir.«

Rob nickte. Er klopfte dem Leibeigenen mit zwei Fingern leicht auf die Wange, und der Mann stöhnte auf.

»Wer seid Ihr?«

»Robert Cole, Medicus aus der Thames Street.«

»Kennen wir einander, Master?«

»Meines Wissens nicht, Master Kaufmann.«

Er sammelte seine Instrumente ein, nickte und entfernte sich. Am Ende des Docks warf er einen Blick zurück. Bostock sah Rob starr und zutiefst verdutzt nach, während dieser sich entfernte.

Er sagte sich, daß Bostock in Isfahan einen Juden mit Turban, buschigem Bart und in persischer Kleidung kennengelernt hatte: den orientalischen Jesse ben Benjamin. Und auf dem Dock hatte der Kaufmann mit Robert Jeremy Cole, einem freien Londoner Bürger in alltäglicher englischer Kleidung gesprochen, dessen Gesicht durch den kurzgeschnittenen Spitzbart gewiß verändert war.

Es war möglich, daß Bostock sich überhaupt nicht mehr an ihn erinnerte; und ebensogut war möglich, daß dies doch der Fall war.

Rob kaute an der Frage herum wie ein Hund auf einem Knochen. Er hatte nicht so sehr Angst um seine Person – obwohl er natürlich Angst hatte –, sondern machte sich Sorgen um die Zukunft seiner Frau und der Kinder, falls er wirklich Schwierigkeiten bekommen sollte. Und als Mary an diesem Abend wieder von Kilmarnock sprach, wurde ihm allmählich klar, was geschehen mußte.

»Ich würde liebend gern dorthin übersiedeln«, gestand sie. »Ich sehne mich danach, über eigenen Grund und Boden zu gehen und wieder unter Schotten und Verwandten zu leben.«

»Es gibt einige Angelegenheiten, die ich hier erledigen muß«, antwortete er langsam. Er ergriff ihre Hände. »Aber ich glaube, daß ihr, du und die Kinder, ohne mich nach Kilmarnock fahren solltet.«

«Ohne dich?«

»Ja.«

Sie rührte sich nicht. Die Blässe ließ ihre hohen Backenknochen noch stärker hervortreten und warf Schatten in ihr schmales Gesicht, so daß ihre Augen größer schienen, während sie ihn betrachtete. Ihre sensiblen Mundwinkel, die immer ihre Gefühle verrieten, sagten ihm, wie unmöglich ihr dieser Vorschlag vorkam.

»Wenn du es unbedingt willst, werden wir fahren«, erklärte sie ruhig.

In den nächsten Tagen überlegte er sich alles noch ein dutzendmal. Doch schrie niemand empört auf oder schlug Alarm. Es kamen auch keine Bewaffneten, um ihn zu verhaften. Er war Bostock zwar offenbar bekannt vorgekommen, der Kaufmann hatte ihn aber nicht als Jesse ben Benjamin erkannt.

Fahre nicht! hätte er am liebsten zu Mary gesagt.

Mehrmals war er beinahe soweit, doch immer hielt ihn etwas davon ab. Er trug die schwere Last der Angst mit sich herum, und es konnte nicht schaden, wenn sie und die Jungen eine Zeitlang in einem anderen Ort in Sicherheit waren.

Also sprachen sie wieder darüber. »Wenn du uns zum Hafen Dunbar bringen könntest«, meinte sie.

»Warum nach Dunbar?«

»Die MacPhees leben dort, Verwandte der Cullens. Sie werden dafür sorgen, daß wir sicher in Kilmarnock ankommen.«

Dunbar, das war kein Problem. Im »The Fox« hörte Rob von einem Lastboot, das in Dunbar anlegte. Es hieß »Aelfgifu« nach Harold Harefoots Mutter, und sein Kapitän war ein grauhaariger Däne, der sich freute, für drei Passagiere, die nicht viel essen würden, eine Menge Geld zu bekommen.

Die »Aelfgifu« würde in nicht einmal zwei Wochen auslaufen, deshalb mußte man eilig Vorbereitungen treffen, die Kleidung ausbessern, entscheiden, was mitgenommen wurde und was nicht.

Plötzlich waren es nur noch wenige Tage bis zum Abschied.

»Ich folge euch nach Kilmarnock, sobald ich kann.«

»Wirklich?« fragte sie.

»Selbstverständlich.«

Am Abend vor der Abreise kam sie wieder darauf zurück. »Wenn du nicht kommen kannst…«

»Ich *werde* kommen.«

»Aber… wenn du doch nicht kommen kannst. Wenn das Schicksal uns irgendwie trennt, dann sollst du wissen, daß meine Verwandten die Jungen zu rechtschaffenen Männern erziehen werden.«

Sie berührten einander zart an allen vertrauten Körperstellen, wie zwei Blinde, die mit ihren Händen die Erinnerung festhalten wollen. Es war eine traurige Zärtlichkeit, als wäre es das letzte Mal. Danach weinte sie lautlos, und er hielt sie wortlos in seinen Armen. Es gab so vieles, was er sagen wollte, aber es fehlten ihm die Worte.

Im Morgengrauen brachte er die drei an Bord der »Aelfgifu«. Sie war nur sechzig Fuß lang und besaß ein offenes Deck. Der Mast war dreißig Fuß hoch, und das Segel war groß und quadratisch. Der Rumpf war aus dicken, überlappenden Eichenplanken gezimmert. Dank der schwarzen Schiffe des Königs würden die Seeräuber draußen auf offener See bleiben, und die »Aelfgifu« würde sich dicht an der Küste halten, um Fracht abzuliefern oder aufzunehmen, und beim ersten Anzeichen eines Sturms einen Hafen anlaufen. Es war die sicherste Form einer Reise zu Schiff.

Rob stand auf dem Dock. Marys Gesicht war unerschütterlich; sie hatte sich für die feindselige Welt gerüstet. Sie beugte sich hinunter und sagte etwas zu Rob James, als das Segel gehißt wurde.

»Leb wohl, Pa!« schrie die dünne Stimme gehorsam, aber deutlich.

»Gott sei mit euch!« rief Rob.

Das Lyceum

Am 9. November desselben Jahres wurde eine Frau namens Julia Swane zum Hauptgesprächsthema Londons, da sie als Hexe verhaftet wurde. Man warf ihr vor, ihre sechzehnjährige Tochter Glynna in ein fliegendes Pferd verwandelt und sie dann so brutal geritten zu haben, daß das Mädchen für immer verstümmelt blieb. »Wenn das wahr ist«, empörte sich Robs Hausherr Peter Lound, »ist es ein abscheuliches, verruchtes Verbrechen. Seinem eigenen Fleisch und Blut so etwas anzutun!«

Rob fehlten seine Kinder und ihre Mutter schmerzlich. Der erste Meeressturm kündigte sich über vier Wochen nach ihrer Abreise an. Doch zu diesem Zeitpunkt mußten sie längst in Dunbar gelandet sein. Er betete, daß sie, wo immer sie sich auch aufhalten mochten, an einem sicheren Ort das Abflauen der Stürme abwarten konnten.

Er wurde wieder zu einem einsamen Wanderer, der alle Viertel von London, die er von früher kannte, und die neuen Sehenswürdigkeiten, die seither entstanden waren, besuchte. Als er vor dem Schloß des Königs stand, das ihm einst als die Verkörperung königlicher Pracht-entfaltung erschienen war, staunte er über den Unterschied zwischen dessen englischer Schlichtheit und der erhabenen Pracht des Hauses des Paradieses. König Edward hielt sich meist im Schloß von Winche-ster auf, doch eines Morgens wandelte er schweigend, nachdenklich und in sich gekehrt zwischen seinen Leibwächtern und Gefolgsleuten umher.

Vom Michaelitag an war dieser Herbst kalt, und es wehte ein scharfer Wind. Dann kam der warme und regnerische Winter. Rob dachte oft an seine Lieben und hätte gern gewußt, wann sie in Kilmarnock eingetroffen waren. Aus Einsamkeit verbrachte er so manchen Abend im »Fox«, versuchte aber, beim Trinken Maß zu halten, denn er wollte nicht in eine Rauferei verwickelt werden wie in seiner Jugend.

Zur Adventszeit wurde ihm das Herz schwer, denn Weihnachten war ein Fest, das traditionellerweise im Kreise der Familie verbracht wurde. Am Weihnachtstag nahm er seine Mahlzeit im »Fox« ein: Schweinssülze und eine Hammelpastete, die er mit einer gewaltigen Menge Met hinunterspülte. Auf dem Heimweg stieß er auf zwei Seeleute, die auf einen Mann einschlugen, dessen Lederhut im Straßen-kot lag. Rob sah, daß er auch einen schwarzen Kaftan trug. Einer der Seeleute hielt die Arme des Juden hinter seinem Rücken fest, während der andere ihm Faustschläge versetzte, die jedesmal, wenn sie trafen, gräßlich klangen.

»Aufhören, verdammte Kerle!«

Der Schläger unterbrach seine Beschäftigung. »Verschwindet, Master, solange ihr könnt!«

»Was hat er getan?«

»Ein Verbrechen, das vor tausend Jahren verübt wurde, und jetzt schicken wir den stinkenden französischen Hebräer tot in die Normandie zurück.«

»Laßt ihn in Frieden!«

»Ihr liebt ihn wohl, dann wollen wir zuschauen, wie Ihr an seinem Schwanz lutscht.«

Der Alkohol erfüllte Rob immer mit wilder Aggression, und er war zum Kampf bereit. Seine Faust schmetterte in das plumpe, häßliche Gesicht. Der Komplize ließ den Juden los und rannte davon, während der Seemann, den Rob niedergeschlagen hatte, sich aufrappelte. »Bastard! Du wirst das Blut des Erlösers aus dem Becher dieses verdammten Juden trinken!«

Rob verfolgte sie nicht. Der Jude, ein großer Mann mittleren Alters, atmete schwer. Seine Nase blutete, und seine Lippen waren aufgeplatzt, aber er schien eher wegen der Demütigung als wegen der Schmerzen zu weinen.

»Hallo, was geht da vor?« fragte ein Neuankömmling, ein Mann mit krausem rotem Haar, einem Bart und einer großen, von bläulichen Adern durchzogenen Nase.

»Nichts Besonderes. Dieser Mann wurde überfallen.«

»Hm. Seid Ihr sicher, daß nicht er der Angreifer war?«

»Ja.«

Der Jude hatte sich gefaßt und seine Stimme wiedergefunden. Es war klar, daß er seine Dankbarkeit zum Ausdruck bringen wollte, aber er sprach in fließendem Französisch.

»Versteht Ihr diese Sprache?« fragte Rob den Rothaarigen, der verächtlich den Kopf schüttelte. Rob wollte mit dem Juden Hebräisch sprechen und ihm ein friedliches Lichterfest wünschen, wagte dies aber in Gegenwart eines Zeugen nicht. Dann hob der Jude seinen Hut auf. Er und der Zuschauer entfernten sich.

Ich bin nicht ohne Frau und Kinder hiergeblieben, um ein Trunkenbold zu werden, nahm er sich am nächsten Tag ernstlich vor, als sein Kopf wieder klar war. Er war entschlossen, sich um die Heilkunst zu kümmern, und suchte den Laden eines Kräuterhändlers an der unteren Thames Street auf, um seinen Vorrat an Arzneimitteln aufzufüllen, denn es war in London leichter, gewisse Kräuter zu erstehen, als sie in der freien Natur zu suchen. Er kannte den Besitzer schon, einen gewissen Rolf Pollard, der ein tüchtiger Apotheker war.

»Wie soll ich es anfangen, um Anschluß an andere Ärzte zu finden?« fragte ihn Rob.

»Ich würde das Lyceum vorschlagen, Master Cole. Dort halten die Ärzte der Stadt regelmäßig ein Treffen ab. Ich kenne die Einzelheiten nicht, aber Master Rufus kann Euch bestimmt Auskunft geben.« Er deutete auf einen Mann am anderen Ende des Raumes, der an einem Zweig von getrocknetem Portulak roch, um dessen Aroma zu prüfen. Pollard führte Rob zu ihm und stellte ihn als Aubrey Rufus, Medicus in der Fenchurch Street, vor. »Ich habe Master Cole vom Lyceum der Ärzte erzählt«, sagte er, »konnte mich aber an keine Einzelheiten erinnern.«

Rufus, ein gesetzter Mann, der etwa zehn Jahre älter war als Rob, strich sich mit der Hand durch sein schütter werdendes Haar und nickte recht freundlich. »Es wird an jedem ersten Montag des Monats zur Zeit des Abendessens im Raum über der ›Illingsworth's Tavern‹ auf dem Cornhill abgehalten. Es dient uns hauptsächlich als Vorwand, um zu schlemmen. Jeder bezahlt für sein Essen und Trinken selbst.«

»Muß man eingeladen sein?«

»Keineswegs. Das Lyceum steht allen Londoner Ärzten offen. Aber wenn Euch eine Einladung lieber ist, lade ich Euch hiermit ein.« Rob dankte Rufus lächelnd und verabschiedete sich.

So begab er sich also am ersten Montag des nassen neuen Jahres in »Illingworth's Tavern«, wo er zahlreiche Ärzte antraf. Sie saßen an Tischen, unterhielten sich lächelnd, hatten Getränke vor sich stehen, und als er eintrat, blickten sie ihn mit der verstohlenen Neugierde an, die eine Gruppe immer einem Neuankömmling entgegenbringt.

Der erste, den er erkannte, war Hunne, der die Stirn runzelte, als er Robs ansichtig wurde, und seinen Kollegen etwas zuraunte. Aber Aubrey Rufus saß an einem anderen Tisch und bedeutete Rob, sich zu ihm zu setzen. Er stellte ihm die vier anderen Tischgenossen vor und erwähnte, daß Rob erst vor kurzem in die Stadt gekommen sei und sich in der Thames Street niedergelassen habe.

»Bei wem habt Ihr studiert?« fragte ein Mann namens Brace.

»Ich war bei einem Medicus namens Heppmann in der ostfränkischen

Stadt Freising tätig.« Als Tam in Freising krank darniederlag, hatte ihr Wirt Heppmann geheißen.

»Und wie lang hat die Ausbildung gedauert?«

»Sechs Jahre.«

Nach der Mahlzeit stellte sich heraus, daß Brace an diesem Abend der Vortragende war. Er sprach über das Schröpfen und ermahnte seine Kollegen, das Schröpfglas hinreichend zu erwärmen, weil die Wärme im Glas das schlechte Blut an die Hautoberfläche ziehe, wo es durch Aderlassen abgezapft werden könne.

»Die Patienten müssen davon überzeugt sein, daß das wiederholte Schröpfen und Aderlassen Heilung bringt, so daß sie Euren Optimismus teilen«, riet Brace.

Der Vortrag war schlecht vorbereitet, und Rob wurde aus der anschließenden Diskussion klar, daß der Bader ihm, als er elf Jahre alt gewesen war, über Aderlassen und Schröpfen mehr beigebracht hatte, als die meisten dieser Ärzte wußten.

So wurde das Lyceum rasch zu einer Enttäuschung. Die Teilnehmer schienen nur an Honorare zu denken. Rufus zog den Vorsitzenden, einen königlichen Arzt namens Dryfield, sogar neiderfüllt auf, weil dieser jedes Jahr ein Gehalt und ein neues Gewand erhielt. »Man kann für ein Gehalt heilen, ohne dem König zu dienen«, warf Rob ein.

Nun wurden sie aufmerksam. »Wie ist das möglich?« fragte Dryfield.

»Ein Medicus kann für ein Krankenhaus arbeiten, für ein Haus des Heilens, das den Kranken und der Erforschung der Krankheiten gewidmet ist.«

Manche blickten ihn verständnislos an, aber Dryfield nickte. »Eine Idee aus dem Orient, die langsam an Boden gewinnt. Man hört von einem neuen Krankenhaus in Salerno, und das Hôtel Dieu in Paris besteht schon lange. Aber ich muß Euch warnen: Die Menschen werden ins Hôtel Dieu eingeliefert, um zu sterben, und sie werden dort vergessen; es ist ein höllischer Ort.«

»Krankenhäuser müssen nicht so sein wie das Hôtel Dieu«, widersprach Rob, den es quälte, daß er ihnen nicht vom *maristan* erzählen konnte.

Da mischte Hunne sich ein. »Vielleicht funktioniert dergleichen bei den ungewaschenen Völkern, aber englische Ärzte sind geistig unabhängiger und sollten ihre Geschäfte selbständig führen.«

»Die Medizin ist sicherlich mehr als ein Geschäft«, widersprach Rob sanft.

»Sie ist weniger als ein Geschäft«, konterte Hunne, »wenn die Honorare so niedrig sind wie jetzt und zudem ständig neue Windbeutel in London eintreffen. Wieso haltet Ihr sie für mehr als ein Geschäft?«

»Sie ist eine Berufung, Master Hunne«, antwortete Rob, »so wie Geistliche von Gott für die Kirche berufen werden.«

Brace meckerte. Doch der Vorsitzende hüstelte, denn er hatte genug von dem Streit. »Wer wird nächsten Monat den Vortrag halten?« fragte er.

Stille trat ein.

Rob wußte, daß es ein Fehler war, sich beim ersten Treffen anzubieten. Aber niemand meldete sich, und schließlich erklärte er: »Ich werde den Vortrag halten, wenn es Euch genehm ist.«

Dryfield zog die Augenbrauen hoch. »Und über welches Thema, Master?«

»Ich werde über die Seitenkrankheit sprechen.«

»Über die Seitenkrankheit? Master… Crowe war doch Euer Name?«

»Cole.«

»Master Cole, ein Vortrag über die Seitenkrankheit wäre ausgezeichnet«, strahlte der Vorsitzende.

Julia Swane, die als Hexe angeklagt war, gestand. Man hatte das Hexenmal im weichen, weißen Fleisch ihres Armes, dicht unterhalb der linken Schulter, gefunden. Ihre Tochter Glynna bezeugte, daß Julia sie festgehalten und gelacht habe, während sie von jemandem sexuell mißbraucht wurde, den sie für den Satan gehalten habe. Mehrere Opfer beschuldigten Julia, gezaubert zu haben. Während die Hexe an einen Stuhl gefesselt wurde, um in die eisige Themse getaucht zu werden, entschloß sie sich, alles zu gestehen, und nun arbeitete sie mit den kirchlichen Fanatikern des Bösen zusammen, die sie eingehend über die Hexenkunst befragten.

Rob versuchte, nicht an die Hexe zu denken. Er kaufte eine etwas dicke graue Stute und stellte sie im ehemaligen Egglestan-Stall ein, der jetzt einem Mann namens Thorne gehörte. Die Stute war nicht mehr jung und nichts Besonderes, aber er wollte sie auch nicht für das Ball-und-Stock-Spiel benutzen. Er ritt auf ihr zu Patienten, wenn er gerufen wurde, andere fanden den Weg zu seiner Tür. Es war die Jahreszeit für Krupp, und wenn er auch gern persische Arzneien wie Tamarinde, Granatäpfel und pulverisierte Feigen verwendet hätte, bereitete er Heiltränke aus den Kräutern und Mitteln zu, die ihm zur Verfügung standen: in Rosenwasser eingeweichter Portulak zum Gurgeln für entzündete Kehlen, einen Aufguß aus getrockneten Veilchen zur Linderung von Kopfschmerzen und Fieber sowie Fichtenharz mit Honig, das gegen Schleim und Husten eingenommen wurde.

Ein Mann, der sich Thomas Hood nannte, suchte ihn auf. Er hatte rötliches Kopf- und Barthaar, eine bläulich geäderte Nase und kam Rob bekannt vor. Plötzlich wurde ihm klar, daß dieser Mann der Zuschauer bei dem Vorfall mit dem Juden und den beiden Seeleuten gewesen war. Hood beklagte sich über unbestimmte Krankheitssymptome im Mund, hatte aber weder Pusteln noch Fieber, noch einen geröteten Hals, und er war auch viel zu vital, um krank zu sein. Er stellte statt dessen unaufhörlich persönliche Fragen: Bei wem Rob gelernt habe. Ob er allein wohne. Was, keine Frau, kein Kind? Wie lang er schon in London sei. Woher er gekommen sei.

Selbst ein Blinder hätte bemerkt, daß das kein Patient, sondern ein Schnüffler war. Rob erzählte ihm nichts, verschrieb ihm ein starkes Abführmittel, das Hood bestimmt nicht nehmen würde, und begleitete ihn zur Tür, ohne auf seine weiteren Fragen einzugehen.

Aber der Besuch beunruhigte ihn doch sehr. Wer hatte Hood geschickt? In wessen Auftrag erkundigte er sich? Und war es nur Zufall, daß er beobachtet hatte, wie Rob die beiden Seeleute vertrieben hatte? Am nächsten Tag erhielt er auf einige seiner Fragen Antwort, als er den Kräuterhändler aufsuchte, um Ingredienzien für seine Heilmittel zu kaufen, und dort Aubrey Rufus traf, der aus dem gleichen Grund gekommen war.

»Hunne hetzt gegen Euch, wo und wann er nur kann«, erzählte ihm Rufus. »Ihr seid ihm zu dreist. Er findet, daß Ihr wie ein Rüpel und ein Gauner ausseht, und er bezweifelt, daß Ihr überhaupt Medicus seid. Er will jedem, der nicht bei englischen Ärzten ausgebildet wurde, die Mitgliedschaft im Lyceum verwehren.«

»Was ratet Ihr mir?«

»Ach, tut gar nichts«, meinte Rufus. »Er kann sich offensichtlich nicht damit abfinden, die Thames Street mit Euch teilen zu müssen. Wir alle wissen, daß Hunne seinem eigenen Großvater für einen Penny die Eier abschneiden würde. Niemand wird sein Geschwätz beachten.«

Etwas beruhigt kehrte Rob in das Haus in der Thames Street zurück. Er beschloß, die Zweifel der Kollegen mit Gelehrsamkeit auszuräumen, und machte sich deshalb daran, den Vortrag über die Seitenkrankheit auszuarbeiten, als würde er ihn in der *madrassa* halten. Immerhin war er von Ibn Sina ausgebildet worden, und er wollte diesen Londoner Ärzten zeigen, wie eine medizinische Vorlesung aussehen kann.

Natürlich waren sie interessiert, denn jeder im Lyceum Anwesende hatte Patienten sterben sehen, die unter heftigen Schmerzen im rechten Teil des Unterbauches gelitten hatten. Aber sie reagierten auch höhnisch.

»Ein kleiner Wurm?« meinte ein schielender Arzt namens Sargent. »Ein kleiner rosa Wurm im Bauch?«

»Ein wurmähnlicher Fortsatz, Master«, verbesserte Rob steif. »Mit dem Blinddarm verbunden. Und eiternd.«

»Glens Zeichnungen zeigen keinen wurmähnlichen Fortsatz am Blinddarm«, behauptete Dryfield. »Celsus, Rhazes, Aristoteles, Dioscurides – wer von diesen Größen hat über einen Fortsatz geschrieben?«

»Keiner. Was nicht bedeutet, daß es ihn nicht gibt.«

»Habt Ihr ein Schwein seziert, Master Cole?« fragte Hunne.

»Ja.«

»Dann wißt Ihr, daß die Eingeweide eines Schweines die gleichen sind wie die eines Menschen. Habt Ihr am Blinddarm eines Schweines jemals einen Fortsatz bemerkt?«

»Es war ein Schweinewürstchen, Master!« rief ein Witzbold, worauf allgemeines Gelächter einsetzte.

»Das Innere eines Schweines gleicht scheinbar dem eines Menschen«, erklärte Rob geduldig, »aber es gibt kleine Unterschiede. Einer davon ist der kleine Fortsatz am menschlichen Dünndarm.« Er rollte seine Zeichnung »Der durchsichtige Mann« auf und befestigte sie mit Eisenstiften an der Wand. »Davon spreche ich. Der Fortsatz ist hier in einem frühen Stadium der Entzündung dargestellt.«

»Angenommen, das Unterleibsleiden wird genau so verursacht, wie Ihr es beschrieben habt«, sagte ein Arzt mit starkem dänischen Akzent. »Welche Behandlung schlagt Ihr vor?«

»Ich kenne keine Behandlung.«

Mißbilligendes Murren ertönte.

»Was spielt es dann überhaupt für eine Rolle, ob wir den Ursprung der Krankheit kennen oder nicht?« Andere stimmten zu, und in ihrem eifrigen Bestreben, sich gegen den Neuankömmling zu stellen, vergaßen die anderen sogar, wie sehr sie die Dänen haßten.

»Die Entwicklung der Medizin ist wie das langsame Errichten einer Mauer«, dozierte Rob. »Wir können von Glück reden, wenn wir im Lauf eines Lebens imstande sind, einen einzigen Ziegel zu legen. Wenn wir die Krankheit erklären können, wird vielleicht ein jetzt noch Ungeborener ihre Behandlung ersinnen.«

Neuerliches Murren.

Sie drängten sich um den »durchsichtigen Mann« und studierten ihn.

»Das habt Ihr gezeichnet, Master Cole?« fragte Dryfield, der die Signatur bemerkte.

»Ja.«

»Eine ausgezeichnete Arbeit«, lobte der Vorsitzende. »Was für ein Modell habt Ihr gehabt?«

»Einen Mann, dessen Bauch aufgerissen war.«

»Dann habt Ihr nur einen einzigen solchen Fortsatz gesehen?« hakte Hunne ein. »Und zweifellos hat die allmächtige Stimme, die Euch berufen hat, Euch auch mitgeteilt, daß es den kleinen rosa Wurm in den Eingeweiden aller Menschen gibt.«

Es gab wieder Gelächter, und Rob reagierte verärgert. »Ich glaube, daß es den wurmartigen Fortsatz am Blinddarm bei allen Menschen gibt. Ich habe ihn bei mehr als einem Menschen gefunden.«

»Bei... sagen wir vier?«

»Bei nicht weniger als einem halben Dutzend.«

Sie starrten nun statt der Zeichnung ihn an.

»Ein halbes Dutzend, Master Cole? Wie seid Ihr dazu gekommen, in das Körperinnere von sechs Menschen zu sehen?«

»Einige waren bei Unfällen aufgeschlitzt worden, andere bei Kämpfen. Sie waren nicht alle meine Patienten, und die Erfahrung eignete ich mir im Lauf der Jahre an.« Es klang sogar für seine Ohren unwahrscheinlich.

»Waren auch Frauen darunter?« fragte Dryfield.

»Darunter waren auch Frauen«, gab er zögernd zu.

»Hmmmph«, machte der Vorsitzende, womit er andeuten wollte, daß er Rob für einen Lügner hielt.

»Hatten sich die Frauen denn duelliert?« fragte Hunne aalglatt, und diesmal lachte sogar Rufus. »Es ist schon ein Zufall, daß Ihr auf diese Weise in das Innere so vieler Leichen blicken konntet«, stellte Hunne fest, und als Rob das widerliche, schadenfrohe Licht in seinen Augen glitzern sah, wurde ihm endgültig klar, welch ein Fehler es gewesen war, sich freiwillig zu einem Vortrag im Lyceum zu melden.

Julia Swane entging der Themse nicht. Am letzten Tag des Februar hatten sich mehr als zweitausend Menschen bei Tagesanbruch versammelt, um jubelnd zuzusehen, wie sie zusammen mit einem Hahn, einer Schlange und einem Stein in einen Sack eingenäht und in die Untiefe bei St. Giles versenkt wurde.

Rob wohnte dem Ereignis nicht bei. Statt dessen ging er zu Bostocks Kai, um nach dem Leibeigenen zu sehen, dessen Fuß er amputiert hatte. Aber der Mann war nicht zu finden, und ein unfreundlicher Aufseher teilte ihm nur mit, daß der Leibeigene an einen anderen Ort gebracht worden sei. Rob machte sich Sorgen, da er wußte, daß das Leben eines Leibeigenen von seiner Arbeitsfähigkeit abhing. Er sah ein anderes dieser bedauernswerten Geschöpfe, dessen Rücken kreuz und quer von Peitschenwunden bedeckt war, die sich scheinbar in den Körper fraßen. Rob ging nach Hause und bereitete eine Salbe aus Ziegenfett, Schweinefett, Öl, Weihrauch und Kupferoxyd, dann kehrte er zum Kai zurück und strich sie auf das entzündete Fleisch des Leibeigenen.

»Was soll denn das, zum Teufel?«

Ein Aufseher ging auf sie los, und obwohl Rob mit dem Auftragen der Salbe noch nicht ganz fertig war, floh der Leibeigene.

»Das ist Master Bostocks Kai. Weiß er, daß Ihr Euch hier herumtreibt?«

»Das spielt keine Rolle.«

Der Aufseher starrte ihn an, folgte ihm aber nicht, und Rob war froh, daß er Bostocks Kai ohne weitere Unannehmlichkeiten verlassen konnte.

Es war die Jahreszeit, in der viele Abführmittel gebraucht wurden, denn es hatte den ganzen Winter hindurch kein Gemüse gegeben. Rob stellte einen Aufguß aus Rhabarber her, den er in einer Woche restlos verbrauchte. Die Erfahrung im Lyceum hatte in seinem Mund den bitteren Geschmack von Asche hinterlassen. Am Montag zwang er sich trotzdem, dem Märztreffen als ein Zuschauer beizuwohnen, der den Mund hielt. Aber die Würfel waren schon gefallen, und er stellte fest, daß sie ihn für einen albernen Aufschneider hielten, dessen Phantasie mit ihm durchgegangen war. Einige lächelten spöttisch, als sie ihn sahen, während andere ihn nur kalt anblickten. Aubrey Rufus forderte ihn nicht auf, sich zu ihm zu setzen, sondern schaute weg, als ihre Blicke sich begegneten, und Rob setzte sich an einen Tisch zu Fremden, die ihn nicht in ihr Gespräch einbezogen.

Der Vortrag handelte von Brüchen des Armes, Unterarmes und der Rippen sowie von Luxationen der Kinnlade, der Schulter und des Ellbogens. Er enthielt so viele Fehler in der Behandlung und in der Darstellung, daß er Jalal-al-Din, den Knocheneinrichter, in helle Wut versetzt hätte. Rob aber schwieg.

Sobald der Sprecher geendet hatte, wandte sich das Gespräch dem Ertränken der Hexe zu.

»Es werden noch andere erwischt werden, merkt Euch meine Worte«, meinte Sargent, »denn Hexen üben ihre verwerflichen Künste nie allein aus. Wenn wir Körper von Kranken untersuchen, müssen wir uns bemühen, das Teufelsmal zu entdecken und zu melden.«

»Wir müssen dafür sorgen, daß wir über jeden Tadel erhaben sind«, meinte Dryfield nachdenklich, »denn viele halten Ärzte für etwas Ähnliches wie Hexer. Angeblich kann der Hexer-Arzt Kranke dazu bringen, Schaum vor dem Mund zu bekommen und steif zu werden wie ein Toter.«

»Woran erkennt man einen Hexer?« fragte Hunne.

»Sie sehen genauso aus wie gewöhnliche Männer«, antwortete Dryfield, »wenn auch manche behaupten, daß sie ihr Glied beschneiden wie Heiden.«

Robs Hodensack zog sich vor Furcht zusammen. Er verabschiedete sich so bald wie möglich und wußte, daß er nicht wiederkommen durfte, denn es war gefährlich, einen Ort aufzusuchen, an dem man sein Leben verwirken konnte, wenn ein Kollege einem beim Urinieren zusah.

Am nächsten Morgen erschien Thomas Hood, der rothaarige Schnüffler, mit zwei bewaffneten Gefährten im Haus in der Thames Street.

»Was kann ich für Euch tun?« fragte Rob kühl.

Hood lächelte. »Wir sind alle drei Boten des Bischöflichen Gerichtes.«

»So?« fragte Rob, kannte aber die Antwort schon.

Hood räusperte sich und spuckte auf den sauberen Fußboden. »Wir sind gekommen, um Euch zu verhaften, Robert Jeremy Cole, und Euch vor Gottes Gericht zu stellen«, verkündete er.

Der graue Mönch

»Wohin bringt Ihr mich?« fragte Rob, als sie schon unterwegs waren.

»Die Gerichtsverhandlung wird am Südportal von St. Paul abgehalten.«

»Wie lautet die Anklage?«

Hood hob die Schultern und schüttelte den Kopf.

Als sie bei der St. Pauls-Kathedrale ankamen, wurde er in einen kleinen, mit Wartenden gefüllten Raum geführt. An der Tür standen Wächter.

Er dankte Gott, daß Mary und die Söhne nicht bei ihm waren. Er wollte um die Erlaubnis bitten, in der Kapelle zu beten, wußte aber, daß man sie ihm nicht erteilen würde, also betete er stumm, wo er war, und bat Gott, ihn davor zu bewahren, mit einem Hahn, einer Schlange und einem Stein in einen Sack eingenäht und in tiefes Wasser geworfen zu werden.

Wenn das Gericht sich bereits ein Urteil gebildet hatte, würden Zeugen keine Rolle mehr spielen. Sie würden ihn ausziehen und seine Beschneidung als Beweis ansehen, und sie würden seinen Körper absuchen, bis sie irgendein Hexenmal gefunden hatten.

Zweifellos verfügten sie über ebenso viele Methoden, ein Geständnis zu erpressen, wie die *mullahs*.

Lieber Gott...

Er hatte genügend Zeit, um in immer größere Angst zu geraten, denn es war schon früher Nachmittag, als er endlich vor das geistliche Gericht gerufen wurde. Auf dem Eichenthron saß ein blinzelnder älticher Bischof, der eine braune, ausgebleichte Alba, eine Stola und ein Meßgewand trug. Rob wußte aus den Gesprächen der anderen, daß dies Aelfsige, der Ordinarius von St. Paul und ein unbarmherziger

Richter war. Rechts vom Bischof saßen zwei Priester mittleren Alters in Schwarz, und links von ihm ein junger Benediktiner in strengem Dunkelgrau.

Ein Büttel brachte die Heilige Schrift, Rob mußte sie küssen und feierlich schwören, daß er die reine Wahrheit sprechen werde. Das Verhör begann sachlich.

Aelfsige blickte ihn an. »Wie heißt Ihr?«

»Robert Jeremy Cole, Exzellenz.«

»Wohnort und Beschäftigung?«

»Medicus in der Thames Street.«

Der Bischof nickte dem Priester zu seiner Rechten zu.

»Habt Ihr am fünfundzwanzigsten Tag des vergangenen Dezember gemeinsam mit einem ausländischen Hebräer Master Edgar Burstan und Master William Smesson, freigeborene Londoner Christen des Pfarrbezirkes St. Olave, ohne Anlaß angegriffen?«

Einen Moment lang war Rob verwirrt, dann überkam ihn gewaltige Erleichterung, als er erkannte, daß er nicht der Hexerei angeklagt wurde. Die Seeleute hatten ihn angezeigt, weil er dem Juden zu Hilfe gekommen war. Eine geringfügige Beschuldigung, selbst wenn er deshalb verurteilt werden sollte.

»Mit einem normannischen Juden namens David ben Aharon«, ergänzte der Bischof heftig blinzelnd. Seine Sehkraft schien sehr geschwächt zu sein.

»Ich habe den Namen des Juden noch nie gehört, ebensowenig die der Kläger. Aber die Seeleute haben die Unwahrheit ausgesagt. Sie waren es, die über den Juden hergefallen sind. Deshalb habe ich mich eingemischt.«

»Seid Ihr Christ?«

»Ich bin getauft.«

»Ihr besucht regelmäßig den Gottesdienst?«

»Nein, Exzellenz.«

Der Bischof schniefte und nickte ernst. »Holt den Zeugen!« befahl er dem grauen Mönch.

Robs Erleichterung verschwand sofort, als er den Zeugen erblickte. Charles Bostock war kostbar gekleidet und trug eine schwere goldene Halskette und einen großen Siegelring. Während der Aufnahme seiner Personalien teilte er dem Gericht mit, daß König Harthacnut ihn in den Adelsstand erhoben habe, als Belohnung für drei Reisen als Händler und Weltfahrer, und daß er ehrenamtlich Kanonikus von St. Peter sei. Die Kirchenleute behandelten ihn darauf mit Ehrerbietung.

»Nun, Master Bostock, kennt Ihr diesen Mann?«

»Es ist Jesse ben Benjamin, ein Jude und Arzt«, antwortete Bostock entschieden.

Die kurzsichtigen Augen richteten sich auf den Kaufmann. »Ihr seid sicher, daß er Jude ist?«

»Exzellenz, vor vier oder fünf Jahren reiste ich im byzantinischen Patriarchat, kaufte Waren und diente als Bote Seiner gesegneten Heiligkeit in Rom. In der Stadt Isfahan hörte ich von einer Christin, die durch den Tod ihres schottischen Vaters in Persien allein und verlassen zurückgeblieben war und einen Juden geheiratet hatte. Als ich eine Einladung erhielt, suchte ich ihr Haus auf, um die Gerüchte zu überprüfen. Dort erkannte ich entsetzt und voll Abscheu, daß die Geschichten wahr waren. Sie war die Frau dieses Mannes.«

Der Mönch ergriff zum ersten Mal das Wort. »Seid Ihr sicher, Hochwohlgeboren, daß es sich um denselben Mann handelt?«

»Ich bin sicher, ehrwürdiger Pater. Er erschien vor einigen Wochen auf meinem Pier und versuchte, von mir ein hohes Honorar zu erhalten, weil er einen meiner Leibeigenen verpfuscht hatte, wofür ich natürlich die Bezahlung verweigerte. Als ich sein Gesicht sah, wurde mir klar, daß ich ihn von irgendwoher kannte, und ich dachte darüber nach, bis ich mich erinnerte. Er ist der jüdische Arzt aus Isfahan, darüber besteht kein Zweifel. Ein Schänder christlicher Frauen. In Persien hatte die Christin bereits ein Kind von diesem Juden, und er hatte sie ein zweites Mal geschwängert.«

Der Bischof beugte sich vor. »Bei Eurem heiligen Eid, wie lautet Euer Name, Master?«

»Robert Jeremy Cole.«

»Der Jude lügt«, sagte Bostock.

»Hochwohlgeboren«, fragte der Mönch. »Habt Ihr ihn in Persien nur ein einziges Mal gesehen?«

»Ja, einmal«, gab Bostock widerwillig zu.

»Und Ihr habt ihn fast fünf Jahre lang nicht wiedergesehen?«

»Es sind eher vier als fünf Jahre. Aber das ist richtig.«

»Und dennoch seid Ihr sicher?«

»Ja. Ich sage Euch, ich hege keinen Zweifel.«

Der Bischof nickte. »Sehr gut, Hochwohlgeboren Bostock. Seid unseres Dankes gewiß.«

Während der Kaufmann hinausgeführt wurde, blickten die Geistlichen Rob an, und er bemühte sich, die Ruhe zu bewahren.

»Wenn Ihr ein frei geborener Christ seid, ist es dann nicht merkwürdig«, sagte der Bischof leise, »daß Ihr wegen zweier verschiedener Anklagen vor Gericht gestellt werdet: eine besagt, daß Ihr mit einem Juden andere angegriffen habt, die andere, daß Ihr Jude seid?«

»Ich bin Robert Jeremy Cole. Ich wurde eine halbe Meile von hier in St. Botolph getauft. Das muß im Taufregister festgehalten sein. Mein Vater war Nathanael Cole, ein Geselle von der Zunft der Zimmerleute. Er liegt auf dem St. Botolphs-Friedhof begraben, ebenso meine Mutter Agnes, die zu Lebzeiten Näherin und Stickerin war.«

Der Mönch wandte sich kalt an ihn. »Habt Ihr die Kirchenschule von St. Botolph besucht?«

»Nur zwei Jahre lang.«

»Wer unterrichtete dort die Heilige Schrift?«

Rob schloß die Augen und runzelte die Stirn. »Das war Pater... Philibert. Ja, Pater Philibert.«

Der Mönch blickte den Bischof fragend an, der mit den Achseln zuckte und den Kopf schüttelte. »Der Name Philibert ist mir nicht bekannt.«

»Dann Latein. Wer lehrte Euch Latein?«

»Bruder Hugolin.«

»Ja«, bestätigte der Bischof. »Bruder Hugolin unterrichtete Latein an der St. Botolphs-Schule. Ich erinnere mich gut an ihn.« Er zupfte an seiner Nase und blinzelte Rob kurzsichtig an. Schließlich seufzte er. »Wir werden natürlich das Taufregister überprüfen.«

»Ihr werdet feststellen, daß es so ist, wie ich gesagt habe, Exzellenz.«

»Ich werde Euch gestatten, eidlich zu erklären, daß Ihr die Person seid, die Ihr zu sein behauptet. Ihr werdet angewiesen, in drei Wochen wieder vor diesem Gericht zu erscheinen. Euch müssen zwölf freie Männer als Eideshelfer begleiten, von denen jeder bereit ist zu schwören, daß Ihr Robert Jeremy Cole, Christ und frei geboren seid. Habt Ihr verstanden?«

Rob nickte und wurde entlassen.

Minuten später stand er vor der Kathedrale und konnte kaum glauben, daß er ihren scharfen, bohrenden Fragen entronnen war.

»Master Cole!« rief da jemand. Er drehte sich um und sah den Benediktiner, der hinter ihm herhastete.

»Wollt Ihr mich in ein Wirtshaus begleiten, Master? Ich würde gern mit Euch sprechen.«

Was kommt jetzt, dachte Rob.

Aber er folgte dem Mann über die schlammige Straße in eine Taverne, wo sie sich in eine ruhige Ecke setzten. Der Mönch stellte sich als Bruder Paulinus vor, und beide bestellten Ale.

»Ich finde, daß die Verhandlung gut für Euch ausging.«

Rob erwiderte nichts, und sein Schweigen veranlaßte den Mönch, die Stirn zu runzeln. »Hört mal, ein ehrlicher Mann kann doch leicht zwölf ehrliche Männer finden!«

»Ich wurde in der Pfarre St. Botolph geboren, habe sie aber als Junge verlassen, da ich als Gehilfe eines Baderchirurgen durch England zog. Es wird mir verdammt schwerfallen, zwölf Männer zu finden, rechtschaffen oder nicht, die sich an mich erinnern und bereit sind, nach London zu reisen, um es vor Gericht zu bestätigen.«

Bruder Paulinus nippte an seinem Ale. »Wenn Ihr nicht alle zwölf findet, ist die Rechtsfrage strittig. Dann wird man Euch Gelegenheit geben, Eure Unschuld durch ein Gottesurteil zu beweisen.«

Das Ale schmeckte nach Verzweiflung. »Welche Gottesurteile gibt es?«

»Die Kirche bringt vier Gottesurteile zur Anwendung: kaltes Wasser, heißes Wasser, heißes Eisen und geweihtes Brot. Ich kann Euch verraten, daß Bischof Aelfsige das heiße Eisen bevorzugt. Man wird Euch geweihtes Wasser zu trinken geben und Euch geweihtes Wasser auf die Hand spritzen, die für das Gottesurteil verwendet werden soll. Ihr selbst wählt die Hand. Ihr werdet ein weißglühendes Eisen aus dem Feuer nehmen und es mit drei Schritten neun Fuß weit tragen. Dann werdet Ihr es fallen lassen und zum Altar laufen, wo die Hand eingehüllt und versiegelt wird. Nach drei Tagen wird die Hülle entfernt. Wenn Eure Hand unter der Umhüllung weiß und rein ist, werdet Ihr für unschuldig erklärt. Wenn die Hand nicht rein ist, werdet Ihr exkommuniziert und dem weltlichen Gericht überantwortet.«

Rob versuchte seine Gefühle zu verbergen, war aber vollkommen sicher, daß sein Gesicht blaß geworden war.

»Wenn Euer Gewissen nicht reiner ist als das der meisten Menschen, die von Frauen geboren wurden, müßt Ihr London verlassen«, sagte Bruder Paulinus trocken.

»Warum erzählt Ihr mir das alles? Und warum bietet Ihr mir Euren Rat an?«

Sie musterten einander. Rob war sicher, daß er diesen Mann zum erstenmal in seinem Leben gesehen hatte, als er an diesem Morgen St. Paul betrat.

»Ich weiß, daß Ihr Robert Jeremy Cole seid.«

»Woher wißt Ihr es?«

»Bevor ich Bruder Paulinus in der heiligen Gemeinschaft des Benediktus wurde, hieß ich Cole. Ich bin mit ziemlicher Sicherheit dein Bruder.«

Rob war sofort bereit, ihm zu glauben. Er war seit zweiundzwanzig Jahren bereit gewesen, es zu glauben, und Jubel stieg in ihm auf, den er aber sofort unterdrückte, weil ihn etwas zur Vorsicht mahnte. Er hatte das Gefühl, daß etwas nicht stimmte. Er wollte schon aufstehen, doch der andere blieb sitzen und beobachtete ihn aufmerksam berechnend, so daß auch er wieder auf seinen Stuhl zurücksank.

»Du bist älter, als der kleine Roger heute sein würde«, stellte er fest.

»Samuel ist tot. Wußtest du das?«

»Ja.«

»Du bist also... Jonathan oder...«

»Nein, ich war William.«

»William!«

Der Mönch beobachtete ihn weiter.

»Nach Pas Tod wurdest du von einem Priester namens Lovell aufgenommen.«

»Pater Ranald Lovell. Er brachte mich ins Kloster von St. Benedikt in Jarrow. Er hat nur noch vier Jahre gelebt, und dann wurde beschlossen, daß ich Laienbruder werden sollte.«

Bruder Paulinus erzählte kurz seine Geschichte. »Der Abt in Jarrow war Edmund, der der liebevolle Hüter meiner Jugend war. Er forderte mich heraus und formte mich mit dem Ergebnis, daß ich früh Novize, Mönch und Propst wurde. Ich war mehr als sein starker rechter Arm.

Er war *abbas et presbyter*, widmete sich vollkommen und ununterbrochen dem Rezitieren des *opus dei* sowie dem Lernen, Lehren und Schreiben. Ich fungierte als der strenge Verwalter, als Edmunds Vogt. Als Propst war ich nicht beliebt.« Er lächelte säuerlich. »Als er vor zwei Jahren starb, wurde ich nicht zu seinem Nachfolger gewählt, aber der Erzbischof hatte Jarrow beobachtet und forderte mich auf, die Ordensgemeinschaft zu verlassen, die mir die Familie ersetzt hatte. Ich soll nun die Weihen erhalten und als Hilfsbischof von Worcester dienen.«

Ein merkwürdiges, liebloses Gespräch anläßlich eines solchen Wiedersehens, dachte Rob. Diese langweilige Schilderung seiner Berufslaufbahn mit dem unterschwelligen Eingeständnis von Erwartung und Ehrgeiz! »Dich erwartet große Verantwortung«, sagte er müde.

Bruder Paulinus hob die Schultern. »Alles liegt bei Ihm.«

»Wenigstens muß ich jetzt nur noch elf Eideshelfer finden. Vielleicht wird der Bischof das Zeugnis meines Bruders als Ersatz für mehrere andere gelten lassen.«

Bruder Paulinus lächelte nicht. »Als ich deinen Namen in der Anklageschrift las, zog ich Erkundigungen ein. Mit etwas Aufmunterung könnte der Kaufmann Bostock interessante Einzelheiten bezeugen. Was ist, wenn man dich fragt, ob du dich als Jude ausgegeben hast, um der Kirche zum Trotz eine heidnische Akademie zu besuchen?«

Die Kellnerin der Taverne trat zu ihnen, und Rob schickte sie weg. »Dann würde ich antworten, daß Gott in Seiner Weisheit mir erlaubt hat, ein Heiler zu werden, weil Er Männer und Frauen nicht nur zum Leiden und Sterben geschaffen hat.«

»Gott besitzt eine gesalbte Armee, die auslegt, was Er mit dem Körper des Menschen und seiner Seele im Sinne hat. Weder Baderchirurgen noch von Heiden ausgebildete Ärzte sind gesalbt, und wir haben Kirchengesetze erlassen, um Frevlern wie dir Einhalt zu gebieten.«

»Ihr macht es uns schwer. Zeitweise hemmt ihr den Fortschritt. Ich glaube aber nicht, Willum, daß ihr uns Einhalt gebieten könnt.«

»Du wirst London verlassen.«

»Entspringt deine Besorgnis der brüderlichen Liebe oder der Angst, daß ein exkommunizierter Bruder, der als Heide hingerichtet wurde, den zukünftigen Hilfsbischof von Worcester in eine peinliche Lage bringen könnte?«

Einen endlosen Augenblick lang sprach keiner von beiden.

»Ich habe meine Geschwister mein Leben lang gesucht und immer davon geträumt, sie zu finden«, sagte Rob bitter.

»Wir sind keine Kinder mehr. Und Träume sind nicht Wirklichkeit«, stellte Bruder Paulinus fest.

Rob nickte. Er schob seinen Stuhl zurück. »Weißt du etwas von den anderen?«

»Nur von dem Mädchen.«

»Wo lebt sie?«

»Sie ist vor sechs Jahren gestorben.«

»Oh.« Rob stand schwerfällig auf. »Wo kann ich ihr Grab finden?«

»Es gibt kein Grab. Es war ein großer Brand.«

Rob nickte, dann verließ er das Wirtshaus, ohne einen Blick auf den grauen Mönch zurückzuwerfen.

Jetzt hatte er weniger Angst vor der Verhaftung als vor Mördern, die von einem mächtigen Mann gedungen würden, um jemand Lästigen aus dem Weg zu räumen. Er eilte zu Thornes Stall, bezahlte seine Rechnung und nahm sein Pferd mit. Im Haus in der Thames Street hielt er sich nur so lange auf, wie er brauchte, um die Habseligkeiten einzupacken, die ein wesentlicher Teil seines Lebens geworden waren. Er hatte genug davon, Orte in verzweifelter Eile zu verlassen und weite Strecken zu reisen, aber er hatte gelernt, schnell und umsichtig zu handeln.

Als Bruder Paulinus im Refektorium von St. Paul beim Abendessen saß, verließ sein leiblicher Bruder die Stadt London. Rob lenkte das schwerfällige Pferd über die schlammige Lincoln Road, die nach Norden führte. Furien jagten ihn, aber er entkam ihnen nie, weil er einige von ihnen in sich trug.

Eine vertraute Reise

In der ersten Nacht schlief er weich in einem Heuhaufen neben der Straße.

Am Morgen war er hungrig. Er wollte aber nicht in einem Bauernhaus um eine Mahlzeit bitten, weil man sich gut an ihn erinnert hätte, falls jemand nach ihm gefragt hätte. Er ritt lieber den halben Vormittag mit leerem Magen, bis er zu einem Dorf kam, wo er auf dem Marktplatz Brot und Käse kaufen konnte, um seinen Hunger zu stillen und Vorräte mitzunehmen.

Während er ritt, brütete er vor sich hin. Es war schlimmer, einen solchen Bruder zu finden, als ihn nie zu finden, und er fühlte sich betrogen und zurückgewiesen. Aber er sagte sich, daß er um William getrauert hatte, als sie sich einst aus den Augen verloren, daß er aber froh sein würde, den Paulinus mit den eisigen Augen nie wieder zu Gesicht zu bekommen.

»Geh zum Teufel, Hilfsbischof von Worcester!« rief er.

Wenn er verfolgt würde, würden sie ihn auf den Hauptstraßen suchen, deshalb bog er von der Lincoln Road ab und folgte den Uferstraßen, die die an der Küste liegenden Dörfer miteinander verbanden. Er war mehrmals mit dem Bader hiergewesen. Diesmal trommelte er nicht, auch gab er keine Vorstellung noch suchte er Patienten, weil er befürchtete, daß Nachforschungen nach einem flüchtigen Medicus im Gang waren. In keinem Dorf erkannte jemand den jungen Baderchirurgen von damals. Es wäre unmöglich gewesen, in diesen Orten Eideshelfer zu finden. Er wäre verloren gewesen und wußte, daß er sich glücklich schätzen konnte, daß ihm die Flucht gelungen war. Die Trostlosigkeit schwand langsam, als ihm klar wurde, daß das Leben ihm noch unendlich viele Möglichkeiten bot.

Rob ging sparsam mit seinem Geld um. Wann immer man es ihm erlaubte, schlief er in warmen Scheunen auf Stroh und ging den Menschen aus dem Weg, doch wenn es sich nicht vermeiden ließ, übernachtete er in Gasthöfen. Eines Abends sah er in einem Wirtshaus in der Hafenstadt Middlesborough, wie zwei Seeleute sich eine Unmenge Ale zu Gemüte führten.

Einer von ihnen, ein untersetzter, breit gebauter Mann mit schwarzem, von einer Zipfelmütze halb verdecktem Haar, schlug auf den Tisch. »Wir brauchen noch einen Mann. Wir segeln die Küste entlang zum Hafen Eyemouth in Schottland und fischen unterwegs Heringe. Gibt es denn hier keinen Mann dafür?«

Die Taverne war halb voll, aber es herrschte Stille. Einige kicherten, doch keiner rührte sich.

Soll ich es wagen? fragte sich Rob. Ich würde um soviel schneller vorankommen.

Er trat zu ihnen. »Ist es Euer Boot?«

»Ja, ich bin der Kapitän. Ich heiße Nee. Und er Aldus.«

»Ich bin Jonsson«, stellte sich Rob vor. Der Name war so gut wie jeder andere.

Nee blickte zu ihm auf. »Ein großer Kerl.« Er ergriff Robs Hand, drehte sie um und tippte verächtlich auf die weiche Handfläche.

»Ich kann arbeiten.«

»Wir werden ja sehen«, meinte Nee.

Rob schenkte das Pferd am selben Abend in der Taverne einem Fremden, denn er hatte am nächsten Morgen keine Zeit mehr, es zu verkaufen, und das Tier hätte ihm ohnehin nicht viel eingebracht. Als er das verwitterte Heringsboot sah, dachte er, daß es ebenso alt und so jämmerlich war wie das Pferd. Aber Nee und Aldus hatten den Winter gut genutzt. Die Fugen des Bootes waren ordentlich mit Werg gedichtet und geteert, es ritt leicht auf der Dünung.

Bald nachdem sie ausgelaufen waren, wurde Rob übel. Er beugte sich über Bord und erbrach, während die beiden Fischer fluchten und drohten, ihn ins Meer zu werfen. Er zwang sich, trotz der Übelkeit und des Brechreizes zu arbeiten. Nach einer Stunde warfen sie das Netz aus und schleppten es hinter sich her, während sie weitersegelten, und dann holten sie es zu dritt ein. Es war triefend naß und leer. Immer wieder warfen sie es aus und holten es ein, aber sie fingen nur wenige Fische darin, und Nee wurde reizbar und unangenehm. Rob war davon überzeugt, daß nur seine Größe sie davon abhielt, ihn zu mißhandeln.

Das Abendessen bestand aus hartem Brot, Räucherfisch voller Gräten und Wasser, das nach Hering schmeckte. Rob versuchte ein paar Bissen hinunterzuwürgen, erbrach sie aber sofort wieder. Zu allem

Überfluß bekam Aldus Durchfall und benutzte den Abfalleimer, der zu einer Zumutung für Augen und Nase wurde. Jemanden, der lange in einem Krankenhaus gearbeitet hatte, ließ so etwas freilich kalt, und Rob entleerte den Eimer und spülte ihn mit Meerwasser, bis er sauber war. Vielleicht überraschte diese freiwillig übernommene Dreckarbeit die anderen beiden, denn von da an verwünschten sie ihn nicht mehr. In der Nacht fror er, und während das Boot in der Dunkelheit stampfte und gierte, kroch Rob immer wieder zum Rand des Bootes, bis er nichts mehr im Magen hatte, was er erbrechen konnte. Am Morgen begann die trostlose Routine wieder, aber als sie das Netz zum sechstenmal einholten, hatte sich etwas geändert. Als sie am Netz zogen, schien es sich verhängt zu haben. Langsam und mühevoll holten sie es ein, und endlich ergoß sich aus ihm ein silbriger, zappelnder Strom.

»Jetzt haben wir die Heringe gefunden!« frohlockte Nee.

Dreimal kam das Netz voll herein, dann mit geringeren Mengen, und als sie keinen Platz mehr für die Fische hatten, steuerten sie vor dem Wind an Land.

Am nächsten Morgen wurde der Fang von Händlern übernommen, die ihn teils frisch, teils sonnengetrocknet oder geräuchert verkaufen wollten, und sobald das Boot ausgeladen war, stachen sie wieder in See.

Robs Hände bekamen Blasen, sie schmerzten, und schließlich wuchsen ihm Schwielen. Das Netz zerriß, und er lernte, wie man die Knoten richtig knüpfte, um es zu flicken. Am vierten Tag verschwand die unangenehme Übelkeit, ohne daß er es merkte. Sie kam auch nicht wieder. Das muß ich Tam erzählen, dachte er dankbar, als es ihm klar wurde.

Jeden Tag segelten sie die Küste entlang weiter nach Norden und legten immer wieder an, um den letzten Fang zu verkaufen, bevor er verderben konnte. Manchmal sah Nee in den Mondnächten einen Schwarm von Fischen, die winzig waren wie Regentropfen und aus dem Wasser sprangen, um einem jagenden Heringsschwarm zu entkommen. Dann warfen sie das Netz aus und schleppten es den Mondscheinstreifen entlang, um anschließend das Geschenk des Meeres einzuholen.

Nee lächelte oft und sagte zu Aldus, daß Jonsson ihnen Glück gebracht habe. Wenn sie jetzt am Abend in einen Hafen einliefen, spendierte

Nee seiner Besatzung Ale und eine warme Mahlzeit, und sie blieben bis spät auf und sangen. Zu den neuen Kenntnissen, die Rob sich als Seemann erwarb, gehörten auch etliche unanständige Lieder.

»Du würdest einen guten Fischer abgeben«, lobte ihn Nee. »Wir werden fünf, sechs Tage in Eyemouth bleiben und die Netze ausbessern. Dann kehren wir nach Middlesborough zurück, denn das ist unsere Strecke, wir pendeln zwischen Middlesborough und Eyemouth und fangen Heringe. Möchtest du nicht bei uns bleiben?«

Rob dankte ihm herzlich, sagte aber, er müsse sie in Eyemouth verlassen.

Wenige Tage später kamen sie dort an, sie legten in dem überfüllten, hübschen Hafen an, und Nee zahlte Rob mit ein paar Münzen und einem Schlag auf den Rücken aus. Als Rob erwähnte, daß er ein Pferd brauche, führte ihn Nee durch die Stadt zu einem ehrlichen Händler, der ihm zwei seiner Pferde empfahl, eine Stute und einen Wallach.

Die Stute war bei weitem hübscher. »Ich hatte einmal Glück mit einem Wallach«, sagte jedoch Rob und beschloß, es wieder mit einem Wallach zu versuchen. Dieser war kein Araber, sondern ein unansehnliches englisches Pferd mit kurzen, zotteligen Beinen und einer verfilzten Mähne. Er war zwei Jahre alt, kräftig und lebhaft.

Rob befestigte seinen Packen hinter dem Sattel, schwang sich auf das Tier und verabschiedete sich von Nee.

»Ich wünsche dir einen reichen Fang.«

»Geh mit Gott, Jonsson«, sagte Nee.

Der drahtige Wallach bereitete Rob Freude. Er war leistungsfähiger, als er aussah, und Rob beschloß, ihn Al Borak zu nennen, nach dem Pferd, das dem muselmanischen Glauben zufolge Mohammed von der Erde in den siebten Himmel getragen hatte.

Solange es warm war, versuchte er jeden Nachmittag bei einem See oder einem Fluß eine Pause einzulegen und Al Borak zu baden. Er bearbeitete die verfilzte Mähne mit den Fingern und bedauerte, daß er keinen kräftigen Holzkamm besaß. Das Pferd war unermüdlich, und die Straßen waren trocken, weshalb sie rascher vorankamen. Rob folgte fünf Tage lang dem Tweed, dann bog der Fluß nach Süden ab, während Rob sich nach Norden wandte.

Hier gab es nur wenige, weit voneinander entfernte Bauernhöfe. Bei manchen handelte es sich um ausgedehnte Besitzungen, andere waren bescheidene Katen. Fast alle aber waren gut instand gehalten, und die schöne Ordnung, in der sie sich befanden, konnte nur durch harte Arbeit erreicht werden.

Es war ein Gebiet, das den Menschen zwar gefallen mochte, eigentlich aber für Schafe und Kühe bestimmt war. Während die Hügelkuppen meist kahl waren, bestanden die unteren Hänge aus saftigem Weideland. Alle Schäfer hielten hier Hunde, die Rob bald fürchten lernte.

Eine halbe Tagesreise hinter Cumnock bat er in einem Bauernhof um die Erlaubnis, in dieser Nacht im Heu schlafen zu dürfen, und er erfuhr, daß am vorhergehenden Tag ein Hund der Bauersfrau eine Brust abgerissen hatte.

»Gott sei gelobt!« flüsterte ihr Mann, als Rob erklärte, daß er Medicus sei.

Die Patientin war eine kräftige Frau mit erwachsenen Kindern und schien vor Schmerzen ganz außer sich zu sein. Es mußte sich um einen wilden Angriff gehandelt haben, denn sie sah aus, als wäre sie von einem Löwen gebissen worden.

»Wo ist der Hund?«

»Den Hund gibt es nicht mehr«, knurrte der Mann grimmig.

Sie zwangen die Frau, Kornschnaps zu trinken. Er nahm ihr zwar den Atem, half ihr aber, als Rob das zerrissene Fleisch zurechtstutzte und die Wunde nähte. Er nahm an, daß sie auch ohne ihn überlebt hätte, aber es ging ihr dank seiner Hilfe zweifellos besser. Er hätte sie einen oder zwei Tage beobachten müssen, blieb aber eine Woche, bis ihm eines Morgens klar wurde, daß er nicht weiterzog, weil Kilmarnock nahe war und er Angst davor hatte, am Ende seiner Reise anzulangen. Er sagte dem Mann, wohin er reisen wollte, und der Mann zeigte ihm den besten Weg.

Zwei Tage später dachte er wieder an die Wunden der Frau, als ein großer, knurrender Köter seinem Pferd den Weg versperrte. Er hatte schon halb sein Schwert gezogen, als das Tier zurückgerufen wurde. Der Schäfer sagte auf gälisch etwas Unfreundliches zu Rob.

»Ich verstehe Eure Sprache nicht.«

»Ihr seid auf dem Besitz der Cullens.«

»Hierher wollte ich.«

»Ja? Warum denn?«

»Das werde ich Mary Cullen sagen.« Rob blickte ihn abschätzend an. Der Schäfer war noch jung, aber wettergegerbt, hatte graues Haar und war wachsam wie ein Hund. »Wer seid Ihr?«

Der Schotte erwiderte seinen Blick und wußte anscheinend nicht, ob er antworten solle. »Craig Cullen«, sagte er schließlich.

»Ich heiße Cole. Robert Cole.«

Der Schäfer nickte und wirkte weder überrascht noch freundlich. »Am besten, Ihr folgt mir«, sagte er und setzte sich in Bewegung. Rob hatte nicht gesehen, ob der Schäfer dem Hund ein Zeichen gegeben hatte, aber das Tier blieb zurück und hielt sich dicht hinter dem Pferd, so daß er zwischen dem Mann und dem Hund ritt, wie ein Landstreicher, den sie in den Hügeln aufgestöbert hatten und ablieferten.

Haus und Scheune waren aus Stein, vor langer Zeit fest gebaut. Kinder starrten ihn an und flüsterten, als er in den Hof ritt, und er brauchte einen Augenblick, bis er merkte, daß seine Söhne unter ihnen waren. Tam sagte leise auf gälisch etwas zu seinem Bruder.

»Was hat er gesagt?«

»Er hat gefragt: ›Ist das unser Pa?‹ Und ich habe geantwortet: ›Ja.‹«

Rob lächelte und wollte sie in die Höhe heben, doch sie kreischten und liefen mit den anderen Kindern davon, als er sich aus dem Sattel schwang. Tam hinkte noch, konnte aber ohne Schwierigkeiten laufen.

»Sie sind nur schüchtern. Sie werden zurückkommen«, sagte Mary von der Tür her. Sie hielt das Gesicht abgewendet und wollte seinem Blick nicht begegnen. Er dachte zuerst, sie freue sich nicht, ihn wiederzusehen. Dann aber flog sie in seine Arme, in denen sie sich so wohl fühlte. Hätte sie einen anderen Mann gehabt, hätte er schon im Scheunenhof merken müssen, woran er war.

Rob küßte sie und entdeckte, daß ihr ein Zahn fehlte, vorne rechts im Oberkiefer.

»Ich habe eine Kuh in den Stall bringen wollen und bin ausgeglitten und auf ihre Hörner gefallen.« Sie weinte. »Ich bin alt und häßlich.«

»Ich habe keinen verdammten Zahn geheiratet.« Sein Ton war rauh, aber er berührte die Zahnlücke sanft mit der Fingerspitze, und er spürte die feuchte, warme Geschmeidigkeit ihres Mundes, als sie an seinem Finger saugte. »Ich habe keinen verdammten Zahn in mein Bett genommen«, ergänzte er, und obwohl ihre Augen noch feucht schimmerten, lächelte sie.

»Komm in dein Weizenfeld!« forderte sie ihn auf. »Hinunter auf die Erde zu Mäusen und allerlei kriechendem Gewürm wie ein Bock, der ein Schaf bespringt.« Sie wischte sich die Augen ab. »Du wirst müde und hungrig sein«, lenkte sie ab und führte ihn in das Küchenhaus. Es war merkwürdig für ihn, daß sie hier so daheim waren. Sie brachte ihm Haferkuchen und Milch, und er erzählte ihr von seinem Bruder, den er gefunden und verloren hatte, und von seiner Flucht aus London.

»Wie seltsam und traurig für dich... Wenn das nicht geschehen wäre, wärst du dann zu mir gekommen?«

»Früher oder später.« Sie lächelten einander immer noch an. »Es ist ein schönes Land«, stellte er fest. »Aber rauh.«

»Bei warmem Wetter ist es freundlicher. Ehe wir es merken, wird es Zeit zum Pflügen sein.«

Er konnte den Haferkuchen nicht mehr schlucken. »Es ist schon jetzt Zeit zum Pflügen.«

Sie errötete noch immer leicht, eine Eigenart, die sie nie ablegen würde. Während sie ihn zum Hauptgebäude führte, versuchten sie, einander umschlungen zu halten, aber das Ergebnis war, daß jeder über die Beine des anderen stolperte. Bald lachten sie so heftig, daß er befürchtete, es würde sie beim Lieben stören, doch es stellte sich schnell heraus, daß es kein Hindernis war.

Lammzeit

Am nächsten Morgen zeigte sie ihm den riesigen, hügeligen Besitz, wobei jeder ein Kind vor sich im Sattel sitzen hatte. Überall gab es Schafe, die schwarze Gesichter, weiße Gesichter und braune Gesichter vom frischen Gras hoben, wenn die Pferde vorbeitrabten. Sie führte ihn weit herum und zeigte ihm alles voll Stolz. In der näheren Umgebung des großen Besitzes befanden sich siebenundzwanzig kleine Anwesen. »Alle Kleinbauern sind meine Verwandten.«

»Wie viele Männer gibt es insgesamt?«

»Einundvierzig.«

»Deine ganze Sippe ist also hier versammelt?«

»Die Cullens sind hier. Die Tedders und die MacPhees sind auch mit uns verwandt. Die MacPhees leben einen halben Tagesritt von uns in den niedrigen Hügeln im Osten. Die Tedders leben einen Tagesritt im Norden von uns, jenseits der Schlucht und des großen Flusses.«

»Wie viele Männer zählen die drei Familien?«

»Vielleicht hundertfünfzig.«

Er schob die Lippen vor. »Du hast eine eigene Armee.«

»Ja. Das ist beruhigend.«

Er hatte den Eindruck, daß es hier Schafe wie Sand am Meer gab.

»Wir halten die Herden wegen der Wolle und der Häute. Das Fleisch verdirbt schnell, deshalb essen wir alles gleich auf. Du wirst bald genug vom Hammelfleisch haben.«

An diesem Morgen wurde er in den Familienbetrieb eingeführt. »Die Frühjahrsgeburten haben schon begonnen«, erzählte Mary, »und jeder von uns muß Tag und Nacht den Mutterschafen helfen. Die Lämmer für die Häute müssen zwischen dem dritten und dem zehnten Lebenstag getötet werden, weil die Felle da am schönsten sind.«

Sie überließ ihn Craig und verschwand. Nach einigen Stunden hatten ihn die Schäfer akzeptiert, denn er blieb auch bei den schwierigsten Geburten ruhig und wußte, wie man ein Messer schleift und damit umgeht.

Entsetzt war er darüber, wie sie neugeborene männliche Lämmer kastrierten. Sie bissen einfach die zarten Geschlechtsdrüsen ab und spuckten sie in einen Eimer.

»Warum tut ihr das?« fragte er.

Craig grinste ihn mit blutverschmiertem Mund an.

»Man muß die Eier entfernen. Wir können nicht so viele Böcke brauchen.«

»Warum verwendet ihr kein Messer?«

»Es wurde schon immer auf diese Weise gemacht. Es geht am schnellsten und bereitet den Lämmern die wenigsten Schmerzen.«

Rob ging zu seinem Packen, nahm ein Skalpell aus gemustertem Stahl heraus, und bald gaben Craig und die anderen Schäfer widerwillig zu, daß diese Methode auch recht gut funktionierte. Er verschwieg ihnen jedoch, daß er vor allem deshalb gelernt hatte, schnell und geschickt zu arbeiten, um Männern, die zu Eunuchen bestimmt waren, unnötige Schmerzen zu ersparen.

Er nahm schnell wahr, daß die Schäfer freie Männer waren, die über unentbehrliche Kenntnisse verfügten.

»Kein Wunder, daß du mich genommen hast«, scherzte er später. »Jeder andere Mann in diesem verdammten Land ist dein Verwandter.«

Sie lächelte müde, denn sie hatte den ganzen Tag Schafe abgehäutet. Der Raum stank nach Schafen, aber auch nach Blut und Fleisch, und das waren für ihn keine unangenehmen Gerüche, weil sie ihn an den *maristan* und die Krankenzelte in Indien erinnerten.

»Jetzt bin ich hier, und du brauchst einen Schäfer weniger«, sagte er zu ihr, und ihr Lächeln verschwand.

»Scht!« sagte sie scharf. »Bist du verrückt geworden?«

Sie nahm ihn an der Hand und führte ihn aus dem Abdeckraum zu einem aus Steinen errichteten Nebengebäude. Darin befanden sich drei weißgetünchte Räume. Einer war ein Apothekenraum. Einer war sichtlich als Untersuchungsraum eingerichtet worden, mit Tischen und Schränken wie in seinem Behandlungsraum in Isfahan. Im dritten Raum standen Holzbänke, auf denen die Patienten sitzen würden, während sie darauf warteten, daß der Medicus sie hereinrief.

Er fing an, die einzelnen Leute näher kennenzulernen. Ein Mann namens Ostric war Musiker. Ein Abdeckmesser war abgeglitten und hatte eine Arterie in Ostrics Unterarm durchschnitten. Rob brachte die Blutung zum Stillstand und schloß die Wunde.

»Werde ich wieder den Dudelsack spielen können?« fragte Ostric besorgt. »Es ist der Arm, der das Gewicht der Pfeifen trägt.«

»In ein paar Tagen merkt Ihr nichts mehr davon«, versicherte ihm Rob.

Einige Tage später ging er durch den Gerbschuppen, in dem die Felle gebeizt wurden, und er sah Craig Cullens alten Vater Malcolm, einen Vetter Marys. Er blieb stehen, musterte die verdickten, geschwollenen Fingerspitzen des Mannes und sah, daß seine Fingernägel seltsam verkrümmt waren.

»Ihr habt lange Zeit einen schlimmen Husten gehabt. Und häufig Fieber«, sagte er leise zu dem alten Mann.

»Wer hat Euch das verraten?« fragte Malcolm Cullen.

Es war ein Zustand, den Ibn Sina »hippokratische Finger« genannt hatte, und er deutete immer auf eine Erkrankung der Lunge hin. »Ich sehe es an Euren Händen. Eure Zehen sehen genauso aus, nicht wahr?« Der alte Mann nickte. »Könnt Ihr etwas für mich tun?«

»Ich weiß es nicht.« Er legte das Ohr an Malcolms Brust und hörte ein rasselndes Geräusch.

»Eure Lunge ist voller Flüssigkeit. Kommt einmal am Morgen in meine Apotheke. Ich werde zwischen zwei Rippen ein kleines Loch bohren und Wasser abzapfen, jedesmal ein wenig. Inzwischen werde ich mir auch Euren Harn ansehen und die Entwicklung der Krankheit beobachten. Ich werde Euch auch Ausräucherungen und eine Diät verschreiben, um Euren Körper auszutrocknen.«

An diesem Abend sagte Mary lächelnd zu ihm: »Du hast den alten Malcolm behext. Er erzählt jedem, daß du magische Heilkräfte besitzt.«

»Ich habe noch nichts für ihn getan.«

Am nächsten Tag blieb er der einzige in der Apotheke. Weder Malcolm noch sonst jemand war erschienen. Auch am nächsten Morgen nicht. Als er sich darüber beklagte, schüttelte Mary den Kopf. »Sie werden erst kommen, wenn die Lammzeit zu Ende ist, das ist ihre Art.«

Es stimmte. Noch weitere zehn Tage lang kam niemand. Dann während der ruhigen Zeit zwischen dem Lammen und dem Scheren öffnete er eines Morgens die Tür zu seiner Apotheke, und alle Bänke waren mit Kranken besetzt. Der alte Malcolm wünschte ihm einen schönen Tag.

Von nun an kamen sie pünktlich jeden Morgen, denn in den Schluchten und Tälern zwischen den Hügeln verbreitete sich rasch die Kunde, daß Mary Cullens Mann ein wirklicher Heiler war. Es hatte in Kilmarnock noch nie einen Medicus gegeben, und er erkannte, daß er Jahre brauchen würde, um die Selbstbehandlungen abzustellen. Außerdem brachten sie ihre kranken Tiere mit, oder wenn ihnen das nicht möglich war, holten sie ihn unbekümmert in ihre Schuppen. So lernte er die Fußfäule und die Maulseuche der Schafe sehr genau kennen. Wenn sich die Gelegenheit ergab, sezierte er eine Kuh und einige Schafe, um zu wissen, was er tat. Er stellte fest, daß sie anders aussahen als Schweine und Menschen.

Im Dunkel ihres Schlafzimmers, wo sie die Nächte damit verbrachten, ein weiteres Kind zu zeugen, dankte er ihr für die Einrichtung der

Apotheke, denn er hatte erfahren, daß diese das erste gewesen war, was sie bei ihrer Rückkehr nach Kilmarnock in Angriff genommen hatte. Sie beugte sich über ihn. »Wie lange würdest du ohne deine Arbeit bei mir bleiben, Medicus?« In ihren Worten lag kein Stachel, und sie küßte ihn, kaum daß sie sie ausgesprochen hatte.

Ein Versprechen wird eingelöst

Rob nahm seine Söhne mit in den Wald und in die Hügel, wo er die Pflanzen und Kräuter ausfindig machte, die er benötigte. Sie sammelten zu dritt die heilkräftigen Pflanzen, brachten sie nach Hause, trockneten sie und verrieben manche zu Pulver. Er unterrichtete seine Söhne sorgfältig, zeigte ihnen jedes Blatt und jede Blume. Er erzählte ihnen von den Kräutern: welche gegen Kopfschmerzen und welche gegen Krämpfe verwendet wurden, welche bei Fieber und welche bei Katarrh, welche bei Nasenbluten und welche bei Frostbeulen, welche bei Halsentzündung und welche bei Knochenschmerzen angezeigt waren.

Craig Cullen war ein Löffelmacher und verwendete seine Fertigkeit auch dafür, Holzschachteln herzustellen, in denen Arzneikräuter sicher und trocken aufbewahrt werden konnten. Die Schachteln waren wie Craigs Löffel mit geschnitzten Elfen, Kobolden und wilden Geschöpfen aller Art verziert. Als Rob sie sah, kam er auf die Idee, einige der Figuren zu zeichnen, aus denen das Spiel des Schah bestanden hatte.

»Könntet Ihr so etwas anfertigen?«

Craig blickte ihn belustigt an. »Warum nicht?«

Rob zeichnete jede Figur und das Schachbrett. Mit sehr wenig Anleitung schnitzte Craig alles, so daß Rob mit Mary jetzt wieder Stunden mit einem Zeitvertreib verbringen konnte, den ihn ein toter Herrscher gelehrt hatte.

Rob war entschlossen, Gälisch zu lernen. Mary besaß keine Bücher, begann aber, ihn zu unterrichten, und fing mit dem aus achtzehn Buchstaben bestehenden Alphabet an. Inzwischen wußte er, wie man vorgehen mußte, um eine fremde Sprache zu lernen, und er arbeitete während des ganzen Sommers und Herbstes, so daß er zu Winterbeginn schon kurze Sätze auf gälisch schreiben konnte und zur Belustigung der Schäfer und seiner Söhne auch versuchte, gälisch zu sprechen. Wie sie erwartet hatten, war der Winter hart. Die bitterste Kälte setzte kurz vor Lichtmeß im Februar ein. Die Zeit danach gehörte den Jägern, denn der verschneite Boden half ihnen, Wildbret und Vögel aufzuspüren und Wildkatzen und Wölfe zu erlegen, die die Herden plünderten. Am Abend versammelten sich immer Leute in der Halle vor dem großen Kaminfeuer. Craig schnitzte, andere flickten Zaumzeug oder befaßten sich mit anderen häuslichen Arbeiten, die man in Gesellschaft und im Warmen besorgen konnte. Manchmal spielte Ostric auf seinem Dudelsack. In Kilmarnock wurde ein berühmter Wollstoff hergestellt, und sie färbten ihre beste Schurwolle in den Farben des Heidekrauts, indem sie mit von den Felsen gepflückten Flechten eine Lauge herstellten und die Wolle in ihr einweichten. Jeder webte in seinem Haus, doch kamen sie zum Walken, dem Einlaufenlassen des Stoffs, in der Halle zusammen. Der nasse Stoff, der in Seifenwasser getaucht worden war, wurde um den Tisch weitergereicht, und jede Frau klopfte und rieb ihn. Dabei sangen sie Walklieder, und Rob fand, daß die Frauenstimmen und Ostrics Dudelsack einen einzigartigen Klang ergaben.

Die nächste Kapelle erreichte man erst nach einem dreistündigen Ritt, und Rob hatte daher angenommen, daß er Priestern leicht aus dem Weg gehen konnte. Doch während seines zweiten Frühjahres in Kilmarnock tauchte eines Tages ein kleiner dicker Mann auf, der müde lächelte.

»Pater Domhnall! Es ist Pater Domhnall!« rief Mary und eilte ihm entgegen.

Die Leute drängten sich um ihn und begrüßten ihn herzlich. Er widmete jedem ein wenig Zeit, stellte lächelnd eine Frage, tätschelte einen Arm, ließ ein ermutigendes Wort fallen – wie ein guter Grundherr, der zwischen seinen Bauern herumgeht, dachte Rob.

Pater Domhnall trat zu ihm und musterte ihn. »Ihr seid also Mary Cullens Mann.«

»Ja.«

Rob hatte weitere Fragen erwartet, bemerkte aber, daß es die Art dieses Priesters war, aufmerksam zuzuhören und zu warten, eine nützliche Eigenschaft, die ihn zu einem gefährlichen Gegner machen würde, falls Rob ihm das Spiel des Schahs beibrachte.

»Mary und ich sind nicht kirchlich getraut. Wißt Ihr das?«

»Ich hatte so etwas läuten hören.«

»Wir waren all diese Jahre wirklich verheiratet. Aber es war eine mit einem Handschlag besiegelte Ehe.«

Domhnall knurrte.

Rob erzählte dem Geistlichen ihre Geschichte. Er ließ nichts aus und verharmloste auch die Schwierigkeiten in London nicht. »Ich möchte, daß Ihr uns traut, muß Euch aber darauf aufmerksam machen, daß ich vielleicht exkommuniziert bin.«

»Mann, Mann, was haben Eure Befürchtungen mit Jesus Christus zu schaffen? Ich wurde in Prestwick geboren. Seit meiner Priesterweihe habe ich diese Pfarrgemeinde in den Bergen nicht verlassen. Und ich werde noch immer hier Pastor sein, wenn ich sterbe. Außer Euch habe ich in meinem ganzen Leben niemals jemanden aus London oder aus Worcester getroffen. Ich habe nie eine Botschaft von einem Erzbischof oder von Seiner Heiligkeit erhalten, sondern nur von Jesus. Könnt Ihr wirklich glauben, daß es der Wille des Herrn ist, daß ich aus Euch vieren keine christliche Familie mache?«

Rob schüttelte lächelnd den Kopf.

Die Söhne erinnerten sich ihr Leben lang an die Hochzeit ihrer Eltern und schilderten sie noch ihren eigenen Enkeln. Die Hochzeitsmesse in der Cullen-Halle war bescheiden und still. Mary trug ein Kleid aus leichtem, grauem Stoff, eine Silberbrosche und einen mit Silber besetzten Rehledergürtel. Sie war eine ruhige Braut, aber ihre Augen glänzten, als Pater Domhnall erklärte, daß sie und ihre Kinder nun für immer unter dem unverbrüchlichen Schutz der Kirche mit Robert Jeremy Cole verbunden seien.

Danach schickte Mary Einladungen an alle ihre Verwandten, damit sie ihren Ehemann kennenlernten. An dem festgesetzten Tag kamen die MacPhees von Westen durch die niedrigen Hügel, und die Tedders überquerten den großen Fluß und kamen durch die Schlucht nach Kilmarnock. Sie brachten Hochzeitsgeschenke, Obstkuchen, Wildpasteten, Fässer mit starken Getränken und die großen Fleisch-und-Hafer-Puddinge mit, die sie so liebten. Bei der Feier wurden ein

Ochse, ein Stier, acht Schafe, ein Dutzend Lämmer sowie eine Menge Geflügel auf sich langsam drehenden Spießen über dem offenen Feuer gebraten. Harfen, Dudelsäcke, Violen und Trompeten spielten auf, und Mary stimmte ein, wenn die Frauen sangen.

Den ganzen Nachmittag über lernte Rob während der sportlichen Wettkämpfe neue Cullens, Tedders und MacPhees kennen. Manche bewunderte er sofort, andere nicht. Er versuchte gar nicht erst, die Vettern genauer unter die Lupe zu nehmen; sie waren zu zahlreich. Viele Männer betranken sich, und manche versuchten, den Bräutigam zu nötigen, es ihnen gleichzutun. Aber er brachte nur Trinksprüche auf seine Braut, seine Söhne und ihren Clan aus, und die übrigen speiste er mit einem Scherzwort und einem Lächeln ab.

Der Kreis schließt sich

Wieso die Frau wieder ein neues Leben in sich trug, blieb ein ungelöstes Rätsel. Nachdem sie zwei Söhne geboren hatte und dann fünf Jahre unfruchtbar gewesen war, wurde Mary nach ihrer kirchlichen Vermählung schwanger. Sie war vorsichtig und ersuchte jetzt öfter einen der Männer, ihr bei der Arbeit zu helfen. Die beiden Söhne waren ihr stets auf den Fersen und besorgten leichte Verrichtungen. Man konnte dabei unschwer erkennen, welches Kind Schafzüchter werden würde. Mitunter schien zwar Rob James diese Arbeit zu gefallen, immer aber war Tam darauf aus, die Lämmer zu füttern, und er bettelte bei jeder Gelegenheit, sie scheren zu dürfen. Er hatte noch eine Begabung, die man zuerst nur andeutungsweise erkennen konnte, wenn er mit einem Stock Linien in die Erde kratzte. Doch dann gab ihm sein Vater Zeichenkohle und eine Fichtenholztafel und zeigte ihm, wie man Gegenstände und Menschen abbildet. Rob mußte dem Sohn nicht sagen, daß er auch die Fehler wiedergeben müsse.

An der Wand über Tams Bett hing der Teppich des Samaniden-Königs, und alle wußten, daß er ihm gehörte, daß er das Geschenk eines Freundes der Familie in Persien war. Nur einmal mußten Mary und Rob sich den Schatten der Vergangenheit stellen, die sie unterdrückt und verdrängt hatten. Als Rob zusah, wie Tam einem herumirrenden

Mutterschaf nachlief, wußte er, daß es den Jungen bedrücken würde zu erfahren, daß er eine Reihe von orientalischen Brüdern habe, die er nie kennenlernen würde. »Wir werden es ihm niemals erzählen.«

»Er ist dein Sohn«, sagte sie. Sie wandte sich um und schloß ihn in die Arme, und zwischen ihnen befand sich ihr anschwellender Bauch, in dem Jura Agnes, ihre einzige Tochter, darauf wartete, auf die Welt zu kommen.

Rob mußte die neue Sprache lernen, denn sie wurde überall um ihn gesprochen. Pater Domhnall lieh ihm eine von irischen Mönchen auf gälisch geschriebene Bibel, und wie er das Persische aus dem Koran gelernt hatte, lernte er nun Gälisch aus der Heiligen Schrift.

In seinem Arbeitszimmer hängte er den »durchsichtigen Mann« und die »schwangere Frau« auf, und er begann, seine Söhne an Hand der anatomischen Zeichnungen zu unterrichten und ihre Fragen zu beantworten. Oftmals, wenn er zu einem Kranken oder einem Tier gerufen wurde, begleiteten ihn einer oder beide. An einem solchen Tag ritt Rob James hinter seinem Vater auf Al Borak zu einem Bauernhaus, in dem es nach Ostrics sterbender Frau Ardis stank.

Der Junge sah zu, wie Rob einen Aufguß einschenkte und ihn Ardis verabreichte. Dann goß der Vater Wasser auf ein Stück Stoff und reichte es seinem Sohn. »Du kannst ihr das Gesicht waschen.«

Rob James tat es vorsichtig und betupfte auch die aufgesprungenen Lippen. Als er fertig war, tastete Ardis herum und ergriff die Hände des Jungen. Rob sah, wie sich dessen freundliches Lächeln verwandelte. Er erlebte die Verwirrung der ersten Erkenntnis, die Blässe, die Verkrampfung, mit der der Junge die Hände zurückstieß.

»Schon gut«, sagte er, legte den Arm um die schmalen Schultern und drückte Rob James an sich. »Es ist schon in Ordnung.« Erst sieben Jahre war sein Sohn alt, zwei Jahre jünger, als er damals gewesen war. Er stellte staunend fest, daß sich sein Leben in einem großen Kreis vollendet hatte.

Er tröstete und behandelte Ardis. Als sie das Haus verlassen hatten, ergriff er die Hände seines Sohnes, damit Rob James die lebendige Stärke seines Vaters fühlen und sich beruhigen konnte. Er blickte in Rob James' Augen. »Was du bei Ardis gespürt hast, und das Leben, das du jetzt in mir entdeckst – diese Dinge zu fühlen ist eine Gabe des Allmächtigen. Eine gute Gabe. Befürchte nicht, daß es etwas Böses ist!

Versuche jetzt nicht, es zu verstehen! Du wirst es später verstehen. Hab keine Angst!«

Die Farbe kehrte in das Gesicht seines Sohnes zurück. »Ja, Pa.«

Er stieg auf, half dem Jungen hinter sich aufs Pferd und ritt mit ihm nach Hause.

Ardis starb acht Tage später. Noch Monate danach kam Rob James weder in die Apotheke, noch begleitete er seinen Vater, wenn er Krankenbesuche machte. Rob drängte ihn nicht. Auch für ein Kind mußte das Mitgefühl am Leiden der Welt eine freiwillige Entscheidung sein.

Rob James versuchte, gemeinsam mit Tam Schafe zu hüten. Als es ihn langweilte, ging er allein fort und pflückte stundenlang Kräuter. Er wußte nicht recht, was er tun sollte. Doch er vertraute Rob vollkommen, und so kam der Tag, an dem Rob James seinem Vater nachlief, als dieser aus dem Hof ritt. »Pa! Darf ich dich begleiten? Ich kann ja auf den Wallach achtgeben oder so.«

Rob nickte und zog ihn hinter sich aufs Pferd.

Bald begann Rob James, gelegentlich in die Apotheke zu kommen, und der Unterricht ging weiter. Als er neun Jahre alt war, wollte er auf seinen eigenen Wunsch hin seinem Vater jeden Tag als Lehrling assistieren.

Ein Jahr nachdem Jura Agnes zur Welt gekommen war, gebar Mary einen dritten Sohn, Nathanael Robertson. Ein Jahr später hatte sie eine Totgeburt, einen Knaben, der vor seiner Bestattung auf den Namen Carrik Lyon Cole getauft wurde. Dann folgten zwei schwere Fehlgeburten nacheinander. Obwohl sie sich noch im gebärfähigen Alter befand, wurde sie nicht mehr schwanger. Es schmerzte sie, denn sie hatte ihm viele Kinder schenken wollen, aber Rob war erleichtert, weil sie allmählich ihre Kraft und ihren früheren Schwung wiedererlangte.

Eines Tages, als ihr jüngstes Kind in seinem fünften Lebensjahr war, ritt ein Mann, der einen staubigen schwarzen Kaftan und einen glockenförmigen Lederhut trug und einen beladenen Esel mitführte, in Kilmarnock ein.

»Friede sei mit dir!« begrüßte ihn Rob auf hebräisch, und der Jude starrte ihn erstaunt an, als er seine eigene Sprache hörte, und antwortete:

»Auch dir Frieden!« Er war ein athletischer Mann mit einem großen, ungepflegten braunen Bart und einer wettergegerbten Haut. Die Linien um seinen Mund und die Fältchen in seinen Augenwinkeln verrieten seine Erschöpfung. Er hieß Dan ben Gamliel, war aus Rouen und weit von daheim entfernt.

Rob sorgte für seine Tiere, gab ihm Wasser, damit er sich waschen konnte, und setzte ihm dann koschere Speisen vor. Er stellte fest, daß er das Hebräische nur noch schlecht beherrschte, denn eine erstaunliche Anzahl von Wörtern war ihm entfallen. Doch über Brot und Wein konnte er den Segen sprechen.

»Seid Ihr etwa Juden?« fragte Dan ben Gamliel.

»Nein, wir sind Christen.«

»Warum tut Ihr das dann?«

»Wir haben eine große Schuld zu begleichen«, sagte Rob. Seine Kinder saßen am Tisch und starrten den Mann an, der keine Ähnlichkeit mit den Leuten hatte, die sie kannten, und sie hörten verwundert, wie ihr Vater gemeinsam mit ihm seltsame Segenssprüche murmelte, bevor sie aßen.

»Möchtet Ihr vielleicht nach dem Essen mit mir studieren?« In Rob stieg eine fast vergessene Erregung hoch. »Vielleicht setzen wir uns zusammen und studieren die Gebote«, schlug er vor.

Der Fremde sah ihn an. »Ich bedaure. Nein, ich kann nicht.« Dan ben Gamliels Gesicht war blaß. »Ich bin kein Gelehrter«, murmelte er.

Rob verbarg seine Enttäuschung und führte den Reisenden zu einem guten Schlafplatz, wie er ihn in einem jüdischen Dorf erhalten hätte.

Am nächsten Morgen stand er früh auf. Unter den Dingen, die er aus Persien mitgebracht hatte, fand er den Judenhut, den Gebetsschal und die Gebetsriemen. Er gesellte sich zu Dan ben Gamliel zum Morgengebet.

Der Jude staunte, als Rob sich den kleinen schwarzen Behälter um die Stirn band und die Lederriemen um seinen Arm schlang, um die Buchstaben zum Namen des Unaussprechlichen zu ordnen. Der Jude beobachtete, wie Rob vor und zurück schwankte, und lauschte seinen Gebeten.

»Ich weiß, was Ihr seid«, sagte er heiser. »Ihr wart Jude und seid abtrünnig geworden. Ein Mann, der unserem Volk und unserem Gott den Rücken gekehrt und seine Seele dem anderen Volk gegeben hat.«

»Nein, so ist es nicht«, widersprach Rob und sah mit Bedauern, daß er das Gebet des anderen unterbrochen hatte. »Ich werde es Euch erklären, wenn Ihr fertig seid.« Damit entfernte er sich.

Doch als er zurückkam, um den Mann zum Frühstück zu holen, war Dan ben Gamliel nicht mehr da. Das Pferd war fort, der Esel war fort, die schwere Last war allein aufgehoben und fortgeschleppt worden. Sein Gast war lieber geflohen, als sich der gefürchteten Ansteckung der Abtrünnigkeit auszusetzen.

Dan ben Gamliel war Robs letzter Jude gewesen; nie wieder sah er einen, noch sprach er je wieder ein Wort Hebräisch.

Auch die Erinnerung an das Persische entglitt ihm langsam, und er beschloß eines Tages, den »Kanon« Ibn Sinas ins Englische zu übersetzen, damit er den Arzt aller Ärzte zu Rate ziehen konnte. Er brauchte schrecklich lange dazu. Immer wieder sagte er sich, daß Ibn Sina den »Kanon der Medizin« in viel kürzerer Zeit verfaßt hatte, als er, Robert Cole, zum Übersetzen brauchte.

Manchmal bedauerte er wehmütig, daß er nicht alle Gebote der Juden wenigstens einmal studiert hatte. Oft dachte er an Jesse ben Benjamin, schloß aber immer mehr Frieden mit seiner Vergangenheit: Es *war* hart gewesen, ein Jude zu sein! Einmal, als Tam und Rob James an dem Wettlauf teilnahmen, mit dem man jedes Jahr das Fest des heiligen Kolumb in den Hügeln feierte, erzählte er ihnen, daß ein Läufer namens Karim einmal einen langen, schweren Wettlauf, der *chatir* hieß, gewonnen habe. Und selten – für gewöhnlich, wenn er sich mit den prosaischen Aufgaben befaßte, die typisch für den gleichmäßigen Rhythmus des schottischen Alltags waren, wenn er den Pferch ausmistete, den angewehten Schnee wegschaufelte oder Brennholz hackte – roch er die abkühlende Hitze der Wüste bei Nacht, oder er erinnerte sich an Fara Askari, die Sabbatkerzen anzündete, oder an das zornige Trompeten eines in die Schlacht stürmenden Elefanten oder an das atemberaubende Gefühl, auf einem langbeinigen, schwankenden Rennkamel dahinzufliegen. Aber dann schien es ihm, als habe er schon immer in Kilmarnock gelebt, und alles, was vorher geschehen war, sei nur eine Geschichte, die man am Feuer erzählt, wenn der kalte Wind weht.

Seine Kinder gediehen, wuchsen heran und veränderten sich, seine

Frau wurde mit zunehmendem Alter noch schöner. Der besondere Sinn, das Feingefühl des Medicus, verließ ihn nie. Ob er nachts an ein einsames Bett gerufen wurde oder morgens in die überfüllte Apotheke eilte, er konnte immer die Leiden der Menschen fühlen. Er bemühte sich, dagegen anzukämpfen, empfand aber – wie schon am ersten Tag im *maristan* – doch immer staunende Dankbarkeit darüber, daß er es war, den Gottes Hand berührt hatte, und daß die Fähigkeit, den anderen zu helfen und zu dienen, einem Badergehilfen geschenkt worden war.

Danksagung

»Der Medicus« ist eine Geschichte, von deren Figuren nur eine Person, Ibn Sina, tatsächlich gelebt hat. Es gab zwar einen Schah Alā-al-Dawla, aber über diesen sind nur so wenige Fakten erhalten, daß die Figur dieses Namens aus einer Verschmelzung von verschiedenen Schahs hervorging.

Der *maristan* wurde nach Beschreibungen des mittelalterlichen Azudi-Krankenhauses in Bagdad geschildert.

Viel von der Atmosphäre und den Tatsachen des 11. Jahrhunderts ist für immer verlorengegangen. Wo keine Aufzeichnungen existieren oder die Sachlage unklar war, habe ich bedenkenlos erfunden; das heißt, daß es sich hier um ein Werk der Phantasie und nicht um einen Ausschnitt aus der Geschichte handelt. Alle großen oder kleinen Irrtümer, die ich bei meinem Streben, Zeit und Ort getreulich nachzuzeichnen, begangen habe, gehen zu meinen Lasten. Doch dieser Roman hätte ohne die Hilfe etlicher Bibliotheken und Einzelpersonen nicht geschrieben werden können.

Ich danke der University of Massachusetts in Amherst, weil sie mir Zutritt zu all ihren Büchereien gewährt hat, und Edla Holm vom Büro für den Fernleihverkehr an dieser Universität.

Die Samar-Soutter-Bibliothek im Medical Center der University of Massachusetts in Worcester erwies sich als wertvolle Quelle für Bücher über Medizin und die Geschichte der Medizin.

Das Smith College war so freundlich, mich als Gaststudenten einzustufen, so daß ich die William-Allan-Neilson-Bibliothek benutzen konnte, und ich stellte fest, daß die Werner-Josten-Bibliothek im Smith's Center for Performing Arts eine hervorragende Quelle für Einzelheiten bezüglich der Kleidung und Trachten ist.

Barbara Zalenski, Bibliothekarin der Belding Memorial Library von Ashfield, Massachusetts, hat mich nie im Stich gelassen, ganz gleich, wie lange sie suchen mußte, um das gewünschte Buch zu finden.

Kathleen M. Johnson, Bibliothekarin an der Baker Library der Harvard's Graduate School of Business Administration, hat mir Material über die Geschichte des Geldes im Mittelalter geschickt.

Ich möchte auch den Bibliothekaren und Bibliotheken des Amherst College, des Mount Holyoke Colle, der Brandeis University, der Clark University, der Countway Library of Medicine an der Harvard Medical School, der Boston Public Library und dem Boston Library Consortium danken.

Richard M. Jakowski, Doktor der Veterinärmedizin, Tierpathologe am Tufts New England Veterinary Medical Center in North Grafton, Massachusetts, verglich für mich die innere Anatomie von Schweinen und Menschen, desgleichen Susan L. Carpenter, Doktor der Philosophie, Mitglied der Rocky Mountain Laboratories des National Institute of Health in Hamilton, Montana.

Rabbi Louis Resider vom Temple Israel in Greenfield, Massachusetts, beantwortete mir jahrelang unzählige Fragen über das Judentum.

Rabbi Philip Kaplan von den Associated Synagogues in Boston, erklärte mir die Einzelheiten des *koscheren* Schlachtens.

Die Graduate School of Geography an der Clark University hat mir Karten und Informationen über die Geographie der Welt des 11. Jahrhunderts geliefert.

Der Lehrkörper des Classics Department am College of the Holy Cross, Worcester, Massachusetts, half mir bei mehreren Übersetzungen aus dem Lateinischen.

Robert Ruthloff, Schmied aus Ashfield, Massachusetts, informierte mich über den blauen, gemusterten Stahl aus Indien und verwies mich auf die Zeitschrift der Schmiede »*The Anvils Ring*«.

Gouverneur Phelps aus Ashford erzählte mir vom Fischen in Schottland.

Patricia Schartle Myrer, meine ehemalige, jetzt im Ruhestand befindliche literarische Agentin, ermutigte mich ebenso wie mein derzeitiger Agent, Eugene H. Winick von McIntosh and Otis Inc., bei der Arbeit. Pat Myrer regte an, daß ich die Ärztedynastie einer einzigen Familie über mehrere Generationen verfolgen solle, eine Anregung, die zu der bereits in Arbeit befindlichen Fortsetzung zu »Der Medicus« führte.

Herman Gollob von Simon & Schuster war der ideale Lektor: unnachgiebig und anspruchsvoll, freundlich und hilfreich. Er hat die Veröffentlichung dieses Buches für mich zu einer wichtigen Erfahrung gemacht.

Lise Gordon hat bei der Redaktion des Manuskripts geholfen. Sie schenkte mir zusammen mit Jamie Gordon, Vincent Rico, Michael Gordon und Wendi Gordon Zuneigung und moralische Unterstützung.

Und wie immer sorgte Lorraine Gordon für Kritik, herzliche Einsicht, Beständigkeit und jene Liebe, für die ich ihr seit langer Zeit dankbar bin.

N. G.

Erklärung fremdsprachiger Ausdrücke

aguna: hebräisch, verlassene Frau
ankusha: Stachelstock der Elefantenwärter

Bairam: dreitägiges islamisches Fest
beglerbeg: untergeordneter persischer Machthaber
beraccha: jüdische Lobpreisung
berit: Beschneidung
besti: persische Geldeinheit
broche: jüdisches Tischgebet
bubo: Beule
buing: Rauschgift

cadabi: Mantel
calaat: »königliches Gewand«, eine Dotation
carcan: Block, in den Gefangene geschlagen wer-
                      den
Chaban Shanbah: Mittwoch
chatir: festlicher Wettlauf
chawn: untergeordneter persischer Machthaber

dalet: hebräischer Buchstabe
dhimmi: persisch, Büchermensch
dirham: persisches Gewicht
djinni: ein Dämon
durra: Tunika

fiqh: Teil des islamischen Rechts

gemala sarka: »fliegende Kamele«
goj: Nichtjude

hadschi:	Mann, der die Pilgerreise nach Mekka hinter sich hat
hakim	Arzt
Haskara:	Teil des jüdischen Trauerritus
huris:	Jungfrauen im Paradies zur Belohnung der Seligen
jod	hebräischer Buchstabe
Jom Kippur:	jüdisches Fest
Jom'a:	Sabbat
Kaddish:	Teil des jüdischen Trauerritus
kelonter:	Profos
kervanbashi:	Karawanenanführer
ketubba:	jüdischer Heiratsvertrag
khamisa:	Hemd
khan:	türkisch-tatarischer Herrschertitel
khasanat-al-sharaf:	Apotheke
koscher:	den jüdischen Speisevorschriften genügend
lingam:	männliches Glied
loschen:	Sprache
ma'ariw:	jüdisches Abendgebet
madrassa:	medizinische Akademie
mahdi:	persisch, Retter
mahout:	Elefantenwärter
maidan:	Platz
man:	persisches Gewicht
maristan:	Krankenhaus
maschgiot:	Prüfer beim Schächten
masel-tow:	Viel Glück
matula:	Uringlas
mesusa:	Inschriften in Hülse an Türpfosten
mikwe:	rituelles Bad der Juden
minyan:	Versammlung von zehn Juden

mirze:	untergeordneter persischer Machthaber
mitzvot:	positive jüdische Gebote
mohel:	Beschneider
mufti:	islamischer Gesetzeskundiger
mullah:	islamischer Geistlicher
Panj Shanbah:	Donnerstag
peot:	rituelle Haarlocke
pilaw:	persisches Reisgericht
qalansuwa:	Turbanstütze
rabbenu:	Rabbiner
Rabia I:	ein islamischer Monat
Ramadam:	ein islamischer Monat (Fastenmonat)
ras:	persische Geldeinheit
ratel:	persisches Gewicht
ravi zemin:	eine Demutsgeste
Reb:	hebräisch, Herr
Rejab:	ein islamischer Monat
rukh:	persische Schachfigur
schaatnes:	bei Juden verbotenes Mischgewebe
schacharit:	jüdisches Morgengebet
scherbett:	eisgekühltes Erfrischungsgetränk
schi-aila!:	»Eine Frage!«
schirri:	Krebsgeschwulst
schochet:	Richter beim Schächten
scimitar:	Krummschwert
Shaban:	ein islamischer Monat
Shahansha:	König der Könige, Schah
shalent:	jüdisches Fleischgericht
Shalom!:	hebräisch, Friede!
shari'a:	göttliches Recht im Islam
shatreng:	schachmatt
Shawwa:	ein islamischer Monat

shin:	hebräischer Buchstabe
Shiva:	sieben jüdische Trauertage
Sukkot:	jüdisches Fest
sunna:	Teil des islamischen Rechts
sura:	Kapitel des Korans
tallit:	Gebetsmantel
tefillin:	Gebetsriemen
treife:	nicht den jüdischen Speisevorschriften genügend
tsitsit:	jüdisches Unterkleid mit Fransen
ustad:	persischer Arzttitel
wadi:	Tal
yoni:	Vagina
zabiba:	rituelles Mal
ziaret:	Pilgerfahrt nach Mekka
Zulkadah:	ein islamischer Monat

Inhalt

Noah Gordon

(1546)

(1568)

(2955)